2e édition

CHIMIE DES SOLUTIONS

EDDY FLAMAND, Cégep de Jonquière
JEAN-LUC ALLARD, Collège Jean-de-Brébeuf

en collaboration avec
Josée Debigaré, Cégep de Lévis-Lauzon
Michel Girard, Cégep de Jonquière

MODULO

Nous reconnaissons l'aide financière du gouvernement du Canada par l'entremise du Programme d'Aide au Développement de l'Industrie de l'Édition (PADIÉ) pour nos activités d'édition.

Gouvernement du Québec – Programme de crédit d'impôt pour l'édition de livres – Gestion SODEC

Catalogage avant publication de la Bibliothèque nationale du Canada
Flamand, Eddy

Chimie des solutions

2e éd.

Comprend des réf. bibliogr. et un index.
Pour les étudiants du niveau collégial.

ISBN 2-89113-975-5

1. Solutions (Chimie). 2. Chimie physique et théorique. 3. Équilibre chimique. 4. Réactions chimiques. 5. Solutions (Chimie) - Problèmes et exercices. I. Allard, Jean-Luc. II. Titre.

QD541.F52 2003 541.3'4 C2003-941766-2

Équipe de production
Chargée de projet : Renée Théorêt
Révision linguistique : Annick Morin, Renée Théorêt
Rédaction des légendes et vignettes : Nathalie Liao
Correction d'épreuves : Nicole Demers, Manon Lewis, Monique Tanguay
Recherche photos : Kathleen Beaumont
Illustrations : Julie Bruneau (p. 314), Monique Chaussé (p. 47), Bertrand Lachance
Typographie : Carole Deslandes
Montage : Carole Deslandes, Nathalie Ménard
Maquette et couverture : Marguerite Gouin

Chimie des solutions, 2e édition

233, av. Dunbar, bureau 300
Mont-Royal (Québec)
Canada H3P 2H4
Téléphone : (514) 738-9818 / 1-888-738-9818
Télécopieur : (514) 738-5838 / 1-888-273-5247
Site Internet : www.modulogriffon.com

Dépôt légal — Bibliothèque nationale du Québec, 2003
Bibliothèque nationale du Canada, 2003
ISBN 2-89113-**975**-5

Imprimé au Canada
2 3 4 5 07 06 05 04

à Lise
à Hélène et Jean-Yves
Eddy Flamand

à Lucie
à Étienne et Thomas
Jean-Luc Allard

Les notions du deuxième cours de chimie au collégial, axées principalement sur les solutions, forment un ensemble plus homogène et cohérent que celles du premier cours de chimie générale. Elles s'en distinguent également par leur caractère plus concret : elles sont liées de plus près à des phénomènes macroscopiques observables et plus proches du quotidien. Leur interprétation s'en trouve facilitée d'autant. Enfin, ces notions requièrent un recours quasi constant à des opérations mathématiques, car elles trouvent la plupart de leurs applications dans des exercices de calculs.

CONTENU DE L'OUVRAGE

Chimie des solutions, 2e édition comprend huit chapitres, chacun associé au suivant pour assurer une présentation logique et graduelle de la matière. Le premier, assise de tout l'ouvrage, concerne les notions de base sur les solutions, leur nature et les diverses expressions de leur concentration et de leur préparation; ces notions serviront ensuite tout au long de l'ouvrage. Le deuxième chapitre traite des propriétés colligatives, c'est-à-dire des propriétés indépendantes de la nature des particules formant la solution.

Les troisième et quatrième chapitres représentent, pour ainsi dire, la deuxième base de l'ouvrage. Le traitement de la cinétique chimique (chapitre 3) débouche tout naturellement sur celui de l'équilibre chimique (chapitre 4), cœur du reste de l'ouvrage. Les notions associées à l'équilibre sont régulièrement appliquées dans le traitement des acides et des bases (chapitres 5 et 6) ainsi que dans celui des sels peu solubles (chapitre 7). L'ouvrage se termine par l'étude des phénomènes d'oxydoréduction et des applications qui en découlent, les piles, les batteries et l'électrolyse.

LA STRUCTURE DES CHAPITRES

Comme pour *Chimie générale*, chaque chapitre est organisé selon un schéma unique pour assurer à l'élève l'apprentissage structuré nécessaire au développement maximal de la pensée formelle. Il est en effet essentiel que la hiérarchie des notions et des concepts chimiques fasse partie de sa structure mentale, une fois le cours terminé.

OBJECTIFS, ORGANIGRAMME ET INTRODUCTION

Les objectifs sont présentés sous forme de questions pour aider l'élève à se situer par rapport au contexte d'apprentissage et à avoir à l'esprit les compétences générales qu'il lui faudra acquérir en étudiant le chapitre. Il trouvera exposées dans l'introduction les principales notions à l'étude et les relations qu'elles entretiennent entre elles et avec les notions des chapitres antérieurs. Un organigramme explicite ces relations dès le départ, de façon à favoriser chez l'élève la formation d'un schéma cognitif intégrateur.

EXPOSÉ, MOTS DU GLOSSAIRE, EXEMPLES ET EXERCICES

Les notions sont illustrées par des exemples, au fil de l'exposé, et les renvois à certaines notions de *Chimie générale* sont toujours clairement indiqués. En outre, les notions ou les suites de calculs plus difficiles à saisir font l'objet d'une démarche beaucoup plus détaillée accompagnée d'exemples particuliers et faciles à repérer. Nous nous sommes par ailleurs efforcés de rendre les calculs le plus simple et le plus logique possible. Les exemples étant toujours suivis d'exercices, l'élève peut contrôler son apprentissage et évaluer son degré de compréhension tout au long du chapitre. Généralement, cette vérification est aisée, car le niveau de difficulté de ces exercices est peu élevé.

Les mots qui font l'objet d'une définition sont mis en évidence à leur première occurrence dans le texte et immédiatement définis en marge, ce qui favorise le renforcement. L'élève les retrouvera également regroupés dans le glossaire à la fin de l'ouvrage.

Nous avons utilisé la couleur dans les figures pour faire ressortir certains éléments et mieux étayer les explications du texte. Des photos prises en laboratoire illustrent aussi certains phénomènes ou des opérations chimiques, notamment des titrages acido-basiques ou par oxydation. De même, des photos ont été ajoutées pour illustrer des éléments, des composés ou des réactions chimiques.

CAPSULES CHIMIQUES

Dans tous les chapitres, nous avons inséré des « Capsules chimiques » qui approfondissent des notions, illustrent des applications de certains concepts ou relient ces derniers avec des réalités macroscopiques. Certaines sortent même du contexte proprement dit en l'élargissant et en le projetant dans un monde futuriste de la chimie.

RÉSUMÉ

Les résumés intitulés « Le chapitre en un clin d'œil » sont réalisés sous forme de schémas ou de tableaux synoptiques. Ainsi, l'élève peut visualiser l'essentiel des notions et, le cas échéant, les exemples appropriés. La veille d'un examen, nous croyons que ces résumés, à la fois intégrateurs et détaillés, seront d'une très grande utilité.

QUESTIONS ET EXERCICES SUPPLÉMENTAIRES

Des questions et des exercices supplémentaires regroupés par section terminent chaque chapitre. Les exercices présentant un degré de difficulté plus élevé sont marqués d'un astérisque. Certains chapitres comprennent aussi des exercices récapitulatifs pouvant faire appel à des notions de plusieurs chapitres. Ces exercices sont parfois plus difficiles à résoudre et nous l'avons voulu ainsi, car il est souvent très formateur de relever quelques défis ! Nous avons limité le nombre d'exercices, afin de ne pas décourager l'élève, mais nous sommes convaincus que l'ensemble des exercices à résoudre lui permettra de bien contrôler son apprentissage. Nous n'avons pas, non plus, posé de questions sur les notions proprement dites, définies à l'intérieur du chapitre. Il nous semble en effet essentiel que l'élève, à cette étape de son développement intellectuel, à l'aube des études universitaires, se prenne en main et contrôle lui-même son assimilation des notions élémentaires.

SOURCES DES DONNÉES

Les valeurs des masses atomiques de la liste alphabétique des éléments à la fin de l'ouvrage sont tirées de *Pure and Applied Chemistry* (vol. 73, 2001), publié par la Commission de nomenclature de chimie inorganique de l'Union internationale de chimie pure et appliquée (UICPA). Ces valeurs ont été réduites à quatre chiffres significatifs dans le tableau périodique. La plupart des constantes physiques et des données des tableaux proviennent du *CRC Handbook of Chemistry and Physics* (79e édition, 1999).

REMERCIEMENTS

Nos remerciements s'adressent d'abord à Madame Josée Debigaré qui, par ses nombreuses remarques et suggestions, a contribué de façon considérable à en améliorer la qualité pédagogique. Nous remercions aussi Monsieur Michel Girard, qui a rédigé les solutions détaillées et qui, par ses questions et remarques, a contribué à rendre les questions et exercices plus pertinents. Nous désirons aussi souligner la participation de Monsieur Denis Bélanger à la rédaction de plusieurs capsules chimiques.

Nous remercions très sincèrement les professeurs des divers collèges qui ont été consultés sur ce projet, en particulier Madame Jeanne Côté, du Collège de Limoilou, Monsieur Jean-Yves Morin, du Cégep Abitibi-Témiscamingue, et Madame Monique Nadon, du Collège Édouard-Montpetit, pour leurs observations pertinentes et leurs judicieux conseils, de même que les professeurs qui ont été consultés pour la deuxième édition, dont l'équipe de professeurs de chimie des solutions, du Collège Ahuntsic, Monsieur David Bilodeau, du Cégep de Lévis-Lauzon, Monsieur Normand Riopel, du Collège de l'Outaouais, Monsieur Ghislain Chabot, du Collège de Sherbrooke et une nouvelle fois Monsieur Jean-Yves Morin, du Cégep Abitibi-Témiscamingue.

Nous remercions aussi très chaleureusement Madame Renée Théorêt qui, par ses nombreuses questions sur le texte manuscrit, nous a amenés à le rendre plus proche des préoccupations de l'élève. Enfin, un gros merci à Madame Hélène Décoste qui nous a encouragés inlassablement à poursuivre le travail afin de le réaliser le plus rapidement possible.

TABLE DES MATIÈRES

GUIDE D'UTILISATION DE VOTRE MANUEL

Voici comment tirer le meilleur parti de votre manuel, c'est-à-dire atteindre un double objectif : maîtriser la matière et obtenir de bonnes notes.

1. Explorez votre livre.
2. Acceptez quelques conseils sur la manière de lire les chapitres.
3. Employez les trois techniques d'étude que nous vous présenterons.

Si vous avez besoin de directives plus précises, adressez-vous à votre professeur ou aux aides pédagogiques individuels de votre collège.

À LA DÉCOUVERTE DE VOTRE MANUEL

Chimie des solutions a été soigneusement conçu pour faciliter votre apprentissage. Examinez-en les composantes et exploitez-les pleinement.

- **Avant-propos** Si ce n'est déjà fait, lisez l'avant-propos. C'est en quelque sorte le portrait de votre manuel.
- **Table des matières** Parcourez la table des matières pour vous faire une idée générale du contenu de votre cours.
- **Corrigé des exercices et des questions** Le corrigé des exercices des chapitres et des questions, exercices supplémentaires et exercices récapitulatifs de fin de chapitre se trouve à la fin du manuel. Cette section est marquée en marge d'une bande bleue.
- **Glossaire** La première fois que nous employons un terme important dans le texte, nous l'indiquons en vert et nous en donnons une définition dans la marge. Toutes les définitions sont rassemblées, par ordre alphabétique, dans un glossaire de forme traditionnelle placé en fin d'ouvrage. Consultez ce glossaire pour réviser les définitions antérieurement présentées.
- **Index** Si vous vous intéressez à un sujet en particulier, l'osmose par exemple, vous repérerez dans l'index les pages où il est traité.
- **Tableaux en fin de livre** Prenez connaissance des tableaux qui se trouvent à la fin de votre manuel (tableau périodique et liste alphabétique des éléments, tableaux des principaux symboles, constantes, pression de vapeur, unités, etc.); vous aurez à vous y référer fréquemment.

COMMENT LIRE UN CHAPITRE

Chaque chapitre de *Chimie des solutions* contient des outils d'apprentissage qui vous aideront à maîtriser la matière.

Entrée en matière

Chaque chapitre débute par une photo commentée directement en lien avec le sujet du chapitre. Examinez attentivement la photo et le texte qui l'accompagne; ils vous donneront des indications sur l'utilité des concepts et notions présentés dans le chapitre.

Objectifs

Grâce aux questions guides, prenez connaissance des habiletés que vous aurez à développer. Ayez-les bien en tête en cours de lecture et questionnez-vous sur votre niveau d'acquisition de ces objectifs.

Principe organisateur

En début de chapitre, une introduction serrée situe nettement mots clés et notions, et un organigramme montre comment ces notions s'imbriquent et comment elles s'arriment à celles des autres chapitres. Lisez-les attentivement. Cela vous aidera à organiser et à mémoriser les concepts.

Exemples commentés et exercices pertinents

Au fil du texte, les notions sont présentées de façon graduelle et illustrées d'exemples commentés accompagnés d'exercices. Avant de poursuivre votre lecture, résolvez immédiatement ces exercices et vérifiez votre apprentissage en comparant vos réponses au corrigé qui se trouve à la fin du livre.

58 Chapitre 2

de prédire avec une assez bonne exactitude la température d'ébullition de solutions.

▼ EXEMPLE 2.3

On désire connaître la température d'ébullition d'une solution formée de 50,00 g d'eau et de 5,00 g d'éthylèneglycol, $HOCH_2CH_2OH$. On peut considérer l'éthylèneglycol comme un soluté non volatil.

1° On calcule d'abord la molalité de la solution.

La molalité, m, représente le nombre de moles de soluté par kilogramme de solvant; la masse molaire de l'éthylèneglycol est de 62,07 g/mol.

Le nombre de moles de soluté est :

$$n_{C_2H_6O_2} = 5{,}00\,g \times \frac{1\ mol}{62{,}07\,g} = 0{,}0806\ mol\ C_2H_6O_2$$

$$m = \frac{mol\ soluté}{kg\ solvant} = \frac{0{,}0806\ mol}{50{,}00\,g} \times \frac{1000\,g}{1\ kg} = 1{,}61\ mol/kg\ ou\ 1{,}61\ m$$

2° On calcule l'augmentation de la température d'ébullition en utilisant l'équation 12.

$$\Delta t_{éb} = K_{éb}m = \frac{0{,}513\ °C \cdot kg}{1\ mol} \times \frac{1{,}61\ mol}{1\ kg} = 0{,}826\ °C$$

3° On calcule la température d'ébullition de la solution.

$$\Delta t_{éb} = t_{éb(soln)} - t_{éb(solvant)}$$

• L'eau pure bout à 100,0 °C. Par conséquent, la température d'ébullition de la solution sera égale à **100,8 °C**.

EXERCICE 2.3

Calculez la température d'ébullition d'une solution formée de 20,0 g d'urée, $CO(NH_2)_2$, dissoute dans 500,0 g de chloroforme, $CHCl_3$. Utilisez les données du tableau 2.2 pour les calculs.

EXERCICE 2.4

Lorsqu'on ajoute 1,0 g de benzène, C_6H_6, à 80,0 g de cyclohexane, C_6H_{12}, la température d'ébullition augmente de 0,467 °C. Calculez la constante molale ébullioscopique du solvant à partir de ces données.

2.4.3 ABAISSEMENT DE LA TEMPÉRATURE DE CONGÉLATION

La figure 2.9 (p. 56) montre que l'ajout d'un soluté non volatil dans l'eau (ou tout autre solvant) influe non seulement sur la température d'ébullition de la solution, mais aussi sur sa température de congélation (ou de fusion). Alors que cet ajout provoque une augmentation de la température d'ébullition, il entraîne un abaissement de la température de congélation. Par ailleurs, la formule qui établit la relation entre cet abaissement et la molalité est analogue à celle qui touche l'élévation de la température d'ébullition.

$$\Delta t_{cong} = K_{cong}m \tag{13}$$

Δt_{cong} = différence de température (°C)

K_{cong} = constante molale cryoscopique (°C·kg/mol)

m = molalité (mol/kg)

Les sorbetières à l'ancienne sont refroidies par un mélange de sel et de glace.

Encadrés

Les encadrés mettent en évidence certaines règles et méthodes à retenir pour réussir le cours. Étudiez-les attentivement.

Photos, figures et tableaux essentiels

Le texte est étayé de photos, de figures et de tableaux éclairants. N'hésitez pas à vous y attarder, car ils contiennent des informations importantes qui renforcent directement le propos. De plus, des photos prises en laboratoire illustrent certains phénomènes ou des opérations chimiques.

our tirer le plus grand profit de votre manuel :

DES OUTILS D'ÉTUDE ACTIVE !

UE

ée à l'échelle industrielle : pour que ça roule...

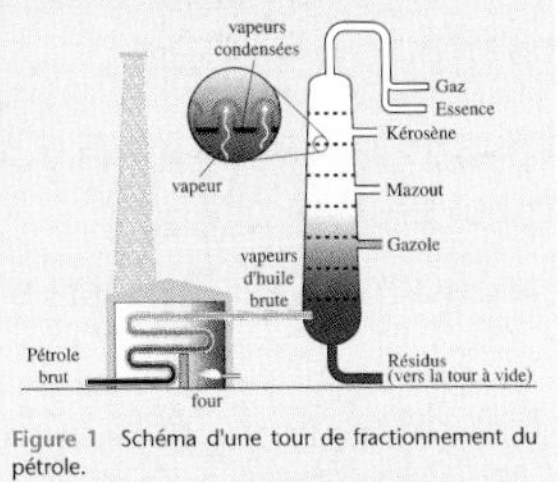

iar à Saint-Romuald, ite le pétrole brut pour , du diesel et du

Figure 1 Schéma d'une tour de fractionnement du pétrole.

à rendre le pétrole

ers de composés or- des hydrocarbures, one et d'hydrogène. nple, mais elle peut ie du pétrole. Le bu- quets, et le o-xylène és présents dans le

deux colonnes, l'une à pression atmosphérique et l'autre à pression réduite, désignée tour à vide.

Le fractionnement du pétrole brut consiste d'abord à l'acheminer dans une bouilloire dans laquelle il est préchauffé. Il entre dans la première colonne, la tour de

Capsules chimiques et notes historiques

En prise solide sur l'actualité, les capsules chimiques présentent sujet particulier ou approfondissement notionnel. Des notes historiques sur les grands scientifiques (en rouge dans le texte) qui ont contribué au développement de la chimie sont insérées en marge. Utilisez ces rubriques pour acquérir un complément d'information contextuelle.

Évolution d'un processus et énergie de Gibbs.

Variation d'entropie (ΔS)	Énergie de Gibbs (ΔG)	Nature du processus
> 0 (+)	< 0 (–)	Spontané à toutes températures.
< 0 (–)	> 0 (+)	Non spontané à toutes températures.
> 0 (+)	> 0 (+) ou < 0 (–)	Non spontané à basse température. Spontané à température plus élevée.
< 0 (–)	> 0 (+) ou < 0 (–)	Spontané à basse température. Non spontané à température plus élevée.

JOSIAH WILLARD GIBBS (1839-1903)
Physicien américain. Il est considéré comme le père de la thermodynamique chimique pour avoir contribué à en développer les fondements théoriques.

é détaillé des notions concernant l'entropie dépasse largement le t ouvrage. Il faut cependant savoir que, comme c'est aussi le cas alpie, on mesure le plus souvent la variation d'entropie d'un sys- t non la valeur S. Une augmentation de l'entropie sera en consé- iquée par une valeur positive ($\Delta S > 0$) et une diminution, par une ative ($\Delta S < 0$).

$\Delta S > 0$ — augmentation de l'entropie; $\Delta S < 0$ — diminution de l'entropie

sicien américain J. Willard Gibbs introduisit, dans le développe- ondements théoriques et mathématiques de la thermodynamique, ur désignée énergie de Gibbs ΔG (appelée couramment *énergie ergie libre de Gibbs*), qui établit la relation entre la variation d'en- a variation d'entropie d'un phénomène qui se déroule à une tempé- née. Cette valeur permet de prédire si un phénomène ou une réac- que sera spontané ou non spontané. L'énergie de Gibbs est reliée iation d'enthalpie, ΔH, et la variation d'entropie, ΔS, par une équa- iée équation de Gibbs.

Énergie de Gibbs : grandeur thermodynamique qui relie l'entropie et l'enthalpie; elle correspond à la différence entre la variation de l'enthalpie (ΔH) et le produit de la variation de l'entropie (ΔS) par la température (T).

Équation de Gibbs $\Delta G = \Delta H - T\Delta S$

ésumés les critères de Gibbs concernant la spontanéité d'un

$\Delta G < 0$, le processus est spontané.
$\Delta G > 0$, le processus n'est pas spontané; il n'aura pas lieu à moins port supplémentaire d'énergie.

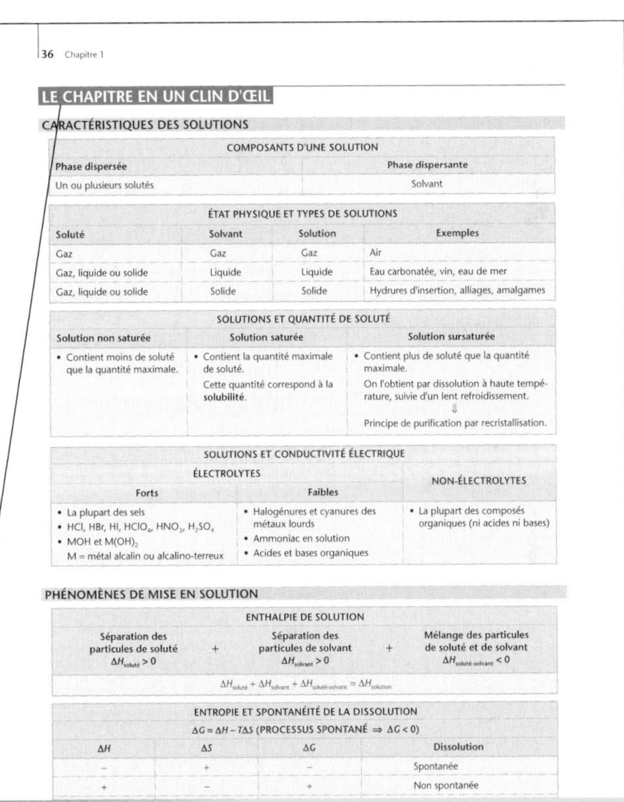

36 Chapitre 1

LE CHAPITRE EN UN CLIN D'ŒIL

CARACTÉRISTIQUES DES SOLUTIONS

COMPOSANTS D'UNE SOLUTION	
Phase dispersée	Phase dispersante
Un ou plusieurs solutés	Solvant

ÉTAT PHYSIQUE ET TYPES DE SOLUTIONS			
Soluté	Solvant	Solution	Exemples
Gaz	Gaz	Gaz	Air
Gaz, liquide ou solide	Liquide	Liquide	Eau carbonatée, vin, eau de mer
Gaz, liquide ou solide	Solide	Solide	Hydrures d'insertion, alliages, amalgames

SOLUTIONS ET QUANTITÉ DE SOLUTÉ		
Solution non saturée	Solution saturée	Solution sursaturée
• Contient moins de soluté que la quantité maximale.	• Contient la quantité maximale de soluté. Cette quantité correspond à la **solubilité**.	• Contient plus de soluté que la quantité maximale. On l'obtient par dissolution à haute température, suivie d'un lent refroidissement. ⇓ Principe de purification par recristallisation.

SOLUTIONS ET CONDUCTIVITÉ ÉLECTRIQUE		
ÉLECTROLYTES		NON-ÉLECTROLYTES
Forts	Faibles	
• La plupart des sels • HCl, HBr, HI, $HClO_4$, HNO_3, H_2SO_4 • MOH et $M(OH)_2$ M = métal alcalin ou alcalino-terreux	• Halogénures et cyanures des métaux lourds • Ammoniac en solution • Acides et bases organiques	• La plupart des composés organiques (ni acides ni bases)

PHÉNOMÈNES DE MISE EN SOLUTION

ENTHALPIE DE SOLUTION

Séparation des particules de soluté $\Delta H_{soluté} > 0$ + Séparation des particules de solvant $\Delta H_{solvant} > 0$ + Mélange des particules de soluté et de solvant $\Delta H_{soluté\text{-}solvant} < 0$

$\Delta H_{soluté} + \Delta H_{solvant} + \Delta H_{soluté\text{-}solvant} = \Delta H_{solution}$

ENTROPIE ET SPONTANÉITÉ DE LA DISSOLUTION

$\Delta G = \Delta H - T\Delta S$ (PROCESSUS SPONTANÉ ⇒ $\Delta G < 0$)

ΔH	ΔS	ΔG	Dissolution
–	+	–	Spontanée
+	–	+	Non spontanée

Le chapitre en un clin d'œil

Fantastique outil de révision globale, ces synthèses visuelles de fin de chapitre présentent schématiquement notions et concepts. Utilisez-les !

Glossaire immédiat

Imprimés en vert dans le texte et définis immédiatement en marge, les termes importants sont également regroupés dans un glossaire à la fin de l'ouvrage. Révisez les définitions avant les examens.

STIONS ET EXERCICES SUPPLÉMENTAIRES

mi les énoncés suivants, lesquels sont faux ? tifiez vos choix.
Les concentrations des réactifs et des produits sont égales dans une réaction à l'équilibre.
La quantité de produit formé à l'équilibre dépend de la vitesse d'atteinte de l'équilibre.
Un catalyseur abaisse l'énergie d'activation

e) Augmentation de pression, P, en diminuant le volume, V
f) Diminution de [CO]
g) Augmentation de [H_2O]
h) Diminution de [H_2]
i) Diminution de pression, P, en augmentant le volume, V
j) Diminution de [CO_2]

nte d'équilibre, K_c à cette température

$H_2(g) + I_2(g) \rightleftharpoons 2HI(g)$

On place 1,00 mol de H_2 et 2,00 mol de I_2 dans un contenant de 1,00 L. Quelles seront les concentrations de toutes les substances après l'atteinte de l'équilibre ?

S RÉCAPITULATIFS

l'oxygène moléculaires se combinent noteur à combustion interne pour for- substance polluante, le monoxyde

z l'équation de cette réaction endother- (181 kJ) réversible.
z l'expression de la constante d'équi- our cette réaction réversible.
iez ce qui arrive à la concentration du xyde d'azote à l'équilibre dans les con- s suivantes.
ajoute plus d'oxygène moléculaire.
enlève de l'azote moléculaire.
augmente la pression du système en luisant le volume.
augmente la température du système.
nte d'équilibre, K_p, de la **décomposi-** monoxyde d'azote expulsé par le tuyau ement par une chaude journée d'été st de $3{,}0 \times 10^{31}$. Calculez, à cette tem- la pression atmosphérique du mono- zote, à l'équilibre, si les pressions de et de l'azote moléculaires sont respec- de 0,20 atm et de 0,80 atm.
ge gazeux de dioxyde de carbone, CO_2, noxyde de carbone, CO, en équilibre carbone solide contient 90,55 % en CO sous une pression de 101,3 kPa

$C(s) + CO_2(g) \rightleftharpoons 2CO(g)$

la constante K_p pour cette réaction à

léculaire (rouge orangé) et le chlore moléculaire gazeux (jaune). Cette réaction est endothermique.
a) Écrivez l'équation de la réaction réversible de formation du chlorure de brome en l'équilibrant avec les plus petits coefficients stœchiométriques entiers possibles.
b) Écrivez l'expression de la constante d'équilibre, K_c, de cette réaction.
c) À 400 °C, lorsque la réaction atteint l'équilibre, les concentrations molaires volumiques de BrCl, Br_2 et Cl_2 sont respectivement de 0,82 mol/L, 0,20 mol/L et 0,48 mol/L. Calculez la valeur de K_c pour cette réaction à 400 °C.
d) Écrivez l'expression de la constante d'équilibre, K_p, pour cette réaction.
e) Calculez la valeur de K_p à 400 °C.
f) Initialement, on introduit dans un réacteur de 2,00 L du chlore moléculaire, Cl_2, à 51 kPa et du brome moléculaire, Br_2, à 34 kPa à une température de 400 °C. Lorsque l'équilibre est atteint, la pression partielle du chlorure de brome est de 46 kPa. Calculez les pressions partielles du brome et du chlore moléculaires à l'équilibre.
g) Initialement, le réacteur de 2,00 L renferme 0,15 mol de chaque gaz. Déterminez le sens dans lequel se déroule la réaction à 400 °C pour atteindre l'équilibre et calculez les concentrations molaires volumiques de chaque

Questions et exercices supplémentaires, et exercices récapitulatifs

Chaque chapitre se termine par des questions et exercices supplémentaires, présentés par section, de niveau de difficulté gradué. Les plus difficiles sont précédés d'un astérisque. Quant aux exercices récapitulatifs, ils peuvent faire appel à des notions de plusieurs chapitres. Efforcez-vous de répondre à ceux que vous indiquera votre professeur.

TROIS TECHNIQUES D'ÉTUDE

Maintenant que vous avez fait connaissance avec votre livre et que vous savez comment en lire les chapitres, vous êtes en voie d'atteindre vos deux objectifs : maîtriser la matière et démontrer votre maîtrise. Voici trois techniques infaillibles qui vous aideront à cheminer vers la réussite.

1. **Utilisez la méthode SQL3R.** Le sigle SQL3R désigne les six étapes d'une étude efficace : survoler, questionner, lire, réciter, réviser et rédiger.
   - *Survolez* le chapitre en lisant les objectifs, l'introduction et les titres de sections et de sous-sections.
   - Pour maintenir votre attention et approfondir votre compréhension, transformez le titre de chaque sous-section en *question*. Inspirez-vous des objectifs présentés au début du chapitre.
   - *Lisez* le chapitre et essayez de répondre aux questions que vous avez formulées à partir des titres.
   - Après avoir lu le chapitre et répondu à vos questions, arrêtez-vous et *récitez* vos réponses, mentalement ou par écrit.
   - *Révisez* le contenu du chapitre en répondant aux questions et exercices supplémentaires ainsi qu'aux exercices récapitulatifs qui apparaissent à la fin du chapitre. Écrivez vos réponses et vérifiez-les en marquant les sections du texte qui vous ont permis d'y répondre.
   - *Rédigez* encore en prenant des notes succinctes dans les marges, à côté des passages que vous ne comprenez pas parfaitement. Consultez ces notes pour poser des questions pendant les cours. La méthode SQL3R semble à première vue fastidieuse, mais nos étudiants ont découvert qu'elle leur fait gagner du temps et qu'elle favorise la compréhension.

2. **Répartissez vos heures d'étude.** Il est important de faire une récapitulation avant un examen, mais les séances d'étude intensives de dernière minute ne vous seront d'aucune utilité au collège. La recherche en psychologie a en effet révélé très clairement que les périodes d'étude courtes mais régulières donnent de bien meilleurs résultats que les longues séances ininterrompues. Vous n'attendez sûrement pas la veille d'un important match de volley-ball pour commencer à vous entraîner. De même, il ne sert à rien de commencer à étudier la veille d'un examen.

3. **Écoutez activement les cours.** Arrivez à l'heure à vos cours et ne sortez pas avant la fin, car vous pourriez manquer des explications importantes. Écoutez *activement* durant les cours. Posez des questions si vous ne comprenez pas. Regardez votre professeur. Concentrez-vous sur ses propos et tentez d'en extraire l'idée principale. Notez les notions clés et les exemples éclairants. Écrivez les notions et principes importants ainsi que les termes nouveaux. Ne tentez pas de transcrire mot à mot ce que dit votre professeur. Il s'agit là d'une écoute passive et mécanique. Aérez vos notes de façon à pouvoir y ajouter des éléments si votre professeur revient sur un sujet ou développe une idée. Prêtez une attention particulière à tout ce que votre professeur écrira au tableau. Les professeurs prennent généralement la peine d'écrire au tableau les concepts qu'ils jugent les plus importants.

Nous espérons que vous aimerez étudier avec *Chimie des solutions*. Nous croyons que la chimie est une science vivante et fascinante. Nous souhaitons vivement que notre livre vous en persuade aussi.

CHAPITRE 1

SOLUTIONS

On croit que l'atmosphère de la Terre primitive était très riche en vapeur d'eau et qu'elle était composée de substances simples telles que le méthane, CH_4, l'hydrogène moléculaire, H_2, et l'ammoniac, NH_3. Les violents orages s'y déroulant provoquèrent des réactions chimiques qui ont probablement donné naissance aux premières molécules de la vie. Les pluies abondantes assuraient un échange incessant entre l'atmosphère et les océans, deux solutions en transformation constante.

OBJECTIFS

Après avoir étudié le présent chapitre, vous saurez répondre aux questions suivantes.

- Quelles sont les caractéristiques d'une solution ?
- Quels facteurs régissent la dissolution d'une substance chimique ?
- Comment exprime-t-on les concentrations des solutions ?

La plupart des milieux homogènes, tels l'air et les lacs (en ne tenant pas compte des poissons et autres organismes qui y vivent !), forment des solutions. Ces solutions sont depuis toujours le site d'une grande variété de réactions chimiques. Pour s'en convaincre, il suffit d'imaginer l'atmosphère et l'océan terrestre primitifs, solutions qui ont d'abord donné naissance aux molécules organiques les plus simples, puis qui ont constitué les premiers milieux de développement de la vie. Encore aujourd'hui, il s'y déroule une multitude de réactions chimiques, parfois indésirables, comme la formation de pluies acides dans l'air ou la prolifération de substances toxiques dans les eaux des lacs, des rivières et des océans.

Dans ce chapitre, il sera d'abord question de la nature et des caractéristiques des solutions, soit des substances qui les composent, le soluté et le solvant, et de leur état physique, gazeux, liquide ou solide. Nous verrons également qu'une solution se caractérise par la quantité de substances qu'elle contient, ce qui permet de déterminer si son état est non saturé, saturé ou sursaturé, ainsi que par sa capacité à conduire le courant électrique selon qu'elle est constituée d'un électrolyte ou d'un non-électrolyte.

Dans la deuxième section, nous traiterons des phénomènes de mise en solution en énonçant d'abord les principes thermodynamiques mis en jeu, l'enthalpie et l'entropie, et la manière dont ils sont reliés, puis en énumérant et en appliquant les critères qualitatifs de formation des solutions liquides. Dans cette section, nous prédirons également l'influence de la température et de la pression sur la quantité de substances qui peuvent être dissoutes.

Nous verrons ensuite quelques propriétés des suspensions colloïdales, un état intermédiaire entre une solution « vraie » et un mélange hétérogène, et les méthodes pour les préparer. Les émulsions, les gels et les aérosols sont les plus connus de ce type de solution; on les retrouve de plus en plus dans notre quotidien.

Puis, il s'agira de s'initier aux différentes manières d'exprimer la quantité de substances dissoutes : pourcentages massique, volumique et masse/volume, concentration molaire volumique (molarité) et normalité, parties par million et par milliard, fraction molaire, molalité. Et pour clore le chapitre, nous verrons comment préparer des solutions et comment convertir des expressions de concentration en d'autres unités. Il est très important d'apprendre à exprimer correctement les concentrations et à en effectuer la conversion, car nous y recourrons fréquemment dans les prochains chapitres.

1.1 CARACTÉRISTIQUES DES SOLUTIONS

L'aquarium est un milieu homogène dans lequel les poissons évoluent en captivité.

Une multitude de phénomènes, aussi bien physiques que chimiques et biochimiques, se déroulent dans des milieux homogènes. Ainsi, l'eau contribue au développement des organismes vivants en y assurant le transfert des éléments essentiels. Ces milieux peuvent former avec les substances qui y sont dispersées une solution. Nous verrons donc ici la nature, l'état physique et les types de solutions, les caractéristiques de solutions non saturée, saturée et sursaturée, puis leur capacité à conduire l'électricité selon qu'elles sont formées d'électrolytes ou de non-électrolytes.

1.1.1 NATURE D'UNE SOLUTION

Une **solution** est un mélange homogène de deux ou plusieurs substances pures; sa composition est variable et la dispersion des composants y est uniforme. Rappelons qu'un mélange est homogène lorsque les substances formant la solution sont dispersées à l'état moléculaire, ce qui signifie qu'elles sont invisibles, même au microscope.

Deux termes sont associés à celui de solution : **soluté** et **solvant**. Le soluté est la substance dispersée dans le solvant ou celle qui s'y dissout; le plus souvent, c'est celle qui se trouve en plus petite quantité dans la solution. Le solvant est la substance dispersante ou celle qui dissout; généralement, c'est la substance qui se trouve en plus grande quantité. Par exemple, lorsqu'on ajoute une cuillerée de sucre dans un verre d'eau, le sucre forme le soluté, et l'eau, le solvant. Le soluté et le solvant sont parfois interchangeables. Ainsi, dans une solution formée de 50 mL d'alcool et de 50 mL d'eau, on peut considérer l'une ou l'autre substance comme soluté ou comme solvant.

Solution : mélange homogène de deux ou plusieurs substances; la substance dispersée, généralement en plus petite quantité, forme le **soluté**, et la substance dispersante constitue le **solvant**, lequel détermine l'état physique de la solution.

Pour indiquer qualitativement la quantité de soluté dans une solution, on parle de solution diluée et de solution concentrée. Une solution diluée renferme peu de soluté alors qu'une solution concentrée en contient beaucoup : une tasse de café légèrement sucrée est une solution plutôt diluée de sucre, tandis que le sirop dont on arrose les crêpes est une solution concentrée de sucre.

1.1.2 ÉTAT PHYSIQUE ET TYPES DE SOLUTIONS

L'état physique du solvant détermine celui de la solution. Par conséquent, une solution peut être solide, liquide ou gazeuse (*tableau 1.1*), les plus répandues étant les solutions liquides et gazeuses. Dans cet ouvrage, les solutions liquides et, plus particulièrement, les solutions aqueuses occuperont une place prépondérante.

Notons que le soluté, une fois dissous, peut perdre les caractéristiques de son état initial. Ainsi, lorsque le dioxyde de carbone, CO_2, est dissous dans l'eau des boissons gazeuses, il n'est plus un gaz puisque ses molécules sont alors intimement associées à celles de l'eau. De même, le sucre n'est plus une substance solide lorsqu'il est dissous dans l'eau. Toutefois, le soluté peut retrouver son intégrité et son état initial. Ainsi, dès qu'une bouteille de champagne est débouchée, une grande partie du dioxyde de carbone s'en échappe spontanément et se disperse dans l'air; le dioxyde de carbone gazeux forme alors une solution avec l'air ambiant. De même, l'évaporation d'une solution de chlorure de sodium, NaCl, regénère le sel sous sa forme solide.

Une solution peut renfermer plusieurs solutés. L'air, par exemple, est formé d'un mélange de huit gaz (sans compter les gaz dus à la pollution), le plus abondant (78 % en volume), l'azote moléculaire, N_2, constituant en quelque sorte le solvant. L'eau de mer renferme environ 70 éléments, la plupart sous forme ionique, les plus abondants étant le chlore et le sodium.

Tableau 1.1 Types de solutions et exemples.

ÉTAT PHYSIQUE			
Soluté	**Solvant**	**Solution**	**Exemples**
Gaz	Gaz	Gaz	Air, gaz naturel
Gaz	Liquide	Liquide	CO_2 dans les boissons gazeuses, la bière ou le champagne
Liquide	Liquide	Liquide	Boissons alcooliques (éthanol et eau)
Solide	Liquide	Liquide	Eau de mer, eau potable
Solide	Solide	Solide	Alliages, bronze (cuivre – étain – zinc)
Liquide	Solide	Solide	Amalgame d'argent (Hg – Ag)
Gaz	Solide	Solide	Hydrogène adsorbé sur du palladium ou du platine (électrochimie), hydrures d'insertion

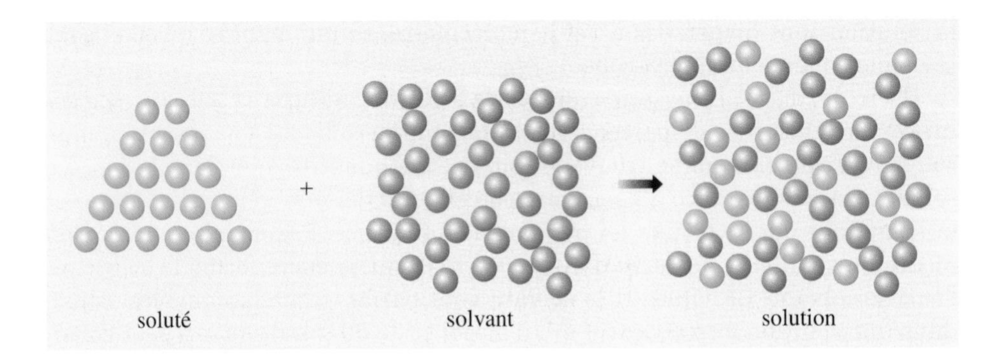

Figure 1.1 Illustration qualitative de la dissolution d'un soluté.

Quel que soit l'état physique de la solution, il est important de noter que tous ses composants sont uniformément dispersés. Le soluté se désagrège progressivement, pour ainsi dire, se disperse dans le solvant jusqu'à ce que les particules de l'un et de l'autre soient indiscernables. La figure 1.1 illustre le processus moléculaire de la mise en solution.

1.1.3 SOLUTIONS NON SATURÉE, SATURÉE ET SURSATURÉE

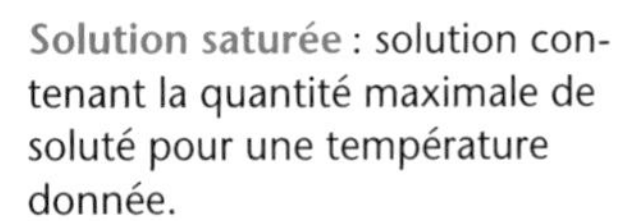

Solution saturée : solution contenant la quantité maximale de soluté pour une température donnée.

Solubilité : quantité maximale de soluté pouvant être dissoute pour former une solution saturée à une température donnée.

Une autre façon de caractériser une solution consiste à déterminer si elle est non saturée, saturée ou sursaturée, selon les quantités de soluté dissous. Une **solution saturée** contient la quantité maximale de soluté dissous pour une température donnée. Par exemple, la quantité maximale de 36,5 g de chlorure de sodium, NaCl, peut être dissoute dans 100 g d'eau à 20 °C. Cela signifie que toute quantité de sel excédant cette masse ne pourra se dissoudre : elle se déposera par conséquent au fond du récipient. Un exemple de solution saturée de dichromate de potassium, $K_2Cr_2O_7$, est donné à la figure 1.2. On désigne par **solubilité** la quantité maximale de soluté qui peut être dissoute pour former une solution saturée à une température donnée. Généralement, la solubilité est exprimée en grammes de soluté par 100 g de solvant et elle est indiquée pour une température donnée. Elle varie habituellement avec la température et selon la nature des substances. Le tableau 1.2 donne les valeurs de solubilité de quelques substances inorganiques à 20 °C.

Bien que la quantité de solide au fond du récipient demeure constante dans une solution saturée, il ne faut pas croire qu'il ne se passe rien entre les particules du soluté en solution et celles du soluté reposant au fond. En fait, il y a équilibre dynamique, ce qui signifie que des particules du soluté non dissous se dissolvent à la même vitesse que les particules du soluté dissous se

Figure 1.2 Solution saturée de dichromate de potassium, $K_2Cr_2O_7$, dans laquelle on observe la présence simultanée du solide et du liquide.

Tableau 1.2 Solubilités de quelques substances inorganiques dans l'eau à 20 °C.

Nom de la substance	Formule	Solubilité (g par 100 g)	Nom de la substance	Formule	Solubilité (g par 100 g)
Bromure de baryum	$BaBr_2$	104,1	Iode moléculaire	I_2	0,029
Nitrate de baryum	$Ba(NO_3)_2$	8,7	Bromure de magnésium	$MgBr_2$	101,50
Brome moléculaire	Br_2	3,58	Chlorure de magnésium	$MgCl_2$	54,25
Chlorure de cadmium	$CdCl_2$	140	Chlorure de potassium	KCl	23,8
Chlorure de calcium	$CaCl_2$	74,5	Acétate d'argent	$AgCH_3COO$	1,02

Ces valeurs sont tirées de *Techniques de l'Ingénieur, Constantes physico-chimiques,* volume K1, 1996.

déposent au fond du bécher. L'échange est constant dans les deux sens. Quoiqu'il ne soit pas possible de suivre le déplacement d'une particule donnée dans une solution saturée, on peut cependant démontrer expérimentalement que l'échange a bien lieu. L'une de ces méthodes est fondée sur la radioactivité. Par exemple, si un peu d'iodure d'argent, AgI, contenant de l'iode radioactif, $^{131}I^-$, est ajouté à une solution saturée d'iodure d'argent, on observe, après un certain temps, que la solution saturée devient radioactive; ce phénomène peut être détecté grâce à un compteur Geiger. La quantité d'iodure d'argent en solution ne varie pas, mais certains ions iodure sont nécessairement passés dans la solution, devenue radioactive, alors que d'autres se sont déposés.

La mer Morte est constituée d'une solution saturée en sel d'environ 250 g/L !

Toute solution contenant moins de soluté que la quantité maximale est une **solution non saturée**. Reprenons l'exemple du chlorure de sodium, NaCl, qui forme une solution saturée lorsqu'elle contient 36,5 g par 100 g d'eau à 20 °C; toute solution comprenant moins que cette quantité sera non saturée. Ainsi, 25 g de chlorure de sodium se dissolvent totalement dans l'eau en formant une solution non saturée.

Solution non saturée : solution contenant moins de soluté que la quantité maximale pour une température donnée.

Solution sursaturée : solution contenant plus de soluté que la quantité maximale pour une température donnée.

Une **solution sursaturée** contient plus de soluté qu'elle ne peut normalement en contenir pour une température donnée. Sa formation découle du fait que la solubilité d'une substance solide augmente le plus souvent avec la température. Par exemple, la solubilité du thiosulfate de sodium, $Na_2S_2O_3$, est d'environ 230 g par 100 g d'eau bouillante (100 °C); elle chute à 50 g par 100 g d'eau à 25 °C. Pour préparer une solution sursaturée, on forme d'abord une solution saturée à une température élevée, puis on la fait refroidir très lentement, sans l'agiter : la solution résultante est alors sursaturée, car elle contient plus de soluté que la normale à cette température. Une telle solution est dite métastable : elle est instable, mais cette instabilité n'empêche pas son existence. Ainsi, dans le cas du thiosulfate de sodium (*figure 1.3*), on obtiendra une solution sursaturée en dissolvant 230 g de ce sel dans 100 g d'eau bouillante, puis en refroidissant lentement la solution. Le plus souvent, la recristallisation de l'excès de soluté s'amorce d'elle-même, c'est-à-dire que des cristaux se forment dans la solution ou à sa surface; sinon, une faible agitation ou encore l'ajout de quelques cristaux du soluté amorcera très rapidement la cristallisation de l'excès de soluté; après la cristallisation, la solution est de nouveau saturée et demeure en équilibre avec le soluté qui s'est déposé.

Mais pourquoi former des solutions sursaturées ? Pour purifier des substances chimiques ou pour séparer des sels par recristallisation. Supposons, par exemple, que l'on désire purifier du nitrate de potassium, KNO_3,

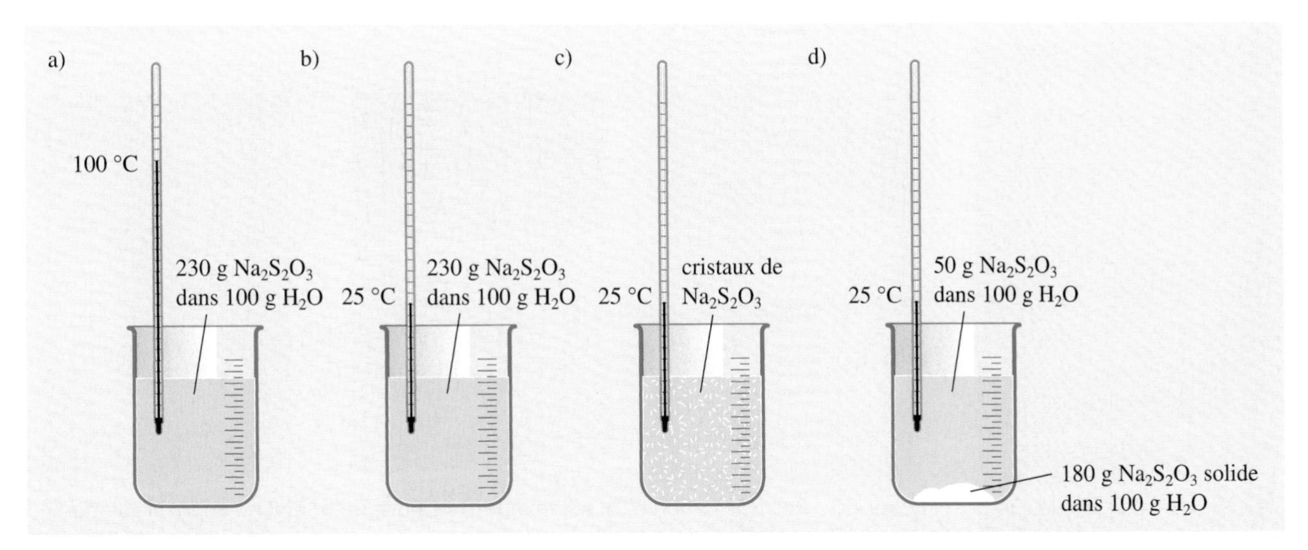

Figure 1.3 Étapes de formation d'une solution saturée (a), sursaturée (b), de la cristallisation (c) et de la précipitation (d).

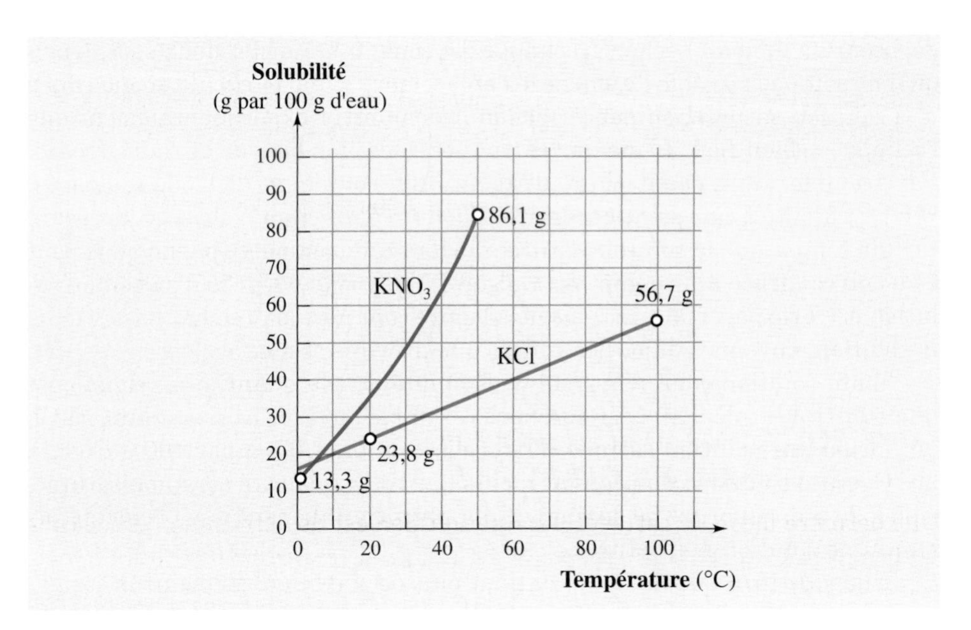

Figure 1.4 Courbes de solubilité de deux sels en fonction de la température.

contaminé par environ 5 % d'un autre sel, le chlorure de potassium, KCl. Comme le montrent les courbes de la figure 1.4, il y a une forte variation de la solubilité du nitrate par rapport à celle du chlorure. Ainsi à 50 °C, la solubilité du nitrate de potassium (~85 g/100 g d'eau) est plus du double de celle du chlorure de potassium (~36 g/100 g d'eau).

Pour purifier un mélange de 100 g de ces deux sels dont 5 g sont constitués de chlorure, on procède d'abord à sa dissolution dans l'eau à une température supérieure à 50 °C (*figure 1.5*). On obtient alors une solution quasi saturée en nitrate et insaturée en chlorure. En refroidissant progressivement la solution, le nitrate commence à cristalliser dès que le point de saturation (sur la courbe de solubilité) est atteint. Et en refroidissant davantage, le nitrate précipite de plus en plus, de sorte qu'il ne reste qu'environ 13 g dans la solution saturée à 0 °C (voir la courbe de solubilité à cette température). Quant au chlorure de potassium, il demeure toujours en solution, car même à 0 °C, sa solubilité est près de 15 g par 100 g d'eau, et le mélange n'en contient que 5 g. Lorsque la cristallisation est terminée, ce qui peut prendre de 15 à 20 minutes, on récupère le nitrate de potassium par filtration.

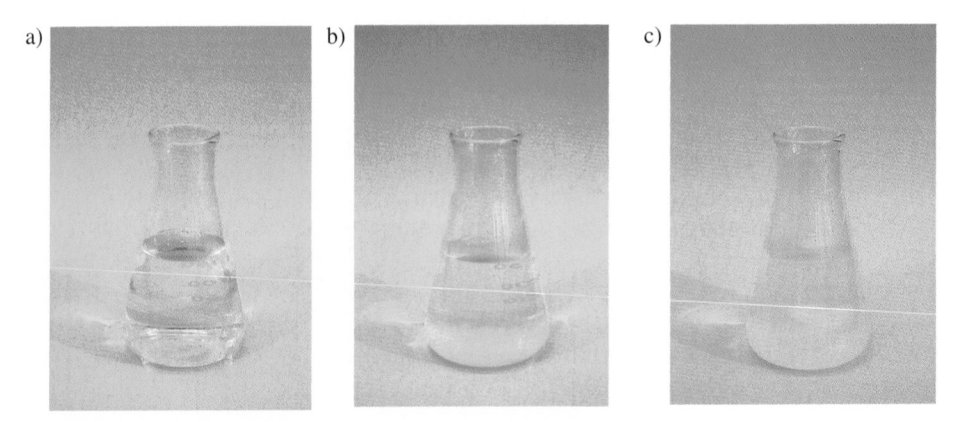

Figure 1.5 Recristallisation d'un sel, le nitrate de potassium, KNO_3 : en a), la solution est sursaturée; en b), les cristaux commencent à se former; en c), les cristaux se sont déposés.

EXERCICE 1.1

Soit un mélange formé de 7,5 g de chlorure de potassium, KCl, et de 142,5 g de nitrate de potassium, KNO_3. Utilisez les données de la figure 1.4 pour calculer :

a) la masse d'eau minimale nécessaire à la dissolution, à 50 °C, de ce mélange;

b) la masse de nitrate de potassium qui cristallise lorsque la solution est refroidie à 0 °C.

En tant qu'électrolyte fort, l'acide sulfurique conduit le courant électrique.

1.1.4 SOLUTIONS D'ÉLECTROLYTES ET DE NON-ÉLECTROLYTES

Une dernière façon de caractériser une solution est de déterminer si elle conduit ou non le courant électrique, c'est-à-dire si les substances qui la composent sont des **électrolytes** ou des **non-électrolytes**. La figure 1.6 illustre une méthode de mesure de la conductivité électrique; cette méthode consiste à relier à une pile deux électrodes métalliques (en platine, par exemple) plongées dans la solution et d'intercaler une ampoule entre la pile et l'une des électrodes. Si l'ampoule s'allume, il s'agit d'un électrolyte; dans le cas contraire, il s'agit d'un non-électrolyte.

On observe qu'une solution formée d'eau et d'éthanol, C_2H_5OH, ne conduit pas le courant électrique : l'ampoule ne s'allume pas. L'éthanol est donc un non-électrolyte. Il en est de même pour la plupart des **substances organiques**, principalement formées de carbone, d'hydrogène et d'oxygène. Outre l'éthanol, les solutions de sucrose, $C_{12}H_{22}O_{11}$ (sucre de table), de glucose, $C_6H_{12}O_6$ (sucre de fruits), et d'urée, $CO(NH_2)_2$ (engrais), ne conduisent pas le courant électrique.

Électrolyte : substance chimique dont les solutions aqueuses conduisent le courant électrique grâce aux ions en solution.

Non-électrolyte : substance chimique dont les solutions aqueuses ne conduisent pas le courant électrique et qui ne forme pas d'ions en solution.

Substance organique : composé dont la molécule contient un ou plusieurs atomes de carbone et, presque toujours, des atomes d'hydrogène; les autres éléments qui peuvent être présents sont, en ordre décroissant, l'oxygène, l'azote, les halogènes, le soufre et le phosphore.

Une solution formée de chlorure de sodium, NaCl, conduit le courant électrique : l'ampoule s'allume dans ce cas. Le chlorure de sodium est un électrolyte. On explique la conductivité électrique du chlorure de sodium en solution par le fait que les ions sodium, Na^+, et chlorure, Cl^-, se déplacent respectivement vers les électrodes négative et positive de la pile, assurant ainsi le passage du courant. C'est pourquoi on représente la dissociation du chlorure de sodium par l'équation suivante :

$$NaCl(s) \xrightarrow{H_2O} Na^+(aq) + Cl^-(aq)$$

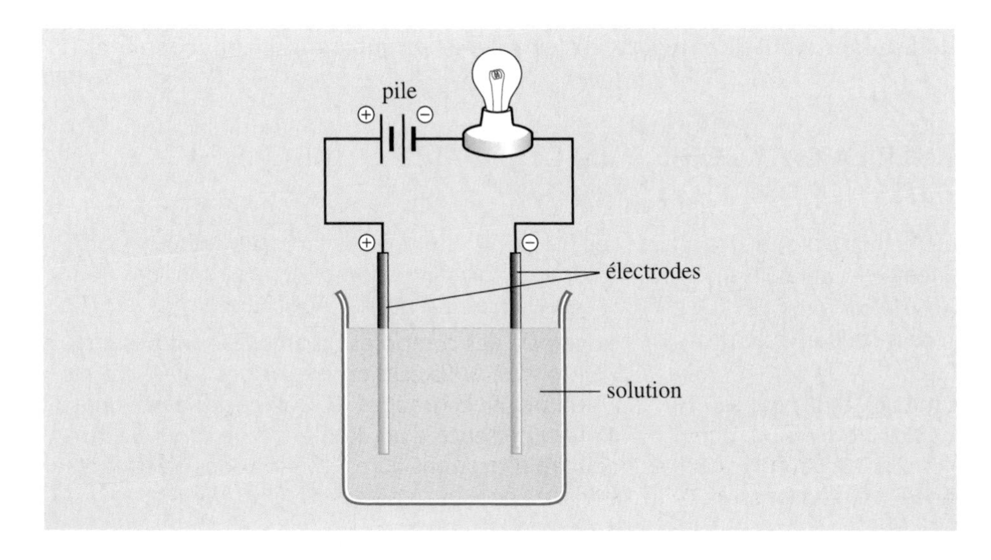

Figure 1.6 Appareillage de démonstration de la conductivité d'une solution.

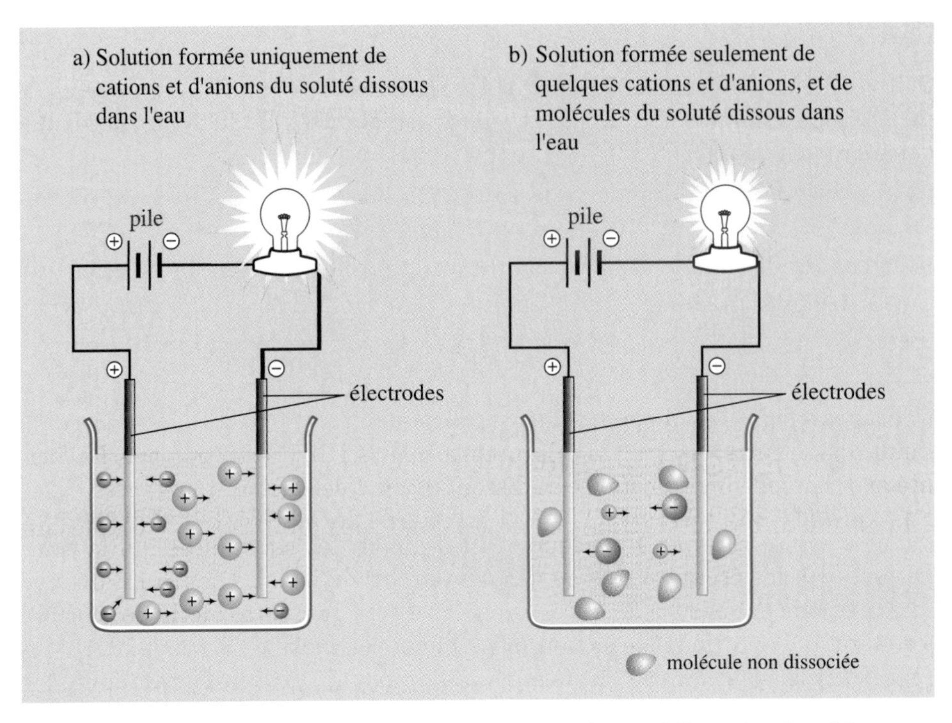

Figure 1.7 Passage du courant électrique dans une solution d'électrolyte fort (a) et faible (b).

Cependant, toutes les solutions d'électrolytes ne conduisent pas le courant électrique avec la même efficacité. Par exemple, le vinaigre, qui contient environ 5 g d'acide acétique, CH_3COOH, par 100 g d'eau, est un conducteur d'électricité médiocre par rapport à une solution d'acide chlorhydrique, $HCl(aq)$, contenant la même proportion d'eau. C'est pourquoi les électrolytes sont à leur tour divisés en deux catégories : les électrolytes forts et les électrolytes faibles. Cette distinction s'explique par le degré d'ionisation de la substance en solution : l'électrolyte fort est complètement dissocié, tandis que l'électrolyte faible ne l'est que partiellement (*figure 1.7*). Dans le vinaigre, par exemple, une très petite partie seulement des molécules d'acide acétique est dissociée, de sorte que peu d'ions participent au passage du courant électrique. Pour symboliser cette dissociation partielle, on se sert des deux flèches aux pointes opposées.

$$CH_3COOH(aq) \rightleftharpoons H^+(aq) + CH_3COO^-(aq)$$

Pour les solutions aqueuses, les règles générales ci-dessous permettent de déterminer à quelle catégorie d'électrolytes les substances appartiennent.

RÈGLES POUR DÉTERMINER LA CATÉGORIE D'ÉLECTROLYTES D'UNE SOLUTION AQUEUSE

1. La plupart des sels, organiques et inorganiques, forment des électrolytes forts. Exemples : KNO_3, NaCl.
2. Les acides suivants sont des électrolytes forts : HNO_3, H_2SO_4, $HClO_4$, HI, HBr, HCl; tous les autres acides sont des électrolytes faibles.
3. Les hydroxydes solubles des métaux des groupes 1 (métaux alcalins) et 2 (métaux alcalino-terreux) sont des électrolytes forts. Exemples : NaOH, $Ba(OH)_2$. La plupart des autres bases sont des électrolytes faibles.
4. Les halogénures et les cyanures des métaux lourds (cadmium, mercure, plomb, or, etc.) sont des électrolytes faibles. Exemples : AgCl, HgCN.
5. La plupart des composés organiques sont des non-électrolytes, à l'exception des acides (présence de un ou plusieurs groupes COOH) et des bases organiques (présence d'un atome d'azote porteur d'un doublet d'électrons libres) qui sont des électrolytes faibles.

EXERCICE 1.2

Pour chacune des substances suivantes, dites s'il s'agit d'un électrolyte fort, d'un électrolyte faible ou d'un non-électrolyte en solution aqueuse, et justifiez brièvement vos réponses.

a) $HCl(aq)$	c) $KNO_3(aq)$	e) $PtCl_4(aq)$	g) $H_2SO_3(aq)$	i) $HCOOH(aq)$
b) $I_2(aq)$	d) $CH_3OH(aq)$	f) $NH_3(aq)$	h) $CaCl_2(aq)$	j) $KOH(aq)$

1.2 PHÉNOMÈNES DE MISE EN SOLUTION

Certaines substances, tel le sucrose (sucre de table), sont très solubles dans l'eau, tandis que d'autres, comme le chlorure d'argent, AgCl, le sont très peu. La facilité avec laquelle une substance se dissout dépend des facteurs suivants :

- la grandeur des interactions entre les particules du soluté, entre celles du solvant et entre les particules du soluté et du solvant;
- la grandeur de l'entropie mise en jeu.

Ces facteurs sont associés à deux principes de la thermodynamique : la variation de l'enthalpie, ΔH, qui concerne les effets thermiques de la formation d'une solution, et la variation de l'entropie, ΔS, qui concerne l'état de désordre. Nous verrons également que la température et la pression influent sur la quantité de substances qui peuvent être dissoutes. Finalement, nous présenterons certains critères qualitatifs qui permettent de prédire la formation des solutions liquides. Dans cette section, nous nous concentrerons principalement sur l'aspect qualitatif de la dissolution.

1.2.1 ENTHALPIE DE SOLUTION

La formation d'une solution s'accompagne souvent d'effets thermiques. C'est ce qu'on appelle l'enthalpie de solution, $H_{solution}$ (*voir* Chimie générale, *chapitre 10*). Par exemple, lorsqu'on ajoute de l'hydroxyde de sodium, NaOH, à de l'eau, la solution s'échauffe : la dissolution est exothermique ($\Delta H_{solution} < 0$). À l'inverse, si on mélange du nitrate d'ammonium, NH_4NO_3, à de l'eau, la solution refroidit : la dissolution est endothermique ($\Delta H_{solution} > 0$). Bien que ces enthalpies soient très différentes, la dissolution est spontanée dans l'un et l'autre cas.

Pour comprendre pourquoi la dissolution est de nature énergétique, examinons les trois étapes mises en jeu (*figure 1.8*).

Le processus de mise en solution nécessite d'abord que les particules du soluté se séparent; ce processus exige de l'énergie, puisée au sein du système, et la variation d'enthalpie est positive.

$$\text{soluté} \longrightarrow \text{particules de soluté séparées} \qquad \Delta H_{\text{soluté}} > 0$$

La même exigence s'applique au solvant dont les molécules doivent aussi se séparer, ce qui ne peut être réalisé que par un apport d'énergie; la variation d'enthalpie est aussi positive.

$$\text{solvant} \longrightarrow \text{molécules de solvant séparées} \qquad \Delta H_{\text{solvant}} > 0$$

Finalement, les particules du soluté et les molécules de solvant s'attirent les unes les autres jusqu'au point où elles sont très rapprochées; ce processus libérant de l'énergie, la variation d'enthalpie est donc exothermique, par conséquent négative.

$$\begin{matrix}\text{molécules de soluté et} \\ \text{particules de solvant séparées}\end{matrix} \longrightarrow \text{solution} \qquad \Delta H_{\text{solvant-soluté}} < 0$$

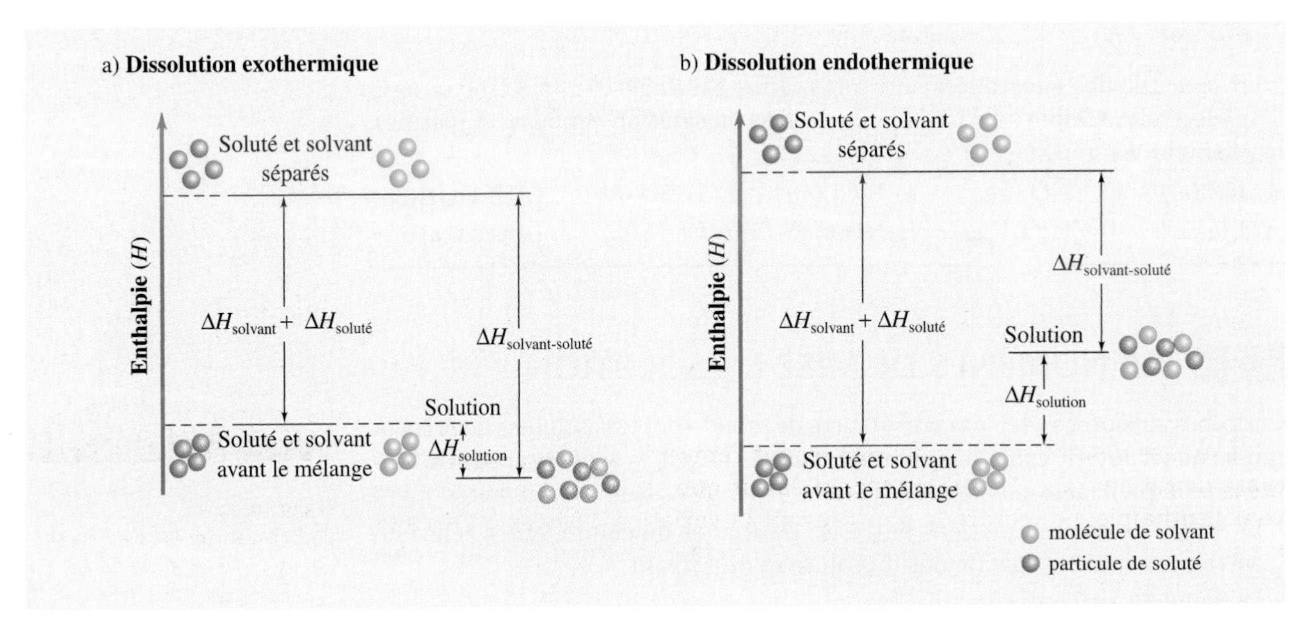

Figure 1.8 Diagramme enthalpique de la formation de solutions.

Quant à l'enthalpie de la solution, $\Delta H_{solution}$, elle correspond à la somme de ces trois variations d'enthalpie.

$$\Delta H_{solution} = \Delta H_{solvant} + \Delta H_{soluté} + \Delta H_{solvant\text{-}soluté}$$

Ainsi, c'est la somme des valeurs relatives de chaque étape qui détermine le caractère négatif (dissolution exothermique) ou positif (dissolution endothermique) du phénomène global. Comme on peut le voir à la figure 1.8, le processus de dissolution est exothermique lorsque l'état thermodynamique de la solution est inférieur à l'état initial (*figure 1.8 a*); il est endothermique lorsque l'état thermodynamique de la solution est supérieur à l'état initial (*figure 1.8 b*). Si l'état thermodynamique de la solution est le même que l'état initial, la dissolution n'absorbe ni ne dégage de chaleur.

1.2.2 SPONTANÉITÉ DE LA DISSOLUTION ET ENTROPIE

Pour les scientifiques, deux grandes tendances régissent l'évolution d'un système :

- la tendance vers l'énergie (enthalpie) minimale;
- la tendance vers l'entropie maximale.

En d'autres termes, tout système évolue de manière à atteindre son niveau d'énergie minimal, ce qui correspond à un maximum de stabilité, tout en tendant à acquérir un désordre maximal.

Certains phénomènes se produisent spontanément, même si les échanges énergétiques ne sont pas significatifs. Ainsi, lorsque deux gaz parfaits sont mis en contact, aucune interaction moléculaire n'est mise en jeu, de sorte que le processus n'implique aucune variation d'enthalpie. De même, la dissolution d'éthanol, C_2H_5OH, dans l'eau, même si le processus exige la rupture et la formation de liaisons intermoléculaires, ne libère ni n'absorbe de l'énergie. Bien que l'énergie totale de chaque système demeure inchangée, la formation des solutions se traduit par une augmentation de l'état de désordre du système, c'est-à-dire de son **entropie**, S. Ainsi, l'entropie de la solution d'éthanol est supérieure à celle de l'éthanol et à celle de l'eau prise séparément. De même, l'entropie (ou le désordre) du chlorure de sodium fondu, NaCl, est plus grande que celle du cristal dont les ions sont bien ordonnés et occupent une position fixe.

Entropie : grandeur thermodynamique qui mesure le désordre d'un système.

Tableau 1.3 Évolution d'un processus et énergie de Gibbs.

Variation d'enthalpie (ΔH)	Variation d'entropie (ΔS)	Énergie de Gibbs (ΔG)	Nature du processus
< 0 (−)	> 0 (+)	< 0 (−)	Spontané à toutes températures.
> 0 (+)	< 0 (−)	> 0 (+)	Non spontané à toutes températures.
> 0 (+)	> 0 (+)	> 0 (+) ou < 0 (−)	Non spontané à basse température. Spontané à température plus élevée.
< 0 (−)	< 0 (−)	> 0 (+) ou < 0 (−)	Spontané à basse température. Non spontané à température plus élevée.

JOSIAH WILLARD GIBBS (1839-1903)
Physicien américain. Il est considéré comme le père de la thermodynamique chimique pour avoir contribué à en développer les fondements théoriques.

L'exposé détaillé des notions concernant l'entropie dépasse largement le cadre de cet ouvrage. Il faut cependant savoir que, comme c'est aussi le cas pour l'enthalpie, on mesure le plus souvent la variation d'entropie d'un système, ΔS, et non la valeur S. Une augmentation de l'entropie sera en conséquence indiquée par une valeur positive ($\Delta S > 0$) et une diminution, par une valeur négative ($\Delta S < 0$).

$\Delta S > 0$ — augmentation de l'entropie

$\Delta S < 0$ — diminution de l'entropie

Le physicien américain **J. Willard Gibbs** introduisit, dans le développement des fondements théoriques et mathématiques de la thermodynamique, une grandeur désignée **énergie de Gibbs** ΔG (appelée couramment *énergie libre* ou *énergie libre de Gibbs*), qui établit la relation entre la variation d'enthalpie et la variation d'entropie d'un phénomène qui se déroule à une température donnée. Cette valeur permet de prédire si un phénomène ou une réaction chimique sera spontané ou non spontané. L'énergie de Gibbs est reliée avec la variation d'enthalpie, ΔH, et la variation d'entropie, ΔS, par une équation, désignée équation de Gibbs.

Énergie de Gibbs : grandeur thermodynamique qui relie l'entropie et l'enthalpie; elle correspond à la différence entre la variation de l'enthalpie (ΔH) et le produit de la variation de l'entropie (ΔS) par la température (T).

Équation de Gibbs $\Delta G = \Delta H - T\Delta S$

Voici résumés les critères de Gibbs concernant la spontanéité d'un processus :

1. Lorsque $\Delta G < 0$, le processus est spontané.
2. Lorsque $\Delta G > 0$, le processus n'est pas spontané; il n'aura pas lieu à moins d'un apport supplémentaire d'énergie.
3. Lorsque $\Delta G = 0$, aucun changement global ne se produit, et le système ou le processus est à l'équilibre.

Le tableau 1.3 résume les critères de spontanéité d'un phénomène, physique ou chimique, selon les valeurs de l'enthalpie, ΔH, de l'entropie, ΔS, et de la température, T.

1.2.3 VARIATION DE LA SOLUBILITÉ AVEC LA PRESSION ET LA TEMPÉRATURE

La solubilité diffère selon la nature du soluté. Ainsi, la solubilité des gaz est très sensible à la pression et à la température alors que celle des solides est surtout affectée par la température. Quant aux liquides, leur solubilité est peu affectée par ces deux facteurs.

WILLIAM HENRY (1765-1836)
Chimiste et physicien britannique. Il a défini en 1803 la loi de la dissolution des gaz dans les liquides.

SOLUBILITÉ DES GAZ SELON LA PRESSION

La solubilité d'un gaz dans un liquide dépend de la pression du gaz en contact avec le liquide. Plus la pression est élevée, plus la solubilité augmente, ce qui s'exprime par une loi découverte par **William Henry**.

Loi de Henry À température constante, la solubilité d'un gaz est directement proportionnelle à la pression, P, de ce gaz au-dessus de la solution.

Cette loi s'exprime aussi par l'équation

$$P = kc$$

dans laquelle k est une constante et c représente la concentration molaire volumique (molarité) du gaz et exprime aussi sa solubilité. Pour comparer les solubilités d'un même gaz à des pressions différentes, il n'est pas nécessaire de connaître la valeur de la constante, k, puisqu'on traite le problème en comparant des rapports de solubilité avec ceux de la pression. Par exemple, à 0 °C et 101,3 kPa, la solubilité de l'azote dans l'eau est de 23,54 mL par litre. Pour accroître sa solubilité à 100,0 mL par litre, l'application de l'équation découlant de la loi de Henry montre qu'il faut exercer une pression de 430,3 kPa.

$$k = \frac{101{,}3 \text{ kPa}}{23{,}54 \text{ mL/L}} = \frac{P}{100{,}0 \text{ mL/L}} \Rightarrow P = 430{,}3 \text{ kPa}$$

De même, la loi de Henry montre que si 1 mL de gaz se dissout dans 1 L d'eau à 100,0 kPa, 5 mL s'y dissoudront à 500,0 kPa. L'application la plus connue de la loi de Henry concerne les boissons gazeuses, la bière et le champagne. La pression force le dioxyde de carbone, CO_2, dans la solution que forme la boisson. La pression y est constante tant que la bouteille est bouchée. Dès que la bouteille est décapsulée ou débouchée, la pression diminue et le gaz s'échappe. On remarque que le dioxyde de carbone ne se dissipe pas aussitôt que la boisson se trouve à la pression atmosphérique, car il forme une solution sursaturée avec l'eau. Cependant, dès que l'on agite la bouteille, le dioxyde de carbone se dégage rapidement. Enfin, notons que seule la pression partielle du dioxyde de carbone affecte sa solubilité, et non la pression totale qui s'exerce au-dessus de la solution, ce qui est en accord avec la loi de Henry et avec celle de Dalton selon laquelle la pression totale d'un mélange de gaz est égale à la somme des pressions partielles de chaque gaz formant le mélange (*voir* Chimie générale, *sous-section 4.3.3*). Comme la pression partielle du CO_2 dans l'air n'est que de l'ordre de 4×10^{-2} kPa (par rapport à la pression totale de l'air d'environ 100 kPa), on comprend pourquoi la boisson gazeuse perd tout son « piquant » lorsqu'elle atteint l'équilibre avec l'atmosphère.

EXERCICE 1.3

La solubilité aqueuse de l'oxygène moléculaire, O_2, aux conditions normales de température et de pression est de 48,9 mL par litre. Calculez cette solubilité lorsque l'oxygène est à sa pression normale partielle dans l'air, soit 21,2 kPa.

Le cacao se dissout plus facilement dans le lait chaud que dans le lait froid.

SOLUBILITÉ DES GAZ SELON LA TEMPÉRATURE

La solubilité d'un gaz varie aussi de façon importante avec la température. Plus la température est élevée, plus la solubilité diminue. Ainsi, la solubilité de l'hydrogène moléculaire, H_2, est de $1{,}922 \times 10^{-4}$ g par 100 g d'eau à 0 °C; elle diminue à $7{,}9 \times 10^{-5}$ g par 100 g d'eau à 80 °C (*tableau 1.4*). Cette diminution de la solubilité en raison de l'augmentation de la température a souvent des conséquences néfastes pour l'environnement et peut entraîner une forte pollution thermique. Par exemple, l'accroissement de la température de l'eau à la décharge de certaines usines provoque une si forte baisse de la quantité d'oxygène disponible que la vie marine en est considérablement affectée.

C'est en se référant à l'équation de Gibbs ($\Delta G = \Delta H - T\Delta S$) que l'on peut comprendre pourquoi la solubilité d'un gaz diminue avec l'augmentation de la

Tableau 1.4 Solubilité de quelques gaz à 0 °C et à des températures plus élevées.

Nom de la substance	Formule	Solubilité	
		(g par 100 g à 0 °C)	(g par 100 g à des températures plus élevées)
Ammoniac	NH_3	89,5	7,4 à 100 °C
Azote moléculaire	N_2	$2{,}922 \times 10^{-3}$	$6{,}60 \times 10^{-4}$ à 80 °C
Dioxyde de carbone	CO_2	0,348	0,097 à 40 °C
Chlore moléculaire	Cl_2	1,46	0,57 à 30 °C
Chlorure d'hydrogène	HCl	82,3	56,1 à 60 °C
Dioxyde de soufre	SO_2	22,83	4,5 à 50 °C
Hydrogène moléculaire	H_2	$1{,}922 \times 10^{-4}$	$7{,}9 \times 10^{-5}$ à 80 °C
Oxygène moléculaire	O_2	$6{,}945 \times 10^{-3}$	$1{,}381 \times 10^{-3}$ à 80 °C
Sulfure d'hydrogène	H_2S	0,7066	$7{,}65 \times 10^{-2}$ à 80 °C

température. En effet, lorsqu'un gaz se dissout dans l'eau, son entropie diminue, puisqu'une grande partie de sa liberté de mouvement est entravée ($\Delta S < 0$). En augmentant la température, le produit $|T\Delta S|$ augmente lui aussi, de sorte que ΔG s'accroît, ce qui se traduit par la diminution de la solubilité du gaz.

SOLUBILITÉ DES LIQUIDES ET DES SOLIDES

La solubilité des liquides est peu affectée par la pression ou la température. Par exemple, le brome moléculaire, liquide à la température ambiante, se dissout à raison de 3,58 g par 100 g d'eau à 20 °C; sa solubilité diminue peu, passant à 3,52 g à 50 °C.

Quant aux solides, la plupart d'entre eux sont plus solubles dans un solvant chaud que dans un solvant froid. L'écart entre la solubilité à chaud et à froid peut être plutôt faible, comme c'est le cas pour le chlorure de sodium (NaCl : 35,7 g par 100 g d'eau à 0 °C et 39,12 g par 100 g d'eau à 100 °C). Cet écart peut aussi être énorme, comme c'est le cas pour le nitrate de potassium (KNO_3 : 13,3 g par 100 g d'eau à 0 °C et 242 g par 100 g d'eau à 100 °C). En fait, l'écart entre la solubilité à chaud et à froid est d'autant plus grand que la dissolution est endothermique. Le tableau 1.5 donne les valeurs de solubilité de quelques sels à 20 °C et à 100 °C.

1.2.4 CRITÈRES QUALITATIFS DE FORMATION DES SOLUTIONS LIQUIDES

Le critère général qui permet de prédire la solubilité d'une substance dans un solvant pourrait se formuler de la manière suivante : *Qui se ressemble s'assemble*. Appliqué aux solutions, ce critère se traduirait par : un solvant dissout ses semblables. Par conséquent, une solution se forme si les molécules du soluté et celles du solvant se ressemblent chimiquement ou si elles ont tendance à s'associer. Ainsi, un soluté formé de molécules polaires ou un soluté ionique aura tendance à se dissoudre dans un solvant polaire. Un soluté non polaire se dissoudra plutôt dans un solvant lui aussi non polaire. À l'inverse, un soluté polaire est peu soluble dans un solvant non polaire et vice-versa (*voir* Chimie générale, *section 11.4*).

Les pinceaux enduits de peinture à l'huile, un composé non polaire, ne se nettoient qu'avec de l'essence minérale, un solvant non polaire.

Tableau 1.5 Solubilité de solides à différentes températures.

Nom de la substance	Formule	Solubilité (g par 100 g à 20 °C)	Solubilité (g par 100 g à 100 °C)
Acétate de potassium	CH_3COOK	253	492
Bromure de baryum	$BaBr_2$	104,1	149
Bromure de calcium	$CaBr_2$	142	312
Bromure de magnésium	$MgBr_2$	101,5	125,6
Bromure de strontium	$SrBr_2$	100	222,5
Carbonate de potassium	K_2CO_3	112	156
Chlorure de cadmium	$CdCl_2$	140	150
Chlorure de calcium	$CaCl_2$	74,5	159
Chlorure de magnésium	$MgCl_2$	54,25	72,7
Chlorure de nickel	$NiCl_2$	64,2	87,6
Chlorure de plomb(II)	$PbCl_2$	0,99	3,34
Chlorure de potassium	KCl	23,8	56,7
Chlorure de strontium	$SrCl_2$	53,8	100,8
Chromate de potassium	K_2CrO_4	62,9	79,2
Hydroxyde de lithium	$LiOH$	12,8	17,5
Sulfate de cobalt(II)	$CoSO_4$	36,2	83

Examinons en détail les cas suivants :

- le soluté est formé de molécules covalentes;
- le soluté est formé de molécules covalentes non polaires;
- le soluté est un solide ionique en solution.

SOLUTÉ FORMÉ DE MOLÉCULES COVALENTES EN SOLUTION

Lorsque le soluté et le solvant ne sont pas polaires ou le sont peu, les attractions intermoléculaires sont dues aux forces de London, soit à la création de dipôles instantanés. C'est le cas par exemple du brome moléculaire, Br_2, soluble dans le tétrachlorure de carbone, CCl_4 (*figure 1.9*); les molécules de ces deux substances ne sont pas polaires : dans le brome moléculaire, il n'existe aucun dipôle, car les deux atomes sont identiques, tandis que dans le tétrachlorure de carbone, les dipôles s'annulent.

Figure 1.9 Illustration de la solubilité du brome moléculaire, Br_2, dans le tétrachlorure de carbone, CCl_4.

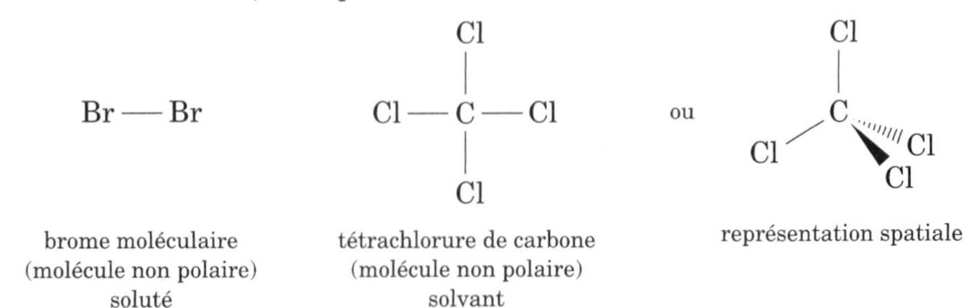

brome moléculaire (molécule non polaire) soluté

tétrachlorure de carbone (molécule non polaire) solvant

représentation spatiale

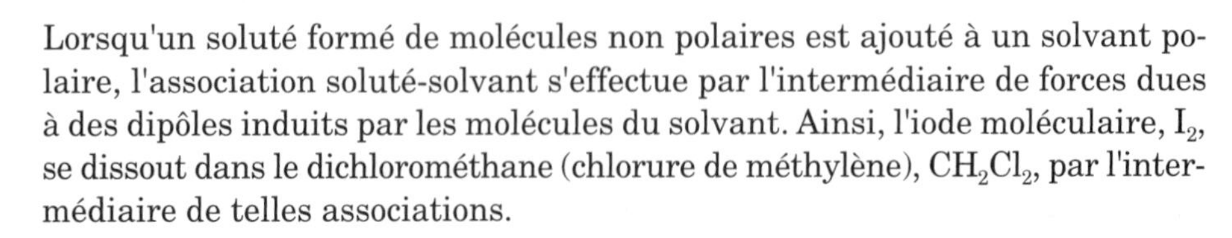

Lorsqu'un soluté formé de molécules non polaires est ajouté à un solvant polaire, l'association soluté-solvant s'effectue par l'intermédiaire de forces dues à des dipôles induits par les molécules du solvant. Ainsi, l'iode moléculaire, I_2, se dissout dans le dichlorométhane (chlorure de méthylène), CH_2Cl_2, par l'intermédiaire de telles associations.

I—I

iode moléculaire
(molécule non polaire)
soluté

$$\begin{array}{c} Cl \\ | \\ H-C-H \\ | \\ Cl \end{array}$$

ou

Cl, Cl, C, H, H

dichlorométhane
(molécule polaire)
solvant

SOLUTÉ FORMÉ DE MOLÉCULES COVALENTES POLAIRES EN SOLUTION

Dès que le soluté est formé de molécules polaires et que le solvant est non polaire, ses molécules et celles du solvant s'associent en formant des interactions résultant de l'induction de dipôles. Il s'agit d'un cas semblable à celui de l'iode en solution dans le dichlorométhane. La dissolution du sulfure d'hydrogène, H_2S, dans le sulfure de carbone, CS_2, illustre ce genre d'interactions.

δ^+ H—S $2\delta^-$ — H δ^+

sulfure d'hydrogène
(molécule polaire)
soluté

S═C═S

sulfure de carbone
(molécule non polaire)
solvant

Lorsque le solvant est polaire, les interactions moléculaires résultent d'attractions entre dipôles permanents auxquelles s'ajoutent éventuellement des attractions dues à la formation de liaisons par pont hydrogène. La dissolution du dioxyde de soufre, SO_2, dans l'eau illustre ce genre d'interactions entre des molécules polaires et un solvant polaire mettant en jeu des liaisons par pont hydrogène (*figure 1.10*).

COMPOSÉ IONIQUE EN SOLUTION

Lorsqu'un soluté ionique, tel un sel, est ajouté à un solvant non polaire, on peut prédire que la substance ne se dissoudra pas en raison du caractère très différent du soluté et du solvant. Par contre, si le solvant est polaire, le soluté s'y dissout d'autant plus facilement que les molécules de solvant sont en mesure de réduire les forces électrostatiques qui unissent les ions dans le cristal.

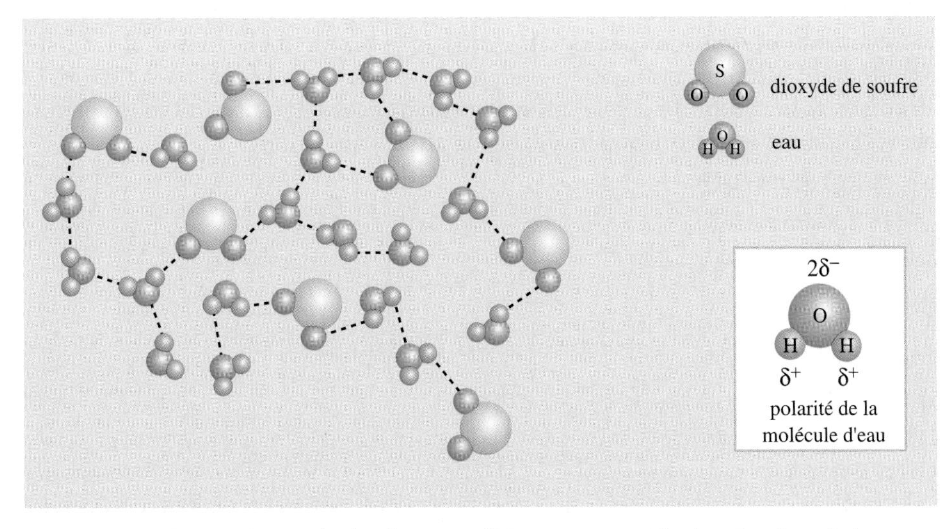

Figure 1.10 Interactions soluté-solvant par liaisons par pont hydrogène lors de la dissolution du dioxyde de soufre, SO_2, dans l'eau.

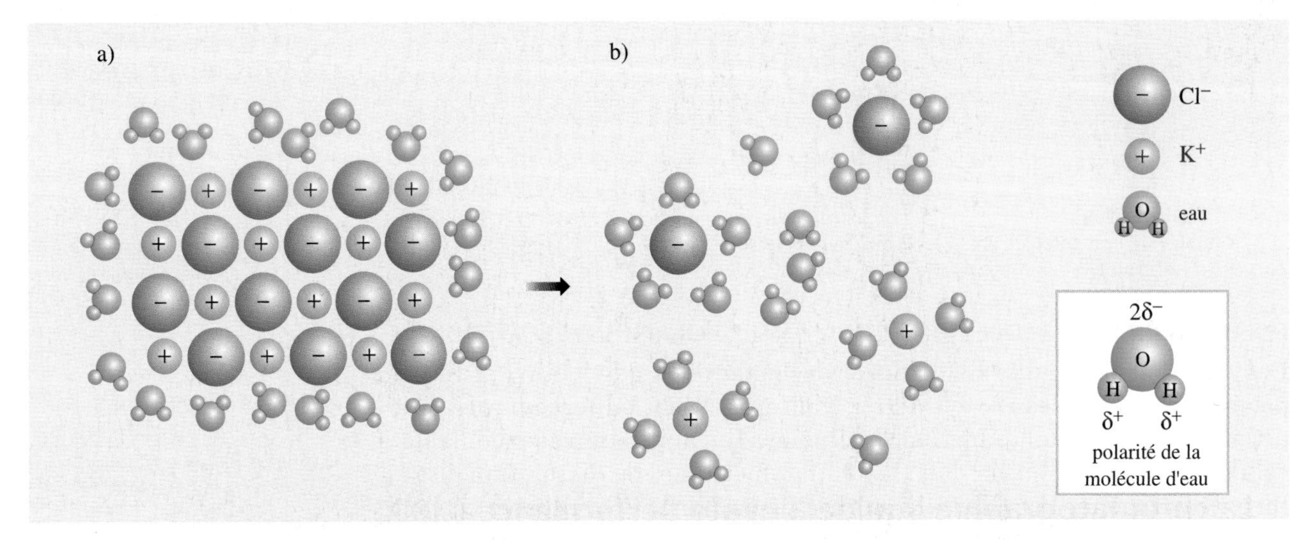

Figure 1.11 Étapes de solubilisation d'un solide ionique : attractions dipôle-ion à la surface (a) et hydratation (b).

À cet égard, l'eau constitue le solvant idéal. Considérons par exemple la dissolution du chlorure de potassium, KCl, dans l'eau (*figure 1.11*). À la surface du cristal, les anions, Cl^-, attirent les atomes d'hydrogène (partie positive) de la molécule d'eau, tandis que les cations, K^+, attirent la partie négative de la molécule, soit l'atome d'oxygène. Les molécules d'eau entourent ainsi progressivement les cations et les anions de la surface du cristal, pénètrent entre eux et les entraînent; les ions deviennent alors hydratés. Plusieurs molécules d'eau, de quatre à six selon la taille des ions, s'associent de cette manière avec les ions qui se meuvent quasi librement dans l'eau, ainsi entourés. Une telle interaction entre un ion chargé et l'un des dipôles de l'eau est désignée attraction dipôle-ion.

Il faut noter que les relations exposées dans cette section sont générales et ne servent que d'indicateurs qualitatifs. Dans le cas des sels, des règles plus spécifiques s'appliquent. Celles-ci sont présentées dans l'encadré de la page suivante. On suit ces règles dans l'ordre, la règle 1 ayant priorité sur la règle 2, et ainsi de suite. Par exemple, le carbonate de sodium, Na_2CO_3, est soluble, car selon la règle 1 tous les sels de sodium le sont; la règle 1 prédomine sur la règle 5 qui dit que les carbonates sont peu solubles. De même, le chlorure d'argent, AgCl, est peu soluble (règle 3), quoique les chlorures soient généralement solubles (règle 4).

EXERCICE 1.4

Prédisez si la solubilité de chacune des substances suivantes dans le solvant correspondant est faible ou élevée, et justifiez brièvement.

a) HCl(*g*) dans H_2O

b) HCl(*g*) dans CCl_4

c) S dans CS_2 (S=C=S)

d) KI dans H_2O

e) CH_3OH dans H_2O, la structure de CH_3OH étant :

```
      H
      |
  H — C — O
      |     \
      H      H
```

RÈGLES GÉNÉRALES DE SOLUBILITÉ DES SUBSTANCES

1. Les sels de sodium, de potassium et d'ammonium sont solubles.
2. Les nitrates, NO_3^-, les acétates, CH_3COO^-, et les perchlorates, ClO_4^-, sont solubles.
3. Les sels d'argent, de plomb et de mercure(I) sont peu solubles.
4. Les chlorures, Cl^-, les bromures, Br^-, et les iodures, I^-, sont solubles.
5. Les carbonates, CO_3^{2-}, les phosphates, PO_4^{3-}, les sulfures, S^{2-}, les oxydes, O^{2-}, et les hydroxydes, OH^-, sont peu solubles.
6. Les sulfates, SO_4^{2-}, sauf ceux de calcium, de strontium et de baryum, sont solubles.

CAPSULE CHIMIQUE

La chromatographie liquide à haute performance (HPLC) : une percée technique mettant en œuvre les différences de solubilité

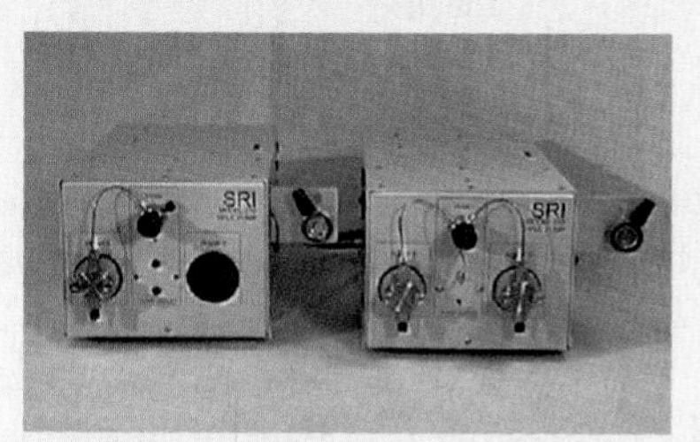

Un appareil de HPLC tel que celui-ci sert à détecter la présence de drogues dans le sang des athlètes olympiques.

La chromatographie est une méthode physique de séparation fondée sur les différences d'affinité de substances à analyser à l'égard de deux phases, l'une stationnaire, l'autre mobile. Selon la technique mise en jeu, la séparation des composants entraînés par la phase mobile résulte soit de leur adsorption et de leur désorption successives sur la phase stationnaire, soit de leur solubilité différente dans chaque phase. Dans ce dernier cas, la phase stationnaire est un liquide adsorbé à la surface d'un support solide inerte ou greffé sur elle, et la chromatographie est désignée chromatographie de partage.

En HPLC, la méthode fait appel aux éléments suivants (*figure 1*) :

- une colonne contenant la phase stationnaire; celle-ci est formée d'un granulé d'environ 5 µm sur lequel la phase stationnaire est fixée chimiquement;
- un ou plusieurs solvants dont le débit est maintenu constant grâce à une pompe qui force l'écoulement dans la colonne sous l'influence d'une forte pression (environ $2,0 \times 10^4$ kPa);
- un détecteur (à absorption dans l'ultraviolet, à réfractomètre différentiel);
- un enregistreur.

Les phases stationnaires usuelles sont peu polaires : par conséquent, elles retiendront davantage les substances non polaires que les substances polaires. La phase mobile, fortement polaire au début du processus chromatographique, peut être progressivement modifiée, de façon à devenir de moins en moins polaire, par l'ajout d'un solvant moins polaire dans l'eau (augmentation graduelle d'un solvant organique, par exemple) : l'eau (très polaire) et le méthanol, CH_3OH, qui l'est un peu moins, sont un exemple de phase mobile fréquemment employée.

Cette technique chromatographique est très pratique, car elle assure une séparation efficace de plusieurs composants en peu de temps (de 10 à 15 minutes). Elle présente aussi l'avantage d'analyser des substances à la température ambiante, par conséquent sans provoquer leur décomposition, et des substances de masse moléculaire élevée (jusqu'à 1 000 000), comme celles d'intérêt biologique (vitamines, glucides, protéines). Il sera de moins en moins possible aux athlètes suralimentés aux hormones d'échapper à ce type d'analyse !

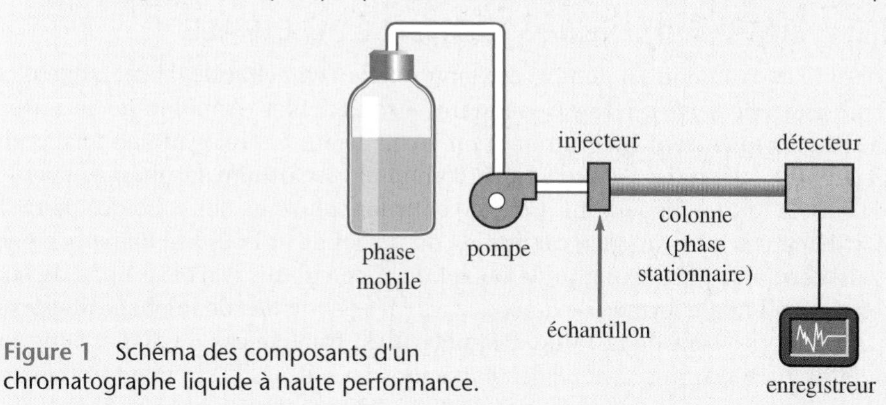

Figure 1 Schéma des composants d'un chromatographe liquide à haute performance.

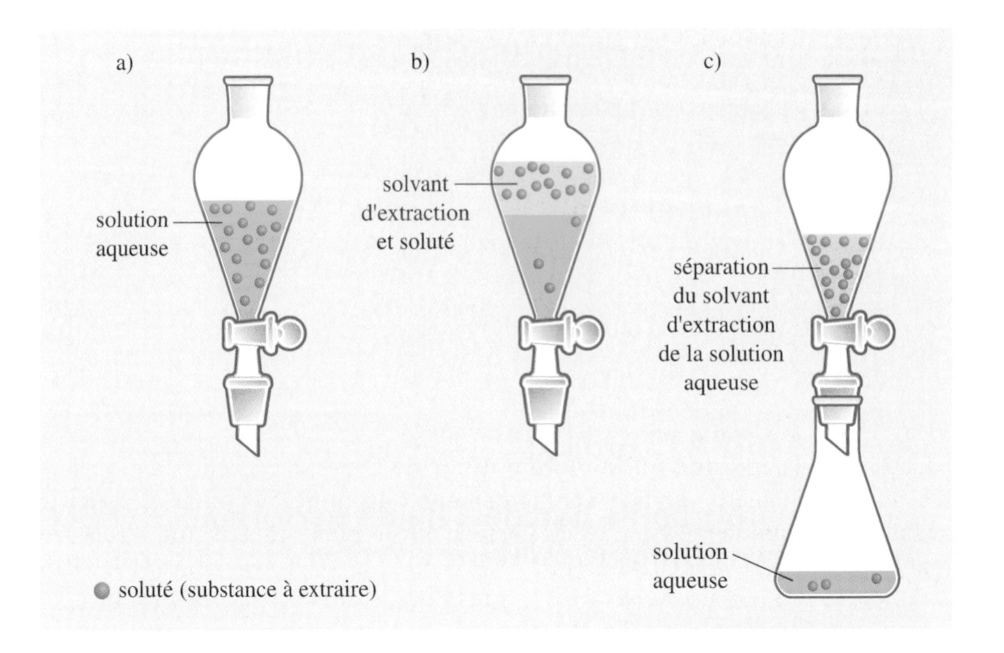

Figure 1.12 Illustration des étapes d'une extraction liquide-liquide : solution aqueuse (a), solvant d'extraction et solution aqueuse après agitation (b), séparation des phases (c).

L'extraction représente sûrement l'une des applications les plus importantes de la mise en œuvre des différences de solubilité d'un soluté à l'égard de deux solvants. L'extraction liquide-liquide, l'une des plus utilisées, est illustrée à la figure 1.12. Elle consiste à faire passer une substance d'un solvant à un autre dont il est facile de l'isoler. Cette opération est possible à la condition que les deux solvants ne soient pas miscibles entre eux ou ne le soient que très peu. L'extraction sera d'autant plus efficace que la substance à extraire, une huile essentielle par exemple, est plus soluble dans le solvant d'extraction, l'éther par exemple, que dans le solvant d'origine, généralement l'eau. Le plus souvent, l'extraction liquide-liquide s'effectue par l'agitation vigoureuse du solvant et de la solution soumise à l'extraction contenus dans une ampoule à décanter. Lorsque l'extraction est terminée, il suffit d'assécher la solution ayant servi à l'extraction et d'évaporer le solvant pour récupérer le soluté.

1.3 COLLOÏDES

Colloïde (suspension colloïdale) : mélange dans lequel des particules (200-500 nm) sont dispersées dans un gaz, un liquide ou un solide.

Nous savons qu'une solution résulte de la dispersion de molécules ou d'ions dans un solvant. Examinons maintenant la dispersion de particules nettement plus grosses que les molécules, mais insuffisamment grosses pour être visibles au microscope optique. Il s'agit des suspensions colloïdales ou simplement des **colloïdes**. Une suspension peut prendre plusieurs formes en donnant une émulsion, un aérosol ou un gel.

1.3.1 NATURE D'UNE SUSPENSION COLLOÏDALE

Lorsque de l'amidon en poudre est ajouté à de l'eau chaude, le mélange n'est pas homogène (*figure 1.13*). Cependant, les particules d'amidon ne décantent pas, mais demeurent indéfiniment en suspension. Un tel système forme une dispersion colloïdale; les particules d'amidon constituent la phase dispersée et l'eau, le milieu dispersant. Comme pour les solutions, les colloïdes peuvent être dispersés dans un gaz, un liquide ou un solide et la phase dispersée peut également être gazeuse, liquide ou solide. Cependant, il n'existe pas de suspension colloïdale formée de deux gaz, car les particules de la phase dispersée et dispersante sont de la taille des molécules. Dans le cas de dispersions colloïdales, bien que la grosseur des particules ne soit pas clairement établie, on estime qu'elle se situe dans l'ordre de 200 à 500 nm. Contrairement à ce qui se

Figure 1.13 En mêlant de l'amidon et de l'eau, on obtient un mélange opaque que l'on appelle suspension colloïdale.

Tableau 1.6 Classification des systèmes colloïdaux.

Phase dispersée	Phase dispersante	Nom usuel	Exemples
Solide	Gaz	Aérosol solide	Fumée, poussière dans l'air
Solide	Liquide	Sol, gel	Amidon en suspension, peinture
Liquide	Gaz	Aérosol liquide	Nuage, brouillard, bruine
Liquide	Liquide	Émulsion	Mayonnaise, lait
Gaz	Liquide	Mousse	Crème fouettée, œuf battu
Gaz	Solide	Solide	Pierre ponce, guimauve, mousse de polystyrène

passe avec les cristaux qui ne forment pas de suspension colloïdale, la formation des colloïdes est liée non seulement à la taille des particules, mais aussi au fait que les particules dispersées ont le plus souvent une structure amorphe, c'est-à-dire une structure dans laquelle les atomes ou les molécules sont répartis de façon désordonnée. De nombreux colloïdes font partie de notre quotidien, entre autres les nuages, le brouillard, le lait, la crème fouettée, la peinture et la gélatine. Le tableau 1.6 présente une classification des systèmes colloïdaux et des exemples.

1.3.2 PRÉPARATION DE SYSTÈMES COLLOÏDAUX

Pour obtenir des particules de dimension colloïdale, il existe deux méthodes : par dispersion et par condensation.

MÉTHODE PAR DISPERSION

La méthode par dispersion consiste à subdiviser de grosses particules, le plus souvent par broyage; les pigments de peinture sont préparés de cette manière dans des broyeurs spéciaux. Au lieu d'être mécanique, la dispersion peut être obtenue en désintégrant un matériau à l'aide d'un solvant approprié. C'est ce qu'on appelle la **peptisation**. Par exemple, un solvant qui est facilement adsorbé par le colloïde formera une suspension. Les protéines, comme l'albumine (œuf) et la gélatine, ainsi que l'amidon sont facilement peptisés par l'eau.

Peptisation : désintégration d'un matériau en particules de dimension colloïdale sous l'action d'un solvant.

MÉTHODE PAR CONDENSATION

La méthode par condensation la plus usuelle consiste à utiliser des réactions chimiques en solution spécifiques. Certaines réactions peuvent en effet conduire à la formation de molécules insolubles qui s'agglutinent pour former des granules. Des réactions d'hydrolyse et d'oxydoréduction peuvent notamment servir à cette fin. Par exemple, le chlorure de fer(III), $FeCl_3$, forme un agrégat de particules colloïdales lorsqu'il est traité avec de l'eau chaude (*figure 1.14*). Ces agrégats sont composés de molécules d'hydroxyde de fer(III), $Fe(OH)_3$.

$$FeCl_3(aq) + 3H_2O(l) \longrightarrow Fe(OH)_3(s) + 3H^+(aq) + 3Cl^-(aq)$$

Les particules dispersées d'un colloïde sont habituellement chargées. Par exemple, un agrégat d'hydroxyde de fer(III) ne contient pas assez d'ions hydroxyde, OH^-, pour annuler les charges des ions fer(III). Cette propriété est mise à profit pour récupérer les suspensions de particules de fumée dans des industries chimiques. Les particules sont entraînées vers des électrodes à haut voltage où elles sont neutralisées, puis se déposent. Ce procédé a été développé par un chimiste américain, Frederick Cottrell, qui a laissé son nom aux dépoussiéreurs Cottrell.

Figure 1.14 Lorsqu'on ajoute du chlorure de fer(III), $FeCl_3$, dans de l'eau chaude, il se forme une suspension colloïdale d'hydroxyde de fer(III), $Fe(OH)_3$, de coloration rougeâtre.

La pectine est responsable de la texture gélifiante de la confiture.

1.3.3 ÉMULSION, GEL ET AÉROSOL

Sous certaines conditions, la phase dispersée d'un système colloïdal coagule à un point tel que la suspension devient très visqueuse : on obtient alors un **gel**. Par exemple, une « solution » chaude de gélatine devient un gel par refroidissement. Sa formation résulte du fait que les fibres de la phase dispersée forment un réseau complexe tridimensionnel dont les interstices sont occupés par le liquide ou par une solution diluée de la phase dispersée. La pectine, un glucide extrait des jus de fruits, sert notamment dans la préparation des gelées. Le gel de silice, utilisé en chromatographie, est une dispersion colloïdale de dioxyde de silicium hydraté. On l'obtient par coagulation d'une suspension du dioxyde de silicium, SiO_2, ou par la décomposition des silicates.

Une **émulsion** est une suspension colloïdale d'un liquide dispersé dans un autre liquide. L'agitation vigoureuse de deux liquides peu miscibles conduit à la formation d'une émulsion; l'agitation provoque la fragmentation de l'un des liquides en gouttelettes qui se dispersent dans l'autre liquide. Cependant, une émulsion doit être stabilisée par un agent émulsifiant. Par exemple, la mayonnaise est une émulsion d'huile dans du vinaigre ou du jus de citron avec, comme agent émulsifiant, du jaune d'œuf. Le lait constitue aussi une émulsion; la phase dispersée est le gras, la phase dispersante est l'eau et l'agent émulsifiant est la caséine, une protéine. La plupart des produits cosmétiques sont aussi des émulsions.

Gel : suspension colloïdale de particules solides dans un liquide.

Émulsion : suspension colloïdale de particules liquides dans un liquide.

Aérosol : suspension colloïdale de particules solides ou liquides dans l'air.

Enfin, les **aérosols** sont des suspensions colloïdales dans lesquelles l'air (ou un autre gaz) constitue la phase dispersante. Les exemples les plus familiers d'aérosols sont la fumée, une suspension de particules solides dans l'air, et le brouillard, une suspension de gouttelettes d'eau dans l'air.

1.4 EXPRESSIONS DE LA CONCENTRATION D'UNE SOLUTION

L'étude exhaustive des solutions exige de connaître la quantité de soluté qu'elles contiennent. Ainsi, pour prévoir l'influence d'un soluté sur certaines propriétés physiques d'une solution, il faut connaître son nombre de moles; il en va de même pour interpréter un dosage acido-basique, car il faut déterminer le nombre de moles d'ions H^+ et OH^- mis en jeu dans la neutralisation. Il existe plusieurs façons d'exprimer la concentration d'une solution : les pourcentages massique et volumique, la concentration molaire volumique (molarité), la normalité, la fraction molaire, la molalité et les parties par million (ppm); nous vous présenterons également le cas particulier de la masse volumique. Ces expressions seront réutilisées à des degrés divers dans les prochains chapitres pour étudier l'aspect quantitatif des solutions.

1.4.1 POURCENTAGES MASSIQUE, VOLUMIQUE ET MASSE/VOLUME

Lorsque la concentration d'une solution est donnée en pourcentage, elle représente le pourcentage de soluté, en masse ou en volume, par rapport à la masse ou au volume de solution.

POURCENTAGE MASSIQUE

Pourcentage massique : rapport, multiplié par 100, entre la masse d'un soluté et celle de la solution.

Le **pourcentage massique** (% *m*/*m*), expression très utilisée dans l'industrie chimique, donne le rapport entre la masse de soluté et celle de la solution, le tout multiplié par 100. Il donne par conséquent la masse en grammes de soluté pour 100 g de solution.

$$\text{pourcentage massique} = \frac{\text{masse de soluté}}{\text{masse de solution}} \times 100$$

Le pourcentage indiqué sur les contenants de lait représente le pourcentage massique de matières grasses qu'il renferme.

Puisque le soluté et le solvant forment la solution, le pourcentage massique peut aussi représenter le rapport entre la masse de soluté et la somme des masses de soluté et de solvant.

$$\text{pourcentage massique} = \frac{\text{masse de soluté}}{\text{masse de soluté} + \text{masse de solvant}} \times 100$$

Par exemple, lorsque l'étiquette d'un flacon d'acide nitrique concentré porte la mention 70,0 %, cela signifie qu'il contient 70,0 g de HNO_3 pour 100 g de solution, ou encore qu'il renferme 70,0 g de HNO_3 et 30,0 g d'eau (100 g – 70,0 g).

$$70{,}0\ \%\ HNO_3 = \frac{70{,}0\text{ g }HNO_3}{100{,}0\text{ g solution}} \times 100 = \frac{70{,}0\text{ g }HNO_3}{70{,}0\text{ g }HNO_3 + 30{,}0\text{ g }H_2O} \times 100$$

▼ EXEMPLE 1.1

Un détergent spécial (d'usage industriel) pour tuiles de céramique contient 130 g de chlorure d'hydrogène, HCl, et 750 g d'eau. On veut calculer le pourcentage massique en HCl.

1° On calcule d'abord la masse de la solution.

masse de soluté	+	masse de solvant	=	masse de solution
130 g HCl	+	750 g H_2O	=	880 g solution

2° On calcule le pourcentage massique en HCl en divisant la masse de HCl par celle de la solution et on multiplie le résultat par 100.

$$\text{pourcentage massique de HCl} = \frac{130\text{ g HCl}}{880\text{ g solution}} \times 100 = 15\ \%$$

• La solution renferme donc **15 %** de HCl en pourcentage massique.

EXERCICE 1.5

On dissout 12,0 g de sucre, $C_{12}H_{22}O_{11}$, dans 200,0 g d'eau. Calculez la concentration de sucre en pourcentage massique.

Pourcentage volumique : rapport, multiplié par 100, entre le volume d'un soluté et celui de la solution.

POURCENTAGE VOLUMIQUE

La définition du **pourcentage volumique** (% *V*/*V*) diffère de celle du pourcentage massique par la seule substitution du terme volume à celui de masse.

$$\text{pourcentage volumique} = \frac{\text{volume de soluté}}{\text{volume de solution}} \times 100$$

ou

$$\text{pourcentage volumique} = \frac{\text{volume de soluté}}{\text{volume de soluté} + \text{volume de solvant}} \times 100$$

Il arrive souvent que les concentrations de solutions dont le soluté est liquide soient exprimées en pourcentage volumique. C'est le cas notamment des boissons alcooliques comme la bière et le vin. L'utilisation assez courante de cette expression vient de ce qu'il est facile de mesurer le volume d'un liquide.

L'alcool contenu dans cette liqueur est exprimé sous la forme d'un pourcentage volumique.

EXERCICE 1.6

Calculez le volume d'éthanol, CH_3CH_2OH (l'alcool des boissons alcooliques), qu'il faut ajouter à 50,0 mL d'eau pour obtenir une solution à 20,0 % (*V*/*V*).

POURCENTAGE MASSE/VOLUME

Pourcentage masse/volume : rapport, multiplié par 100, entre la masse d'un soluté et le volume de la solution.

Le rapport entre la masse de soluté et le volume de solution est appelé **pourcentage masse/volume** (% *m*/*V*). Moins utilisée en chimie, cette expression est répandue en médecine et en pharmacie pour indiquer, par exemple, les dosages des solutions médicamenteuses et des sirops. Pour l'exprimer, il est rarement utile de séparer soluté et solvant dans le dénominateur de la fraction en raison de la différence des états physiques. Le plus souvent, la masse de soluté est donnée en grammes (g) et le volume de solution est donné en millilitres (mL).

$$\text{pourcentage masse/volume} = \frac{\text{masse de soluté}}{\text{volume de solution}} \times 100$$

EXERCICE 1.7

Une solution aqueuse isotonique de chlorure de sodium, NaCl (solution administrée par voie intraveineuse), est approximativement égale à 0,90 % (*m*/*V*). Calculez la masse de chlorure de sodium que contiennent 500,0 mL d'une solution isotonique.

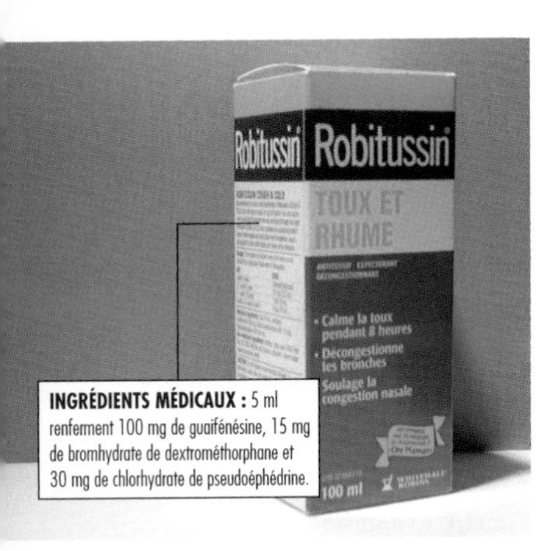

Les composants médicamenteux des sirops contre la toux sont indiqués en fonction de leur pourcentage masse/volume.

1.4.2 MASSE VOLUMIQUE ET POURCENTAGE MASSIQUE

La masse volumique, ρ (la lettre rho de l'alphabet grec[1]), d'une solution est le rapport entre sa masse, *m*, et le volume, *V*, qu'elle occupe. Il s'agit donc d'une caractéristique physique. Pour une solution aqueuse, la masse est généralement exprimée en grammes (g) et le volume en centimètres cubes (cm^3) ou en millilitres (mL).

$$\rho = \frac{m}{V}$$

Bien que la masse volumique d'une solution n'indique pas la concentration massique ou volumique d'une solution, elle est très utile : il existe en effet une relation simple entre les concentrations de solutions du même soluté et leurs masses volumiques. Si le soluté est solide, la masse volumique de la solution est directement proportionnelle à son pourcentage massique (ou volumique, ou masse/volume), comme le montre le graphique de la figure 1.15.

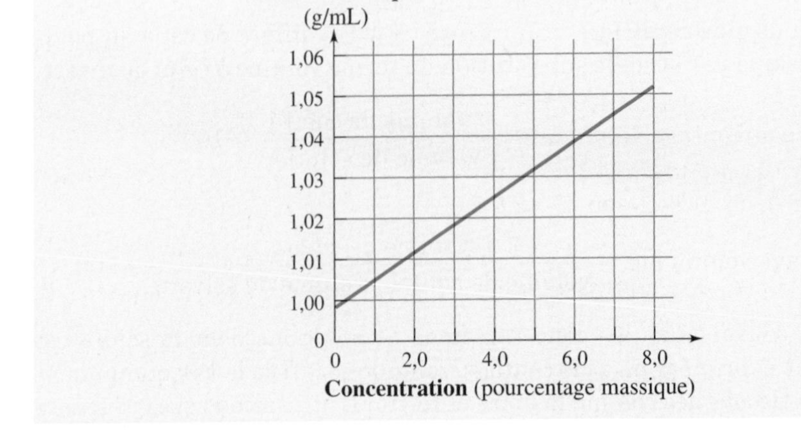

Figure 1.15 Graphique de la masse volumique d'une solution aqueuse de sulfate de cuivre(II), $CuSO_4$, en fonction de son pourcentage massique.

1. On trouvera à la fin du volume les lettres de l'alphabet grec souvent utilisées en chimie.

Cette propriété est mise à profit dans les densimètres, appareils dont le réservoir est lesté et dont la tige est graduée comme l'est un thermomètre (*figure 1.16*); un tel instrument permet de mesurer directement la masse volumique de solutions. La profondeur à laquelle le densimètre s'enfonce est inversement proportionnelle à la masse volumique de la solution, en conformité avec le principe d'Archimède : plus la masse volumique du fluide est faible, plus le densimètre s'enfonce profondément. Ainsi, un alcoomètre est gradué de manière à mesurer directement le pourcentage volumique d'alcool dans le vin d'après la masse volumique de ce dernier.

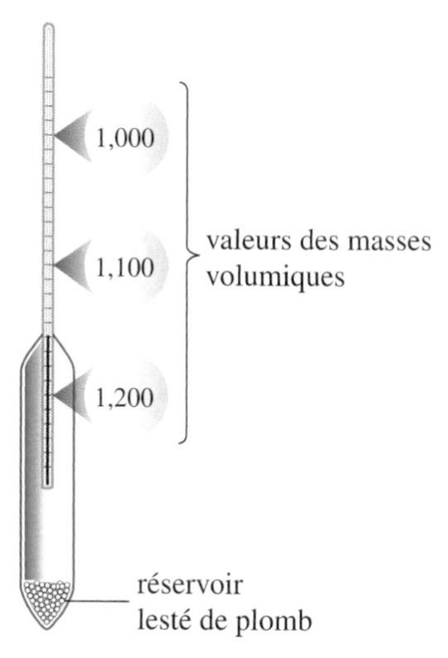

Figure 1.16 Représentation d'un densimètre.

Cette propriété permet également d'exprimer la concentration d'une solution selon différentes unités de concentration en se servant de la valeur de sa masse volumique et, éventuellement, de celle du soluté. Une façon simple de procéder consiste à appliquer la démarche suivante :

1° On note les données connues dans un tableau.

2° À partir de ces données, on exprime les quantités de chaque composant dans les unités désirées.

3° On exprime la concentration ou on effectue les calculs selon les unités désirées.

▼ EXEMPLE 1.2

Une solution aqueuse d'éthanol, C_2H_5OH, dont le pourcentage volumique est égal à 10,0 % possède une masse volumique de 0,982 g/mL; la masse volumique de l'éthanol pur est de 0,789 g/mL. On désire exprimer la concentration en éthanol de cette solution en pourcentage massique et en pourcentage masse/volume.

1° On note les données connues dans un tableau.

	Soluté (éthanol)	**Solvant** (eau)	**Solution**
volume (mL)	10,0		100,0
ρ (g/mL)	0,789		0,982

2° On exprime les quantités de chaque composant dans les unités désirées.

- Puisque la concentration en éthanol est de 10,0 % en volume, ceci signifie que 100,0 mL de solution contiennent 10,0 mL d'éthanol. La masse volumique de l'éthanol étant de 0,789 g/mL, on peut calculer la masse de 10,0 mL d'éthanol en la multipliant par ce facteur de conversion.

$$10{,}0\ \cancel{\text{mL éthanol}} \times \frac{0{,}789\ \text{g éthanol}}{1\ \cancel{\text{mL éthanol}}} = 7{,}89\ \text{g éthanol}$$

- Puisque la masse volumique de la solution vaut 0,982 g/mL, on calcule la masse de 100,0 mL de solution en la multipliant par ce facteur de conversion.

$$100{,}0\ \cancel{\text{mL solution}} \times \frac{0{,}982\ \text{g solution}}{1\ \cancel{\text{mL solution}}} = 98{,}2\ \text{g solution}$$

- On calcule la masse d'eau en soustrayant de la masse de la solution (98,2 g) celle de l'éthanol (7,89 g).

$$\text{masse d'eau} = 98{,}2\ \text{g} - 7{,}89\ \text{g} = 90{,}3\ \text{g}$$

- On exprime l'ensemble des informations tirées des données et des calculs de la manière suivante :

	Soluté (éthanol)	**Solvant** (eau)	**Solution**
volume (mL)	10,0		100,0
masse (g)	7,89	90,3	98,2

Notez que si les masses s'additionnent lorsque le soluté et le solvant sont mélangés, il est rare que l'on puisse en faire de même en ce qui concerne les volumes.

3° On possède maintenant tous les éléments pour exprimer la concentration en éthanol de la solution en pourcentage massique et en pourcentage volumique.

$$\text{pourcentage massique} = \frac{\text{masse d'éthanol}}{\text{masse de solution}} \times 100$$

$$= \frac{7{,}89 \text{ g éthanol}}{98{,}2 \text{ g solution}} \times 100$$

$$= 8{,}03\ \%$$

- Le pourcentage massique en éthanol est égal à **8,03 %**.

$$\text{pourcentage masse/volume} = \frac{\text{masse d'éthanol}}{\text{volume de solution}} \times 100$$

$$= \frac{7{,}89 \text{ g éthanol}}{100{,}0 \text{ mL solution}} \times 100$$

$$= 7{,}89\ \%$$

- Le pourcentage masse/volume en éthanol est de **7,89 %**.

▼ EXEMPLE 1.3

La concentration d'une solution d'acide chlorhydrique commercial, HCl(*aq*), est de 37,2 % (*m*/*m*) et sa masse volumique est de 1,19 g/mL. On a besoin de 45,0 g de chlorure d'hydrogène pur, HCl, provenant de la solution pour préparer un chlorure métallique. Voyons comment déterminer le volume d'acide chlorhydrique qu'il faut prélever.

1° On note les données connues dans un tableau.

	Soluté (HCl)	**Solvant** (eau)	**Solution**
masse (g)	37,2		100,0
ρ (g/mL)			1,19

2° On exprime les quantités de chaque composant dans les unités désirées.

- Puisque le pourcentage massique en HCl est de 37,2 %, on en déduit que la masse d'eau dans la solution est de 62,8 g.

$$\text{masse d'eau} = \text{masse de solution} - \text{masse de soluté}$$

$$m_{\text{eau}} = 100{,}0 \text{ g} - 37{,}2 \text{ g} = 62{,}8 \text{ g}$$

- Puisque la masse volumique de la solution est de 1,19 g/mL, on calcule son volume en multipliant sa masse par le facteur de conversion approprié.

$$\text{volume de 100,0 g de solution} = 100{,}0 \cancel{\text{ g solution}} \times \frac{1 \text{ mL solution}}{1{,}19 \cancel{\text{ g solution}}}$$

$$= 84{,}0 \text{ mL solution}$$

- On exprime l'ensemble des informations tirées des données et des calculs de la manière suivante :

	Soluté (HCl)	**Solvant** (eau)	**Solution**
masse (g)	37,2	62,8	100,0
volume (mL)			84,0

3° On calcule le volume de solution d'acide en multipliant la masse de HCl nécessaire (45,0 g) par le facteur de conversion fondé sur le rapport entre le volume de solution (84,0 mL) et la masse de HCl (37,2 g).

$$\text{volume de solution} = 45{,}0\ \cancel{\text{g HCl}} \times \frac{84{,}0\ \text{mL solution}}{37{,}2\ \cancel{\text{g HCl}}} = 102\ \text{mL solution}$$

- Il faut donc prélever **102 mL** d'acide chlorhydrique pour préparer le chlorure métallique.

EXERCICE 1.8

La masse volumique d'une solution d'acide sulfurique, H_2SO_4, dont la concentration massique est de 10,00 % est égale à 1,070 g/mL. Quel volume de cette solution faut-il prélever si on a besoin de 21,4 g de H_2SO_4 pur ?

1.4.3 CONCENTRATION MOLAIRE VOLUMIQUE (MOLARITÉ, M)

L'unité de concentration utilisée le plus fréquemment en chimie est la **concentration molaire volumique**, *c*, appelée aussi **molarité**[2] et désignée par le symbole M. La concentration molaire volumique indique le nombre de moles de soluté par volume de solution exprimé en litres. L'avantage de cette expression réside dans le fait que la concentration est indépendante de la nature du soluté : une solution contenant 58,5 g (1 mol) de chlorure de sodium, NaCl, par litre possède la même concentration molaire volumique que la solution renfermant 180,2 g (1 mol) de glucose, $C_6H_{12}O_6$. De plus, comme nous le verrons à la section 1.5, ce type de solution est facile à préparer.

Concentration molaire volumique (molarité, M) : nombre de moles de soluté par litre de solution. Attention ! Le symbole M exprime la molarité de la solution et non sa masse molaire.

$$\text{concentration molaire volumique } (c) = \frac{\text{nombre de moles de soluté}}{\text{volume de solution (L)}} = \frac{n_{\text{soluté}}}{V_{\text{solution}}(\text{L})}$$

Ainsi, une solution contenant 0,15 mol de chlorure de sodium, NaCl, par litre de solution est dite 0,15 mol/L ou 0,15 M. Rappelons que le nombre de moles que renferme une substance est égal à sa masse divisée par sa masse molaire (*voir* Chimie générale, *section 4.1*). Pour effectuer les calculs reliés à la concentration molaire volumique, on suit une démarche analogue à celle des autres unités de mesure en y ajoutant le calcul du nombre de moles pour le soluté.

▼ EXEMPLE 1.4

On dissout 50,0 mL de méthanol, CH_3OH (ρ = 0,791 g/mL), dans suffisamment d'eau pour obtenir 250,0 mL de solution. Voici comment on calcule la concentration molaire volumique de cette solution.

1° On note les données connues dans un tableau.

	Soluté (CH_3OH)	**Solvant** (eau)	**Solution**
volume (mL)	50,0		250,0

2. L'usage du terme molarité n'est pas recommandé par l'Union internationale de chimie pure et appliquée, mais ce terme est encore très largement employé dans les industries chimiques, les universités et les hôpitaux.

2° On exprime les quantités de chaque composant dans les unités désirées.

– Puisque la concentration molaire volumique donne le nombre de moles de soluté par litre de solution, il faut convertir le volume de méthanol en masse, et la masse en nombre de moles. Il faut par conséquent utiliser les facteurs de conversion fondés sur la masse volumique (0,791 g/mL) et la masse molaire (M_{CH_3OH} = 32,04 g/mol).

$$\text{masse de méthanol} = 50{,}0\ \cancel{\text{mL méthanol}} \times \frac{0{,}791\ \text{g méthanol}}{1\ \cancel{\text{mL méthanol}}}$$

$$= 39{,}6\ \text{g méthanol}$$

$$\text{nombre de moles de méthanol} = 39{,}6\ \cancel{\text{g méthanol}} \times \frac{1\ \text{mol méthanol}}{32{,}04\ \cancel{\text{g méthanol}}}$$

$$= 1{,}24\ \text{mol méthanol}$$

– Le volume de solution doit être exprimé en litres.

$$250{,}0\ \cancel{\text{mL}} \times \frac{1\ \text{L}}{1000\ \cancel{\text{mL}}} = 0{,}2500\ \text{L}$$

On réunit les informations concernant la solution.

	Soluté (méthanol)	**Solvant** (eau)	**Solution**
volume	50,0 mL		0,2500 L
masse (g)	39,6		
quantité de matière (mol)	1,24		

3° On applique la définition concernant la concentration molaire volumique (molarité) pour effectuer le calcul.

$$\text{concentration molaire volumique } (c) = \frac{1{,}24\ \text{mol méthanol}}{0{,}2500\ \text{L}}$$

$$= 4{,}96\ \text{mol/L ou } 4{,}96\ \text{M}$$

• La concentration molaire volumique de la solution d'acide sulfurique est donc de **4,96 mol/L** ou **4,96 M**.

On peut résumer dans un seul calcul les divers facteurs de conversion qui interviennent pour obtenir sensiblement le même résultat.

$$c = \frac{50{,}0\ \cancel{\text{mL méthanol}}}{250{,}0\ \cancel{\text{mL}}} \times \frac{0{,}791\ \cancel{\text{g méthanol}}}{1\ \cancel{\text{mL méthanol}}} \times \frac{1\ \text{mol méthanol}}{32{,}04\ \cancel{\text{g méthanol}}} \times \frac{1000\ \cancel{\text{mL}}}{1\ \text{L}}$$

$$= 4{,}94\ \text{mol/L ou } 4{,}94\ \text{M}$$

Remarquez que l'on n'obtient pas exactement la même réponse, car on n'arrondit qu'une fois au lieu de deux, ce qui est préférable.

EXERCICE 1.9

On ajoute 20,0 mL d'acide acétique pur, CH_3COOH (composant qui donne son goût au vinaigre), dont la masse volumique est égale à 1,048 g/mL, à suffisamment d'eau pour obtenir 500,0 mL de solution. Calculez la concentration molaire volumique (molarité) en acide acétique de la solution.

1.4.4 NORMALITÉ

La normalité, N, est une autre expression de la concentration dont l'emploi n'est pas recommandé par l'Union internationale de chimie pure et appliquée. Mais comme son usage est encore très répandu dans les laboratoires de chimie industrielle et ceux des hôpitaux, nous en faisons ici un bref exposé, limité à son application aux acides et aux bases. Au chapitre 8, nous verrons comment cette notion s'applique aussi aux oxydants et aux réducteurs.

La **normalité** est fondée sur la notion d'**équivalent**. Appliqué à un acide, un équivalent est la masse d'acide qui contient une mole d'ions H^+. L'équivalent d'une base correspond à la masse de base qui contient une mole d'ions OH^-. Ainsi, un équivalent d'acide sulfurique, H_2SO_4, correspond à 49,04 g. En effet, une mole de H_2SO_4 contient 2 mol d'ions H^+; par conséquent, 0,5 mol de H_2SO_4 (98,08 g/2) renferme 1 mol d'ions H^+. Plus simplement, la masse d'un équivalent d'acide (ou de base) est égale à la masse de l'acide (ou de la base) divisée par le nombre d'atomes d'hydrogène (ou de groupes OH) que renferme la formule.

Normalité : nombre d'équivalents de soluté par volume de solution en litres.

Équivalent d'acide (ou de base) : nombre de moles de H^+ (ou OH^-) par mole d'acide (ou de base).

$$1 \text{ équivalent } H_2SO_4 = \frac{1 \text{ mol } H_2SO_4}{2} = 0{,}5 \text{ mol}$$

$$\begin{aligned} \text{masse de 1 équivalent } H_2SO_4 &= \frac{\text{masse molaire } H_2SO_4}{2} \\ &= \frac{98{,}08 \text{ g}}{2} \\ &= 49{,}04 \text{ g} \end{aligned}$$

Et exprimée sous une autre forme, on peut considérer que la formule H_2SO_4 renferme deux équivalents par mole, ce qui correspond à 49,04 g par équivalent.

$$\begin{aligned} H_2SO_4 &= \frac{98{,}08 \text{ g}}{\cancel{1 \text{ mol}}} \times \frac{\cancel{1 \text{ mol}}}{2 \text{ éq}} \\ &= 49{,}04 \text{ g/éq} \end{aligned}$$

De même, la formule H_3PO_4 renferme trois équivalents par mole, ce qui correspond à 32,67 g par équivalent.

$$1 \text{ équivalent } H_3PO_4 = \frac{1 \text{ mol } H_3PO_4}{3} = 0{,}333 \text{ mol}$$

$$\begin{aligned} \text{masse de 1 équivalent } H_3PO_4 &= \frac{\text{masse molaire } H_3PO_4}{3} \\ &= \frac{98{,}00 \text{ g}}{3} \\ &= 32{,}67 \text{ g} \end{aligned}$$

$$\begin{aligned} H_3PO_4 &= \frac{98{,}00 \text{ g}}{\cancel{1 \text{ mol}}} \times \frac{\cancel{1 \text{ mol}}}{3 \text{ éq}} \\ &= 32{,}67 \text{ g/éq} \end{aligned}$$

Notons que cette définition ne concerne que les atomes d'hydrogène possédant un caractère acide (*voir* Chimie générale, *section 3.4*), ce qui signifie que dans l'acide acétique, CH_3COOH, seul l'hydrogène du groupe COOH est acide. Par conséquent, un équivalent d'acide acétique est égal à sa masse molaire.

$$\text{masse de 1 équivalent de } CH_3COOH = \frac{60{,}05 \text{ g}}{1} = 60{,}05 \text{ g}$$

La normalité, N, d'une solution est le nombre d'équivalents d'acide (ou de base) par volume de solution en litres.

$$\text{normalité (N)} = \frac{\text{nombre d'équivalents de soluté}}{\text{volume de solution (L)}} = \frac{n_{\text{équivalents}}}{V_{\text{solution}}\text{(L)}}$$

Ainsi, une solution contenant 1,0 équivalent de H_2SO_4 (0,50 mol) par litre de solution est 1,0 N.

EXERCICE 1.10

Calculez la normalité d'une solution d'acide sulfurique, H_2SO_4, contenant 4,90 g d'acide par 500,0 mL de solution.

1.4.5 FRACTION MOLAIRE ET POURCENTAGE MOLAIRE

Fraction molaire : rapport entre le nombre de moles d'un soluté et le nombre total de moles formant la solution.

La **fraction molaire**, X, est le rapport entre le nombre de moles d'une espèce chimique et le nombre total de moles formant le mélange. Appliquée à une solution, elle représente le rapport entre le nombre de moles de soluté et le nombre total de moles des substances formant la solution.

$$X = \frac{\text{nombre de moles de soluté}}{\text{nombre total de moles de solution}}$$

Puisque, le plus souvent, une solution est formée de deux composants, le soluté et le solvant, la fraction molaire peut être ramenée à l'expression suivante :

$$X = \frac{\text{nombre de moles de soluté}}{\text{nombre de moles de soluté} + \text{nombre de moles de solvant}}$$

Notons que la fraction molaire ne possède pas d'unités puisque celles du numérateur et du dénominateur sont les mêmes, et que la somme des fractions molaires est égale à un. Ainsi, la fraction molaire d'une solution formée de 0,400 mol d'hydroxyde de sodium, NaOH, et de 0,800 mol d'eau est égale à 0,333 en NaOH; elle vaudra 0,667 en H_2O.

$$X_{\text{NaOH}} = \frac{\text{mol NaOH}}{\text{mol NaOH} + \text{mol H}_2\text{O}} = \frac{0,400}{0,400 + 0,800} = 0,333$$

$$X_{\text{H}_2\text{O}} = \frac{\text{mol H}_2\text{O}}{\text{mol NaOH} + \text{mol H}_2\text{O}} = \frac{0,800}{0,400 + 0,800} = 0,667$$

$$\text{ou } X_{\text{H}_2\text{O}} = 1,00 - \text{mol}_{\text{NaOH}} = 1,00 - 0,333 = 0,667$$

Dans le prochain chapitre, nous utiliserons souvent la fraction molaire comme expression de la concentration pour relier certaines propriétés physiques, comme la pression de vapeur, à la concentration de solutions.

Pourcentage molaire : rapport, multiplié par 100, entre le nombre de moles d'un soluté et le nombre total de moles formant une solution (fraction molaire multipliée par 100).

Par analogie avec le pourcentage massique ou volumique, on exprime aussi parfois la fraction molaire en **pourcentage molaire** : c'est la fraction molaire multipliée par 100. Ainsi, une fraction molaire de 0,667 en eau correspond à un pourcentage molaire de 66,7 %.

EXERCICE 1.11

Calculez la fraction molaire du chlorure d'hydrogène, HCl, dans l'acide chlorhydrique commercial, HCl(*aq*), dont le pourcentage massique est de 37,2 % et la masse volumique égale 1,19 g/mL.

1.4.6 MOLALITÉ

Même si la concentration molaire volumique (molarité) demeure l'expression de la concentration la plus usitée en chimie, elle peut s'avérer inadéquate dans des expériences requérant une très grande précision. En effet, les flacons dans lesquels les solutions sont préparées sont habituellement jaugés pour une température de 20 °C. Par conséquent, si une solution est utilisée à une température différente de celle à laquelle elle a été préparée, disons à 25 °C par exemple, sa concentration molaire volumique diminue légèrement (environ 0,1 % pour 5 °C), car même si le nombre de moles de soluté demeure constant, le volume de la solution augmente légèrement avec la température. C'est pourquoi il peut être utile de recourir à la **molalité**, m, pour exprimer la concentration : cette valeur est indépendante de la température tout en demeurant proportionnelle à la fraction molaire dans les solutions diluées. La molalité correspond au nombre de moles de soluté par masse de solvant (et non de solution) exprimée en kilogrammes.

Molalité (m) : nombre de moles de soluté par kilogramme de solvant. Attention ! Le symbole m exprime la molalité de la solution et non sa masse.

$$\text{molalité } (m) = \frac{\text{nombre de moles de soluté}}{\text{masse de solvant (kg)}}$$

Ainsi, une solution formée de 0,100 mol de chlorure de sodium, NaCl, et de 1,00 kg d'eau est 0,100 m en NaCl. Pour effectuer les calculs qui permettent de déterminer la molalité d'une solution, on suit une démarche analogue à celle utilisée pour les autres unités de mesure.

▼ EXEMPLE 1.5

On dissout 25,0 g de glucose, $C_6H_{12}O_6$ (le sucre qu'on retrouve dans les fruits), dans 300,0 g d'eau. On désire déterminer la molalité de la solution en glucose.

1° On note les données connues dans un tableau.

	Soluté (glucose)	**Solvant** (eau)
masse (g)	25,0	300,0

Puisque la molalité ne met pas en jeu les données concernant la solution, il n'est pas nécessaire d'ajouter cet élément dans les calculs.

2° On exprime les quantités de chaque composant dans les unités désirées.

- Puisque la molalité exprime le nombre de moles de soluté par kilogramme de solvant, la masse de glucose doit être convertie en moles; la masse d'eau est exprimée aisément en kilogramme en la multipliant par le facteur de conversion.

$$\text{mol } C_6H_{12}O_6 = 25{,}0 \cancel{\text{ g } C_6H_{12}O_6} \times \frac{1 \text{ mol } C_6H_{12}O_6}{180{,}2 \cancel{\text{ g } C_6H_{12}O_6}} = 0{,}139 \text{ mol } C_6H_{12}O_6$$

$$\text{masse d'eau} = 300{,}0 \cancel{\text{g}} \times \frac{1 \text{ kg}}{1000 \cancel{\text{g}}} = 0{,}3000 \text{ kg}$$

3° On calcule la molalité.

$$\text{molalité} = \frac{\text{mol soluté}}{\text{kg solvant}} = \frac{0{,}139 \text{ mol } C_6H_{12}O_6}{0{,}3000 \text{ kg } H_2O} = 0{,}463 \text{ mol/kg ou } 0{,}463\ m$$

• La molalité de la solution en glucose est donc égale à **0,463 mol/kg**.

On peut résumer dans un seul calcul les divers facteurs de conversion qui interviennent pour obtenir le même résultat.

$$\text{molalité} = \frac{25{,}0 \cancel{\text{ g } C_6H_{12}O_6}}{300{,}0 \cancel{\text{g}} \ H_2O} \times \frac{1 \text{ mol } C_6H_{12}O_6}{180{,}2 \cancel{\text{ g } C_6H_{12}O_6}} \times \frac{1000 \cancel{\text{g}}}{1 \text{ kg}} = \begin{matrix} 0{,}463 \text{ mol/kg} \\ \text{ou } 0{,}463\ m \end{matrix}$$

EXERCICE 1.12

Calculez la molalité en chlorure d'hydrogène, HCl, dans l'acide chlorhydrique commercial dont le pourcentage massique est de 37,2 % et la masse volumique est égale à 1,19 g/mL.

1.4.7 PARTIES PAR MILLION (ppm) ET PARTIES PAR MILLIARD (ppb)

Parties par million : rapport entre le nombre de particules de soluté et un million de particules de solution; il correspond aussi à la masse de soluté en milligramme par litre de solution.

Parties par milliard : rapport entre le nombre de particules de soluté et un milliard de particules de solution; il correspond aussi à la masse de soluté en microgramme par litre de solution.

Le nombre relatif de particules de soluté et de solution est fréquemment exprimé en **parties par million** (ppm) ou même en **parties par milliard** (ppb[3]) dans le cas de solutions très diluées. L'utilisation de ces expressions est vite apparue nécessaire avec la mise au point d'appareils de plus en plus perfectionnés, capables de détecter de très faibles quantités d'une espèce chimique dans une solution. Au sens général, la concentration en parties par million correspond au nombre de particules d'un soluté par million de particules de solution.

$$\text{ppm} = \frac{\text{nombre de particules de soluté}}{\text{1 million de particules de solution}}$$

Le plus souvent, cette définition s'applique pour exprimer les rapports suivants : volume de soluté/1 million de volume de solution et masse de soluté/1 million de masse de solution.

$$\text{ppm} = \frac{\text{volume de soluté}}{1 \times 10^6 \text{ volume de solution}} \text{ ou } \frac{\text{masse de soluté}}{1 \times 10^6 \text{ masse de solution}}$$

Par analogie, la concentration en parties par milliard correspond au nombre de particules d'un soluté par milliard de particules de solution.

$$\text{ppb} = \frac{\text{nombre de particules de soluté}}{\text{1 milliard de particules de solution}}$$

$$\text{ppb} = \frac{\text{volume de soluté}}{1 \times 10^9 \text{ volume de solution}} \text{ ou } \frac{\text{masse de soluté}}{1 \times 10^9 \text{ masse de solution}}$$

Par exemple, si le taux de dioxyde de soufre, SO_2, au voisinage de certaines usines métallurgiques atteint 2,0 ppm, cela signifie que 2,0 molécules de dioxyde de soufre on été détectées par million de molécules d'air, ou encore que 1000 m^3 (1 000 000 litres) d'air contiennent 2,0 litres de dioxyde de soufre.

Dans les solutions aqueuses très diluées, on peut considérer que la masse volumique de la solution est très proche de celle de l'eau, soit environ 1,00 g/mL (exactement 0,998 g/mL à 20,0 °C). C'est pourquoi on estime que un litre de solution, équivalant à un litre d'eau, possède une masse de 1000 g.

$$\text{masse de 1 L d'eau} = 1 \cancel{\text{L}} \times \frac{1000 \cancel{\text{mL}}}{1 \cancel{\text{L}}} \times \frac{1{,}00 \text{ g}}{1 \cancel{\text{mL}}} = 1000 \text{ g}$$

Par conséquent, lorsque la masse de soluté est exprimée en milligramme (mg) par litre de solution, cette formule représente la quantité de soluté en ppm.

$$\frac{1 \text{ mg}}{1 \text{ L}} = \frac{1/1000 \text{ g}}{1000 \text{ g}} = \frac{1 \text{ g}}{1\,000\,000 \text{ g}} = 1 \text{ ppm}$$

3. L'abréviation ppb provient de l'expression anglaise ***p**arts **p**er **b**illion*.

CAPSULE CHIMIQUE

Le mercure compté en ppm : ça peut quand même être mortel...

L'eau provenant des rivières que l'on harnache par un barrage dissout le mercure contenu dans les sédiments et contamine les poissons.

Parmi les métaux lourds ayant soulevé la controverse ces dernières années, le mercure occupe probablement la première place. On a en effet observé que la construction de barrages de retenue et hydroélectriques a entraîné la contamination de très vastes territoires par le mercure. Dans certaines régions du Nord québécois, par exemple, les poissons en contenaient jusqu'à cinq fois plus qu'avant la construction des barrages. À la suite de l'inondation des terres, les matières végétales englouties se sont décomposées, ce qui a favorisé la transformation microbienne du mercure métallique et des composés inorganiques de mercure solubilisés en diméthylmercure, $(CH_3)_2Hg$, et en ion méthylmercure, CH_3Hg^+.

$$H-\underset{\underset{H}{|}}{\overset{\overset{H}{|}}{C}}-Hg-\underset{\underset{H}{|}}{\overset{\overset{H}{|}}{C}}-H \qquad H-\underset{\underset{H}{|}}{\overset{\overset{H}{|}}{C}}-\overset{+}{Hg}$$

Sous cette forme, très toxique, le mercure est facilement assimilé par les poissons et, par le biais de la chaîne alimentaire, peut empoisonner les humains; il est en effet retenu dans les tissus graisseux, s'y accumule et finit par atteindre une dose toxique. Il provoque alors de graves désordres neurologiques en s'attaquant au système nerveux central et, dans des cas extrêmes, entraîne la mort.

La concentration du mercure dans l'eau potable ne doit pas dépasser 1,0 ppb (0,001 ppm); de plus, on considère qu'un lac est fortement pollué lorsque sa teneur en mercure est supérieure à 0,02 ppm.

De même, une masse de soluté exprimée en microgramme (µg) par litre de solution correspond à la quantité de soluté en ppb.

$$\frac{1\ \mu g}{1\ L} = \frac{1/1\ 000\ 000\ g}{1000\ g} = \frac{1\ g}{1\ 000\ 000\ 000\ g} = 1\ ppb$$

EXERCICE 1.13

La teneur en mercure d'un lac est de 0,03 ppm. Exprimez cette concentration dans les unités suivantes.

a) mg/L b) mol/L

1.4.8 CALCULS ET CONCENTRATIONS DES SOLUTIONS

On peut penser qu'il n'est pas possible d'établir de relations entre les diverses expressions de la concentration d'une solution. Pourtant, lorsque les données sont suffisantes, on peut exprimer la concentration d'une solution de plusieurs façons.

MÉTHODE DE CALCUL

1° On note les données connues dans un tableau à trois colonnes correspondant au soluté, au solvant et à la solution, et on y exprime les quantités de chaque composant dans les unités de masse, de volume et de quantité de matière.

2° On effectue les calculs selon les unités désirées.

▼ EXEMPLE 1.6

L'étiquette d'un flacon d'acide phosphorique commercial, H_3PO_4, porte les indications suivantes :

– masse volumique : 1,70 g/mL
– pourcentage massique : 85,5 %

À l'aide de ces informations, voyons comment déterminer la concentration molaire volumique (molarité), la fraction molaire et la molalité de l'acide phosphorique.

1° On note les données connues dans un tableau à trois colonnes correspondant au soluté, au solvant et à la solution, et on y exprime les quantités de chaque composant dans les unités de masse, de volume et de quantité de matière.

On commence les calculs avec la masse, puisque la donnée initiale fournit le pourcentage massique de la solution.

	Soluté (H_3PO_4)	**Solvant** (H_2O)	**Solution**
Masse (g)	85,5	100,0 – 85,5 = 14,5	100,0
Volume (mL)			$100{,}0\,\text{g} \times \frac{1{,}0\text{ mL}}{1{,}70\text{ g}}$ = 58,8 mL ou 0,058 L
Quantité de matière (mol)	$85{,}5\,\text{g} \times \frac{1\text{ mol}}{97{,}99\text{ g}}$ = 0,873	$14{,}5\,\text{g} \times \frac{1\text{ mol}}{18{,}02\text{ g}}$ = 0,805	0,873 + 0,805 = 1,678

2° On effectue les calculs selon les unités désirées.

– On calcule la concentration molaire volumique (molarité).

$$\text{concentration molaire volumique} = \frac{\text{mol } H_3PO_4}{\text{vol solution (L)}} = \frac{0{,}873\text{ mol}}{58{,}8\text{ mL}} \times \frac{1000\text{ mL}}{1\text{ L}} = 14{,}8\text{ mol/L}$$

• La concentration molaire volumique est égale à **14,8 mol/L** ou **14,8 M**.

– On calcule la fraction molaire de l'acide phosphorique.

$$X_{H_3PO_4} = \frac{n_{H_3PO_4}}{n_{H_3PO_4} + n_{H_2O}} = \frac{0{,}873}{0{,}873 + 0{,}805} = \frac{0{,}873}{1{,}678} = 0{,}520$$

• La fraction molaire de H_3PO_4 est égale à **0,520**.

– On calcule la molalité en acide phosphorique.

$$\text{molalité} = \frac{\text{mol } H_3PO_4}{\text{masse solvant (kg)}} = \frac{0{,}873\text{ mol}}{14{,}5\text{ g}} \times \frac{1000\text{ g}}{\text{kg}} = 60{,}2\text{ mol/kg}$$

• La molalité de la solution en H_3PO_4 est égale à **60,2 mol/kg** ou **60,2 *m***.

EXERCICE 1.14

L'ammoniaque commerciale est une solution aqueuse dont le pourcentage massique en NH_3 est de 28,0 %; la masse volumique de la solution est de 0,90 g/mL.

Calculez :

a) la concentration molaire volumique;

b) la fraction molaire de l'ammoniac, NH_3;

c) la molalité en ammoniac, NH_3.

1.5 PRÉPARATION DE SOLUTIONS ET DILUTION

Les concentrations des solutions préparées en laboratoire sont le plus souvent exprimées en concentration molaire volumique (molarité). On peut les préparer directement, en pesant le soluté et en le dissolvant de façon à obtenir un volume précis de solution. Ou encore, on les prépare par une méthode indirecte, à partir d'une solution concentrée. Quelle que soit la méthode de préparation, on se sert d'une fiole jaugée (*figure 1.17*), flacon dont le col porte un trait qui indique le volume que le récipient contient lorsque le ménisque de la colonne de liquide effleure le trait de jauge. La précision de la fiole jaugée est souvent inscrite sur le contenant lui-même par le fabricant. On notera à cet égard que le volume sera de 100 mL à la condition que la solution soit à 20 °C. La mention « TC » inscrite sur la fiole est l'abréviation anglaise de *to contain*, qui signifie que, à 20 °C, la fiole contient le volume de solution indiqué.

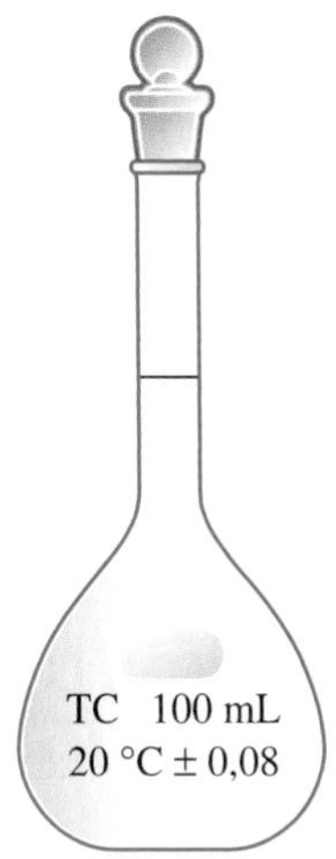

TC 100 mL
20 °C ± 0,08

Figure 1.17 Fiole jaugée de 100 mL et indications concernant sa précision.

1.5.1 PRÉPARATION PAR MÉTHODE DIRECTE

Lorsque le soluté est solide, la préparation de la solution consiste à peser l'échantillon dans un contenant à peser, généralement un bécher de faible capacité, à le solubiliser et à l'introduire soigneusement dans la fiole jaugée (à l'aide d'un entonnoir par exemple), puis à rincer soigneusement le bécher avec de petites portions de solvant (*figure 1.18*). On complète finalement le remplissage jusqu'au trait de jauge et on s'assure de l'homogénéité de la solution en agitant la fiole. (Veillez d'abord à ce qu'elle soit bouchée !)

1.5.2 PRÉPARATION PAR MÉTHODE INDIRECTE

Les solutions sont souvent préparées à partir de solutions concentrées, notamment à partir de solutions d'acides ou de bases commerciales. On trouvera

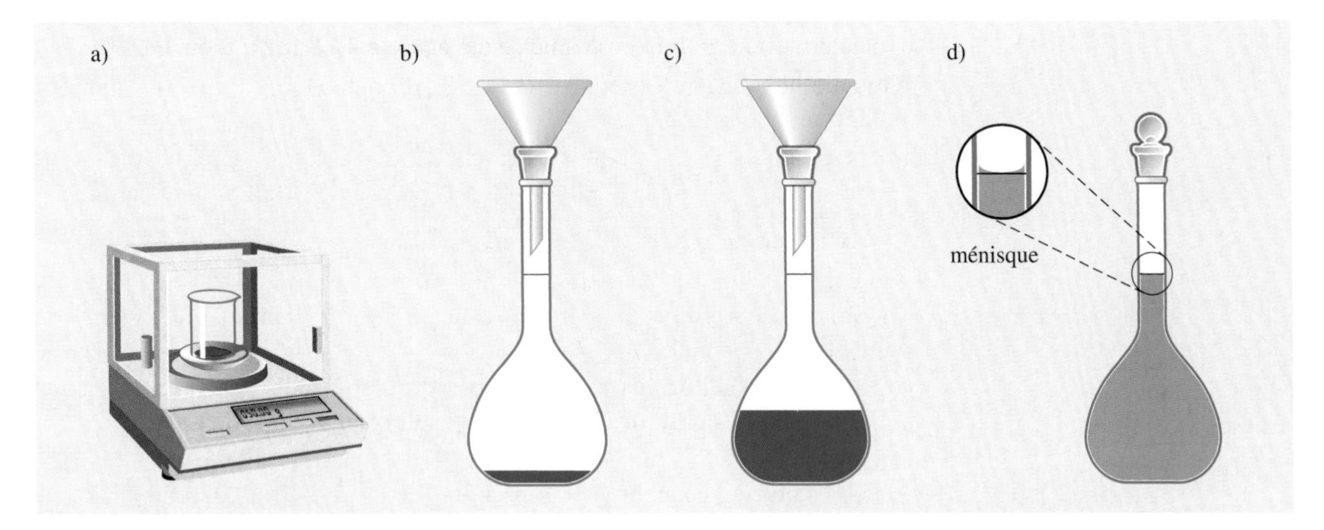

Figure 1.18 Méthode de préparation d'une solution de concentration molaire volumique déterminée : en a), pesée; en b), introduction du soluté dans la fiole jaugée; en c), ajout d'eau; en d), remplissage jusqu'au trait de jauge.

Tableau 1.7 Pourcentage massique et masse volumique d'acides et de bases commerciaux.

Nom de la substance	Formule	Pourcentage massique (%)	Masse volumique (g/mL)
Acide chlorhydrique	HCl	37,2	1,19
Acide acétique	CH_3COOH	99,8	1,05
Acide nitrique	HNO_3	70,0	1,42
Acide phosphorique	H_3PO_4	85,5	1,70
Acide sulfurique	H_2SO_4	96,0	1,84
Ammoniac	NH_3	28,0	0,90

au tableau 1.7 les données concernant les pourcentages massiques et les masses volumiques des acides et des bases couramment employés au laboratoire. On notera toutefois que ces valeurs peuvent varier quelque peu selon les lots dont elles proviennent.

MÉTHODE POUR PRÉPARER UNE SOLUTION DILUÉE À PARTIR D'UNE SOLUTION CONCENTRÉE

1° On calcule le nombre de moles de soluté que doit contenir le volume de solution diluée que l'on désire préparer.

2° On calcule le volume de solution concentrée à prélever pour obtenir le nombre de moles de soluté désiré.

Cette démarche se résume dans une formule simple qui peut être fréquemment appliquée :

$$V_{\text{conc.}} \times c_{\text{conc.}} = V_{\text{dil.}} \times c_{\text{dil.}}$$

$V_{\text{conc.}}$ = volume de solution concentrée
$V_{\text{dil.}}$ = volume de solution diluée
$c_{\text{conc.}}$ = concentration de la solution concentrée
$c_{\text{dil.}}$ = concentration de la solution diluée

▼ EXEMPLE 1.7

On désire préparer 250,0 mL d'une solution de 0,100 mol/L à partir d'une solution dont la concentration est de 0,500 mol/L. Voyons comment procéder.

1° On calcule le nombre de moles de soluté de la solution à préparer.

Puisque la solution à préparer est de 0,100 mol/L, 250,0 mL contiennent 0,0250 mol de soluté.

$$\text{mol soluté} = \frac{0{,}100 \text{ mol}}{1 \cancel{\text{L}}} \times \frac{1 \cancel{\text{L}}}{1000 \cancel{\text{mL}}} \times 250{,}0 \cancel{\text{mL}} = 0{,}0250 \text{ mol soluté}$$

ou $2{,}50 \times 10^{-2}$ mol soluté

2° On calcule le volume de solution concentrée renfermant 0,0250 mol de soluté.

– Puisque la solution concentrée est de 0,500 mol/L, il faut prélever 50,0 mL pour obtenir 0,0250 mol de soluté.

$$V \text{ solution concentrée} = \frac{1 \cancel{\text{L}}}{0{,}500 \cancel{\text{mol}}} \times \frac{1000 \text{ mL}}{1 \cancel{\text{L}}} \times 0{,}0250 \cancel{\text{mol}}$$

$$= 50{,}0 \text{ mL solution}$$

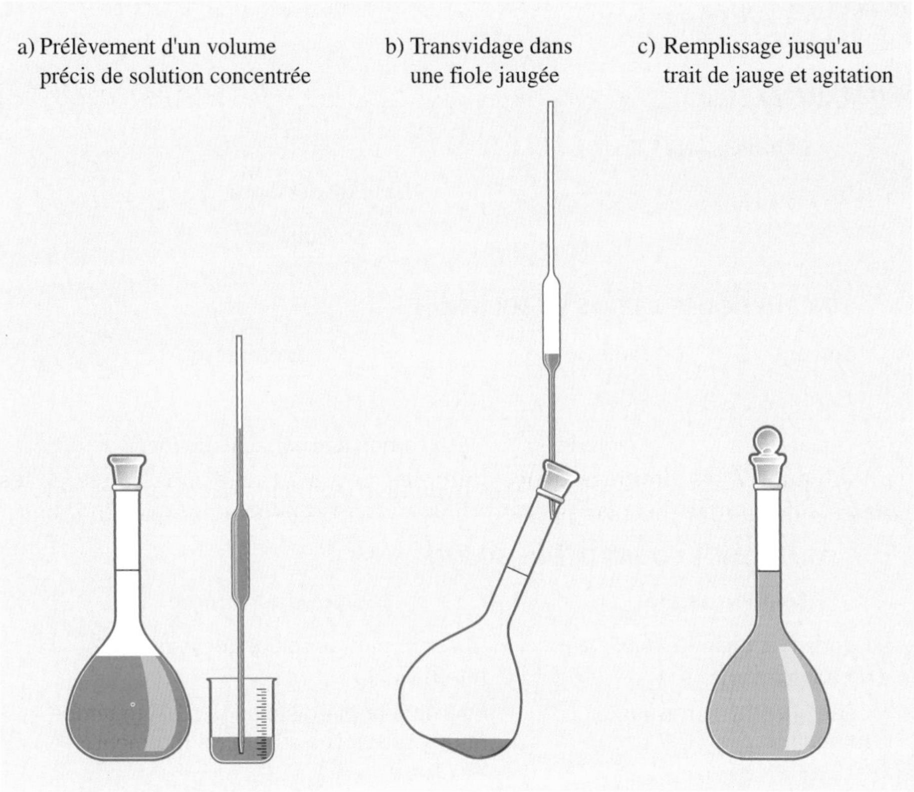

a) Prélèvement d'un volume précis de solution concentrée

b) Transvidage dans une fiole jaugée

c) Remplissage jusqu'au trait de jauge et agitation

Figure 1.19 Illustration de la préparation d'une solution diluée à partir d'une solution concentrée. En a), prélèvement de solution concentrée; en b), transvidage; en c), remplissage et agitation.

– On peut vérifier ce calcul en appliquant l'équation citée :

$$V_{\text{dil.}} \times c_{\text{dil.}} = V_{\text{conc.}} \times c_{\text{conc.}}$$

$$V_{\text{conc.}} = \frac{V_{\text{dil.}} \times c_{\text{dil.}}}{c_{\text{conc.}}} \Rightarrow V_{\text{conc.}} = \frac{250{,}0 \text{ mL} \times 0{,}100 \cancel{\text{mol/L}}}{0{,}500 \cancel{\text{mol/L}}} = 50{,}0 \text{ mL}$$

Il faut par conséquent prélever **50,0 mL** de la solution concentrée.

3° Pour préparer la solution diluée, on procède de la manière suivante (*figure 1.19*) :

- on prélève 50,0 mL de la solution concentrée à l'aide d'une pipette volumétrique; il est préférable de transvider au préalable le volume approximatif nécessaire dans un bécher.
- on transvide dans une fiole jaugée de 250,0 mL;
- on ajoute de l'eau dans la fiole jusqu'au trait de jauge;
- on agite la fiole pour homogénéiser la solution.

EXERCICE 1.15

Calculez la masse de sulfate d'ammonium, $(NH_4)_2SO_4$, nécessaire à la préparation de 500,0 mL d'une solution aqueuse de 0,500 mol/L.

EXERCICE 1.16

On désire préparer 100,0 mL de solutions diluées pour tracer une courbe d'étalonnage; chaque solution est respectivement de $1{,}00 \times 10^{-4}$ mol/L (A), $2{,}00 \times 10^{-4}$ mol/L (B), $3{,}00 \times 10^{-4}$ mol/L (C), $5{,}00 \times 10^{-4}$ mol/L (D) et $7{,}00 \times 10^{-4}$ mol/L (E). La solution mère est de $1{,}00 \times 10^{-3}$ mol/L. Calculez le volume de cette solution qu'il faut prélever pour préparer chaque solution diluée.

LE CHAPITRE EN UN CLIN D'ŒIL

CARACTÉRISTIQUES DES SOLUTIONS

COMPOSANTS D'UNE SOLUTION	
Phase dispersée	**Phase dispersante**
Un ou plusieurs solutés	Solvant

ÉTAT PHYSIQUE ET TYPES DE SOLUTIONS			
Soluté	**Solvant**	**Solution**	**Exemples**
Gaz	Gaz	Gaz	Air
Gaz, liquide ou solide	Liquide	Liquide	Eau carbonatée, vin, eau de mer
Gaz, liquide ou solide	Solide	Solide	Hydrures d'insertion, alliages, amalgames

SOLUTIONS ET QUANTITÉ DE SOLUTÉ		
Solution non saturée	**Solution saturée**	**Solution sursaturée**
• Contient moins de soluté que la quantité maximale.	• Contient la quantité maximale de soluté. Cette quantité correspond à la **solubilité**.	• Contient plus de soluté que la quantité maximale. On l'obtient par dissolution à haute température, suivie d'un lent refroidissement. ⇓ Principe de purification par recristallisation.

SOLUTIONS ET CONDUCTIVITÉ ÉLECTRIQUE		
ÉLECTROLYTES		**NON-ÉLECTROLYTES**
Forts	**Faibles**	
• La plupart des sels • HCl, HBr, HI, $HClO_4$, HNO_3, H_2SO_4 • MOH et $M(OH)_2$ M = métal alcalin ou alcalino-terreux	• Halogénures et cyanures des métaux lourds • Ammoniac en solution • Acides et bases organiques	• La plupart des composés organiques (ni acides ni bases)

PHÉNOMÈNES DE MISE EN SOLUTION

ENTHALPIE DE SOLUTION				
Séparation des particules de soluté $\Delta H_{\text{soluté}} > 0$	+	**Séparation des particules de solvant** $\Delta H_{\text{solvant}} > 0$	+	**Mélange des particules de soluté et de solvant** $\Delta H_{\text{soluté-solvant}} < 0$
$\Delta H_{\text{soluté}} + \Delta H_{\text{solvant}} + \Delta H_{\text{soluté-solvant}} = \Delta H_{\text{solution}}$				

ENTROPIE ET SPONTANÉITÉ DE LA DISSOLUTION			
$\Delta G = \Delta H - T\Delta S$ **(PROCESSUS SPONTANÉ** $\Rightarrow \Delta G < 0$**)**			
ΔH	ΔS	ΔG	**Dissolution**
−	+	−	Spontanée
+	−	+	Non spontanée
+	+	− +	Spontanée ($T\uparrow$) Non spontanée ($T\downarrow$)
−	−	− +	Spontanée ($T\downarrow$) Non spontanée ($T\uparrow$)

FACTEURS AFFECTANT LA SOLUBILITÉ		
État du soluté	**Augmentation de**	
	température	**pression**
Solide	Solubilité augmente.	Solubilité varie peu.
Liquide	Solubilité varie peu.	Solubilité varie peu.
Gaz	Solubilité diminue.	Solubilité augmente.

CRITÈRES QUALITATIFS DE FORMATION DE SOLUTION			
Soluté	**Solvant**	**Solubilité**	**Exemple**
Non polaire	Non polaire	Élevée	CS_2 dans CCl_4
Non polaire	Polaire	Faible	Oxygène dans l'eau
Polaire	Non polaire	Faible	SO_2 dans CS_2
Polaire	Polaire	Élevée	SO_2 dans l'eau
Ionique	Polaire	Élevée	NaCl dans l'eau

COLLOÏDES

Caractéristiques	Méthodes de préparation	Types usuels
Mélange dans lequel des particules demeurent en suspension dans le solvant.	– **Dispersion** par broyage ou par désintégration dans un solvant – **Condensation** par des réactions chimiques spécifiques	– Émulsion : suspension colloïdale d'un liquide dans un liquide – Gel : suspension colloïdale semi-rigide – Aérosol : suspension colloïdale d'un solide ou d'un liquide dans l'air

CONCENTRATION DES SOLUTIONS

EXPRESSIONS		
Grandeur	**Formule**	**Exemple**
Pourcentage massique	$\frac{\text{masse de soluté}}{\text{masse de solution}} \times 100$	$\frac{2{,}0 \text{ g NaCl}}{50{,}0 \text{ g } H_2O} = \frac{2{,}0 \text{ g NaCl}}{52{,}0 \text{ g solution}} \times 100$ $= 3{,}8\ \%\ (m/m)$
Pourcentage volumique	$\frac{\text{volume de soluté}}{\text{volume de solution}} \times 100$	$\frac{2{,}0 \text{ mL } CH_3OH}{50{,}0 \text{ mL solution}} \times 100$ $= 4{,}0\ \%\ (V/V)$
Pourcentage masse/volume	$\frac{\text{masse de soluté}}{\text{volume de solution}} \times 100$	$\frac{2{,}0 \text{ g NaCl}}{50{,}0 \text{ mL solution}} \times 100$ $= 4{,}0\ \%\ (m/V)$
Concentration molaire volumique (*c*) ou molarité (M)	$\frac{\text{mol de soluté}}{\text{volume de solution (L)}}$	$\frac{0{,}10 \text{ mol NaCl}}{0{,}400 \text{ L solution}} = 0{,}25 \text{ mol/L}$ ou 0,25 M
Normalité (N)	$N = \frac{\text{nombre d'équivalent de soluté}}{\text{volume de solution (L)}}$ $1 \text{ éq} = \frac{n \text{ mol acide (ou base)}}{n\ H^+ \text{ (ou } OH^-)}$	$\frac{0{,}200 \text{ éq } H_2SO_4}{0{,}5 \text{ L solution}} = 0{,}400 \text{ N}$ $0{,}200 \text{ éq } H_2SO_4 = 0{,}100 \text{ mol } H_2SO_4$

EXPRESSIONS		
Grandeur	**Formule**	**Exemple**
Molalité (m)	$\frac{\text{mol de soluté}}{\text{masse de solvant (kg)}}$	$\frac{0{,}100 \text{ mol NaCl}}{0{,}400 \text{ kg } H_2O} = 0{,}250$ mol/kg ou 0,250 m
Fraction molaire (X)	$\frac{\text{mol de soluté}}{\text{mol de solution}}$ $X_1 + X_2 = 1$	$\frac{1{,}0 \text{ mol } CH_3OH}{2{,}0 \text{ mol } H_2O} \Rightarrow$ $\frac{1{,}0 \text{ mol } CH_3OH}{1{,}0 \text{ mol } CH_3OH + 2{,}0 \text{ mol } H_2O} = 0{,}33$
Parties par million (ppm)	$\frac{n^{bre} \text{ partic. de soluté}}{\text{1 million de part. de solution}}$ ou $\frac{\text{mg soluté}}{\text{1 L solution}}$	$\frac{0{,}5 \text{ L CO}}{1\ 000\ 000 \text{ L air}} = 0{,}5$ ppm
Parties par milliard (ppb)	$\frac{n^{bre} \text{ partic. de soluté}}{\text{1 milliard de part. de solution}}$ ou $\frac{\mu\text{g soluté}}{\text{1 L solution}}$	$\frac{3{,}0\ \mu g\ Hg^{2+}}{1{,}0 \text{ L solution}} = 3{,}0$ ppb

CONVERSION DES EXPRESSIONS DES CONCENTRATIONS			
Démarche	**Exemple** Concentration molaire volumique de CH_3COOH commercial (% m/m = 99,8; ρ = 1,05 g/mL; M = 60,05 g/mol)		
	Soluté	**Solvant**	**Solution**
1° On exprime chaque composant dans les unités de masse, de volume et de quantité de matière et on effectue les calculs dans les unités souhaitées.	99,8 g	0,2 g (100,0 – 99,8)	100,0 g $100{,}0\ \cancel{g} \times \frac{1 \text{ mL}}{1{,}05\ \cancel{g}}$ = 95,2 mL = 0,0952 L
2° On applique la formule de l'unité de concentration souhaitée.	$99{,}8\ \cancel{g} \times \frac{1{,}0 \text{ mol}}{60{,}05\ \cancel{g}}$ = 1,66 mol	$0{,}2\ \cancel{g} \times \frac{1{,}0 \text{ mol}}{18{,}02\ \cancel{g}}$ = 0,01 mol	
	concentration = $\frac{1{,}66 \text{ mol}}{0{,}0952 \text{ L}} = 17{,}4$ mol/L		

PRÉPARATION DE SOLUTIONS

	Méthode directe	Méthode indirecte (à partir d'une solution concentrée)
fiole jaugée	1° On pèse le soluté dans un petit bécher et on le solubilise. 2° On transvide le soluté dans la fiole jaugée en rinçant soigneusement. 3° On ajoute le solvant jusqu'au trait de jauge. 4° On agite pour homogénéiser.	1° On calcule le nombre de moles de soluté contenu dans le volume de solution diluée. 2° On calcule le volume de solution concentrée nécessaire à l'obtention du nombre de moles de soluté calculé. ou $V_{conc.} \times c_{conc.} = V_{dil.} \times c_{dil.}$

QUESTIONS ET EXERCICES SUPPLÉMENTAIRES

Aspects qualitatifs des solutions

1. Peut-on prévoir que l'agitation d'une solution aura pour effet d'augmenter la solubilité d'une substance lorsque cette solution est déjà saturée ? Expliquez brièvement votre réponse.
2. Expliquez pourquoi le processus de dissolution conduit à un accroissement de l'entropie.
3. Déterminez lesquels des phénomènes suivants s'accompagnent d'une augmentation de l'entropie et expliquez brièvement votre réponse.
   a) Évaporation de l'eau.
   b) Condensation de la vapeur d'eau en neige.
   c) Action de mélanger du méthane, $CH_4(g)$, et de l'éthane, $C_2H_6(g)$.
4. Expliquez pourquoi le bromure d'hydrogène, $HBr(g)$, est un non-électrolyte tandis que l'acide bromhydrique, $HBr(aq)$, est un électrolyte.
5. Prédisez lesquelles des substances suivantes sont les plus susceptibles de se dissoudre dans l'eau et justifiez brièvement vos réponses.
   a) $Na_2CO_3(s)$ d) $NH_2OH(s)$
   b) $HCl(g)$ e) $CH_3CH_2CH_3(g)$
   c) $CCl_4(l)$
6. Prédisez lesquelles des substances de l'exercice 5 sont les plus susceptibles de se dissoudre dans l'essence, un mélange d'hydrocarbures; justifiez brièvement vos réponses.
7. Expliquez pourquoi l'éthanol, CH_3CH_2OH, est miscible à l'eau (soluble en toutes proportions) alors que l'éthanethiol, CH_3CH_2SH, ne l'est pas.
8. Prédisez si l'iode moléculaire, $I_2(s)$, est très soluble ou peu soluble dans les solvants suivants et justifiez brièvement vos réponses.
   a) $CCl_4(l)$ b) $H_2O(l)$ c) $CS_2(l)$
9. Expliquez pourquoi le méthanol, CH_3OH, qu'on ajoute parfois à l'essence par temps très froid pour prévenir l'obstruction des canalisations, est totalement miscible à l'eau, alors que le butanol, $CH_3CH_2CH_2CH_2OH$, n'y est que partiellement soluble.
10. Dessinez un schéma montrant comment les substances suivantes existent en solution aqueuse en mettant en évidence leurs interactions avec l'eau.
   a) $NaCl(s)$ b) $HCl(g)$ c) $CO_2(g)$
11. Prédisez laquelle des substances suivantes est la plus soluble dans l'eau et justifiez brièvement votre réponse.
   a) $CO_2(g)$ b) $SO_2(g)$
12. Écrivez l'équation représentant la dissociation des substances suivantes, qui deviendront des électrolytes en solution aqueuse.
   a) $HBr(g)$ d) $FeCl_3(s)$
   b) $Al_2(SO_4)_3(s)$ e) $NH_4NO_3(s)$
   c) $Ba(OH)_2(s)$

Concentration des solutions

13. Précisez la différence entre une solution 1,0 M et 1,0 *m*.
14. Dites si l'énoncé suivant est vrai ou faux et expliquez brièvement votre réponse : la molalité d'une solution est généralement supérieure à la concentration molaire volumique de la même solution.
15. Une solution aqueuse de bromure de sodium, NaBr, est saturée lorsqu'elle contient 116 g de sel dans 100,0 g d'eau à une température de 20 °C. Exprimez cette solubilité en pourcentage massique.
16. Calculez le pourcentage massique du soluté dans les solutions suivantes :
   a) 4,25 g de chlorure de sodium, NaCl, dans 80,0 g d'eau;
   b) 4,25 g de chlorure de sodium, NaCl, dans 80,0 g de solution.
17. L'analyse montre que 1,00 L de lait contient 10,0 g de calcium sous la forme d'ions calcium, Ca^{2+}. Calculez la concentration molaire volumique du calcium dans le lait.

*18. Calculez la concentration molaire volumique en ion potassium, K^+, d'une solution contenant 60,0 ppm de ferricyanure de potassium, $K_3Fe(CN)_6$.

*19. La dose létale du cyanure de sodium, NaCN, dans le sang est $3,8 \times 10^{-5}$ mol/L.
   a) Exprimez cette concentration en ppm.
   b) Calculez la masse d'ions cyanure, CN^-, dans 100,0 mL de sang.

*20. Déterminez laquelle des solutions des électrolytes forts suivants contient le plus grand nombre d'ions nitrate. Justifiez votre choix à l'aide de calculs.
   a) 40,0 mL de nitrate de magnésium, $Mg(NO_3)_2$, 0,300 mol/L.
   b) 160,0 mL de nitrate de sodium, $NaNO_3$, 0,200 mol/L.
   c) 80,0 mL de nitrate de fer(III), $Fe(NO_3)_3$, 0,150 mol/L.

---

* Les numéros précédés d'un astérisque correspondent à des exercices plus difficiles.

21. L'étiquette d'un flacon d'acide sulfurique commercial, H_2SO_4, porte les indications suivantes : % m/m = 96,0; masse volumique = 1,84 g/mL. Calculez :
   a) la concentration molaire volumique de la solution;
   b) la fraction molaire de l'acide sulfurique;
   c) la molalité de la solution;
   d) la masse d'acide sulfurique, H_2SO_4, contenu dans 100,0 mL de la solution d'acide commercial;
   e) le volume d'acide sulfurique commercial qu'il faut prélever pour préparer 500,0 mL d'une solution 3,0 mol/L.

*22. Une solution d'acide sulfurique, H_2SO_4, a une masse volumique de 1,338 g/mL et une concentration molaire volumique de 6,00 mol/L. Calculez le pourcentage massique de l'acide sulfurique.

*23. Calculez la masse d'acide nitrique commercial, HNO_3 (70,0 % m/m), qui est nécessaire à la préparation de 300,0 g d'une solution à 15,0 %.

24. Le cadmium est un métal lourd très toxique; sa concentration (sous forme d'ions cadmium, Cd^{2+}) dans l'eau potable ne devrait pas dépasser 0,01 g/L. Exprimez cette concentration dans les unités suivantes.
   a) ppm b) ppb

*25. La concentration d'une solution de chlorure d'ammonium, NH_4Cl, est de 15 % m/m.
   a) Calculez la masse de sel que l'on doit ajouter à 150 g de cette solution pour doubler son pourcentage massique.
   b) Calculez la masse d'eau qu'il faut ajouter à 150 g de cette solution pour diminuer de moitié son pourcentage massique.

26. La fraction molaire du nitrate de sodium, $NaNO_3$, dans une solution aqueuse est de 0,30. Calculez :
   a) le pourcentage massique du nitrate de sodium;
   b) la molalité de la solution aqueuse.

27. Une solution est formée en mélangeant, dans le même rapport massique, du méthanol, CH_3OH, et de l'eau. Calculez la fraction molaire en méthanol.

28. On dissout 12,0 g de sulfate de sodium, Na_2SO_4, de façon à obtenir 250,0 mL de solution aqueuse (A). Cette solution est ensuite diluée à 1,00 L (B).
   a) Calculez le nombre de moles de Na_2SO_4 dans la première solution (A).
   b) Calculez le nombre de moles de Na_2SO_4 dans la seconde solution (B).
   c) Calculez la concentration molaire volumique de chaque solution.

*29. La fraction molaire en méthanol, CH_3OH, d'une solution aqueuse est de 0,0530 et la masse volumique de la solution est égale à 0,986 g/mL à 20 °C. Calculez la concentration molaire volumique de la solution.

30. Calculez la concentration molaire volumique de la solution résultant du mélange de 25,0 mL d'une solution formée de 0,400 mol/L d'acide nitrique, HNO_3, et de 75,0 mL d'une solution contenant 0,100 mol/L du même acide.

*31. On mélange 30,0 mL d'une solution contenant 0,150 mol/L d'acide chlorhydrique, HCl(*aq*), avec 40,0 mL d'une solution de concentration inconnue du même acide. La concentration molaire volumique de la solution résultante est égale à 0,250 mol/L. Calculez la concentration molaire volumique de la solution inconnue en considérant que les volumes de solutions mélangées s'additionnent.

32. Calculez la fraction molaire en urée, $CO(NH_2)_2$, d'une solution aqueuse de 0,750 mol/kg.

*33. La fraction molaire en éthanol, CH_3CH_2OH, d'une solution aqueuse est de 0,0330. Calculez la masse d'éthanol qu'il faut ajouter à 250,0 mL de cette solution (ρ = 0,982 g/mL) pour accroître sa fraction molaire jusqu'à 0,0550.

34. L'alcool à friction est une solution aqueuse d'isopropanol, C_3H_8OH, qui contient 59,5 g de cet alcool par 100 mL de solution. Calculez la concentration molaire volumique de l'isopropanol.

35. Le pourcentage massique d'une solution d'hydroxyde de potassium, KOH, est de 4,00 %. Quelle masse d'une telle solution contiendra 25,0 g de soluté ?

36. Calculez la masse de chlorure d'hydrogène, HCl, contenue dans 50,0 mL d'une solution d'acide chlorhydrique commercial dont le pourcentage massique est de 37,2 % et la masse volumique, de 1,19 g/mL.

*37. On désire préparer une solution de 0,500 m en chlorure de calcium, $CaCl_2$, à partir du sel hydraté, $CaCl_2 \cdot 6H_2O$. Calculez la masse de sel hydraté qu'il faut ajouter à 300,0 g d'eau pour préparer cette solution.

38. Décrivez comment vous procéderiez pour préparer 100,0 mL d'une solution formée de 0,250 mol/L de sulfate de cuivre, $CuSO_4$, à partir de sulfate de cuivre hydraté, $CuSO_4 \cdot 5H_2O$.

39. On prépare une solution en dissolvant 11,7 g de chlorure de sodium dans de l'eau pour obtenir 250,0 mL de solution. On prélève 10,0 mL de cette solution que l'on transvide dans une fiole jaugée de 100,0 mL que l'on remplit finalement avec de l'eau jusqu'au trait de jauge. Calculez la concentration molaire volumique de la solution finale.

*40. Décrivez comment vous procéderiez pour préparer 500,0 mL d'une solution de 0,500 mol/L à partir d'une solution commerciale d'acide phosphorique dont le pourcentage massique est de 85,5 % et dont la masse volumique égale 1,70 g/mL.

41. Calculez la masse d'acide phosphorique, H_3PO_4, contenu dans 1,20 L d'une solution 0,500 N de H_3PO_4.

42. Calculez la normalité d'une solution d'hydroxyde de baryum, $Ba(OH)_2$, contenant 8,57 mg d'hydroxyde par 100,0 mL de solution.

PROPRIÉTÉS COLLIGATIVES

CHAPITRE 2

L'épandage de sel sur les routes, sous forme de NaCl, de $CaCl_2$ ou d'un mélange des deux, abaisse le point de congélation du mélange neige–glace qui se transforme alors en neige fondante. Grâce à cette propriété colligative des solutions, il est possible de retrouver, même en hiver, une chaussée proche de celle rencontrée en été.

OBJECTIFS

Après avoir étudié ce chapitre, vous saurez répondre aux questions suivantes :

- Qu'est-ce qu'on entend par propriétés colligatives ?
- Comment la pression de vapeur d'une solution peut-elle être reliée à la fraction molaire du solvant et du soluté ?
- Quel rôle joue la loi de Raoult dans la prédiction de certaines propriétés des solutions ?
- Comment se comporte une solution idéale par rapport à une solution non idéale ?
- Comment la pression osmotique, l'abaissement de la température de congélation et l'augmentation de la température d'ébullition permettent-ils de déterminer la masse molaire d'une substance chimique ?
- En quoi les propriétés colligatives des solutions d'électrolytes diffèrent-elles de celles de non-électrolytes ?

L'étude de certaines propriétés des solutions présente un grand intérêt parce qu'elles sont indépendantes de la nature du soluté; elles ne dépendent que de la concentration, soit du nombre de particules en solution. Ces propriétés associées aux solutions idéales, que l'on appelle propriétés colligatives, sont la pression osmotique, l'abaissement de la pression de vapeur et de la température de congélation, ainsi que l'élévation de la température d'ébullition; elles découlent d'abord de la loi de Raoult, qui établit une relation simple entre la pression de vapeur d'une solution, la fraction molaire du solvant et la pression de vapeur du solvant pur.

Comme nous le verrons, la loi de Raoult permet de calculer la pression de vapeur d'une solution contenant un soluté non volatil et de comparer le diagramme de phases de cette solution avec celui du solvant pur. En associant cette loi à la loi des pressions partielles de Dalton, on peut aussi déterminer comment les composants d'une solution formée de constituants volatils se répartissent dans la vapeur. La distillation fractionnée est une application importante de cette distribution des composants; cette distribution n'étant pas la même dans la solution que dans la vapeur, cela permet la séparation des constituants d'une solution.

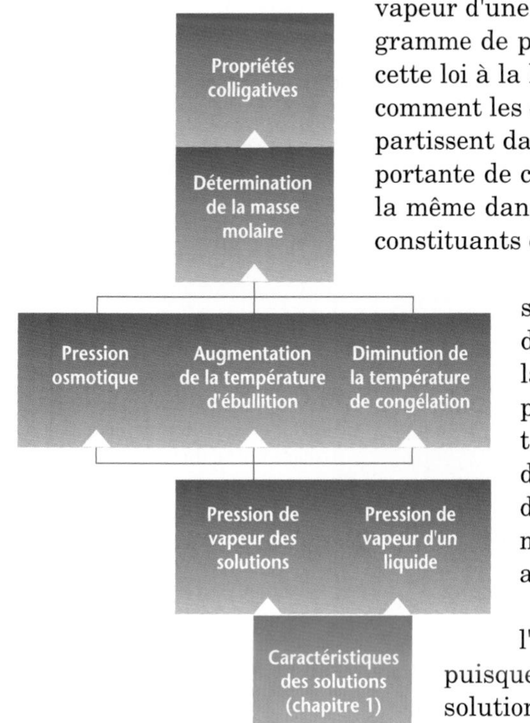

L'ajout d'un soluté non volatil à une solution entraîne l'abaissement de sa pression de vapeur, ce qui provoque une diminution de la température de congélation ainsi qu'une augmentation de la température d'ébullition et de la pression osmotique. Cette propriété est mise à profit pour déterminer la masse molaire de certaines substances. La dernière propriété colligative, la pression due à l'osmose, connaît des applications utiles : elle permet de déterminer des masses molaires très élevées et elle explique comment il est possible de dessaler l'eau de mer et de conserver des aliments par addition de sel ou de sucre.

L'étude des propriétés colligatives permet enfin d'estimer l'ampleur de la dissociation de certains sels, d'acides ou de bases, puisque ces propriétés dépendent du nombre de particules formant la solution. Par conséquent, les propriétés colligatives de solutions d'électrolytes diffèrent de celles de non-électrolytes.

2.1 SOLUTION IDÉALE ET LOI DE RAOULT

Le concept de gaz idéal ou de gaz parfait a grandement facilité l'étude des gaz, car en découlent des relations simples entre le nombre de moles qui les constituent, leur température, le volume qu'ils occupent et la pression qu'ils exercent (*voir* Chimie générale, *section 4.3*). Le concept de solution idéale débouche aussi sur des relations simples entre les concentrations des solutions et certaines de leurs propriétés physiques. En outre, certaines propriétés d'une solution idéale sont indépendantes de la nature du soluté : ce sont des propriétés colligatives.

2.1.1 SOLUTION IDÉALE ET PROPRIÉTÉS COLLIGATIVES

Solution idéale : solution au sein de laquelle les forces entre les particules du soluté et les molécules de solvant sont identiques.

On appelle **solution idéale** une solution qui n'absorbe ni ne dégage de chaleur au cours de la dissolution du soluté, ce qui signifie que les interactions entre les particules du soluté et les molécules du solvant sont de même grandeur que celles qui s'exercent avant la formation de la solution. Par conséquent, la variation d'enthalpie, $\Delta H_{solution}$, qui accompagne la formation de la solution est nulle. La plupart des solutions issues du mélange d'hydrocarbures dont les molécules sont très semblables sont idéales; ainsi, le pentane, C_5H_{12}, forme une solution idéale lorsqu'il est mélangé avec l'hexane, C_6H_{14}.

Quant aux autres mélanges, on observe que plus une solution est diluée, plus elle se rapproche des conditions idéales.

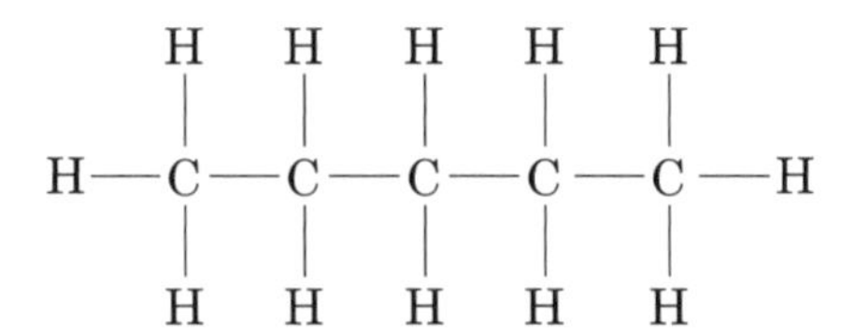

pentane

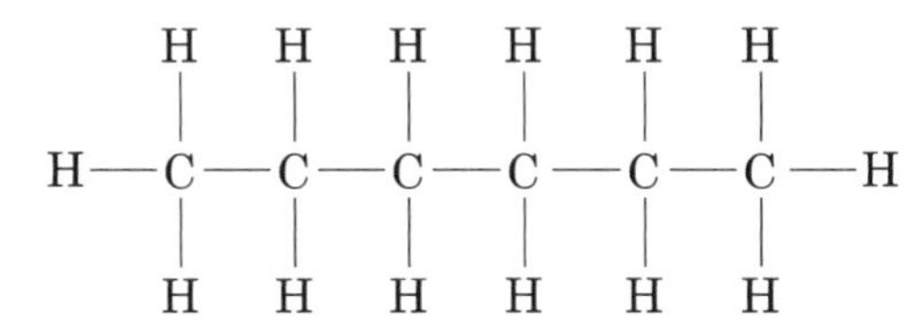

hexane

On peut considérer l'essence, un mélange d'hydrocarbures, comme une solution idéale.

Les propriétés d'une solution idéale sont indépendantes de la nature du soluté; elle ne dépendent que de sa concentration. On les appelle **propriétés colligatives**. Ainsi, la température d'ébullition d'une solution aqueuse de 0,10 mol/kg de chlorure de sodium, NaCl, sera la même que celle d'une solution aqueuse de chlorure de potassium, KCl, de même concentration. Et cette température sera légèrement supérieure à celle de l'eau pure (100 °C). De façon générale, dans une solution idéale, un soluté modifie certaines propriétés d'un solvant, comme la pression de vapeur, la température de congélation (ou de solidification ou de fusion), la température d'ébullition (ou de liquéfaction ou de condensation) ainsi que la pression osmotique.

Propriétés colligatives : propriétés d'une solution qui dépendent uniquement de la concentration de la solution et non de la nature du soluté.

Dans l'étude quantitative des propriétés colligatives, les expressions les plus courantes des concentrations sont la molalité, m, et la fraction molaire, X. Dans certains cas, il arrive également que l'on ait à calculer la molalité ou la fraction molaire à partir des pourcentages massiques. La concentration molaire volumique, c (ou molarité, M), est quant à elle peu usitée dans ce cas, parce que sa valeur change selon la température. Par exemple, une solution aqueuse de 1,0 mol/L à 20 °C sera approximativement égale à 0,96 mol/L à 60 °C, puisque la même masse de soluté se trouve dans un volume de solution plus grand à cause de la dilatation thermique (du solvant).

Pression de vapeur : pression exercée par la vapeur au-dessus d'un liquide lorsque les deux phases sont en équilibre.

2.1.2 PRESSION DE VAPEUR D'UN LIQUIDE PUR

L'une des premières propriétés colligatives d'une solution concerne sa pression de vapeur. Pour bien comprendre le sens de cette propriété, voyons d'abord comment elle se manifeste dans un liquide pur. On sait que l'eau d'un bécher s'évapore lentement s'il est laissé à la température ambiante. Ce phénomène s'explique par le fait que les collisions des molécules au sein du liquide projettent certaines molécules hors de la surface : ces molécules deviennent alors gazeuses. Par contre, si de l'eau est versée dans un récipient bouché, une certaine quantité se vaporise, mais cette quantité ne change plus après un certain temps. Il se produit alors un échange analogue à celui qui se produit dans une solution saturée (*revoir la sous-section 1.1.3, p. 4 à 6*) : des molécules s'échappent de la surface du liquide au même rythme que des molécules gazeuses s'y condensent. Lorsque cet état est atteint, la pression exercée par la vapeur (gaz) en équilibre avec le liquide est la **pression de vapeur**. Si la température du liquide augmente, une plus grande quantité de liquide se vaporise; par conséquent, la pression de vapeur augmente. La figure 2.1 illustre l'état moléculaire du phénomène à différentes températures.

Dans un terrarium, un équilibre s'établit entre la vapeur d'eau et l'eau liquide, de sorte que, à température constante, la pression de vapeur n'y varie pas.

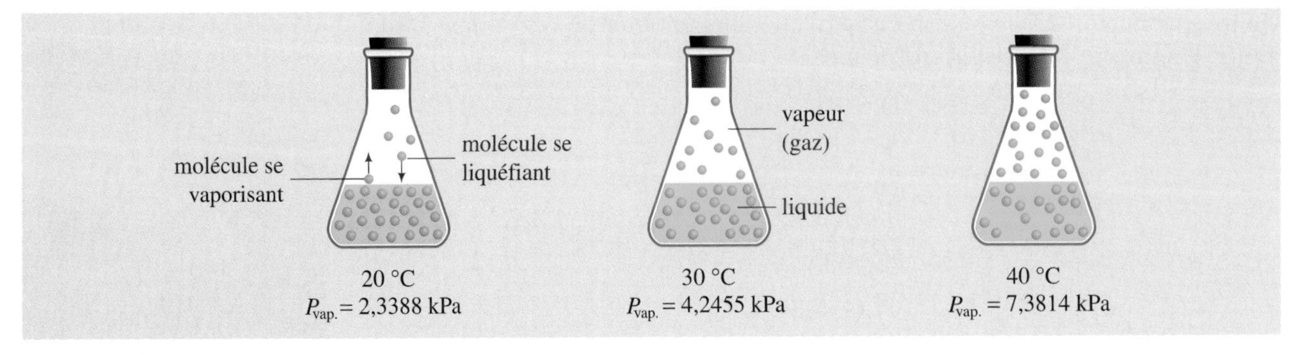

Figure 2.1 Illustration de la vaporisation d'un liquide à différentes températures.

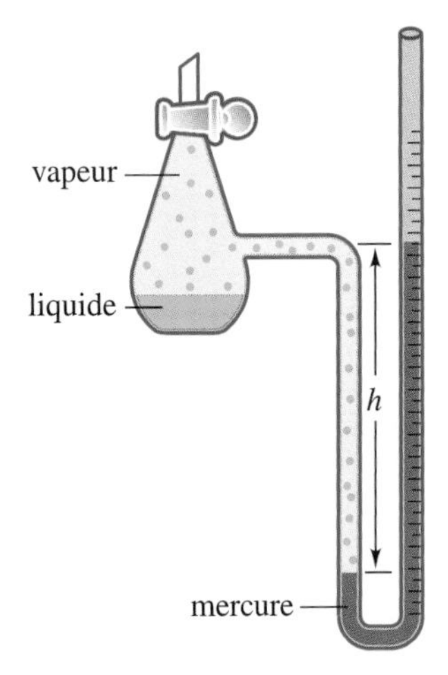

Figure 2.2 Méthode de mesure de la pression de vapeur d'un liquide.

On peut déterminer la pression de vapeur d'un liquide à l'aide du dispositif illustré à la figure 2.2. Il consiste en un récipient contenant un peu de liquide dont la vapeur exerce sa pression sur une colonne de mercure graduée. La différence entre les deux niveaux de mercure dans le tube correspond à la pression de vapeur du liquide.

La pression de vapeur dépend non seulement de la température, mais aussi de la nature du liquide, car elle est reliée à la grandeur des forces intermoléculaires. Pour une température donnée, plus les attractions intermoléculaires sont faibles, plus le liquide s'évapore rapidement et, par conséquent, plus sa pression de vapeur est élevée. Les courbes de la figure 2.3 indiquent les pressions de vapeur de quelques liquides à différentes températures. On peut y voir que la pression de vapeur de l'éthanol, CH_3CH_2OH, est plus grande que celle de l'eau à 60 °C; on dira donc de l'éthanol qu'il est plus volatil que l'eau. Notons que les courbes de cette figure montrent que le liquide est en ébullition lorsqu'on applique la pression correspondant à la température désirée. Par exemple, à la pression normale (101,3 kPa), l'eau bout à 100 °C, mais on obtiendra son ébullition à 80 °C si la pression appliquée est réduite à 47,4 kPa. Les valeurs des pressions de vapeur de l'eau pour les températures comprises entre 0 °C et 100 °C sont données dans un tableau à la fin de l'ouvrage.

2.1.3 PRESSION DE VAPEUR D'UNE SOLUTION ET LOI DE RAOULT

Pour simplifier cet exposé, considérons d'abord une solution idéale contenant un seul soluté, non volatil et non électrolyte. Vers la fin du XIXe siècle,

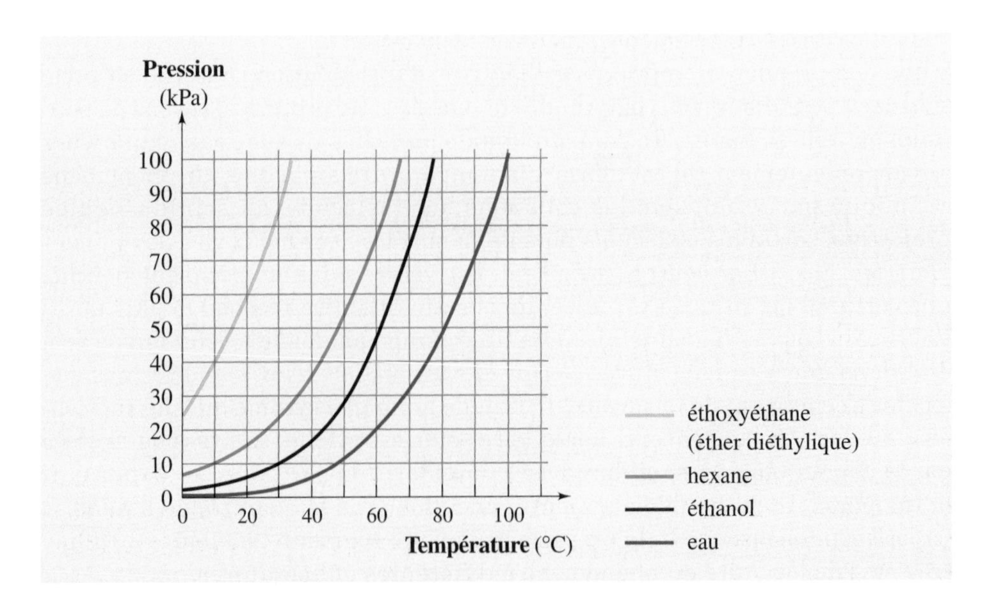

Figure 2.3 Courbes des pressions de vapeur de quelques substances à différentes températures.

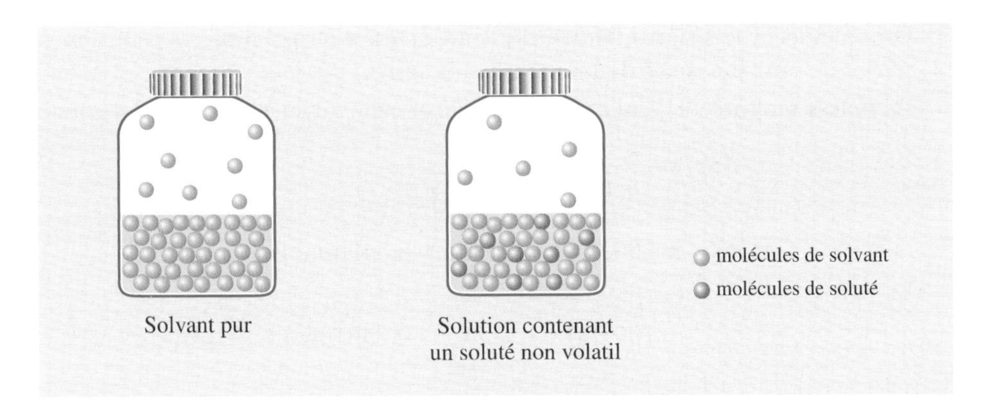

Figure 2.4 Effet de la présence d'un soluté sur la pression de vapeur de la solution.

François Marie Raoult observa qu'un soluté a pour effet d'abaisser la pression de vapeur du solvant, ce qui signifie, comme le montre la figure 2.4, que l'on trouve moins de molécules de solvant dans la vapeur lorsqu'un soluté y est dissous; dans cette illustration, le soluté est non volatil (le plus souvent, il s'agit d'un solide) afin de faciliter la représentation. Les molécules du soluté abaissent la pression de vapeur du solvant en s'associant avec les molécules du solvant, ce qui empêche partiellement ces dernières de s'échapper.

Cette observation se traduit par une loi, appelée loi de Raoult, qu'on peut énoncer de la manière suivante :

Loi de Raoult Pour une température donnée, la pression de vapeur d'une solution idéale est égale au produit de la pression de vapeur du solvant pur par la fraction molaire dudit solvant.

Cette loi s'exprime par la relation mathématique suivante :

$$P_{soln} = X_{solvant} P^0_{solvant} \qquad (1)$$

P_{soln} = pression de vapeur de la solution

$X_{solvant}$ = fraction molaire du composant A (solvant)

$P^0_{solvant}$ = pression de vapeur du composant A pur (solvant)

Appliquée à une solution aqueuse d'un soluté non volatil, cette relation signifie que les termes de l'expression seront les suivants :

X_{H_2O} représente la fraction molaire de l'eau dans la solution;

$P^0_{H_2O}$ correspond à la pression de vapeur de l'eau pure pour une température donnée;

P_{soln} est la pression de vapeur de la solution.

Et la formule devient :

$$P_{soln} = X_{H_2O} P^0_{H_2O} \qquad (2)$$

Quand on a à déterminer la pression de vapeur d'une solution, les données sur la concentration de la solution sont fréquemment exprimées en pourcentage massique, ou encore, la masse de chaque composant est fournie. On doit alors utiliser ces données en calculant d'abord la fraction molaire du composant volatil, le solvant; on applique ensuite la loi de Raoult pour calculer la pression de vapeur de la solution.

FRANÇOIS MARIE RAOULT (1830-1901)
Chimiste et physicien français; créateur des méthodes cryoscopiques et ébullioscopiques.

▼ EXEMPLE 2.1

On désire calculer la pression de vapeur à 90 °C d'une solution de sucrose, $C_{12}H_{22}O_{11}$, le sucre de table, un solide non volatil et non électrolyte. La solution est formée de 100,0 g de sucrose et de 100,0 g d'eau. La pression de vapeur de l'eau pure à cette température est de 70,117 kPa.

1° On calcule la fraction molaire de l'eau et du sucrose dans la solution à partir de leur masse et de leur masse molaire.

La masse molaire de l'eau est 18,02 g/mol et celle du sucrose est 342,3 g/mol.

$$X_{H_2O} = \frac{\text{mol } H_2O}{\text{mol } H_2O + \text{mol } C_{12}H_{22}O_{11}}$$

$$n_{H_2O} = 100{,}0\,\cancel{g} \times \frac{1 \text{ mol}}{18{,}02\,\cancel{g}} = 5{,}549 \text{ mol } H_2O$$

$$n_{C_{12}H_{22}O_{11}} = 100{,}0\,\cancel{g} \times \frac{1 \text{ mol}}{342{,}3\,\cancel{g}} = 0{,}2921 \text{ mol } C_{12}H_{22}O_{11}$$

$$X_{H_2O} = \frac{5{,}549 \text{ mol}}{5{,}549 \text{ mol} + 0{,}2921 \text{ mol}} = 0{,}9500$$

2° On applique la loi de Raoult en utilisant la valeur de la pression de vapeur de l'eau pure à 90 °C et la fraction molaire de l'eau.

$$P_{\text{soln}} = X_{H_2O}\, P^0_{H_2O} = 0{,}9500 \times 70{,}117 \text{ kPa} = 66{,}61 \text{ kPa}$$

• La pression de vapeur de la solution vaut **66,61 kPa**.

EXERCICE 2.1

Calculez la pression de vapeur à 80 °C d'une solution formée de 20,0 g de glucose, $C_6H_{12}O_6$, un solide non volatil et non électrolyte, et de 75,0 g d'eau. La pression de vapeur de l'eau pure à cette température est de 47,373 kPa.

2.1.4 PRESSION DE VAPEUR FORMÉE DE COMPOSANTS VOLATILS

La loi de Raoult s'applique à chaque composant lorsque le soluté et le solvant sont volatils et que la solution est idéale. Ainsi, lorsqu'une solution est formée de deux composants, A et B, la pression de vapeur, P_A, au-dessus de la solution est donnée par la relation

$$P_A = X_A\, P^0_A \quad (3)$$

et celle du composant B, par la relation

$$P_B = X_B\, P^0_B \quad (4)$$

La figure 2.5 illustre la répartition de chaque composant dans la vapeur.

Or nous avons vu, lors de l'étude des gaz dans le cours précédent, que la loi des pressions partielles de Dalton régit le comportement des mélanges gazeux. Cette loi stipule que **la pression totale d'un mélange de gaz est égale à la somme des pressions de chaque gaz formant le mélange**. Ainsi, comme on peut le voir à la figure 2.5, la pression de vapeur de la solution, P_{soln}, c'est-à-dire la pression des gaz qui règne au-dessus du liquide, sera

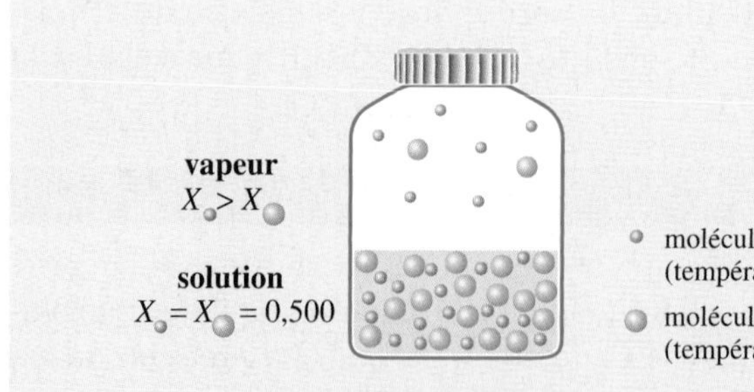

Figure 2.5 Distribution dans la vapeur de deux composants volatils d'une solution.

donnée par la somme des pressions partielles de chaque gaz (loi de Dalton). Et la pression de chaque gaz est calculée à partir de la fraction molaire de chaque composant dans la solution (loi de Raoult). Cela se traduit par les relations suivantes :

$$P_{soln} = P_A + P_B \quad \text{(loi de Dalton)} \tag{5}$$

En remplaçant P_A et P_B par leur valeur donnée par les équations 3 et 4, on obtient une nouvelle formule :

$$P_{soln} = X_A P_A^0 + X_B P_B^0 \tag{6}$$

Rappelons que X_A et X_B correspondent aux fractions molaires des composants A et B **dans la solution**. On peut aussi connaître les fractions molaires des composants A et B **dans la vapeur** à partir de leur rapport molaire et, par extension, à partir de leur rapport à l'égard de la pression totale (*voir* Chimie générale, *sous-section 4.3.3*).

$$X_{A(vap.)} = \frac{n_A}{n_{tot.}} = \frac{P_A}{P_{tot.}} = \frac{P_A}{P_{soln}} \tag{7}$$

En remplaçant dans l'équation 7 la valeur de P_A donnée par l'équation 1 (loi de Raoult), on obtient une nouvelle formule qui établit le rapport entre la fraction molaire du composant A dans la vapeur et sa fraction molaire dans la solution. Pour éviter toute ambiguïté concernant la nature de X_A, nous ajouterons, entre parenthèses, le terme « soln » pour indiquer qu'il s'agit de la fraction molaire du composant A dans la solution. La relation 7 devient pour chaque composant :

$$X_{A(vap.)} = \frac{P_A}{P_{soln}} = \frac{X_{A(soln)} P_A^0}{P_{soln}} \quad \Rightarrow \quad \frac{X_{A(vap.)}}{X_{A(soln)}} = \frac{P_A^0}{P_{soln}} \tag{8}$$

$$\Rightarrow \quad \frac{X_{B(vap.)}}{X_{B(soln)}} = \frac{P_B^0}{P_{soln}} \tag{9}$$

Les relations 8 et 9 indiquent que le rapport des fractions molaires du composant A (ou B) dans la vapeur et dans la solution est le même que celui que la pression de vapeur du composant A (ou B) pur forme avec la pression de vapeur de la solution. Ces relations indiquent également que si une solution est formée d'un mélange équimoléculaire de deux liquides volatils ($X_{A(soln)} = 0{,}5$), la vapeur sera plus riche en composant le plus volatil ($X_{A(vap.)} > 0{,}5$), car sa pression de vapeur sera plus élevée. Par exemple, à 25 °C, la pression de vapeur du benzène, C_6H_6, est plus élevée que celle du toluène, C_7H_8, dans une solution dont la fraction molaire de chaque composant est 0,5, car le benzène est plus volatil que le toluène, sa température d'ébullition étant plus basse. Le benzène, qui se trouve en très faible quantité dans l'essence, est une substance cancérigène. Le toluène est le diluant de la colle de contact.

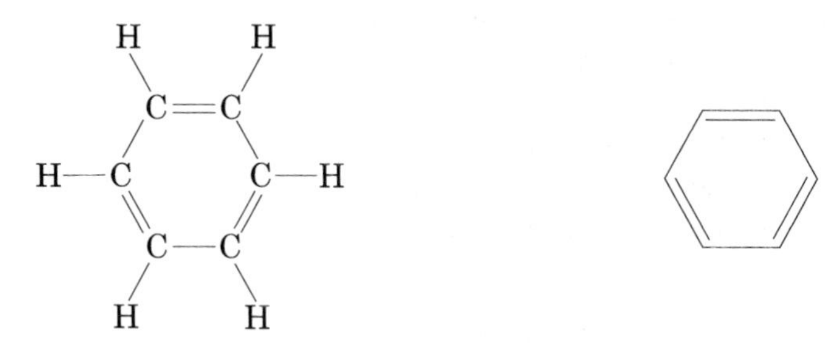

formule développée

formule stylisée[1]

benzène, $t_{éb}$ 80 °C

1. Une formule stylisée est une représentation condensée d'une structure carbonée à l'aide d'une figure géométrique; les arêtes de la figure symbolisent les atomes de carbone, et les atomes d'hydrogène ne sont pas représentés.

$$\begin{array}{c} \text{H} \quad \text{H} \\ \text{C=C} \quad \text{H} \\ \text{H—C} \quad \text{C—C—H} \\ \text{C—C} \quad \text{H} \\ \text{H} \quad \text{H} \end{array}$$

formule développée

formule stylisée (CH_3)

toluène, $t_{éb}$ 110,6 °C

▼ EXEMPLE 2.2

On désire calculer la pression de vapeur, à 25 °C, d'une solution idéale formée d'hexane, C_6H_{14}, et de toluène, C_7H_8, en égales proportions molaires, et calculer la fraction molaire de chaque composant dans la vapeur. À cette température, la pression de vapeur de l'hexane est de 20,2 kPa et celle du toluène, de 3,79 kPa.

1° Calculons d'abord la pression de vapeur de la solution.

On applique la loi de Raoult à chaque composant pour obtenir sa contribution à la pression totale.

Puisque, selon les données du problème, l'hexane et le toluène sont en égales proportions molaires, leur fraction molaire respective vaut 0,500.

La pression de vapeur due à l'hexane, $P_{C_6H_{14}}$, se calcule à l'aide de la relation suivante.

$$P_{C_6H_{14}} = X_{C_6H_{14}} P^0_{C_6H_{14}} = 0{,}500 \times 20{,}2 \text{ kPa} = 10{,}1 \text{ kPa}$$

La pression de vapeur due au toluène, $P_{C_7H_8}$, se calcule de la même façon.

$$P_{C_7H_8} = X_{C_7H_8} P^0_{C_7H_8} = 0{,}500 \times 3{,}79 \text{ kPa} = 1{,}90 \text{ kPa}$$

La pression de vapeur totale, $P_{tot.}$ ou P_{soln}, en appliquant la loi de Dalton, correspond à la somme des pressions partielles, soit

$$P_{soln} = P_{C_6H_{14}} + P_{C_7H_8} = 10{,}1 + 1{,}90 = 12{,}0 \text{ kPa}$$

- La pression de vapeur au-dessus de la solution est donc égale à **12,0 kPa**.

2° On peut maintenant calculer la fraction molaire de chaque composant dans la vapeur à partir du quotient de sa pression de vapeur par celle de la solution.

$$X_{C_6H_{14}(vap.)} = \frac{P_{C_6H_{14}}}{P_{soln}} = \frac{10{,}1 \text{ kPa}}{12{,}0 \text{ kPa}} = 0{,}842$$

$$X_{C_7H_8(vap.)} = \frac{P_{C_7H_8}}{P_{soln}} = \frac{1{,}90 \text{ kPa}}{12{,}0 \text{ kPa}} = 0{,}158 \text{ ou } X_{C_7H_8(vap.)} = 1{,}000 - 0{,}842 = 0{,}158$$

- La fraction molaire de l'hexane dans la vapeur est de **0,842** et celle du toluène, de **0,158**.

Cet exemple montre que la vapeur est plus riche en composant le plus volatil, l'hexane, que ne l'est la solution, puisque sa fraction molaire est de 0,842 dans la vapeur et de 0,500 dans la solution. C'est sur ce principe des valeurs différentes des fractions molaires que repose la séparation des constituants par distillation.

EXERCICE 2.2

Le benzène, C_6H_6, et le toluène, C_7H_8, forment une solution idéale. Leur pression de vapeur respective à 25 °C est de 12,7 kPa et de 3,79 kPa. On forme une solution en mélangeant 50,0 mL de benzène (ρ = 0,8765 g/mL) et 50,0 mL de toluène (ρ = 0,8669 g/mL)[2]. En considérant que les volumes s'additionnent, calculez :

a) la fraction molaire de chaque composant dans la solution;

b) la pression de vapeur de la solution;

c) la fraction molaire de chaque composant dans la vapeur.

2.2 PRESSION DE VAPEUR D'UNE SOLUTION IDÉALE ET DISTILLATION FRACTIONNÉE

Une caractéristique de la pression de vapeur d'une solution formée de deux liquides volatils est que la vapeur est plus riche en composant le plus volatil que ne l'est la solution. L'une des applications les plus importantes de cette propriété est la distillation fractionnée.

2.2.1 DIAGRAMME DE PRESSION DE VAPEUR D'UNE SOLUTION IDÉALE DE DEUX LIQUIDES VOLATILS

Considérons une série de solutions d'hexane, C_6H_{14}, et de toluène, C_7H_8, préparées à 25 °C à partir d'une fraction molaire en hexane de 0,100 (0,900 en toluène) jusqu'à 0,900 (0,100 en toluène). Les pressions de vapeur de chaque composant et de la solution, calculées de la même manière que dans l'exemple 2.2, sont regroupées dans le tableau 2.1 et exprimées graphiquement dans la figure 2.6. On observe que pour une solution idéale, la pression de vapeur de la solution est égale à la somme des pressions de vapeur de chaque composant, peu importe la concentration, ou encore qu'elle est directement proportionnelle à la fraction molaire de l'hexane (ou du toluène), ce qui se traduit par une droite sur le graphique. Les droites de la pression de vapeur du toluène et de l'hexane en fonction de leur fraction molaire sont respectivement en rouge et en bleu; la résultante, en vert, correspond à la somme de ces pressions de vapeur.

L'exemple 2.2 montre aussi que la vapeur au-dessus d'une solution d'hexane et de toluène est toujours plus riche en hexane que la solution elle-même, car l'hexane est le plus volatil. C'est ce que montre également la dernière colonne du tableau 2.1. Si la vapeur de la solution est recueillie, condensée, puis évaporée de nouveau, la vapeur qui en résultera sera encore plus riche en hexane. Par exemple, en recueillant la vapeur provenant d'un mélange dont la fraction molaire en hexane est égale à 0,100 et en la condensant, on obtient une nouvelle solution dont la fraction molaire est de 0,372 en hexane (première ligne de la dernière colonne du tableau 2.1). La vapeur de cette dernière solution aura une fraction molaire de 0,759 en hexane.

$$X_{C_6H_{14}(vap.)} = \frac{P_{C_6H_{14}}}{P_{soln}} = \frac{0,372 \times 20,2 \text{ kPa}}{0,372 \times 20,2 \text{ kPa} + 0,628 \times 3,79 \text{ kPa}} = \frac{7,51 \text{ kPa}}{9,89 \text{ kPa}} = 0,759$$

La courbe de la figure 2.6 montre aussi comment la fraction molaire de l'hexane dans la vapeur varie en fonction de la pression de vapeur de la solution; cette variation est représentée par la courbe en trait discontinu.

L'huile essentielle de rose est extraite par distillation de l'eau qui barbote dans les fleurs.

2. La masse volumique est rapportée en g/cm³ dans les répertoires de constantes. Cependant, puisque 1 cm³ correspond à 1 mL, unité couramment utilisée en laboratoire, nous exprimerons la masse volumique en g/mL.

Tableau 2.1 Pressions de vapeur à 25 °C de l'hexane, C_6H_{14}, du toluène, C_7H_8, et de solutions de ces composants selon leur fraction molaire, et fraction molaire de l'hexane dans la vapeur.

$X_{C_6H_{14}}$	$P_{C_6H_{14}}$ (kPa)	$X_{C_7H_8}$	$P_{C_7H_8}$ (kPa)	P_{soln} (kPa)	$X_{C_6H_{14}}$ (vapeur)
0,100	2,02	0,900	3,41	5,43	0,372
0,200	4,04	0,800	3,03	7,07	0,571
0,300	6,06	0,700	2,65	8,71	0,696
0,400	8,08	0,600	2,27	10,35	0,781
0,500	10,1	0,500	1,90	12,0	0,842
0,600	12,1	0,400	1,52	13,6	0,890
0,700	14,1	0,300	1,14	15,2	0,928
0,800	16,2	0,200	0,758	17,0	0,953
0,900	18,2	0,100	0,379	18,6	0,979

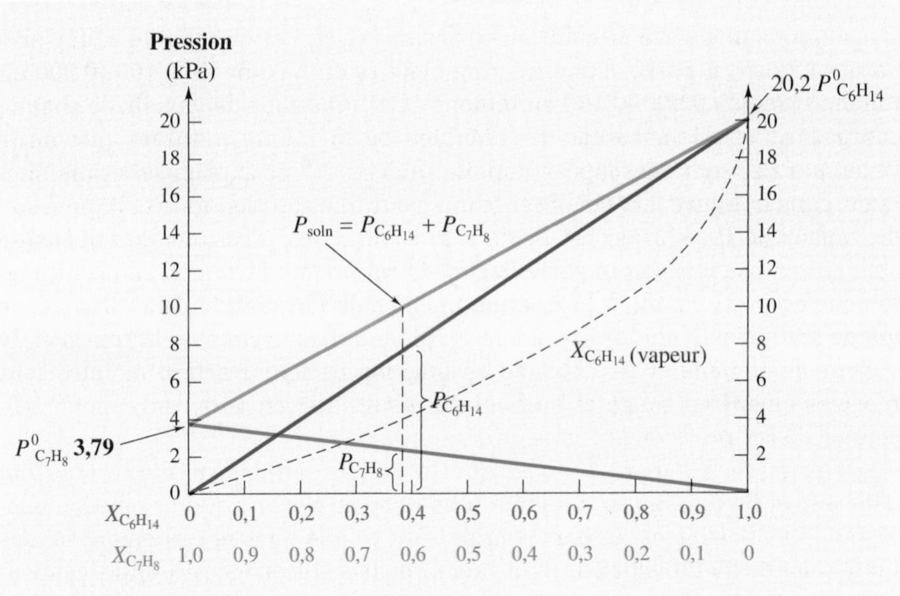

Figure 2.6 Graphique de la pression de vapeur à 25 °C d'une solution binaire idéale d'hexane et de toluène en fonction de la fraction molaire de chaque composant et en fonction de la fraction molaire de l'hexane dans la vapeur.

2.2.2 LA DISTILLATION FRACTIONNÉE

Distillation : procédé de séparation de composants fondé sur la vaporisation d'un liquide suivie de sa condensation.

Distillation fractionnée : distillation qui met en œuvre plusieurs distillations en intercalant une colonne entre le liquide en ébullition et la tête à distiller.

L'opération qui consiste à vaporiser une solution, puis à condenser la vapeur et à recueillir le liquide (le distillat) s'appelle une **distillation**. Et la répétition, un grand nombre de fois, du processus d'évaporation et de condensation est une **distillation fractionnée** qui rend possible la séparation des composants volatils d'une solution. (*Voir la Capsule chimique « La distillation fractionnée à l'échelle industrielle : pour que ça roule... »*) Dans les laboratoires, on réalise une distillation fractionnée à l'aide d'une colonne qui surmonte un ballon contenant la solution soumise au processus d'évaporation et de condensation. Dans le haut, elle est condensée dans un tube réfrigérant légèrement incliné, ce qui permet l'écoulement du liquide. Dans une colonne à fractionnement, un échange incessant se produit entre les vapeurs ascendantes et le liquide descendant qui s'y condense, de sorte que la vapeur s'enrichit graduellement en composant le plus volatil. Chaque distillation successive se déroule

CAPSULE CHIMIQUE

La distillation fractionnée à l'échelle industrielle : pour que ça roule...

La distillation fractionnée est mise à profit dans plusieurs domaines industriels, notamment dans la production des eaux-de-vie, tels le cognac et le whisky, et le raffinage du pétrole, traitement qui consiste à rendre le pétrole propre à la consommation.

À la raffinerie Ultramar à Saint-Romuald, près de Lévis, on traite le pétrole brut pour produire de l'essence, du diesel et du mazout.

Le pétrole est un mélange de milliers de composés organiques, dont environ 95 % sont des hydrocarbures, c'est-à-dire des composés de carbone et d'hydrogène. Leur structure peut être assez simple, mais elle peut aussi être complexe, selon l'origine du pétrole. Le butane, que l'on trouve dans les briquets, et le *o*-xylène sont des exemples de composés présents dans le pétrole.

butane **o-xylène**

Le raffinage comprend essentiellement trois opérations :

- la séparation du pétrole en fractions;
- la transformation chimique de certaines fractions;
- les traitements d'épuration.

Voyons comment la distillation fractionnée permet de réaliser la première étape, le fractionnement.

Il serait inutile, voire impossible, de séparer tous les constituants du pétrole, en raison de leur grand nombre. C'est pourquoi on regroupe plutôt des catégories de constituants selon différentes plages de températures d'ébullition. L'opération, schématisée partiellement à la figure 1, est réalisée par distillation fractionnée dans deux colonnes, l'une à pression atmosphérique et l'autre à pression réduite, désignée tour à vide.

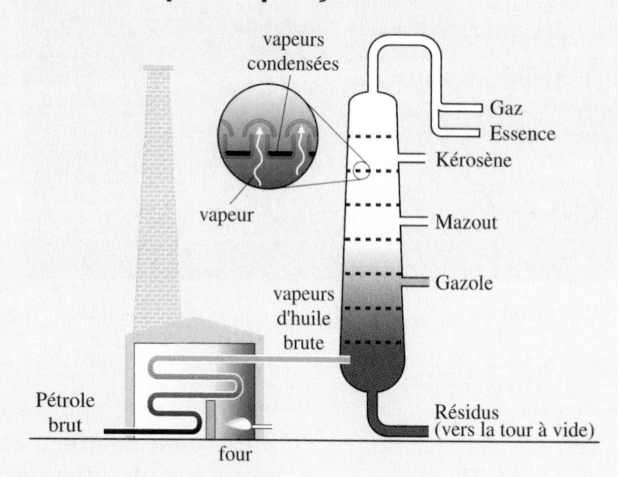

Figure 1 Schéma d'une tour de fractionnement du pétrole.

Le fractionnement du pétrole brut consiste d'abord à l'acheminer dans une bouilloire dans laquelle il est préchauffé. Il entre dans la première colonne, la tour de fractionnement, dans laquelle s'effectue la séparation des constituants en fractions. Ceux dont la température d'ébullition est la plus basse, les plus volatils, se retrouvent dans le haut de la colonne et forment les produits de tête, des gaz et des essences légères. Des fractions intermédiaires, correspondant à des gammes de températures plus élevées, sont soutirées à différentes hauteurs. À la sortie de la colonne, les fractions de tête et les fractions intermédiaires subissent d'autres traitements dans leurs unités de raffinage respectives : nouvelles séparations, transformations chimiques, traitements d'épuration. Quant au résidu de la tour de fractionnement, il est partiellement vaporisé et aspiré dans une seconde colonne, appelée tour à vide, dans laquelle d'autres coupes de distillations sont recueillies.

Comme les fractions obtenues des distillations répondent rarement aux besoins du marché, il faut de nouveau modifier la composition du pétrole issu des distillations en augmentant la proportion d'essence... pour que les voitures roulent avec une essence de qualité toujours meilleure.

ainsi à une température de plus en plus basse à mesure que les vapeurs montent; à la limite, dans le haut de la colonne, seule la vapeur du composant le plus volatil se condense dans le tube réfrigérant. Au moment de recueillir les premières gouttes de distillat, la température d'ébullition mesurée en tête de colonne est égale ou proche de celle du liquide le plus volatil. Plus la colonne à fractionnement est efficace et l'apport de chaleur,

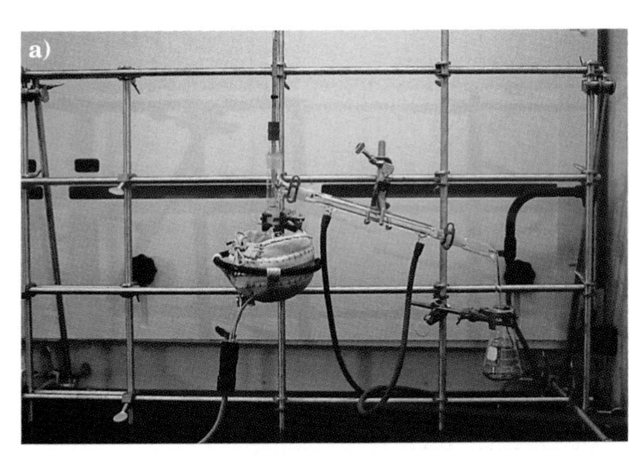

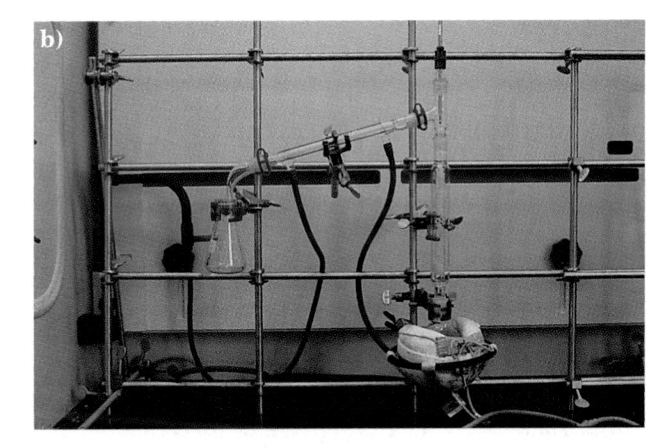

Figure 2.7 En a), montage de distillation simple; en b), montage de distillation fractionnée.

bien contrôlé, plus la séparation des composants est réussie. La figure 2.7a illustre un montage de distillation simple et la figure 2.7b, un montage de distillation fractionnée.

Considérons une solution formée de deux liquides, A et B, B étant plus volatil et ayant une température d'ébullition plus basse que A (*figure 2.8*). La solution initiale, X_{B_1}, atteint son point d'ébullition à la température T_1 et se transforme graduellement en vapeur X_{B_2}. La vapeur est alors plus riche en liquide le plus volatil B. La position de X_{B_2} permet de trouver la composition de la vapeur au point d'ébullition T_1.

Lors d'une distillation, la vapeur de composition X_{B_2} est condensée et ainsi plus riche en composant le plus volatil. Dans une distillation fractionnée, les ébullitions et les condensations sont répétées plusieurs fois à l'intérieur de la colonne à fractionnement jusqu'à l'obtention du composant pratiquement pur.

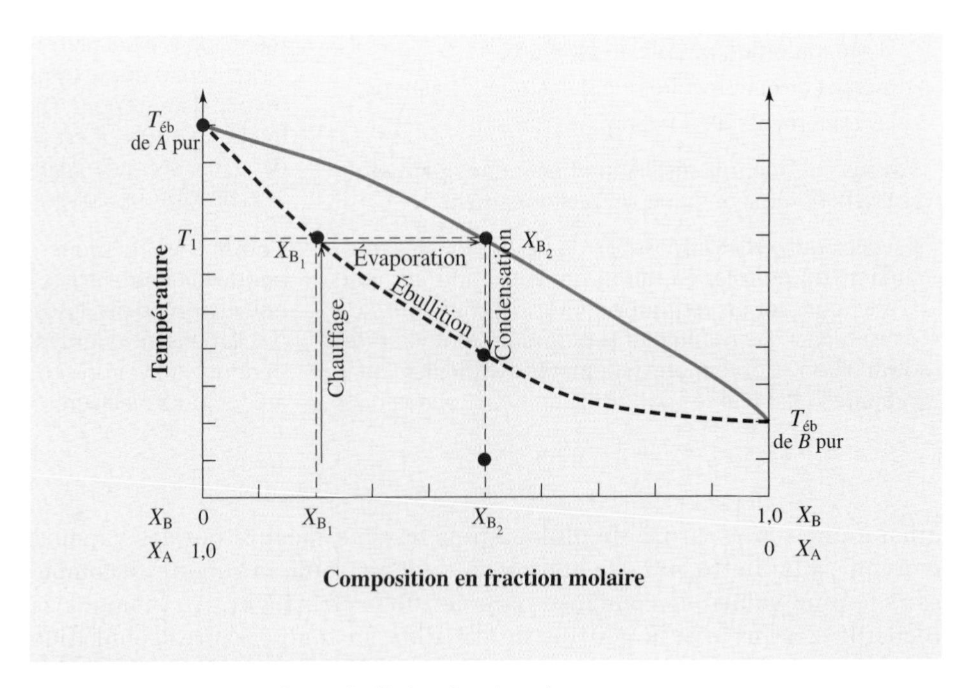

Figure 2.8 Illustration d'une distillation fractionnée.

2.3 SOLUTIONS NON IDÉALES

Les conditions d'obtention de solutions idéales sont assez précises.

- La polarité des composants doit être très proche; habituellement, les solutions de substances non polaires satisfont à cette règle. C'est pourquoi les hydrocarbures, tels les constituants de l'essence, remplissent cette condition.
- Les solutions diluées se rapprochent sensiblement d'une solution idéale.

Par contre, dès que la dissolution est endothermique ou exothermique, cas très fréquent, la solution est non idéale, ce qui se traduit par une déviation positive, la plus courante, ou par une déviation négative de la loi de Raoult (*figure 2.9*). Les droites en traits discontinus, en rouge et en bleu, correspondent respectivement aux pressions de vapeur de A et de B, et traduisent leur comportement idéal, tandis que les courbes montrent leurs déviations positives (ou négatives). La droite en traits discontinus et la courbe, toutes deux en vert, illustrent respectivement le comportement idéal et la déviation positive (ou négative) de la pression de vapeur de la solution.

La déviation est positive lorsque les attractions entre les molécules des substances différentes (A---B) sont moins fortes que celles qui s'exercent entre les molécules de même nature (A---A, B---B). Cela signifie que les molécules de A et B s'échappent de la solution plus facilement qu'elles ne le font des liquides purs et que les pressions partielles de A et B sont supérieures à celles prédites par la loi de Raoult. La dissolution est endothermique (absorption de chaleur) lorsque la déviation est positive. Un exemple de déviation positive de la loi de Raoult est donné par une solution aqueuse d'éthanol, CH_3CH_2OH.

```
     H   H
     |   |
 H — C — C — O          H
     |   |    \        /
     H   H     H - - O
                      \
                       H
    éthanol          eau
```

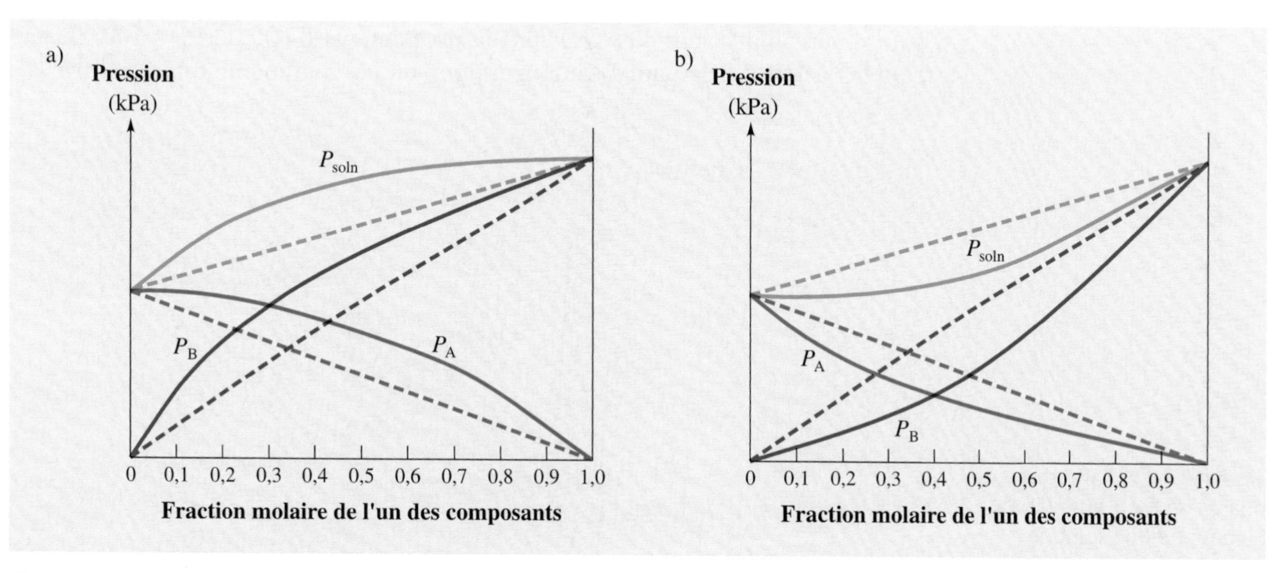

Figure 2.9 Illustration d'une déviation positive (a) et négative (b) de la loi de Raoult.

Des déviations négatives de la loi de Raoult surviennent lorsque les molécules de soluté et de solvant exercent des attractions plus fortes que celles qui se développent entre les molécules identiques. Par conséquent, les molécules ont moins tendance à s'échapper de la solution que de la surface des liquides purs et les pressions partielles sont alors inférieures à celles prédites par la loi de Raoult. La dissolution sera exothermique (dégagement de chaleur). Une solution aqueuse d'acide nitrique, HNO_3, ou d'acétone, CH_3COCH_3, donne une déviation négative de la loi de Raoult.

CH_3 \
$C{=}O \cdots H{-}O$ (—H)
CH_3 /

acétone **eau**

Sur le mont Logan, le plus élevé du Canada (6050 m), l'eau bout à une température moins élevée qu'à Montréal.

2.4 PROPRIÉTÉS COLLIGATIVES ET DÉTERMINATION DE LA MASSE MOLAIRE

La température d'ébullition d'un liquide est celle à laquelle la pression de vapeur égale la pression barométrique, soit 101,3 kPa. On peut ainsi déterminer la pression à appliquer pour faire passer une substance de l'état liquide à l'état gazeux (*revoir la figure 2.3, p. 46*). L'eau, par exemple, qui bout à 100 °C sous une pression de 101,3 kPa, bouillerait à 80 °C si l'on réduisait la pression au-dessus de sa surface à 47,373 kPa. Or, nous avons vu que la pression de vapeur d'une solution contenant un soluté non volatil est inférieure à celle du solvant pur à la même température (*revoir la sous-section 2.1.3*). Ce phénomène aura donc une influence directe sur la température d'ébullition de la solution et, par extension, sur sa température de congélation (ou de fusion).

2.4.1 ABAISSEMENT DE LA PRESSION DE VAPEUR

La présence d'un soluté non volatil dans un solvant abaisse la pression de vapeur de ce dernier, de sorte que la température à laquelle la pression de vapeur atteindra la pression atmosphérique sera plus élevée pour une solution que pour le solvant pur. C'est ce que montre le diagramme de phases de la figure 2.10 (*revoir aussi la sous-section 11.5.2 de* Chimie générale). On observe cette diminution de la pression de vapeur d'une solution aqueuse d'un soluté non volatil (ligne rouge) dont la pression est de 90,0 kPa à 100 °C, par rapport à 101,3 kPa pour l'eau pure (ligne bleue) à la même température.

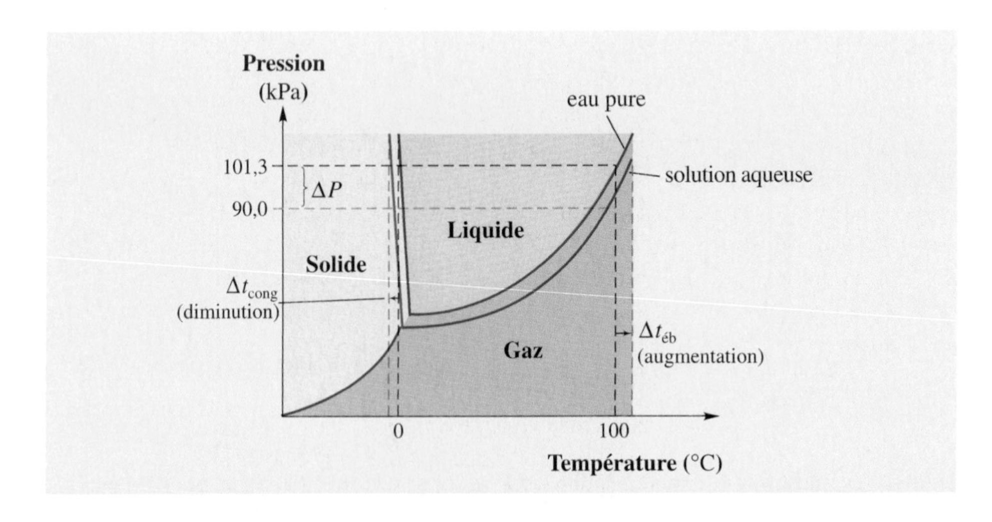

Figure 2.10 Diagramme de phases de l'eau pure (ligne bleue) et d'une solution aqueuse d'un soluté non volatil (ligne rouge).

Il est possible de traduire cet abaissement de la pression de vapeur dans une première relation découlant de la loi de Raoult. Nous avons en effet exprimé cette loi par l'expression suivante, dans le cas d'une solution aqueuse :

$$P_{soln} = X_{H_2O} P^0_{H_2O} \quad (2)$$

Or, nous savons que la somme des fractions molaires des composants d'une solution est égale à une unité. Dans ce cas-ci, nous aurons :

$$X_{soluté} + X_{H_2O} = 1 \text{ ou } X_{H_2O} = 1 - X_{soluté}$$

En substituant cette valeur de la fraction molaire de l'eau, X_{H_2O}, dans l'équation 2, on obtient une nouvelle expression de la loi de Raoult qui établit un rapport entre la variation de la pression de vapeur, ΔP, et la fraction molaire du soluté pour une solution contenant un seul soluté.

$$P_{soln} = (1 - X_{soluté}) P^0_{H_2O}$$

$$P_{soln} = P^0_{H_2O} - X_{soluté} P^0_{H_2O}$$

$$P^0_{H_2O} - P_{soln} = X_{soluté} P^0_{H_2O}$$

$$\Delta P = X_{soluté} P^0_{H_2O} \quad (10)$$

La valeur ΔP s'appelle l'abaissement de la pression de vapeur de la solution et l'équation 10 montre que cet abaissement est proportionnel à la fraction molaire du soluté; il ne dépend pas de la nature du soluté et, en conséquence, il s'agit d'une propriété colligative. Effectivement, des mesures ont montré qu'une mole de glucose, $C_6H_{12}O_6$, une mole de glycérol, $C_3H_8O_3$, ou une mole d'urée, $CO(NH_2)_2$, chacune dissoute dans 1,0 L d'eau, produisent sensiblement le même abaissement de pression de vapeur; rappelons que ces solutés sont non volatils et qu'il s'agit de non-électrolytes.

Pour des raisons pratiques, on préfère exprimer l'abaissement de la pression de vapeur en fonction de la molalité plutôt que de la fraction molaire. Or, pour les solutions dont la molalité est inférieure à environ 1,0 *m*, la fraction molaire du soluté est directement proportionnelle à sa molalité. Puisque l'abaissement de la pression est proportionnel à la fraction molaire, il sera aussi proportionnel à la molalité.

$$\Delta P \propto m$$

Et l'équation 10 prend alors la forme suivante :

$$\Delta P = K_{PV} m \quad (11)$$

dans laquelle K_{PV} représente la **constante molale de l'abaissement de la pression de vapeur**.

Constante molale de l'abaissement de la pression de vapeur : constante qui donne la valeur du rapport entre l'abaissement de la pression de vapeur d'une solution et sa molalité.

2.4.2 AUGMENTATION DE LA TEMPÉRATURE D'ÉBULLITION

La figure 2.10 montre qu'il existe une relation entre la variation de la pression de vapeur et celle de la température d'ébullition. On observe en effet que la diminution de la pression de vapeur se traduit par une augmentation de la température d'ébullition. Ainsi, pour faire bouillir une solution aqueuse 1 *m* (1 mol/kg) d'un soluté non volatil à la pression normale (101,3 kPa), on a déterminé qu'il faut augmenter la température de 0,51 °C. L'abaissement de la pression de vapeur étant faible pour la plupart des solutions (la pression de vapeur donne alors pratiquement une droite pour un faible intervalle de température), il sera proportionnel à l'élévation de la température d'ébullition. Par conséquent, on peut récrire l'équation 11 en utilisant la variation de la température d'ébullition, $\Delta t_{éb}$, plus pratique et facile à mesurer que la variation de la pression de vapeur, ΔP.

$$\Delta t_{éb} = K_{éb} m \quad (12)$$

$\Delta t_{éb}$ = différence de température (°C)
$K_{éb}$ = constante molale ébullioscopique (°C·kg/mol)
m = molalité (mol/kg)

Tableau 2.2 Constantes molales ébullioscopiques, $K_{éb}$, et cryoscopiques, K_{cong}, de quelques substances.

Composé	Formule	t_{fus} (°C)	K_{cong} (°C·kg/mol)	$t_{éb}$ (°C)	$K_{éb}$ (°C·kg/mol)
Acide acétique	$C_2H_4O_2$	16,6	3,63	117,9	3,22
Benzène	C_6H_6	5,5	5,23	80	2,64
(+)–Camphre	$C_{10}H_{16}O$	178,8	37,8	207,4	5,95
Cyclohexane	C_6H_{12}	6,6	20,8	80,7	2,92
Cyclohexanol	$C_6H_{12}O$	25,4	42,2	160,8	3,5
Eau	H_2O	0,0	1,86	100,0	0,513
Éthane-1,2-diol (éthylèneglycol)	$C_2H_6O_2$	−13	3,11	197,3	2,26
Naphtalène	$C_{10}H_8$	80,2	7,45	217,9	
Phénol	C_6H_6O	40,9	6,84	181,8	3,54
Sulfure de carbone	CS_2	−111,5		46	2,42
Tétrachlorométhane (tétrachlorure de carbone)	CCl_4	−23		76,8	5,26
Toluène	C_7H_8	−94,6	3,55	110,6	3,40
Trichlorométhane (chloroforme)	$CHCl_3$	−63,6	4,70	61,1	3,80

L'addition d'antigel à l'eau dans le radiateur d'une automobile augmente sa température d'ébullition jusqu'à près de 110 °C.

Constante molale ébullioscopique : constante qui donne la valeur du rapport entre l'augmentation de la température d'ébullition d'une solution et sa molalité.

Dans l'équation 12, $\Delta t_{éb}$ représente l'écart entre la température d'ébullition de la solution et celle du solvant, $K_{éb}$ est la **constante molale ébullioscopique** du solvant (ou constante molale de l'élévation de la température d'ébullition), et m correspond à la molalité du soluté. Le tableau 2.2 fournit les valeurs des constantes molales ébullioscopiques de quelques substances.

Le tableau montre que le tétrachlorométhane (tétrachlorure de carbone), CCl_4, substance qui a longtemps servi à la fabrication des fréons, entraîne une élévation de la température d'ébullition d'une solution 1 m environ 10 fois plus forte que celle de l'eau (5,26 par rapport à 0,513). L'équation 12 permet de prédire avec une assez bonne exactitude la température d'ébullition de solutions.

▼ EXEMPLE 2.3

On désire connaître la température d'ébullition d'une solution formée de 50,00 g d'eau et de 5,00 g d'éthylèneglycol, $HOCH_2CH_2OH$. On peut considérer l'éthylèneglycol comme un soluté non volatil.

1° On calcule d'abord la molalité de la solution.

La molalité, m, représente le nombre de moles de soluté par kilogramme de solvant; la masse molaire de l'éthylèneglycol est de 62,07 g/mol.

Le nombre de moles de soluté est :

$$n_{C_2H_6O_2} = 5{,}00\,\cancel{g} \times \frac{1\ \text{mol}}{62{,}07\,\cancel{g}} = 0{,}0806\ \text{mol}\ C_2H_6O_2$$

$$m = \frac{\text{mol soluté}}{\text{kg solvant}} = \frac{0{,}0806\ \text{mol}}{50{,}00\,\cancel{g}} \times \frac{1000\,\cancel{g}}{1\ \text{kg}} = 1{,}61\ \text{mol/kg ou } 1{,}61\ m$$

2° On calcule l'augmentation de la température d'ébullition en utilisant l'équation 12.

$$\Delta t_{éb} = K_{éb}m = \frac{0{,}513\ °C \cdot \cancel{kg}}{1\ \cancel{mol}} \times \frac{1{,}61\ \cancel{mol}}{1\ \cancel{kg}} = 0{,}826\ °C$$

3° On calcule la température d'ébullition de la solution.

$$\Delta t_{éb} = t_{éb(soln)} - t_{éb(solvant)}$$

- L'eau pure bout à 100,0 °C. Par conséquent, la température d'ébullition de la solution sera égale à **100,8 °C**.

EXERCICE 2.3

Calculez la température d'ébullition d'une solution formée de 20,0 g d'urée, $CO(NH_2)_2$, dissoute dans 500,0 g de chloroforme, $CHCl_3$. Utilisez les données du tableau 2.2 pour les calculs.

EXERCICE 2.4

Lorsqu'on ajoute 1,00 g de benzène, C_6H_6, à 80,0 g de cyclohexane, C_6H_{12}, la température d'ébullition augmente de 0,467 °C. Calculez la constante molale ébullioscopique du solvant à partir de ces données.

2.4.3 ABAISSEMENT DE LA TEMPÉRATURE DE CONGÉLATION

La figure 2.10 (p. 56) montre que l'ajout d'un soluté non volatil dans l'eau (ou tout autre solvant) influe non seulement sur la température d'ébullition de la solution, mais aussi sur sa température de congélation (ou de fusion). Alors que cet ajout provoque une augmentation de la température d'ébullition, il entraîne un abaissement de la température de congélation. Par ailleurs, la formule qui établit la relation entre cet abaissement et la molalité est analogue à celle qui touche l'élévation de la température d'ébullition.

$$\Delta t_{cong} = K_{cong}m \quad (13)$$

Δt_{cong} = différence de température (°C)
K_{cong} = constante molale cryoscopique (°C·kg/mol)
m = molalité (mol/kg)

Les sorbetières à l'ancienne sont refroidies par un mélange de sel et de glace.

Dans cette formule, Δt_{cong} représente l'abaissement de la température de congélation (ou de fusion), K_{cong} est la **constante molale cryoscopique**, et m correspond à la molalité.

Constante molale cryoscopique : constante qui donne la valeur du rapport entre l'abaissement de la température de congélation (ou de fusion) d'une solution et sa molalité.

À l'examen des données du tableau 2.2 (p. 58), on observe que, pour la même substance, la valeur de la constante molale cryoscopique, K_{cong}, est supérieure à celle de la constante ébullioscopique. Il faut aussi noter que, puisqu'il s'agit d'un abaissement de température, il faut soustraire cet abaissement à la température de congélation ou de fusion du solvant pur pour obtenir celle de la solution.

Les conséquences de l'abaissement de la température de congélation d'une solution par rapport à celle du solvant peuvent paraître étonnantes. Par exemple, la glace qui se forme à partir de l'eau de mer est exempte de sel. En effet, la pression de vapeur au-dessus de l'eau de mer est inférieure à celle de l'eau pure selon la loi de Raoult. Or, la glace pure et la solution salée ne pourraient exister en équilibre qu'à la condition d'avoir des pressions de vapeur identiques. Par conséquent, la température de la glace doit être inférieure à 0 °C et la température de fusion de l'eau de mer doit être abaissée par rapport à celle de l'eau pure. L'une des applications de ce phénomène est la préparation

Les icebergs qui se détachent d'une banquise sont composés d'eau pure, même s'ils sont formés à partir d'eau de mer.

d'eau potable à partir de l'eau de mer, simplement par sa congélation (*voir aussi l'osmose inverse à la sous-section 2.4.4*). Au moment où l'eau de mer commence à se solidifier, la glace pure est en équilibre avec la solution (eau de mer).

L'épandage de sels sur les routes en hiver est un autre exemple d'application de l'abaissement de la température de fusion. En effet, le sel fait fondre la neige à des températures bien inférieures à celles de la glace, selon leur proportion. Ainsi, près de la saturation, une solution de chlorure de sodium, NaCl, aura une température de fusion inférieure à –20 °C. Le même phénomène est mis à profit dans l'action des antigels. L'éthylèneglycol, $HOCH_2CH_2OH$, souvent cité dans les pages précédentes, abaisse la température de congélation de l'eau jusqu'à –33 °C lorsque son pourcentage volumique égale 50; il augmente aussi sa température d'ébullition en été, d'où sa double utilité dans les radiateurs des automobiles.

```
      H   H
      |   |
H—O—C—C—O—H
      |   |
      H   H
```

éthylèneglycol

Enfin, un mélange de trois parties (*m/m*) de glace finement broyée et d'une partie de chlorure de sodium, NaCl, permet d'obtenir un bain de refroidissement de l'ordre de –20 °C.

EXERCICE 2.5

Calculez la température de fusion d'une solution formée de 50,0 mL d'éthylèneglycol, $HOCH_2CH_2OH$ (ρ = 1,1088 g/mL), et de 50,0 mL d'eau (ρ = 1,000 g/mL). Utilisez les données du tableau 2.2.

2.4.4 PRESSION OSMOTIQUE

Une autre propriété colligative qui connaît de nombreuses applications est la pression osmotique. Pour comprendre le phénomène de l'osmose, reportons-nous à la figure 2.11 qui illustre le passage graduel de l'eau pure vers le bécher de droite contenant une solution sucrée. Le phénomène est dû au fait que la pression de vapeur de l'eau pure est supérieure à celle de la solution. Dans ce système, qui doit être parfaitement étanche, ce sont les pressions de vapeur inégales qui entraînent le transfert complet de l'eau pure vers le bécher contenant la solution.

Osmose : passage des molécules d'un solvant pur ou d'une solution diluée vers une solution plus concentrée, à travers une membrane semi-perméable.

Le déplacement des molécules d'un solvant pur ou d'une solution diluée vers une solution concentrée à travers une membrane semi-perméable, appelé **osmose**, résulte d'un phénomène analogue. En effet, si de l'eau pure est séparée d'une solution aqueuse sucrée par une membrane semi-perméable (*figure 2.12*), l'eau pure passe à travers la membrane jusqu'à ce que la tendance de l'eau à s'échapper de la solution sucrée égale celle de l'eau pure à y entrer. Cette membrane peut être composée de molécules géantes de polymères entrelacées qui laissent passer les petites molécules dans les deux sens, mais bloquent le passage des grosses molécules. La tendance de l'eau à traverser la membrane est proportionnelle à la pression de vapeur de la solution. Ainsi, la tendance de l'eau pure à traverser vers la solution est plus marquée que la tendance inverse parce que la pression de vapeur de l'eau pure est supérieure à celle de la solution. Par conséquent, au fur et à mesure que l'eau pure passe à travers la membrane, le niveau augmente dans le compartiment de gauche et diminue dans celui de droite jusqu'à ce que les deux tendances

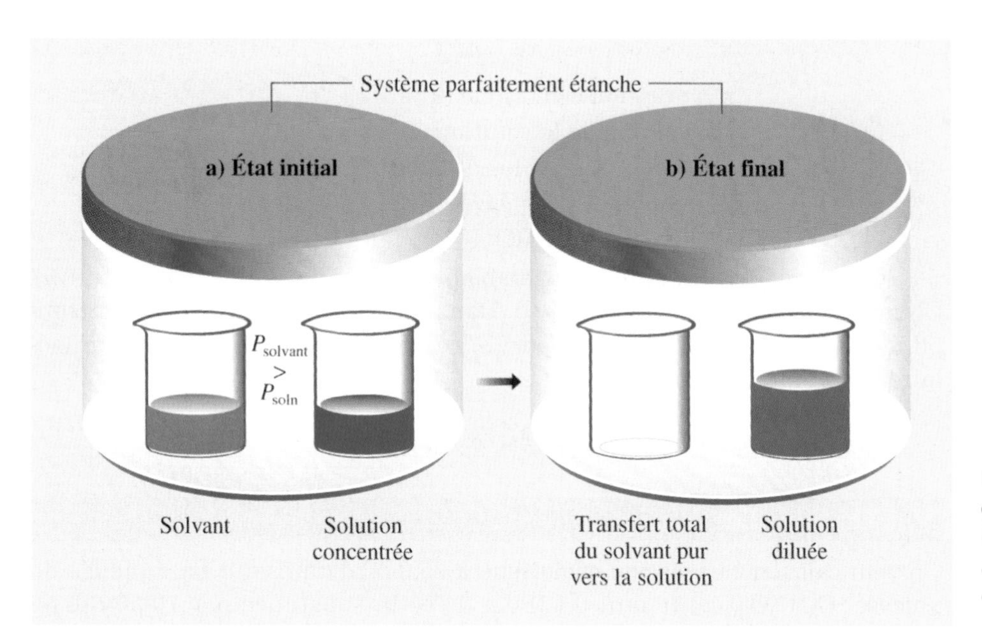

Figure 2.11 Transfert graduel de l'eau pure vers le bécher de la solution aqueuse, dû aux différences de pression.

s'équilibrent. La pression de la colonne de liquide (ou pression hydrostatique) dans le tube de droite s'appelle la **pression osmotique**. On peut aussi considérer qu'elle correspond à la pression nécessaire pour arrêter l'osmose. Une solution sucrée de 20 % (*m*/*m*) a une pression osmotique d'environ 1500 kPa (15 fois la pression normale). La montée de la sève dans les arbres est un phénomène dû à la pression osmotique.

Pression osmotique : pression qu'il faut exercer sur une solution pour que s'arrête le passage du solvant vers la solution, à travers une membrane semi-perméable.

La pression osmotique, comme l'abaissement de la pression de vapeur et de la température de congélation et l'élévation de la température d'ébullition, est une propriété colligative. Sa valeur dépend donc uniquement du nombre de particules de soluté et non de la nature de ce dernier. La relation mathématique qui permet d'obtenir la pression osmotique, π, est :

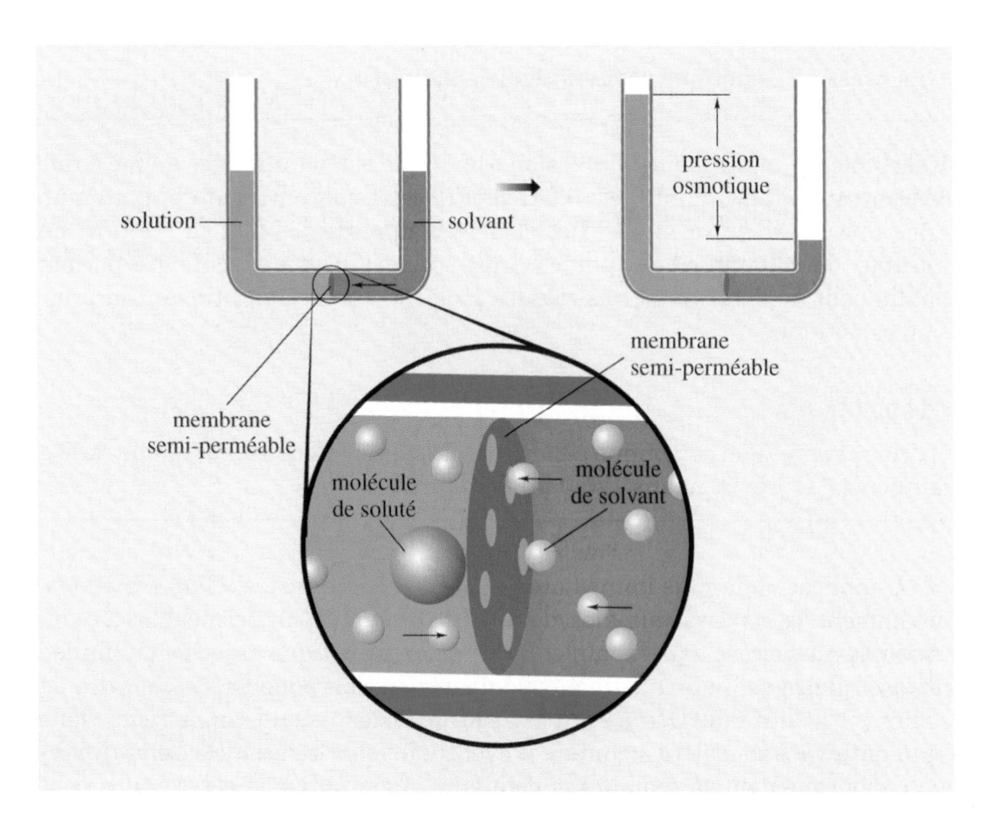

Figure 2.12 Illustration de l'osmose et de la pression osmotique.

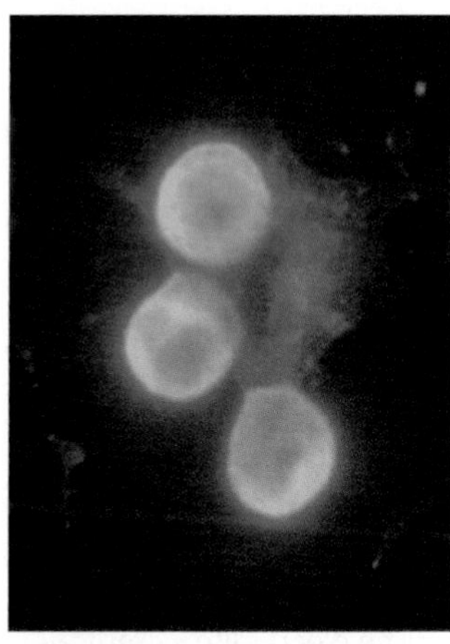
La membrane cellulaire est un exemple de membrane semi-perméable.

$$\pi V = nRT$$

π = pression osmotique (kPa)
V = volume de la solution (L)
n = nombre de moles de soluté (mol)
R = constante des gaz (8,315 L·kPa/mol·K)
T = température (K)

Notons que cette équation est semblable à l'équation des gaz parfaits (*voir* Chimie générale, *sous-section 4.3.2*). Dans ce cas-ci, cependant, elle est simplifiée en considérant que le rapport *n*/*V* correspond à la concentration molaire volumique, *c*, ou molarité, M.

$$\pi = \frac{n}{V}RT \Rightarrow \pi = cRT \qquad (14)$$

▼ EXEMPLE 2.4

On veut calculer la pression osmotique à 25,0 °C d'une solution aqueuse de glucose, $C_6H_{12}O_6$, contenant 0,0180 g de cette substance par 100,0 mL de solution.

1° On calcule d'abord la concentration molaire volumique de la solution, puisque l'équation 13 exige que la concentration de la solution soit exprimée en mol/L.

La masse molaire du glucose, $C_6H_{12}O_6$, est 180,2 g; le volume de la solution est 0,1000 L et la température est égale à 298,2 K (273,15 + 25,0).

La concentration molaire volumique de la solution est :

$$c = \frac{\text{mol glucose}}{\text{1 L solution}} = 0{,}0180\,\cancel{g} \times \frac{1\text{ mol}}{180{,}2\,\cancel{g}} \times \frac{1}{0{,}1000\text{ L}}$$

$$= 0{,}000\,999 \text{ mol/L (ou } 0{,}000\,999 \text{ M)}$$

2° On calcule la pression osmotique.

$$\pi = cRT \Rightarrow \pi = \frac{0{,}000\,999\,\cancel{\text{mol}}}{1\,\cancel{L}} \times \frac{8{,}315\,\cancel{L}\cdot\text{kPa}}{1\,\cancel{\text{mol}}\cdot\cancel{K}} \times 298{,}2\,\cancel{K} = 2{,}48 \text{ kPa}$$

• La pression osmotique est donc égale à **2,48 kPa**.

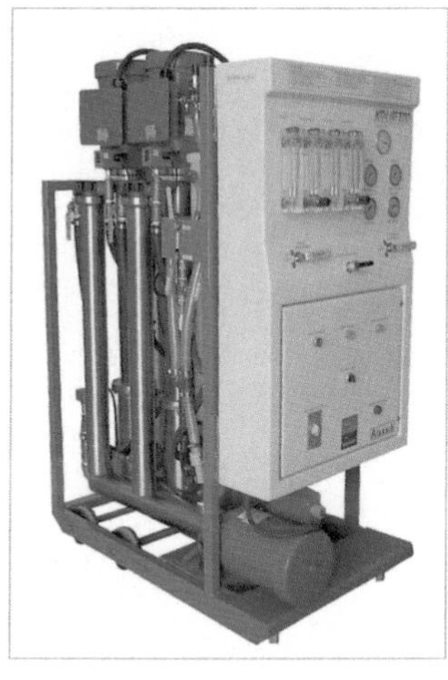
La concentration de l'eau d'érable par osmose inverse est un processus qui requiert moins d'énergie que l'évaporation.

L'exemple 2.4 montre que la pression osmotique est significative même à une concentration aussi faible que 0,001 mol/L; cette concentration entraîne en effet une pression de 2,48 kPa, soit 18,6 mm Hg, ce qui se traduit, en hauteur de colonne d'eau, par environ 25 cm. Cette particularité permet notamment de déterminer des masses molaires élevées en utilisant la pression osmotique.

EXERCICE 2.6

Calculez la pression osmotique à 25 °C d'une solution aqueuse contenant 2,50 g de sucrose, $C_{12}H_{22}O_{11}$, dans 125,0 mL de solution.

La salaison a longtemps été la méthode de prédilection pour conserver la morue.

L'application la plus immédiate de l'osmose concerne les cellules vivantes, notamment les cellules animales, dont les membranes sont perméables à l'eau, mais pas au sucrose, par exemple. La pression osmotique associée au liquide intracellulaire est équivalente à celle d'une solution aqueuse de chlorure de sodium, NaCl, à 0,92 % (*m*/*V*). C'est pourquoi des cellules immergées dans l'eau pure vont se mettre à gonfler et éventuellement éclater, car l'eau traversera spontanément la membrane cellulaire. Par contre, si ces cellules sont

CAPSULE CHIMIQUE

La bière à faible teneur en alcool : deux techniques mises en œuvre

Quels que soient l'origine et le goût des bières fabriquées dans le monde, elles sont brassées à peu près avec les mêmes ingrédients : l'orge, le houblon, la levure et l'eau. L'orge est d'abord germinée artificiellement jusqu'au stade embryonnaire où la céréale est séparée des germes qui sont torréfiés et moulus pour produire le malt qui sera soumis au brassage. Le goût amer associé à la bière provient de la fleur de houblon. À proprement parler, les levures ne constituent pas un ingrédient de la bière, mais elles sont essentielles à la fermentation, c'est-à-dire à la transformation chimique des glucides du malt en alcool. De plus, l'eau qui entre dans la fabrication des bières doit être d'une grande pureté bactériologique, et sa composition en sels minéraux de même que son acidité sont soigneusement contrôlées.

Deux procédés sont utilisés pour fabriquer de la bière à faible teneur en alcool. Le premier consiste à arrêter la fermentation avant qu'elle ne soit trop avancée. L'autre méthode consiste à retirer la plus grande partie de l'alcool par osmose inverse de la bière déjà fabriquée, laquelle contient de 4 à 6 % d'alcool en volume. Pour ce faire, on envoie la bière dans un système filtrant avec un grand volume d'eau, dite « d'entraînement ». Le mélange d'eau et d'alcool passe alors progressivement à travers la membrane de séparation sélective, dont les pores ne laissent passer que les molécules de l'éthanol, de faible encombrement. L'eau excédentaire est ensuite retirée par évaporation ou par une nouvelle osmose inverse. Cette méthode permet d'abaisser le taux d'alcool à environ 0,5 % tout en conservant les caractéristiques gustatives de la bière.

plongées dans une solution saline de concentration égale à 0,92 % (*m/V*), il ne se produit aucun transfert d'eau; cette **solution** est dite **isotonique**. Lors de la transfusion d'un soluté par voie intraveineuse, il est essentiel que celui-ci soit isotonique avec le liquide de l'organisme. En effet, si la solution injectée est hypertonique, les cellules vont se contracter; dans le cas de l'injection d'une solution hypotonique, le phénomène inverse se produit et les cellules gonflent jusqu'à leur éclatement.

Solution isotonique : solution qui possède la même pression osmotique ou la même concentration qu'une autre solution.

Osmose inverse : phénomène inverse de l'osmose dû à l'application d'une pression supérieure à la pression osmotique du côté de la solution la plus concentrée.

Le phénomène des cellules qui se vident de leur eau (déshydratation) est mis à profit dans la conservation des aliments. En effet, le traitement de la surface des aliments par une solution hypertonique entraîne la mort des cellules bactériennes qui les recouvrent; celles-ci se contractent et meurent. Ce phénomène explique que le sel protège la viande et que le sucre préserve les fruits.

Une autre application de l'osmose est l'**osmose inverse** qui consiste à appliquer une pression supérieure à la pression osmotique, du côté opposé à celui de l'écoulement du solvant (*figure 2.13*). Dans un tel cas, la tendance de

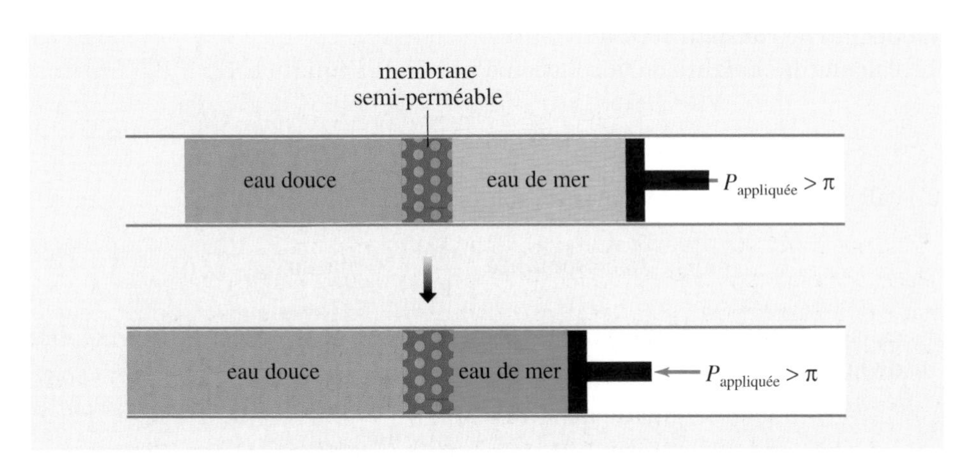

Figure 2.13 Principe de l'osmose inverse dans le dessalement de l'eau de mer.

l'eau pure à s'échapper vers la solution concentrée est inversée : c'est l'eau de la solution concentrée qui se déplace vers l'eau pure. Ce phénomène est mis en œuvre pour obtenir de l'eau potable à partir de l'eau de mer; certaines villes de la Californie et de la Floride y ont du reste recours. Lors de l'osmose inverse, l'eau s'échappe de la solution salée en traversant une membrane semi-perméable en acétate de cellulose spécialement traitée, jusqu'à ce que la pression osmotique de la solution soit égale à la pression appliquée. Ainsi, si la pression appliquée est quatre fois supérieure à la pression osmotique, on obtient environ 10 L d'eau douce à partir de 13 L d'eau de mer en appliquant une pression de 10 000 kPa (100 atm).

L'osmose inverse est un procédé de plus en plus utilisé pour produire du sirop d'érable. L'eau d'érable contient de 2 à 3 % de sucre et le sirop doit en contenir 66 %. Dans le procédé traditionnel, encore largement utilisé, on fait bouillir l'eau d'érable jusqu'à ce que sa concentration en sucre atteigne la valeur désirée. Le procédé de l'osmose inverse nécessite une dépense en énergie beaucoup moins importante.

2.4.5 DÉTERMINATION DE LA MASSE MOLAIRE

L'abaissement de la température de fusion et, dans une moindre mesure, l'augmentation de la température d'ébullition ou la diminution de la pression de vapeur peuvent être utilisés pour mesurer la masse molaire d'une substance non volatile. Pendant longtemps, les chimistes ont appliqué ces propriétés à cet effet, mais les techniques modernes, notamment la spectrométrie de masse (*voir* Chimie générale, *sous-section 2.4.1*), donnent des résultats beaucoup plus précis.

L'abaissement de la température de congélation (ou de fusion) conduit à de meilleurs résultats en laboratoire que l'utilisation des deux autres propriétés colligatives parce que la constante cryoscopique est supérieure à la constante ébullioscopique ou à la variation de pression. Un schéma de l'appareillage utilisé dans certains laboratoires de chimie générale est présenté à la figure 2.14. Il consiste en une éprouvette contenant la solution. Celle-ci est d'abord liquéfiée, puis refroidie lentement en maintenant une agitation régulière pour en assurer l'homogénéité. Des mesures régulières de la température avec un thermomètre gradué au centième de degré (ou mieux au millième) permettent de tracer une portion de la courbe calorimétrique de la solution (*voir* Chimie générale, *sous-section 11.5.1*).

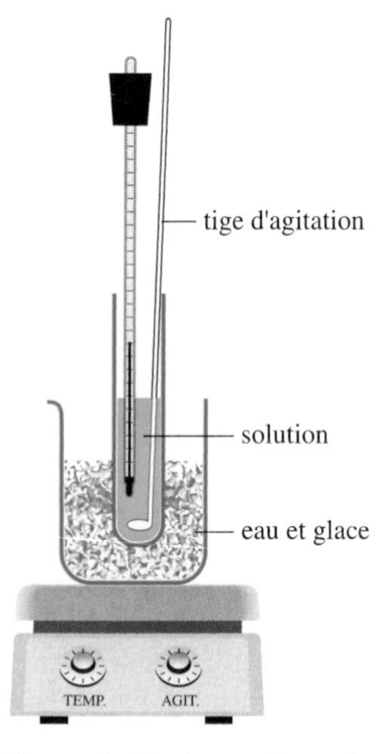

Figure 2.14 Appareillage de mesure de l'abaissement de la température de fusion.

Une fois les données expérimentales recueillies, le calcul de la masse molaire se fait à partir de l'équation 13, de laquelle on calcule la valeur en déduisant d'abord le nombre de moles de soluté, $n_{\text{soluté}}$, tiré de sa masse, $m_{\text{soluté}}$, dans le solvant.

$$\Delta t_{\text{cong}} = K_{\text{cong}} m \qquad (13)$$

La démarche consiste donc à :

1° calculer la molalité de la solution à partir de l'équation 13;

$$m = \frac{\Delta t_{\text{cong}}}{K_{\text{cong}}}$$

2° calculer le nombre de moles de soluté à partir de la molalité;

$$\text{mol}_{\text{soluté}}(n) = \text{molalité}\left(\frac{\text{mol}}{\text{kg}}\right) \times \text{masse}_{\text{solvant}}$$

3° calculer la masse molaire à partir de la masse de soluté et de son nombre de moles.

$$\text{masse molaire} = M = \frac{\text{masse}_{\text{soluté}}}{\text{mol}_{\text{soluté}}}$$

On peut aussi effectuer ce calcul en isolant le terme de masse molaire, M, après l'avoir substitué directement dans l'équation 13, ce qui débouche sur une nouvelle équation.

$$\Delta t_{cong} = K_{cong}m = K_{cong} \times \frac{n_{soluté}}{masse_{solvant}\,(kg)} = K_{cong} \times \frac{masse_{soluté}}{M \times masse_{solvant}\,(kg)}$$

$$\Rightarrow M = \frac{K_{cong} \times masse_{soluté}\,(g)}{\Delta t_{cong} \times masse_{solvant}\,(kg)} \qquad (15)$$

▼ EXEMPLE 2.5

Une solution de 2,721 g de riboflavine (vitamine B_2) dans 25,0 g d'eau a une température de congélation de –0,545 °C. Voyons comment calculer la masse molaire de cette vitamine.

1° On calcule la molalité de la solution.

D'après le tableau 2.2, la constante cryoscopique de l'eau est de 1,86 °C·kg/mol.

$$\Delta t_{cong} = K_{cong}m \Rightarrow m = \frac{\Delta t_{cong}}{K_{cong}} = 0{,}545\ \cancel{°C} \times \frac{1\ mol}{1{,}86\ \cancel{°C}\cdot kg} = 0{,}293\ mol/kg$$

La molalité est donc de 0,293 mol/kg.

2° On utilise cette valeur de la molalité (0,293 mol/kg) pour calculer le nombre de moles de soluté dans la masse de solvant utilisée (eau), 25,0 g.

La masse de solvant est 25,0 g, soit 0,0250 kg.

Et le nombre de moles de soluté (riboflavine) est :

$$\text{mol de riboflavine} = \frac{0{,}293\ \text{mol riboflavine}}{1\ \cancel{\text{kg eau}}} \times 0{,}0250\ \cancel{\text{kg eau}}$$
$$= 0{,}007\ 33\ \text{mol riboflavine}$$

3° On calcule la masse molaire, M, en reliant ce nombre de moles, 0,007 33, avec la masse de soluté (riboflavine) utilisée, 2,721 g.

$$M = \frac{2{,}721\ g}{0{,}007\ 33\ mol} = 371\ g/mol$$

On peut aussi calculer la masse molaire directement en appliquant l'équation 15.

$$M = \frac{K_{cong} \times masse_{soluté}\,(g)}{\Delta t \times masse_{solvant}\,(kg)} = \frac{1{,}86\ \cancel{°C}\cdot\cancel{kg} \times 2{,}721\ g}{0{,}545\ \cancel{°C}\cdot mol \times 0{,}0250\ \cancel{kg}} = 371\ g/mol$$

• La masse molaire de la riboflavine est de **371 g/mol**.

EXERCICE 2.7

Une solution est formée de 4,0 g d'un soluté non volatil et de 55,0 g de benzène, et sa température de congélation est égale à 2,32 °C. Calculez la masse molaire de ce soluté.

Rappelons que la détermination de la masse molaire à partir de la variation de la température de congélation ou d'ébullition est une méthode dont les applications sont limitées.

- Les équations 12, 13 et 14 ne sont vérifiables que pour des solutions diluées, dont la molalité est inférieure à 1,0 mol/kg.
- Les conditions opératoires nécessitent l'emploi de thermomètres d'une très grande précision, idéalement à ±0,001 °C ainsi qu'un abaissement de température très lent (~1 °C à la minute), ce qui représente en pratique la plus grande source d'erreur.
- Du fait des faibles valeurs des constantes ébullioscopiques et de la variation de la température d'ébullition avec la pression barométrique qui peut changer en cours d'expérimentation, la méthode fondée sur l'augmentation de la température d'ébullition est moins fiable.

– Enfin, on a avantage à utiliser des solvants dont la valeur de la constante cryoscopique est plus élevée que celle de l'eau, tels le cyclohexane ou le camphre.

La pression osmotique constitue souvent une bonne méthode pour déterminer la masse molaire lorsqu'elle est élevée, pour les protéines par exemple. Il s'agit d'utiliser l'équation 14, de laquelle on calcule la valeur de la masse molaire après avoir fait les substitutions appropriées.

$$\pi = cRT \Rightarrow \pi = \frac{n}{V}RT \Rightarrow \pi = \frac{\text{masse}}{MV} \times RT \Rightarrow M = \frac{\text{masse} \times RT}{\pi V} \qquad (16)$$

EXERCICE 2.8

L'albumine est une protéine que l'on trouve dans le plasma sanguin sous forme de sérumalbumine. Calculez la masse molaire de l'albumine sachant que 50,0 mL d'une solution aqueuse renfermant 1,08 g de cette protéine a une pression osmotique de 0,780 kPa à 25,0 °C.

2.5 PROPRIÉTÉS COLLIGATIVES DE SOLUTIONS D'ÉLECTROLYTES ET FACTEUR DE VAN'T HOFF

Les solutions d'électrolytes ne se comportent pas comme celles de non-électrolytes, car elles libèrent plus de particules par entité chimique dissoute que n'en donnent les non-électrolytes. Il faut donc tenir compte de cette caractéristique lorsqu'il s'agit d'évaluer les propriétés colligatives de ces solutions et, en plus, introduire un facteur de correction qui tienne compte des interactions entre les particules, le facteur de van't Hoff.

2.5.1 PARTICULARITÉS DES SOLUTIONS D'ÉLECTROLYTES

La pression de vapeur d'une solution contenant un soluté de non-électrolytes diffère de celle d'un soluté d'électrolytes de même concentration. En effet, pour bien comprendre les propriétés colligatives, il faut toujours se rappeler que l'ampleur de l'effet colligatif dépend du rapport entre le nombre total de particules de soluté, quelle que soit sa forme, et celui du solvant. Ainsi, une solution aqueuse de chlorure de sodium, NaCl, contient deux fois plus de particules de soluté qu'une solution aqueuse de glucose, $C_6H_{12}O_6$, de même concentration. En effet, le chlorure de sodium est un électrolyte fort, c'est-à-dire complètement dissocié dans l'eau sous forme d'ions sodium, $Na^+(aq)$, et chlorure, $Cl^-(aq)$, alors que le glucose conserve sa forme moléculaire en solution.

$$\text{NaCl}(aq) \longrightarrow \text{Na}^+(aq) + \text{Cl}^-(aq)$$

C'est pourquoi, pour calculer la pression de vapeur, il faut tenir compte de l'ionisation chaque fois que le soluté est un électrolyte fort.

▼ EXEMPLE 2.6

Calculons la pression de vapeur à 25 °C d'une solution de chlorure de sodium, NaCl, dont le pourcentage massique est de 20,0. La pression de vapeur de l'eau pure à cette température est de 3,169 kPa.

1° On calcule la fraction molaire en soluté.

On détermine d'abord le nombre de moles de chaque composant.

$$n_{\text{NaCl}} = 20{,}0\,\cancel{g} \times \frac{1\text{ mol}}{58{,}44\,\cancel{g}} = 0{,}342\text{ mol NaCl}$$

Comme chaque entité de NaCl libère deux ions, Na^+ et Cl^-, on doit donc considérer que le soluté est formé de 0,684 mol de particules.

$$n_{\text{soluté}} = 2 \times 0{,}342 \text{ mol} = 0{,}684 \text{ mol}$$

Puisque le pourcentage massique en soluté est de 20,0, celui en eau sera de 80,0.

$$n_{H_2O} = 80{,}0 \not{g} \times \frac{1 \text{ mol}}{18{,}02 \not{g}} = 4{,}44 \text{ mol } H_2O$$

La fraction molaire en soluté est donc :

$$X_{\text{soluté}} = \frac{n_{\text{soluté}}}{n_{\text{soluté}} + n_{H_2O}} = \frac{0{,}684}{0{,}684 + 4{,}44} = 0{,}133$$

2° On calcule la fraction molaire du solvant, H_2O.

$$X_{H_2O} = 1{,}000 - 0{,}133 = 0{,}867$$

3° On calcule la pression de vapeur de la solution.

$$P_{\text{soln}} = X_{H_2O} P^0_{H_2O} = 0{,}867 \times 3{,}169 \text{ kPa} = 2{,}75 \text{ kPa}$$

• La pression de vapeur de la solution sera de **2,75 kPa** à 25 °C.

Si on n'avait pas tenu compte de l'ionisation, la fraction molaire en soluté et en solvant aurait été :

$$X_{\text{soluté}} = \frac{0{,}342}{0{,}342 + 4{,}44} = 0{,}0715$$

$$X_{H_2O} = 1{,}000 - 0{,}0715 = 0{,}929$$

et la pression de vapeur de la solution aurait été supérieure.

$$P_{\text{soln}} = X_{H_2O} P^0_{H_2O} = 0{,}929 \times 3{,}169 \text{ kPa} = 2{,}94 \text{ kPa}$$

Une démarche analogue s'applique aux solutions contenant des solutés différents, mais non dissociés. Par exemple, la fraction molaire d'une solution formée de 2,90 g de glucose, $C_6H_{12}O_6$, de 7,50 g d'urée, $CO(NH_2)_2$, et de 5,80 g de fructose, $C_6H_{12}O_6$, dissous dans 200,0 g d'eau sera calculée en tenant compte de la présence de chaque soluté.

$$n_{\text{tot.}} = n_{\text{glucose}} + n_{\text{urée}} + n_{\text{fructose}} + n_{\text{eau}}$$

$$n_{\text{tot.}} = 2{,}90 \not{g} \times \frac{1 \text{ mol}}{180{,}2 \not{g}} + 7{,}50 \not{g} \times \frac{1 \text{ mol}}{60{,}06 \not{g}} + 5{,}80 \not{g} \times \frac{1 \text{ mol}}{180{,}2 \not{g}} + 200{,}0 \not{g} \times \frac{1 \text{ mol}}{18{,}02 \not{g}}$$

$$n_{\text{tot.}} = 0{,}0161 \text{ mol} + 0{,}125 \text{ mol} + 0{,}0322 \text{ mol} + 11{,}10 \text{ mol} = 11{,}27 \text{ mol}$$

$$\text{et } X_{H_2O} = \frac{11{,}10}{11{,}27} = 0{,}9849$$

Le fructose contenu dans les fruits est beaucoup plus sucré que le glucose.

EXERCICE 2.9

Calculez la pression de vapeur à 30 °C d'une solution de chlorure de calcium, $CaCl_2$, contenant 15,0 g de sel par 100,0 g de solution. À 30 °C, la pression de vapeur de l'eau est de 4,2455 kPa.

EXERCICE 2.10

Calculez la pression de vapeur à 50 °C d'une solution formée de 10,0 g de sucrose, $C_{12}H_{22}O_{11}$, et de 5,0 g d'acétamide, CH_3CONH_2, dans 100,0 g d'eau. (À 50 °C, la pression de vapeur de l'eau est de 12,344 kPa.)

JACOBUS VAN'T HOFF
(1852-1911)
Chimiste hollandais; l'un des fondateurs de la chimie moderne, il fut le premier à recevoir le prix Nobel de chimie en 1903.

2.5.2 LE FACTEUR DE VAN'T HOFF

Le plus souvent, la diminution de la pression de vapeur, l'abaissement de la température de congélation, l'élévation de la température d'ébullition et la pression osmotique peuvent donner une indication de l'importance de la dissociation d'électrolytes. En effet, le rapport calculé ou théorique entre le nombre de moles de particules dissociées et le nombre de moles de soluté dissous peut différer de celui qui est déterminé expérimentalement, ce dernier étant déduit des valeurs expérimentales des variations de pressions de vapeur, de températures de congélation ou d'ébullition, ou de pression osmotique, selon la propriété colligative mise en jeu. Pour un sel comme le chlorure de sodium, NaCl, le rapport théorique (ou calculé) entre le nombre de mol de particules dissociées, les ions, et le nombre de mol de sel dissous devrait être égal à 2.

$$\text{rapport théorique} = \frac{1 \text{ mol ion Na}^+ + 1 \text{ mol ion Cl}^-}{1 \text{ mol de NaCl}} = 2$$

Or ce rapport, dans le cas d'une solution de 0,10 mol/kg de chlorure de sodium, NaCl, est égal à 1,87, ce qui signifie que, dans l'eau, un certain nombre de cations sodium, Na^+, et d'anions chlorure, Cl^-, forment des paires d'ions, d'où une diminution partielle de l'ampleur de la dissociation (*figure 2.15*). Ce rapport s'éloigne d'autant plus de la valeur théorique que la dissociation est faible. Ce rapport expérimental, i, appelé **facteur de van't Hoff**, et découvert par **Jacobus van't Hoff**, est obtenu en comparant la température de congélation expérimentale, Δt_{cong}, de la solution d'un électrolyte avec celle, Δt^0_{cong}, d'un non-électrolyte de même molalité.

Facteur de van't Hoff : nombre qui indique la grandeur de la déviation du comportement des ions d'une solution par rapport au comportement idéal et qui est relié à la dissociation d'un soluté en solution.

$$i = \frac{\Delta t_{cong}}{\Delta t^0_{cong}} = \frac{\Delta t_{\text{expérimental (électrolyte)}}}{\Delta t_{\text{calculé (non-électrolyte)}}} = \frac{0{,}348\ °\text{C}}{1{,}86\ °\text{C}/m \times 0{,}10\ m} = \frac{0{,}348}{0{,}186} = 1{,}87$$

Soulignons ici que certains auteurs désignent par facteur de van't Hoff théorique le rapport attendu entre le nombre d'ions libérés en solution par entité chimique (i = 2 pour NaCl) et par facteur de van't Hoff expérimental (i = 1,87 pour NaCl) le rapport mesuré. Pour simplifier, nous considérerons ici que le facteur de van't Hoff correspond seulement au rapport expérimental.

Lorsque la dilution de la solution s'accroît, l'abaissement de la température de congélation, Δt_{cong}, se rapproche de plus en plus du rapport calculé, soit 2. Il est égal à 1,94 pour une solution 0,010 m, et à 1,97 pour une solution 0,0010 m, ce qui est très près de 2.

$$i = \frac{\Delta t_{\text{expérimental (électrolyte)}}}{\Delta t_{\text{calculé (non-électrolyte)}}} = \frac{0{,}0361\ °\text{C}}{1{,}86\ °\text{C}/m \times 0{,}010\ m} = \frac{0{,}0361}{0{,}0186} = 1{,}94$$

$$i = \frac{\Delta t_{\text{expérimental (électrolyte)}}}{\Delta t_{\text{calculé (non-électrolyte)}}} = \frac{0{,}003\ 66\ °\text{C}}{1{,}86\ °\text{C}/m \times 0{,}0010\ m} = \frac{0{,}003\ 66}{0{,}001\ 86} = 1{,}97$$

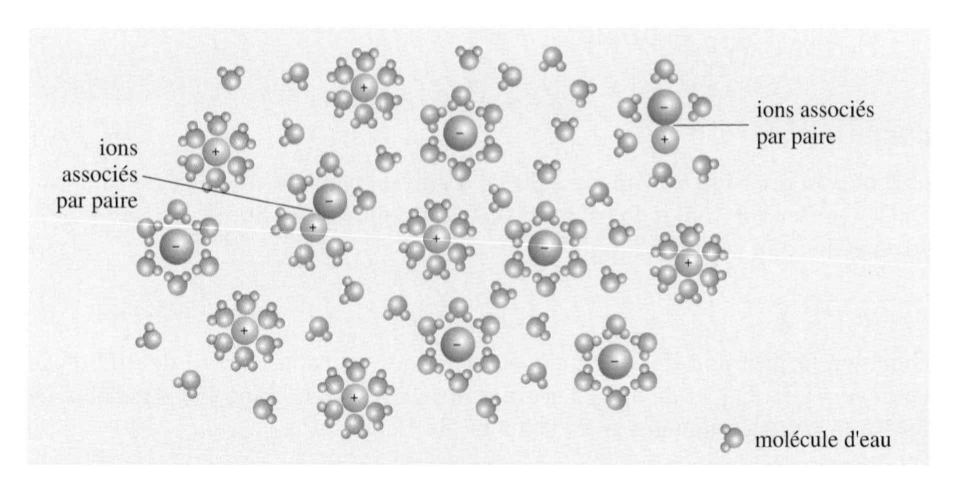

Figure 2.15 Ions libres et formation de paires d'ions dans une solution diluée de chlorure de sodium, NaCl.

Tableau 2.3 Valeurs calculée et expérimentale du facteur de van't Hoff pour des solutions de 0,050 mol/kg.

Sel	Formule	Nombre d'ions	Facteur de van't Hoff
Acide chlorhydrique	HCl	2	1,9
Chlorure de fer(III)	$FeCl_3$	4	3,4
Chlorure de magnésium	$MgCl_2$	3	2,7
Chlorure de sodium	$NaCl$	2	1,9
Chlorure de zinc	$ZnCl_2$	3	2,3
Nitrate de plomb(II)	$Pb(NO_3)_2$	3	2,3
Sulfate de magnésium	$MgSO_4$	2	1,4
Sulfate de potassium	K_2SO_4	3	2,5

Le tableau 2.3 donne des valeurs du facteur de van't Hoff pour des solutions dont la molalité est égale à 0,050 mol/kg. Ces valeurs permettent ainsi de prédire à quelle température une solution de sel se solidifiera ou passera à l'ébullition ou quelle sera la pression osmotique. Il suffit d'introduire le facteur de van't Hoff, i, dans les formules permettant de calculer l'abaissement de la température de congélation, l'élévation de la température d'ébullition ou la pression osmotique.

$$\Delta t_{\text{cong}} = iK_{\text{cong}}m \qquad (17)$$

$$\Delta t_{\text{éb}} = iK_{\text{éb}}m \qquad (18)$$

$$\pi = icRT \qquad (19)$$

EXERCICE 2.11

La température de congélation d'une solution aqueuse 0,100 m de nitrate de plomb, $Pb(NO_3)_2$, est –0,396 °C. Calculez le facteur de van't Hoff à partir de cette donnée; comparez sa valeur avec la valeur théorique.

EXERCICE 2.12

L'eau de mer renferme environ 3,5 % (m/V) de sels minéraux. En considérant que ceux-ci sont principalement du chlorure de sodium, $NaCl$, calculez la pression osmotique de l'eau de mer à 20,0 °C. Estimez que la dissociation est totale.

LE CHAPITRE EN UN CLIN D'ŒIL

QUELQUES DÉFINITIONS

Solution idéale	Propriétés colligatives	Pression de vapeur d'un liquide pur
Solution qui n'absorbe ni ne dégage de chaleur. ↓ Forces soluté–solvant ≈ forces soluté–soluté + forces solvant–solvant	• Indépendantes de la nature du soluté. • Dépendantes de la concentration (fraction molaire, molalité).	• Pression due aux molécules gazeuses d'une substance en contact avec le liquide. • Variable selon la nature du liquide et la température.

PRESSION DE VAPEUR DE SOLUTIONS

EXPRESSIONS DE LA LOI DE RAOULT	EXPRESSION MATHÉMATIQUE
Expression générale	
La pression de vapeur d'un composant A d'une solution est égale au produit de la fraction molaire du composant dans la solution par sa pression de vapeur comme liquide pur.	$P_A = X_A P_A^0$ P_A = pression de vapeur de A dans la solution X_A = fraction molaire de A dans la solution P_A^0 = pression de vapeur de A pur
Pour solutés non volatils	
La pression de vapeur de la solution est égale au produit de la fraction molaire du solvant par la pression de vapeur du solvant comme liquide pur.	$P_{soln} = X_{solvant} P_{solvant}^0$ P_{soln} = pression de vapeur de la solution $X_{solvant}$ = fraction molaire du solvant $P_{solvant}^0$ = pression de vapeur du solvant pur
Pour solutés volatils	
La loi de Raoult s'applique à chaque composant de la solution. Les pressions de vapeur s'additionnent (loi de Dalton).	$P_A = X_A P_A^0$ $\quad P_B = X_B P_B^0$ $P_{soln} = P_A + P_B$
Pour solutés d'électrolytes	
La loi de Raoult s'applique en tenant compte de l'ionisation du soluté. ⬇ $n\text{NaCl} \longrightarrow 1\text{Na}^+ + 1\text{Cl}^- \Rightarrow 2n$ $X_{soluté} = \dfrac{2n}{2n + n_{solvant}}$	$P_{soln} = \dfrac{n_{solvant}}{2n + n_{solvant}} \times P_{solvant}^0$
Pour plusieurs solutés	
La loi de Raoult s'applique en tenant compte du nombre total de molécules formant le soluté. ⬇ $n_{soluté} = n_1 + n_2 + n_3 \ldots$	$P_{soln} = \dfrac{n_{solvant}}{n_1 + n_2 + n_3 + n_{solvant}} \times P_{solvant}^0$

DIAGRAMME DE LA PRESSION DE VAPEUR D'UNE SOLUTION IDÉALE

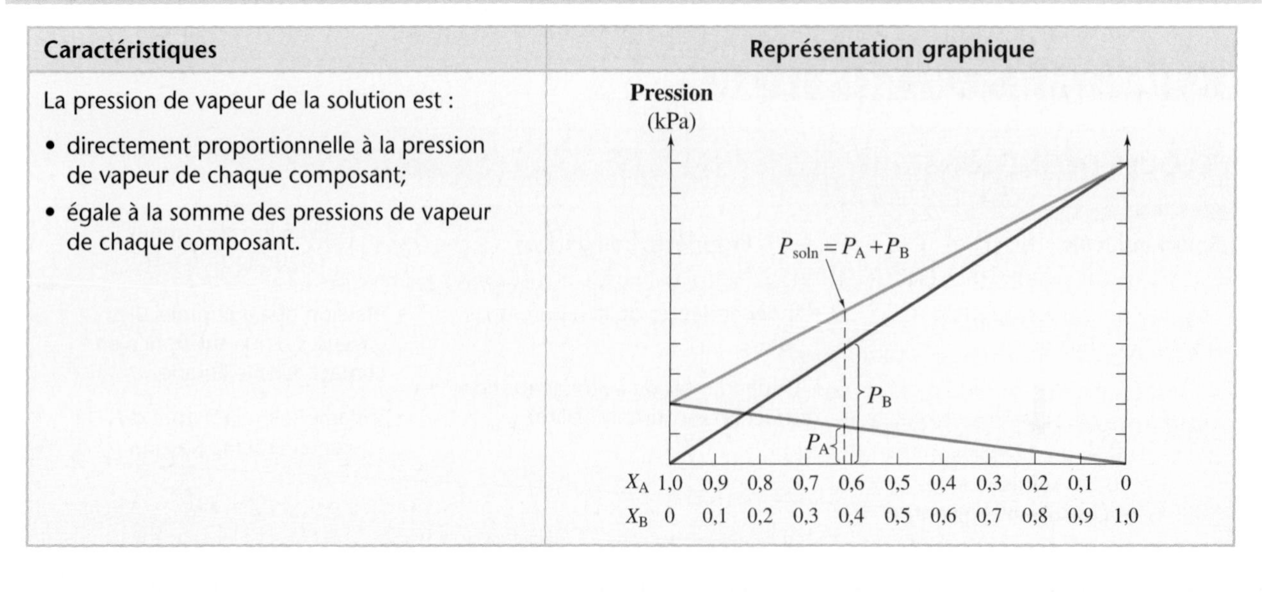

Caractéristiques	Représentation graphique
La pression de vapeur de la solution est : • directement proportionnelle à la pression de vapeur de chaque composant; • égale à la somme des pressions de vapeur de chaque composant.	(graphique)

SOLUTIONS NON IDÉALES

Caractéristique	Déviation positive	Déviation négative
Solution qui n'obéit pas à la loi de Raoult.	• Forces soluté–solvant plus faibles que forces soluté–soluté et solvant–solvant. • Dissolution endothermique. • Solubilité accrue par le chauffage. • $P_{obs.} > P_{idéale}$	• Forces soluté–solvant plus élevées que forces soluté–soluté et solvant–solvant. • Dissolution exothermique. • Solubilité diminuée par le chauffage. • $P_{obs.} < P_{idéale}$

ABAISSEMENT DE LA PRESSION DE VAPEUR

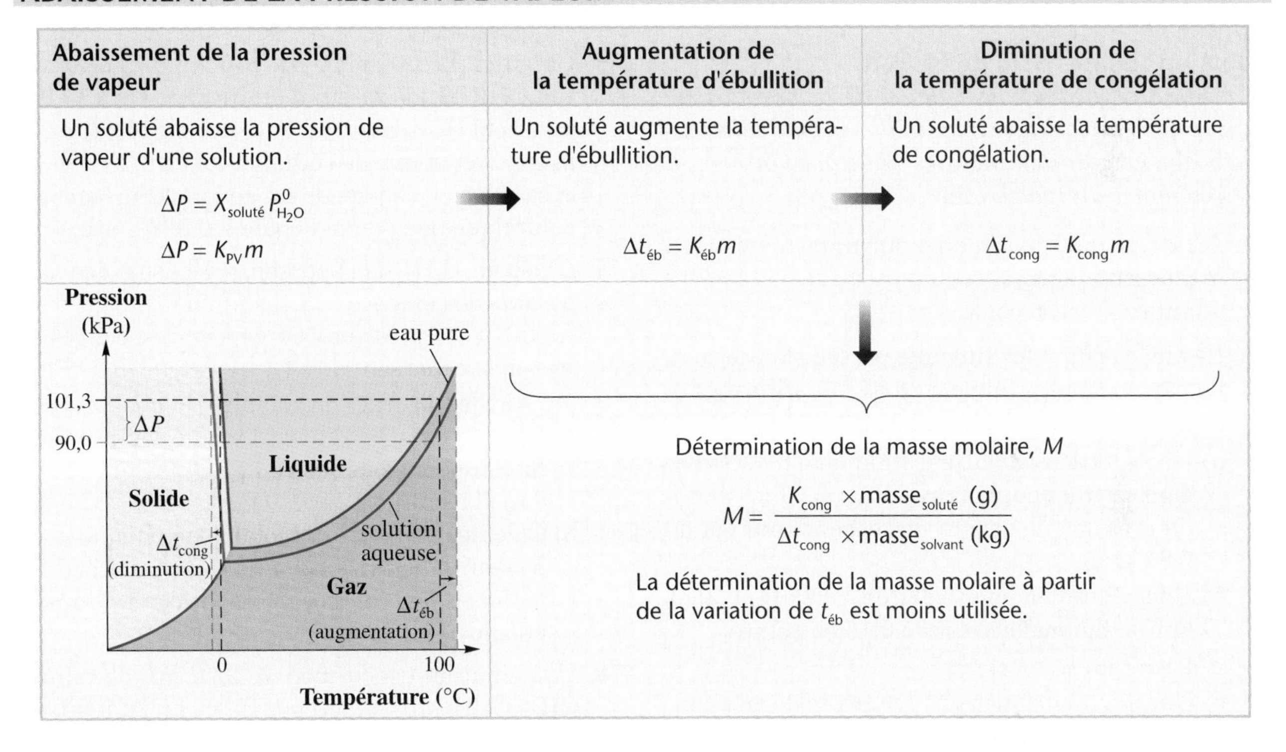

Abaissement de la pression de vapeur	Augmentation de la température d'ébullition	Diminution de la température de congélation
Un soluté abaisse la pression de vapeur d'une solution. $\Delta P = X_{soluté} P^0_{H_2O}$ $\Delta P = K_{PV} m$	→ Un soluté augmente la température d'ébullition. $\Delta t_{éb} = K_{éb} m$	→ Un soluté abaisse la température de congélation. $\Delta t_{cong} = K_{cong} m$

Détermination de la masse molaire, M

$$M = \frac{K_{cong} \times \text{masse}_{soluté}\ (\text{g})}{\Delta t_{cong} \times \text{masse}_{solvant}\ (\text{kg})}$$

La détermination de la masse molaire à partir de la variation de $t_{éb}$ est moins utilisée.

PRESSION OSMOTIQUE

Osmose	Illustration	Pression osmotique	Illustration	Formule
Déplacement du solvant vers une solution à travers une membrane semi-perméable.	molécule de soluté molécule de solvant	Pression à laquelle s'arrête l'osmose.	pression osmotique	$\pi = cRT$ π = pression osmotique (kPa) c = concentration molaire volumique (mol/L) R = constante des gaz (8,315 L·kPa/mol·K) T = température (K)

OSMOSE INVERSE

L'application d'une pression supérieure à la pression osmotique inverse le phénomène naturel d'osmose.

FACTEUR DE VAN'T HOFF POUR DES SOLUTIONS D'ÉLECTROLYTES

Abaissement de la température plus faible que prévu en raison de l'association de certains ions formant des entités neutres en solution.

$$i = \frac{\text{nombre total de mol d'ions}}{\text{1 mol de soluté}} = \frac{\Delta T_{cong} \text{ expérimental (électrolyte)}}{\Delta T^0_{cong} \text{ calculé (non-électrolyte)}}$$

Exemple	Nombre d'ions par formule	Facteur de van't Hoff
NaCl	2	1,87
$\Delta t_{cong} = iK_{cong}m$	$\Delta t_{éb} = iK_{éb}m$	$\pi = icRT$

QUESTIONS ET EXERCICES SUPPLÉMENTAIRES

Solution idéale et loi de Raoult

Si nécessaire, utilisez les valeurs de la pression de vapeur de l'eau fournies à la fin du volume et les valeurs des constantes molales ébullioscopiques et cryoscopiques du tableau 2.2.

1. À 25 °C, lequel des liquides suivants s'évaporera le plus rapidement : l'eau pure ou l'eau de mer ? Justifiez votre réponse.

*2. Lequel des liquides suivants possède la pression de vapeur la plus faible à 25 °C ? Justifiez votre réponse par les calculs appropriés.
   a) Une solution aqueuse d'éthanol, CH_3CH_2OH, dont la fraction molaire est de 0,30 en alcool (la pression de vapeur de l'éthanol pur est de 7,87 kPa).
   b) Une solution aqueuse d'urée, $CO(NH_2)_2$, dont la fraction molaire est de 0,15 en soluté.
   c) L'eau pure.
   d) Une solution aqueuse de chlorure de calcium, $CaCl_2$, dont la fraction molaire est de 0,15 en sel (on considère que le sel est totalement dissocié).

3. Une solution est formée de 7,0 g d'urée, $CO(NH_2)_2$, et de 100,0 g d'eau. Calculez la pression de vapeur de la solution aux températures suivantes.
   a) à 25 °C b) à 100 °C

4. La pression de vapeur de l'eau pure est de 3,1690 kPa à 25 °C. Quelle masse de glucose, $C_6H_{12}O_6$, faut-il ajouter à 250,0 g d'eau pour que la pression de vapeur de la solution diminue de 0,120 kPa ?

5. La température d'ébullition de l'éthanol, CH_3CH_2OH, est de 78,2 °C à la pression normale. À cette température, la pression de vapeur d'une solution éthanolique contenant un soluté non volatil est de 96,0 kPa. Calculez la fraction molaire du soluté dans la solution.

*6. Calculez la pression de vapeur de l'éthanol, CH_3CH_2OH, au-dessus d'un verre de vin à 12,0 % en alcool (*V/V*) à 20 °C. À cette température, la masse volumique de l'éthanol est de 0,7893 g/mL et sa pression de vapeur est de 5,33 kPa; la masse volumique de l'eau est égale à 0,998 g/mL.

*7. L'hexane, C_6H_{14}, et l'heptane, C_7H_{16}, sont des composants de l'essence et forment un mélange idéal. À 50 °C, les pressions de vapeur respectives de ces substances sont de 54,1 kPa et de 18,9 kPa.
   a) Calculez la fraction molaire de chaque composant dans la vapeur lorsque les fractions molaires de tous les composants sont égales dans la solution.
   b) Calculez la fraction molaire de chaque composant dans la solution lorsque les fractions molaires des composants sont égales dans la vapeur.

8. Une solution est formée de 22,0 mL d'acétone, CH_3COCH_3 (ρ = 0,799 g/mL), et de 24,2 mL de chloroforme, $CHCl_3$ (ρ = 1,483 g/mL). En considérant que les volumes s'additionnent, que la solution est idéale, que la pression de vapeur de l'acétone à 25 °C est de 30,8 kPa et que celle du chloroforme est de 26,2 kPa, calculez :
   a) la pression de vapeur de l'acétone dans la vapeur;
   b) la pression de vapeur du chloroforme dans la vapeur;
   c) la pression de vapeur totale;
   d) la fraction molaire de l'acétone dans la vapeur;
   e) la fraction molaire du chloroforme dans la vapeur.

Abaissement de la pression de vapeur et de la température de congélation et élévation de la température d'ébullition

9. Lequel, du benzène ou du cyclohexane, est le meilleur solvant pour déterminer la masse molaire par l'abaissement de la température de congélation ? Justifiez votre réponse.

10. Expliquez pourquoi le chlorure de calcium, $CaCl_2$, est plus efficace que le chlorure de sodium, NaCl, pour déglacer les rues et les routes en hiver.

11. L'addition d'une certaine quantité de sulfate de sodium, Na_2SO_4, à 100,0 g d'eau à 30 °C donne une solution dont la pression de vapeur est de 4,0695 kPa. Calculez la masse de sulfate de sodium ajouté, en supposant que la dissociation est complète.

12. Calculez l'abaissement de la pression de vapeur à 20 °C des solutions aqueuses suivantes dont la molalité est de 0,25 mol/kg. (On suppose que la dissociation est complète pour le sel.)
    a) Nitrate de potassium, KNO_3
    b) Chlorure de magnésium, $MgCl_2$
    c) Sulfate d'aluminium, $Al_2(SO_4)_3$
    d) Sucrose, $C_{12}H_{22}O_{11}$
    e) Chlorure de fer(III), $FeCl_3$

13. En assumant que les deux sels sont totalement dissociés en solution aqueuse, calculez la température de congélation de l'eau lorsqu'elle est saturée de :
    a) chlorure de sodium, NaCl, dont la solubilité est de 35,7 g par 100,0 g d'eau;
    b) chlorure de calcium, $CaCl_2$, dont la solubilité est de 59,5 g par 100,0 g d'eau.

*14. Calculez la température de congélation du vin et celle du whisky dont les pourcentages volumiques respectifs en éthanol, CH_3CH_2OH, sont de 12,0 et 40,0. On fait abstraction, ici, des autres composants. La masse volumique de l'éthanol est de 0,789 g/mL et celle de l'eau est de 0,998 g/mL.

15. Une solution aqueuse dont la masse est de 150,0 g contient 5,00 g de glucose, $C_6H_{12}O_6$, et 15,0 g de sucrose, $C_{12}H_{22}O_{11}$.
    a) Calculez sa température de congélation.
    b) Calculez sa température d'ébullition.

16. La température de congélation d'une solution aqueuse contenant un soluté non électrolyte est de –2,00 °C. Calculez la température d'ébullition de cette solution.

17. Calculez le volume de méthanol, CH_3OH (ρ = 0,783 g/mL) qu'il faut ajouter à 40,0 mL d'eau (ρ = 1,00 g/mL) pour obtenir une solution dont la température de congélation est de –40 °C.

*18. La constante molale cryoscopique du cuivre métallique est de 23,0 °C·kg/mol. Sachant que la température de fusion du cuivre pur est de 1085 °C, calculez celle du laiton, un alliage composé de 10,0 % de zinc et de 90,0 % de cuivre *(m/m)*.

*19. La solution remplissant le système de refroidissement du moteur d'une automobile, formée d'eau et d'éthylèneglycol, $HOCH_2CH_2OH$ (ρ = 1,1088 g/mL), est conçue pour rester liquide jusqu'à –30 °C. Le volume de cette solution est de 11,0 L et sa masse volumique est égale à 1,0639 g/mL. Calculez le volume d'éthylèneglycol qu'il faudrait ajouter à la solution originale pour que la température de congélation soit abaissée à –40 °C.

20. On ajoute 12,1 g d'un soluté non électrolyte à 150,0 g de toluène, C_7H_8, à 25 °C, et on observe que la pression de vapeur diminue de 8,97 kPa à 8,28 kPa. Calculez la masse molaire de ce soluté.

*21. La température de fusion d'une solution aqueuse à 1,00 % *(m/m)* d'acide acétique, CH_3COOH, est de –0,310 °C. La température de fusion du même acide et à la même concentration dans le benzène est de 5,08 °C.
    a) Calculez la masse molaire de l'acide acétique à partir des données de la solution aqueuse.
    b) Calculez la masse molaire de l'acide acétique à partir des données de la solution benzénique.
    c) Expliquez la différence des valeurs de la masse molaire calculée en *a* et *b* à l'aide de la structure de l'acide acétique.

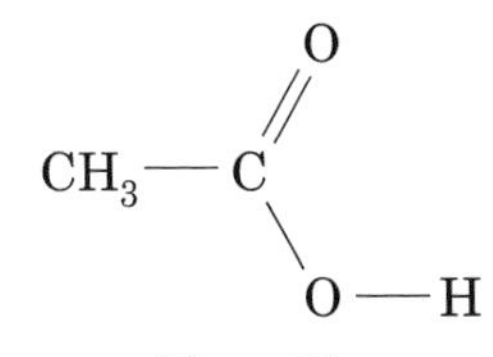

acide acétique

*22. Un échantillon de 0,453 g de soufre est dissous dans 40,0 g de sulfure de carbone, CS_2, dont la constante ébullioscopique est égale à 2,42 °C·kg/mol. On observe une augmentation de la température d'ébullition de la solution de 0,107 °C. Déterminez la formule moléculaire du soufre.

23. Certains composés métalliques ne sont pas des électrolytes, dont le chlorure de mercure(II). Ceci peut être confirmé par l'abaissement de la température de fusion qui, pour une solution de 7,00 g de chlorure par 100,0 g d'eau, est de 0,480 °C. Montrez comment ce résultat confirme que le chlorure de mercure(II) existe plutôt sous forme moléculaire que sous forme ionique.

24. La température de fusion d'une solution de 0,0500 *m* de ferricyanure de potassium, $K_3Fe(CN)_6$, est de –0,280 °C. Calculez-en le facteur de van't Hoff et interprétez ce résultat.

Pression osmotique

25. Expliquez le rétrécissement de la surface des concombres lorsqu'ils macèrent dans la saumure (solution de chlorure de sodium), pour la préparation des marinades.

26. La concentration des solutés dans les cellules sanguines est de l'ordre de 0,3 mol/L. Prédisez, en le justifiant, ce qui arrivera lorsque les cellules sanguines sont plongées dans :
    a) de l'eau pure;
    b) une solution 1,0 mol/L.

27. Calculez la concentration molaire des particules composant le soluté d'une cellule humaine à la température du corps, 37 °C, si la pression osmotique y est de 763 kPa.

*28. On dissout 0,200 g d'une protéine dans l'eau de façon à obtenir 100,0 mL de solution. La pression osmotique de la solution est de 0,295 kPa à 27 °C.
    a) Calculez la masse molaire de cette protéine.
    b) Calculez la température de congélation de la solution.
    c) Quelle méthode recommanderiez-vous pour déterminer la masse molaire des protéines ? Celle de la pression osmotique ou celle de l'abaissement de la température de congélation ? Justifiez brièvement votre réponse. (On considérera que dans une solution très diluée la concentration molaire volumique est égale à la molalité.)

29. Calculez la pression osmotique de l'eau de mer en considérant qu'elle contient principalement du chlorure de sodium, NaCl, dont la concentration molaire volumique est égale à 0,55 mol/L, sachant que sa température moyenne est de 10 °C.

*30. Expliquez, en référence à l'osmose, pourquoi il est dangereux de boire de l'eau de mer dont la concentration molaire volumique, en tenant compte du facteur de van't Hoff, vaut environ 1,1 mol/L. Comparez cette concentration molaire volumique avec celle de l'exercice 27 pour développer votre explication.

*31. À maturité, un érable mesure environ 13 m de hauteur. Quelle doit être la concentration du sucre dans la sève pour que la pression osmotique la fasse monter jusque dans la tête de l'arbre, à 0,0 °C ? On considérera que la masse volumique de la sève est égale à 1,0 g/mL et qu'une hauteur de 13,6 mm d'eau équivaut à 1,0 mm Hg.

32. Laquelle des solutions aqueuses suivantes dont la concentration est de 1,0 mol/L possède la plus petite pression osmotique à 25 °C ? Justifiez brièvement votre réponse.
    a) Sulfate de magnésium, $MgSO_4$
    b) Acide acétique, CH_3COOH
    c) Glucose, $C_6H_{12}O_6$
    d) Carbonate de sodium, Na_2CO_3

EXERCICE RÉCAPITULATIF

33. Le camphre, $C_{10}H_{16}O$, est un composé organique utilisé comme agent de conservation dans la fabrication de certaines matières plastiques, notamment des dérivés de la cellulose, et dans certaines préparations pharmaceutiques et cosmétiques. On prépare une solution de camphre en dissolvant 25,0 g de la substance dans 1,00 L d'éthanol, CH_3CH_2OH (ρ = 0,789 g/mL) et on ne tient pas compte de la faible augmentation de volume lors du mélange.
    a) Calculez le pourcentage massique du camphre dans la solution.
    b) Calculez la concentration molaire volumique (molarité) de la solution.
    c) Calculez la molalité de la solution.
    d) Calculez la fraction molaire du camphre dans la solution.
    e) Déterminez si ce mélange forme une solution idéale. Justifiez brièvement votre réponse.
    f) Calculez la pression de vapeur de la solution à 25 °C, sachant que celle de l'éthanol à cette température est égale à 7,87 kPa.
    g) Calculez la pression osmotique de la solution à 25,0 °C.
    h) Calculez la température d'ébullition de la solution, sachant que l'éthanol bout à 78,20 °C et que sa constante molale ébullioscopique, $K_{éb}$, est égale à 1,23 °C·kg/mol.
    i) On ajoute 10,80 g de méthanolate de sodium, CH_3ONa, un sel soluble dans l'éthanol, à la solution éthanolique de camphre; ce sel se dissocie en ions Na^+ et CH_3O^-. On observe que la température d'ébullition de la solution atteint 78,911 °C. Calculez le facteur de van't Hoff du méthanolate de sodium.
    j) Le camphre est aussi employé comme solvant dans la méthode de Rast pour déterminer la masse molaire d'un soluté. On dissout 0,247 g d'un composé dans 50,0 g de camphre. Sachant que la température de congélation de la solution est de 177,34 °C, calculez la masse molaire du composé.

CINÉTIQUE CHIMIQUE

CHAPITRE 3

Les procédés chimiques de production sont mis au point au moyen d'un réacteur chimique. Cet appareil permet notamment d'étudier la cinétique des réactions chimiques. En découle un meilleur contrôle des paramètres qui influent sur la vitesse des réactions. Dans l'industrie, cette optimisation des conditions prend tout son sens, car elle maximise le rendement et minimise les coûts.

OBJECTIFS

Après avoir étudié ce chapitre, vous saurez répondre aux questions suivantes.

- Quelles sont les façons de définir et d'exprimer graphiquement la vitesse d'une réaction chimique ?
- Quels sont les éléments d'une équation de vitesse et comment sont-ils reliés ?
- Qu'entend-on par ordre d'une réaction ?
- Comment établit-on une équation de vitesse intégrée à partir d'une équation de vitesse instantanée ?
- Qu'est-ce que la demi-vie d'une réaction et quelles sont les applications de ce concept ?
- Quels sont les principaux modèles de la cinétique chimique ?
- Comment décrit-on un mécanisme réactionnel à partir des processus élémentaires d'une réaction chimique ?

Mécanismes réactionnels

Équation de vitesse intégrée

Modèles théoriques de la cinétique chimique

Ordre d'une réaction

Loi de vitesse et constante de vitesse

Définitions de la vitesse de réaction

Jusqu'à maintenant, nous avons décrit les aspects statiques des solutions, notamment la manière d'exprimer les quantités de matière qu'elles renferment ainsi que l'influence de ces quantités sur leurs propriétés. Dans ce chapitre, nous abordons leur côté dynamique, soit la manière dont les substances qui les composent réagissent entre elles. Et le premier aspect de cette dynamique concerne la cinétique chimique, c'est-à-dire tout ce qui a trait à la vitesse des réactions. L'exposé sera d'ordre général et englobera aussi bien les réactions en phase gazeuse que celles en solution.

Les premières sections sont consacrées à la partie expérimentale de la cinétique chimique. On y définit d'abord les diverses expressions de la vitesse d'une réaction (vitesse moyenne et vitesse instantanée) et on détermine sa relation avec la concentration des réactifs. Par la suite seront décrites les méthodes de mesure des vitesses en exprimant les lois de vitesse et les constantes de vitesse. En découleront les expressions de l'ordre d'une réaction. L'élaboration des équations de vitesse intégrée, incluant celle de la demi-vie d'une réaction, constituera en quelque sorte un résumé des principales informations qu'on peut tirer des données expérimentales relatives à la cinétique chimique.

Les dernières sections présentent les modèles théoriques de la cinétique qui rendent compte des données expérimentales. La théorie des collisions, le modèle le plus simple, débouche sur le modèle de l'état de transition, lequel peut conduire finalement à une description assez détaillée, à l'échelle moléculaire, du déroulement d'une réaction chimique, c'est-à-dire de son mécanisme réactionnel. Ainsi, modèles théoriques et données expérimentales conduiront à une meilleure compréhension de la cinétique chimique.

3.1 VITESSE DE RÉACTION CHIMIQUE

Les réactions chimiques se déroulent le plus souvent à des vitesses très différentes. Prenons par exemple le cas de l'hydrogène moléculaire, H_2, et de l'oxygène moléculaire, O_2. Ces deux éléments peuvent rester presque indéfiniment en contact l'un avec l'autre, sans que leur transformation en eau puisse être décelée. Cependant, sous l'amorce d'une étincelle, une réaction explosive se produit; en une fraction de seconde, la réaction est terminée.

$$2H_2(g) + O_2(g) \longrightarrow 2H_2O(g)$$

Cette réaction connaît son application la plus spectaculaire en astronautique. La combustion de l'hydrogène dans l'oxygène engendre en effet la formation des gaz dont l'expulsion provoque la poussée du lanceur auquel est arrimée la navette spatiale.

La poussée des gaz produits par la combustion de l'hydrogène propulse le lanceur d'une navette spatiale.

Considérons maintenant la décomposition d'un agent de désinfection bien connu qui fait partie de la plupart de nos armoires à pharmacie, le peroxyde d'hydrogène, H_2O_2, en solution dans l'eau. Cette réaction, dans laquelle le peroxyde se convertit en eau, se déroule à un rythme assez lent pour être facilement détecté. Voilà qui explique pourquoi bien des gens constatent sa perte d'efficacité après une longue période d'entreposage.

$$2H_2O_2(aq) \longrightarrow 2H_2O(l) + O_2(g)$$

De façon qualitative, on peut donc décrire la vitesse d'une réaction chimique comme un indicateur de la rapidité avec laquelle la quantité d'un réactif ou d'un produit varie pendant un certain temps. Pour préciser quantitativement ce que l'on entend par vitesse de réaction, examinons d'abord le cas général où un réactif, A, est converti en un produit, B.

$$\underset{\textbf{réactif}}{A} \longrightarrow \underset{\textbf{produit}}{B}$$

On peut exprimer la vitesse de cette réaction en fonction de la variation de la concentration de A ou de B pour une période de temps. Cette concentration, dont le symbole est la lettre A ou B entre crochets, s'exprime en mol/L.

[A] = concentration molaire volumique du réactif, A (mol/L)
[B] = concentration molaire volumique du produit, B (mol/L)

La **vitesse de réaction** se définit alors comme la variation de la concentration du produit (ou du réactif) pendant un intervalle de temps donné. Pour le produit, cette définition s'exprime par la relation suivante.

Vitesse de réaction : taux de variation de la concentration d'un réactif ou d'un produit pour un intervalle de temps donné.

$$\text{vitesse} = \frac{\text{variation de [B]}}{\text{variation de temps}} = \frac{[B]_2 - [B]_1}{t_2 - t_1} = \frac{\Delta[B]}{\Delta t}$$

La lettre grecque Δ (delta majuscule) représente la différence entre la valeur de la concentration du produit, B, à un moment donné, $[B]_2$, et la valeur de cette concentration à un moment antérieur, $[B]_1$.

$$\Delta[B] = [B]_2 - [B]_1$$

En ce qui concerne le réactif, comme sa concentration diminue à mesure que la réaction avance ($A_1 > A_2$), on doit ajouter le signe « moins » devant la relation qui exprime la vitesse de réaction pour obtenir une valeur positive.

$$\text{vitesse} = \frac{\text{variation de [A]}}{\text{variation de temps}} = \frac{[A]_2 - [A]_1}{t_2 - t_1} = -\frac{\Delta[A]}{\Delta t}$$

Pour illustrer les limites de cette première définition de la vitesse d'une réaction, voyons, en utilisant les données du tableau 3.1, comment varie la vitesse de décomposition du peroxyde d'hydrogène à 40 °C; la concentration du peroxyde a été mesurée à des intervalles de six heures.

$$2H_2O_2(aq) \xrightarrow{40\ °C} 2H_2O(l) + O_2(g)$$

$$\text{vitesse} = -\frac{\Delta[H_2O_2]}{\Delta t} = \frac{[H_2O_2]_6 - [H_2O_2]_0}{t_6 - t_0}$$

Entre 0 et 6 heures, on aura une vitesse de $1{,}67 \times 10^{-1}$ mol/L·h.

$$\text{vitesse} = -\frac{1{,}000\ \text{mol/L} - 2{,}000\ \text{mol/L}}{6{,}00\ \text{h} - 0{,}00\ \text{h}} = -\frac{(-1{,}000\ \text{mol/L})}{6{,}00\ \text{h}} = 1{,}67 \times 10^{-1}\ \text{mol/L·h}$$

Lorsqu'on effectue un calcul analogue pour le même intervalle, mais entre 6 et 12 heures, on observe que la vitesse de la réaction diminue de moitié.

$$\text{vitesse} = -\frac{0{,}500\ \text{mol/L} - 1{,}000\ \text{mol/L}}{12{,}00\ \text{h} - 6{,}00\ \text{h}} = -\frac{(-0{,}500\ \text{mol/L})}{6{,}00\ \text{h}} = 8{,}33 \times 10^{-2}\ \text{mol/L·h}$$

Tableau 3.1 Vitesse de décomposition du peroxyde d'hydrogène, H_2O_2, à 40 °C à des intervalles de six heures.

Temps (h)	$[H_2O_2]$ (mol/L)	$\Delta[H_2O_2]$ (mol/L)	Δt (h)	Vitesse (mol/L·h) × 10^{-2}	$[O_2]$ (mol/L)
0,00	2,000				0,000
6,00	1,000	–1,000	6,00	16,7	0,500
12,00	0,500	–0,500	6,00	8,33	0,750
18,00	0,250	–0,250	6,00	4,17	0,875
24,00	0,125	–0,125	6,00	2,08	0,938
30,00	0,0630	–0,063	6,00	1,02	1,000

Il en va de même si on poursuit le calcul, de 6 heures en 6 heures, jusqu'à 24 heures : la vitesse diminue de moitié d'une étape à l'autre. Et si on calcule la vitesse de décomposition sur un intervalle de 24 heures, on obtient une valeur moyenne de $7{,}81 \times 10^{-2}$ mol/L·h.

$$\text{vitesse} = -\frac{0{,}125 \text{ mol/L} - 2{,}000 \text{ mol/L}}{24{,}00 \text{ h} - 0{,}00 \text{ h}} = 7{,}81 \times 10^{-2} \text{ mol/L·h}$$

La figure 3.1 représente le graphique de la concentration du peroxyde d'hydrogène en fonction du temps. Ce graphique reprend les données du tableau 3.1. La courbe montre bien que la vitesse diminue de plus en plus à mesure que le temps s'écoule.

EXERCICE 3.1

Calculez la vitesse de décomposition du pentoxyde de diazote, N_2O_5, à 50 °C à partir des données suivantes pour des intervalles successifs de 10 minutes.

$$2N_2O_5(g) \xrightarrow{50\ °C} 4NO_2(g) + O_2(g)$$

$[N_2O_5]$ (mol/L)	1,0	0,66	0,49	0,41
Temps (min)	0,0	10,0	20,0	30,0

En exprimant la vitesse d'une réaction chimique par le taux de variation de la concentration pour un intervalle de temps donné, on obtient simplement une valeur moyenne pour cet intervalle, c'est-à-dire une vitesse moyenne de réaction. Il s'agit là d'une image plutôt approximative du taux de transformation du produit. En fait, plus on réduit l'intervalle de temps, Δt, plus on se rapproche de la vraie vitesse de réaction. À tel point que si Δt est près de zéro, la vitesse de la réaction sera donnée par la pente de la tangente à la courbe en un moment donné, ce qui correspond mathématiquement à la dérivée; on obtient alors la **vitesse instantanée**, déterminée pour chaque point de la courbe par la dérivée, d.

Vitesse instantanée : vitesse d'une réaction en un temps déterminé; sur la courbe du graphique de la concentration en fonction du temps, elle correspond, pour ce moment, à la pente de la tangente à la courbe.

$$\text{vitesse instantanée} = -\lim_{\Delta t \to 0} \frac{\Delta[H_2O_2]}{\Delta t} = \frac{-d[H_2O_2]}{dt}$$

Pour bien illustrer la différence entre la vitesse moyenne et la vitesse instantanée d'une réaction, comparons-la à celle d'une automobile. On peut

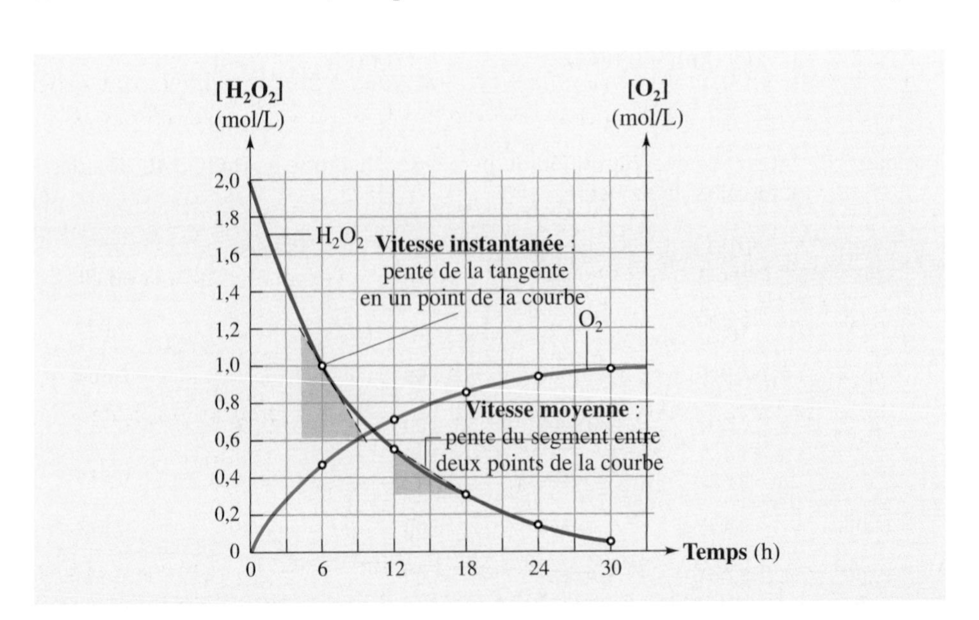

Figure 3.1 Graphique de la concentration du peroxyde d'hydrogène, H_2O_2, en fonction du temps.

effectuer un trajet de 500 km à une vitesse moyenne de 100 km/h, tout en atteignant à un certain moment une vitesse instantanée de 140 km/h; mais gare à la contravention si on est intercepté au moment où l'on atteint cette vitesse instantanée !

Dans l'exemple de la décomposition du peroxyde d'hydrogène, on a exprimé la vitesse de la réaction en fonction du taux de variation de la concentration du réactif. On pourrait aussi la définir en fonction du rythme selon lequel l'oxygène moléculaire, O_2, se forme.

$$2H_2O_2(aq) \xrightarrow{40\ °C} 2H_2O(l) + O_2(g)$$

$$\text{vitesse} = \frac{\Delta[O_2]}{\Delta t}$$

Dans ce cas, par contre, l'oxygène est produit à la moitié de la vitesse à laquelle le peroxyde d'hydrogène est consommé, puisque, selon les valeurs des coefficients stœchiométriques, **une** molécule d'oxygène est produite pour **deux** molécules de peroxyde consommées.

On peut donc exprimer la vitesse de la réaction par les relations suivantes :

$$\text{vitesse} = \frac{\Delta[O_2]}{\Delta t} = -\frac{1}{2}\frac{\Delta[H_2O_2]}{\Delta t}$$

On observe du reste que la courbe qui décrit la vitesse de la formation de O_2 est inversée par rapport à celle du peroxyde, mais que la pente de la tangente à la courbe de O_2 qui décrit sa vitesse instantanée est deux fois plus faible que celle de H_2O_2 (*revoir la figure 3.1*).

▼ EXEMPLE 3.1

Soit la réaction chimique suivante :

$$2N_2O_5(g) \longrightarrow 4NO_2(g) + O_2(g)$$

La vitesse de la réaction est exprimée en fonction de la variation de la concentration de l'oxygène moléculaire, O_2, ce qui donne :

$$\text{vitesse} = \frac{\Delta[O_2]}{\Delta t}$$

On désire exprimer la vitesse de la réaction en fonction de la concentration du dioxyde d'azote, NO_2, et de celle du pentoxyde de diazote, N_2O_5.

1° On établit la relation entre la vitesse de formation de O_2 et celle de NO_2.

Puisque 4 molécules de NO_2 sont produites en même temps que 1 molécule de O_2, la vitesse de formation de NO_2 sera quatre fois plus élevée que celle de O_2, ou encore la vitesse de formation de O_2 sera le quart de celle de NO_2, ce qui est exprimé par la relation suivante :

$$\text{vitesse} = \frac{\Delta[O_2]}{\Delta t} = \frac{1}{4}\frac{\Delta[NO_2]}{\Delta t}$$

2° On établit le rapport entre la vitesse de formation de O_2 et la vitesse de disparition de N_2O_5.

Puisque 2 molécules de N_2O_5 sont consommées par molécule de O_2 produite, la vitesse de disparition de N_2O_5 sera deux fois plus grande que la vitesse de formation de O_2, ou encore la vitesse de formation de O_2 sera la moitié de la vitesse de disparition de N_2O_5.

$$\text{vitesse} = \frac{\Delta[O_2]}{\Delta t} = -\frac{1}{2}\frac{\Delta[N_2O_5]}{\Delta t}$$

Notez qu'il ne faut pas oublier le signe « moins » devant l'expression de la vitesse de N_2O_5, puisque sa concentration diminue durant la réaction.

On peut donc résumer dans une seule relation les expressions de la vitesse. Remarquez que le dénominateur de chaque expression est bien le coefficient stœchiométrique de chaque formule.

$$\text{vitesse} = -\frac{1}{\mathbf{2}}\frac{\Delta[N_2O_5]}{\Delta t} = \frac{1}{\mathbf{4}}\frac{\Delta[NO_2]}{\Delta t} = \frac{\Delta[O_2]}{\Delta t}$$

$$\mathbf{2}N_2O_5(g) \longrightarrow \mathbf{4}NO_2(g) + O_2(g)$$

Une relation simple existe donc entre la vitesse d'une réaction chimique, exprimée par rapport à chacun des réactifs ou produits, et les coefficients stœchiométriques qui affectent les espèces chimiques :

> Le facteur numérique qui affecte le dénominateur de chaque expression de la vitesse correspond au coefficient stœchiométrique de chaque formule chimique de l'équation.

EXERCICE 3.2

Soit la réaction chimique suivante :

$$4PH_3(g) \longrightarrow 4P(g) + 6H_2(g)$$

Exprimez la vitesse de cette réaction en fonction de la concentration du réactif et de celle des produits.

3.2 LOI DE VITESSE D'UNE RÉACTION CHIMIQUE

Dans la section précédente, nous avons vu que la vitesse d'une réaction chimique peut être exprimée en fonction de la concentration des substances, réactifs ou produits. Il est aussi possible de préciser davantage ces relations en introduisant un facteur, désigné constante de vitesse, qui permet de déduire une loi de vitesse de laquelle découle également l'ordre d'une réaction.

3.2.1 LOI DE VITESSE, CONSTANTE DE VITESSE ET ORDRE DE RÉACTION

La vitesse d'une réaction chimique diminue avec le temps lorsqu'elle est exprimée en fonction de la concentration du réactif et, à l'inverse, elle augmente quand on tient plutôt compte de la concentration du produit. Ce ralentissement ou cette accélération, selon le cas, surviennent parce que les vitesses des réactions dépendent de la concentration des substances. Il serait intéressant de dériver une équation mathématique qui permette de prédire comment la vitesse d'une réaction dépend de la concentration des réactifs. Cependant, seules des données expérimentales permettent de déterminer une telle équation, que l'on désigne **loi de vitesse** de la réaction. La plupart des expériences montrent que la vitesse d'une réaction est proportionnelle à la concentration du ou des réactifs, affectée d'un exposant dont la valeur est très rarement supérieure à deux. Ainsi, pour la réaction représentée sous la forme générale,

Loi de vitesse : équation mathématique qui établit la relation entre la vitesse d'une réaction chimique et la concentration des réactifs.

$$A \longrightarrow B$$

la vitesse de la réaction est proportionnelle à la concentration de A élevée à une puissance x. Rappelons que cette puissance x ne peut être déterminée que de manière expérimentale.

$$\text{vitesse} \propto [A]^x$$

La loi de vitesse s'exprime alors par la relation

$$\text{vitesse} = k[A]^x$$

dans laquelle k est la constante de vitesse spécifique à cette réaction.

Notons qu'il n'existe pas toujours de rapport entre les coefficients stœchiométriques d'une équation chimique et la loi de vitesse de cette équation, et que l'exposant qui affecte les concentrations doit toujours être déterminé expérimentalement. Par exemple, dans la réaction de décomposition du pentoxyde de diazote, N_2O_5,

$$2N_2O_5(g) \longrightarrow 4NO_2(g) + O_2(g)$$

on trouve expérimentalement que la loi de vitesse s'exprime par la relation

$$\text{vitesse} = k[N_2O_5]^1 \quad \text{ou simplement} \quad \text{vitesse} = k[N_2O_5]$$

(Comme l'exposant qui affecte la concentration de N_2O_5 est égal à 1, il n'est pas nécessaire de l'inscrire.)

Par contre, dans la décomposition du dioxyde d'azote, NO_2,

$$2NO_2(g) \longrightarrow 2NO(g) + O_2(g)$$

la loi de vitesse s'exprime de la manière suivante :

$$\text{vitesse} = k[NO_2]^2$$

Les valeurs des exposants qui affectent les concentrations dans la loi de vitesse représentent l'**ordre d'une réaction**. Ainsi, on dit de la loi de vitesse qui exprime la décomposition de N_2O_5 qu'il s'agit d'une loi de vitesse d'ordre un ou que la réaction est d'ordre un. Quant à la réaction de décomposition du NO_2, elle est d'ordre deux, ce qui est indiqué par la valeur de l'exposant qui affecte la concentration du réactif.

Ordre d'une réaction : valeur expérimentale de l'exposant qui affecte la concentration d'un réactif dans la loi de vitesse.

$$\text{vitesse} = k[N_2O_5]^1 \qquad \text{vitesse} = k[NO_2]^2$$

ordre de la réaction

Lorsqu'une réaction comprend plusieurs réactifs, on établit l'ordre de la réaction par rapport à chacun d'entre eux, puis on additionne ces valeurs pour déterminer l'ordre global. Par exemple, dans la réduction du chlorure de mercure(II), $HgCl_2$, par l'ion oxalate, $C_2O_4^{2-}$, on trouve expérimentalement que la réaction est d'ordre un par rapport au chlorure et d'ordre deux par rapport à l'ion oxalate. Dans son ensemble, la réaction est d'ordre trois (2 + 1).

$$HgCl_2(aq) + C_2O_4^{2-}(aq) \longrightarrow 2Cl^-(aq) + 2CO_2(g) + Hg_2Cl_2(s)$$

$$\text{vitesse} = k[HgCl_2][C_2O_4^{2-}]^2$$

ordre de la réaction : 1 + 2 = 3

3.2.2 DÉTERMINATION EXPÉRIMENTALE DE L'ORDRE D'UNE RÉACTION ET DE LA CONSTANTE DE VITESSE

On détermine généralement les lois de vitesse à partir de données en lien avec la **vitesse initiale de la réaction**, c'est-à-dire la vitesse au tout début de la réaction, au moment où les concentrations des réactifs n'ont que très peu varié et que très peu de produit ne s'est formé, et pendant un très bref intervalle de temps. Cette méthode, dite des vitesses initiales, facilite l'analyse des vitesses de réaction, car il n'y a pratiquement pas d'interactions entre les produits et les réactifs au tout début d'une réaction. (*Voir la Capsule chimique « Comment mesure-t-on la vitesse des réactions chimiques ? », p. 87.*)

Vitesse initiale de réaction : vitesse d'une réaction chimique à son tout début, au moment où les réactifs sont mélangés.

Pour indiquer qu'il s'agit de vitesse et de concentration initiales, on ajoute l'indice « 0 » devant chaque terme de l'équation de vitesse. Ainsi, pour l'équation générale,

$$aA + bB \longrightarrow \text{produits}$$

l'équation de vitesse initiale s'exprime de la façon suivante :

$$(\text{vitesse})_0 = -\frac{1}{a}\frac{d[a]}{dt} = k[A]_0^x[B]_0^y$$

On mesure les vitesses initiales de la même manière que les vitesses instantanées, c'est-à-dire en calculant la pente de la tangente à la courbe des concentrations en fonction du temps, et ce, à l'amorce de la réaction, soit au temps 0. La vitesse instantanée est elle-même déterminée en menant des expériences à des concentrations initiales différentes; à chaque concentration correspond une vitesse spécifique. On détermine ensuite l'ordre de réaction :

- en comparant le rapport des vitesses initiales à celui des concentrations correspondantes;
- en calculant l'ordre de la réaction à partir de ces rapports.

Une fois l'ordre d'une réaction établi, on peut appliquer la loi de vitesse pour déduire la valeur de la constante de vitesse, k, caractéristique importante d'une réaction chimique : plus la constante de vitesse est élevée, plus la réaction est rapide; à l'inverse, une faible constante de vitesse traduit une réaction lente.

Voyons comment s'établissent les ordres zéro, un et deux de réaction ainsi que l'ordre global, et comment calculer la constante de la vitesse.

RÉACTION D'ORDRE ZÉRO

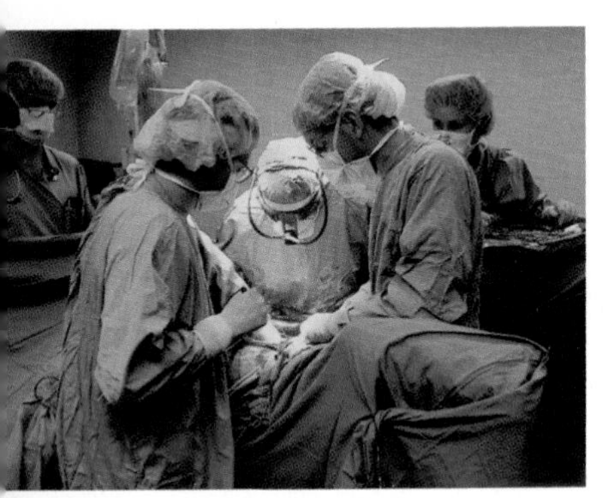

Pendant longtemps, l'oxyde nitreux, N_2O, fut utilisé comme anesthésique; les patients se réveillaient souvent en riant, d'où son nom de gaz hilarant.

La plupart des réactions ne mettant en jeu qu'un seul réactif sont d'ordre un ou deux. Quelques-unes sont d'ordre zéro; c'est notamment le cas de réactions gazeuses qui se produisent à la surface de catalyseurs solides, comme la décomposition de l'oxyde de diazote (oxyde nitreux), N_2O, sur une surface de poudre d'or, ou celle de l'iodure d'hydrogène, HI, sur un catalyseur à base de platine.

Dans ce genre de réaction catalysée, la vitesse dépend uniquement du taux d'adsorption du réactif à la surface du catalyseur. La plupart des réactions enzymatiques sont aussi des réactions d'ordre zéro.

$$2N_2O(g) \xrightarrow{\Delta,\ \text{cat.}} 2N_2(g) + O_2(g)$$

Dans une réaction d'ordre zéro, l'exposant exprimant l'équation de vitesse est égal à zéro, de sorte que la vitesse est égale à la constante de vitesse, k (puisque toute quantité à la puissance zéro est égale à un).

$$(\text{vitesse})_0 = k[\text{A}]^0 = k$$

La principale caractéristique d'une réaction d'ordre zéro est que sa vitesse est indépendante de la concentration du réactif. On peut aussi noter que les unités de la constante de vitesse sont les mêmes que celles de la vitesse. Deux autres caractéristiques découlent de l'expression de l'équation de vitesse d'une équation d'ordre zéro :

- le graphique de la concentration du réactif en fonction du temps donne une droite (*figure 3.2*);
- la vitesse de la réaction, qui demeure invariable pendant son déroulement, correspond à la pente négative de cette droite.

RÉACTION D'ORDRE UN

Dans l'expression de l'équation de vitesse d'une réaction d'ordre un, l'exposant qui affecte le terme « concentration » est égal à 1. Dans une réaction de cet ordre, la vitesse de la réaction double lorsque la concentration initiale du réactif est doublée. Pour déterminer l'ordre de la réaction, on applique, à partir de données expérimentales, la démarche exposée au début de cette section : on compare le rapport des vitesses initiales à celui des concentrations.

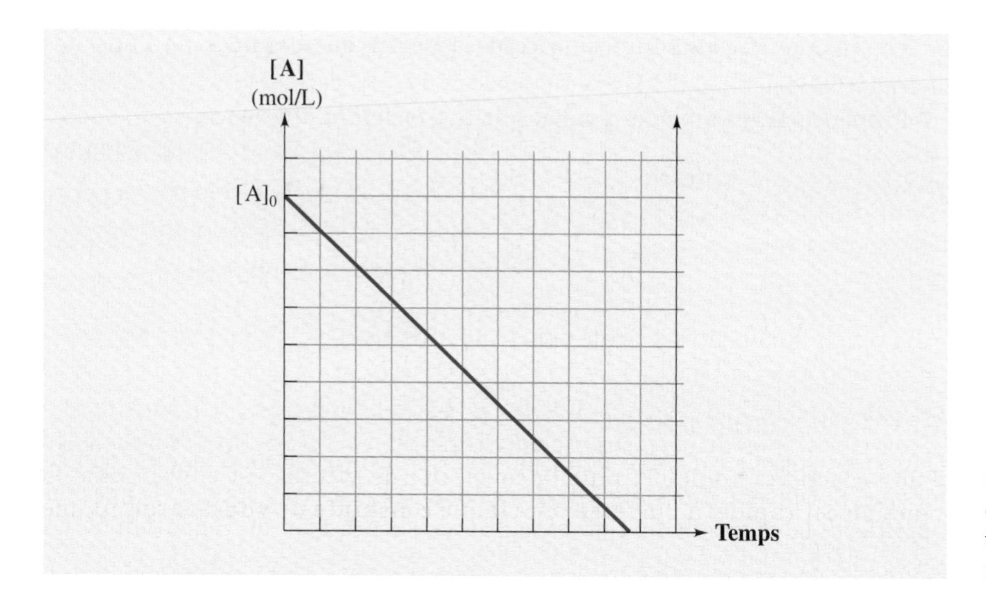

Figure 3.2 Variation de la concentration du réactif en fonction du temps pour une réaction d'ordre 0.

▼ EXEMPLE 3.2

On a recueilli les données présentées dans le tableau ci-dessous lors de la mesure des vitesses initiales de décomposition du peroxyde d'hydrogène, H_2O_2, à diverses concentrations initiales.

$$2H_2O_2(aq) \xrightarrow{40\ °C} 2H_2O(l) + O_2(g)$$

N° de l'expérience	**1**	**2**	**3**
$[H_2O_2]_0$ (mol/L)	2,32	3,48	5,22
$(\text{vitesse})_0 \times 10^{-3}$ (mol/L·s)	1,69	2,54	3,81

On désire déterminer l'ordre de cette réaction et calculer sa constante de vitesse.

1° On établit d'abord l'expression générale de la vitesse de cette réaction, dans laquelle x représente l'ordre de la réaction.

$$\text{vitesse} = k[H_2O_2]^x$$

2° On compare le rapport des vitesses initiales à celui des concentrations.

Choisissons les données des expériences 2 et 1 pour calculer le rapport des vitesses initiales, puis le rapport des concentrations.

$$\text{rapport des vitesses initiales : } \frac{(\text{vitesse})_{0\ (\text{n}^\text{o}\ 2)}}{(\text{vitesse})_{0\ (\text{n}^\text{o}\ 1)}} = \frac{2{,}54 \times 10^{-3}\ \text{mol/L·s}}{1{,}69 \times 10^{-3}\ \text{mol/L·s}} = 1{,}50$$

$$\text{rapport des concentrations : } \frac{k[H_2O_2]^x_{(\text{n}^\text{o}\ 2)}}{k[H_2O_2]^x_{(\text{n}^\text{o}\ 1)}} = \frac{k(3{,}48\ \text{mol/L})^x}{k(2{,}32\ \text{mol/L})^x} = (1{,}50)^x$$

Par conséquent, pour l'équation de vitesse,

$$\text{vitesse} = k[H_2O_2]^x\text{, on a } 1{,}50 = (1{,}50)^x$$

Dans ce cas, il est facile de déduire que x doit valoir 1 pour que l'égalité se vérifie.

- La réaction est donc d'**ordre un** et l'expression de sa vitesse, dans laquelle l'exposant 1 est sous-entendu, s'écrit :

$$\text{vitesse} = k[H_2O_2]$$

3° On calcule la constante de vitesse à partir des données de l'une des expériences.

Prenons par exemple les données de la troisième expérience.

$$(\text{vitesse})_{0\ (\text{n}^\circ\ 3)} = k[H_2O_2] \Rightarrow k = \frac{(\text{vitesse})_{0\ (\text{n}^\circ\ 3)}}{[H_2O_2]}$$

$$= \frac{3{,}81 \times 10^{-3}\ \text{mol/L·s}}{5{,}22\ \text{mol/L}} = 7{,}30 \times 10^{-4}\ \text{s}^{-1}$$

• La constante de vitesse égale donc $\mathbf{7{,}30 \times 10^{-4}\ s^{-1}}$.

RÉACTION D'ORDRE DEUX

Dans une réaction d'ordre deux, la vitesse de la réaction est quadruplée lorsque la concentration du réactif est doublée. Par conséquent, l'exposant qui affecte la concentration du réactif dans l'expression de l'équation de vitesse vaut 2.

$$\text{vitesse} = k[A]^2$$

On détermine l'ordre de la réaction en suivant la même démarche que dans l'exemple 3.2.

▼ EXEMPLE 3.3

Lors de la mesure des vitesses initiales de décomposition du dioxyde d'azote, NO_2, on obtient les données reportées dans le tableau suivant.

$$2NO_2(g) \longrightarrow 2NO(g) + O_2(g)$$

N° de l'expérience	1	2	3
$[NO_2]_0$ (mol/L)	0,900	1,25	1,60
$(\text{vitesse})_0$ (mol/L·s)	0,437	0,844	1,38

On désire connaître l'ordre de cette réaction et la valeur de la constante de vitesse, k.

1° L'expression générale de la vitesse de la réaction est :

$$\text{vitesse} = k[NO_2]^x$$

dans laquelle x désigne l'ordre de la réaction.

2° On compare le rapport des vitesses initiales à celui des concentrations; utilisons les données des expériences 2 et 1.

$$\text{rapport des vitesses initiales} \quad \frac{(\text{vitesse})_{0\ (\text{n}^\circ\ 2)}}{(\text{vitesse})_{0\ (\text{n}^\circ\ 1)}} = \frac{0{,}844\ \text{mol/L·s}}{0{,}437\ \text{mol/L·s}} = 1{,}93$$

$$\text{rapport des concentrations} \quad \frac{k[NO_2]^x_{(\text{n}^\circ\ 2)}}{k[NO_2]^x_{(\text{n}^\circ\ 1)}} = \frac{k(1{,}25\ \text{mol/L})^x}{k(0{,}900\ \text{mol/L})^x} = (1{,}39)^x$$

Par conséquent, pour l'expression

$$\text{vitesse} = k[NO_2]^x,\ \text{on a}\ 1{,}93 = (1{,}39)^x$$

Pour trouver la valeur de x, on applique les lois des logarithmes.

$$\log 1{,}93 = x \log 1{,}39 \Rightarrow x = \frac{\log 1{,}93}{\log 1{,}39} = \frac{0{,}286}{0{,}143} = 2$$

La réaction est d'**ordre deux** et l'expression de son équation de vitesse devient :

$$\text{vitesse} = k[NO_2]^2$$

3° On calcule la constante de vitesse, k, à partir des données de l'une des expériences.

Utilisons les données de la deuxième expérience.

$$(\text{vitesse})_{0\ (\text{n}^\text{o}\ 2)} = k[NO_2]^2 \Rightarrow k = \frac{(\text{vitesse})_{0\ (\text{n}^\text{o}\ 2)}}{[NO_2]^2}$$

$$= \frac{0{,}844\ \text{mol/L·s}}{(1{,}25\ \text{mol/L})^2} = 0{,}540\ \text{L/mol·s}$$

• La constante de vitesse est égale à **0,540 L/mol·s.**

EXERCICE 3.3

Lors de l'étude cinétique de la décomposition du chlorure de nitrosyle, NOCl, on a obtenu les données suivantes.

$$2NOCl(g) \longrightarrow 2NO(g) + Cl_2(g)$$

N° de l'expérience	**1**	**2**
[NOCl] (mol/L)	0,250	0,550
$(\text{vitesse})_0$ (mol/L·s × 10^{-7})	1,50	7,26

Exprimez l'équation de vitesse de la réaction et calculez sa constante de vitesse à partir de ces données.

ORDRE GLOBAL D'UNE RÉACTION

Lorsqu'une réaction comprend plusieurs réactifs, on doit en déterminer l'ordre global. Dans une première série d'expériences, il faut d'abord procéder en maintenant constante la concentration de l'un des réactifs (A) tout en faisant varier celle du second (B), ce qui permet de calculer l'ordre de la réaction par rapport au premier réactif (A). Dans une deuxième série d'expériences, on procède à l'inverse : la concentration du second réactif (B) est maintenue constante, alors que celle du premier (A) est changée. Rappelons que l'ordre global correspond à la somme des ordres par rapport à chaque réactif.

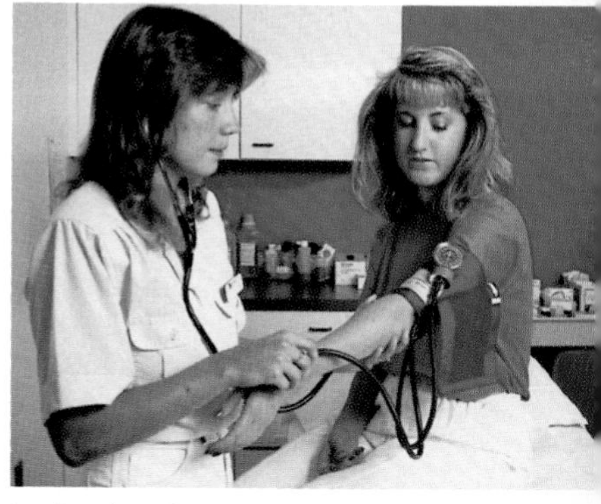

Les lauréats du prix Nobel de physiologie en 1998, Robert F. Furchgott, Louis J. Ignarro et Ferid Muradont ont découvert un nouveau rôle biologique au monoxyde d'azote, qui participe notamment à la vasodilatation.

▼ EXEMPLE 3.4

Lors de l'étude cinétique de la réaction entre l'hydrogène moléculaire, H_2, et le monoxyde d'azote, NO, on a obtenu les données suivantes.

$$H_2(g) + 2NO(g) \longrightarrow N_2O(g) + H_2O(g)$$

N° de l'expérience	**1**	**2**	**3**
$[H_2]_0$ (mol/L)	0,35	0,35	0,80
$[NO]_0$ (mol/L)	0,35	0,60	0,60
$(\text{vitesse})_0$ (mol/L·s)	$3{,}86 \times 10^{-3}$	$1{,}13 \times 10^{-2}$	$2{,}59 \times 10^{-2}$

On veut calculer l'ordre global de la réaction, sa constante de vitesse, et en exprimer l'équation de vitesse.

1° On exprime d'abord l'équation de vitesse générale.

$$\text{vitesse} = k[NO]^x[H_2]^y$$

2° On compare le rapport des vitesses au rapport des concentrations pour les deuxième et première expériences.

Puisque dans ces deux expériences la concentration de H_2 est constante, leurs valeurs s'annulent.

$$\frac{(\text{vitesse})_{0\,(\text{n}^\circ\,2)}}{(\text{vitesse})_{0\,(\text{n}^\circ\,1)}} = \frac{1{,}13\times10^{-2}\ \text{mol/L·s}}{3{,}86\times10^{-3}\ \text{mol/L·s}} = 2{,}93$$

$$\frac{k[\text{NO}]^x_{(\text{n}^\circ\,2)}[\text{H}_2]^y}{k[\text{NO}]^x_{(\text{n}^\circ\,1)}[\text{H}_2]^y} = \frac{k(0{,}60\ \text{mol/L})^x(0{,}35\ \text{mol/L})^y}{k(0{,}35\ \text{mol/L})^x(0{,}35\ \text{mol/L})^y} = (1{,}71)^x$$

Pour l'expression partielle de l'équation de vitesse, on a :

$$\text{vitesse} = k[\text{NO}]^x \Rightarrow 2{,}93 = (1{,}71)^x$$

$$x = \frac{\log 2{,}93}{\log 1{,}71} = 2$$

On trouve que x vaut 2.

- La réaction est d'**ordre deux par rapport à la concentration de NO**.

3° On compare le rapport des vitesses au rapport des concentrations pour les troisième et deuxième expériences.

Ici, c'est la concentration de NO qui ne varie pas; leurs valeurs s'annulent.

$$\frac{(\text{vitesse})_{0\,(\text{n}^\circ\,3)}}{(\text{vitesse})_{0\,(\text{n}^\circ\,2)}} = \frac{2{,}59\times10^{-2}\ \text{mol/L·s}}{1{,}13\times10^{-2}\ \text{mol/L·s}} = 2{,}29$$

$$\frac{k[\text{H}_2]^y_{(\text{n}^\circ\,3)}[\text{NO}]^2}{k[\text{H}_2]^y_{(\text{n}^\circ\,2)}[\text{NO}]^2} = \frac{k(0{,}80\ \text{mol/L})^y(0{,}60\ \text{mol/L})^2}{k(0{,}35\ \text{mol/L})^y(0{,}60\ \text{mol/L})^2} = (2{,}29)^y$$

Pour l'équation de vitesse exprimée en fonction de la concentration de H_2, on trouve que y vaut 1.

$$\text{vitesse} = k[\text{H}_2]^y \Rightarrow 2{,}29 = (2{,}29)^y \Rightarrow y = 1$$

- La réaction est par conséquent d'**ordre un par rapport à la concentration de H_2**.

4° On calcule l'ordre global de la réaction et on établit son équation de vitesse.

L'ordre global de la réaction est égal à la somme de l'ordre de réaction par rapport à chaque réactif, soit **3 (2 + 1)**, et l'équation de vitesse est donc :

$$\textbf{vitesse} = \boldsymbol{k}[\textbf{NO}]^2[\textbf{H}_2]$$

5° Pour obtenir la constante de vitesse, on applique les données de l'une des expériences à l'équation de vitesse.

Choisissons les données de la première expérience.

$$\text{vitesse} = k[\text{NO}]^2[\text{H}_2] \Rightarrow k = \frac{(\text{vitesse})_{0\,(\text{n}^\circ\,1)}}{[\text{NO}]^2[\text{H}_2]} = \frac{3{,}86\times10^{-3}\ \text{mol/L·s}}{(0{,}35\ \text{mol/L})^2\times0{,}35\ \text{mol/L}}$$

$$= 9{,}00\times10^{-2}\ \text{L}^2/\text{mol}^2\text{·s}$$

- La constante de vitesse est donc égale à **$9{,}00 \times 10^{-2}$ L²/mol²·s**.

EXERCICE 3.4

On obtient les données ci-dessous lors de l'étude de la réaction chimique suivante.

$$I^-(aq) + ClO^-(aq) \longrightarrow IO^-(aq) + Cl^-(aq)$$

N° de l'expérience	1	2	3
$[I^-]_0$ (mol/L)	0,100	0,150	0,150
$[ClO^-]_0$ (mol/L)	0,100	0,100	0,150
$(\text{vitesse})_0$ (mol/L·s)	$6{,}10 \times 10^{-4}$	$9{,}15 \times 10^{-4}$	$1{,}37 \times 10^{-3}$

Déterminez l'ordre de la réaction par rapport à chaque réactif et l'ordre global de la réaction; calculez la constante de vitesse.

CAPSULE CHIMIQUE

Comment mesure-t-on la vitesse des réactions chimiques ?

Plusieurs méthodes permettent de mesurer la vitesse d'une réaction chimique. La plupart d'entre elles sont de nature physique. On peut, par exemple, mesurer le volume ou la pression d'un gaz libéré par une réaction ou suivre la diminution graduelle de l'absorbance d'une solution à l'aide d'un spectrophotomètre. La vitesse de décomposition du peroxyde d'hydrogène, H_2O_2, peut être suivie pas à pas, pour ainsi dire, en reliant le réacteur contenant la solution de peroxyde à un manomètre (*revoir, par exemple, la figure 2.2, p. 46*).

$$2H_2O_2(aq) \longrightarrow 2H_2O(l) + \underset{\substack{\uparrow \\ \textbf{mesure de la pression ou du volume}}}{O_2(g)}$$

On peut observer l'avancement de la réaction entre le brome moléculaire et l'acide acétique, grâce à un spectrophotomètre, puisque le mélange est incolore lorsque tout le brome, de coloration rouge-brun, est consommé.

$$\underset{\substack{\uparrow \\ \textbf{coloration rouge-brun}}}{Br_2(aq)} + CH_3COOH(aq) \longrightarrow \underset{\substack{\uparrow \\ \textbf{incolore}}}{BrCH_2COOH(aq)} + H^+(aq) + Br^-(aq)$$

Un autre exemple illustré ici est fondé sur l'apparition quasi instantanée d'une coloration bleue dès que de l'iode moléculaire, I_2, en excès se trouve en présence d'amidon. Cette propriété permet d'étudier la cinétique de l'oxydation de l'iodure de potassium, KI, par le persulfate de sodium, $Na_2S_2O_8$.

$$2I^-(aq) + S_2O_8^{2-}(aq) \longrightarrow I_2(aq) + 2SO_4^{2-}(aq) \qquad (1)$$

Pour suivre le déroulement de cette réaction dans laquelle l'iode apparaît au tout début, on se sert d'une autre réaction qui consomme l'iode au fur et à mesure de sa formation, en ajoutant du thiosulfate de sodium, $Na_2S_2O_3$ (*figure 1*).

$$I_2(aq) + 2S_2O_3^{2-}(aq) \longrightarrow 2I^-(aq) + S_4O_6^{2-}(aq) \qquad (2)$$

Cette dernière réaction se produit jusqu'à la disparition totale de l'ion thiosulfate, et cet instant est mis en évidence en ajoutant un indicateur, l'amidon, qui colore l'iode en bleu au moment de sa formation. La réaction permet donc de calculer la vitesse de la réaction 2 et, indirectement, celle de la réaction 1. L'expérience est donc fondée sur la détermination de la vitesse initiale de la consommation de l'ion thiosulfate, $S_2O_3^{2-}$, variable selon les concentrations respectives des ions persulfate, $S_2O_8^{2-}$, et iodure, I^-. Cette vitesse est donnée par l'expression suivante.

$$(\text{vitesse})_0 = \frac{1}{2} \times \frac{[S_2O_3^{2-}]_0}{t}$$

À partir de cette vitesse, on calcule l'ordre de la réaction 1 dont la vitesse est donnée par l'expression suivante.

$$(\text{vitesse})_0 = [I^-]^x\,[S_2O_8^{2-}]^y$$

Figure 1 Illustration d'une méthode de détermination de la cinétique d'une réaction fondée sur l'apparition d'une coloration.

3.3 ÉQUATIONS DE VITESSE INTÉGRÉE

Nous venons de voir qu'il est possible de déterminer l'ordre d'une réaction chimique par la méthode des vitesses initiales. Il existe aussi d'autres méthodes pour obtenir de l'information sur une réaction, notamment en passant par l'intégration, au sens mathématique du terme, de l'équation de vitesse instantanée. On obtient alors une relation permettant de calculer la concentration après un certain temps, la constante de vitesse étant connue, et vice versa. Dans cette section, un bref exposé concerne d'abord l'équation d'ordre zéro;

suivra une présentation plus exhaustive des réactions d'ordre un et d'ordre deux, desquelles découlera la notion de demi-vie. Enfin, nous verrons l'ordre de réactions mettant en jeu plusieurs réactifs.

3.3.1 ÉQUATION DE VITESSE INTÉGRÉE D'UNE RÉACTION D'ORDRE ZÉRO

Dans une réaction d'ordre zéro présentée à la section précédente, on a montré que le graphique de la concentration initiale du réactif en fonction du temps donnait une droite (*revoir la figure 3.2, p. 83*) et que la vitesse de la réaction était égale à la constante de vitesse.

$$\text{vitesse} = -\frac{\mathrm{d}[\mathrm{A}]}{\mathrm{d}t} = k$$

Pour intégrer cette équation au sens mathématique du terme, il faut d'abord la réarranger.

$$-\frac{\mathrm{d}[\mathrm{A}]}{\mathrm{d}t} = k \Rightarrow \mathrm{d}[\mathrm{A}] = -k\mathrm{d}t$$

Son intégration donne une nouvelle équation.

$$\int_{[\mathrm{A}]_0}^{[\mathrm{A}]_t} \mathrm{d}[\mathrm{A}] = -k\int_0^t \mathrm{d}t \Rightarrow [\mathrm{A}]_t - [\mathrm{A}]_0 = -kt \text{ ou } [\mathrm{A}]_t = -kt + [\mathrm{A}]_0$$

On remarque que cette équation correspond à la forme générale $y = mx + b$. En remplaçant y par $[\mathrm{A}]_t$ (la concentration du réactif pour un temps donné), x par t (le temps) et b par $[\mathrm{A}]_0$ (la concentration initiale du réactif), on peut calculer la valeur de la pente, m, qui correspond dans l'équation à la constante de vitesse, k.

$$\underbrace{[\mathrm{A}]_t}_{y} = \underbrace{-kt}_{mx} + \underbrace{[\mathrm{A}]_0}_{b} \qquad (1)$$

De même, si la constante de vitesse k et la concentration initiale $[\mathrm{A}]_0$ sont connues, on pourra calculer la concentration $[\mathrm{A}]_t$ pour un temps t donné. En fait, cette équation permet de calculer n'importe laquelle des valeurs $[\mathrm{A}]_0$, $[\mathrm{A}]_t$, t ou k aussitôt que les trois autres sont connues.

3.3.2 ÉQUATION DE VITESSE INTÉGRÉE D'UNE RÉACTION D'ORDRE UN

Pour intégrer l'équation de vitesse d'une réaction d'ordre un, on procède de la même façon.

$$\mathrm{A} \longrightarrow \mathrm{B}$$

On sait que l'équation de vitesse instantanée de cette réaction est exprimée par la loi de vitesse et par la loi des vitesses initiales.

$$\text{vitesse} = -\frac{\mathrm{d}[\mathrm{A}]}{\mathrm{d}t} = k[\mathrm{A}]$$

Pour en arriver à intégrer mathématiquement la loi des vitesses initiales, on la réarrange de la manière suivante.

$$-\frac{\mathrm{d}[\mathrm{A}]}{\mathrm{d}t} = k[\mathrm{A}] \Rightarrow \frac{\mathrm{d}[\mathrm{A}]}{[\mathrm{A}]} = -k\mathrm{d}t$$

Son intégration, entre les limites de la concentration de A au temps t_0, $[\mathrm{A}]_0$, et celle de A au temps t, $[\mathrm{A}]_t$, donne l'expression qui servira à effectuer les calculs.

$$\int_{[\mathrm{A}]_0}^{[\mathrm{A}]_t} \frac{\mathrm{d}[\mathrm{A}]}{[\mathrm{A}]} = -k\int_0^t \mathrm{d}t \Rightarrow \ln\frac{[\mathrm{A}]_t}{[\mathrm{A}]_0} = -kt \text{ ou } \ln[\mathrm{A}]_t = -kt + \ln[\mathrm{A}]_0 \qquad (2)$$

Pour la réaction générale suivante :

$$a\mathrm{A} \longrightarrow \mathrm{P}$$

si ordre 1

$$V = -\frac{1}{a}\frac{\mathrm{d}[\mathrm{A}]}{\mathrm{d}t} = k[\mathrm{A}]$$

et

$$\ln\frac{[\mathrm{A}]_t}{[\mathrm{A}]_0} = -akt$$

ou

$$\ln[\mathrm{A}]_t = -akt + \ln[\mathrm{A}]_0$$

Remarquez que cette équation est aussi de la forme générale $y = mx + b$: lorsqu'on trace le graphique de ln [A] en fonction du temps, t, on obtient une droite.

$$\underbrace{\ln [A]_t}_{y} = \underbrace{-kt}_{mx} + \underbrace{\ln [A]_0}_{b}$$

Dans cette équation, y correspond à $\ln [A]_t$, x représente le temps, t, m est la pente de la droite et équivaut par conséquent à la constante de vitesse, k; enfin, la valeur de b, $\ln [A]_0$, correspond sur le graphique au point d'intersection de la droite avec l'axe des y.

Pour bien comprendre toutes les informations que l'on peut tirer des données d'une réaction d'ordre un en construisant le graphique du logarithme népérien ou naturel (ln) de la concentration du réactif en fonction du temps, examinons celles de la décomposition du pentoxyde de diazote, N_2O_5, dans le tableau 3.2.

$$2N_2O_5(g) \longrightarrow 4NO_2(g) + O_2(g)$$

On observe que le graphique de la concentration du réactif en fonction du temps (*figure 3.3a*) donne une courbe semblable à celle de la figure 3.1 pour une réaction d'ordre un, tandis que celui du logarithme de sa concentration donne une droite de la forme $y = mx + b$ (*figure 3.3b*). On remarquera que le graphique permet de calculer la pente de la droite, qui correspond à la valeur de la constante de vitesse, k.

Tableau 3.2 Concentrations du pentoxyde de diazote, N_2O_5, à 25 °C et leurs valeurs logarithmiques à différents intervalles de temps.

Temps (min)	$[N_2O_5]$ (mol/L)	$\ln [N_2O_5]$
0	$1{,}50 \times 10^{-2}$	−4,200
20	$8{,}24 \times 10^{-3}$	−4,799
40	$4{,}52 \times 10^{-3}$	−5,399
60	$2{,}48 \times 10^{-3}$	−5,999
80	$1{,}37 \times 10^{-3}$	−6,593
100	$7{,}50 \times 10^{-4}$	−7,195

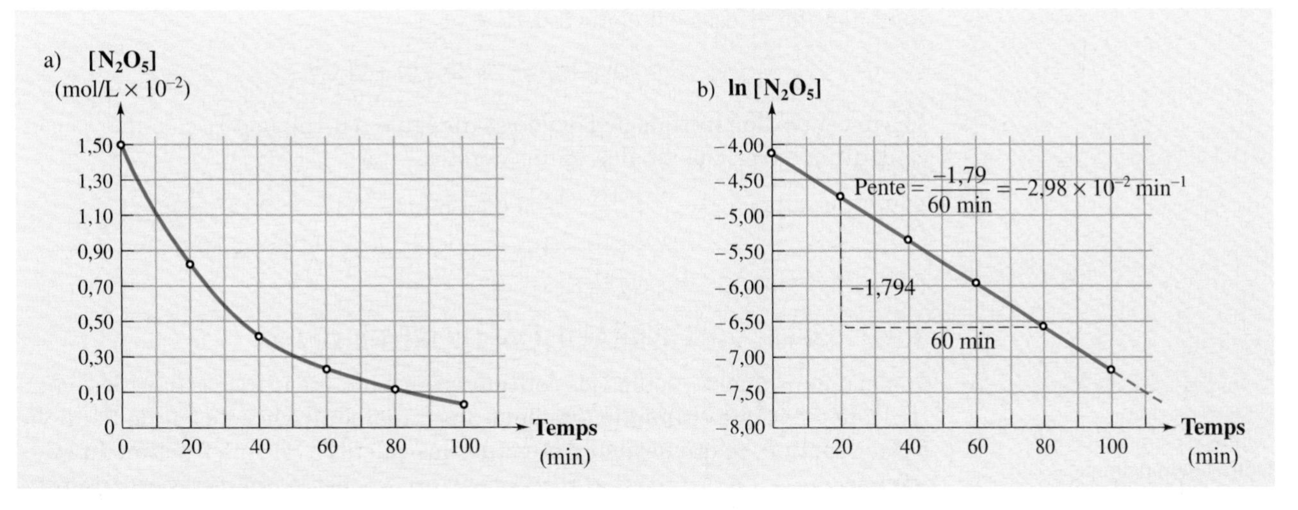

Figure 3.3 Graphiques de la concentration en N_2O_5 (données du tableau 3.2) en fonction du temps (a) et du logarithme de la $[N_2O_5]$ en fonction du temps (b) pour une réaction d'ordre 1.

Une fois la constante de vitesse déterminée, soit par la méthode des vitesses initiales ou à partir du graphique de l'équation de vitesse intégrée, on peut mettre à profit cette dernière équation pour calculer des concentrations à divers intervalles de temps. On peut alors utiliser cette équation sous la forme suivante.

$$\ln \frac{[A]_t}{[A]_0} = -kt \text{ ou } \ln [A]_t = -kt + \ln [A]_0 \qquad (2)$$

▼ EXEMPLE 3.5

La décomposition du peroxyde d'hydrogène, H_2O_2, est une réaction d'ordre un dont la constante de vitesse, k, pour une température donnée est de $7{,}30 \times 10^{-4}\ s^{-1}$.

$$2H_2O_2(aq) \longrightarrow 2H_2O(l) + O_2(g)$$

La concentration initiale du peroxyde étant égale à 0,500 mol/L, on désire connaître sa concentration après 5,00 minutes.

1° On pose l'équation de vitesse intégrée d'une réaction d'ordre un et on repère les valeurs des données nécessaires.

L'équation peut être exprimée sous la forme suivante.

$$\ln [H_2O_2]_t = -kt + \ln [H_2O_2]_0$$

$$[H_2O_2]_0 = 0{,}500 \text{ mol/L}$$

$$k = 7{,}30 \times 10^{-4}\ s^{-1}$$

$$t = 5{,}00 \cancel{\text{min}} \times \frac{60\ s}{1 \cancel{\text{min}}} = 3{,}00 \times 10^2\ s$$

2° On applique ces données à l'équation pour calculer la concentration du peroxyde d'hydrogène au temps t.

$$\ln [H_2O_2]_t = -kt + \ln [H_2O_2]_0 = -7{,}30 \times 10^{-4}\ s^{-1} \times 3{,}00 \times 10^2\ s + \ln 0{,}500 \text{ mol/L}$$

$$\ln [H_2O_2]_t = -0{,}219 - 0{,}693 = -0{,}912$$

$$\ln [H_2O_2]_t = -0{,}912 \Rightarrow [H_2O_2]_t = e^{-0{,}912} = 0{,}402 \text{ mol/L}$$

- La concentration du peroxyde d'hydrogène est égale à **0,402 mol/L** après cinq minutes.

EXERCICE 3.5

La réaction de décomposition de l'oxyde de diazote, N_2O, est d'ordre un et sa constante de vitesse est égale à $0{,}76\ s^{-1}$.

$$2N_2O(g) \longrightarrow 2N_2(g) + O_2(g)$$

La concentration initiale de l'oxyde étant égale à 0,150 mol/L, calculez sa concentration après chacun des temps donnés.

a) 2,0 secondes b) 5,0 secondes

3.3.3 DEMI-VIE ET RÉACTION D'ORDRE UN

Jusqu'à maintenant, seules les concentrations ont été utilisées dans les équations de cinétique chimique. On peut aussi introduire le concept de demi-vie d'une réaction, ce qui permet d'effectuer les calculs avec une fraction du réactif consommé. La **demi-vie d'une réaction**, $t_{1/2}$, est le temps nécessaire pour que la moitié d'une quantité de réactif soit consommée. Pour l'exprimer, il faut réarranger l'équation 2.

Demi-vie d'une réaction : temps requis pour que la concentration d'un réactif diminue de moitié pendant une réaction chimique.

$$\ln \frac{[A]_t}{[A]_0} = -kt \text{ ou } \ln \frac{[A]_0}{[A]_t} = kt \Rightarrow t = \frac{1}{k} \ln \frac{[A]_0}{[A]_t} \qquad (3)$$

Puisque la demi-vie est le temps requis pour que la concentration d'une substance devienne la moitié de sa valeur initiale, la concentration d'une substance A passe de $[A]_0$ à $1/2[A]_0$ après une demi-vie. Appliquée à l'équation 3, la demi-vie devient :

$$t_{1/2} = \frac{1}{k} \ln \frac{[A]_0}{1/2[A]_0} \Rightarrow t_{1/2} = \frac{1}{k} \ln 2 = \frac{0,693}{k} \Rightarrow t_{1/2} = \frac{0,693}{k} \qquad (4)$$

Ainsi, on remarque que la concentration initiale du réactif, $[A]_0$, ne figure plus dans cette nouvelle équation et que la demi-vie est une constante pour une réaction d'ordre un. Par conséquent, quelle que soit la valeur de $[A]_0$ au moment où l'on commence à suivre le déroulement d'une réaction d'ordre un, à $t = 1/2$, la concentration de A est égale à la moitié de sa concentration initiale.

L'élimination d'un médicament par l'organisme s'exprime aussi en terme de demi-vie.

Après deux demi-vies, c'est-à-dire lorsque t vaut deux fois la demi-vie, la concentration de A est égale au quart de la concentration initiale, et ainsi de suite.

$$t = t_{1/2} \Rightarrow [A] = 1/2[A]_0$$
$$t = 2t_{1/2} \Rightarrow [A] = 1/2 \times 1/2[A]_0 = 1/4[A]_0$$
$$t = 3t_{1/2} \Rightarrow [A] = 1/2 \times 1/2 \times 1/2[A]_0 = 1/8[A]_0$$

Par exemple, dans la décomposition du pentoxyde de diazote, N_2O_5, à 65 °C, pour laquelle la constante de vitesse vaut $5,20 \times 10^{-3}$ s^{-1}, la demi-vie de la réaction vaut 133 s.

$$t_{1/2} = \frac{0,693}{5,20 \times 10^{-3}\ \text{s}^{-1}} = 1,33 \times 10^2\ \text{s} = 133\ \text{s}$$

La concentration d'un échantillon de N_2O_5, initialement à $1,0 \times 10^{-2}$ mol/L, passe à $0,500 \times 10^{-2}$ mol/L après 133 s, puis à $0,250 \times 10^{-2}$ mol/L après 266 s, à $0,125 \times 10^{-2}$ mol/L après 399 s, et ainsi de suite. Le même raisonnement s'appliquerait pour une concentration initiale égale à $8,00 \times 10^{-2}$ mol/L; elle chuterait à $4,00 \times 10^{-2}$ mol/L après 133 s.

De façon générale, on peut traduire dans une équation qui englobe le nombre de demi-vies, n, la diminution successive de la concentration d'un réactif dans une réaction d'ordre un.

$$[A] = \left(\frac{1}{2}\right)^n [A]_0 \qquad (5)$$

La notion de demi-vie permet également de déterminer si une réaction est d'ordre un : il suffit, pour deux concentrations initiales différentes, de mesurer le temps requis pour que la concentration initiale diminue de moitié; si les temps sont les mêmes, la réaction est d'ordre un. La figure 3.4 montre

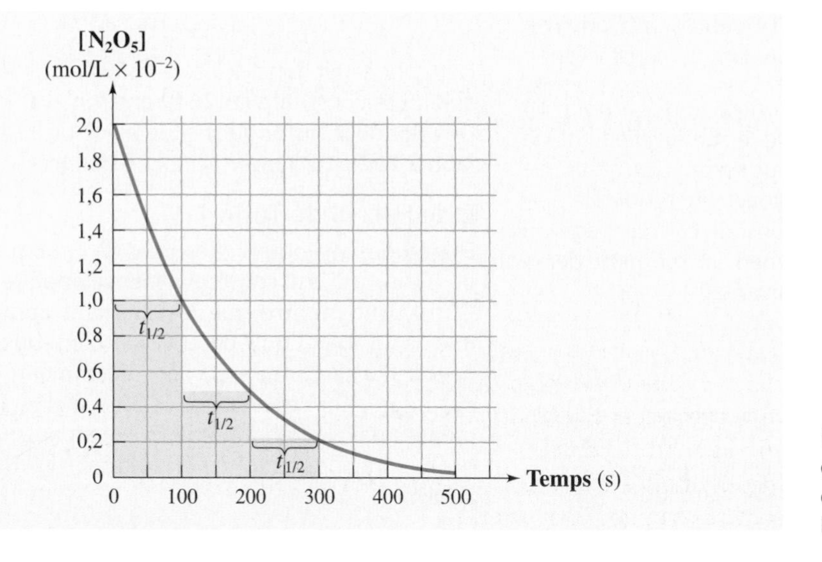

Figure 3.4 Illustration de la demi-vie de la décomposition du pentoxyde de diazote, N_2O_5.

graphiquement ce qu'est la demi-vie; quelques valeurs de demi-vies de réactions d'ordre un sont données au tableau 3.3.

Tableau 3.3 Demi-vie et constante de vitesse de réactions d'ordre un.

Réaction	Température (°C)	Demi-vie ($t_{1/2}$)	Constante de vitesse (s^{-1})
$2H_2O_2 \longrightarrow 2H_2O + O_2$	70	1 200 s	$5{,}78 \times 10^{-4}$
$2N_2O_5 \longrightarrow 4NO_2 + O_2$ (dans CCl_4)	45	18,6 min	$6{,}21 \times 10^{-4}$
$2N_2O \longrightarrow 2N_2 + O_2$	727	0,912 s	0,76
Hydrolyse du sucrose, $C_{12}H_{22}O_{11}$	15	8,4 h	$2{,}3 \times 10^{-5}$
Décomposition radioactive ^{238}U		$4{,}51 \times 10^9$ a	$4{,}87 \times 10^{-18}$
Décomposition radioactive ^{14}C		$5{,}73 \times 10^3$ a	$3{,}83 \times 10^{-12}$

CAPSULE CHIMIQUE

La demi-vie d'une réaction... pour déterminer l'âge d'un spécimen

Il est possible d'évaluer l'âge de certains spécimens archéologiques avec une assez bonne précision en déterminant le rapport entre la quantité de carbone 14, ^{14}C, qu'il contient et celle du carbone 12, ^{12}C. En effet, ce dernier est un isotope stable, tandis que le carbone 14 est radioactif, sa demi-vie étant de 5730 ans. Pendant toute la vie de l'organisme, le rapport massique entre les deux isotopes demeure constant, car la perte de carbone 14 due à la radioactivité est compensée par l'absorption d'une quantité équivalente. C'est qu'une infime partie de l'azote atmosphérique se transforme en carbone 14 sous l'action du rayonnement cosmique constitué de neutrons, ${}^{1}_{0}n$.

$${}^{14}_{7}N + {}^{1}_{0}n \longrightarrow {}^{14}_{6}C + {}^{1}_{1}H$$

Ce carbone 14 devient à son tour du dioxyde de carbone radioactif, $^{14}CO_2$, par réaction avec l'oxygène de l'atmosphère; il est absorbé par les plantes par photosynthèse et, éventuellement, par les animaux et les humains. On estime que le carbone 14 représente environ $1{,}2 \times 10^{-10}$ % de tout le carbone dans un corps vivant.

À la mort de l'organisme, la proportion de carbone 14 commence à décroître puisque le renouvellement de l'isotope s'arrête. La mesure de la radioactivité résiduelle permet ainsi de calculer l'âge du spécimen au moment de sa découverte.

La datation au carbone 14 est de loin la méthode la plus utilisée pour dater les spécimens biologiques qui ont jusqu'à environ 50 000 ans.

La tombe de Snéfrou

Voici, de façon simplifiée, comment on a calculé l'âge d'un spécimen de la tombe d'un pharaon égyptien, Snéfrou, en comparant le nombre de désintégrations de carbone 14 par minute et par gramme de carbone total, $[A]_0$, dans un organisme vivant, qui est de 15,3, avec celui du spécimen, $[A]$, qui a été établi à 8,72 désintégrations. Il faut d'abord déterminer la constante de vitesse, k, en utilisant l'équation 4.

$$t_{1/2} = \frac{0{,}693}{k} \Rightarrow k = \frac{0{,}693}{t_{1/2}} = \frac{0{,}693}{5730 \text{ ans}}$$
$$= 1{,}21 \times 10^{-4}\ a^{-1}$$

En appliquant l'équation 3, on peut calculer le temps écoulé, t.

$$\ln \frac{[A]_0}{[A]_t} = kt \Rightarrow t = \frac{\ln([A]_0/[A])}{k}$$
$$= \frac{\ln(15{,}3/8{,}72)}{1{,}21 \times 10^{-4}\ a^{-1}} = 4650\ a$$

La tombe serait donc vieille de 4650 ans, de sorte qu'elle aurait été construite en 2649 environ avant notre ère. Des données historiques situeraient du reste ce pharaon à 2625 ± 75 avant l'ère chrétienne.

Et le linceul de Turin ?

Des études analogues effectuées en 1988 sur le linceul de Turin, qui est censé avoir enveloppé le corps du Christ, ont montré que le vêtement aurait environ 630 ans d'âge et qu'il daterait par conséquent des années 1370 de notre ère ! Plus récemment, on a émis des doutes sur ces analyses, même si elles avaient été menées par des laboratoires indépendants; les échantillons auraient peut-être été contaminés... Une histoire à suivre.

Voyons comment l'utilisation de la notion de demi-vie peut être mise à profit pour résoudre des problèmes, en se servant de l'équation 5 plutôt que des équations 3 ou 4.

▼ EXEMPLE 3.6

La demi-vie de la décomposition du peroxyde d'hydrogène, H_2O_2, à 70 °C est de 1200 s.

$$2H_2O_2(aq) \longrightarrow 2H_2O(l) + O_2(g)$$

La concentration initiale du peroxyde est égale à 0,480 mol/L et on désire connaître sa concentration après 80 minutes.

1° On calcule le nombre de demi-vies, n, auquel ce temps correspond.

$$n = 80\ \cancel{\text{min}} \times \frac{60\ \cancel{\text{s}}}{1\ \cancel{\text{min}}} \times \frac{1}{1200\ \cancel{\text{s}}} = 4 \text{ demi-vies}$$

2° On calcule la concentration de H_2O_2 en appliquant l'équation 5.

$$[H_2O_2] = \left(\frac{1}{2}\right)^n [H_2O_2]_0 = \left(\frac{1}{2}\right)^4 \times 0{,}480 \text{ mol/L} = \frac{0{,}480 \text{ mol/L}}{16} = 3{,}00 \times 10^{-2} \text{ mol/L}$$

• La concentration du peroxyde d'hydrogène est égale à **$3{,}00 \times 10^{-2}$ mol/L.**

EXERCICE 3.6

La décomposition du chlorure de sulfuryle, SO_2Cl_2, un gaz très corrosif, est une réaction d'ordre un.

$$SO_2Cl_2(g) \longrightarrow SO_2(g) + Cl_2(g)$$

Calculez la concentration de ce gaz après trois demi-vies (26,3 h), lorsque sa concentration initiale est de 0,500 mol/L.

Une autre application très importante de la notion de demi-vie concerne la datation basée sur la désintégration radioactive de certains isotopes, réaction également régie par une réaction d'ordre un. L'âge de la Terre, fondée sur le rapport entre le rubidium 87, ^{87}Rb, isotope naturellement radioactif, et le strontium 87, ^{87}Sr, issu de la transmutation de l'élément précédent, serait de l'ordre de 3,75 milliards d'années. L'âge de spécimens biologiques peut aussi être déterminé par la datation au carbone 14. (*Voir la Capsule chimique « La demi-vie d'une réaction... pour déterminer l'âge d'un spécimen ».*)

3.3.4 ÉQUATION DE VITESSE INTÉGRÉE D'UNE RÉACTION D'ORDRE DEUX

Dans l'équation de vitesse d'une réaction d'ordre deux, l'exposant qui affecte le réactif est égal à 2. Ainsi, pour la réaction qui ne met en jeu qu'un seul réactif,

$$A \longrightarrow \text{produits}$$

l'équation de vitesse s'exprime par la relation suivante.

$$\text{vitesse} = -\frac{\Delta[A]}{\Delta t} = -\frac{d[A]}{dt} = k[A]^2$$

En suivant une démarche analogue à celle appliquée pour intégrer l'équation d'ordre un, on obtient les relations suivantes.

$$-\frac{d[A]}{dt} = k[A]^2 \Rightarrow \frac{d[A]}{[A]^2} = -k dt$$

$$\int_{[A]_0}^{[A]_t} \frac{d[A]}{[A]^2} = -k\int_0^t dt \Rightarrow -\frac{1}{[A]_t} + \frac{1}{[A]_0} = -kt \text{ ou } \frac{1}{[A]_t} = kt + \frac{1}{[A]_0} \quad (6)$$

Pour la réaction générale suivante :

$$aA \longrightarrow P$$

si ordre 2

$$V = -\frac{1}{a}\frac{d[A]}{dt} = k[A]^2$$

et

$$\frac{1}{[A]_t} = akt + \frac{1}{[A]_0}$$

Comme les équations 1 et 2, l'équation 6 est celle d'une droite, lorsqu'on trace le graphique en mettant en ordonnées les valeurs de la réciproque de la concentration de A, 1/[A], et en abscisses, celles du temps, t.

$$\underbrace{\frac{1}{[A]_t}}_{y} = \underbrace{kt}_{mx} + \underbrace{\frac{1}{[A]_0}}_{b}$$

Dans cette équation, y correspond à $1/[A]_t$ et x représente le temps, t. En conséquence, la pente de la droite, m, équivaut aussi à la constante de vitesse, k; enfin, la valeur de b, $1/[A]_0$, correspond sur le graphique au point d'intersection de la droite avec l'axe des y. Les données cinétiques d'une réaction d'ordre deux, la décomposition du bromure de nitrosyle, NOBr, sont présentées dans le tableau 3.4 et résumées graphiquement dans la figure 3.5.

$$2NOBr(g) \longrightarrow 2NO(g) + Br_2(g)$$

On observe que ce graphique donne une droite dont la pente permet d'évaluer la constante de vitesse, k.

Contrairement aux réactions d'ordre un, la demi-vie d'une réaction d'ordre deux n'est pas indépendante de la concentration du réactif. On peut le démontrer en substituant, dans l'équation 6, les expressions de $t_{1/2}$ et de $1/[A]_0$.

Tableau 3.4 Concentrations et inverses des concentrations du bromure de nitrosyle, NOBr, à divers intervalles de temps pour une température donnée.

Temps (s)	**[NOBr]** (mol/L) × 10^{-2}	**1/[NOBr]** ($L{\cdot}mol^{-1}$)
0,00	5,00	20,0
5,00	3,33	30,0
10,0	2,50	40,0
15,0	2,00	50,0
20,0	1,67	60,0
25,0	1,43	70,0
30,0	1,25	80,0

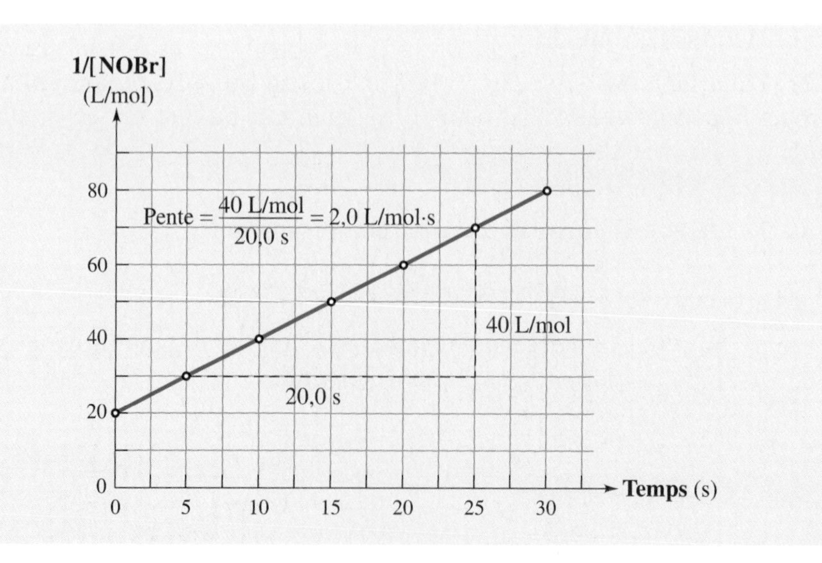

Figure 3.5 Graphique de l'inverse de la concentration de NOBr en fonction du temps pour une réaction d'ordre deux (données du tableau 3.4).

$$\frac{1}{[\mathrm{A}]_t} = kt + \frac{1}{[\mathrm{A}]_0} \qquad (6)$$

$$\Rightarrow \frac{1}{[\mathrm{A}]_0/2} = kt_{1/2} + \frac{1}{[\mathrm{A}]_0} \Rightarrow \frac{2}{[\mathrm{A}]_0} = kt_{1/2} + \frac{1}{[\mathrm{A}]_0}$$

$$\Rightarrow kt_{1/2} = \frac{1}{[\mathrm{A}]_0} \Rightarrow t_{1/2} = \frac{1}{k[\mathrm{A}]_0} \qquad (7)$$

L'équation 7 montre que la demi-vie n'est pas constante, mais dépend de la concentration initiale du réactif au début de chaque intervalle de demi-vie. Par conséquent, le concept de demi-vie n'est pas aussi utile pour une réaction d'ordre deux qu'il ne l'est pour une réaction d'ordre un : on ne peut calculer directement la constante de vitesse à partir de la demi-vie, et vice versa, à moins que la concentration initiale du réactif ne soit connue.

EXERCICE 3.7

Les données relatives à la décomposition thermique du dioxyde d'azote, NO_2, sont présentées dans le tableau ci-dessous.

$$2NO_2(g) \longrightarrow 2NO(g) + O_2(g)$$

Temps (s)	0,00	5,00	10,0	15,0	20,0
$[NO_2]$ (mol/L)	0,500	0,215	0,140	0,101	0,0794

Prouvez que cette réaction est d'ordre deux et calculez sa constante de vitesse, k.

3.3.5 ÉQUATION DE VITESSE INTÉGRÉE D'UNE RÉACTION À PLUSIEURS RÉACTIFS

Comme nous l'avons vu dans la méthode des vitesses initiales ou dans la détermination de l'ordre global d'une réaction, l'équation de vitesse intégrée d'une réaction à plusieurs réactifs est formulée pour chacun de ses réactifs. On modifie la concentration de l'un au cours d'une série de mesures de temps, pendant que celle de l'autre est maintenue constante, et vice versa. Ainsi, dans l'étude de la cinétique de l'oxydation de l'ion iodure, I^-, par l'ion persulfate, $S_2O_8^{2-}$, on pourra d'abord faire varier la concentration de l'ion I^- en maintenant constante celle de l'ion $S_2O_8^{2-}$.

$$2I^-(aq) + S_2O_8^{2-}(aq) \longrightarrow I_2(aq) + 2SO_4^{2-}(aq)$$

On trace alors le graphique du logarithme de sa concentration ou de l'inverse de sa concentration en fonction du temps pour prédire l'ordre de la réaction par rapport à ce réactif, I^-.

$$\underbrace{\ln[\mathrm{I}^-] = -kt + \ln[\mathrm{I}^-]_0}_{\textbf{ordre 1}} \quad \text{ou} \quad \underbrace{\frac{1}{[\mathrm{I}^-]} = kt + \frac{1}{[\mathrm{I}^-]_0}}_{\textbf{ordre 2}}$$

Dans une deuxième série d'expériences, on procède à l'inverse : la concentration de l'ion iodure, I^-, est maintenue constante et on fait varier celle de l'ion persulfate, $S_2O_8^{2-}$. Et de nouveau, le tracé du graphique permet de prédire l'ordre de la réaction par rapport à l'ion $S_2O_8^{2-}$.

$$\underbrace{\ln[\mathrm{S_2O_8^{2-}}] = -kt + \ln[\mathrm{S_2O_8^{2-}}]_0}_{\textbf{ordre 1}} \quad \text{ou} \quad \underbrace{\frac{1}{[\mathrm{S_2O_8^{2-}}]} = kt + \frac{1}{[\mathrm{S_2O_8^{2-}}]_0}}_{\textbf{ordre 2}}$$

Comme c'est le cas avec la méthode des vitesses initiales, il devient ainsi possible de déterminer l'ordre global d'une réaction en appliquant l'équation de vitesse intégrée pour chaque réactif. Il faut toutefois noter que la valeur de k peut varier selon la nature du réactif.

▼ EXEMPLE 3.7

Lors de l'étude cinétique de l'oxydation de l'ion iodure, I^-, par l'ion persulfate, $S_2O_8^{2-}$, on a porté les données dans les tableaux suivants.

Expérience n° 1					
$[I^-]$ (mol/L) × 10^{-2}	7,27	5,82	4,36	2,91	1,45
$[S_2O_8^{2-}]$	1,82	1,82	1,82	1,82	1,82
temps (s)	0	51	118	213	374

Expérience n° 2					
$[S_2O_8^{2-}]$ × 10^{-2}	3,64	2,91	2,18	1,45	0,727
$[I^-]$ (mol/L)	3,64	3,64	3,64	3,64	3,64
t (s)	0	42	95	168	294

On désire déterminer l'ordre global de la réaction.

1° On calcule d'abord les valeurs logarithmiques des concentrations de I^- correspondant à chaque temps pour l'expérience n° 1.

ln $[I^-]$	−2,621	−2,844	−3,133	−3,537	−4,234
t (s)	0	51	118	213	374

2° On trace le graphique de ln $[I^-]$ en fonction du temps.

On obtient une droite (figure 3.6 a) dont la pente, correspondant à la constante de vitesse, vaut environ $4{,}31 \times 10^{-3}$ s^{-1}.

La réaction est donc d'**ordre 1** par rapport à la concentration de l'ion I^-.

Si on n'avait pas obtenu une droite, il aurait fallu tracer le graphique de la réciproque de la concentration de l'ion I^-, $1/[I^-]$, en fonction du temps.

3° On calcule les valeurs logarithmiques des concentrations de $S_2O_8^{2-}$ correspondant à chaque temps pour l'expérience n° 2.

ln $[S_2O_8^{2-}]$	−3,313	−3,537	−3,826	−4,234	−4,924
t (s)	0	42	95	168	294

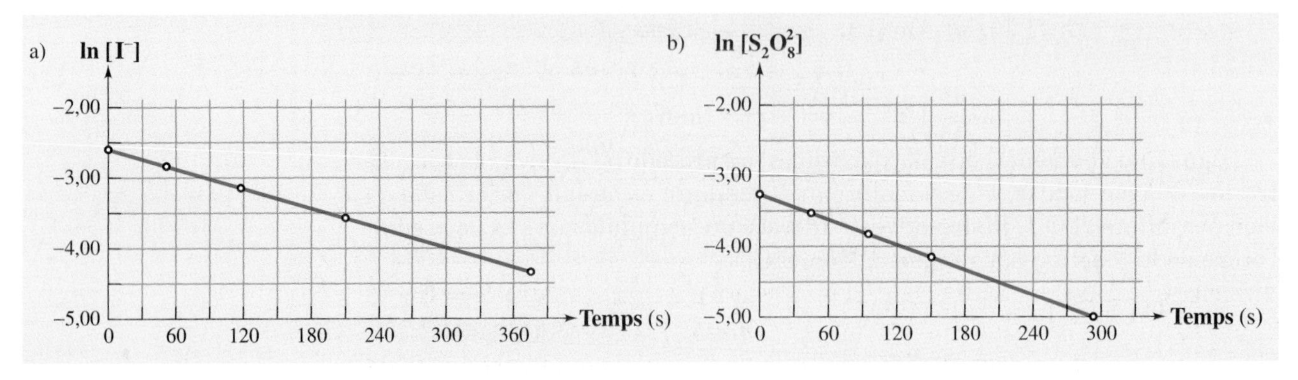

Figure 3.6 Graphiques des données de l'exemple 3.7.

4° On trace le graphique de ln [$S_2O_8^{2-}$] en fonction du temps.
On obtient aussi une droite (figure 3.6 b) dont la pente, correspondant à la constante de vitesse, vaut environ $5{,}48 \times 10^{-3}$ s^{-1}.
La réaction est donc d'**ordre un** par rapport à la concentration de l'ion $S_2O_8^{2-}$.
Comme pour la première expérience, si on n'avait pas obtenu une droite, il aurait fallu tracer le graphique de la réciproque de la concentration de l'ion $S_2O_8^{2-}$, 1/[$S_2O_8^{2-}$], en fonction du temps.

5° L'ordre global de la réaction est la somme des deux ordres de réaction.

• L'équation de vitesse est donc

$$\text{vitesse} = k[I^-][S_2O_8^{2-}]$$

et la réaction globale est d'**ordre deux**.

EXERCICE 3.8

On réalise l'étude cinétique de la réaction suivante à 25 °C.

$$I^-(aq) + ClO^-(aq) \longrightarrow Cl^-(aq) + IO^-(aq)$$

Voici la compilation des données.

Expérience n° 1 (la concentration de ClO^- est constante)				
$[I^-]$ (mol/L) $\times 10^{-3}$	2,00	1,69	1,60	1,43
t (s)	0,0	3,0	4,0	6,0

Expérience n° 2 (la concentration de I^- est constante)				
$[ClO^-]$ (mol/L) $\times 10^{-3}$	2,00	1,70	1,50	1,40
t (s)	0,0	2,9	5,1	6,4

Déterminez l'ordre de cette réaction par rapport à chaque réactif, calculez la constante de vitesse par rapport à chaque réactif et déterminez l'ordre global de la réaction.

Jusqu'à maintenant, nous avons présenté de nombreuses notions concernant les vitesses des réactions, les constantes de vitesse et l'ordre des réactions. Il faut notamment retenir qu'un problème peut souvent être résolu de plusieurs façons. Voici un résumé des principales démarches proposées.

1. Pour calculer la vitesse d'une réaction à partir de la loi de vitesse, on se sert de la relation suivante :

$$\text{vitesse} = k[A]^x[B]^y \text{ qui représente la vitesse initiale.}$$

2. Pour calculer la vitesse d'une réaction sans connaître la loi de vitesse, on se sert :
   - de l'expression $\Delta[A]/\Delta t$ en prenant un court intervalle de temps, ce qui correspond à la vitesse moyenne;
   - de la pente de la tangente à la courbe de la concentration du réactif en fonction du temps, ce qui donne la vitesse instantanée, $d[A]/dt$.
3. Pour déterminer l'ordre d'une réaction, selon les données,
   - on se sert de la méthode des vitesses initiales;
   - on recherche le graphique des données cinétiques qui donne une droite;
   - on vérifie la constance de la demi-vie (pour une réaction d'ordre un);
   - on substitue les données dans les équations de vitesse intégrée pour rechercher l'équation qui donne la constante, k.

Tableau 3.5 Caractéristiques des réactions d'ordre 0, 1 et 2.

Ordre	Loi de vitesse	Unité de k	Relation entre [A] et ($y = mx + b$)	Demi-vie, $t_{1/2}$
0	vitesse = k	mol/L·s mol/L·min mol/L·h	$[A]_t = -kt + [A]_0$	$\frac{[A]_0}{2k}$
1	vitesse = k [A]	s^{-1} min^{-1} h^{-1}	$\ln [A]_t = -kt + \ln [A]_0$	0,693/k $[A] = \left(\frac{1}{2}\right)^n [A]_0$ n = nombre de demi-vies
2	vitesse = $k [A]^2$	L/mol·s L/mol·min L/mol·h	$1/[A]_t = kt + 1/[A]_0$	$1/k[A]_0$

Les principales caractéristiques des réactions d'ordre 0, 1 et 2 sont résumées dans le tableau 3.5.

4. Pour établir la relation entre les concentrations des réactifs et le temps, on détermine d'abord la valeur de k, puis on utilise l'équation appropriée de vitesse intégrée.

CINÉTIQUE CHIMIQUE – GÉNÉRALITÉS

Voici des expressions qui décrivent plus en détail les ordres de réaction à deux réactifs (A et B).

Pour la réaction suivante :

$$aA + bB \longrightarrow \text{Produits (P)}$$
$$V = k[A]^{\alpha} [B]^{\beta}$$

Dans cette équation, α et β représentent les ordres de réaction partiels par rapport aux réactifs A et B, et ($\alpha + \beta$) représente l'ordre global de la réaction.

A. Équation de vitesse intégrée

Si les concentrations initiales de A et B sont égales et que les coefficients stœchiométriques sont égaux, alors

$$V = k[A]^{(\alpha+\beta)} [B]^{(\alpha+\beta)}$$

À partir des données expérimentales, si le graphique du temps en fonction de

$$\frac{\ln[A]_t}{[A]_0} \text{ ou } \frac{\ln[B]_t}{[B]_0}$$

donne une droite, la réaction est alors d'ordre global un.

Si le graphique du temps en fonction de

$$\frac{1}{[A]_t} \text{ ou } \frac{1}{[B]_t}$$

donne une droite, la réaction est alors d'ordre global deux.

B. Équation de vitesse intégrée pour une réaction d'ordre global deux

1. Si les concentrations initiales de A et B ne sont pas égales, alors

$$A + B \longrightarrow P$$

$$k_t = \frac{1}{[A]_0 - [B]_0} \times \ln \left\{ \frac{[A]_0([B]_0 - x)}{([A]_0 - x)[B]_0} \right\}$$

P = produit(s)
$x = [P]$
$[A]_0 - x = [A]_t$
$[B]_0 - x = [B]_t$

2. Si les coefficients stœchiométriques ne sont pas égaux, alors

$$A + 2B \longrightarrow P$$

$$k_t = \frac{1}{[B]_0 - 2[A]_0} \times \ln \left\{ \frac{[A]_0([B]_0 - 2x)}{([A]_0 - x)[B]_0} \right\}$$

3.4 MODÈLES THÉORIQUES DE LA CINÉTIQUE CHIMIQUE

Une étude expérimentale débouche le plus souvent sur une hypothèse et, éventuellement, sur un modèle explicatif. La cinétique chimique n'échappe pas à ce scénario, et deux modèles théoriques ont été développés pour rendre compte des résultats expérimentaux : la théorie des collisions et celle de l'état de transition.

3.4.1 THÉORIE DES COLLISIONS

On peut supposer que, pour pouvoir réagir, les atomes, les molécules ou les ions doivent se frapper. Dans quelques réactions, très rares, n'importe quelle collision entre les réactifs aboutit à la formation de produits. Dans de tels cas, la vitesse de la réaction est déterminée uniquement par la rapidité de diffusion des réactifs les uns dans les autres. Ces réactions sont généralement très rapides. Un exemple de ce type de réaction est donné par la neutralisation des ions hydronium, H_3O^+, par les ions hydroxyde, OH^-, en solution aqueuse. La constante de vitesse de cette réaction vaut $1{,}4 \times 10^{11}$ L/mol·s à 25 °C. À cette vitesse, on estime qu'environ 95 % des réactifs sont consommés en 10^{-11} seconde environ.

$$H_3O^+(aq) + OH^-(aq) \longrightarrow 2H_2O(l)$$

Le plus souvent, les réactions se déroulent beaucoup plus lentement parce que deux conditions sont nécessaires pour obtenir des collisions efficaces, c'est-à-dire des collisions qui vont conduire à la transformation des réactifs en produits.

1. Les espèces chimiques doivent d'abord posséder une orientation telle que les atomes qui vont se retrouver liés dans les produits viennent en contact, ce qui assure l'échange ou le transfert d'électrons, absolument nécessaire à la formation de nouvelles liaisons.
2. La collision doit être suffisamment énergétique pour que les couches des électrons pénètrent l'une dans l'autre de façon à assurer la formation de nouvelles liaisons.

ORIENTATION FAVORABLE

Considérons la réaction entre le monoxyde de carbone, CO, et le dioxyde d'azote, NO_2.

$$CO(g) + NO_2(g) \xrightarrow{> 225\ °C} CO_2(g) + NO(g)$$

Durant le processus, il faut qu'un atome d'oxygène soit transféré de NO_2 à CO. Comme on peut le voir à la figure 3.7, les molécules de NO_2 et de CO peuvent se frapper selon plusieurs orientations, mais une seule d'entre elles conduit à la formation des produits. En effet, pour que la collision soit favorable, il faut que l'atome de carbone de CO frappe un atome d'oxygène de NO_2, ce qui conduit à la formation d'une nouvelle liaison entre le carbone et l'oxygène ainsi qu'à la rupture d'une liaison entre l'azote et l'oxygène. Les molécules CO_2 et NO peuvent alors se former. Les autres collisions représentées sur la figure ne sont pas favorables, car elles ne conduisent pas à des structures possibles et stables.

ÉNERGIE CHIMIQUE DES ESPÈCES

Même si l'orientation des molécules est correcte, la collision ne mène pas nécessairement à la réaction. En effet, à mesure que deux molécules s'approchent l'une de l'autre, leurs électrons périphériques se repoussent et, à moins qu'elles ne possèdent une énergie cinétique supérieure à l'énergie minimale nécessaire, désignée **énergie d'activation**, E_a, la réaction n'aura pas

Énergie d'activation : énergie cinétique minimale requise pour que les molécules des réactifs puissent déclencher la réaction chimique.

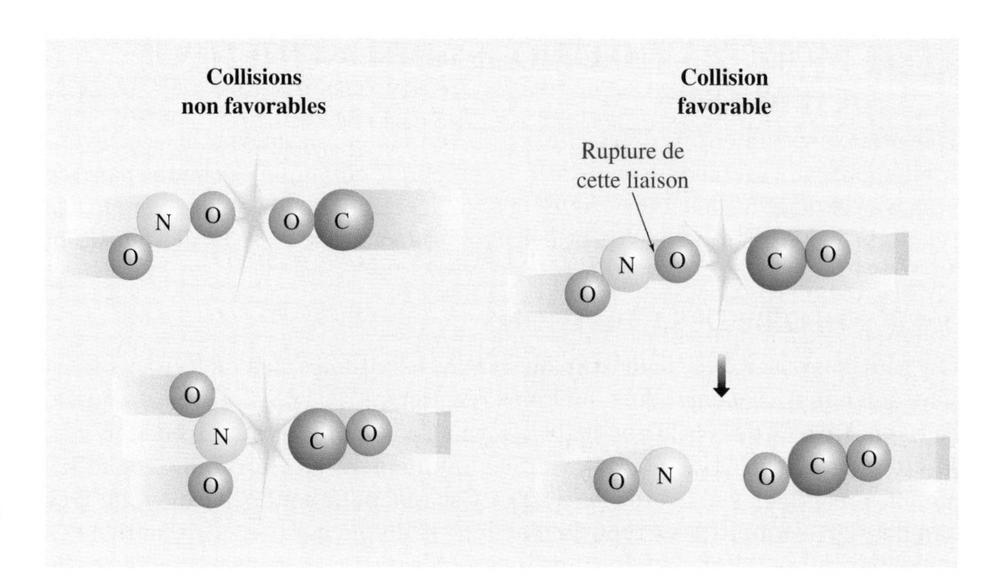

Figure 3.7 Quelques orientations des molécules de NO_2 et de CO au cours d'une réaction chimique.

lieu. À l'inverse, si les molécules possèdent une énergie supérieure à l'énergie d'activation, la répulsion électrostatique est alors surmontée et la réaction a lieu.

Pour mieux comprendre cette notion d'énergie minimale ou énergie d'activation, examinons, à la figure 3.8, la courbe de distribution des énergies des molécules pour une température donnée. La surface sous la courbe représente le nombre total de molécules réparties selon leur énergie cinétique, et la portion colorée, la fraction des molécules qui possèdent l'énergie d'activation E_a. On observe alors que plus l'énergie d'activation pour une réaction est faible, plus il y a de molécules possédant cette énergie et plus la réaction sera rapide (*figure 3.8a*). Par contre, dans une réaction lente, l'énergie d'activation est beaucoup plus élevée que le contenu énergétique moyen des molécules, lequel se situe dans la portion occupant à peu près le centre de la courbe de distribution. Dans un tel cas, seules les quelques molécules les plus rapides par rapport à la moyenne possèdent une énergie élevée; ce sont les collisions entre elles qui conduiront aux produits (*figure 3.8b*). À l'inverse, dans des réactions rapides, une portion importante des molécules possèdent l'énergie d'activation : elles réagissent, car leurs collisions sont efficaces.

À la manière des autos tamponneuses, les chances de collision augmentent avec le nombre de molécules.

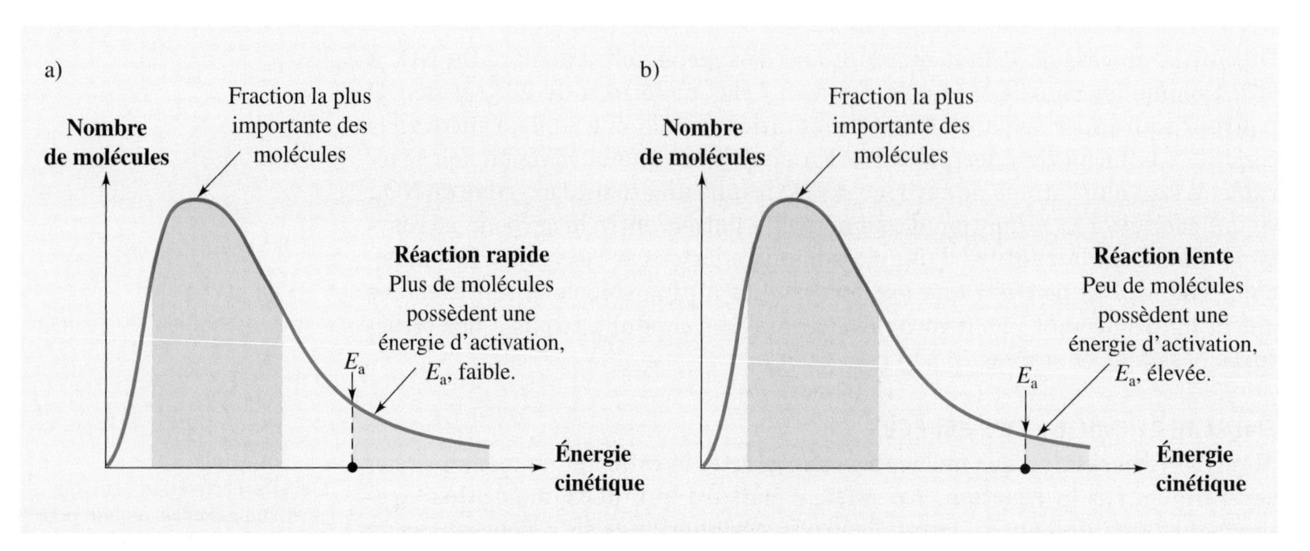

Figure 3.8 Relation entre la courbe de distribution de l'énergie cinétique de molécules et l'énergie d'activation, E_a, pour une température donnée.

La théorie des collisions explique notamment pourquoi la vitesse d'une réaction diminue avec une réduction de la concentration. Avec moins de molécules, en effet, les chances de collision décroissent, car on trouve moins de molécules par unité de volume; s'il y a moins de collisions, la vitesse de réaction est donc plus lente.

Le complexe activé et la toupie en mouvement sont deux états instables dont l'existence nécessite de l'énergie.

3.4.2 THÉORIE DE L'ÉTAT DE TRANSITION ET ÉQUATION D'ARRHENIUS

La théorie de l'état de transition précise, en quelque sorte, la théorie des collisions en y ajoutant un élément supplémentaire : la formation d'un produit intermédiaire. Cette théorie est renforcée par un développement mathématique, l'équation d'Arrhenius, qui associe la constante de vitesse à l'énergie d'activation et à la température.

THÉORIE DE L'ÉTAT DE TRANSITION

Cette théorie complète la théorie des collisions en mettant l'emphase sur une espèce chimique hypothétique, qui existerait dans un état intermédiaire, appelé **état de transition**, entre celui des réactifs et celui des produits. Cette espèce chimique est souvent désignée par le terme **complexe activé**. Ce produit intermédiaire, formé au moment d'une collision, est très instable; il se dissocie rapidement pour reformer les molécules de réactifs (la réaction n'a pas lieu) ou donne naissance à de nouvelles molécules, celles des produits. Ainsi, dans la réaction entre le dioxyde d'azote, NO_2, et le monoxyde de carbone, CO, le complexe activé pourrait être représenté par l'espèce chimique entre crochets, dans laquelle une des liaisons entre N et O commence à se rompre, tandis que celle entre O et C commence à se former; ces liaisons sont toutes deux représentées par un trait discontinu.

État de transition : état intermédiaire entre les réactifs et les produits dans une réaction chimique; il est aussi appelé complexe activé.

Complexe activé : espèce chimique instable résultant des collisions entre des molécules de réactifs, intermédiaire entre les réactifs et les produits.

$$NO_2(g) + CO(g) \rightleftharpoons \left[\begin{matrix} & N - - - O - - - C \equiv O \\ O // & \end{matrix} \right] \longrightarrow NO(g) + CO_2(g)$$

complexe activé

La théorie de l'état de transition complète aussi la théorie des collisions en ce sens que l'énergie minimale requise pour former le complexe activé représente l'énergie d'activation, E_a. La figure 3.9 illustre graphiquement le profil réactionnel de la réaction entre l'hydrogène, H_2, et l'iode, I_2, moléculaires.

$$H_2(g) + I_2(g) \longrightarrow 2HI(g)$$

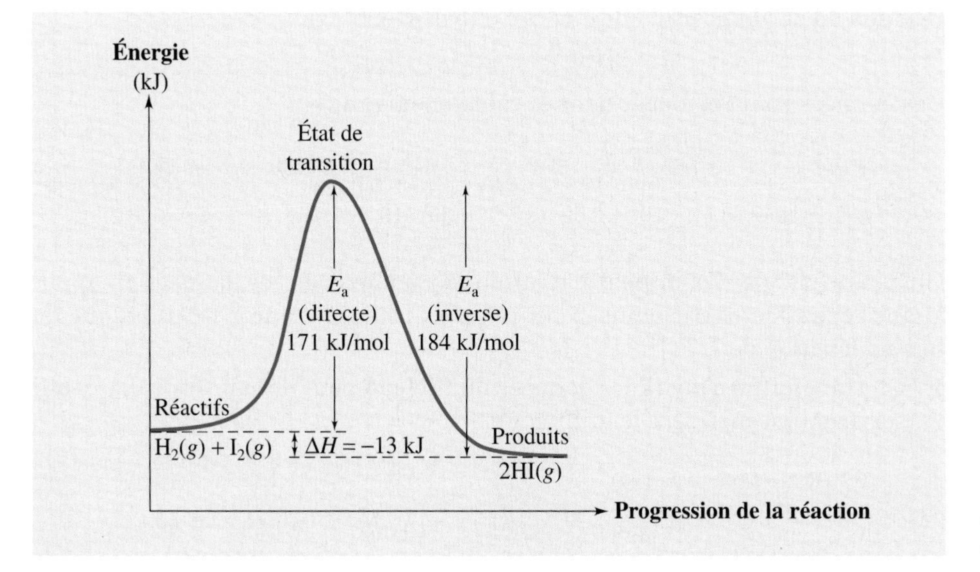

Figure 3.9 Profil réactionnel de la réaction entre l'hydrogène et l'iode moléculaires.

SVANTE ARRHENIUS
(1859-1927)
Chimiste et physicien suédois. Prix Nobel de chimie en 1903 pour ses travaux sur la dissociation électrolytique.

On peut y voir l'état énergétique des réactifs, celui du complexe activé et celui des produits par rapport à la progression de la réaction. Cette figure fait ressortir les points suivants.

- L'enthalpie de la réaction, ΔH, correspond à la différence des niveaux d'énergie entre les réactifs et les produits.
- L'enthalpie de la réaction, ΔH, est aussi égale à la différence entre l'énergie d'activation de la réaction formant l'iodure d'hydrogène et celle de la réaction inverse. Ainsi, l'énergie d'activation de la réaction de décomposition de l'iodure d'hydrogène, HI, est égale à 184 kJ/mol, de sorte que la différence entre les deux valeurs est égale à –13 kJ/mol.

$$\Delta H = E_{a(\text{directe})} - E_{a(\text{inverse})} = 171 \text{ kJ/mol} - 184 \text{ kJ/mol} = -13 \text{ kJ/mol}$$

ÉQUATION D'ARRHENIUS

La théorie de l'état de transition est renforcée par l'équation d'**Arrhenius** qui relie la constante de vitesse avec l'énergie d'activation, E_a, et qui décrit l'influence de la température sur cette constante. Elle peut être exprimée sous la forme suivante.

$$\underbrace{\ln k}_{y} = \underbrace{-\frac{E_a}{R} \times \frac{1}{T}}_{mx} + \underbrace{\ln A}_{b} \qquad (8)$$

k = constante de vitesse
T = température (K)
E_a = énergie d'activation (J)
R = constante des gaz (8,314 J/mol·K)
A = constante, appelée parfois facteur préexponentiel ou facteur de fréquence

La constante A tient compte à la fois de deux facteurs :

- la fréquence des collisions;
- la fraction des collisions pour lesquelles les molécules sont orientées de façon favorable.

On observe que cette équation peut prendre la forme d'une équation de la droite ($y = mx + b$) dont la pente (E_a/R) permet de calculer l'énergie d'activation. Voyons-en une première application.

▼ EXEMPLE 3.8

On détermine les constantes de vitesse, k, à différentes températures pour la réaction de décomposition de l'iodure d'hydrogène, HI.

$$2HI(g) \longrightarrow H_2(g) + I_2(g)$$

Ces données sont résumées dans le tableau suivant.

T (K)	555	575	645	700	780
k (L/mol·s)	$3{,}52 \times 10^{-7}$	$3{,}52 \times 10^{-6}$	$8{,}59 \times 10^{-5}$	$1{,}16 \times 10^{-3}$	$3{,}95 \times 10^{-2}$

On désire calculer l'énergie d'activation, E_a, à partir de ces données en appliquant l'équation d'Arrhenius. Pour ce faire, il faudra tracer le graphique de $\ln k$ en fonction de $1/T$.

1° On transforme d'abord les données du tableau pour obtenir les valeurs qui serviront à construire le graphique.

$1/T$ ($K^{-1} \times 10^{-3}$)	1,80	1,74	1,55	1,43	1,28
$\ln k$	–14,860	–12,557	–9,362	–6,759	–3,231

2° On trace le graphique de ln k en fonction de $1/T$ (*figure 3.10*), à partir duquel on calculera la valeur de la pente, m.

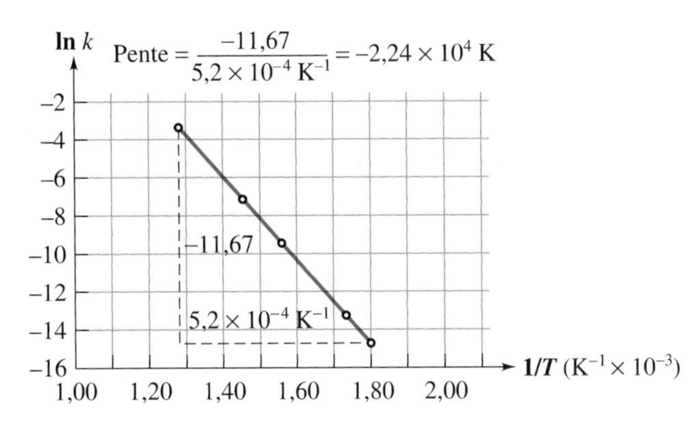

Figure 3.10 Graphique de ln k en fonction de $1/T$ pour la réaction de décomposition de HI.

La pente vaut $-2,24 \times 10^{4}$ K.

3° D'après l'équation d'Arrhenius, $m = -E_a/R$. On calcule donc l'énergie d'activation par la formule $E_a = -m \times R$.

$$E_a = 2,24 \times 10^{4}\ \text{K} \times 8,315\ \text{J/mol·K} = 1,86 \times 10^{5}\ \text{J} = 186\ \text{kJ/mol}.$$

• L'énergie d'activation est donc égale à **186 kJ/mol**.

EXERCICE 3.9

Lors de l'étude de la cinétique de la décomposition du pentoxyde de diazote, N_2O_5, en solution dans le tétrachlorure de carbone, CCl_4, on obtient les données ci-dessous concernant les valeurs des constantes de vitesse à différentes températures.

$$2N_2O_5 \longrightarrow 2N_2O_4 + O_2(g)$$

T (K)	273	298	318	328	338
k (s^{-1})	$8,30 \times 10^{-7}$	$4,30 \times 10^{-5}$	$4,10 \times 10^{-4}$	$1,50 \times 10^{-3}$	$5,52 \times 10^{-3}$

Calculez l'énergie d'activation de cette réaction en traçant le graphique de ln k en fonction de $1/T$.

Voyons une autre utilisation de l'équation d'Arrhenius de laquelle on a supprimé le terme ln A. Cette modification est réalisée en écrivant l'équation pour deux valeurs de la constante de vitesse, k, et de la température, T. La nouvelle expression de l'équation d'Arrhenius résulte des relations suivantes.

$$\ln k_1 = -\frac{E_a}{RT_1} + \ln A \quad \text{et} \quad \ln k_2 = -\frac{E_a}{RT_2} + \ln A$$

En soustrayant l'équation de gauche de celle de droite, on obtient :

$$\ln k_2 - \ln k_1 = -\frac{E_a}{RT_2} + \frac{E_a}{RT_1} = \frac{E_a}{R}\left(\frac{1}{T_1} - \frac{1}{T_2}\right)$$

$$\text{ou } \ln\left(\frac{k_2}{k_1}\right) = \frac{E_a}{R}\left(\frac{1}{T_1} - \frac{1}{T_2}\right) \qquad (9)$$

On peut se servir de cette nouvelle équation pour calculer l'énergie d'activation à deux températures différentes, connaissant les constantes de vitesse à chacune de ces températures.

Au froid, les molécules des aliments ne possèdent pas l'énergie pour réagir, d'où leur conservation.

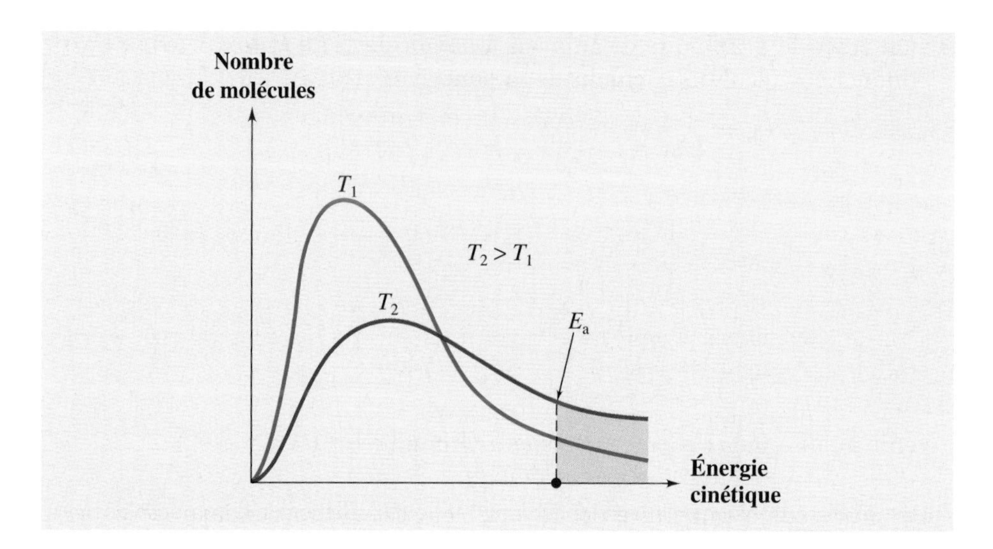

Figure 3.11 Relation entre la courbe de distribution de l'énergie cinétique de molécules et l'énergie d'activation pour des températures différentes.

EXERCICE 3.10

Lors de l'étude de la cinétique de la réaction, dans l'éthanol, entre l'iodoéthane, CH_3CH_2I, et l'ion hydroxyde, OH^-,

$$CH_3CH_2I + OH^- \longrightarrow CH_3CH_2OH + I^-$$

on a obtenu une constante de vitesse de $3{,}68 \times 10^{-4}$ L/mol·s à 32,0 °C et de $6{,}71 \times 10^{-4}$ L/mol·s à 60,0 °C.

Calculez l'énergie d'activation de cette réaction.

On peut tirer un certain nombre de conclusions de l'équation d'Arrhenius.

- Pour deux réactions se déroulant à la même température, celle dont l'énergie d'activation est la plus élevée sera plus lente, car sa constante de vitesse est plus basse.
- Lorsque l'énergie d'activation d'une réaction est faible, une plus grande proportion des molécules possèdent cette énergie, ce qui se traduit par une vitesse de réaction plus grande, car la valeur de la constante de vitesse est plus élevée.
- Une augmentation de la température a le même effet qu'une diminution de l'énergie d'activation, ce qui signifie qu'une plus grande fraction des molécules posséderont l'énergie suffisante pour réagir (*figure 3.11*).

3.5 MÉCANISMES RÉACTIONNELS

Mécanisme réactionnel : description détaillée, à l'échelle moléculaire et étape par étape, des processus de transformation des réactifs en produits.

Processus élémentaire : réaction simple représentant une seule étape dans un mécanisme réactionnel, à partir duquel est déduite directement une équation de vitesse.

Un **mécanisme réactionnel** est une description détaillée de la transformation des réactifs en produits, habituellement présentée sous la forme d'une série de **processus élémentaires** en une étape qui rendent compte de la nature des produits intermédiaires et de leurs interactions. C'est en partie grâce aux connaissances acquises par l'étude des mécanismes réactionnels que plusieurs branches de la chimie, notamment la chimie organique et la biochimie, se sont rapidement développées au cours du dernier demi-siècle. Cependant, leur étude détaillée est souvent très complexe, ces mécanismes étant du reste fréquemment remis en question. C'est pourquoi nous nous limiterons ici à présenter quelques cas simples.

Un mécanisme réactionnel repose donc sur l'étude de la cinétique d'une réaction et sur l'identification de ses produits intermédiaires. Pour qu'il soit plausible, il doit satisfaire aux deux conditions suivantes :

- il doit correspondre à la stœchiométrie de la réaction (la somme des processus élémentaires doit être égale à l'équation globale);
- il doit être en accord avec la loi de vitesse, déterminée expérimentalement (l'étape lente définit la vitesse globale de la réaction).

Puisque la description d'un mécanisme réactionnel met en jeu des processus élémentaires, précisons d'abord les principales caractéristiques que nous avons retenues ici.

- On ne considérera que les équations pour lesquelles les exposants qui affectent les concentrations dans la loi de vitesse sont les mêmes que les coefficients stœchiométriques de l'équation équilibrée.
- On ne considérera que les **processus unimoléculaires**, qui ne font intervenir qu'une molécule ou une espèce chimique, et les **processus bimoléculaires**, qui en font intervenir deux.
- Un processus élémentaire est réversible, c'est-à-dire que les réactifs sont interconvertibles.
- Un processus élémentaire peut être plus lent que tous les autres et, dans certains cas, il peut contrôler la vitesse de la réaction globale; ce processus constitue alors l'étape déterminante de la réaction.
- La somme des processus élémentaires donne l'équation de la réaction globale.

Processus unimoléculaire : processus élémentaire d'un mécanisme réactionnel dans lequel une seule molécule se dissocie.

Processus bimoléculaire : processus élémentaire d'un mécanisme réactionnel impliquant la collision de deux molécules.

3.5.1 MÉCANISME RÉACTIONNEL EN UNE ÉTAPE

La réaction entre le bromométhane, CH_3Br, et l'ion hydroxyde, OH^-, en solution dans l'éthanol est un exemple de réaction bimoléculaire qui se déroule en une seule étape.

$$CH_3Br + OH^- \longrightarrow CH_3OH + Br^-$$

On a déterminé expérimentalement que la vitesse de cette réaction est d'ordre un par rapport à chaque réactif.

$$\text{vitesse} = k[CH_3Br][OH^-]$$

Un mécanisme réactionnel en une seule étape a été proposé pour cette réaction dont le profil réactionnel est illustré à la figure 3.12 et qui passe par la formation d'un complexe activé qui unit partiellement les deux espèces chimiques. Il s'agit là d'un type de mécanisme réactionnel souvent rencontré dans le domaine des réactions organiques, mais plus rare en chimie inorganique.

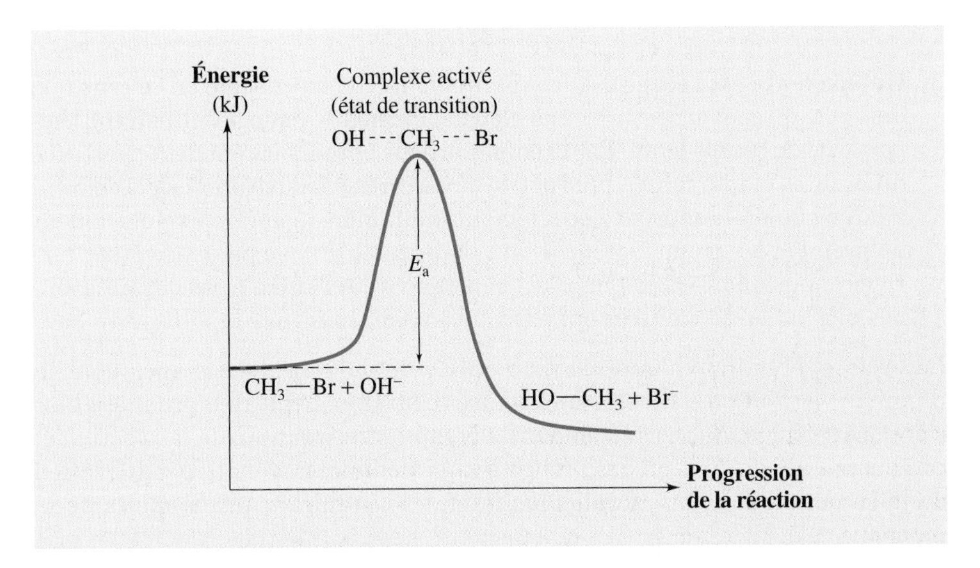

Figure 3.12 Profil réactionnel d'une réaction en une étape.

Dans cet exemple, on voit que, dans un mélange réactionnel contenant du CH_3Br et des ions hydroxyde, OH^-, il se forme un complexe activé entre le groupe OH et CH_3Br par l'intermédiaire de l'atome de carbone. Ainsi, progressivement, la liaison C—O se forme tandis que la liaison C—Br se rompt lorsque l'ion OH^- se rapproche de la molécule CH_3Br.

```
        H   H
         \ /
H—O-----C-----Br
         |
         H
```

3.5.2 MÉCANISME RÉACTIONNEL EN DEUX ÉTAPES DONT LA PREMIÈRE EST LENTE

La réaction entre l'hydrogène moléculaire, H_2, et le chlorure d'iode, ICl, forme de l'iode moléculaire, I_2, et du chlorure d'hydrogène, HCl.

$$H_2(g) + 2ICl(g) \longrightarrow 2HCl(g) + I_2(g)$$

On a déterminé expérimentalement que la vitesse de cette réaction est aussi d'ordre un par rapport à chaque réactif.

$$\text{vitesse} = k[H_2][ICl]$$

Un mécanisme réactionnel mettant en jeu deux processus élémentaires dont le premier est lent peut rendre compte de cette loi de vitesse.

$H_2(g) + ICl(g) \longrightarrow \cancel{HI}(g) + HCl(g)$	(1) étape lente	$v_1 = k_1[H_2][ICl]$
$\cancel{HI}(g) + ICl(g) \longrightarrow I_2(g) + HCl(g)$	(2) étape rapide	$v_2 = k_2\,[HI][ICl]$
$H_2(g) + 2ICl(g) \longrightarrow 2HCl(g) + I_2(g)$		

Voyons ce qu'il est possible d'observer à partir de la proposition de ce mécanisme de réaction.

Produit intermédiaire : espèce chimique d'un processus élémentaire, qui sert de réactif dans un second processus et qui ne figure pas dans l'équation globale.

1. L'iodure d'hydrogène, HI, apparaît dans chacun des processus élémentaires : il est produit dans la première étape et consommé dans la seconde. On dit de l'iodure d'hydrogène qu'il est un **produit intermédiaire** de la réaction : il n'apparaît pas dans la réaction globale.
2. L'étape lente du mécanisme réactionnel détermine l'ordre global de la réaction, ce qui signifie que l'équation de vitesse du processus lent régit aussi l'équation de vitesse générale.

$$\text{vitesse} = k[H_2][ICl] \qquad \text{étape lente}$$

3. L'étape lente est l'étape déterminante de la vitesse globale en ce sens que c'est elle qui gouverne la réaction globale. Plusieurs analogies illustrent l'importance de l'étape lente. Par exemple, si deux entonnoirs ont des ouvertures différentes et que celui à plus petite ouverture se trouve au-dessus de celui à large goulot, la vitesse d'écoulement du liquide dépendra exclusivement du premier. De même, lorsqu'il faut emprunter un bac pour traverser une rivière, la rapidité de la circulation d'une rive à l'autre n'est pas déterminée par le flot de voitures qui arrivent au bac, mais par la vitesse du bac.

L'ammoniac que les plantes assimilent doit être converti en nitrates; cette transformation est réalisée grâce à des catalyseurs.

Le profil énergétique d'une réaction qui se déroule en deux étapes dont la première est lente est illustré à la figure 3.13. Il y aurait une première barrière énergétique, E_{a_1}, correspondant à l'étape déterminante de la réaction et conduisant à la formation des produits intermédiaires. L'énergie d'activation de la seconde étape, E_{a_2}, serait plus faible et conduirait aux produits de la réaction.

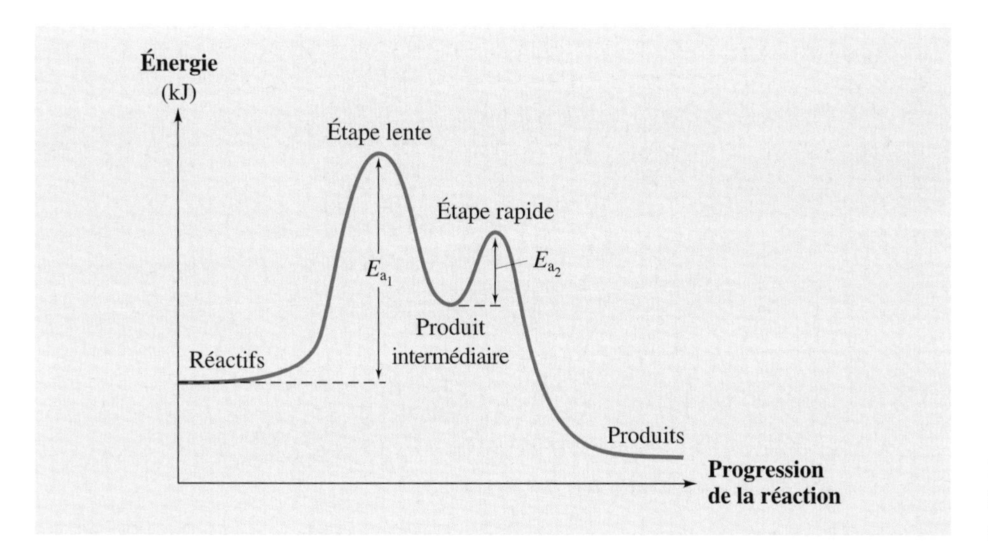

Figure 3.13 Profil réactionnel d'une réaction en deux étapes.

EXERCICE 3.11

La réaction entre le dioxyde d'azote, NO_2, et le monoxyde de carbone, CO, donne du dioxyde de carbone et du monoxyde d'azote.

$$NO_2(g) + CO(g)) \longrightarrow CO_2(g) + NO(g)$$

Le mécanisme réactionnel est décrit par les deux étapes suivantes.

$$NO_2(g) + NO_2(g)) \longrightarrow NO_3(g) + NO(g) \quad \text{étape lente}$$

$$NO_3(g) + CO(g)) \longrightarrow NO_2(g) + CO_2(g) \quad \text{étape rapide}$$

Déduisez l'équation de vitesse de la réaction globale et identifiez le produit intermédiaire.

3.6 RÉACTIONS CATALYTIQUES

La vitesse de certaines réactions peut être accélérée par l'addition, le plus souvent en petites quantités, de substances spécifiques, que l'on appelle alors des catalyseurs. La plupart du temps, le catalyseur se retrouve intact à la fin de la réaction. Il existe deux types de catalyse, la catalyse homogène et la catalyse hétérogène.

Catalyseur : substance qui augmente la vitesse d'une réaction chimique sans être consommée par la réaction.

3.6.1 RÔLE DU CATALYSEUR

Dans l'expression d'un profil réactionnel, un **catalyseur** a pour effet d'abaisser l'énergie d'activation, de sorte qu'un plus grand nombre de molécules possèdent l'énergie nécessaire pour réagir. Le catalyseur peut notamment former un nouveau complexe activé dont l'énergie est nettement inférieure à celui qui se forme sans catalyseur (*figure 3.14*).

La synthèse industrielle de l'ammoniac, NH_3, mise au point par **Fritz Haber** entre 1908 et 1913 est un exemple simple de catalyse. La réaction est considérablement accélérée si le mélange de réactifs passe à travers du fer finement divisé, le catalyseur.

$$N_2(g) + 3H_2(g) \xrightarrow{Fe} 2NH_3(g)$$

FRITZ HABER
(1868-1934)
Chimiste allemand. Prix Nobel de chimie en 1918 pour la mise au point de la synthèse industrielle de l'ammoniac.

À l'époque, la production industrielle de l'ammoniac a servi à la fabrication d'explosifs, mais, de nos jours, on s'en sert principalement pour la production d'engrais et de plastiques.

Un autre exemple de catalyseur est donné par les enzymes, généralement des protéines, qui sont en quelque sorte des catalyseurs biologiques très

Figure 3.14 Profils réactionnels d'une réaction catalysée par rapport à une réaction non catalysée.

La lactase en comprimés facilite la digestion des personnes intolérantes au lait.

spécifiques. Ainsi, les premières étapes de la digestion du lait consistent à scinder des unités de lactose en structures plus simples, du glucose et du galactose. Cette rupture ne peut se faire qu'en présence d'une enzyme, la lactase. L'absence de celle-ci a pour effet de rendre certains nourrissons intolérants au lait.

$$\underset{\textbf{lactose}}{C_{12}H_{22}O_{11}} + H_2O \xrightarrow{\text{lactase}} \underset{\textbf{glucose}}{C_6H_{12}O_6} + \underset{\textbf{galactose}}{C_6H_{12}O_6}$$

3.6.2 CATALYSE HOMOGÈNE

Un catalyseur est homogène lorsqu'il se trouve dans la même phase que le mélange réactionnel. Par exemple, la décomposition du peroxyde d'hydrogène, H_2O_2, en solution aqueuse peut être accélérée par l'ajout de brome moléculaire, Br_2, ou d'ions iodure, I^-, qui se dissolvent dans l'eau.

$$2H_2O_2(aq) \xrightarrow{Br_2} 2H_2O(l) + O_2(g)$$

Dans le cas du brome, la réaction passerait par les étapes intermédiaires suivantes :

$$H_2O_2(aq) + \cancel{Br_2}(aq) \longrightarrow \cancel{2Br^-}(aq) + \cancel{2H^+}(aq) + O_2(g)$$
$$H_2O_2(aq) + \cancel{2Br^-}(aq) + \cancel{2H^+}(aq) \longrightarrow \cancel{Br_2}(aq) + 2H_2O(l)$$
$$\overline{2H_2O_2(aq) \longrightarrow 2H_2O(l) + O_2(g)}$$

En additionnant ces deux dernières réactions, on remarque que les Br^-, les H^+ et les Br_2 s'éliminent, ce qui donne la même équation globale. De plus, les molécules de brome participent à la réaction, mais aucune n'est consommée.

Un processus analogue intervient lorsque I^- sert de catalyseur; il est un réactif dans l'étape lente, la première, et on le retrouve comme produit dans la seconde, de sorte que sa concentration demeure inchangée.

$$H_2O_2(aq) + \cancel{I^-}(aq) \longrightarrow \cancel{IO^-}(aq) + H_2O(l)$$
$$H_2O_2(aq) + \cancel{IO^-}(aq) \longrightarrow H_2O(l) + \cancel{I^-}(aq) + O_2(g)$$
$$\overline{2H_2O_2(aq) \longrightarrow 2H_2O(l) + O_2(g)}$$

3.6.3 CATALYSE HÉTÉROGÈNE

Le catalyseur est hétérogène si son état physique est différent de celui des réactifs. Les exemples les plus courants sont des catalyseurs solides utilisés en phase gazeuse ou liquide :

- le fer finement divisé, dans la synthèse industrielle de l'ammoniac, dont on a déjà parlé;
- le pentoxyde de vanadium, V_2O_5, dans la synthèse industrielle de l'acide sulfurique :

$$2SO_2(g) + O_2(g) \xrightarrow{V_2O_5} 2SO_3(g)$$

$$SO_3(g) + H_2O(l) \longrightarrow H_2SO_4(aq)$$

- le platine ou le rhodium, dans le procédé Ostwald, pour la fabrication de l'acide nitrique, HNO_3, à partir de l'ammoniac :

$$4NH_3(g) + 5O_2(g) \xrightarrow{\Delta,\ Pt} 4NO(g) + 6H_2O(g)$$

$$2NO(g) + O_2(g) \longrightarrow 2NO_2(g)$$

$$3NO_2(g) + H_2O(l) \longrightarrow 2HNO_3(aq) + NO(g)$$

CAPSULE CHIMIQUE

Les convertisseurs catalytiques d'une automobile : comment ça fonctionne ?

Lors du démarrage du moteur d'une automobile, on devrait s'attendre à ce que la combustion de l'essence, un mélange d'hydrocarbures dont l'octane est l'un des composants, ne libère que du dioxyde de carbone, CO_2, et de l'eau.

$$\underset{\text{octane}}{C_8H_{18}(g)} + 25/2O_2(g) \longrightarrow 8CO_2(g) + 9H_2O(g)$$

Toutefois, la combustion est fréquemment incomplète, de sorte que du monoxyde de carbone, CO, se forme en même temps que le dioxyde de carbone et est évacué avec un peu d'essence par le tuyau d'échappement. De plus, comme ces réactions se déroulent à des températures élevées, l'azote que renferme l'air réagit avec l'oxygène pour engendrer divers oxydes d'azote, représentés par la formule générale NO_x.

$$N_2(g) + O_2(g) \longrightarrow 2NO(g)$$

Enfin, les essences contiennent, même de nos jours, un peu de soufre qui se trouve converti, lui aussi, en dioxyde, SO_2, et en trioxyde de soufre, SO_3. Or, toutes ces substances entraînent une forte pollution, notamment dans les villes, et sont une des causes de la formation de smog, ces brouillards urbains très dommageables pour la santé.

Les convertisseurs catalytiques des automobiles sont conçus pour réaliser la combustion complète de l'essence et pour réduire les oxydes d'azote en azote moléculaire, N_2, contribuant ainsi à assainir l'air ambiant. Un convertisseur catalytique efficace doit pouvoir accélérer les réactions aussi bien à hautes qu'à basses températures. C'est pourquoi on doit plutôt parler de deux convertisseurs catalytiques branchés en série. Le premier contient du platine, du palladium ou du rhodium et accélère notamment la combustion des hydrocarbures, ce qui réduit l'émission du monoxyde de carbone. Dans le second, où la catalyse s'effectue à une température plus basse, ce sont plutôt les oxydes d'azote qui sont dissociés en N_2 et en O_2; le catalyseur qui adsorbe les gaz dans ce cas est souvent un oxyde d'un métal de transition, tel l'oxyde de chrome(III), Cr_2O_3. La figure 1 montre comment CO et NO peuvent être réduits en CO_2 et en N_2 par suite de leur adsorption sur un catalyseur.

L'installation de convertisseurs catalytiques dans les automobiles diminue la pollution des villes.

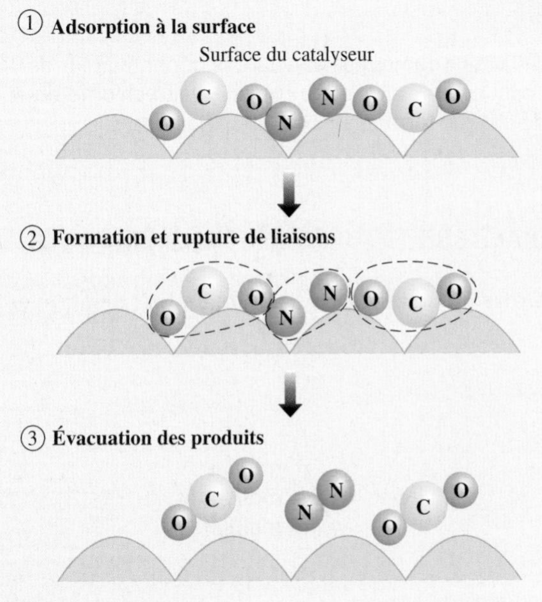

Figure 1 Illustration d'une réaction à la surface d'un catalyseur.

On explique généralement l'action d'un catalyseur hétérogène par sa capacité à adsorber le réactif, c'est-à-dire à le fixer sur sa surface. À ce sujet, les connaissances ne sont pas complètes et beaucoup de recherches lui sont encore consacrées. Dans certains cas, l'un des réactifs serait adsorbé à la surface du catalyseur où les molécules seraient scindées; la collision des molécules de l'autre réactif avec les nouvelles espèces chimiques adsorbées conduirait à la formation des produits. Dans d'autres cas, la réaction se déroulerait en grande partie à la surface du catalyseur sur laquelle les molécules des réactifs seraient adsorbées. (*Voir la Capsule chimique « Les convertisseurs catalytiques d'une automobile : comment ça fonctionne ? »*)

LE CHAPITRE EN UN CLIN D'ŒIL

VITESSE DE RÉACTION

$A \longrightarrow B$			
Définition générale	**Vitesse moyenne**	**Vitesse instantanée**	**Expression graphique**
Taux de variation de la concentration par unité de temps.	$-\frac{\Delta[A]}{\Delta t}$ ou $\frac{\Delta[B]}{\Delta t}$	$-\frac{d[A]}{dt}$ ou $\frac{d[B]}{dt}$	[A] (mol/L); $-\frac{d[A]}{dt}$; $-\frac{\Delta[A]}{\Delta t}$; Temps

RELATION ENTRE LA VITESSE D'UNE RÉACTION ET LES COEFFICIENTS STŒCHIOMÉTRIQUES

Énoncé	**Exemple**
Le facteur numérique affectant le dénominateur de chaque expression est le coefficient stœchiométrique de chaque formule de l'équation chimique.	$2H_2 + O_2 \longrightarrow 2H_2O$ $-\frac{\Delta[O_2]}{\Delta t} = -\frac{1}{2}\frac{\Delta[H_2]}{\Delta t} = +\frac{1}{2}\frac{\Delta[H_2O]}{\Delta t}$

CARACTÉRISTIQUES CINÉTIQUES DES LOIS DE VITESSE

Ordre	Loi de vitesse	Unité de k	Relation entre [A] et t	Demi-vie, $t_{1/2}$	Graphique
0	vitesse = k	mol/L·s mol/L·min mol/L·h	$[A]_t = -kt + [A]_0$	$\frac{[A]_0}{2k}$	[A] (mol/L); Pente = $-k$; Temps

CARACTÉRISTIQUES CINÉTIQUES DES LOIS DE VITESSE *(suite)*

Ordre	Loi de vitesse	Unité de k	Relation entre [A] et t	Demi-vie, $t_{1/2}$	Graphique
1	vitesse = k[A]	s^{-1} min^{-1} h^{-1}	$\ln [A]_t = -kt + \ln [A]_0$	$0{,}693/k$ $[A] = \left(\frac{1}{2}\right)^n [A]_0$ n = nombre de demi-vies	ln [A] Pente = $-k$ Temps
2	vitesse = $k[A]^2$	L/mol·s L/mol·min L/mol·h	$1/[A]_t = kt + 1/[A]_0$	$1/k[A]_0$	1/[A] (L/mol) Pente = k Temps

DÉTERMINATION DE LA LOI DE VITESSE PAR LA MÉTHODE DES VITESSES INITIALES

Démarche	Exemple
1° On compare le rapport des vitesses avec celui des concentrations.	A ⟶ B

N° de l'expérience	1	2
$[A]_0$ (mol/L)	2,0	4,0
$(\text{vitesse})_0$ (mol/L·s × 10^{-3})	2,5	5,0

2° On calcule l'ordre de la réaction à partir des rapports.

$$\frac{(\text{vit.})_{0\,(n^\circ 2)}}{(\text{vit.})_{0\,(n^\circ 1)}} = \frac{5{,}0\times10^{-3}\ \text{mol/L·s}}{2{,}5\times10^{-3}\ \text{mol/L·s}} = 2{,}0$$

$$\frac{k[A]^x_{(n^\circ 2)}}{k[A]^x_{(n^\circ 1)}} = \frac{k(4{,}0)^x}{k(2{,}0)^x} = (2{,}0)^x$$

$$\Rightarrow 2{,}0 = (2{,}0)^x \Rightarrow x = 1$$

$$\Rightarrow \text{vitesse} = k[A]^x = k[A]$$

ORDRE GLOBAL D'UNE RÉACTION

Définition	Exemple
Somme des ordres de réaction par rapport à chaque réactif.	$2NO + Br_2 \longrightarrow 2NOBr$ vitesse = $k[NO]^2[Br_2]$ Ordre global = 2 + 1 = 3

MODÈLE THÉORIQUE DE LA CINÉTIQUE CHIMIQUE

THÉORIE	ILLUSTRATION
Théorie des collisions	
Orientation favorable des espèces chimiques qui se frappent. Collisions suffisamment énergétiques ↓ Énergie cinétique des molécules doit être supérieure à l'énergie d'activation, E_a.	H, N, H, H → H Cl Collision favorable ↓ H, H N^+ H, H Cl^- Nombre de molécules; E_a; Énergie cinétique
Théorie de l'état de transition	
Formation d'un complexe activé, intermédiaire entre l'état des réactifs et celui des produits.	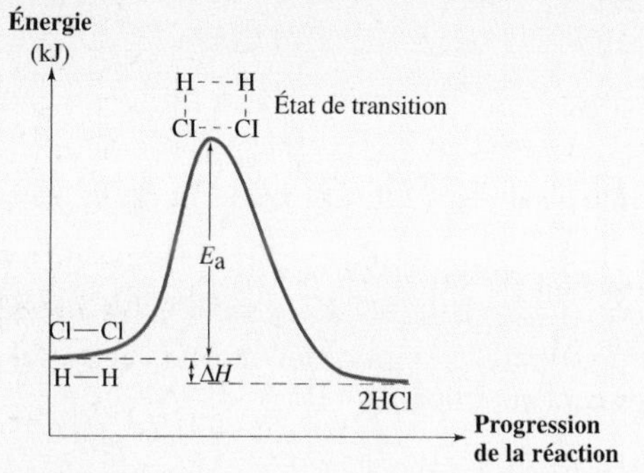 Énergie (kJ); H- - -H / Cl- - -Cl État de transition; E_a; Cl—Cl; H—H; ΔH; 2HCl; Progression de la réaction
Formes de l'équation d'Arrhenius	
$\ln k = -\frac{E_a}{R} \times \frac{1}{T} + \ln A$ k = constante de vitesse T = température (K) E_a = énergie d'activation (J) R = constante des gaz (8,315 J/mol·K) A = constante, appelée parfois facteur préexponentiel $\ln\left(\frac{k_2}{k_1}\right) = \frac{E_a}{R}\left(\frac{1}{T_1} - \frac{1}{T_2}\right)$	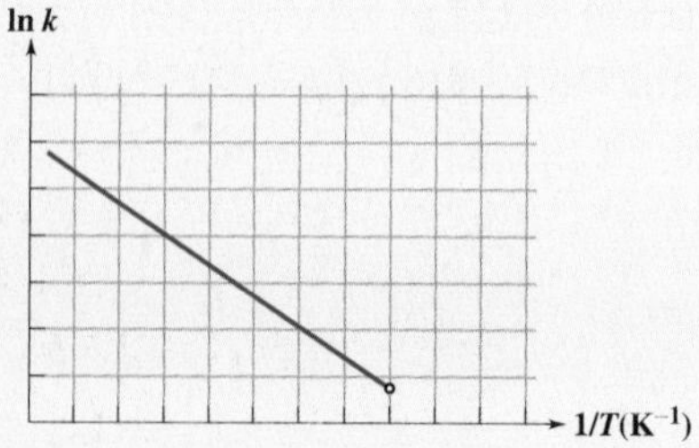 ln k; $1/T(K^{-1})$

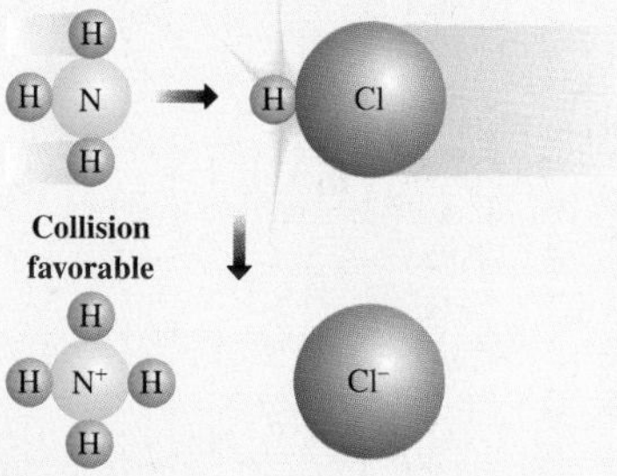

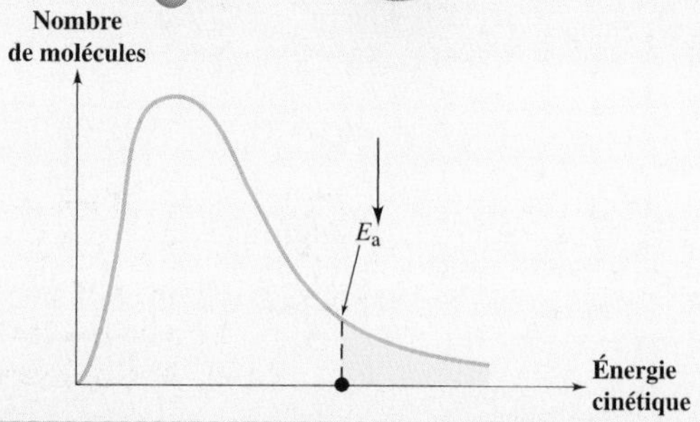

CARACTÉRISTIQUES D'UN BON MÉCANISME RÉACTIONNEL

- Conformité avec la stœchiométrie de la réaction.
- Somme des processus élémentaires égale à l'équation globale.
- Conformité avec la loi de vitesse.
- Étape lente déterminant la vitesse de la réaction globale.

MÉCANISMES RÉACTIONNELS

Nature et définition	Exemple
• Description détaillée de la transformation de réactifs en produits. • Description à l'aide de processus élémentaires, c'est-à-dire de réactions simples dont les coefficients stœchiométriques sont les mêmes que les exposants de l'équation de vitesse.	• Une étape $HO^- + CH_3Cl \longrightarrow [H—O---C(H)(H)(H)---Cl] \longrightarrow CH_3OH + Cl^-$ $\quad V = k[OH^-][CH_3Cl]$ • Deux étapes $NO_2 + \cancel{NO_2} \longrightarrow \cancel{NO_3} + NO$ (1) réaction lente $\cancel{NO_3} + CO \longrightarrow \cancel{NO_2} + CO_2$ (2) réaction rapide $NO_2 + CO \longrightarrow NO + CO_2$ $\quad V = k[NO_2]^2$

RÉACTIONS CATALYTIQUES

Action du catalyseur	Types de catalyseurs
• Accélère une réaction chimique. • Se retrouve intact à la fin de la réaction. • Abaisse l'énergie d'activation d'une réaction chimique.	• Catalyseur homogène : même état physique que celui du milieu réactionnel. • Catalyseur hétérogène : état physique différent de celui du milieu réactionnel.

QUESTIONS ET EXERCICES SUPPLÉMENTAIRES

Vitesse de réaction chimique

1. Quelle information une constante de vitesse élevée donne-t-elle sur la vitesse d'une réaction chimique ?
2. Soit la réaction générale suivante.

$$A \longrightarrow \text{produits}$$

La concentration initiale de A est égale à 0,1565 mol/L. Après 30,0 s, elle passe à 0,1498 mol/L et après 60,0 s, à 0,1435 mol/L. Calculez la vitesse moyenne de la réaction, $-\Delta[A]/\Delta t$, pour les durées suivantes.

a) Pendant les 30 premières secondes.
b) Pendant les 30 dernières secondes.
c) Pendant les 60 premières secondes.

3. Exprimez la vitesse de chacune des réactions suivantes en fonction de la concentration de chaque espèce chimique (réactifs et produits) en la résumant dans une seule relation.

a) $N_2(g) + 3H_2(g) \longrightarrow 2NH_3(g)$
b) $2SO_2(g) + O_2(g) \longrightarrow 2SO_3(g)$
c) $I_2(aq) + 2S_2O_3^{2-}(aq) \longrightarrow S_4O_6^{2-}(aq) + 2I^-(aq)$

4. Soit la réaction de décomposition du pentoxyde de diazote, N_2O_5.

$$2N_2O_5(g) \longrightarrow 4NO_2(g) + O_2(g)$$

On a obtenu les concentrations suivantes à 45 °C pour les temps indiqués.

$[N_2O_5]$ (mol/L × 10^{-2})	1,24	0,92	0,68	0,50
t (min)	0,00	10,0	20,0	30,0

Calculez la concentration du dioxyde d'azote, NO_2, et celle de l'oxygène moléculaire, O_2, après 20 minutes, sachant que celles-ci sont nulles au départ.

5. Soit la réaction générale suivante.

$$A \longrightarrow \text{produits}$$

Après 264 s, on trouve que la concentration de A est égale à 0,588 mol/L et que la vitesse moyenne est égale à $3{,}67 \times 10^{-4}$ mol/L·s. Considérez que cette vitesse demeure constante pendant la minute qui suit.

a) Calculez la concentration de A après 300 s.

b) Déterminez à quel moment après le début de la réaction la concentration de A sera égale à 0,565 mol/L.

6. Soit la réaction de décomposition de l'ion hypobromite, BrO^-, en solution aqueuse.

$$3BrO^-(aq) \longrightarrow 2Br^-(aq) + BrO_3^-(aq)$$

a) Quelle est la relation entre la vitesse de décomposition de BrO^- et la vitesse de formation de Br^- ?

b) Si 0,45 mol de BrO^- disparaît à chaque seconde dans la solution, quelle quantité de Br^- et de BrO_3^- se forme ?

Lois de vitesse et constante de vitesse

7. Déterminez si l'énoncé suivant est vrai ou faux et justifiez votre réponse.

« Dans une réaction d'ordre un, la vitesse de la réaction chimique diminue au fur et à mesure que la concentration des produits augmente. »

8. On a étudié la cinétique de la décomposition du chlorure de nitrosyle, NOCl, et on a obtenu les données présentées dans le tableau ci-dessous.

$$2NOCl(g) \longrightarrow 2NO(g) + Cl_2(g)$$

N° de l'expérience	1	2	3
$[NOCl]_0$ (mol/L)	0,25	0,35	0,60
$(\text{vitesse})_0$ (mol/L·s)	$2{,}50 \times 10^{-9}$	$4{,}90 \times 10^{-9}$	$1{,}44 \times 10^{-8}$

a) Exprimez l'équation de vitesse de cette réaction.

b) Calculez-en la constante de vitesse.

9. L'étude de la cinétique de la décomposition du chloroéthane, C_2H_5Cl, formant de l'éthène (éthylène), $CH_2{=}CH_2$, matière première servant à la production du polyéthylène, a donné les résultats présentés dans le tableau ci-dessous.

$$C_2H_5Cl(g) \longrightarrow C_2H_4(g) + HCl(g)$$

N° de l'expérience	1	2	3
$[C_2H_5Cl]_0$ (mol/L)	0,40	0,60	0,90
$(\text{vitesse})_0$ (mol/L·min × 10^{-28})	1,75	2,63	3,94

a) Exprimez l'équation de vitesse de cette réaction.

b) Calculez-en la constante de vitesse.

10. Les résultats d'une étude cinétique de la réaction entre l'hydrogène moléculaire, H_2, et le chlorure d'iode, ICl, sont donnés dans le tableau ci-dessous.

$$H_2(g) + 2ICl(g) \longrightarrow I_2(g) + 2HCl(g)$$

N° de l'expérience	1	2	3
$[H_2]_0$ (mol/L × 10^{-3})	2,0	3,0	3,0
$[ICl]_0$ (mol/L × 10^{-3})	2,0	2,0	5,0
$(\text{vitesse})_0$ (mol/L·s)	$6{,}58 \times 10^{-7}$	$9{,}87 \times 10^{-7}$	$2{,}47 \times 10^{-6}$

a) Exprimez l'équation de vitesse de cette réaction.

b) Calculez-en la constante de vitesse.

c) Calculez la vitesse initiale lorsque les concentrations initiales de H_2 et de ICl sont respectivement de 0,050 mol/L et de 0,0050 mol/L.

11. Déduisez l'équation de vitesse de la réaction suivante à partir des observations ci-dessous.

$$2NO(g) + O_2(g) \longrightarrow 2NO_2(g)$$

La vitesse de la réaction est quadruplée lorsque la concentration de NO est doublée et, lorsque les concentrations de chaque réactif sont simultanément doublées, la vitesse est multipliée par un facteur de huit.

*12. Les données relatives aux vitesses initiales de la réaction générale

$$A + B + C \longrightarrow \text{produits}$$

sont résumées dans le tableau ci-dessous.

N° de l'expérience	**1**	**2**	**3**	**4**
[A] (mol/L × 10^{-3})	1,25	1,97	1,25	1,97
[B] (mol/L × 10^{-3})	1,25	1,25	3,02	3,02
[C] (mol/L × 10^{-3})	1,25	1,25	1,25	2,01
$(\text{vitesse})_0$ (mol/L·s)	$8,70 \times 10^{-3}$	$1,37 \times 10^{-2}$	$5,10 \times 10^{-2}$	$1,29 \times 10^{-1}$

Exprimez l'équation de vitesse de cette réaction.

Équation de vitesse intégrée

13. Déterminez si l'énoncé suivant est vrai ou faux et justifiez votre réponse.
« Dans une réaction d'ordre un, le temps nécessaire à la décomposition de la moitié d'un réactif est directement proportionnel à la quantité initiale de ce réactif. »

14. On a observé que la réaction du dioxyde d'azote, NO_2, avec le monoxyde de carbone, CO, est d'ordre deux par rapport à NO_2 et d'ordre zéro par rapport à CO.

$$NO_2(g) + CO(g) \longrightarrow NO(g) + CO_2(g)$$

a) Exprimez l'équation de vitesse de la réaction.
b) Calculez la vitesse de la réaction lorsque la concentration de NO_2 est égale à 0,110 mol/L et que celle de CO est de 0,450 mol/L; la constante de vitesse, k, est de 0,50 L/mol·s.

15. La décomposition de l'oxyde de diazote, N_2O, en azote, N_2, et en oxygène, O_2, moléculaires est une réaction d'ordre un.

$$2N_2O(g) \longrightarrow 2N_2(g) + O_2(g)$$

La constante de vitesse de cette réaction à 725 °C étant égale à 0,76 s^{-1}, calculez le temps qu'il faut pour que la concentration passe de 0,250 mol/L à 0,0250 mol/L.

16. On a obtenu les données suivantes à propos de la décomposition du pentoxyde de diazote, N_2O_5.

$$2N_2O_5(g) \longrightarrow 4NO_2(g) + O_2(g)$$

t (s)	0,00	200,0	400,0	600,0	800,0	1000,0
$[N_2O_5]$ (mol/L × 10^{-2})	1,50	0,96	0,62	0,40	0,25	0,16

a) Montrez que cette réaction est d'ordre un en traçant le graphique approprié.
b) Calculez sa constante de vitesse.

17. Calculez le pourcentage molaire de peroxyde d'hydrogène, H_2O_2, qui se décompose en 400,0 s, sachant que la réaction est d'ordre un et que la constante de vitesse vaut $7,3 \times 10^{-4}$ s^{-1}.

$$2H_2O_2(aq) \longrightarrow 2H_2O(l) + O_2(g)$$

18. Le cyclobutane, C_4H_8, se décompose selon une réaction d'ordre un dont la constante de vitesse est égale à $9,2 \times 10^{-3}$ s^{-1} à 500 °C.

$$C_4H_8(g) \longrightarrow 2C_2H_4(g)$$

Calculez le temps requis pour que 80,0 % de cyclobutane se décompose.

19. L'étude cinétique de la décomposition du dioxyde d'azote, NO_2, a donné les résultats reportés dans le tableau ci-dessous.

$$2NO_2(g) \longrightarrow 2NO(g) + O_2(g)$$

$[NO_2]$ (mol/L $\times 10^{-2}$)	9,00	6,83	5,49	4,60	3,95
t (s)	0,0	5,0	10,0	15,0	20,0

Déterminez l'ordre de cette réaction et calculez sa constante de vitesse à partir du graphique approprié.

20. En solution basique, l'ion hypobromite, BrO^-, se décompose en ion bromure, Br^-, et en ion bromate, BrO_3^-.

$$3BrO^-(aq) \xrightarrow{OH^-(aq)} 2Br^-(aq) + BrO_3^-(aq)$$

Sachant que cette réaction est d'ordre deux par rapport à BrO^-, que la constante de vitesse est égale à $5{,}61 \times 10^{-2}$ L/mol·s à 80 °C et que la concentration initiale de BrO^- est égale à 0,250 mol/L, calculez la concentration de BrO^-, de Br^- et de BrO_3^- après 2,0 minutes.

21. Supposons que le dioxyde d'azote, NO_2, se décompose en monoxyde d'azote, NO, et en oxygène moléculaire, O_2, à 625 °C selon une réaction d'ordre deux.

$$2NO_2(g) \longrightarrow 2NO(g) + O_2(g)$$

La concentration initiale du dioxyde d'azote est égale à $2{,}50 \times 10^{-2}$ mol/L.

a) Calculez la constante de vitesse de la réaction, sachant que sa demi-vie est de 75 minutes.

b) Calculez la concentration de NO_2 après 30 minutes.

c) Calculez le temps nécessaire pour que la concentration de l'oxygène moléculaire soit de $1{,}00 \times 10^{-2}$ mol/L.

*22. Un hydrocarbure, selon des conditions réactionnelles spécifiques, peut subir trois réactions différentes, dont chacune est représentée par les équations de vitesse intégrée correspondantes.

$CH_3—CH=CH—CH_3(g) \longrightarrow CH_3—CH_2—CH=CH_2(g)$ (isomérisation) (1)

$\ln [CH_3—CH=CH—CH_3] = -0{,}020\ s^{-1} \times t + \ln [CH_3—CH=CH—CH_3]_0$

$CH_3—CH=CH—CH_3(g) \longrightarrow 2CH_2=CH_2(g)$ (décomposition) (2)

$[CH_3—CH=CH—CH_3] = -0{,}030\ s^{-1} \times t + [CH_3—CH=CH—CH_3]_0$

$CH_3—CH=CH—CH_3(g) \longrightarrow C_8H_{16}(g)$ (dimérisation) (3)

$1/[CH_3—CH=CH—CH_3] = 0{,}010\ L/mol{\cdot}s^{-1} \times t + 1/[CH_3—CH=CH—CH_3]_0$

a) Déterminez l'ordre de chacune de ces réactions.

b) Exprimez l'équation de vitesse de chaque réaction.

c) Calculez la vitesse initiale de chaque réaction lorsque la concentration initiale du réactif est de 0,150 mol/L.

23. La décomposition de l'éthanal (acétaldéhyde), CH_3CHO, donne du méthane, CH_4, et du monoxyde de carbone, CO.

$$CH_3CHO(g) \longrightarrow CH_4(g) + CO(g)$$

On a effectué une étude de la cinétique de cette réaction pour une certaine température; les données sont inscrites dans le tableau ci-dessous.

Expérience n° 1				**Expérience n° 2**			
$[CH_3CHO]$ (mol/L)	1,512	1,490	1,469	$[CH_3CHO]$ (mol/L)	3,024	2,935	2,852
t (s)	0,00	60,0	120,0	t (s)	0,00	60,0	120,0

a) Calculez la vitesse initiale de la réaction ($\Delta[CH_3CHO]/\Delta t$) pour chacune des expériences en considérant l'intervalle 0–60 secondes.

b) Déterminez l'ordre de la réaction.

24. Il faut 45,0 secondes pour qu'une réaction d'ordre un soit complétée à 40,0 %.

a) Calculez sa constante de vitesse.

b) Calculez le temps de demi-réaction.

c) Calculez le temps nécessaire pour que la réaction soit complétée à 99,0 %.

*25. L'iridium 192, ^{192}Ir, est un métal radioactif utilisé pour traiter des tumeurs cancéreuses; il est encastré dans un ruban de nylon, lequel est inséré dans les interstices du tissu conjonctif pour le traitement. La demi-vie de l'élément est de 73,8 jours. Calculez le nombre de jours pour que 90,0 % d'un échantillon de cet élément soit désintégré, sachant que cette réaction est d'ordre un.

Cinétique chimique et équation d'Arrhenius

26. Calculez l'énergie d'activation de la décomposition du pentoxyde de diazote, N_2O_5, à l'aide des données du tableau ci-dessous.

$$2N_2O_5(g) \longrightarrow 4NO_2(g) + O_2(g)$$

T (°C)	0,0	25,0	35,0	45,0	55,0	65,0
k (s^{-1})	$7{,}87 \times 10^{-7}$	$3{,}46 \times 10^{-5}$	$1{,}35 \times 10^{-4}$	$4{,}98 \times 10^{-4}$	$1{,}50 \times 10^{-3}$	$4{,}87 \times 10^{-3}$

27. On estime que, pour une réaction chimique se déroulant à la température ambiante, environ 25 °C, sa vitesse double si on augmente la température de 10 °C. Calculez l'énergie d'activation d'une réaction régie par cette règle.

28. La constante de vitesse, k, pour la décomposition de l'éthanal (acétaldéhyde), CH_3CHO, en méthane, CH_4, et en monoxyde de carbone, CO, est de $1{,}10 \times 10^{-2}$ L/mol·s à 430 °C et de 4,95 L/mol·s à 590 °C. Calculez l'énergie d'activation de cette réaction.

29. La constante de vitesse pour la décomposition du cyclobutane, C_4H_8, en éthène, $CH_2{=}CH_2$, à 598 K est de $6{,}1 \times 10^{-8}$ s^{-1}, et l'énergie d'activation est de 261 kJ/mol. Calculez la constante A de cette réaction.

30. L'hydrolyse du sucrose (sucre de table), $C_{12}H_{22}O_{11}$, donne du glucose, $C_6H_{12}O_6$, et du fructose, $C_6H_{12}O_6$.

$$C_{12}H_{22}O_{11}(aq) + H_2O(l) \longrightarrow C_6H_{12}O_6(aq) + C_6H_{12}O_6(aq)$$

La constante de vitesse de cette réaction à 35 °C est de $6{,}90 \times 10^{-4}$ L/mol·s, et l'énergie d'activation est de 108 kJ/mol. Calculez la constante de vitesse à 37 °C.

31. Dessinez le profil énergétique des réactions suivantes, décrites à partir de leur énergie d'activation et de leur enthalpie.

a) $\Delta H = 20{,}0$ kJ/mol; $E_a = 90$ kJ/mol

b) $\Delta H = -30{,}0$ kJ/mol; $E_a = 125$ kJ/mol

c) $\Delta H = -45{,}0$ kJ/mol; $E_a = 45$ kJ/mol

Mécanisme réactionnel et catalyse chimique

32. Soit la réaction entre le dioxyde d'azote, NO_2, et le fluor moléculaire, F_2.

$$2NO_2(g) + F_2(g) \longrightarrow 2NO_2F(g)$$

Cette réaction se déroule en deux étapes dont la première est la plus lente, et du fluor atomique constitue un produit intermédiaire.

a) Écrivez les équations de chaque processus élémentaire.

b) Écrivez la loi de vitesse de chaque processus élémentaire.

c) Écrivez la loi de vitesse de l'équation globale.

33. Déterminez, parmi les réactions suivantes, celles qui décrivent un processus élémentaire, en tenant compte de la loi de vitesse de la réaction globale. Justifiez brièvement votre choix.

a) $2NO(g) + 2H_2(g) \longrightarrow N_2(g) + 2H_2O(g)$
vitesse = $k[NO][H_2]$

b) $NO(g) + O_3(g) \longrightarrow NO_2(g) + O_2(g)$
vitesse = $k[NO][O_3]$

c) $PCl_3(g) + Cl_2(g) \longrightarrow PCl_5(g)$
vitesse = $k[PCl_3][Cl_2]$

d) $Cl_2(g) + CO(g) \longrightarrow Cl_2CO(g)$
vitesse = $k[CO][Cl_2]^{3/2}$

e) $2NO(g) + O_2(g) \longrightarrow 2NO_2(g)$
vitesse = $k[NO]^2[O_2]$

34. Expliquez comment un catalyseur accroît la vitesse d'une réaction chimique.

*35. La déshydratation de l'éthanol, C_2H_5OH, peut être réalisée en le chauffant à haute température avec de l'acide sulfurique concentré, H_2SO_4. Les processus élémentaires sont représentés par les équations suivantes.

$H_2SO_4 \longrightarrow HSO_4^- + H^+$ étape rapide

$CH_3CH_2OH + H^+ \longrightarrow CH_3CH_2OH_2^+$ étape rapide

$CH_3CH_2OH_2^+ \longrightarrow CH_3CH_2^+ + H_2O$ étape lente

$CH_3CH_2^+ + HSO_4^- \longrightarrow CH_2{=}CH_2 + H_2SO_4$ étape rapide

a) Écrivez l'équation de la réaction globale.
b) Écrivez l'équation de vitesse de cette réaction.
c) Repérez le ou les produits intermédiaires de cette réaction.
d) Déterminez si l'une des substances de ce mélange réactionnel peut être considérée comme un catalyseur. Justifiez votre réponse.

EXERCICE RÉCAPITULATIF

36. Le peroxyde d'hydrogène en solution aqueuse se décompose selon la réaction suivante :

$$2H_2O_2(aq) \longrightarrow 2H_2O(l) + O_2(g)$$

Sa vitesse de décomposition est mesurée en titrant des échantillons de la solution avec du permanganate de potassium, $KMnO_4$, à différents moments de la réaction.

a) Si 0,100 mol/L de peroxyde d'hydrogène se décompose en 72 minutes, quelle est la vitesse moyenne de décomposition ?
b) On a déterminé les vitesses initiales à 40 °C de la décomposition de différentes concentrations de peroxyde d'hydrogène dont voici les résultats. Quel est l'ordre de la réaction ?

Nº de l'expérience	$[H_2O_2]$ (mol/L)	Vitesse initiale (mol/L·min × 10^{-4})
1	0,100	1,93
2	0,200	3,86
3	0,300	5,79

c) Écrivez l'équation de vitesse de décomposition du peroxyde à 40 °C.
d) Calculez la constante de vitesse et le temps de demi-vie de la réaction à 40 °C.
e) Le peroxyde d'hydrogène est vendu commercialement sous forme d'une solution aqueuse à 30,0 %. Si la solution est gardée à 40 °C, en combien de temps la concentration atteindra-t-elle une concentration de 10,0 %.
f) La constante de vitesse de la réaction non catalysée à 25 °C est égale à $5{,}21 \times 10^{-4}$ min^{-1}; celle de la réaction catalysée à la même température est de $2{,}95 \times 10^{8}$ min^{-1}. Quel est le temps de demi-vie de la réaction non catalysée et de la réaction catalysée ?
g) Le peroxyde d'hydrogène en milieu basique oxyde les ions iodure, I^-, en iode moléculaire, I_2. Un mécanisme proposé pour cette réaction est le suivant :

$H_2O_2(aq) + I^-(aq) \longrightarrow HOI(aq) + OH^-(aq)$ étape lente

$HOI(aq) + I^-(aq) \longrightarrow I_2(aq) + OH^-(aq)$ étape rapide

Écrivez l'équation de la réaction globale; déterminez s'il existe un intermédiaire de la réaction et, dans l'affirmative, indiquez lequel; écrivez une expression de vitesse conforme au mécanisme réactionnel proposé.

ÉQUILIBRE CHIMIQUE

CHAPITRE 4

Haber a inventé un procédé pour synthétiser de l'ammoniac à grande échelle à partir d'hydrogène et d'azote gazeux. La haute température (~450 °C), la forte pression (~5 × 10^4 kPa) et la présence d'un catalyseur métallique forcent l'équilibre de la réaction à se déplacer vers l'ammoniac. Convertie en engrais, cette source d'azote a révolutionné l'agriculture.

OBJECTIFS

Après avoir étudié ce chapitre, vous saurez répondre aux questions suivantes.

- Qu'arrive-t-il lorsque les vitesses directe et inverse d'une réaction chimique réversible sont égales ?
- Comment décrire un système chimique à l'équilibre ?
- Comment déterminer une constante d'équilibre ?
- Dans quelle direction une réaction à l'équilibre se déplacera-t-elle en réponse à un changement de condition perturbant cet équilibre ?
- Quelles conditions maximisent la formation d'un produit d'une réaction chimique ?
- Comment évolue une réaction faite à partir d'un mélange initial non à l'équilibre et quelles sont les nouvelles concentrations à l'équilibre ?

Jusqu'à maintenant, les réactions chimiques que l'on a étudiées étaient surtout des réactions irréversibles, c'est-à-dire des réactions se déroulant dans une seule direction, de sorte que les produits formés ne peuvent réagir pour reformer les réactifs; elles cessent quand un des réactifs est épuisé (réactif limitant), et on dit alors de ces réactions qu'elles sont complètes. À l'inverse, dans une réaction réversible, les produits, une fois formés, peuvent réagir pour reformer les réactifs.

Dans ce chapitre, on verra qu'une réaction réversible atteint un équilibre dès le moment où la réaction directe (de gauche à droite) se déroule à la même vitesse que la réaction inverse (de droite à gauche). On apprendra à écrire l'expression de la constante d'équilibre d'une réaction chimique réversible, selon que l'on dispose des concentrations (mol/L) ou des pressions partielles pour les gaz.

Le principe de Le Chatelier permet de prédire comment un système à l'équilibre se comporte lorsqu'un changement de concentration, de pression ou de température se produit. On fera appel indirectement à ce principe pour établir les paramètres qui précisent les valeurs initiales des concentrations ou des pressions des réactifs ou des produits, ainsi que leurs variations et leurs valeurs à l'équilibre. Il sera ainsi possible d'effectuer des calculs associant ces paramètres avec l'expression de la constante d'équilibre.

Une meilleure compréhension de la façon dont un système à l'équilibre réagit est un outil précieux pour déterminer les conditions expérimentales qui permettent d'obtenir un maximum de produit au moindre coût dans tout procédé industriel impliquant une réaction réversible.

4.1 NATURE DE L'ÉQUILIBRE CHIMIQUE

Nous avons déjà abordé la notion d'équilibre en définissant la pression de vapeur d'un liquide pur et, plus particulièrement, celle d'équilibre physique en faisant référence à l'échange entre les molécules en phase liquide et les molécules en phase vapeur (*revoir la sous-section 2.2.1, à la page 51*). De plus, au premier chapitre (*sous-section 1.1.3*), nous avons vu que dans une solution saturée l'échange entre les particules d'un solide et celles dans le solvant manifeste un équilibre dynamique d'ordre physique. La figure 4.1 illustre un tel processus. La photo a) montre une solution d'iode moléculaire, I_2, (qui en réalité est une solution de I_3^-, obtenue par l'addition d'ions I^-), de couleur jaune-brun, au-dessus du tétrachlorure de carbone, CCl_4, incolore. La phase aqueuse qui contient l'iode moléculaire est insoluble dans le tétrachlorure de carbone et se trouve au-dessus, car sa masse volumique est inférieure à celle du tétrachlorure de carbone. Cependant, la solubilité de l'iode dans le tétrachlorure de carbone est beaucoup plus grande que dans l'eau. Ainsi, après agitation, la photo b) montre que l'iode moléculaire s'est solubilisé dans le CCl_4 et a donc été extrait de la solution aqueuse. L'iode dans le CCl_4 donne une solution rose, et la solution aqueuse ne contenant plus d'iode est maintenant incolore.

Équilibre chimique : état d'une réaction chimique réversible caractérisé par une égalité entre la vitesse de la réaction directe et la vitesse de la réaction inverse, ainsi que par des concentrations constantes de toutes les substances. Cet équilibre est dit dynamique, car les deux réactions se produisent constamment.

Dans un **équilibre chimique**, tous les réactifs et tous les produits sont en présence. Ils se forment, se décomposent et se reforment sans cesse. Cet équilibre dynamique, caractérisé par une activité intense, ne signifie pas que les réactifs et les produits sont en quantités égales. Dans certains cas, l'équilibre se situe surtout du côté des réactifs et, dans d'autres, surtout du côté des produits. L'équilibre est atteint quand la transformation des réactifs en produits et celle des produits en réactifs se déroulent à la même vitesse. Une loi permet d'exprimer cet état par une constante d'équilibre : la loi d'action de masse.

4.1.1 ÉGALITÉ DES VITESSES DE RÉACTIONS ET ÉQUILIBRE

L'azote et l'hydrogène moléculaires gazeux peuvent dans des conditions expérimentales bien précises former de l'ammoniac, NH_3. De façon similaire, l'ammoniac se décompose à haute température pour donner de l'azote et de l'hydrogène moléculaires.

$$N_2(g) + 3H_2(g) \longrightarrow 2NH_3(g)$$
$$2NH_3(g) \longrightarrow N_2(g) + 3H_2(g)$$

Il s'agit là d'une réaction réversible. La synthèse industrielle de l'ammoniac, NH_3, connue sous le nom de procédé Haber (*voir la note biographique, à la page 107*), est donc un procédé réversible. Pour indiquer que la réaction est possible dans les deux sens, on se sert des doubles flèches dans l'équation.

$$N_2(g) + 3H_2(g) \rightleftharpoons 2NH_3(g)$$

Tous les procédés réversibles tendent vers un équilibre chimique, c'est-à-dire à une égalité de vitesse entre la réaction directe et la réaction inverse. Rappelons que la vitesse d'une réaction chimique est généralement proportionnelle à la concentration des réactifs (selon l'ordre de la réaction).

Pour bien comprendre ce qui se passe lorsqu'une réaction chimique atteint l'équilibre, regardons de plus près la réaction réversible hypothétique suivante, dans laquelle tous les coefficients stœchiométriques valent un.

$$A(g) + B(g) \rightleftharpoons C(g) + D(g)$$

On peut étudier cette équation de gauche à droite ou de droite à gauche, ce qui signifie que si les deux réactifs, A et B, sont mélangés, ils réagissent pour donner les produits C et D, lesquels se combinent à leur tour pour reformer A et B, et ainsi de suite.

Voyons cela de plus près. Si on mélange A et B dans un contenant fermé, ils réagissent pour produire C et D, de sorte que leur concentration diminue graduellement à mesure que la réaction directe progresse. Comme les concentrations de A et B diminuent, la vitesse de la réaction directe diminue elle aussi.

Au tout début de l'expérience, seule la réaction directe se produit, car il n'y a pas encore formation de produit C et D. Cependant, aussitôt que la réaction de gauche à droite est amorcée, la réaction inverse commence, d'abord lentement, les concentrations de C et D étant faibles; puis, elle prend graduellement de la vitesse à mesure que ces concentrations augmentent. La figure 4.2 montre les variations des concentrations des réactifs et des produits en fonction du temps.

a) 

b) 

Figure 4.1 Équilibre dans un processus physique, la dissolution de l'iode moléculaire. En a), l'iode en solution aqueuse (phase supérieure); en b), l'iode soluble dans le CCl_4 donne une coloration rose (phase inférieure).

Avant l'invention du procédé Haber, les déjections d'oiseaux marins (guano) ont longtemps servi d'engrais.

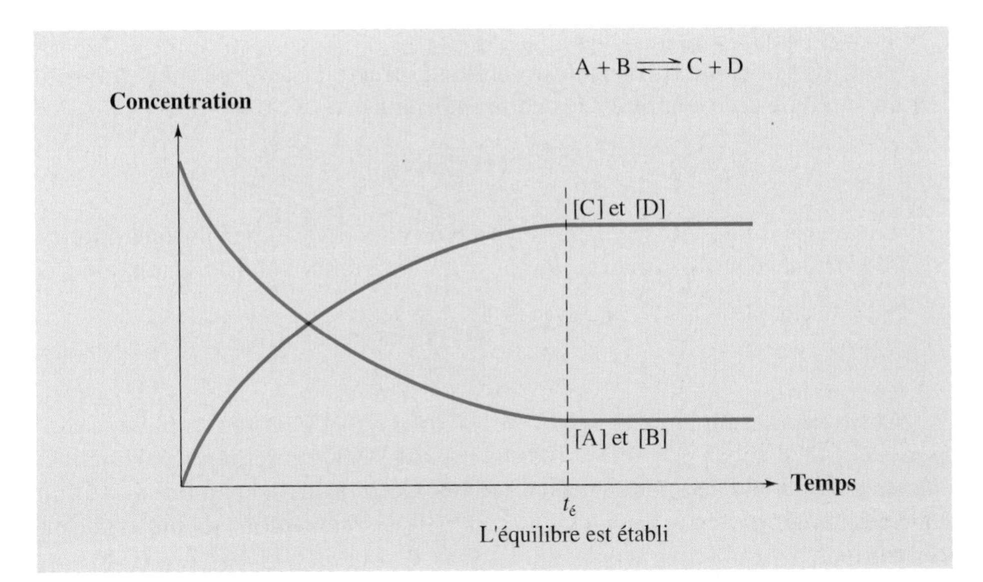

Figure 4.2 Variations des concentrations des réactifs et des produits en fonction du temps.

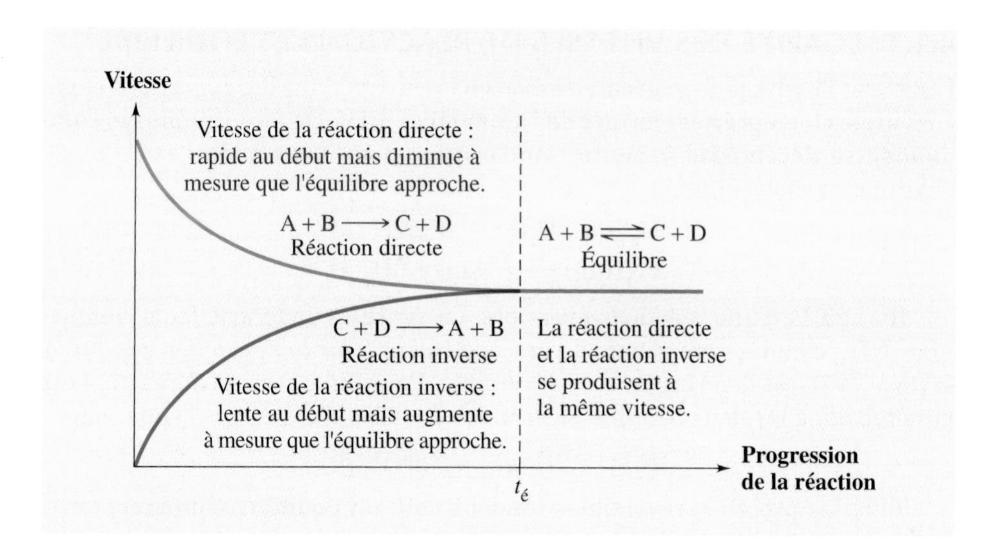

Figure 4.3 Variations des vitesses des réactions en fonction du temps.

On remarque que la vitesse de la réaction directe diminue et que celle de la réaction inverse augmente jusqu'à ce que les deux vitesses deviennent égales. À partir de ce moment, l'équilibre chimique est atteint. La figure 4.3 montre les variations des vitesses des réactions en fonction du temps.

L'atteinte de l'équilibre se traduit par des concentrations constantes de toutes les substances, A, B, C et D. Les concentrations de C et D demeurent constantes parce que ces substances sont produites par la réaction directe à la même vitesse qu'elles se combinent par la réaction inverse. De même, les concentrations de A et B sont constantes parce que ces substances sont produites par la réaction inverse à la même vitesse qu'elles sont utilisées par la réaction directe.

Il est important de comprendre que même si toutes les concentrations demeurent constantes les réactions ne s'arrêtent pas : l'activité est intense à l'échelle atomique ou moléculaire. Les concentrations sont constantes parce que les deux vitesses sont constantes; il s'agit d'un équilibre dynamique.

4.1.2 EXPRESSION DE LA CONSTANTE D'ÉQUILIBRE

On peut représenter la vitesse de la réaction de gauche à droite (vitesse directe, v_d) et celle de la réaction de droite à gauche (vitesse inverse, v_i) par les relations suivantes :

$$v_d = k_d[A][B]$$
$$v_i = k_i[C][D]$$

CATO MAXIMILIAN GULDBERG
1836-1902
Chimiste et mathématicien norvégien. En 1867, il découvrit avec Waage la loi d'action de masse.

PETER WAAGE
1833-1900
Chimiste norvégien. Il énonça avec Guldberg la loi d'action de masse.

Puisque les deux vitesses des réactions directe et inverse sont égales, il est donc possible de combiner les deux relations :

$$v_d = v_i \Rightarrow k_d[A][B] = k_i[C][D] \Rightarrow \frac{k_d}{k_i} = \frac{[C][D]}{[A][B]}$$

La constante de vitesse de la réaction directe divisée par la constante de vitesse de la réaction inverse donne une troisième constante appelée la **constante d'équilibre, $K_{éq}$**.

$$K_{éq} = \frac{[C][D]}{[A][B]}$$

Constante d'équilibre : grandeur qui donne le rapport entre les concentrations à l'équilibre des produits et celles des réactifs.

Cette expression, énoncée par **C.M. Guldberg** et **P. Waage** est aussi connue sous le nom de **loi d'action de masse**. Ces chercheurs parlaient à l'époque de la loi d'action de masses actives. Cette expression a fait place à la loi d'action de masse, le terme *masses actives* correspondant en fait aux concentrations des substances.

Loi d'action de masse : loi qui détermine l'expression de la constante d'équilibre et dont le symbole est *K*.

Tableau 4.1 Calcul de la valeur numérique de la constante d'équilibre à partir de concentrations initiales variées de réactifs ou de produits.

N° de l'expérience	Concentration (mol/L)	Réaction $H_2(g) + I_2(g) \rightleftharpoons 2HI(g)$			Constante d'équilibre
1	initiale	0,637	0,570	0	$K_c = \frac{[HI]^2}{[H_2][I_2]} = 56$
	à l'équilibre	0,164	0,097	0,946	
2	initiale	0	0	0,611	$K_c = \frac{[HI]^2}{[H_2][I_2]} = 56,0$
	à l'équilibre	0,0645	0,0645	0,483	
3	initiale	1,000	1,000	1,000	$K_c = \frac{[HI]^2}{[H_2][I_2]} = 56,1$
	à l'équilibre	0,316	0,316	2,368	

La valeur de la constante d'équilibre varie avec la température. Il y a un nombre illimité de possibilités de systèmes à l'équilibre pour une même réaction; chacune de ces possibilités est appelée **position d'équilibre**. Par contre, pour une température donnée, on obtiendra toujours la même valeur de la constante d'équilibre, quelles que soient les concentrations de A, B, C et D à l'équilibre. Le tableau 4.1 montre trois systèmes différents dans lesquels des concentrations différentes des réactifs et des produits donnent la même valeur de constante à partir des concentrations à l'équilibre.

Position d'équilibre : différentes combinaisons de concentrations qui donnent la constante d'équilibre. La valeur de la constante, pour un système à l'équilibre, peut indiquer si ce sont surtout les produits ou surtout les réactifs qui sont favorisés.

On remarque que l'équilibre peut s'établir à partir des réactifs seulement ou des produits seulement et que le nombre de molécules des réactifs et celui des produits mesurés à l'équilibre correspondent aux coefficients stœchiométriques de l'équation équilibrée. C'est ce qu'illustre la figure 4.4.

Considérons l'expression générale d'une réaction chimique à l'équilibre, dans laquelle a, b, c et d représentent les coefficients stœchiométriques de l'équation équilibrée.

$$aA + bB \rightleftharpoons cC + dD$$

La constante d'équilibre s'exprime par la relation suivante.

$$K_{\text{éq}} = \frac{[C]^c[D]^d}{[A]^a[B]^b}$$

Par convention, les concentrations des produits sont inscrites au numérateur et celles des réactifs, au dénominateur. Chaque concentration est élevée à la puissance de son coefficient stœchiométrique dans l'équation équilibrée.

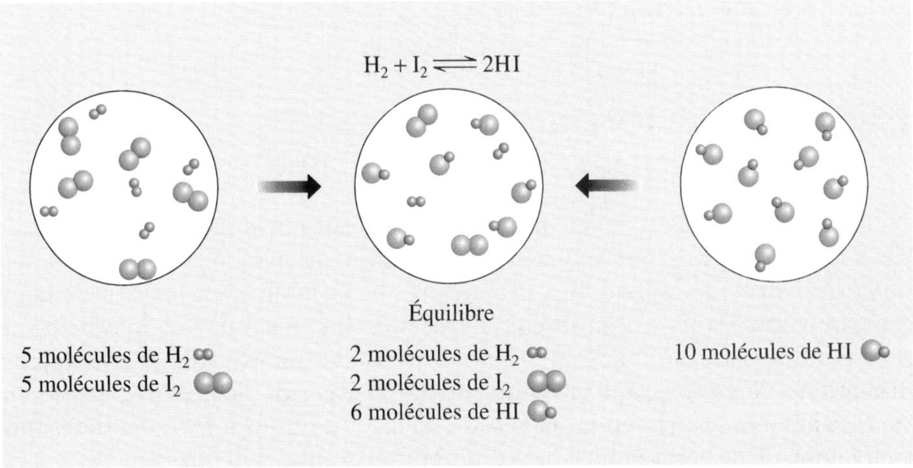

Figure 4.4 Établissement de l'équilibre à partir des réactifs ou des produits.

Lorsque la valeur du coefficient est égale à un, on ne l'inscrit pas. On notera que les exposants sont toujours les coefficients stœchiométriques de l'équation équilibrée, les réactions ayant atteint ici l'état d'équilibre, alors qu'en cinétique on considère les vitesses au tout début de la réaction, avant que la réaction inverse ne commence.

▼ EXEMPLE 4.1

On veut écrire l'expression de la constante d'équilibre pour chacune des réactions suivantes à l'équilibre.

a) $NO_2(g) + CO(g) \rightleftharpoons NO(g) + CO_2(g)$

On place les produits, NO et CO_2, au numérateur de l'expression de la constante d'équilibre et les réactifs, NO_2 et CO, au dénominateur; comme les coefficients stœchiométriques valent tous 1, on ne les inscrit pas en exposants.

- $K_{éq} = \frac{[NO][CO_2]}{[NO_2][CO]}$

b) $3O_2(g) \rightleftharpoons 2O_3(g)$

On place le produit, O_3, au numérateur de l'expression de la constante d'équilibre et le réactif, O_2, au dénominateur; on inscrit les coefficients stœchiométriques, 3 et 2, comme exposants des concentrations.

- $K_{éq} = \frac{[O_3]^2}{[O_2]^3}$

c) $HF(aq) \rightleftharpoons H^+(aq) + F^-(aq)$

On place les produits, H^+ et F^-, au numérateur de l'expression de la constante d'équilibre et le réactif, HF, au dénominateur; comme les coefficients stœchiométriques valent tous 1, on ne les inscrit pas en exposants.

- $K_{éq} = \frac{[H^+][F^-]}{[HF]}$

EXERCICE 4.1

Écrivez l'expression de la constante d'équilibre pour chacune des réactions suivantes à l'équilibre.

a) $N_2(g) + O_2(g) \rightleftharpoons 2NO(g)$

b) $3H_2(g) + N_2(g) \rightleftharpoons 2NH_3(g)$

c) $2H_2(g) + O_2(g) \rightleftharpoons 2H_2O(g)$

4.2 EXPRESSIONS DIFFÉRENTES DE LA CONSTANTE D'ÉQUILIBRE

La constante d'équilibre peut prendre deux formes selon que les concentrations des substances sont exprimées en concentrations molaires volumiques (molarité) ou sous forme de pressions partielles. De plus, on peut facilement calculer la constante d'équilibre de la réaction inverse à partir de celle de la réaction directe. Une autre information précieuse est fournie par la valeur numérique de la constante d'équilibre : la position de l'équilibre. Enfin, on verra comment exprimer la constante d'équilibre quand les substances se trouvent sous des états physiques différents (équilibres hétérogènes).

4.2.1 CONSTANTE D'ÉQUILIBRE EXPRIMÉE EN CONCENTRATIONS MOLAIRES VOLUMIQUES, K_c

Lorsque les unités de concentration des substances qui servent à calculer la constante d'équilibre sont données en mol/L, on exprime cette constante sous la forme K_c. Prenons la réaction du dioxyde de soufre, SO_2, et de l'oxygène moléculaire, O_2, qui se combinent pour produire du trioxyde de soufre, SO_3. L'expression de la constante d'équilibre, K_c, de cette réaction sera donnée par la relation suivante dont les unités sont en L/mol. Notez qu'**il faut indiquer les unités de la constante d'équilibre** même si certains auteurs ne le font pas.

Les volcans émettent du dioxyde de soufre dans l'air.

$$2SO_2(g) + O_2(g) \rightleftharpoons 2SO_3(g)$$

$$K_c = \frac{[SO_3]^2}{[SO_2]^2[O_2]} = \frac{(\text{mol/L})^2}{(\text{mol/L})^2(\text{mol/L})} = \text{L/mol}$$

On a trouvé que la valeur expérimentale de K_c à 1500 K pour cette réaction était égale à 0,15 L/mol. À 1500 K, si on substitue les concentrations en mol/L de tous les constituants, on doit obtenir 0,15 L/mol, sinon le système n'est pas à l'équilibre.

Pour obtenir la valeur de la constante d'équilibre ou calculer la concentration de l'une des substances à l'équilibre, on applique la démarche suivante.

1° On écrit l'expression de la constante d'équilibre.

2° Selon le cas, on substitue les valeurs de la constante d'équilibre ou des concentrations et on effectue les calculs.

▼ EXEMPLE 4.2

Soit la réaction suivante dont la constante d'équilibre est de $4{,}1 \times 10^{-4}$ à 2000 K.

$$N_2(g) + O_2(g) \rightleftharpoons 2NO(g)$$

Dans un mélange de ces trois substances à l'équilibre, la concentration de l'azote moléculaire, N_2, est de 0,0359 mol/L et celle de l'oxygène moléculaire, O_2, de 0,008 90 mol/L.

Voyons comment calculer la concentration du monoxyde d'azote, NO.

1° On établit l'expression de la constante d'équilibre.

$$K_c = \frac{[NO]^2}{[N_2][O_2]}$$

2° On substitue les valeurs de K_c et des concentrations dans l'expression et on effectue le calcul.

$$[NO]^2 = K_c[N_2][O_2]$$

$$[NO] = \sqrt{K_c[N_2][O_2]}$$

$$[NO] = \sqrt{4{,}1 \times 10^{-4}(0{,}0359 \text{ mol/L})(0{,}008\ 90 \text{ mol/L})}$$

$$[NO] = 3{,}6 \times 10^{-4} \text{ mol/L}$$

- Sous ces conditions, la concentration du monoxyde d'azote à l'équilibre est de **$3{,}6 \times 10^{-4}$ mol/L.**

▼ EXEMPLE 4.3

Soit la réaction suivante à l'équilibre se déroulant à 25 °C.

$$N_2O_4(g) \rightleftharpoons 2NO_2(g)$$

La concentration du tétraoxyde de diazote, N_2O_4, est de 4,27 × 10^{-2} mol/L et celle du dioxyde d'azote, NO_2, de 1,41 × 10^{-2} mol/L. On désire calculer la constante d'équilibre, K_c, à partir de ces données.

1° On établit l'expression de la constante d'équilibre.

$$K_c = \frac{[NO_2]^2}{[N_2O_4]}$$

2° On substitue les valeurs des concentrations à l'équilibre et on effectue le calcul.

$$K_c = \frac{(1,41 \times 10^{-2}\ \text{mol/L})^2}{(4,27 \times 10^{-2}\ \text{mol/L})} = 4,66 \times 10^{-3}\ \text{mol/L}$$

- La constante d'équilibre de cette réaction est de **4,66 × 10^{-3} mol/L.**

EXERCICE 4.2

Le méthane, CH_4, et la vapeur d'eau, H_2O, réagissent à 1273 K pour former du monoxyde de carbone, CO, et de l'hydrogène moléculaire, H_2.

$$CH_4(g) + H_2O(g) \rightleftharpoons CO(g) + 3H_2(g)$$

À l'équilibre, on mesure les concentrations suivantes : 2,96 × 10^{-3} mol/L en CH_4, 7,94 × 10^{-3} mol/L en H_2O, 5,46 × 10^{-3} mol/L en CO et 2,16 × 10^{-2} mol/L en H_2. Calculez la constante d'équilibre, K_c, pour cette réaction.

LA POSITION D'ÉQUILIBRE

La valeur numérique de la constante d'équilibre, K_c, peut donner une indication de la position d'équilibre (car équilibre ne signifie pas égalité des concentrations).

Pour la réaction suivante, qui se déroule à 100 °C, on trouve une valeur très élevée de la constante d'équilibre, K_c, soit 4,58 × 10^9 L/mol.

$$CO(g) + Cl_2(g) \rightleftharpoons COCl_2(g)$$

$$K_c = \frac{[COCl_2]}{[CO][Cl_2]} = 4,58 \times 10^9\ \text{L/mol}$$

Cette très grande valeur de K_c signifie qu'à l'équilibre les concentrations de monoxyde de carbone, CO, et de chlore moléculaire, Cl_2, sont très faibles alors que la synthèse du dichlorure de carbonyle, $COCl_2$, est presque complète.

À l'inverse, pour la réaction suivante se déroulant à 2000 °C, on obtient une très faible valeur de la constante d'équilibre, K_c, soit 4,07 × 10^{-4}.

$$N_2(g) + O_2(g) \rightleftharpoons 2NO(g)$$

$$K_c = \frac{[NO]^2}{[N_2][O_2]} = 4,07 \times 10^{-4}$$

Cette faible valeur de K_c indique que l'oxyde d'azote, NO, est presque totalement dissocié à l'équilibre en azote et en oxygène moléculaires, N_2 et O_2, et, en conséquence, que la réaction inverse est presque complète à l'équilibre. Nous verrons, dans la résolution des problèmes d'équilibre (*section 4.4*), qu'une bonne compréhension de la position d'équilibre permet de simplifier grandement les calculs.

4.2.2 CONSTANTE D'ÉQUILIBRE DE LA RÉACTION INVERSE OU D'UNE RÉACTION SIMPLIFIÉE

Les voitures sont une source de dioxyde de soufre, un polluant gazeux.

RÉACTION INVERSE

Nous avons vu que la constante d'équilibre, K_c, pour la réaction suivante est de 0,15 L/mol.

$$2SO_2(g) + O_2(g) \rightleftharpoons 2SO_3(g)$$

$$K_c = \frac{[SO_3]^2}{[SO_2]^2[O_2]} = 0{,}15\ \text{L/mol}$$

Or, si on considère la réaction inverse, l'expression de sa constante d'équilibre sera de 6,7 mol/L.

$$2SO_3(g) \rightleftharpoons 2SO_2(g) + O_2(g)$$

$$K'_c = \frac{[SO_2]^2[O_2]}{[SO_3]^2} = \frac{1}{0{,}15\ \text{L/mol}} = 6{,}7\ \text{mol/L}$$

Ce résultat correspond à la réciproque de K_c, puisque

$$\frac{1}{K'_c} = \frac{[SO_3]^2}{[SO_2]^2[O_2]} = K_c \quad \text{et} \quad K'_c = \frac{1}{K_c}$$

Ainsi, on peut généraliser de la manière suivante :

La constante d'équilibre exprimant l'équation d'une réaction inverse est égale à l'inverse de la constante d'équilibre exprimant l'équation directe.

RÉACTION SIMPLIFIÉE

La réaction précédente peut être donnée avec des coefficients stœchiométriques simplifiés.

$$SO_2(g) + \frac{1}{2}O_2(g) \rightleftharpoons SO_3(g)$$

Puisque les valeurs des coefficients stœchiométriques sont divisées par 2, la valeur de la constante d'équilibre, K'_c, de cette nouvelle équation sera égale à la valeur, K, exposant 1/2.

$$K'_c = \frac{[SO_3]}{[SO_2][O_2]^{1/2}} = K^{1/2}$$

Ainsi, on peut généraliser de la façon suivante :

Si on multiplie une réaction par n, la constante d'équilibre de la nouvelle réaction sera égale à K^n.

4.2.3 COMBINAISONS DE CONSTANTES D'ÉQUILIBRE

Dans le chapitre précédent sur la cinétique chimique, nous avons vu que certaines réactions peuvent s'expliquer par une série d'étapes élémentaires appelée mécanisme de réaction. Voyons comment considérer les constantes d'équilibre dans de tels cas à l'aide de la réaction suivante.

$$2NO_2Cl(g) \rightleftharpoons 2NO_2(g) + Cl_2(g)$$

Dans cette équation, la constante d'équilibre s'exprime par la relation suivante.

$$K_c = \frac{[NO_2]^2[Cl_2]}{[NO_2Cl]^2}$$

Cette réaction se déroule selon un mécanisme en deux étapes :

1. $NO_2Cl \rightleftharpoons NO_2 + Cl$ $\qquad k_1 = \frac{[NO_2][Cl]}{[NO_2Cl]}$

2. $NO_2Cl + Cl \rightleftharpoons NO_2 + Cl_2$ $\qquad k_2 = \frac{[NO_2][Cl_2]}{[NO_2Cl][Cl]}$

En additionnant les deux étapes élémentaires, on obtient l'équation globale équilibrée et en multipliant les deux constantes de vitesse, on obtient la constante d'équilibre, K_c.

$$k_1k_2 = \frac{[NO_2][Cl]}{[NO_2Cl]} \times \frac{[NO_2][Cl_2]}{[NO_2Cl][Cl]} = \frac{[NO_2]^2[Cl_2]}{[NO_2Cl]^2}$$

Cette expression est la même que la constante d'équilibre de la réaction globale.

$$K_{globale} = k_1k_2 = K_c$$

Ainsi, on peut généraliser de la façon suivante :

Chaque fois qu'on additionne deux équations ou plus pour obtenir une équation globale, la constante de la réaction globale est le produit des constantes d'équilibre des réactions additionnées.

4.2.4 LES ÉQUILIBRES HOMOGÈNE ET HÉTÉROGÈNE

Équilibre homogène : équilibre chimique dans lequel toutes les substances sont sous le même état physique.

Équilibre hétérogène : équilibre chimique dans lequel les substances ne se retrouvent pas toutes sous le même état physique; toute substance pure solide ou liquide n'est pas considérée dans l'expression et le calcul de la constante.

Dans les systèmes que nous avons étudiés jusqu'à maintenant, les substances chimiques se trouvaient sous la même phase (généralement gazeuse); de tels systèmes décrivent des **équilibres homogènes**. Lorsqu'on retrouve les substances chimiques sous plus d'une phase, il s'agit d'**équilibres hétérogènes**. Ainsi, la réaction réversible suivante correspond à un équilibre hétérogène.

$$2HgO(s) \rightleftharpoons 2Hg(l) + O_2(g)$$

Dans ce système à l'équilibre, un solide, un liquide et un gaz sont en présence. Les concentrations des solides et des liquides purs sont directement proportionnelles à leur masse volumique, laquelle varie avec la température. Ainsi, ces concentrations demeurent constantes dans ces réactions, aussi longtemps qu'il y a présence de solide et de liquide et que la température demeure constante. C'est pourquoi, dans ces cas, la constante d'équilibre est indépendante de la quantité des solides et des liquides purs présents.

Par convention, *les valeurs des concentrations des solides ou des liquides purs ne sont pas utilisées dans l'expression des constantes d'équilibre.* Elles sont considérées comme incluses dans la valeur de la constante. Ainsi, pour la réaction précédente, si on place du même côté de l'égalité toutes les valeurs constantes, on trouve $K_c = [O_2]$. Toutes les valeurs constantes sont alors incluses dans la constante K_c.

Les piles boutons renferment de l'oxyde de mercure(II).

$$K_{équilibre} = \frac{[Hg]^2[O_2]}{[HgO]^2} \Rightarrow \frac{K_{équilibre}[HgO]^2}{[Hg]^2} = [O_2] \Rightarrow K_c = [O_2]$$

La figure 4.5 montre un système à l'équilibre pour la réaction de décomposition du carbonate de calcium, $CaCO_3$.

$$CaCO_3(s) \rightleftharpoons CaO(s) + CO_2(g)$$

Quelles que soient les quantités des substances solides en présence, l'équilibre demeure le même. De plus, si on ajoute dans ce contenant du carbonate de calcium qui contient du carbone 14, non seulement la pression n'est pas

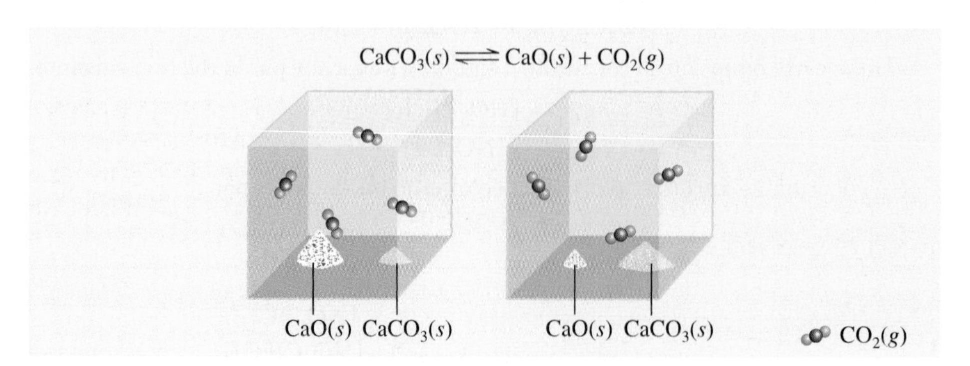

Figure 4.5 Équilibre hétérogène (gaz–solide).

modifiée, mais, après un certain temps, du dioxyde de carbone enrichi en carbone 14 se trouve aussi dans la phase gazeuse. Ce qui démontre l'échange constant entre les solides et les gaz, et prouve la présence d'un équilibre dynamique.

▼ EXEMPLE 4.4

Pour les réactions à l'équilibre suivantes, on veut écrire l'expression de la constante d'équilibre.

a) $2KNO_3(s) \rightleftharpoons 2KNO_2(s) + O_2(g)$

Dans cette réaction d'équilibre hétérogène, seul l'oxygène moléculaire, O_2, est gazeux. Par conséquent, on ne tient compte que de cette substance dans l'expression de K_c.

- $K_c = [O_2]$

b) $3Fe(s) + 4H_2O(g) \rightleftharpoons Fe_3O_4(s) + 4H_2(g)$

Dans cette réaction d'équilibre hétérogène, la vapeur d'eau, H_2O, et l'hydrogène moléculaire, H_2, sont gazeux. On ne tient donc compte que de ces deux substances dans l'expression de la constante d'équilibre, K_c.

- $K_c = \dfrac{[H_2]^4}{[H_2O]^4}$

c) $2NH_3(g) + H_2SO_4(l) \rightleftharpoons (NH_4)_2SO_4(s)$

Dans cette réaction d'équilibre hétérogène, seul l'ammoniac, NH_3, est gazeux. Par conséquent, dans l'expression de K_c, on ne tient compte que de cette substance.

- $K_c = \dfrac{1}{[NH_3]^2} = [NH_3]^{-2}$

EXERCICE 4.3

Pour les réactions à l'équilibre suivantes, écrivez l'expression de la constante d'équilibre.

a) $NH_4Cl(s) \rightleftharpoons NH_3(g) + HCl(g)$

b) $2Pb(NO_3)_2(s) \rightleftharpoons 2PbO(s) + 4NO_2(g) + O_2(g)$

c) $2Ag(s) + Cl_2(g) \rightleftharpoons 2AgCl(s)$

4.2.5 CONSTANTE D'ÉQUILIBRE EXPRIMÉE EN PRESSIONS PARTIELLES, K_p

Lorsque les substances chimiques participant à des réactions à l'équilibre sont des gaz, il est souvent plus pratique de mesurer leurs pressions que leurs concentrations. Or, il est facile d'établir une relation simple entre la concentration et la pression d'un gaz à partir de la loi des gaz parfaits. En isolant le terme P, on remarque que la pression partielle d'un gaz est directement proportionnelle à sa concentration (n/V).

$$PV = nRT \Rightarrow P = \left(\frac{n}{V}\right)RT$$

Pour les équilibres dans lesquels se trouvent des gaz, la constante d'équilibre est souvent exprimée en pressions partielles, en substituant le symbole K_p à K_c. Par exemple, pour la réaction réversible entre l'azote et l'hydrogène moléculaires, N_2 et H_2, et l'ammoniac, NH_3, l'expression de K_p est donnée par la relation suivante.

$$N_2(g) + 3H_2(g) \rightleftharpoons 2NH_3(g)$$

$$K_p = \frac{(P_{NH_3})^2}{(P_{N_2})(P_{H_2})^3}$$

Les unités des pressions partielles peuvent être exprimées en kPa, en atm ou en mm Hg. Remarquez que les normes appliquées dans l'expression de K_p sont les mêmes que pour K_c:

- les pressions partielles des produits sont inscrites au numérateur et celles des réactifs, au dénominateur;
- chaque pression partielle est élevée à la puissance de son coefficient stœchiométrique.

▼ EXEMPLE 4.5

On veut écrire l'expression de la constante d'équilibre, K_p, pour les réactions réversibles suivantes.

a) $CaCO_3(s) \rightleftharpoons CaO(s) + CO_2(g)$

Dans cette réaction d'équilibre, seul le dioxyde de carbone, CO_2, est gazeux, et la valeur de son coefficient stœchiométrique est 1.

- On obtient donc $K_p = P_{CO_2}$.

b) $H_2O(l) + CO_2(g) \rightleftharpoons H_2CO_3(aq)$

Ici également, seul le dioxyde de carbone, CO_2, est gazeux, et son coefficient stœchiométrique est égal à 1.

- On obtient donc $K_p = \dfrac{1}{P_{CO_2}} = (P_{CO_2})^{-1}$.

▼ EXEMPLE 4.6

Soit la réaction suivante à 25 °C, dont on connaît les pressions partielles de chaque gaz à l'équilibre.

$$2NO(g) + Cl_2(g) \rightleftharpoons 2ONCl(g)$$

Dans ce mélange, la pression partielle de l'oxyde d'azote, NO, est de 5,10 kPa, celle du chlore moléculaire, Cl_2, est de 30,4 kPa et celle du chlorure de nitrosyle, ONCl, est de 121,6 kPa. On désire calculer la valeur de la constante d'équilibre, K_p, de cette réaction.

1° On établit l'expression de la constante d'équilibre.

$$K_p = \frac{(P_{ONCl})^2}{(P_{NO})^2(P_{Cl_2})}$$

2° On substitue les données dans cette relation et on effectue le calcul.

$$K_p = \frac{(121,6\ \text{kPa})^2}{(5,10\ \text{kPa})^2(30,4\ \text{kPa})} = 18,7\ \text{kPa}^{-1}$$

- La constante d'équilibre, K_p, de cette réaction est de **18,7 kPa^{-1}**.

EXERCICE 4.4

Calculez la valeur de la constante d'équilibre, K_p, à partir des pressions à l'équilibre données pour la réaction suivante.

$$N_2(g) + 3H_2(g) \rightleftharpoons 2NH_3(g)$$

$P_{H_2} = 0,314$ kPa $\quad P_{N_2} = 86,13$ kPa $\quad P_{NH_3} = 3,14$ kPa

4.2.6 RELATION ENTRE K_p ET K_c

Nous avons vu à la sous-section précédente que l'expression de la pression partielle d'un gaz est reliée à sa concentration.

$$PV = nRT \Rightarrow P = \left(\frac{n}{V}\right)RT \quad \text{ou} \quad P = [\ \ ]RT \qquad (1)$$

Considérons l'équation générale suivante et l'expression de K_p.

$$aA(g) \rightleftharpoons bB(g)$$

$$K_p = \frac{(P_B)^b}{(P_A)^a} \qquad (2)$$

En substituant les valeurs des pressions, P_A et P_B, de l'équation 1 dans l'équation 2, on obtient une nouvelle équation établissant un rapport simple entre K_p et K_c.

$$K_p = \frac{[B]^b(RT)^b}{[A]^a(RT)^a} = K_c\frac{(RT)^b}{(RT)^a} \text{ et } K_p = K_c(RT)^{b-a} \qquad (3)$$

Cette relation est généralement donnée sous la forme suivante, dans laquelle R est la constante des gaz (8,315 L·kPa/K·mol si la pression est en kPa), T est la température absolue (K) et Δn est la **variation de n** (somme des coefficients des produits à l'état gazeux – somme des coefficients des réactifs à l'état gazeux).

Variation de n : changement du nombre de moles de gaz quand on lit l'équation à l'équilibre, de gauche à droite.

$$K_p = K_c(RT)^{\Delta n} \qquad (4)$$

Seuls les produits et les réactifs à l'état gazeux sont considérés.

Le terme Δn correspond à la variation du nombre de moles de gaz quand on lit l'équation de gauche à droite. Ainsi, si on compte 3 moles de gaz à gauche d'une équation et 2 moles de gaz à droite, la variation de n, Δn, sera de –1.

▼ EXEMPLE 4.7

On désire établir la relation entre K_p et K_c pour les réactions d'équilibre suivantes.

a) $PCl_5(g) \rightleftharpoons PCl_3(g) + Cl_2(g)$

$$K_p = K_c(RT)^{\Delta n}$$

Comme la somme des coefficients stœchiométriques des produits gazeux est égale à 2 et que celle des réactifs gazeux est égale à 1, Δn vaut 1 (2 – 1).

- On obtient donc $K_p = K_c(RT)$.

b) $CO(g) + Cl_2(g) \rightleftharpoons COCl_2(g)$

Ici, comme la somme des coefficients stœchiométriques des produits gazeux est égale à 1 et que celle des réactifs gazeux est égale à 2, Δn vaut –1.

- On obtient donc $K_p = K_c(RT)^{-1} = \dfrac{K_c}{RT}$.

c) $H_2(g) + I_2(g) \rightleftharpoons 2HI(g)$

Comme la différence entre la somme des coefficients des produits gazeux et celle des réactifs gazeux est égale à zéro, Δn vaut 0.

- On obtient donc $K_p = K_c(RT)^0 = K_c$.

▼ EXEMPLE 4.8

La constante d'équilibre K_c pour la réaction suivante à 827 °C est de 0,0271 mol/L.

$$2SO_3(g) \rightleftharpoons 2SO_2(g) + O_2(g)$$

On veut calculer la valeur de la constante d'équilibre, K_p, pour cette température.

1° On exprime la relation entre K_p et K_c.

La somme des coefficients des produits est 3 et celle des réactifs est 2. Par conséquent, $\Delta n = 1$.

$$K_p = K_c(RT)$$

2° On calcule la valeur de K_p.

$$T = 273{,}1 + 827 = 1{,}10 \times 10^3 \text{ K}$$

$$K_p = \left(\frac{0{,}0271 \cancel{\text{mol}}}{1 \cancel{\text{L}}}\right)\left(\frac{8{,}315 \text{ kPa}\cdot\cancel{\text{L}} \times 1{,}10 \times 10^3 \cancel{\text{K}}}{1 \cancel{\text{K}}\cdot\cancel{\text{mol}}}\right) = 248 \text{ kPa}$$

- La valeur de K_p est donc de **248 kPa**.

EXERCICE 4.5

Pour la réaction suivante à 1200 K, la valeur de la constante K_c est de 3,92 L^2/mol^2.

$$CO(g) + 3H_2(g) \rightleftharpoons CH_4(g) + H_2O(g)$$

Calculez la constante K_p à cette température.

4.2.7 ÉNERGIE ET CONSTANTE D'ÉQUILIBRE

L'énergie libre de Gibbs donne la relation entre la variation d'enthalpie et la variation d'entropie d'un phénomène se déroulant à une température donnée (*revoir la sous-section 1.2.2, pages 10 et 11*).

$$\Delta G = \Delta H - T\Delta S$$

Rappelons les critères de Gibbs à propos de la spontanéité d'un processus.

1. Lorsque $\Delta G < 0$, le processus est spontané.
2. Lorsque $\Delta G > 0$, le processus n'est pas spontané.
3. Lorsque $\Delta G = 0$, le processus est à l'équilibre.

Comme ΔG est égal à zéro dans un système à l'équilibre, on peut utiliser les changements d'énergie libre pour évaluer l'état d'équilibre d'une réaction chimique. L'énergie libre d'une substance dans un état différent de son état standard[1], G, est reliée, à son énergie libre standard, G^0, par l'équation suivante dans laquelle R est la constante des gaz parfaits, T est la température absolue et a est l'activité de la substance.

$$G = G^0 + RT \ln a \tag{5}$$

Activité : concentration effective d'une substance; le plus souvent, elle est inférieure à la concentration fondée sur les relations pondérales.

L'**activité** d'une substance décrit sa concentration effective et, dans son état standard, elle est égale à 1. Et puisque ln 1 est égal à zéro, $G = G^0$ lorsque la substance est dans son état standard.

$$G = G^0 + RT \ln 1 \Rightarrow G = G^0$$

Par convention, un gaz idéal est dans son état standard lorsque sa pression est à 101,325 kPa. Si la pression partielle du gaz est de 50,66 kPa, l'activité du gaz est de 0,5.

On peut utiliser l'équation 5 pour obtenir une expression montrant le changement d'énergie libre qui accompagne une réaction chimique. Prenons cette équation générale.

$$w\text{W} + x\text{X} \rightleftharpoons y\text{Y} + z\text{Z}$$

Son changement d'énergie libre est donné par l'équation suivante, dans laquelle les activités des substances sont élevées à la puissance qui correspond aux coefficients stœchiométriques de l'équation équilibrée.

$$\Delta G = \Delta G^0 + RT \ln \left(\frac{(a_\text{Y})^y (a_\text{Z})^z}{(a_\text{W})^w (a_\text{X})^x}\right) \tag{6}$$

1. L'état standard correspond à une température de 298,15 K (25,0 °C) et à une pression de 101,3 kPa.

CAPSULE CHIMIQUE

Le cycle naturel de l'azote : un bel équilibre !

L'azote est constamment recyclé dans la nature. Il est extrait de l'atmosphère et y retourne par différents processus naturels et artificiels. L'ensemble de ces processus, qui forment un étonnant équilibre entre eux, est communément appelé cycle de l'azote. La figure 1 montre le cycle de l'azote dans la biosphère.

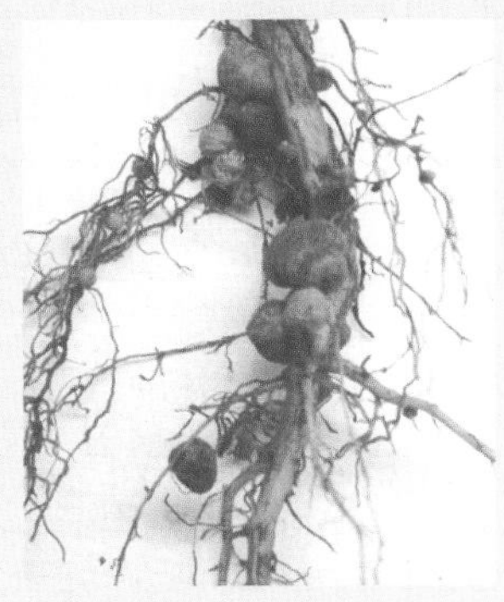

Les nodules de ce plant de soya sont remplis de bactéries fixatrices d'azote.

Transformation en oxydes

L'azote est un élément important dans la constitution des protéines des plantes et des animaux. Comme cet élément est peu réactif, les cellules vivantes ne peuvent l'assimiler directement de l'air pour la synthèse des protéines. L'azote de l'air est par contre converti par plusieurs procédés de fixation en composés contenant de l'azote et utilisables par les plantes. La fixation de l'azote constitue la première partie du cycle de l'azote.

$$N_2(g) \xrightarrow{\text{fixation}} \text{composés contenant de l'azote}$$

L'azote et l'oxygène de l'air, sous l'action des éclairs durant les orages, se transforment en monoxyde d'azote (1), NO.

$$N_2(g) + O_2(g) \longrightarrow 2NO(g)$$

La réaction de ce dernier avec l'oxygène de l'air le transforme ensuite en dioxyde d'azote (2), NO_2.

$$2NO(g) + O_2(g) \longrightarrow 2NO_2(g)$$

Enfin, ce nouvel oxyde réagit avec l'eau pour former de l'acide nitrique (3), HNO_3.

$$3NO_2(g) + H_2O(l) \longrightarrow 2HNO_3(l) + NO(g)$$

L'acide nitrique tombe au sol sous forme de pluies acides où il forme des nitrates, NO_3^-, qui peuvent être utilisés par les plantes (4).

Transformation en ammoniac

De l'ammoniac, NH_3, est produit par la fixation de l'azote, N_2, par certains micro-organismes ou des bactéries qu'on retrouve dans le sol et qui vivent dans des nodules sur certaines plantes légumineuses (5). Cet ammoniac est aussi converti en acides aminés et en protéines dans les plantes (6).

Une partie de l'ammoniac est aussi produite par fixation industrielle de l'azote (procédé Haber) (7), dont une part importante est convertie en engrais pour les plantes (8). Son utilisation comme engrais est tellement répandue qu'on ne peut plus ne pas en tenir compte dans le cycle de l'azote.

$$N_2(g) + 3H_2(g) \rightleftharpoons 2NH_3(g)$$

Les protéines végétales sont ensuite ingérées par les animaux et utilisées dans la fabrication des protéines animales (9). De la même façon, les humains obtiennent leur azote en mangeant des protéines végétales et animales.

Recyclage

La décomposition des déchets résultant du métabolisme animal, la décomposition des plantes et la dégradation des protéines des animaux morts retournent de l'ammoniac dans le sol (10) où des bactéries nitrifiantes les convertissent en ions nitrite, NO_2^-, et ensuite en ions nitrates, NO_3^-, (11). Ainsi, parce que ces bactéries sont très abondantes et actives, presque tout l'ammoniac qui atteint le sol finit par s'oxyder en nitrates, un phénomène appelé nitrification.

Certaines bactéries dénitrifiantes peuvent aussi transformer les nitrates en azote comme produit final (12). Ce processus, appelé dénitrification, retourne l'azote dans l'air, et l'équilibre du cycle est ainsi complété.

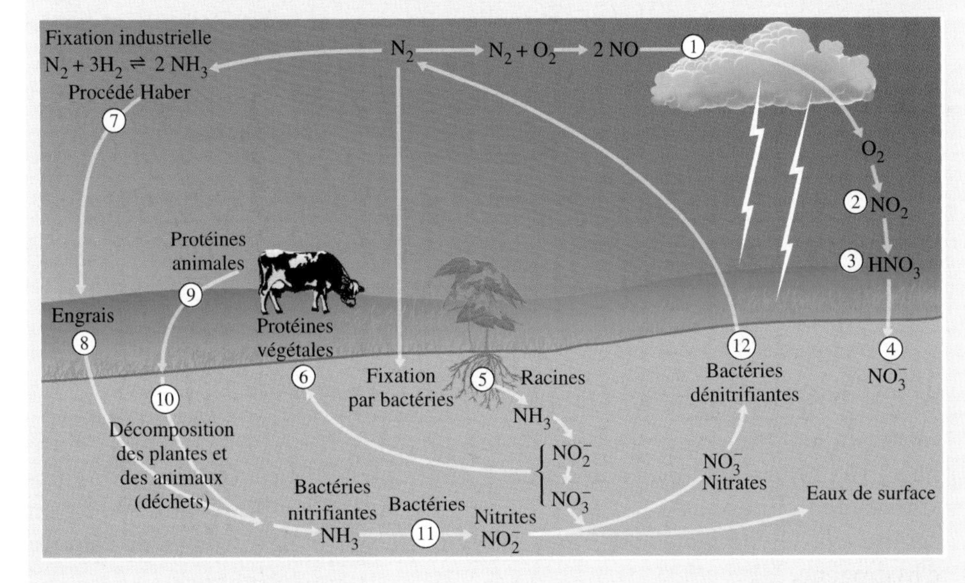

Figure 1 Le cycle de l'azote.

Le logarithme népérien dans cette équation apporte à ΔG^0 la correction qui correspond à la situation plus générale dans laquelle les activités des substances ne sont pas égales à un. Notez que l'on utilise les parenthèses au lieu des crochets pour représenter les valeurs des activités.

À l'équilibre, $\Delta G = 0$, et alors

$$0 = \Delta G^0 + RT \ln \left(\frac{(a_Y)^y (a_Z)^z}{(a_W)^w (a_X)^x} \right)$$

Comme le système est à l'équilibre, les activités dans cette équation sont les activités à l'équilibre et l'expression contenue entre parenthèses peut être remplacée par la constante d'équilibre K.

$$\Delta G^0 = -RT \ln K \tag{7}$$

Selon la définition de l'état standard utilisée pour déterminer les valeurs de ΔG^0, on obtient la constante d'équilibre K_c ou K_p à partir de cette équation. La constante d'équilibre K_p est donc obtenue pour les réactions gazeuses si l'état standard du gaz est défini à une pression de 101,325 kPa.

Selon les valeurs de l'énergie libre, ΔG^0, qu'on obtient, on peut calculer les valeurs de constantes et en arriver aux conclusions suivantes :

1. Si la valeur de ΔG^0 est négative et élevée, cela signifie que la valeur de la constante d'équilibre K pour la réaction est positive et élevée et que la réaction directe est pratiquement complète.
2. Si la valeur de ΔG^0 est positive et élevée, cela signifie que la valeur de la constante d'équilibre K pour la réaction est très petite et que la réaction inverse est pratiquement complète.
3. Si la valeur de ΔG^0 est de l'ordre d'environ ±5 kJ, cela signifie que, lorsque l'équilibre est atteint, la réaction n'est complète ni dans un sens ni dans l'autre.

4.3 MODIFICATION D'UN SYSTÈME À L'ÉQUILIBRE ET PRINCIPE DE LE CHATELIER

Qu'arrive-t-il à un système à l'équilibre si on change l'une des conditions expérimentales comme la concentration, la pression ou la température, ou si on y ajoute un catalyseur ? Les effets de tels changements ont été étudiés en 1884 par **Henri Le Chatelier** et sont connues sous le nom de **principe de Le Chatelier**.

Principe de Le Chatelier : principe selon lequel « un système à l'équilibre qui subit un changement de concentration, de température ou de pression réagit dans la direction qui permet de rétablir les conditions initiales ».

Principe de Le Chatelier Si un système à l'équilibre subit un changement de concentration, de température ou de pression, il réagit alors dans la direction qui permet de rétablir les conditions initiales.

Cet énoncé très général inclut la loi d'action de masse présentée précédemment et s'applique très bien à la thermodynamique de Gibbs. En fait, il est si général qu'il peut aussi s'appliquer avec un succès étonnant au comportement humain !

4.3.1 MODIFICATION DE LA CONCENTRATION

Si on augmente la concentration d'une substance dans un système à l'équilibre, l'équilibre se déplace de façon à diminuer la concentration de la substance ajoutée. Prenons par exemple un système à l'équilibre dans lequel on retrouve de l'hydrogène et de l'iode moléculaires, H_2 et I_2, ainsi que de l'iodure d'hydrogène, HI.

$$H_2(g) + I_2(g) \rightleftharpoons 2HI(g)$$

Si on augmente la concentration d'hydrogène, H_2, l'équilibre du système sera perturbé et le système réagira de façon à faire diminuer la concentration de cette substance. La seule façon d'y arriver est d'utiliser plus de H_2 et de I_2 pour former plus de HI. L'équilibre se déplace donc vers la droite et, lorsque le nouvel équilibre est établi, la concentration d'iodure d'hydrogène est plus grande qu'initialement. Un déplacement similaire de l'équilibre vers la droite se produirait si on augmentait la concentration d'iode moléculaire.

Si on augmente la concentration d'iodure d'hydrogène, HI, l'équilibre se déplacera vers la gauche, de façon à annuler l'effet de cette addition de produit. Du HI sera donc utilisé et, après que le nouvel état d'équilibre sera rétabli, les concentrations de H_2 et de I_2 seront plus grandes qu'initialement. Voici en résumé les effets de changements de concentrations sur le système étudié.

$$H_2(g) + I_2(g) \rightleftharpoons 2HI(g)$$

AUGMENTATION DE LA CONCENTRATION DE H_2

H_2 réagit avec I_2 pour former plus de HI $\Rightarrow \xrightarrow{\text{équilibre}}$.

Après l'établissement du nouvel état d'équilibre :

$[H_2] = [H_2]_0$ + ajout de H_2 – quantité qui réagit (x);

$[I_2] = [I_2]_0$ – quantité qui réagit (x);

$[HI] = [HI]_0$ + quantité de HI formée ($2x$).

Remarquez que chaque fois qu'**une** molécule d'hydrogène réagit avec **une** molécule d'iode, **deux** molécules d'iodure d'hydrogène se forment, ce qui est en accord avec les coefficients stœchiométriques de l'équation équilibrée.

AUGMENTATION DE LA CONCENTRATION DE I_2

I_2 réagit avec H_2 pour former plus de HI $\Rightarrow \xrightarrow{\text{équilibre}}$.

Après l'établissement du nouvel état d'équilibre :

$[I_2] = [I_2]_0$ + ajout de I_2 – quantité qui réagit (x);

$[H_2] = [H_2]_0$ – quantité qui réagit (x);

$[HI] = [HI]_0$ + quantité de HI formée ($2x$).

AUGMENTATION DE LA CONCENTRATION DE HI

HI se décompose pour former plus de H_2 et de $I_2 \Rightarrow \xleftarrow{\text{équilibre}}$.

Après l'établissement du nouvel état d'équilibre :

$[H_2] = [H_2]_0$ + quantité formée (x);

$[I_2] = [I_2]_0$ + quantité formée (x);

$[HI] = [HI]_0$ + ajout de HI – quantité qui se décompose ($2x$).

Si on enlève une des substances dans un système en équilibre, la position d'équilibre va aussi changer. Par exemple, si on enlève de l'iodure d'hydrogène, le système réagit de façon à en produire : l'équilibre se déplace alors vers la droite. Plus de HI est produit et les concentrations de H_2 et de I_2 vont diminuer.

En enlevant continuellement un produit, il est même possible qu'une réaction réversible devienne complète, comme le montre la réaction de décomposition du carbonate de calcium, $CaCO_3$.

$$CaCO_3(s) \rightleftharpoons CaO(s) + CO_2(g)$$

Si on enlève le dioxyde de carbone, CO_2, à mesure qu'il se forme, la réaction se déplace complètement vers la droite.

$$CaCO_3(s) \longrightarrow CaO(s) + CO_2(g)$$

HENRI LE CHATELIER
1850-1936
Chimiste français dont le principe appliqué permit de rationaliser l'industrie chimique et aida les chimistes à obtenir les produits désirés avec un minimum de pertes.

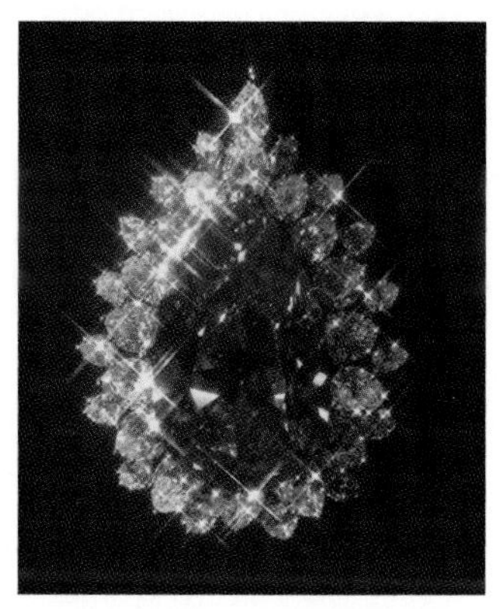

En soumettant le graphite à une pression et à des températures extrêmes, on peut le convertir en diamant.

4.3.2 MODIFICATION DE LA PRESSION

Le principe de Le Chatelier permet aussi de prédire l'effet des changements de pression sur des systèmes à l'équilibre dans lesquels les substances sont des gaz. Une façon simple de le faire est d'associer une augmentation de pression à une augmentation de la concentration, car en augmentant la pression, on force les particules de gaz à se rapprocher, ce qui correspond à une augmentation de la concentration. L'augmentation de pression peut aussi être réalisée en diminuant le volume du contenant dans lequel se trouve le système en équilibre ou encore en y injectant un gaz inerte, c'est-à-dire un gaz qui ne participe pas à la réaction, mais contribue à faire augmenter la pression totale. On notera que le gaz inerte ne change pas la concentration de chaque gaz et n'a donc aucun effet sur l'équilibre.

Considérons le système suivant à l'équilibre dans lequel on retrouve du dioxyde et du trioxyde de soufre, SO_2 et SO_3, ainsi que de l'oxygène moléculaire, O_2, et sur lequel on augmente la pression en diminuant le volume du contenant.

$$2SO_2(g) + O_2(g) \rightleftharpoons 2SO_3(g)$$

Dans la réaction de gauche à droite, deux molécules de gaz SO_3 sont produites chaque fois que trois molécules de gaz réagissent (SO_2 et O_2). Deux molécules de gaz n'exercent pas une pression aussi grande que trois molécules. Le système va réagir à l'augmentation de pression dans le sens d'une réduction du nombre total de molécules à l'état gazeux. Ainsi, lorsqu'on augmente la pression, le déplacement de l'équilibre se fait toujours du côté où il y a le plus de molécules de gaz **vers** le côté où il y en a le moins.

$$\underbrace{2SO_2(g) + O_2(g)}_{\text{3 molécules}} \rightleftharpoons \underbrace{2SO_3(g)}_{\text{2 molécules}}$$

$$\Downarrow$$

$$\text{augmentation de pression} \Rightarrow \xrightarrow{\text{équilibre}}$$

Ainsi, quand la pression du système à l'équilibre est augmentée (ou le volume diminué), la position d'équilibre se déplace vers la droite. À l'inverse, si la pression est diminuée (ou le volume augmenté), la position d'équilibre se déplace vers la gauche. La figure 4.6 montre l'effet d'une augmentation de pression (ou diminution de volume) sur l'équilibre de la synthèse de l'ammoniac.

$$N_2(g) + 3H_2(g) \rightleftharpoons 2NH_3(g)$$

Lorsque les coefficients stœchiométriques sont les mêmes pour les réactifs et les produits ($\Delta n = 0$), les changements de pression n'ont aucun effet sur la position d'équilibre. Par exemple, dans la réaction entre l'hydrogène et le chlore moléculaires, H_2 et Cl_2, qui donnent du chlorure d'hydrogène, HCl, il y a le même nombre de molécules dans les réactifs et les produits, soit deux. De même, dans la réaction entre le fer et la vapeur d'eau qui se combinent pour produire le Fe_3O_4, un mélange d'oxyde de fer(II), FeO, et d'oxyde de fer(III), Fe_2O_3, et de l'hydrogène moléculaire, H_2, il y a quatre molécules de gaz de chaque côté. Par conséquent, une variation de pression n'a aucun effet sur ces deux équilibres.

$$H_2(g) + Cl_2(g) \rightleftharpoons 2HCl(g)$$

$$3Fe(s) + 4H_2O(g) \rightleftharpoons Fe_3O_4(s) + 4H_2(g)$$

Enfin, il faut noter que l'ajout d'un gaz inerte (ne participant pas à la réaction) ne provoque pas de déplacement d'équilibre, car, dans ce cas, l'augmentation de pression totale ne s'accompagne pas d'une diminution de volume et les pressions partielles de chaque gaz demeurent constantes.

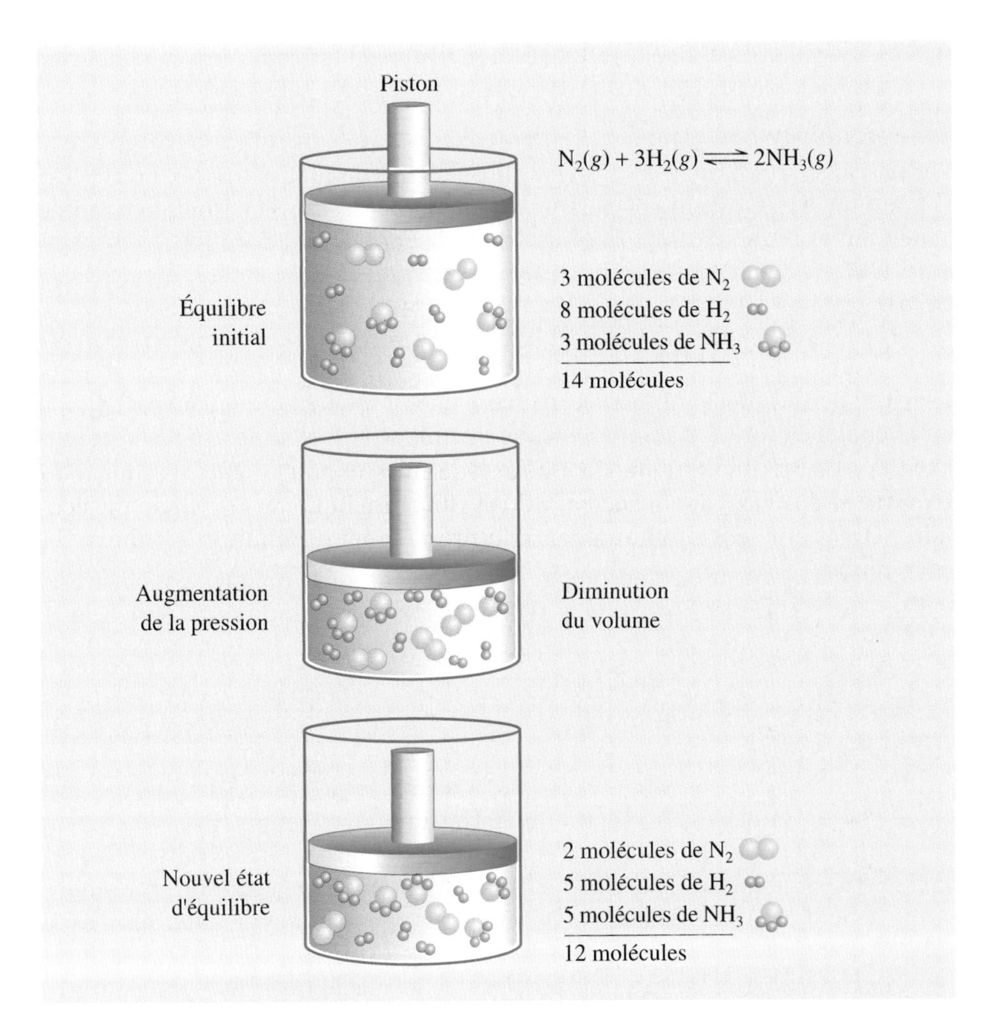

Figure 4.6 Effet de l'augmentation de la pression (ou diminution du volume) sur un système à l'équilibre.

▼ EXEMPLE 4.9

Soit une réaction d'équilibre dans laquelle le chlorure d'hydrogène, HCl, réagit avec de l'oxygène moléculaire, O_2, pour produire du chlore, Cl_2, et de l'eau.

$$4HCl(g) + O_2(g) \rightleftharpoons 2Cl_2(g) + 2H_2O(g)$$

On veut prédire l'effet des changements suivants sur cette réaction.

a) *Augmentation de la concentration de HCl*

Le système s'oppose au changement en réagissant avec l'oxygène; l'équilibre se déplace vers la droite : $\xrightarrow{\text{équilibre}}$.

b) *Diminution de la concentration de O_2*

Le système réagit en produisant de l'oxygène; l'équilibre se déplace vers la gauche : $\xleftarrow{\text{équilibre}}$.

c) *Augmentation de la concentration de H_2O*

Le système réagit en faisant disparaître une partie de l'eau ajoutée; l'équilibre se déplace vers la gauche : $\xleftarrow{\text{équilibre}}$.

d) *Diminution de la concentration de Cl_2*

Le système réagit en produisant du chlore moléculaire; l'équilibre se déplace vers la droite : $\xrightarrow{\text{équilibre}}$.

e) *Diminution de la pression ou augmentation du volume*

Lorsque le système réagit de la droite vers la gauche, le nombre de molécules passe de quatre à cinq. Par conséquent, le système peut réagir contre la diminution de pression en occupant un volume plus grand, soit en déplaçant l'équilibre vers la gauche : $\xleftarrow{\text{équilibre}}$.

f) *Ajout d'hélium, He*

Il n'y a aucun déplacement d'équilibre lorsqu'on ajoute un gaz inerte. Un système à l'équilibre est perturbé seulement si l'espèce chimique ajoutée (ou enlevée) figure dans l'expression de la constante d'équilibre.

4.3.3 MODIFICATION DE LA TEMPÉRATURE

Une augmentation de température favorise toujours la réaction qui consomme de la chaleur (endothermique), tandis qu'une diminution de température favorise toujours celle qui en produit (exothermique). Par exemple, à 25 °C, la réaction entre l'azote et l'hydrogène moléculaires, N_2 et H_2, est exothermique.

$$N_2(g) + 3H_2(g) \rightleftharpoons 2NH_3(g) \qquad \Delta H = -92,3 \text{ kJ}$$

Puisque la variation d'enthalpie, ΔH, est négative, la réaction vers la droite dégage de la chaleur. C'est une réaction exothermique qui peut s'écrire de la façon suivante pour illustrer le dégagement de chaleur.

$$N_2(g) + 3H_2(g) \rightleftharpoons 2NH_3(g) + 92,3 \text{ kJ}$$

Lorsque la réaction directe est exothermique, la réaction inverse est endothermique.

Si on augmente la température du système, la position d'équilibre se déplace vers la gauche. La réaction endothermique est alors favorisée. Si on refroidit le système, la position d'équilibre se déplace vers la droite. La réaction exothermique est favorisée. La figure 4.7 montre un système à l'équilibre dans lequel le dioxyde d'azote, NO_2, un gaz rouge-brun, est en équilibre avec le tétraoxyde de diazote, N_2O_4, un gaz incolore. À haute température, l'équilibre entre ces deux gaz se déplace vers la formation de NO_2 (rouge-brun), tandis qu'à basse température, il se déplace plutôt vers la formation de N_2O_4 (incolore).

$$\underset{\text{rouge-brun}}{2NO_2(g)} \rightleftharpoons \underset{\text{incolore}}{N_2O_4(g)}$$

a)

b)

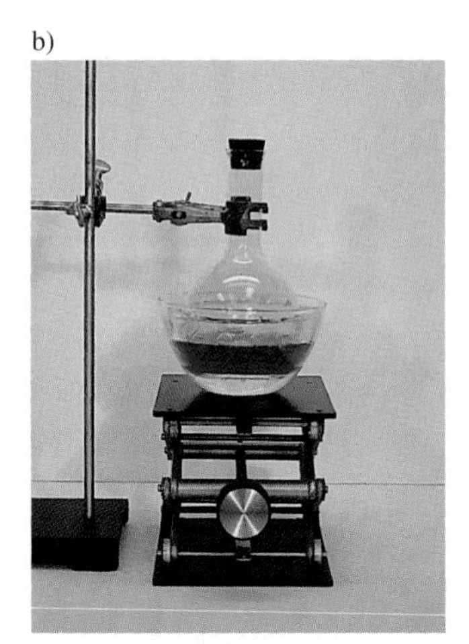

Figure 4.7 En a), la photo montre que le NO_2 de coloration rouge-brun prédomine dans l'eau chaude. En b), on peut voir que le N_2O_4, incolore, prédomine dans l'eau froide.

Considérons maintenant la réaction suivante entre le dioxyde de carbone, CO_2, et l'hydrogène moléculaire, H_2.

$$CO_2(g) + H_2(g) \rightleftharpoons CO(g) + H_2O(g) \qquad \Delta H = +41,0 \text{ kJ}$$

Comme la variation d'enthalpie, ΔH, est positive, la réaction de gauche à droite est endothermique.

$$41,0 \text{ kJ} + CO_2(g) + H_2(g) \rightleftharpoons CO(g) + H_2O(g)$$

Augmenter la température favorise toujours la réaction endothermique. Cela revient à rendre disponible, sous forme de chaleur, une plus grande quantité d'énergie. Selon le principe de Le Chatelier, le système doit réagir en absorbant de l'énergie pour contrecarrer la modification imposée : l'équilibre se déplace donc de la gauche vers la droite.

On peut généraliser en disant que :

- une augmentation de la température favorise la réaction endothermique, car le système tend à absorber la chaleur;
- une diminution de la température favorise la réaction exothermique, car le système tend alors à fournir de la chaleur.

En pratique toutefois, si on refroidit trop un mélange réactionnel en équilibre, la réaction devient trop lente. Voyons cela à l'aide des données du tableau 4.2, qui montrent l'effet d'une augmentation de la température et de la pression sur le rendement en ammoniac du procédé Haber.

$$N_2(g) + 3H_2(g) \rightleftharpoons 2NH_3(g) \qquad \Delta H = -92,3 \text{ kJ}$$

Tableau 4.2 Effet de la température et de la pression sur le rendement en ammoniac, NH_3, du procédé Haber.

Température (°C)	Rendement en NH_3 (%)			Constante d'équilibre (K_c)
	à $1,0 \times 10^3$ kPa	à $1,0 \times 10^4$ kPa	à $1,0 \times 10^5$ kPa	
200	51	82	98	650
400	4	25	80	0,5
600	0,5	5	13	0,014

On y voit d'abord que la constante d'équilibre, K_c, qui est de 650 à 200 °C diminue à $1,4 \times 10^{-2}$ à 600 °C, ce qui nous indique que l'équilibre est très largement déplacé vers la gauche avec une augmentation de température (la réaction est exothermique). De plus, on observe que le rendement est très élevé à une pression élevée et à une température de 200 °C. Mais la réaction est si lente, dans ces conditions, qu'on doit augmenter la température jusqu'à 450 °C pour obtenir un rendement satisfaisant. Ainsi, les meilleures conditions pour la production d'ammoniac selon le procédé Haber correspondent à une pression élevée et à une température d'environ 450 °C.

La valeur de la constante d'équilibre change avec une variation de la température. Ainsi, dans la réaction entre CO_2 et H_2, une augmentation de la température déplace l'équilibre vers la droite : les concentrations de CO et H_2O augmentent et celles de CO_2 et de H_2 diminuent, par conséquent, la valeur de la constante d'équilibre augmente.

$$CO_2(g) + H_2(g) \rightleftharpoons CO(g) + H_2O(g) \qquad \Delta H = +41,0 \text{ kJ}$$

$$K_c = \frac{[CO][H_2O]}{[CO_2][H_2]}$$

C'est aussi ce que montre le tableau 4.2 pour la constante d'équilibre, K_c, de l'ammoniac, NH_3.

EXERCICE 4.6

Quel sera l'effet des changements de température donnés sur la réaction suivante à l'équilibre ?

$$H_2(g) + Cl_2(g) \rightleftharpoons 2\,HCl(g) \qquad \Delta H = -185 \text{ kJ}$$

a) Augmentation de la température. b) Diminution de la température.

4.3.4 ADDITION D'UN CATALYSEUR

Les catalyseurs sont très fréquemment utilisés dans de nombreux procédés industriels. Ainsi, on utilise de la poudre de fer mélangée à de l'oxyde de potassium, K_2O, et à de l'oxyde d'aluminium, Al_2O_3, dans la production d'ammoniac. L'azote et l'hydrogène moléculaires réagissent alors plus rapidement.

$$N_2(g) + 3H_2(g) \xrightarrow{\text{chaleur + Fe}} 2NH_3(g)$$

La poudre de fer permet aussi d'augmenter la vitesse de la réaction inverse, c'est-à-dire la décomposition de l'ammoniac en ses deux éléments.

$$2NH_3(g) \xrightarrow{\text{chaleur + Fe}} N_2(g) + 3H_2(g)$$

Ainsi, l'effet global de l'utilisation de ce catalyseur sur la réaction réversible est de permettre à l'équilibre de s'établir plus rapidement.

$$N_2(g) + 3H_2(g) \rightleftharpoons 2NH_3(g)$$

Le catalyseur augmente la vitesse de la réaction directe et de la réaction inverse de la même façon. L'addition d'un catalyseur n'a donc pas d'effet sur la position d'équilibre.

L'ammoniac entre dans la synthèse du nylon recouvrant les balles de tennis.

4.4 QUOTIENT RÉACTIONNEL ET CALCUL DES CONCENTRATIONS À L'ÉQUILIBRE

Il est possible de calculer les concentrations à l'équilibre de toutes les substances impliquées dans différentes situations, peu importe leurs concentrations initiales ou les changements de concentrations apportés. Dans ce cas, l'une des étapes essentielles consiste à déterminer le sens d'une réaction en comparant sa constante d'équilibre avec son quotient réactionnel. Quelques exemples de calculs viendront illustrer les cas le plus fréquemment rencontrés pour déterminer les concentrations à l'équilibre.

4.4.1 UTILITÉ DU QUOTIENT RÉACTIONNEL

Considérons la réaction d'équilibre entre le monoxyde de carbone, CO, et l'hydrogène moléculaire, H_2, produisant du méthane, CH_4, composant majeur du gaz naturel, et de l'eau, H_2O.

$$CO(g) + 3H_2(g) \rightleftharpoons CH_4(g) + H_2O(g)$$

Supposons que le mélange réactionnel contienne les concentrations suivantes des substances gazeuses.

$$[CO] = 0{,}0200 \text{ mol/L} \qquad [H_2] = 0{,}0200 \text{ mol/L}$$
$$[CH_4] = 0{,}001\ 00 \text{ mol/L} \qquad [H_2O] = 0{,}001\ 00 \text{ mol/L}$$
$$K_c \text{ à } 1200 \text{ K} = 3{,}92 \text{ L}^2/\text{mol}^2$$

Avant d'effectuer tout calcul relié à cet équilibre, il faut savoir si la réaction est à l'équilibre; si elle ne l'a pas atteint, il faut établir dans quel sens elle se fera. En d'autres termes, on doit déterminer si l'atteinte de l'équilibre favorise la formation de CO et de H_2 ou celle de CH_4 et de H_2O. Pour obtenir cette information, on compare la constante d'équilibre, K_c, avec le **quotient réactionnel**, Q_c.

Quotient réactionnel : expression similaire à la constante d'équilibre, mais qui fait intervenir les concentrations initiales avant l'atteinte de l'équilibre.

Le quotient réactionnel est un rapport ayant la même forme que l'expression de la constante d'équilibre, mais où interviennent des concentrations différentes des concentrations à l'équilibre. Ainsi, pour la réaction précédente, le quotient réactionnel s'exprime par la même relation que K_c, mais sa valeur est différente. Pour éviter de le confondre avec K_c, on ajoute l'indice zéro à chacune des concentrations, ce qui signifie qu'elles sont initiales ou arbitraires. Il faut toujours se rappeler que le quotient réactionnel n'est pas une constante.

$$Q_c = \frac{[CH_4]_0[H_2O]_0}{[CO]_0[H_2]_0^3}$$

Chaque fois qu'un mélange réactionnel n'est pas à l'équilibre, il faut d'abord savoir de quel côté la réaction se déroule pour que l'équilibre soit atteint. Pour ce faire, il suffit de substituer les concentrations des substances du mélange dans le calcul du quotient réactionnel[2], Q, et ensuite de comparer la valeur numérique du quotient, Q_c, avec celle de la constante K_c.

- Si $Q_c > K_c$, la réaction se fera vers la gauche. $\xleftarrow{\text{équilibre}}$
- Si $Q_c < K_c$, la réaction se fera vers la droite. $\xrightarrow{\text{équilibre}}$
- Si $Q_c = K_c$, le mélange réactionnel est à l'équilibre. $\rightleftharpoons$

En substituant les concentrations initiales du mélange gazeux dans l'expression du quotient réactionnel, on obtient une valeur de 6,25 L^2/mol^2.

2. Le quotient réactionnel Q pourrait être identifié comme Q_c ou Q_p selon l'expression des constantes d'équilibre comparées.

$$Q_c = \frac{(0{,}001\ 00\ \text{mol/L})(0{,}001\ 00\ \text{mol/L})}{(0{,}0200\ \text{mol/L})(0{,}0200\ \text{mol/L})^3} = 6{,}25\ \text{L}^2/\text{mol}^2$$

Pour que le mélange réactionnel atteigne son équilibre, la valeur de Q_c doit diminuer de 6,25 à 3,92 (K_c). Ceci ne peut se produire que si la réaction se fait vers la gauche. Alors le numérateur de Q_c, $[CH_4][H_2O]$, va diminuer et son dénominateur, $[CO][H_2]^3$, va augmenter. Ainsi, à l'équilibre, il y aura plus de CO et de H_2 et moins de CH_4 et de H_2O.

EXERCICE 4.7

Un réacteur de 50,0 L contient, à 350 °C, 1,00 mol d'azote moléculaire, N_2, 3,00 mol d'hydrogène moléculaire, H_2, et 0,500 mol d'ammoniac, NH_3.

$$N_2(g) + 3H_2(g) \rightleftharpoons 2NH_3(g)$$

La constante d'équilibre, K_c, de cette réaction est de 69,5 L^2/mol^2. On veut savoir s'il y aura formation d'une plus grande quantité d'ammoniac quand le mélange atteindra un équilibre.

4.4.2 CALCULS À PARTIR DES CONCENTRATIONS INITIALES

Voyons comment résoudre des problèmes d'équilibre de nature quantitative à partir d'une réaction chimique exprimée sous sa forme générale.

$$aA + bB \rightleftharpoons cC + dD$$

$$K_c = \frac{[C]^c[D]^d}{[A]^a[B]^b}$$

1° On calcule le quotient réactionnel, Q_c, à partir des **concentrations initiales** des réactifs et des produits ou à partir des nouvelles concentrations après l'ajout d'une substance dans un système à l'équilibre.

$$Q_c = \frac{[C]_0^c[D]_0^d}{[A]_0^a[B]_0^b}$$

2° On compare la valeur du quotient réactionnel avec celle de la constante d'équilibre, K_c, pour déterminer le **sens du déplacement de la réaction** pour l'atteinte de l'équilibre.

3° On exprime la **variation des concentrations** (diminution ou augmentation) des réactifs et des produits à l'aide d'une inconnue algébrique, x, et en tenant compte des coefficients stœchiométriques.

4° On exprime les **concentrations des substances à l'équilibre** en fonction de la variation, x, dans un tableau qui résume l'ensemble de ces informations : concentrations initiales, modifications, concentrations à l'équilibre.

5° On effectue le calcul en appliquant l'expression de la constante d'équilibre, K_c.

$$K_c = \frac{[C]^c[D]^d}{[A]^a[B]^b}$$

Souvent, l'équation qui en résulte est du second degré, de la forme typique d'une équation quadratique.

$$ax^2 + bx + c = 0$$

La valeur de la variation x sera donc donnée par la formule quadratique :

$$x = \frac{-b \pm \sqrt{b^2 - 4ac}}{2a}$$

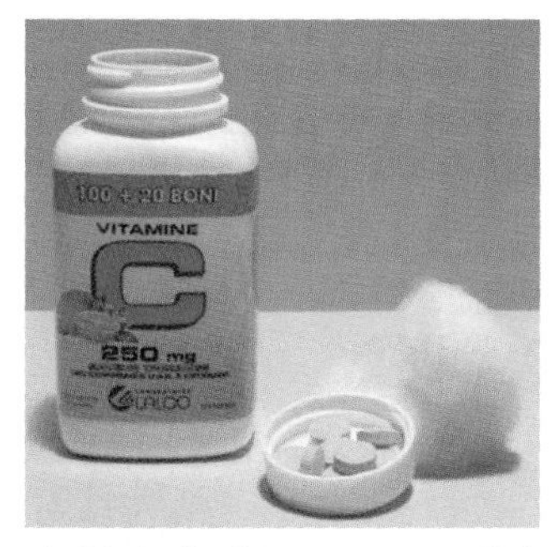

L'acide iodhydrique, HI, est utilisé en faibles quantités dans l'une des étapes de synthèse de la vitamine C.

Une seule des deux valeurs de x sera chimiquement possible. Pour la choisir, il faut tenir compte des données du problème. Ainsi, dans certains problèmes, l'une des deux valeurs peut être négative, ce qui est chimiquement impossible.

6° On vérifie le résultat en substituant dans l'expression de K_c les valeurs des concentrations trouvées.

▼ EXEMPLE 4.10

Un réacteur de 1,00 L contient, à 400 °C, de l'hydrogène et de l'iode moléculaires, H_2 et I_2, de même que de l'iodure d'hydrogène, HI.

$$H_2(g) + I_2(g) \rightleftharpoons 2HI(g)$$

Les concentrations mesurées à l'équilibre sont les suivantes.

$[H_2] = 0{,}0800$ mol/L $\quad [I_2] = 0{,}0600$ mol/L $\quad [HI] = 0{,}490$ mol/L

On ajoute au mélange 0,300 mole de HI et on veut connaître les concentrations de chacune des substances après l'établissement du nouvel équilibre.

On peut calculer tout de suite la valeur de la constante d'équilibre à partir des concentrations à l'équilibre.

$$K_c = \frac{[HI]^2}{[H_2][I_2]} = \frac{(0{,}490 \text{ mol/L})^2}{(0{,}0800 \text{ mol/L})(0{,}0600 \text{ mol/L})} = 50{,}0$$

1° On calcule le quotient réactionnel, Q_c.

Comme on a ajouté 0,300 mole de HI au système déjà à l'équilibre, la concentration de HI augmente de 0,490 mol/L à 0,790 mol/L.

$$Q_c = \frac{[HI]^2}{[H_2][I_2]} = \frac{(0{,}790)^2}{(0{,}0800)(0{,}0600)} = 1{,}30 \times 10^2$$

2° On compare Q_c avec K_c pour déterminer le sens du déplacement de la réaction.

Comme $Q_c > K_c$, l'équilibre se déplace vers la gauche : il y aura formation de H_2 et de I_2 et décomposition de HI.

3° On exprime la variation des concentrations des substances.

Selon les coefficients stœchiométriques de la réaction, pour **une** molécule de H_2 et **une** molécule de I_2 qui se forment, il y a décomposition de **deux** molécules de HI. Par conséquent, la variation des concentrations s'exprime ainsi : pour H_2 : $+x$; pour I_2 : $+x$; pour HI : $-2x$.

4° On résume l'ensemble des données nécessaires aux calculs dans un tableau.

Réaction	$H_2(g)$ +	$I_2(g)$ $\rightleftharpoons$	$2HI(g)$
$[\ ]_0$ (mol/L)	0,0800	0,0600	0,490 + 0,300 = 0,790
Variation	$+x$	$+x$	$-2x$
$[\ ]$ (mol/L)	$(0{,}0800 + x)$	$(0{,}0600 + x)$	$(0{,}790 - 2x)$

5° On effectue le calcul en appliquant l'expression de K_c.

Pour ce faire, on substitue les valeurs des concentrations à l'équilibre et on résout à l'aide de l'équation quadratique.

$$K_c = \frac{[HI]^2}{[H_2][I_2]} = 50{,}0 \Rightarrow K_c = \frac{(0{,}790 - 2x)^2}{(0{,}0800 + x)(0{,}0600 + x)} = 50{,}0$$

$$50{,}0 = \frac{0{,}624 - 3{,}16x + 4x^2}{0{,}0048 + 0{,}14x + x^2}$$

$$0{,}24 + 7{,}0x + 50x^2 = 0{,}624 - 3{,}16x + 4x^2$$

$$46x^2 + 10{,}2x - 0{,}38 = 0$$

On simplifie l'équation.

$$x^2 + 0{,}22x - 0{,}0083 = 0$$

On résout l'équation à l'aide de la formule quadratique.

$$x = \frac{-b \pm \sqrt{b^2 - 4ac}}{2a} = \frac{-0{,}22 \pm \sqrt{0{,}0484 + 0{,}0332}}{2}$$

$$x = \frac{-0{,}22 \pm \sqrt{0{,}0816}}{2} = \frac{-0{,}22 \pm 0{,}2857}{2}$$

Il y a deux solutions mathématiques à cette équation.

$$x = 0{,}033 \text{ ou } -0{,}25$$

La solution –0,25 est à rejeter, car la quantité de H_2 ou de I_2 formée ne peut être négative.

$$[H_2] = (0{,}0800 + 0{,}033) \text{ mol/L} = 0{,}113 \text{ mol/L}$$

$$[I_2] = (0{,}0600 + 0{,}033) \text{ mol/L} = 0{,}093 \text{ mol/L}$$

$$[HI] = (0{,}790 - 0{,}066) \text{ mol/L} = 0{,}724 \text{ mol/L}$$

6° On vérifie le résultat en substituant les valeurs de ces concentrations dans l'expression de K_c, ce qui donne 50.

$$K_c = \frac{[HI]^2}{[H_2][I_2]} = \frac{(0{,}724 \text{ mol/L})^2}{(0{,}113 \text{ mol/L})(0{,}093 \text{ mol/L})} = 49{,}9 \approx 50$$

- Les concentrations à l'équilibre de H_2, I_2 et HI sont donc respectivement de **0,113 mol/L**, **0,093 mol/L** et **0,724 mol/L**.

EXERCICE 4.8

À 340 °C, le pentachlorure de phosphore, PCl_5, se décompose en trichlorure de phosphore, PCl_3, et en chlore moléculaire, Cl_2.

$$PCl_5(g) \rightleftharpoons PCl_3(g) + Cl_2(g)$$

À cette température, la constante d'équilibre, K_c, est égale à 0,800 mol/L. Calculez les concentrations de ces substances à l'équilibre lorsque la concentration initiale de chaque substance est égale à 0,120 mol/L.

L'exemple suivant montre comment calculer la constante d'équilibre à partir du pourcentage de dissociation d'un réactif. L'utilisation du quotient réactionnel n'est pas nécessaire ici, car il est possible de calculer directement les concentrations à l'équilibre.

▼ EXEMPLE 4.11

On introduit 1,00 mol de chlorure de nitrosyle, NOCl, dans un contenant de 1,00 L, à 500 K. Lorsque l'équilibre est atteint, 9,0 % du NOCl est dissocié.

$$2NOCl(g) \rightleftharpoons 2NO(g) + Cl_2(g)$$

On veut calculer la valeur de K_c à l'équilibre à 500 K.

1° Comme les informations données permettent de calculer toutes les concentrations à l'équilibre, il n'est pas nécessaire ici de calculer le quotient de la réaction.

2° On calcule les concentrations à l'équilibre à partir du pourcentage de dissociation.

Comme 9,0 % du NOCl est dissocié, on calcule 9,0 % du nombre de moles initial, soit 1,00 mol.

quantité dissociée = 0,090(1,00 mol/L) = 0,090 mol/L de NOCl

On soustrait cette quantité du nombre de moles présent initialement.

[NOCl] à l'équilibre = 1,00 mol/L – 0,090 mol/L = 0,91 mol/L

Le NOCl qui se dissocie produit du NO et du Cl_2, et l'équation nous indique que chaque fois que **deux** moles de NOCl se dissocient, il y a formation de **deux** moles de NO et d'**une** mole de Cl_2.

3° On résume l'ensemble des données nécessaires aux calculs dans un tableau.

Réaction	$2NOCl(g)$ $\rightleftharpoons$	$2NO(g)$ +	$Cl_2(g)$
$[\ ]_0$ (mol/L)	1,00	0	0
Variation	–0,090 mol dissociée	+0,090 mol formée	+0,045 mol formée
[ ] (mol/L)	0,91	0,090	0,045

4° On effectue le calcul en appliquant l'expression de K_c.

$$K_c = \frac{[NO]^2[Cl_2]}{[NOCl]^2} = \frac{(0,090 \text{ mol/L})^2(0,045 \text{ mol/L})}{(0,91 \text{ mol/L})^2}$$

$$K_c = 4,4 \times 10^{-4} \text{ mol/L}$$

• La constante d'équilibre de cette réaction est donc de **$4,4 \times 10^{-4}$ mol/L**.

EXERCICE 4.9

Le pentachlorure de phosphore, PCl_5, se décompose en trichlorure de phosphore, PCl_3, et en chlore moléculaire, Cl_2, à 523 K.

$$PCl_5(g) \rightleftharpoons PCl_3(g) + Cl_2(g)$$

On introduit 1,10 mole de PCl_5 dans un réacteur de 1,00 L et on trouve qu'il est dissocié à 70 % lorsque l'équilibre est atteint. Calculez la constante d'équilibre, K_c, pour cette réaction.

4.4.3 CALCULS À PARTIR D'UNE CONCENTRATION NULLE D'UNE DES SUBSTANCES

Pour effectuer des calculs lorsque la concentration d'une des substances est nulle, on suit la même démarche sans avoir à calculer le quotient réactionnel. En effet, la réaction se déplace nécessairement vers la gauche, s'il n'y a pas de réactifs, ou vers la droite, s'il n'y a pas de produits, car, à l'équilibre, on doit retrouver des réactifs et des produits.

▼ EXEMPLE 4.12

La constante d'équilibre, K_c, à haute température de la décomposition du chlorure d'iode, ICl, est égale à 0,11.

$$2ICl(g) \rightleftharpoons I_2(g) + Cl_2(g)$$

On veut calculer les concentrations à l'équilibre de ICl, I_2 et Cl_2 si on introduit 0,375 mole de I_2 et 0,375 mole de Cl_2 dans un réacteur de 1,5 L.

1° On calcule les concentrations initiales.

Puisque la réaction se déroule dans un contenant de 1,5 L, il faut exprimer les concentrations en tenant compte de ce volume.

$$[Cl_2] = [I_2] = \frac{0,375}{1,5\ L} = 0,25\ mol/L$$

2° On exprime la variation des concentrations des substances. Comme il n'y a pas de réactif au départ, la réaction se fera vers la gauche.

Selon les coefficients stœchiométriques de la réaction, la combinaison d'**une** molécule de I_2 avec **une** molécule de Cl_2 donne **deux** molécules de ICl. On a donc la variation suivante :

$$[ICl] = +2x \qquad [I_2] = -x \qquad [Cl_2] = -x$$

3° On élabore le tableau des concentrations et de leurs variations.

Réaction	$2ICl(g)$	$\rightleftharpoons$ $I_2(g)$	+ $Cl_2(g)$
$[\ ]_0$ (mol/L)	0	0,25	0,25
Variation	$+2x$	$-x$	$-x$
$[\ ]$ (mol/L)	$2x$	$0,25 - x$	$0,25 - x$

4° On effectue le calcul en substituant ces valeurs dans l'expression de la constante d'équilibre.

$$K_c = \frac{[Cl_2][I_2]}{[ICl]^2} = \frac{(0,25 - x)^2}{(2x)^2} = 0,11$$

On peut ici simplifier les calculs (éviter de résoudre l'équation à l'aide de la formule quadratique) en extrayant la racine carrée de chaque côté de l'égalité de ce qu'on appelle communément un carré parfait.

$$\sqrt{\frac{(0,25 - x)^2}{(2x)^2}} = \sqrt{0,11}$$

$$\frac{0,25 - x}{2x} = 0,33$$

$$0,25 - x = 0,66x$$

$$x = \frac{0,25}{1,66} = 0,15\ mol/L$$

Ainsi, les concentrations à l'équilibre sont :

$[Cl_2] = [I_2] = 0,25\ mol/L - 0,15\ mol/L = 0,10\ mol/L$ et $[ICl] = 0,30\ mol/L$.

5° On vérifie le résultat en substituant ces valeurs dans l'expression de K_c.

$$K_c = \frac{[Cl_2][I_2]}{[ICl]^2} = \frac{(0,10\ mol/L)^2}{(0,30\ mol/L)^2} = 0,11$$

- Les concentrations à l'équilibre de ICl, I_2 et Cl_2 sont donc respectivement de **0,30 mol/L**, **0,10 mol/L** et **0,10 mol/L**.

EXERCICE 4.10

La constante d'équilibre, K_c, à une certaine température est égale à 4,00 pour la réaction entre le monoxyde de carbone, CO, et la vapeur d'eau, H_2O, pour former du dioxyde de carbone, CO_2, et de l'hydrogène moléculaire, H_2.

$$CO(g) + H_2O(g) \rightleftharpoons CO_2(g) + H_2(g)$$

Dans un réacteur de 1,00 L, on introduit 0,100 mol de CO et 0,200 mol de H_2O. Calculez les concentrations de CO_2 et H_2 dans le mélange à l'équilibre.

4.4.4 CALCULS À PARTIR DES PRESSIONS PARTIELLES

Les calculs à partir de K_p et des pressions partielles sont analogues à ceux expliqués à la sous-section 4.4.2. Il suffit de remplacer K_c par K_p et d'utiliser les pressions partielles plutôt que les concentrations.

▼ EXEMPLE 4.13

On retrouve dans un réacteur à 1253 K le mélange à l'équilibre suivant : du dioxyde de carbone, CO_2, à 0,200 atm, de l'hydrogène moléculaire, H_2, à 0,090 atm, du monoxyde de carbone, CO, à 0,150 atm, H_2O, et de la vapeur d'eau à 0,200 atm.

$$CO_2(g) + H_2(g) \rightleftharpoons CO(g) + H_2O(g)$$

On ajoute de l'hydrogène dans le réacteur et la pression à l'équilibre du monoxyde de carbone augmente à 0,230 atm. On veut calculer les pressions partielles de chacune des trois autres substances après l'atteinte du nouvel équilibre, à cette même température.

1° On calcule la constante d'équilibre, K_p, à partir des pressions initiales à l'équilibre.

$$K_p = \frac{P_{CO}P_{H_2O}}{P_{CO_2}P_{H_2}} = \frac{(0{,}150 \text{ atm})(0{,}200 \text{ atm})}{(0{,}200 \text{ atm})(0{,}090 \text{ atm})} = 1{,}67$$

2° On exprime la variation des concentrations des substances.

On indique les pressions initiales et finales connues (après l'ajout de H_2, mais avant qu'il ne réagisse).

Réaction	$CO_2(g)$ +	$H_2(g)$ $\rightleftharpoons$	$CO(g)$ +	$H_2O(g)$
	P_{CO_2}	P_{H_2}	P_{CO}	P_{H_2O}
P_0 (atm)	0,200	?	0,150	0,200
Variation	$-x$	$-x$	$+x$	$+x$
P (atm)	?	?	0,230	?

Lors de l'atteinte du nouvel équilibre, la P_{CO} est passée de 0,150 atm à 0,230 atm, soit une augmentation de 0,080 atm.

$$x = P_{\text{équilibre}} - P_{\text{initiale}} = 0{,}230 \text{ atm} - 0{,}150 \text{ atm} = 0{,}080 \text{ atm}$$

L'équation équilibrée de la réaction nous indique que chaque fois qu'**une** mole de CO est produite, il y a aussi production d'**une** mole de H_2O; ainsi, l'augmentation de pression pour H_2O est aussi de 0,080 atm. La P_{H_2O} après le nouvel équilibre est de 0,280 atm.

$$0{,}200 \text{ atm} + 0{,}080 \text{ atm} = 0{,}280 \text{ atm}$$

L'équation équilibrée nous indique aussi que pour **chaque** mole de CO produite, **une** mole de CO_2 est utilisée et qu'ainsi la pression initiale de CO_2, 0,200 atm, doit diminuer d'une quantité équivalente à l'augmentation de pression de CO, 0,080 atm. La P_{CO_2} après le nouvel équilibre est donc de 0,120 atm.

$$0{,}200 \text{ atm} - 0{,}080 \text{ atm} = 0{,}120 \text{ atm}$$

3° On présente les données dans un tableau.

Réaction	$CO_2(g)$ +	$H_2(g)$ $\rightleftharpoons$	$CO(g)$ +	$H_2O(g)$
P_0 (atm)	0,200	—	0,150	0,200
Variation	–0,080	—	+0,080	+0,080
P (atm)	0,120	x	0,230	0,280

4° On effectue le calcul en substituant ces valeurs dans l'expression de la constante d'équilibre.

$$K_p = \frac{P_{CO}P_{H_2O}}{P_{CO_2}P_{H_2}} = \frac{(0{,}230 \text{ atm})(0{,}280 \text{ atm})}{(0{,}120 \text{ atm})(x)} = 1{,}67$$

$$x = \frac{(0{,}230 \text{ atm})(0{,}280 \text{ atm})}{(0{,}120 \text{ atm})(1{,}67)} = 0{,}321 \text{ atm}$$

- Les pressions partielles de CO_2, H_2, CO et H_2O après le nouvel équilibre sont donc respectivement de **0,120 atm**, **0,321 atm**, **0,230 atm** et **0,280 atm**.

EXERCICE 4.11

On représente la réaction entre l'azote et l'hydrogène moléculaires, N_2 et H_2, pour donner de l'ammoniac, NH_3, par l'équation suivante.

$$N_2(g) + 3H_2(g) \rightleftharpoons 2NH_3(g)$$

Les pressions partielles à l'équilibre mesurées dans un réacteur sont : N_2, 0,380 atm; H_2, 0,400 atm; NH_3, 2,000 atm. On enlève de l'hydrogène du réacteur jusqu'à ce que la pression partielle de l'azote moléculaire, N_2, soit égale à 0,450 atm après l'atteinte du nouvel équilibre. Calculez les pressions partielles des deux autres substances sous ce nouvel équilibre.

4.4.5 CALCULS PAR APPROXIMATION

Lorsque la constante d'équilibre, K_c ou K_p, est très petite, il arrive souvent que l'on puisse simplifier les calculs de façon à ne pas utiliser l'équation quadratique. En effet, une très faible valeur de la constante d'équilibre signifie que la réaction se déroule fortement de la droite vers la gauche et que la variation de concentration du réactif sera très faible par rapport à la concentration initiale. Dans ce dernier cas, on fera l'approximation en considérant que la variation de x est négligeable par rapport à la pression ou à la concentration initiale.

▼ EXEMPLE 4.14

La constante d'équilibre, K_p, à 450 K, pour la réaction de formation du tétraoxyde de diazote, N_2O_4, à partir du dioxyde d'azote, NO_2, est de $5{,}25 \times 10^{-5}$ kPa^{-1}.

$$2NO_2(g) \rightleftharpoons N_2O_4(g)$$

Un échantillon de 0,460 g de dioxyde d'azote est chauffé à 450 K dans un contenant de 0,500 L. On veut calculer la pression du tétraoxyde de diazote à l'équilibre en appliquant la méthode proposée et, ensuite, en faisant une approximation.

1° On calcule la pression initiale de NO_2.

Puisqu'on connaît la valeur de K_p, on calcule la pression correspondant à la masse de NO_2 en utilisant la loi des gaz parfaits.

$$PV = nRT \Rightarrow P = \frac{nRT}{V}$$

$$P = \frac{0,460 \text{ g } NO_2 \times 8,314 \text{ L·kPa/mol·K} \times 450 \text{ K}}{46,0 \text{ g } NO_2/\text{mol } NO_2 \times 0,500 \text{ L}} = 74,8 \text{ kPa}$$

2° On calcule la pression de NO_2 en appliquant la méthode déjà proposée.

Supposons que $2x$ représente la pression en kPa de NO_2 qui est utilisée pour atteindre l'équilibre, alors x représente la pression en kPa de N_2O_4 formé.

Réaction	$2NO_2(g)$	$\rightleftharpoons$ $N_2O_4(g)$
P_0 (kPa)	74,8	0
Variation	$-2x$	$+x$
P (kPa)	$74,8 - 2x$	x

En substituant ces valeurs de pressions à l'équilibre dans l'expression de la constante K_p, on obtient une équation du second degré dont la résolution donne la valeur de x.

$$K_p = \frac{P_{N_2O_4}}{(P_{NO_2})^2} = \frac{x}{(74,8 - 2x)^2} = 5,25 \times 10^{-5}$$

Cette expression peut prendre la forme suivante et être résolue par la formule quadratique.

$$(2,10 \times 10^{-4})x^2 - 1,0157x + 0,2937 = 0$$

$$x = \frac{-b \pm \sqrt{b^2 - 4ac}}{2a} = \frac{-(-1,0157) \pm \sqrt{(-1,0157)^2 - 4(2,10 \times 10^{-4})(0,2937)}}{2(2,10 \times 10^{-4})} = 0,294$$

On obtient aussi une autre valeur pour x : 4833 kPa. Cette valeur étant beaucoup plus grande que la pression initiale de NO_2 (74,8 kPa), on doit donc la rejeter.

- La pression du tétraoxyde de diazote à l'équilibre est donc de **0,294 kPa**.

Calcul approximatif

Dans ce calcul, on considère que la pression de NO_2 à l'équilibre est pratiquement égale à sa pression initiale; par conséquent, on néglige la variation $-2x$.

$$P_{NO_2} \approx P^0_{NO_2}$$

$$74,8 - 2x \approx 74,8 \text{ kPa}$$

Cette approximation est très utile, car elle nous évite de résoudre une équation du second degré.

$$K_p = \frac{P_{N_2O_4}}{(P_{NO_2})^2} \Rightarrow \frac{x}{(74,8 \text{ kPa})^2} = 5,25 \times 10^{-5} \text{ kPa}^{-1}$$

- On obtient ainsi une valeur de **0,294 kPa** pour x, la même valeur que calculée par la méthode précédente.

Les problèmes d'équilibre ne peuvent cependant pas tous être résolus par approximation; les deux critères suivants servent à en estimer la validité.

– L'approximation ne s'utilise qu'avec les additions et les soustractions.

– L'approximation n'est permise que si elle amène une erreur inférieure à 5 %.

Voyons comment vérifier la validité de l'approximation dans l'exemple précédent.

La pression initiale de NO_2 est de 74,8 kPa et la pression à l'équilibre égale 74,2 kPa, ce qui représente une erreur de 0,80 %, donc largement inférieure à 5 %.

$$\frac{2x}{74,2} \times 100 = 0,8\ \%$$

C'est la valeur numérique de la constante d'équilibre K qui permet de décider s'il y a lieu de faire une approximation. En règle générale, si la constante d'équilibre est supérieure à 10^2 ou inférieure à 10^{-2}, il est possible de faire une approximation. Il est cependant essentiel, après avoir fait une approximation, d'en vérifier la validité (règle du 5 %).

EXERCICE 4.12

La constante d'équilibre, K_p, d'un mélange réactif de monoxyde d'azote, NO, d'iode moléculaire, I_2, et d'iodure de nitrosyle, NOI, à 500 K est égale à $7,48 \times 10^{-5}$ atm^{-1}.

$$2NO(g) + I_2(g) \rightleftharpoons 2NOI(g)$$

Calculez la pression de l'iodure de nitrosyle à l'équilibre à partir d'une pression initiale de 0,333 atm pour NO et de 0,333 atm pour I_2.

Lorsque la marge d'erreur d'une approximation est supérieure à 5 %, il est possible, pour simplifier les calculs, d'utiliser la méthode par approximations successives plutôt que la formule quadratique. Dans cette méthode, on se sert de la valeur approximative obtenue d'un premier calcul pour améliorer la précision du calcul qui suit, car la règle du 5 % ne s'applique pas.

▼ EXEMPLE 4.15

La constante d'équilibre, K_p, pour la réaction de décomposition du phosgène, $COCl_2$, à 327 °C est de 0,415 kPa. On désire calculer les pressions partielles à l'équilibre de toutes les substances lorsque la pression partielle initiale du $COCl_2(g)$ est de 12,6 kPa.

$$COCl_2(g) \rightleftharpoons CO(g) + Cl_2(g)$$

1° On résume l'ensemble des données nécessaires aux calculs dans un tableau, puis on établit l'expression de la constante d'équilibre.

Réaction	$COCl_2(g)$ ⇌	$CO(g)$ +	$Cl_2(g)$
P_0 (kPa)	12,6	0	0
Variation	$-x$	$+x$	$+x$
P (kPa)	$12,6 - x$	x	x

$$K_p = \frac{P_{Cl_2} \times P_{CO}}{P_{COCl_2}} = \frac{x^2}{12,6 - x} = 0,415\ \text{kPa}$$

2° On procède à un premier calcul approximatif.

$$P \approx P_0 \Rightarrow 12,6 - x \approx 12,6\ \text{kPa}$$

$$\frac{x^2}{12,6} = 0,415 \quad \text{et} \quad x = 2,29\ \text{kPa}$$

On vérifie l'approximation.

$$\frac{2,29}{12,6} \times 100 = 18\ \%$$

Cette approximation n'est pas valide, car elle amène une erreur de 18 %. De plus, on obtient une valeur de 0,509 pour K_p, ce qui est loin de 0,415 kPa.

$$K_p = \frac{(2,29)^2}{12,6 - 2,29} = 0,509$$

3° On procède à une deuxième approximation.

On utilise maintenant la valeur obtenue à la première approximation, 2,29, pour améliorer la deuxième approximation, puisqu'on sait que la valeur de x se trouve près de 2,29.

On écrit l'équation de la façon suivante et on isole x.

$$\frac{x^2}{12,6 \text{ kPa} - 2,29 \text{ kPa}} = 0,415 \text{ kPa, alors } x = 2,07 \text{ kPa}$$

On vérifie ce résultat.

$$\frac{(2,07)^2}{(12,6 - 2,07)} = 0,407$$

Ce résultat étant près de la valeur de la constante, K_p, la valeur de x, 2,07, est donc acceptable.

Il est même possible d'améliorer cette valeur avec une troisième approximation.

$$\frac{x^2}{12,6 \text{ kPa} - 2,07 \text{ kPa}} = 0,415 \text{ kPa, alors } x = 2,09 \text{ kPa}$$

On vérifie ce résultat.

$$\frac{(2,09)^2}{(12,6 - 2,09)} = 0,416$$

Cette valeur de **2,09 kPa** est la même qu'on aurait obtenue en résolvant l'équation du second degré, mais les calculs ont été simplifiés par les approximations successives.

- On obtient donc une pression partielle de **10,5 kPa** pour $COCl_2$ et de **2,09 kPa** pour CO et Cl_2.

EXERCICE 4.13

La constante d'équilibre, K_c, à 2473 K est de 0,050 pour le mélange réactif d'azote et d'oxygène moléculaires, N_2 et O_2, et de monoxyde d'azote, NO.

$$N_2(g) + O_2(g) \rightleftharpoons 2NO(g)$$

Calculez toutes les concentrations à l'équilibre, à partir d'une concentration initiale de 0,80 mol/L pour N_2 et de 0,20 mol/L pour O_2 dans un réacteur de 1,00 L.

Voyons maintenant comment utiliser la méthode par approximation lorsque la réaction chimique possède une constante d'équilibre élevée (> 10^2). Dans un tel cas, c'est la réaction directe qui est favorisée et la majeure partie des réactifs sont utilisés. On ne peut alors attribuer à la quantité de réactifs utilisés la valeur x, car cette valeur est trop élevée pour permettre de faire une approximation.

Par contre, la réaction inverse possède une faible constante. Si la réaction avec une grande valeur de constante pouvait se faire dans le sens inverse (de la droite vers la gauche) pour atteindre son équilibre, la valeur de x serait alors relativement petite.

Pour faire une approximation, nous devons donc considérer l'état du système à l'équilibre dans la direction qui donnerait cette petite valeur de constante. Quand la valeur de la constante K est élevée, on doit considérer l'équilibre de la droite vers la gauche. La réponse finale sera la même, peu importe le sens du déplacement de l'équilibre, étant donné que l'état d'équilibre est indépendant de la direction qui va résulter en un équilibre.

De façon à bien comprendre cette manière de procéder, il faut introduire une étape supplémentaire dans les calculs pour les systèmes dans lesquels la constante d'équilibre est élevée.

1° On considère d'abord que le système atteint son équilibre par un déplacement complet de la gauche vers la droite.

2° On considère ensuite que le système atteint un état d'équilibre en se déplaçant de la droite vers la gauche. De cette façon, la quantité x attribuée sera petite.

De l'acide bromhydrique, HBr, est formé lors du développement de photos noir et blanc.

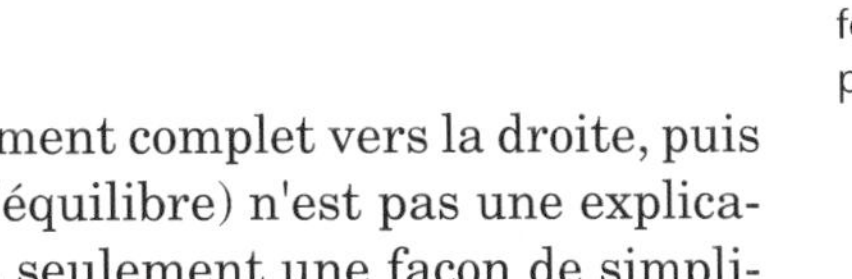

Cette façon de considérer le système (déplacement complet vers la droite, puis déplacement vers la gauche pour atteindre l'équilibre) n'est pas une explication du comportement réel du système, mais seulement une façon de simplifier le problème.

Voyons comment appliquer cette méthode à l'aide d'un exemple.

▼ EXEMPLE 4.16

Le brome et l'hydrogène moléculaires, Br_2 et H_2, réagissent pour former du bromure d'hydrogène, HBr, à 700 K. À cette température, la constante d'équilibre, K_c, est égale à $5,5 \times 10^8$.

$$H_2(g) + Br_2(g) \rightleftharpoons 2HBr(g)$$

On mélange 0,35 mol de H_2 et 0,20 mol de Br_2 à 700 K dans un contenant de 1,00 L. On veut calculer les concentrations de toutes les substances à l'équilibre.

1° On résume successivement l'ensemble des données concernant les concentrations nécessaires aux calculs.

Comme la constante K est élevée, nous allons considérer d'abord que la réaction est complète de la gauche vers la droite.

La réaction nous indique qu'**une** mole d'hydrogène réagit avec **une** mole de brome pour donner **deux** moles de bromure d'hydrogène. Ainsi, 0,20 mol de Br_2 et 0,20 mol de H_2 réagissent pour former 2(0,20) mol de HBr, soit 0,40 mol.

On présente les données dans un tableau.

Réaction	$H_2(g)$ +	$Br_2(g)$ $\rightleftharpoons$	$2HBr(g)$
$[\ ]_0$ (mol/L)	0,35	0,20	0
Modification	−0,20	−0,20	+2(0,20)
[ ] (mol/L)	0,35 − 0,20 = (0,15)	0	0,40

2° On considère ensuite que le système se déplace de la droite vers la gauche pour atteindre son équilibre. La quantité de HBr qui se décompose lorsque le système se déplace ainsi est désignée par $2x$.

Réaction	$H_2(g)$ +	$Br_2(g)$ $\rightleftharpoons$	$2HBr(g)$
$[\ ]_0$ (mol/L)	0,15	0	0,40
Variation	$+x$	$+x$	$-2x$
[ ] (mol/L)	$0,15 + x$	x	$0,40 - 2x$

CAPSULE CHIMIQUE

La destruction de la couche d'ozone : un déséquilibre causé par l'activité humaine ?

L'ozone, un gaz bleu pâle à l'état pur, se retrouve dans l'air ambiant en concentrations inférieures à 0,05 ppm. À cette concentration, son odeur est agréable et rafraîchissante. Il est possible de repérer l'odeur de l'ozone par grandes journées ensoleillées. Cependant, l'air pollué peut contenir trop d'ozone. Ainsi, à des concentrations supérieures à 0,15 ppm, l'ozone est toxique, possède une odeur irritante, est très néfaste pour les poumons et peut causer des maux de tête. Les deux principales sources de l'augmentation de la concentration de l'ozone dans l'atmosphère sont, dans l'ordre, l'automobile (moteurs à combustion interne) et les équipements électriques.

Source de l'ozone par les moteurs à combustion interne

Le monoxyde d'azote, NO, un sous-produit des moteurs à combustion interne, catalyse la formation de l'ozone, O_3, à partir de l'oxygène de l'air, O_2.

$$3O_2(g) \xrightarrow{NO} 2O_3(g)$$

Une partie du monoxyde d'azote parvient jusqu'à la stratosphère (12 à 50 km d'altitude).

Source de l'ozone près des équipements électriques

Une décharge électrique peut provoquer la formation de l'ozone à partir de l'oxygène de l'air. L'odeur de l'ozone est facilement décelable près des équipements électriques qui produisent des étincelles ou après un orage violent accompagné de nombreux éclairs.

$$3O_2(g) \xrightarrow{\text{décharge électrique}} 2O_3(g)$$

La couche d'ozone

L'ozone, un polluant à notre niveau, nous est par contre très bénéfique dans la stratosphère. Son rôle consiste à former une couche qui absorbe les rayons ultraviolets et les empêche de nous atteindre directement. Par un lent processus, l'ozone se convertit en oxygène, mais cette conversion peut devenir très rapide en présence de catalyseurs. Certains chercheurs pensent que l'ozone dans la stratosphère peut être transformé par l'effet du transport supersonique ou des explosions nucléaires ainsi que par l'action catalytique du monoxyde d'azote ou celle des atomes de chlore provenant des chlorofluorocarbones (CFC ou fréons).

Le rôle du monoxyde d'azote et de l'atome de chlore

Le monoxyde d'azote, NO, jumelé à l'action des rayons ultraviolets, peut catalyser la décomposition de l'ozone dans la stratosphère.

$$2O_3(g) \xrightarrow{h\nu + NO} 3O_2(g)$$

Bien que très stables et chimiquement inertes, les chlorofluorocarbones sont décomposés par les radiations ultraviolettes de haute énergie qui libèrent les atomes de chlore qui, à leur tour, catalysent la décomposition de l'ozone.

$$CClF_3(g) \xrightarrow{h\nu} CF_3(g) + Cl(g)$$

Les problèmes liés à la détérioration de la couche d'ozone sont des sujets d'étude d'actualité. On sait que, depuis une vingtaine d'années, le trou normal dans la couche d'ozone s'agrandit continuellement. Certains chercheurs pensent que cet agrandissement pourrait être un phénomène cyclique que nos mesures trop récentes ne peuvent encore expliquer, ou encore qu'il serait causé par des phénomènes naturels indépendants de notre volonté, telles les éruptions volcaniques. Bien que nous n'ayons pas de preuves certaines de l'effet du monoxyde d'azote et des atomes de chlore sur la destruction de la couche d'ozone, il est certainement préférable, dans le doute, de prendre tous les moyens pour minimiser l'influence humaine dans l'aggravation possible de ce phénomène. Toute diminution importante de la couche d'ozone risque notamment de se traduire par une augmentation appréciable des cancers de la peau et, éventuellement, par d'autres problèmes biologiques.

Les avions supersoniques rejettent du monoxyde d'azote, NO, dans l'atmosphère.

Comme x est petit, puisqu'il s'agit de la réaction inverse, il est possible de faire l'approximation suivante :

$$0{,}15 \text{ mol} + x \approx 0{,}15 \text{ mol} \quad \text{et} \quad 0{,}40 \text{ mol} - 2x \approx 0{,}40 \text{ mol}$$

3° On procède aux calculs.

L'expression de la constante K_c permet alors de calculer la valeur de x.

$$K_c = \frac{[HBr]^2}{[H_2][Br_2]} = \frac{(0{,}40 \text{ mol})^2}{(0{,}15 \text{ mol})x} = 5{,}5 \times 10^8$$

$$x = 1{,}9 \times 10^{-9}$$

L'approximation est valide, car la valeur de x est très petite comparée aux concentrations des autres substances dans le système. Les calculs sont ainsi grandement simplifiés.

- On obtient donc les concentrations suivantes :

$[H_2]$ = **0,15 mol/L**; $[Br_2]$ = **1,9 × 10⁻⁹ mol/L**; $[HBr]$ = **0,40 mol/L**.

Vérification : $K_c = \dfrac{(0{,}40)^2}{(0{,}15)(1{,}9 \times 10^{-9})} = 5{,}6 \times 10^8 \approx 5{,}5 \times 10^8$

EXERCICE 4.14

À 427 °C, le dioxyde de soufre, SO_2, se transforme presque complètement en trioxyde de soufre, SO_3, par réaction avec l'oxygène moléculaire, O_2. La constante K_p à cette température est de $8{,}25 \times 10^4$ atm^{-1}.

$$2SO_2(g) + O_2(g) \rightleftharpoons 2SO_3(g)$$

Calculez les pressions à l'équilibre, si on mélange initialement à 427 °C du SO_2 à 0,490 atm avec du O_2 à 0,245 atm.

LE CHAPITRE EN UN CLIN D'ŒIL

EXPRESSIONS DE LA CONSTANTE D'ÉQUILIBRE, *K*

Équation à l'équilibre	$aA + bB \rightleftharpoons cC + dD$
Expression de *K* si les concentrations sont données en mol/L	$K_c = \dfrac{[C]^c[D]^d}{[A]^a[B]^b}$
Expression de *K* si les concentrations sont données en pressions partielles	$K_p = \dfrac{(P_C)^c(P_D)^d}{(P_A)^a(P_B)^b}$
K des réactions directe et inverse	$K_i = \dfrac{1}{K_d}$
K si on multiplie les coefficients stœchiométriques par un facteur *n*	$K' = K^n$
K de la somme de deux équations chimiques	$K_{globale} = k_1 \times k_2$
Relation entre K_p et K_c	$K_p = K_c(RT)^{\Delta n}$
Présence d'un équilibre hétérogène (états physiques différents)	Ne pas considérer les solides et les liquides purs dans le calcul de la constante d'équilibre

QUOTIENT RÉACTIONNEL ET DIRECTION DE LA RÉACTION VERS L'ATTEINTE DE L'ÉQUILIBRE

Expression de Q avec des concentrations pouvant ne pas être à l'équilibre	$Q = \dfrac{[C]_0^c[D]_0^d}{[A]_0^a[B]_0^b}$
$Q > K$	$\xleftarrow{\text{équilibre}}$
$Q < K$	$\xrightarrow{\text{équilibre}}$
$Q = K$	équilibre $\rightleftharpoons$

PRINCIPE DE LE CHATELIER

Si un système à l'équilibre subit un changement de concentration, de température ou de pression, il réagira dans la direction qui lui permettra de revenir à l'équilibre.

MODIFICATION DE LA CONCENTRATION

$A(g) + B(g) \rightleftharpoons C(g) + D(g)$		$K_c = \dfrac{[C][D]}{[A][B]}$
Modification	**Valeur de Q**	**Direction de la réaction**
Augmentation de [A] ou [B]	$Q < K$	$\xrightarrow{\text{équilibre}}$
Augmentation de [C] ou [D]	$Q > K$	$\xleftarrow{\text{équilibre}}$
Diminution de [A] ou [B]	$Q > K$	$\xleftarrow{\text{équilibre}}$
Diminution de [C] ou [D]	$Q < K$	$\xrightarrow{\text{équilibre}}$

MODIFICATIONS DU VOLUME ET DE LA PRESSION

$X(g) \rightleftharpoons 2Y(g)$		$K_c = \dfrac{[Y]^2}{[X]}$
Modification	**Valeur de Q**	**Direction de la réaction**
Hausse de pression, P, ou diminution de volume, V	$Q > K$	$\xleftarrow{\text{vers le < nombre de moles de gaz}}$
Baisse de pression, P, ou augmentation de volume, V	$Q < K$	$\xrightarrow{\text{vers le > nombre de moles de gaz}}$

MODIFICATION DE LA TEMPÉRATURE

$A(g) + B(g) \rightleftharpoons C(g) + D(g)$ ΔH **négatif** $\left(\xrightarrow{\text{exothermique}}\right)$ **ou** $\left(\xleftarrow{\text{endothermique}}\right)$	
Hausse de température, T (favorise la réaction endothermique)	$\xleftarrow{\text{équilibre}}$
Baisse de température, T (favorise la réaction exothermique)	$\xrightarrow{\text{équilibre}}$

$W(g) + X(g) \rightleftharpoons Y(g) + Z(g)$ ΔH **positif** $\left(\xrightarrow{\text{endothermique}}\right)$ **ou** $\left(\xleftarrow{\text{exothermique}}\right)$	
Hausse de température, T (favorise la réaction endothermique)	$\xrightarrow{\text{équilibre}}$
Baisse de température, T (favorise la réaction exothermique)	$\xleftarrow{\text{équilibre}}$

RELATION ENTRE ΔG^0, K ET LA POSITION D'ÉQUILIBRE

ΔG^0	< 0	> 0	0
K	> 1	< 1	1
Position d'équilibre	$\xrightarrow{\text{équilibre}}$	$\xleftarrow{\text{équilibre}}$	$\rightleftharpoons$

RÉSOLUTION DE PROBLÈMES D'ÉQUILIBRE CHIMIQUE

CONCENTRATIONS DES RÉACTIFS ET DES PRODUITS FOURNIES

Exemple : $A_2(g) \; + \; B_2(g) \; \rightleftharpoons \; 2AB(g)$

1° On calcule le quotient réactionnel, Q, à partir des concentrations initiales.

$$Q_c = \frac{[AB]_0^2}{[A_2]_0[B_2]_0} \quad \text{et} \quad K_c = \frac{[AB]^2}{[A_2][B_2]}$$

2° On compare le quotient réactionnel, Q, avec la constante d'équilibre, K.

3° On exprime les variations de concentration à l'aide d'une inconnue algébrique, x.

Si $Q > K \xleftarrow{\text{équilibre}}$ $+x$ $+x$ $-2x$

Si $Q < K \xrightarrow{\text{équilibre}}$ $-x$ $-x$ $+2x$

Si $Q = K \rightleftharpoons$ il n'y a pas de changement.

4° On résume l'ensemble des informations dans un tableau.

5° On trouve la valeur de x, avec l'expression de K_c et les concentrations à l'équilibre. S'il s'agit d'un carré parfait, on extrait la racine carrée de chaque côté; sinon, on résout l'équation du second degré à l'aide de la formule quadratique.

6° On calcule toutes les nouvelles concentrations à l'équilibre.

CONCENTRATIONS OU PRESSIONS PARTIELLES NULLES DES RÉACTIFS OU DES PRODUITS

Exemple : $A_2(g) \; + \; B_2(g) \; \rightleftharpoons \; 2AB(g)$

Produits seulement

La réaction se fera vers la gauche $\xleftarrow{\text{réaction}}$

- On indique le changement. x x $-2x$

Réactifs seulement

La réaction se fera vers la droite $\xrightarrow{\text{réaction}}$

- On indique les changements. $-x$ $-x$ $+2x$
- On trouve la valeur de x, à partir de K_p ou de K_c ; on vérifie s'il s'agit d'un carré parfait ou on résout l'équation du second degré à l'aide de la formule quadratique.
- On calcule toutes les nouvelles concentrations ou pressions à l'équilibre.

Si $K < 10^{-2}$, calcul par approximation (la marge d'erreur doit être inférieure à 5 %)

Exemple : $A_2B_2(g) \rightleftharpoons 2AB(g)$

- L'équilibre est très à gauche. $\xleftarrow{\text{équilibre}}$
- On ne soustrait pas les $(-x)$ à gauche, car leur valeur est négligeable. On cherche la valeur de x à droite.
- Il est possible d'utiliser les approximations successives si la marge d'erreur est supérieure à 5 %.

Si $K > 10^2$, calcul par approximation

Exemple : $A_2(g) + B_2(g) \rightleftharpoons 2AB(g)$ un des réactifs est limitant

- On doit considérer que l'équilibre est complètement à droite. $\xrightarrow{\text{équilibre}}$
- On doit respecter la stœchiométrie du réactif limitant.
- On déplace l'équilibre à gauche.
- On ne soustrait pas x à droite et on ne l'additionne pas à gauche, car sa valeur est négligeable.
- On calcule la nouvelle $[x]$ du réactif limitant.

QUESTIONS ET EXERCICES SUPPLÉMENTAIRES

1. Parmi les énoncés suivants, lesquels sont faux ? Justifiez vos choix.
   a) Les concentrations des réactifs et des produits sont égales dans une réaction à l'équilibre.
   b) La quantité de produit formé à l'équilibre dépend de la vitesse d'atteinte de l'équilibre.
   c) Un catalyseur abaisse l'énergie d'activation d'une réaction autant pour la réaction directe que pour la réaction inverse.
   d) Une constante d'équilibre dont la valeur est très élevée indique que la réaction directe est presque complète.
2. Quelle est la différence entre la constante d'équilibre et le quotient réactionnel ?

Expressions de la constante d'équilibre

3. Écrivez l'expression de la constante d'équilibre, K_c, pour les réactions suivantes.
   a) $CH_4(g) + Cl_2(g) \rightleftharpoons CH_3Cl(g) + HCl(g)$
   b) $2HF(g) \rightleftharpoons H_2(g) + F_2(g)$
   c) $2H_2S(g) + 3O_2(g) \rightleftharpoons 2H_2O(g) + 2SO_2(g)$
   d) $2NO_2(g) + 7H_2(g) \rightleftharpoons 2NH_3(g) + 4H_2O(g)$
4. Écrivez l'expression de la constante d'équilibre, K_c, pour les réactions suivantes.
   a) $H_2O(l) + CO_2(g) \rightleftharpoons H_2CO_3(aq)$
   b) $MgCO_3(s) \rightleftharpoons MgO(s) + CO_2(g)$
   c) $P_4(g) + 3O_2(g) \rightleftharpoons P_4O_6(s)$
   d) $NH_3(g) + HCN(l) \rightleftharpoons NH_4^+(aq) + CN^-(aq)$
   e) $Ag_2SO_4(s) \rightleftharpoons 2Ag^+(aq) + SO_4^{2-}(aq)$
5. Écrivez l'expression de la constante d'équilibre, K_p, pour chacune des réactions des exercices 3 et 4.

Principe de Le Chatelier

6. Quel sera l'effet d'une diminution de volume sur chacun des systèmes suivants à l'équilibre ?
   a) $Ni(s) + 4CO(g) \rightleftharpoons Ni(CO)_4(g)$
   b) $N_2O_4(g) \rightleftharpoons 2NO_2(g)$
   c) $2CO(g) + O_2(g) \rightleftharpoons 2CO_2(g)$
   d) $2NO(g) \rightleftharpoons N_2(g) + O_2(g)$
   e) $2Cl_2(g) + 2H_2O(g) \rightleftharpoons 4HCl(g) + O_2(g)$
7. La préparation commerciale de l'hydrogène peut se faire selon la réaction suivante.
   $$CO(g) + H_2O(g) \rightleftharpoons CO_2(g) + H_2(g)$$
   Indiquez dans quelle direction se déplacera l'équilibre si on fait intervenir les changements suivants.
   a) Augmentation de $[CO]$
   b) Augmentation de $[H_2]$
   c) Diminution de $[H_2O]$
   d) Augmentation de $[CO_2]$
   e) Augmentation de pression, P, en diminuant le volume, V
   f) Diminution de $[CO]$
   g) Augmentation de $[H_2O]$
   h) Diminution de $[H_2]$
   i) Diminution de pression, P, en augmentant le volume, V
   j) Diminution de $[CO_2]$
8. Quel sera l'effet des changements indiqués pour chacun des systèmes à l'équilibre ?
   a) $2PbS(s) + 3O_2(g) \rightleftharpoons 2PbO(s) + 2SO_2(g)$
      1) ajout de O_2
      2) ajout de PbS
   b) $CO(g) + Cl_2(g) \rightleftharpoons COCl_2(g)$
      retrait de $COCl_2$
   c) $CaO(s) + SO_3(g) \rightleftharpoons CaSO_4(s)$
      ajout de SO_3
   d) $2PbS(s) + 3O_2(g) \rightleftharpoons 2PbO(s) + 2SO_2(g)$
      ajout de SO_2
9. Quelle sera l'influence des changements indiqués sur le système suivant à l'équilibre ?
   $PCl_5(g) \rightleftharpoons PCl_3(g) + Cl_2(g) \qquad \Delta H = +92{,}5$ kJ
   a) Hausse de température, T
   b) Hausse de pression, P, par diminution de volume, V
   c) Augmentation de $[Cl_2]$
   d) Augmentation de $[PCl_5]$
   e) Diminution de $[PCl_3]$
   f) Ajout d'un catalyseur
10. Indiquez de quelle façon les changements proposés vont influer sur les concentrations des substances et la valeur de la constante dans le système suivant à l'équilibre.
    $H_2(g) + Br_2(g) \rightleftharpoons 2HBr(g) \qquad \Delta H = +69$ kJ

Changement	$[H_2]$	[HBr]	K_c
↑ de $[Br_2]$			
↑ de T			
↑ de P_{HBr}			
↓ de volume du contenant			

11. La constante d'équilibre, K_p, pour la réaction suivante à 298 K est de 0,16 atm.
    $2NOBr(g) \rightleftharpoons 2NO(g) + Br_2(g) \qquad \Delta H = -345$ kJ
    Indiquez dans quel sens l'équilibre se déplace si on applique les modifications suivantes.
    a) ↑ $[Br_2]$
    b) ↓ [NOBr]

c) ↑ volume du contenant
d) ↓ T
e) ajout d'un catalyseur
f) ajout d'un gaz inerte

12. Indiquez dans quelle direction se déplace l'équilibre lors des modifications suivantes.
a) $2SO_2(g) + O_2(g) \rightleftharpoons 2SO_3(g)$ ΔH négatif
↓ T
b) $C(s) + CO_2(g) \rightleftharpoons 2CO(g)$ ΔH positif
↑ T
c) $N_2O_4(g) \rightleftharpoons 2NO_2(g)$
↑ P en ↓ V
d) $CO(g) + H_2O(g) \rightleftharpoons CO_2(g) + H_2(g)$
↓ P en ↑ V
e) $2NOBr(g) \rightleftharpoons 2NO(g) + Br_2(g)$
↓ P en ↑ V
f) $3Fe(s) + 4H_2O(g) \rightleftharpoons Fe_3O_4(s) + 4H_2(g)$
ajout de Fe
g) $2SO_2(g) + O_2(g) \rightleftharpoons 2SO_3(g)$
ajout d'un catalyseur
h) $CaCO_3(s) \rightleftharpoons CaO(s) + CO_2(g)$
↓ $[CO_2]$
i) $N_2(g) + 3H_2(g) \rightleftharpoons 2NH_3(g)$
↑ $[N_2]$

13. Soit la réaction à l'équilibre suivante.
$$CO_2(g) + H_2(g) \rightleftharpoons CO(g) + H_2O(g)$$
K_c vaut 0,08 à 400 °C et 0,40 à 600 °C. Dites si la réaction directe est endothermique ou exothermique.

14. Soit la réaction endothermique suivante.
$$2H_2S(g) \rightleftharpoons 2H_2(g) + S_2(g)$$
Sa constante d'équilibre, K_c, à 1127 °C est de 571 mol/L. Qu'arrive-t-il à la valeur de cette constante dans les situation suivantes.
a) On ajoute du H_2S.
b) On ajoute du H_2.
c) On diminue la température à 1000 °C.

Calcul des constantes d'équilibre et des concentrations à l'équilibre

15. La constante d'équilibre, K_c, pour le système suivant à 523 K est de $4{,}0 \times 10^{-2}$ mol/L.
$$PCl_5(g) \rightleftharpoons PCl_3(g) + Cl_2(g)$$
Lorsque la concentration de pentachlorure de phosphore, PCl_5, est de 3,0 mol/L et celle du chlore moléculaire, Cl_2, et du trichlorure de phosphore, PCl_3, est de 0,30 mol/L, ce système est-il à l'équilibre ? Si non, indiquez dans quelle direction la réaction se déroule.

16. La constante d'équilibre, K_p, pour la réaction montrant la décomposition du tétraoxyde de diazote, N_2O_4, en dioxyde d'azote, NO_2, à 373 K, est de 80 atm.
$$N_2O_4(g) \rightleftharpoons 2NO_2(g)$$
Prédisez si les systèmes suivants sont à l'équilibre. Si non, indiquez dans quelle direction la réaction se déroule.
a) $P_{NO_2} = 0{,}40$ atm $P_{N_2O_4} = 0{,}002$ atm
b) $P_{NO_2} = 0{,}20$ atm $P_{N_2O_4} = 0{,}004$ atm
c) $P_{NO_2} = 1{,}00$ atm $P_{N_2O_4} = 0{,}002$ atm
d) $P_{NO_2} = 0{,}001$ atm $P_{N_2O_4} = 0{,}000$ atm

17. Soit la réaction générale suivante.
$$C(g) + D(g) \rightleftharpoons E(g) + 2F(g)$$
On place 1,00 mol de C et 1,00 mol de D dans un contenant de 2,00 L. Après l'atteinte de l'équilibre, on retrouve 0,100 mol de E dans le contenant. Calculez la constante d'équilibre, K_c, pour cette réaction.

18. On a placé 2,00 mol de NOCl dans un contenant de 1,00 L. La concentration de NO à l'équilibre est maintenant de 0,66 mol/L.
$$2NOCl(g) \rightleftharpoons 2NO(g) + Cl_2(g)$$
Calculez la constante d'équilibre pour cette réaction à 25 °C.

19. Soit la réaction suivante dans laquelle les concentrations à l'équilibre sont : $[PCl_5]$ = 0,0095 mol/L; $[Cl_2] = [PCl_3]$ = 0,0248 mol/L.
$$PCl_5(g) \rightleftharpoons PCl_3(g) + Cl_2(g)$$
Calculez-en la constante d'équilibre, K_c.

20. Calculez la valeur de la constante, K, de la réaction globale à partir des étapes successives de la préparation du trioxyde de soufre, SO_3, et de leur constante d'équilibre.
$S(s) + O_2(g) \rightleftharpoons SO_2(g)$ $k_1 = 4{,}2 \times 10^{52}$
$SO_2(g) + 1/2O_2(g) \rightleftharpoons SO_3(g)$ $k_2 = 2{,}6 \times 10^{12}$

21. La constante d'équilibre, K_p, vaut 6,75 atm pour la dissociation de N_2O_4 à 298 K.
$$N_2O_4(g) \rightleftharpoons 2NO_2(g)$$
Calculez la valeur de la constante d'équilibre, K_p, pour la réaction inverse.

22. À une température donnée, la constante d'équilibre, K_c, de la réaction de synthèse du trioxyde de soufre, SO_3, à partir du dioxyde de soufre, SO_2, et de l'oxygène moléculaire, O_2, est de 278 L/mol.
$$2SO_2(g) + O_2(g) \rightleftharpoons 2SO_3(g)$$
Calculez les valeurs de K_c pour les réactions suivantes à cette même température.
a) $SO_2(g) + 1/2O_2(g) \rightleftharpoons SO_3(g)$
b) $2SO_3(g) \rightleftharpoons 2SO_2(g) + O_2(g)$
c) $SO_3(g) \rightleftharpoons SO_2(g) + 1/2O_2(g)$

23. La constante d'équilibre, K_p, pour le procédé Haber de préparation de l'ammoniac est de $1,85 \times 10^{-8}$ kPa^{-2} à 673 K.

$$N_2(g) + 3H_2(g) \rightleftharpoons 2NH_3(g)$$

Si, dans un contenant de 1,00 L à 673 K, on place 1,00 mole de N_2, 0,200 mole de H_2 et 0,400 mole de NH_3, dans quelle direction la réaction se fera-t-elle ?

24. Un mélange gazeux dans un contenant de 1,00 L est constitué de 0,30 mol de monoxyde de carbone, CO, de 0,10 mol d'hydrogène moléculaire, H_2, de 0,020 mol de vapeur d'eau, H_2O, et d'une certaine quantité de méthane, CH_4.

$$CO(g) + 3H_2(g) \rightleftharpoons CH_4(g) + H_2O(g)$$

Le mélange est à l'équilibre à 927 °C et la constante d'équilibre, K_c, pour cette température est de 3,92 L^2/mol^2. Calculez la concentration du CH_4 dans ce mélange.

25. Un réacteur de 6,00 L contient à 500 K le mélange à l'équilibre suivant : 0,0223 mol de trichlorure de phosphore, PCl_3, 0,0190 mol de pentachlorure de phosphore, PCl_5, et 0,1043 mol de chlore moléculaire, Cl_2.

$$PCl_3(g) + Cl_2(g) \rightleftharpoons PCl_5(g)$$

Évaluez la valeur de la constante d'équilibre, K_c, pour cette réaction.

26. À l'équilibre pour une certaine température, les pressions pour le système suivant sont $P_{NO_2} = 0,86$ atm et $P_{N_2O_4} = 0,12$ atm.

$$N_2O_4(g) \rightleftharpoons 2NO_2(g)$$

Dans un autre système à la même température, on trouve $P_{NO_2} = 0,98$ atm. Calculez la $P_{N_2O_4}$ dans ce dernier système.

27. Le sulfure d'hydrogène, un gaz incolore à odeur désagréable, se dissocie par chauffage.

$$2H_2S(g) \rightleftharpoons 2H_2(g) + S_2(g)$$

Si on introduit 0,100 mol de H_2S dans un contenant de 10,0 L à 1130 °C, on retrouve à l'équilibre 0,0285 mol de H_2. Calculez la constante d'équilibre, K_c, à cette température.

28. On retrouve dans un contenant à 1000 K les composés suivants à l'équilibre :
    - dioxyde de soufre, SO_2 $P = 0,15$ atm;
    - trioxyde de soufre, SO_3 $P = 0,23$ atm;
    - oxygène, O_2 $P = 0,73$ atm.

En n'utilisant que des nombres entiers comme coefficients stœchiométriques, écrivez l'équation de la réaction impliquée pour la formation de SO_3 et calculez-en la constante K_p.

*29. On place du dioxyde de carbone, CO_2, dans un contenant. La pression partielle mesurée est de 47,0 kPa. On y ajoute du graphite, C(*s*), ce qui provoque la transformation d'une certaine quantité de CO_2 en CO.

$$CO_2(g) + C(s) \rightleftharpoons 2CO(g)$$

À l'équilibre, la pression totale dans le contenant est de 75,6 kPa. Calculez la valeur de K_p.

30. À 827 °C, la constante d'équilibre, K_c, pour la réaction de décomposition du trioxyde de soufre, SO_3, est de 0,0270 mol/L.

$$2SO_3(g) \rightleftharpoons 2SO_2(g) + O_2(g)$$

Calculez la constante K_p à cette température.

31. Pour l'équilibre suivant à 275 °C, la constante K_p vaut 11,7 kPa^2.

$$CH_3OH(g) \rightleftharpoons CO_2(g) + 2H_2(g)$$

Calculez K_c à la même température.

32. Pour l'équilibre suivant à 750 K, la constante K_c vaut 889 L/mol.

$$4HCl(g) + O_2(g) \rightleftharpoons 2Cl_2(g) + 2H_2O(g)$$

Calculez K_p à la même température.

33. Le monoxyde de carbone et l'hydrogène moléculaire peuvent réagir selon l'équation suivante :

$$CO(g) + 3H_2(g) \rightleftharpoons CH_4(g) + H_2O(g)$$

On introduit 1,000 mol de CO et 3,000 mol de H_2 dans un contenant de 1,00 L à 1200 K. Lorsque l'équilibre est atteint, on retrouve 0,396 mol de H_2O. Quelles sont les concentrations de toutes les substances à l'équilibre ?

34. On introduit un mélange de 1,000 mol de CO et 1,000 mol de H_2O dans un contenant de 10,0 L à 525 °C. À l'équilibre, on trouve 0,665 mol de CO_2.

$$CO(g) + H_2O(g) \rightleftharpoons CO_2(g) + H_2(g)$$

a) Calculez les concentrations des quatre substances à l'équilibre.
b) Calculez la valeur de la constante K_c à 525 °C.
c) Calculez la valeur de la constante K_p à 525 °C.

35. La valeur de la constante d'équilibre, K_p, pour la réaction suivante est $2,5 \times 10^{-3}$ à 2400 K.

$$N_2(g) + O_2(g) \rightleftharpoons 2NO(g)$$

Les pressions partielles initiales de N_2 et de O_2 sont de 50,7 kPa. Quelle est la pression partielle de NO à l'équilibre à cette température ?

36. La constante d'équilibre, K_c, pour la réaction suivante à 425 °C est de 55,2.

$$H_2(g) + I_2(g) \rightleftharpoons 2HI(g)$$

Si on introduit 1,00 mol de H_2 et 1,00 mol de I_2 dans un contenant de 0,500 L à 425 °C, quelles seront les concentrations de toutes les substances présentes à l'équilibre ?

*37. Le tétraoxyde de diazote, N_2O_4, est un dimère du dioxyde d'azote, NO_2.

$$N_2O_4(g) \rightleftharpoons 2NO_2(g)$$

La constante d'équilibre, K_p, pour cette réaction est de 0,11 atm à 298 K. Lorsque la pression totale du système à l'équilibre est de 1,5 atm, quelles sont les pressions partielles de chacun des gaz ?

38. On introduit 1,00 mol de H_2 et 1,00 mol de I_2 dans un contenant de 1,00 L à 400 °C. Il y a formation d'iodure d'hydrogène, HI.

$$H_2(g) + I_2(g) \rightleftharpoons 2HI(g)$$

Quelles sont les concentrations à l'équilibre si la réaction directe est complète à 78,2 % ?

39. La valeur de la constante d'équilibre, K_c, pour la réaction suivante à une certaine température est de 0,300 mol/L

$$POCl_3(g) \rightleftharpoons POCl(g) + Cl_2(g)$$

Si on introduit 0,600 mol de $POCl_3$ dans un contenant de 3,00 L à la même température, quel sera le pourcentage de $POCl_3$ dissocié après l'établissement de l'équilibre ?

40. La constante d'équilibre pour la réaction suivante est de 54,8 à 700 K.

$$H_2(g) + I_2(g) \rightleftharpoons 2HI(g)$$

Si on introduit 1,000 mol de chacun des réactifs et des produits dans un contenant de 1,000 L à 700 K, quelles seront les concentrations de toutes les substances à l'équilibre ?

41. Dans un ballon de 1,00 L, on introduit 1,00 mol de monoxyde de carbone, CO, 2,00 mol de vapeur d'eau, H_2O, 3,00 mol de dioxyde de carbone, CO_2, et 4,00 mol d'hydrogène moléculaire, H_2.

$$CO(g) + H_2O(g) \rightleftharpoons CO_2(g) + H_2(g)$$

À l'équilibre, quelles seront les concentrations de chacune de ces substances si la constante d'équilibre, K_c, est de 5,00 à la température de l'expérience ?

42. Le dioxyde de carbone, CO_2, et l'hydrogène moléculaire, H_2, réagissent à 700 K pour former du monoxyde de carbone, CO, et de l'eau.

$$CO_2(g) + H_2(g) \rightleftharpoons CO(g) + H_2O(g)$$

La constante, K_c, pour ce système est de 0,11. On mélange 0,45 mol de CO_2 et 0,45 mol de H_2 dans un contenant de 1,00 L à 700 K.

a) Calculez les concentrations des substances à l'équilibre.

b) Si on ajoute au système à l'équilibre 0,34 mol de CO_2 et 0,34 mol de H_2, quelle sera la composition du système après l'atteinte du nouvel équilibre ?

*43. Pour l'équilibre de la décomposition du pentachlorure de phosphore, PCl_5, la constante d'équilibre, K_p, à une certaine température est égale à 228 kPa.

$$PCl_5(g) \rightleftharpoons PCl_3(g) + Cl_2(g)$$

On introduit une certaine quantité de PCl_5 dans un contenant à cette température. Lorsque l'équilibre est établi, la pression partielle de cette substance est de 25,3 kPa.

a) Quelles sont les pressions partielles de PCl_3 et Cl_2 à l'équilibre ?

b) Quelle était la pression initiale de PCl_5 au début de l'expérience, avant la dissociation ?

c) Quel est le pourcentage de dissociation du PCl_5 à l'équilibre ?

44. Pour la réaction suivante à 500 K, la constante K_p est de $7{,}48 \times 10^{-5}$ atm^{-1}.

$$2NO(g) + I_2(g) \rightleftharpoons 2NOI(g)$$

À partir d'un mélange initial dans lequel les pressions partielles de NO et de I_2 sont de 0,333 atm, calculez la pression partielle de NOI à l'équilibre.

45. Le dioxyde de soufre formé dans les moteurs à combustion interne se combine avec l'oxygène de l'air pour former le trioxyde de soufre.

$$2SO_2(g) + O_2(g) \rightleftharpoons 2SO_3(g)$$

Par la suite, le SO_3 se transformera éventuellement en acide sulfurique, un des composants des pluies acides, en se combinant avec l'eau. Cette réaction possède une constante de 813 kPa^{-1} à 700 K. À partir d'un mélange initial de 49,6 kPa en SO_2 et 24,8 kPa en O_2, calculez toutes les concentrations à l'équilibre.

46. L'iode moléculaire, I_2, considéré insoluble dans l'eau, peut être solubilisé sous forme de I_3^- par l'addition de KI.

$$I_2(aq) + I^-(aq) \rightleftharpoons I_3^-(aq)$$

Calculez les concentrations de toutes les substances à l'équilibre si on introduit 0,35 mol de KI et 0,20 mol de I_2 dans un contenant de 1,00 L. La constante d'équilibre, K_c, est de 708.

47. La valeur de la constante K_p pour l'équilibre suivant à 100 °C est de 0,403.

$$FeO(s) + CO(g) \rightleftharpoons Fe(s) + CO_2(g)$$

On place dans un contenant de 1,00 L, à cette température, du CO à une pression de 1,000 atm avec un excès de FeO(*s*). Quelles seront les pressions partielles de CO_2 et de CO après l'atteinte de l'équilibre ?

48. L'équation suivante représente la réaction entre l'hydrogène et l'iode moléculaires à 455 °C.

La constante d'équilibre, K_c à cette température est de 46.

$$H_2(g) + I_2(g) \rightleftharpoons 2HI(g)$$

On place 1,00 mol de H_2 et 2,00 mol de I_2 dans un contenant de 1,00 L. Quelles seront les concentrations de toutes les substances après l'atteinte de l'équilibre ?

EXERCICES RÉCAPITULATIFS

49. L'azote et l'oxygène moléculaires se combinent dans un moteur à combustion interne pour former une substance polluante, le monoxyde d'azote.
    a) Écrivez l'équation de cette réaction endothermique (181 kJ) réversible.
    b) Écrivez l'expression de la constante d'équilibre pour cette réaction réversible.
    c) Indiquez ce qui arrive à la concentration du monoxyde d'azote à l'équilibre si on modifie le système à l'équilibre de la façon suivante.
        1) On ajoute plus d'oxygène moléculaire.
        2) On enlève de l'azote moléculaire.
        3) On augmente la pression du système en réduisant le volume.
        4) On augmente la température du système.
    d) La constante d'équilibre, K_p, de la **décomposition** du monoxyde d'azote expulsé par le tuyau d'échappement par une chaude journée d'été (25 °C) est de $3{,}0 \times 10^{31}$. Calculez, à cette température, la pression atmosphérique du monoxyde d'azote, à l'équilibre, si les pressions de l'oxygène et de l'azote moléculaires sont respectivement de 0,20 atm et de 0,80 atm.

*50. Un mélange gazeux de dioxyde de carbone, CO_2, et de monoxyde de carbone, CO, en équilibre avec du carbone solide contient 90,55 % en masse de CO sous une pression de 101,3 kPa à 850 °C.

$$C(s) + CO_2(g) \rightleftharpoons 2CO(g)$$

Calculez la constante K_c pour cette réaction à 850 °C.

(Suggestion : calculez le nombre de moles de gaz dans un mélange de 100,0 g, puis calculez le volume de gaz ainsi que les concentrations de CO et de CO_2).

51. Le chlorure de brome, BrCl, est un gaz formé par la réaction entre la vapeur de brome moléculaire (rouge orangé) et le chlore moléculaire gazeux (jaune). Cette réaction est endothermique.
    a) Écrivez l'équation de la réaction réversible de formation du chlorure de brome en l'équilibrant avec les plus petits coefficients stœchiométriques entiers possibles.
    b) Écrivez l'expression de la constante d'équilibre, K_c, de cette réaction.
    c) À 400 °C, lorsque la réaction atteint l'équilibre, les concentrations molaires volumiques de BrCl, Br_2 et Cl_2 sont respectivement de 0,82 mol/L, 0,20 mol/L et 0,48 mol/L. Calculez la valeur de K_c pour cette réaction à 400 °C.
    d) Écrivez l'expression de la constante d'équilibre, K_p, pour cette réaction.
    e) Calculez la valeur de K_p à 400 °C.
    f) Initialement, on introduit dans un réacteur de 2,00 L du chlore moléculaire, Cl_2, à 51 kPa et du brome moléculaire, Br_2, à 34 kPa à une température de 400 °C. Lorsque l'équilibre est atteint, la pression partielle du chlorure de brome est de 46 kPa. Calculez les pressions partielles du brome et du chlore moléculaires à l'équilibre.
    g) Initialement, le réacteur de 2,00 L renferme 0,15 mol de chaque gaz. Déterminez le sens dans lequel se déroule la réaction à 400 °C pour atteindre l'équilibre et calculez les concentrations molaires volumiques de chaque gaz à l'équilibre.
    h) On ajoute au système à l'équilibre obtenu en g) 0,050 mol de BrCl. Calculez les concentrations de toutes les substances lorsque le nouvel équilibre sera établi.
    i) Déterminez le sens dans lequel l'équilibre se déplace si, pour la réaction décrite en a), on réalise les modifications suivantes.
        1) On augmente le volume du système.
        2) On ajoute de l'hélium.
        3) On augmente la température.

ACIDES ET BASES

CHAPITRE 5

Pour teindre une fibre, on doit contrôler plusieurs facteurs, dont le pH de la solution de teinture par l'ajout de substances ayant un caractère basique comme le carbonate de sodium, Na_2CO_3, ou d'acides comme l'acide acétique, CH_3COOH. En effet, en plus d'influer sur la solubilité des pigments colorants, le pH ionise les molécules de la fibre pour favoriser leur interaction avec les pigments.

OBJECTIFS

Après avoir étudié ce chapitre, vous saurez répondre aux questions suivantes.

- Quelles théories précisent la nature et les propriétés des acides et des bases ?
- En quoi le concept de paire acide-base conjuguée facilite-t-il la classification des acides et des bases ?
- Quelles sont les applications de la constante de dissociation de l'eau ?
- Qu'est-ce que l'échelle de pH et quels calculs permet-elle d'effectuer ?
- Comment la valeur de la constante d'acidité ou de basicité est-elle reliée à la dissociation de l'acide (ou de la base) ?
- Quelles méthodes de calcul sont mises à profit pour déterminer la concentration des espèces chimiques dans une solution d'un acide faible, d'une base faible ou d'un polyacide ?

Les acides et les bases constituent sans doute la première catégorie de substances à avoir reçu une dénomination parmi les groupes de composés chimiques. Ils ont presque toujours été associés l'un avec l'autre, parce que, pris séparément, ils sont généralement corrosifs et s'opposent, pour ainsi dire; mais leur réaction l'un avec l'autre conduit généralement à des substances inoffensives, des sels. Leur étude est primordiale, car même en faibles quantités, leur présence accélère un grand nombre de réactions chimiques en jouant le rôle de catalyseur. En outre, la compréhension d'une foule de réactions chimiques et biochimiques fait souvent intervenir des acides ou des bases.

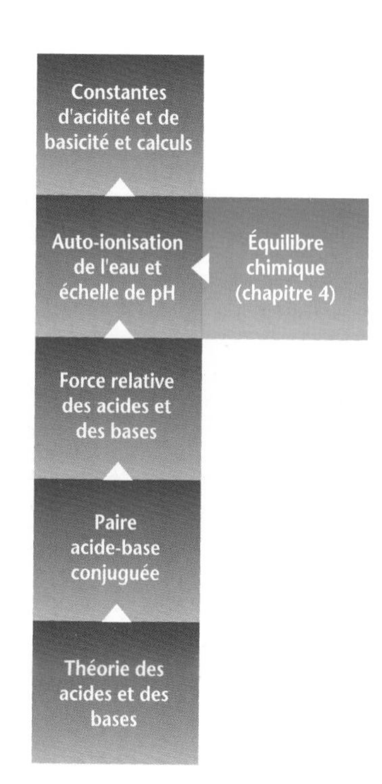

Ce chapitre est consacré aux principales notions concernant la nature de ces substances, dans un premier temps qualitative, en mettant en évidence le rôle essentiel joué par l'eau dans les phénomènes acido-basiques. On y précise d'abord la nature des acides et des bases à l'aide des théories qui se sont succédé au cours des quelque cent dernières années : celle d'Arrhenius, de Brønsted-Lowry et, la plus englobante et la plus récente, la théorie de Lewis.

La théorie de Brønsted-Lowry conduit au concept de paire acide-base conjugué, lequel fait ressortir le rôle de l'eau qui forme le lien, pour ainsi dire, entre les acides et les bases, puisqu'elle assure l'interconversion de l'acide en base conjuguée et vice versa. Ce concept de paire acide-base conjuguée permet aussi un premier classement, qualitatif celui-là, des acides et des bases : les acides forts et faibles, les bases fortes et faibles.

Les dernières parties du chapitre sont davantage de nature quantitative. On y traite du phénomène d'auto-ionisation de l'eau, lequel permet de définir une solution neutre, acide ou basique, et conduit à l'échelle de pH, dont l'usage se retrouve aussi dans une foule de disciplines connexes à la chimie. Le chapitre se termine en établissant la relation entre la constante d'acidité, K_a, (ou de basicité, K_b), une expression particulière de la constante d'équilibre, et la force des acides (ou des bases). Cette relation sert au calcul du pH et de la concentration des espèces chimiques dans les solutions d'acides faibles, de bases faibles et de polyacides. Tous les éléments nécessaires à l'étude des phénomènes acido-basiques plus complexes qui font l'objet du prochain chapitre sont alors posés.

5.1 THÉORIES CONCERNANT LES ACIDES ET LES BASES

Plusieurs théories ont été développées pour préciser la nature des acides et des bases, rendre compte de leurs propriétés et prédire leurs réactions chimiques. La plus simple d'entre elles a été élaborée par Arrhenius, en 1875. À cause de ses limites, Brønsted et Lowry, en 1923, et indépendamment l'un de l'autre, ont été conduits à élaborer une théorie plus complète. Enfin, G.N. Lewis, une quinzaine d'années plus tard, a étendu le concept d'acides et de bases de manière à englober les théories d'Arrhenius et de Brønsted-Lowry, et à y inclure des substances sans référence au milieu dans lequel elles se trouvent.

5.1.1 THÉORIE D'ARRHENIUS

Plusieurs aspects des caractéristiques et des réactions des acides et des bases peuvent être expliqués par la théorie d'Arrhenius (*revoir la section 3.4 dans* Chimie générale).

LES ACIDES SELON ARRHENIUS

Acide : selon Arrhenius, substance qui cède des ions hydrogène, H^+, en solution aqueuse.

Selon Arrhenius (*revoir la page 101*), un **acide** est une substance qui cède des ions hydrogène (des protons), H^+, en solution aqueuse. Ainsi, la dissolution du

Tableau 5.1 Noms et formules d'acides organiques courants.

Nom	Formule	Nom	Formule
Acide acétique	CH_3COOH	Acide maléique	HOOCCH=CHCOOH
Acide benzoïque	C_6H_5COOH	Acide malonique	$HOOCCH_2COOH$
Acide chloroacétique	$ClCH_2COOH$	Acide oxalique	HOOCCOOH
Acide formique	HCOOH	Acide phtalique	$HOOCC_6H_4COOH$
Acide lactique	$CH_3CH(OH)COOH$	Acide propionique	CH_3CH_2COOH

chlorure d'hydrogène, HCl, entraîne l'ionisation totale de la substance qui prend alors le nom d'acide chlorhydrique, HCl(*aq*). D'après cette théorie, la dissolution suivie de la dissociation peut être représentée par l'équation suivante.

$$HCl(g) \xrightarrow{H_2O} HCl(aq) \longrightarrow H^+(aq) + Cl^-(aq)$$

Selon cette séquence réactionnelle, la dissolution du chlorure d'hydrogène mène à la formation exclusive d'ions hydrogène, H^+, et d'ions chlorure, Cl^-.

Rappelons qu'il existe des **hydracides**, c'est-à-dire des acides dont la formule comprend en général un ou deux atomes d'hydrogène et un ou plusieurs autres éléments, mais pas d'oxygène. Les acides halohydriques, l'acide sulfhydrique et l'acide cyanhydrique font partie de cette catégorie.

Hydracide : acide dont la formule ne renferme pas d'atomes d'oxygène.

HF(*aq*)	HCl(*aq*)	HBr(*aq*)	HI(*aq*)	$H_2S(aq)$	HCN(*aq*)
acide fluorhydrique	**acide chlorhydrique**	**acide bromhydrique**	**acide iodhydrique**	**acide sulfhydrique**	**acide cyanhydrique**

Quant aux acides qui comprennent des atomes d'oxygène, on les nomme **oxacides**. Les oxacides les plus simples cèdent une mole d'ions d'hydrogène, H^+, par mole de substance. Le plus connu de cette catégorie est l'acide nitrique. Les acides organiques forment un groupe particulier d'oxacides; ils sont caractérisés par la présence d'un groupement carboxylique, COOH, auquel est rattaché un atome d'hydrogène ou une chaîne hydrocarbonée; le plus connu de ces acides est l'acide acétique. Le tableau 5.1 donne la liste des acides organiques les plus courants. Enfin, certains acides cèdent deux ou trois moles d'ions hydrogène, H^+, par mole de substance. On les regroupe sous l'appellation de polyacides ou d'acides polyprotiques. Les acides sulfurique et phosphorique sont les plus connus de cette catégorie.

Oxacide : acide dont la formule renferme un ou plusieurs atomes d'oxygène.

HNO_3	CH_3COOH	H_2SO_4	H_3PO_4
acide nitrique	**acide acétique**	**acide sulfurique**	**acide phosphorique**

Dans le bécher de gauche, on a plongé du magnésium contenant de l'acide chlorhydrique, HCl, un acide fort; le dégagement d'hydrogène y est beaucoup plus rapide que dans le bécher de droite contenant de l'acide acétique, CH_3COOH, un acide faible.

Alors que l'acide chlorhydrique, HCl(*aq*), est totalement dissocié en solution aqueuse, l'acide fluorhydrique, HF(*aq*), ne l'est que partiellement. On dit de l'acide chlorhydrique qu'il est un acide fort, et de l'acide fluorhydrique qu'il est un acide faible. Pour indiquer que l'acide est fort, c'est-à-dire totalement dissocié, on utilise la flèche ordinaire alors que lorsque l'acide est faible, on se sert du symbole de l'équilibre.

$$HF(aq) \rightleftharpoons H^+(aq) + F^-(aq)$$

LES BASES SELON ARRHENIUS

Selon Arrhenius, une **base** est une substance qui, en solution aqueuse, cède des ions hydroxyde, OH^-. La dissolution de l'hydroxyde de sodium, NaOH, dans l'eau s'accompagne de son ionisation totale, tout comme celle du chlorure d'hydrogène, de sorte que la solution ne contient que des ions sodium,

Base : selon Arrhenius, substance qui cède des ions hydroxyde, OH^-, en solution aqueuse.

Na^+, et des ions hydroxyde, OH^-. L'hydroxyde de sodium est donc une base forte.

$$NaOH(s) \xrightarrow{H_2O} NaOH(aq) \longrightarrow Na^+(aq) + OH^-(aq)$$

La théorie d'Arrhenius, malgré son vif succès et son utilité encore actuelle, a des limites. Notamment, elle s'applique mal à une base faible, peu dissociée en solution aqueuse, comme l'ammoniac, NH_3, et aux bases apparentées, les bases organiques telles que la méthylamine, CH_3NH_2, et l'aniline, $C_6H_5NH_2$. Il est en effet difficile à première vue de trouver des ions hydroxyde, OH^-, dans une structure comme NH_3 ! Pour contourner cette difficulté, les chimistes de l'époque ont pensé qu'une solution aqueuse d'ammoniac pouvait contenir de l'hydroxyde d'ammonium, NH_4OH, mais cette hypothèse ne s'est pas révélée exacte. Plus tard, deux chimistes proposèrent une meilleure théorie.

5.1.2 THÉORIE DE BRØNSTED-LOWRY ET PAIRE ACIDE-BASE CONJUGUÉE

La théorie de Brønsted-Lowry a étendu le concept d'acide et de base à un plus grand nombre de substances en mettant en jeu une seule espèce chimique, l'ion hydrogène, H^+. Cela permit d'introduire un nouveau concept, celui de paire (ou de couple) acide-base conjugué.

THÉORIE DE BRØNSTED-LOWRY

Acide : selon Brønsted-Lowry, substance qui donne des ions H^+ (ou des protons).

Base : selon Brønsted-Lowry, substance qui accepte des ions H^+ (ou des protons).

En définissant un **acide** comme un donneur d'ions hydrogène (de protons), H^+, et une **base** comme un accepteur de protons, **J. Brønsted** et **T.M. Lowry** ont établi une relation beaucoup plus étroite entre ces deux catégories de substances, puisqu'une seule espèce chimique était mise en jeu pour l'une et l'autre, l'ion hydrogène (ou proton), H^+.

$$\underset{\textbf{acide}}{HA} \longrightarrow H^+ + A^- \qquad \underset{\textbf{base}}{B} + H^+ \longrightarrow BH^+$$

Cette définition s'applique non seulement aux acides définis selon la théorie d'Arrhenius, mais aussi à certaines bases qui n'étaient pas incluses dans ce concept. Ainsi, l'ammoniac est une base, car elle peut fixer un proton et se transformer alors en ion ammonium, NH_4^+. La très grande majorité des bases organiques, qui sont dérivées, pour la plupart, de l'ammoniac, répondent également à la définition de ce concept, en raison de la présence d'un doublet d'électrons libres sur l'azote qui peut ainsi fixer un proton. La quasi-totalité de ces bases sont des bases faibles. (Le tableau 5.2 donne une liste des bases organiques les plus communes.)

$$\underset{\textbf{base}}{NH_3} + H^+ \rightleftharpoons NH_4^+$$

En outre, la théorie de Brønsted-Lowry ne s'applique pas qu'aux solutions aqueuses; elle inclut en effet un acide ou une base dans n'importe quel solvant ou même en l'absence de solvant. Par exemple, l'amidure de sodium, $NaNH_2$, en solution dans l'ammoniac liquide est une base, car l'ion amidure, NH_2^-, peut facilement capter un ion H^+ provenant du solvant.

$$\underset{\textbf{base}}{NH_2^-} + H^+ \longrightarrow NH_3$$

De même, dans la réaction entre le chlorure d'hydrogène, HCl, et l'ammoniac, NH_3, deux substances gazeuses, HCl cède un proton à NH_3 qui l'accepte : NH_3 et HCl se comportent donc respectivement comme une base et un acide de Brønsted-Lowry, même si la réaction ne se déroule dans aucun solvant.

Tableau 5.2 Noms et formules de bases organiques courantes.

Nom	Formule	Nom	Formule
Aniline	$C_6H_5NH_2$	Méthylamine	CH_3NH_2
Diéthylamine	$(CH_3CH_2)_2NH$	Propylamine	$CH_3CH_2CH_2NH_2$
Diméthylamine	$(CH_3)_2NH$	Pyridine	C_5H_5N
Éthylamine	$CH_3CH_2NH_2$	Triéthylamine	$(CH_3CH_2)_3N$
Hydrazine	H_2NNH_2	Triméthylamine	$(CH_3)_3N$
Hydroxylamine	$HONH_2$		

$$NH_3(g) + HCl(g) \longrightarrow NH_4Cl(s)$$

$$H_3N\!: \; + \; H\text{—}Cl$$

capte un proton (NH₃) — **cède un proton** (HCl)

JOHANNES BRØNSTED
1879-1947
Chimiste danois. Il a élaboré, indépendamment de Thomas M. Lowry, la théorie des bases et des acides dite théorie de Brønsted-Lowry.

Enfin, la théorie de Brønsted-Lowry peut considérer comme acide ou base non seulement la substance neutre, mais aussi l'ion. Par exemple, dans l'hydroxyde de sodium, NaOH, c'est l'ion hydroxyde, OH^-, qui a des propriétés basiques; l'ion sodium, Na^+, n'est aucunement mis en jeu. De même, dans l'hydrogénocarbonate de potassium, $KHCO_3$, l'ion HCO_3^- peut céder un proton et se comporter comme un acide de Brønsted-Lowry, ou capter un proton et jouer le rôle d'une base.

$$NaOH(aq) \longrightarrow Na^+(aq) + \underset{\textbf{base}}{OH^-(aq)} \quad \Rightarrow \quad OH^-(aq) + H^+ \longrightarrow H_2O(l)$$

$$KHCO_3(aq) \longrightarrow K^+(aq) + \underset{\textbf{acide ou base}}{HCO_3^-} \quad \Rightarrow \quad \underset{\textbf{acide}}{HCO_3^-} \rightleftharpoons H^+(aq) + CO_3^{2-}(aq)$$

$$\Rightarrow \quad \underset{\textbf{base}}{HCO_3^-} + H^+(aq) \rightleftharpoons H_2CO_3(aq)$$

C'est surtout le concept d'acide et de base de Brønsted-Lowry qu'on utilisera non seulement dans les sections suivantes, mais aussi dans les prochains chapitres, chaque fois que des propriétés ou des réactions acido-basiques seront mises en évidence.

PAIRE ACIDE-BASE CONJUGUÉE

Dès que l'on fait référence à une base ou à un acide en solution aqueuse, selon le concept de Brønsted-Lowry, ceux-ci sont indissociables du solvant dans lequel ils se trouvent. Et puisqu'un acide doit céder des ions hydrogène, H^+, il faut bien qu'une autre substance, dans ce cas le solvant, accepte ou capte ces ions. Le même raisonnement s'applique à une base : l'ion hydrogène qu'elle reçoit doit provenir du solvant. Pour bien comprendre et expliciter ces échanges avec le solvant, il faut d'abord introduire la notion d'acide et de base conjuguée et celle de base et d'acide conjugué, lesquelles débouchent sur celle de substance amphotère (*voir page 168*).

THOMAS MARTIN LOWRY
1874-1936
Chimiste britannique. Indépendamment de Johannes Brønsted, il a développé la théorie des bases et des acides dite théorie de Brønsted-Lowry.

CAPSULE CHIMIQUE

Les acides et les bases organiques : tout un arsenal pour de multiples usages

Il existe, tant pour les acides que pour les bases organiques, une variété de structures chimiques qui n'ont pas leur équivalent dans leur contrepartie inorganique. Ces substances se retrouvent autant dans le domaine alimentaire que pharmaceutique. La structure des acides organiques renferme un ou plusieurs groupes COOH, tandis que les bases organiques sont caractérisées par la présence du groupement $-NH_2$ ou d'un groupe qui s'y apparente.

Acides organiques

L'une des structures les plus simples d'acides organiques parmi les plus répandus est l'acide acétique (acide éthanoïque), la substance qui donne son goût piquant au vinaigre ou au vin qui est demeuré trop longtemps au contact de l'air ambiant et qui a « tourné ». L'acide benzoïque, C_6H_5COOH, le plus souvent sous forme de sel de sodium ou de potassium, est fréquemment incorporé à des aliments, notamment aux confitures, pour en accroître la durée de conservation.

CH_3**COOH**

acide acétique

C_6H_5— **COOH**

acide benzoïque

La structure chimique d'un grand nombre de produits pharmaceutiques renferme aussi un groupement COOH. L'analgésique le plus connu, qui est aussi un antipyrétique et un anticoagulant, l'acide acétylsalicylique (aspirine), est l'un de ceux-là. L'ibuprofène (*Advil*[MD]), un autre analgésique en vente libre, est également un acide organique.

$C_6H_4(OCOCH_3)$— **COOH**

acide acétylsalicylique

$CH_3-CH(CH_3)-CH_2-C_6H_4-$**COOH**

ibuprofène

Bases organiques

Les bases organiques occupent une place tout aussi importante que les acides organiques. Certaines d'entre elles servent de matières premières à la fabrication de produits synthétiques : l'hexane-1,6-diamine, pour le nylon et l'aniline, pour les polyuréthanes.

$H_2N - [CH2_2]_6 - NH_2$

hexane-1,6-diamine

C_6H_5-**NH$_2$**

aniline

L'indigo, une teinture de couleur bleue, est synthétisé à partir de l'aniline et de l'acide chloroacétique.

Les bases organiques, le plus souvent sous forme de sels, font aussi partie d'une foule de substances médicamenteuses. L'une des configurations de l'éphédrine est un décongestionnant d'usage courant, et la benzocaïne est un anesthésique local; ce dernier fait notamment partie de la préparation médicamenteuse appliquée sur les gencives des nourrissons afin de les soulager.

$C_6H_5-CH(OH)-CH(CH_3)-$**NH**$-CH_3$

éphédrine

$CH_3-CH_2-OOC-C_6H_4-$**NH$_2$**

benzocaïne

Présence simultanée de bases et d'acides organiques

Les groupements COOH et NH_2 font partie simultanément de la classe la plus importante des substances chimiques des organismes vivants, les acides aminés, substances de départ des protéines. Le plus simple de la vingtaine des acides aminés naturels est la glycine. Enfin, mentionnons que l'une des premières substances incorporées aux crèmes solaires pour filtrer les rayons ultraviolets est l'acide 4-aminobenzoïque, connu sous le nom de « PABA ».

$H_2N - CH_2 - COOH$

glycine

$HOOC - C_6H_4 - NH_2$

acide 4-aminobenzoïque

Lorsqu'un acide, tel l'acide nitrique, HNO_3, est dissous dans l'eau, il cède des ions hydrogène, H^+, et forme en même temps des ions nitrate, NO_3^-. L'ion nitrate est appelé la **base conjuguée** de l'acide.

Base conjuguée : base formée lorsqu'un acide de Brønsted-Lowry cède un proton.

$$HNO_3(aq) \longrightarrow H^+(aq) + NO_3^-(aq)$$

acide **base conjuguée**

L'ion H^+ a une existence éphémère en solution aqueuse, car il est aussitôt capté par l'oxygène d'une molécule d'eau qui forme alors l'ion hydronium, H_3O^+. C'est pourquoi nous représenterons, à partir de maintenant, la dissolution de l'acide nitrique et de tout acide en solution aqueuse par l'équation suivante.

$$HNO_3(aq) + H_2O(l) \longrightarrow H_3O^+(aq) + NO_3^-(aq)$$

De la même façon, lorsque de l'ammoniac, NH_3, est mis en solution aqueuse, il capte des ions hydrogène, H^+, et forme alors des ions ammonium, NH_4^+. L'ion ammonium est l'**acide conjugué** de la base.

Acide conjugué : acide formé lorsqu'une base de Brønsted-Lowry capte un proton.

$$NH_3(aq) + H^+(aq) \rightleftharpoons NH_4^+(aq)$$

base **acide conjugué**

Ici encore, comme l'ion H^+ provient du solvant, l'eau, la formation de la base conjuguée de l'ammoniac et de toute autre base sera à partir de maintenant représentée en faisant intervenir H_2O.

$$NH_3(aq) + H_2O(l) \rightleftharpoons OH^-(aq) + NH_4^+(aq)$$

On peut donc déduire que tout acide a sa base conjuguée, et que toute base a son acide conjugué. Une base conjuguée possède un hydrogène de moins que son acide conjugué, tandis que l'acide conjugué a un hydrogène de plus que sa base. Et la conversion acide-base conjuguée et base-acide conjugué se réalise par l'intermédiaire du solvant, l'eau, qui reçoit ou cède un ion hydrogène, H^+. Pour mieux comprendre ces relations, reprenons l'équation de dissolution de l'acide nitrique.

$$HNO_3(aq) + H_2O(l) \longrightarrow H_3O^+(aq) + NO_3^-(aq)$$

L'eau reçoit l'ion H^+ cédé par HNO_3 et devient alors H_3O^+ : l'eau joue donc le rôle d'une base et, en formant H_3O^+, devient son acide conjugué. On remarque ainsi que lors de la dissolution d'un acide dans l'eau, deux systèmes de paires acide-base conjuguées se forment dont l'un met l'eau en cause. Aussi rappelons que **la dissociation d'un acide en solution aqueuse sera toujours représentée par la formation de l'ion hydronium, H_3O^+, plutôt que par l'ion H^+**.

paire acide-base conjuguée

$$HNO_3(aq) + H_2O(l) \longrightarrow H_3O^+(aq) + NO_3^-(aq)$$

paire acide-base conjuguée

On utilise fréquemment un système codé fondé sur des chiffres pour illustrer l'échange d'ions H^+. Ainsi, le premier système, constitué par l'acide nitrique, HNO_3, qui forme sa base conjuguée, l'ion nitrate, NO_3^-, comprend l'acide_1 et la base_1. Le second système, constitué de l'eau, la substance qui capte les ions H^+ pour se transformer en son acide conjugué, H_3O^+, comprend l'acide_2 et la base_2.

$$HNO_3(aq) + H_2O(l) \longrightarrow H_3O^+(aq) + NO_3^-(aq)$$

acide_1 **base_2** **acide_2** **base_1**

On observe ainsi que tant du côté des réactifs que de celui des produits, on a un acide et une base formant mutuellement une paire acide-base conjuguée.

Les acides nitrique et sulfurique contenus dans les pluies acides endommagent les statues de marbre en attaquant ce matériau, très riche en carbonate de calcium.

▼ EXEMPLE 5.1

On désire repérer les paires acide-base conjuguées dans la réaction entre l'ammoniac et l'eau, et représenter la réaction à l'aide du système codé.

$$NH_3(g) + H_2O(l) \rightleftharpoons OH^-(aq) + NH_4^+(aq)$$

1° On repère d'abord les paires acide-base conjuguées.

Dans l'équation, NH_3 devient NH_4^+ et H_2O est transformé en OH^-.

NH_4^+ est l'acide conjugué de NH_3 puisque l'ion a un hydrogène de plus.

$$\underset{\textbf{base}}{NH_3} + H^+ \longrightarrow \underset{\textbf{acide conjugué}}{NH_4^+}$$

OH^- est la base conjuguée de H_2O puisque l'ion compte un hydrogène de moins.

$$\underset{\textbf{acide}}{H_2O} \longrightarrow \underset{\textbf{base conjuguée}}{OH^- + H^+}$$

2° On représente la réaction en utilisant le système codé.

$$\underset{\textbf{base}_1}{NH_3(g)} + \underset{\textbf{acide}_2}{H_2O(l)} \rightleftharpoons \underset{\textbf{base}_2}{OH^-(aq)} + \underset{\textbf{acide}_1}{NH_4^+(aq)}$$

EXERCICE 5.1

Pour chacune des réactions suivantes, repérez les paires acide-base conjuguées et indiquez-les à l'aide du système codé approprié.

a) $HSO_4^-(aq) + H_2O(l) \rightleftharpoons H_3O^+(aq) + SO_4^{2-}(aq)$

b) $HCl(aq) + NH_3(aq) \longrightarrow NH_4^+(aq) + Cl^-(aq)$

c) $SO_3^{2-}(aq) + H_2O(l) \rightleftharpoons OH^-(aq) + HSO_3^-(aq)$

Pendant longtemps, on a considéré l'échange acido-basique dans l'eau par la formation de l'ion hydrogène, H^+. Comme nous l'avons mentionné, il est plus juste de considérer que cet ion, aussitôt formé, se fixe sur H_2O et que c'est l'ion hydronium, H_3O^+, qui existe réellement. Sa structure est celle d'un arrangement pyramidal et, en tenant compte de la présence du doublet d'électrons libres, d'une configuration tétraédrique (*figure 5.1*). En solution aqueuse, l'ion H_3O^+ est entouré de molécules d'eau par l'intermédiaire de liaisons par pont hydrogène.

SUBSTANCES AMPHOTÈRES

Dans la réaction de l'acide nitrique, HNO_3, avec l'eau, cette dernière joue le rôle d'une base en acceptant un ion hydrogène, tandis que dans sa réaction avec l'ammoniac, NH_3, elle est un acide, puisqu'elle cède un proton.

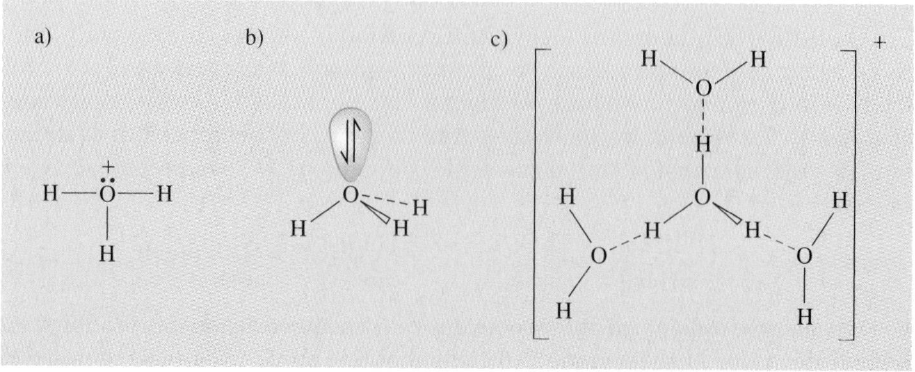

Figure 5.1 Structure de Lewis (a), configuration (b) de l'ion hydronium, H_3O^+, et sa représentation (c) en solution aqueuse.

$$HNO_3(aq) + H_2O(l) \longrightarrow H_3O^+(aq) + NO_3^-(aq)$$

base **acide conjugué**

$$NH_3(g) + H_2O(l) \rightleftharpoons OH^-(aq) + NH_4^+(aq)$$

acide **base conjuguée**

Une substance, telle l'eau, qui peut être tantôt un acide, tantôt une base de Brønsted-Lowry est une substance **amphotère**. L'eau et les ions provenant des polyacides, comme HSO_3^-, HCO_3^- et HSO_4^-, sont les substances amphotères les plus courantes.

H_2O	HCO_3^-	HSO_3^-	HSO_4^-	$H_2PO_4^-$
eau	ion hydrogénocarbonate	ion hydrogénosulfite	ion hydrogénosulfate	ion dihydrogénophosphate

substances amphotères

La raréfaction de l'oxygène et la diminution du taux d'hydrogénocarbonate, HCO_3^-, dans le sang provoque le mal de montagne.

Amphotère : substance qui peut jouer le rôle d'un acide ou d'une base.

Acide : selon Lewis, un accepteur de doublet électronique.

Base : selon Lewis, un donneur de doublet électronique.

5.1.3 THÉORIE DE LEWIS

En 1938, **G. N. Lewis** étendit davantage le concept d'acide et de base en définissant un **acide** comme un accepteur de doublet électronique, et une **base** comme un donneur de doublet électronique. Ces définitions, encore plus générales, englobent celles d'Arrhenius et celles de Brønsted-Lowry. Par exemple, lors de la dissolution du chlorure d'hydrogène, HCl, dans l'eau pour former l'acide, on peut considérer que l'atome d'oxygène de la molécule d'eau donne l'une de ses paires d'électrons libres à l'atome d'hydrogène de la molécule HCl, lequel doit l'accepter pour compléter l'échange; au moment du transfert électronique, il faut que la liaison entre l'hydrogène et le chlore se rompe.

$$:\ddot{\underset{..}{Cl}}—H + H—\ddot{\underset{..}{O}}—H \longrightarrow H—\overset{+}{\ddot{O}}(—H)—H + :\ddot{\underset{..}{Cl}}:^-$$

acide **base**

On peut illustrer ce transfert d'électrons à l'aide de flèches qui montrent la formation et la rupture des liaisons.

$$:\ddot{\underset{..}{Cl}}—H + H—\ddot{\underset{..}{O}}—H \longrightarrow H—\overset{+}{\ddot{O}}(—H)—H + :\ddot{\underset{..}{Cl}}:^-$$

Ainsi, HCl est un acide de Lewis, comme il est un acide selon le concept d'Arrhenius et celui de Brønsted-Lowry.

La définition d'un acide ou d'une base de Lewis est assez générale pour englober des réactions que le concept de Brønsted-Lowry ne pouvait inclure. C'est le cas de la réaction entre l'ammoniac, NH_3, et le trifluorure de bore, BF_3, dans laquelle l'azote donne son doublet d'électrons au bore : l'ammoniac est donc la base de Lewis et le trifluorure de bore, l'acide de Lewis.

$$H_3N: + BF_3 \longrightarrow H_3\overset{+}{N}—\overset{-}{B}F_3$$

base de Lewis **acide de Lewis**

De façon générale, un acide de Lewis est déficient en électrons; il s'agit de cations, tels H_3O^+ ou NH_4^+, ou de molécules dans lesquelles l'un des atomes ne possède pas son octet électronique, tels BF_3 ou $BeCl_2$. À l'opposé, une base de Lewis est riche en électrons; il s'agit d'anions comme OH^-, ou de molécules

GILBERT NEWTON LEWIS
1875-1946
Chimiste américain. On lui doit non seulement une définition élargie du concept d'acide, mais aussi un mode d'écriture de formules moléculaires; il fut également l'un des pionniers de la thermodynamique chimique.

dont l'un des atomes possède au moins un doublet d'électrons libres, tel NH_3. Ce type de classification selon Lewis sera peu utilisé dans cet ouvrage, mais il est très utile pour comprendre les mécanismes réactionnels en chimie organique.

EXERCICE 5.2

Dans la réaction entre l'ammoniac, NH_3, et l'eau, H_2O, repérez l'acide et la base de Lewis, et justifiez ce choix.

$$\mathrm{H{-}\overset{\displaystyle H}{\underset{\displaystyle H}{\overset{|}{\underset{|}{N}}}}{:}} + \mathrm{H{-}\ddot{\underset{..}{O}}{-}H} \longrightarrow \mathrm{H{-}\overset{\displaystyle H}{\underset{\displaystyle H}{\overset{|}{\underset{|}{N^{+}}}}}{-}H} + \mathrm{H{-}\ddot{\underset{..}{O}}{:}^{-}}$$

CAPSULE CHIMIQUE

Comment prépare-t-on les acides et les bases inorganiques ?

Il existe plusieurs façons de préparer des acides ou des bases de Brønsted-Lowry. La plupart résultent soit de la réaction d'oxydes avec l'eau, soit de la combinaison directe d'éléments.

Le papier à recycler est trempé dans une solution d'hydroxyde de sodium, NaOH, pour séparer les fibres de l'encre.

Réaction d'oxydes avec l'eau

Un grand nombre d'oxydes de non-métaux forment des acides (oxacides) par réaction avec l'eau; c'est pourquoi on les appelle oxydes acides. L'acide sulfurique est préparé, à l'échelle industrielle, de cette façon. Sa formation dans l'atmosphère est aussi une des causes importantes des pluies acides.

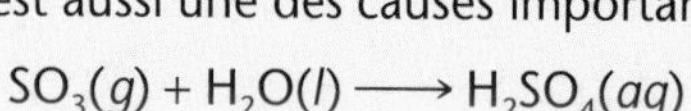

$$SO_3(g) + H_2O(l) \longrightarrow H_2SO_4(aq)$$

Certains oxydes métalliques, appelés oxydes basiques, forment des bases par réaction avec l'eau. Les hydroxydes de sodium, NaOH, et de calcium, $Ca(OH)_2$, peuvent ainsi être préparés de cette manière.

$$CaO(s) + H_2O(l) \longrightarrow Ca(OH)_2(aq) \longrightarrow Ca^{2+}(aq) + 2OH^-(aq)$$

$$Na_2O(s) + H_2O(l) \longrightarrow 2NaOH(aq) \longrightarrow 2Na^+(aq) + 2OH^-(aq)$$

Combinaison directe d'éléments

La plupart des acides binaires sont préparés par la réaction de l'hydrogène avec les plus électronégatifs des non-métaux, notamment les halogènes. La dissolution ultérieure du composé dans l'eau forme l'acide correspondant. Les acides halohydriques, tel l'acide chlorhydrique, sont ainsi préparés en dissolvant dans l'eau l'halogénure d'hydrogène, lequel résulte de la réaction de l'hydrogène moléculaire, H_2, avec l'halogène.

$$H_2(g) + Cl_2(g) \longrightarrow 2HCl(g) \xrightarrow{H_2O} \underset{\textbf{acide chlorhydrique}}{2HCl(aq)}$$

Autres méthodes

D'autres méthodes, dont certaines sont surtout utilisées en laboratoire, conduisent à des acides ou à des bases, à partir d'un autre acide ou d'une autre base. Ainsi, la réaction de l'acide sulfurique concentré, H_2SO_4, avec un sel de l'acide que l'on désire préparer, le chlorure de sodium, par exemple, forme du chlorure d'hydrogène dont le barbotage dans l'eau conduit à l'acide.

$$NaCl(s) + H_2SO_4(l) \longrightarrow HCl(g) + NaHSO_4(s)$$

$$HCl(g) \xrightarrow{H_2O} HCl(aq)$$

De même, une réaction de double substitution mettant en jeu un sel et une base peut conduire à une solution d'une autre base et d'un sel peu soluble qui précipite.

$$CaSO_4(aq) + Ba(OH)_2(aq) \longrightarrow BaSO_4(s) + Ca(OH)_2(aq)$$

EXERCICE 5.3

Déterminez, parmi les espèces chimiques suivantes, lesquelles sont des acides de Lewis ou des bases de Lewis, et justifiez ce choix.

a) NH_2^- b) $AlCl_3$ c) Cl^- d) H_2O

5.2 FORCE DES ACIDES ET DES BASES

La notion de paire acide-base conjuguée peut être étendue pour établir une première classification des acides entre eux et des bases entre elles, les forts et les faibles. Au sein de chaque groupe de substances, il sera aussi possible de prédire un certain ordre des unes par rapport aux autres grâce à l'étude de leur structure.

Le verre est dépoli par réaction de la silice avec l'acide fluorhydrique.

5.2.1 CLASSIFICATION GÉNÉRALE

Une étape importante dans l'étude des acides concerne leur classification les uns par rapport aux autres. Et il en va de même pour les bases. Ce classement est fondé sur la réaction avec l'eau d'un acide de Brønsted-Lowry, représenté par la formule générale, HA.

$$\underset{\textbf{acide}_1}{HA} + \underset{\textbf{base}_2}{H_2O} \rightleftharpoons \underset{\textbf{acide}_2}{H_3O^+} + \underset{\textbf{base}_1}{A^-}$$

Plus l'acide HA est fort, plus facilement il cédera un ion H^+ à l'eau qui l'acceptera et plus l'équilibre sera déplacé vers la droite. Par conséquent, la base conjuguée de l'acide sera faible : elle aura peu tendance à capter un ion H^+ provenant de l'ion hydronium, H_3O^+. On considère que les **acides forts** se dissocient totalement en solution aqueuse pour former l'ion hydronium, H_3O^+, et la base conjuguée de l'acide. Tous les acides situés au-dessus de la paire acide-base conjuguée H_3O^+/H_2O dans le tableau 5.3 sont considérés comme totalement dissociés, ce qui signifie qu'on ne trouve plus de molécules d'acide lorsque la dissolution est complétée. Les acides considérés comme acides forts sont en fait de force égale dans l'eau; le classement, du plus faible au plus fort, concerne plutôt leur comportement dans d'autres solvants. Ainsi, l'acide perchlorique, $HClO_4$, situé au sommet de la liste, serait plus fort que l'acide nitrique, HNO_3, dans d'autres solvants que l'eau; ce dernier, le plus faible des acides forts, est tout de même dissocié à 100 % dans l'eau. On considérera donc que, dans une solution d'acide fort, on trouve presque exclusivement des ions hydronium, H_3O^+, des molécules d'eau et la base conjuguée de l'acide. On explique aussi l'ionisation totale d'un acide fort en considérant que l'eau est une base beaucoup plus forte que la base conjuguée de l'acide et que, par conséquent, elle attire plus fortement les ions H^+ que ne peut le faire A^-.

Acide fort : acide totalement dissocié en solution aqueuse.

$$\underset{\text{acide}_1}{HA(aq)} + \underset{\text{base}_2}{H_2O(l)} \longrightarrow \underset{\text{acide}_2}{H_3O^+(aq)} + \underset{\text{base}_1}{A^-(aq)}$$

$$\textbf{Base}_{H_2O} >>> \textbf{Base}_{A^-}$$

À l'inverse, HA cède plus facilement un ion hydrogène, H^+, que ne peut le faire H_3O^+.

$$\textbf{Acide}_{HA} >>> \textbf{Acide}_{H_3O^+}$$

Les acides situés entre l'ion hydronium, H_3O^+, et l'eau, H_2O, dans le tableau 5.3 sont des **acides faibles**. Par exemple, dans une solution de 1,0 mol/L d'acide fluorhydrique, $HF(aq)$, on estime que 3 % environ des molécules de HF sont dissociées. Dans ce cas, un équilibre s'établit entre les molécules

Acide faible : acide partiellement dissocié en solution aqueuse.

Tableau 5.3 Force relative des paires acide-base conjuguées.

	ACIDE		BASE		
	Nom	Formule	Nom	Formule	
Acides forts	Acide iodhydrique	HI	Ion iodure	I^-	
	Acide bromhydrique	HBr	Ion bromure	Br^-	
	Acide chlorhydrique	HCl	Ion chlorure	Cl^-	
	Acide sulfurique*	H_2SO_4	Ion hydrogénosulfate	HSO_4^-	
	Acide perchlorique	$HClO_4$	Ion perchlorate	ClO_4^-	
	Acide nitrique	HNO_3	Ion nitrate	NO_3^-	
	Ion hydronium	H_3O^+	**Eau**	H_2O	
Acidité croissante	Acide chromique	H_2CrO_4	Ion hydrogénochromate	$HCrO_4^-$	Basicité croissante
	Acide sulfureux	H_2SO_3	Ion hydrogénosulfite	HSO_3^-	
	Ion hydrogénosulfate	HSO_4^-	Ion sulfate	SO_4^{2-}	
	Acide phosphorique	H_3PO_4	Ion dihydrogénophosphate	$H_2PO_4^-$	
	Acide fluorhydrique	HF	Ion fluorure	F^-	
	Acide nitreux	HNO_2	Ion nitrite	NO_2^-	
	Acide formique	$HCOOH$	Ion formiate	$HCOO^-$	
	Acide acétique	CH_3COOH	Ion acétate	CH_3COO^-	
	Acide carbonique	H_2CO_3	Ion hydrogénocarbonate	HCO_3^-	
	Acide sulfhydrique	H_2S	Ion hydrogénosulfure	HS^-	
	Ion hydrogénosulfite	HSO_3^-	Ion sulfite	SO_3^{2-}	
	Ion dihydrogénophosphate	$H_2PO_4^-$	Ion hydrogénophosphate	HPO_4^{2-}	
	Acide hypochloreux	$HClO$	Ion hypochlorite	ClO^-	
	Acide cyanhydrique	HCN	Ion cyanure	CN^-	
	Ion ammonium	NH_4^+	Ammoniac	NH_3	
	Ion hydrogénocarbonate	HCO_3^-	Ion carbonate	CO_3^{2-}	
	Eau	H_2O	**Ion hydroxyde**	OH^-	
	Éthanol	CH_3CH_2OH	Ion éthanolate	$CH_3CH_2O^-$	
	Ammoniac	NH_3	Ion amidure	NH_2^-	
	Hydrogène moléculaire	H_2	Ion hydrure	H^-	
	Méthane	CH_4	Ion méthyle	CH_3^-	Bases fortes

* La force de l'acide ne concerne que la première ionisation.

de HF, les ions H_3O^+ et F^-, et les molécules de H_2O. La figure 5.2 illustre cet équilibre dans lequel on a omis la représentation des molécules d'eau. On observe qu'il y a beaucoup plus de molécules de HF que d'ions H^+ et F^-, et que ces derniers sont en égales quantités. Comme on l'a fait pour les réactions d'équilibre, on utilisera deux flèches de sens opposés et, éventuellement, de longueurs différentes, pour représenter cet équilibre.

$$HF(aq) + H_2O(l) \rightleftharpoons H_3O^+(aq) + F^-(aq)$$

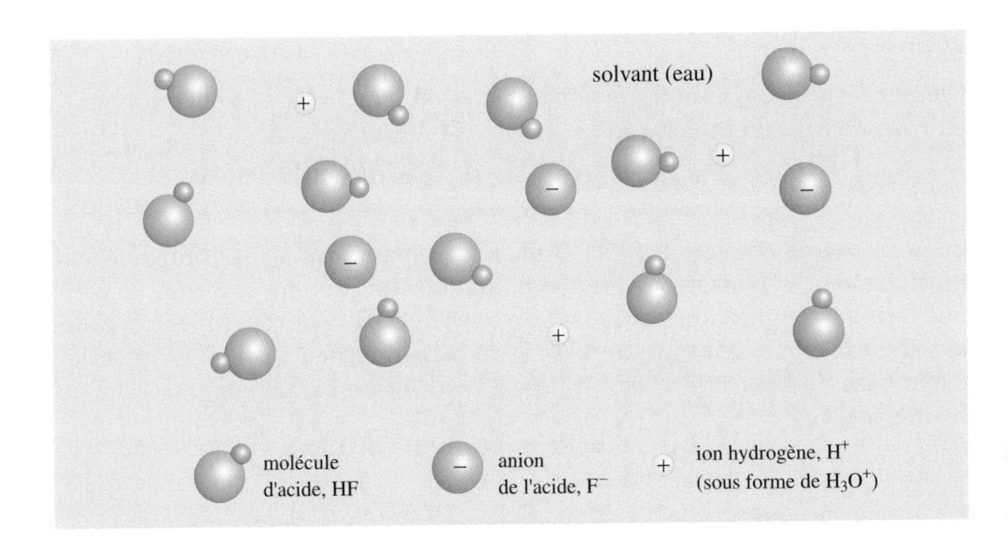

Figure 5.2 Illustration de l'ionisation partielle d'un acide faible dans l'eau.

La classification du tableau 5.3 est de nature qualitative; une évaluation quantitative sera donnée à la section 5.4 à partir des valeurs de la constante d'acidité. Le classement montre aussi que l'évolution de la force des acides est graduelle et qu'elle est très relative. En effet, l'ion hydrogénosulfate, HSO_4^-, est un acide faible, mais tout de même beaucoup plus fort que l'acide cyanhydrique, HCN, car une solution de 1,0 mol/L d'ions hydrogénosulfate contient environ 4000 fois plus d'ions H_3O^+ qu'une solution d'acide cyanhydrique de même concentration.

$HSO_4^-(aq)$ 1,0 mol/L — HCN(aq) 1,0 mol/L

$1{,}0 \times 10^{-1}$ mol H_3O^+ — **$2{,}5 \times 10^{-5}$ mol H_3O^+**

Ce classement permet aussi de prédire que l'ion hydrogénosulfate, HSO_4^-, donne facilement son proton à l'ion cyanure, CN^-, qui devient HCN, mais que l'inverse n'est pas vrai, c'est-à-dire que l'acide cyanhydrique, HCN, n'a pas tendance à donner son proton à l'ion sulfate, SO_4^{2-}, pour le transformer en ion HSO_4^-. C'est pourquoi, dans une solution contenant les ions HSO_4^- et CN^-, l'équilibre favorisera davantage la formation de l'acide cyanhydrique que celle de l'ion HSO_4^-, car ce dernier est plus fort que l'acide cyanhydrique.

$$HCN(aq) + SO_4^{2-}(aq) \rightleftharpoons HSO_4^-(aq) + CN^-(aq)$$

acide moins fort — **acide plus fort**

Une étape du tannage consiste à tremper les peaux dans un bain d'acide chromique.

De même, la frontière entre un acide fort et un acide faible est quelque peu arbitraire; l'acide chromique, H_2CrO_4, par exemple, est dissocié à plus de 40 % en solution aqueuse, mais n'est pas considéré comme un acide fort. Il est tout de même utile de pouvoir comparer les acides par rapport à l'eau et les uns par rapport aux autres.

▼ EXEMPLE 5.2

On désire classer les espèces chimiques suivantes selon l'ordre croissant d'acidité en utilisant le tableau 5.3.

$$H_2O(l),\ HCl(aq),\ HCO_3^-(aq),\ HNO_2(aq),\ NH_4^+(aq)$$

Les acides sont constitués par les espèces chimiques de la colonne de gauche du tableau 5.3.

- De toutes les espèces à classer, l'eau est l'acide le moins fort et l'acide chlorhydrique, le plus fort. L'ordre est donc le suivant, du moins acide au plus acide.

$$H_2O(l) < HCO_3^-(aq) < NH_4^+(aq) < HNO_2(aq) < HCl(aq)$$

La sueur contient de l'ammoniac, une base faible.

Base forte : base totalement dissociée en solution aqueuse tels les hydroxydes des métaux alcalins et alcalino-terreux comme NaOH et $Ca(OH)_2$.

Base faible : base partiellement dissociée en solution aqueuse.

EXERCICE 5.4

Classez les espèces chimiques suivantes selon leur force d'acidité croissante en vous servant du tableau 5.3.

$$HF(aq),\ H_2PO_4^-(aq),\ H_2SO_3(aq),\ HSO_4^-(aq),\ H_2CO_3(aq)$$

Les substances classées sous H_2O dans la colonne des acides ne possèdent pratiquement aucune propriété acide en solution aqueuse, ce qui signifie que leur base conjuguée est plus forte que l'ion OH^-; par conséquent, si celle-ci se forme, elle réagit aussitôt avec l'eau pour reformer l'acide. La réaction d'une base de Brønsted-Lowry, B, avec l'eau forme l'acide conjugué et l'ion hydroxyde, OH^-.

$$\underset{\textbf{acide}_1}{H_2O(l)} + \underset{\textbf{base}_2}{B(aq)} \longrightarrow \underset{\textbf{base}_1}{OH^-(aq)} + \underset{\textbf{acide}_2}{BH^+(aq)}$$

L'eau se comporte alors comme un acide en cédant l'un de ses protons.

Les **bases fortes**, situées sous l'ion OH^- dans la colonne des bases du tableau 5.3, réagissent totalement avec l'eau en formant leur acide conjugué dans une proportion de 100 %. L'ion éthanolate, $CH_3CH_2O^-$, est un exemple de base plus forte que l'eau.

$$CH_3CH_2O^-(aq) + H_2O(l) \longrightarrow OH^-(aq) + CH_3CH_2OH(aq)$$

Tout comme les acides faibles, les **bases faibles** se trouvent entre l'eau et l'ion hydroxyde, OH^-, dans la colonne des bases du tableau 5.3 : elles acceptent un proton de l'eau, mais un équilibre s'établit, engendrant un mélange d'ions OH^- et de base. C'est le cas de l'ammoniac, NH_3, qui est une base faible.

$$\underset{\textbf{base}_1}{NH_3(g)} + H_2O(l) \rightleftharpoons OH^-(aq) + \underset{\textbf{acide}_1}{NH_4^+}$$

Les bases plus faibles que l'eau, tels les ions nitrate, NO_3^-, et chlorure, Cl^-, ne montrent aucune propriété basique observable, ce qui signifie qu'elles ne forment pas d'ions hydroxyde ni leur acide conjugué.

$$NO_3^- + H_2O(l) \not\longrightarrow OH^-(aq) + HNO_3(aq) \qquad \text{(ne se forment pas)}$$

5.2.2 STRUCTURE ET FORCE RELATIVE DES ACIDES

Il n'est pas possible de comparer et de prédire la force des acides ou des bases formés d'éléments différents comme HCl et HNO_3. Par contre, on peut prévoir la force relative des acides halohydriques, la force relative des acides binaires d'une même période et la force relative des oxacides.

La **force relative des acides halohydriques** entre eux, HX (X = F, Cl, Br, I) qui ne diffèrent que par la nature de l'halogène, ou celle des oxacides dont seul l'atome central ou le nombre d'atomes d'oxygène diffère.

Des acides forts comme HI, HCl et HBr semblent avoir la même force dans l'eau. Toutefois, dans des solvants moins basiques que l'eau comme l'éthanol, CH_3CH_2OH, l'ionisation de HI est plus élevée que celle de HBr, et encore beaucoup plus élevée que celle de HCl. L'ordre de l'acidité des acides halohydriques est donc le suivant.

$$HI > HBr > HCl >> HF$$

Avec les composés binaires de l'hydrogène, la force de l'acide augmente avec la longueur de la liaison dans un groupe, ce qui signifie que plus celle-ci est courte, plus la substance libère difficilement son proton.

	HI	HBr	HCl	HF
longueur de liaison (pm)	160,9	141,4	127,4	91,7

Cependant, l'acide fluorhydrique est environ deux milliards ($2,0 \times 10^9$) de fois moins acide que l'acide chlorhydrique, tandis que ce dernier n'est qu'environ 80 fois moins acide que l'acide bromhydrique. L'explication la plus plausible pour un si grand écart entre HCl et HF serait fondée sur la formation de liaisons par pont hydrogène (*voir* Chimie générale, *sous-section 11.4.4*) entre un grand nombre d'ions fluorure, F^-, et les ions hydronium, H_3O^+, l'un et l'autre ion s'associant par paires, ce qui abaisserait considérablement la concentration des ions H_3O^+.

$$HF(aq) + H_2O(l) \rightleftharpoons H_3O^+(aq) + F^-(aq) \rightleftharpoons \left[H - \overset{+}{\ddot{O}}(-H) - H \text{----} F^- \right]$$

paire d'ions

Le facteur déterminant pour prédire la **force relative des acides binaires d'une même période** serait la différence d'électronégativité (*voir le tableau des électronégativités à la fin de l'ouvrage*) ou la grandeur de la polarité. Plus ces dernières sont élevées, plus l'acide est fort. C'est ce que l'on peut observer dans la série allant du silane, SiH_4, au chlorure d'hydrogène, HCl, pour les acides binaires de la troisième période, en soustrayant la valeur de l'électronégativité de l'hydrogène de celle de chaque élément considéré.

	SiH_4 <	PH_3 <	H_2S <	HCl
$\Delta_{\text{électronégativité}}$	−0,3	0	0,4	0,9
caractère acide	aucun	aucun	faible	fort

On peut prédire la **force relative des oxacides** en évaluant les forces d'attraction qui s'exercent sur l'oxygène portant le groupe OH. Plus la liaison OH sera affaiblie par un ou des atomes attracteurs d'électrons, plus l'acide sera fort. Il faut en conséquence tenir compte des deux facteurs suivants :

– la valeur de l'électronégativité de l'atome lié au groupe OH;

– le nombre d'atomes d'oxygène terminaux de la structure.

▼ EXEMPLE 5.3

Voici comment estimer l'acidité de l'acide hypochloreux, HOCl, par rapport à celle de l'acide hypoiodeux, HOI.

1° On représente les structures de Lewis respectives (application de la règle de l'octet).

$$H - \ddot{\underset{..}{O}} - \ddot{\underset{..}{Cl}}: \qquad H - \ddot{\underset{..}{O}} - \ddot{\underset{..}{I}}:$$

2° On compare l'effet du chlore avec celui de l'iode sur l'oxygène.

Le chlore (électronégativité = 3,0) est plus électronégatif que l'iode (électronégativité = 2,5) : son effet attracteur d'électrons étant plus fort que celui de l'iode, il affaiblit davantage la force de la liaison O—H, ce qui donne lieu à la formation d'un plus grand nombre d'ions H_3O^+ (ou H^+).

• L'**acide hypochloreux** est donc un acide plus fort que l'acide hypoiodeux.

Les notions exposées dans cette section permettent aussi d'expliquer pourquoi seul l'hydrogène du groupe COOH possède un caractère acide dans les acides organiques, tel l'acide acétique, CH_3COOH.

$$H_3C - C(=\ddot{\underset{..}{O}}) - \ddot{\underset{..}{O}} - H$$

Dans cette structure, les liaisons C—H sont presque totalement covalentes, de sorte que le caractère acide de l'hydrogène est pratiquement nul. Par ailleurs, la liaison O—H, très polaire, est encore affaiblie par la présence du groupe C=O qui exerce un effet d'attraction; c'est pourquoi, dans ce cas, l'hydrogène a un caractère acide prononcé.

EXERCICE 5.5

Classez les substances suivantes selon l'ordre croissant d'acidité et justifiez le classement.

$$H_2O,\ CH_4,\ HF,\ NH_3$$

EXERCICE 5.6

Déterminez lequel des composés suivants est le plus acide et justifiez votre choix en évaluant les facteurs mis en jeu.

$$H_2SO_3,\ H_2SO_4$$

5.2.3 POLYACIDES

Polyacide : acide libérant plus d'un hydrogène acide par dissociations successives.

Quelques acides possèdent plusieurs atomes d'hydrogène ionisables et ils sont appelés des **polyacides** (acides polyprotiques). Les plus courants sont donnés au tableau 5.4. Ils peuvent céder successivement chacun de leurs atomes d'hydrogène sous forme d'ions lorsqu'ils sont en solution aqueuse.

$$H_3PO_4(aq) + H_2O(l) \rightleftharpoons H_3O^+(aq) + H_2PO_4^-(aq) \quad (1)$$

$$H_2PO_4^-(aq) + H_2O(l) \rightleftharpoons H_3O^+(aq) + HPO_4^{2-}(aq) \quad (2)$$

$$HPO_4^{2-}(aq) + H_2O(l) \rightleftharpoons H_3O^+(aq) + PO_4^{3-}(aq) \quad (3)$$

L'acide phosphorique est ajouté aux colas pour diminuer leur pH à 3.

À mesure que la dissociation progresse, le caractère acide diminue : l'acide phosphorique, H_3PO_4, est un acide plus fort que l'ion dihydrogénophosphate, $H_2PO_4^-$, et ce dernier est plus fort que l'ion hydrogénophosphate, HPO_4^{2-}. Et cela se vérifie pour tous les polyacides. On utilise les expressions « première dissociation », « seconde dissociation », etc., pour désigner chaque étape conduisant à la formation des ions à partir de l'acide. La diminution graduelle de l'acidité est liée au fait que l'ion provenant de la première dissociation retient plus fortement l'hydrogène, car l'un des atomes d'oxygène porte une charge négative : l'ion H^+ a alors peu tendance à s'échapper. Et cette tendance s'accentue lorsque l'anion porte une charge −2, car l'ion retient encore davantage l'hydrogène.

De tous les acides polyprotiques, l'acide sulfurique H_2SO_4, est le seul qui soit un acide fort pour sa première dissociation, et faible, pour sa seconde.

$$H_2SO_4(aq) + H_2O(l) \longrightarrow H_3O^+(aq) + HSO_4^-(aq)$$

$$HSO_4^-(aq) + H_2O(l) \rightleftharpoons H_3O^+(aq) + SO_4^{2-}(aq)$$

Tableau 5.4 Noms et formules de quelques polyacides.

Nom	Formule	Nom	Formule
Acide carbonique	H_2CO_3	Acide phosphorique	H_3PO_4
Acide chromique	H_2CrO_4	Acide sulfureux	H_2SO_3
Acide oxalique	HOOCCOOH	Acide sulfurique	H_2SO_4
Acide phosphoreux	H_3PO_3	Acide sulfhydrique	H_2S

EXERCICE 5.7

Écrivez les équations de dissociation dans l'eau des polyacides suivants.

a) $H_2S(aq)$ b) $H_2CO_3(aq)$

5.3 IONISATION DE L'EAU ET ÉCHELLE DE pH

L'eau est toujours mise en jeu dans les phénomènes acido-basiques, car elle assure l'échange d'ions hydrogène, H^+. Pour aborder l'étude quantitative des acides et des bases, il faut maintenant préciser ce qui se déroule au sein même d'un certain volume d'eau, car un échange constant s'y produit au hasard des collisions; c'est l'équilibre ionique de l'eau. Cette étude débouche sur une expression simplifiée de l'acidité donnée par la concentration des ions H^+, l'échelle de pH, dont l'usage est courant dans plusieurs domaines.

5.3.1 AUTO-IONISATION DE L'EAU

L'eau pure est une substance partiellement ionisée; cela peut être mis en évidence en effectuant des mesures très précises de la conductivité électrique. Le phénomène, désigné auto-ionisation, s'explique par le caractère amphotère de l'eau : certaines molécules donnent un proton et jouent alors le rôle d'un acide alors que d'autres acceptent un proton et se comportent comme une base. Voilà qui explique l'auto-ionisation de l'eau : les molécules d'eau s'ionisent mutuellement; ce phénomène est représenté par l'équation d'équilibre suivante.

$$\underset{\textbf{acide}_1}{H_2O(l)} + \underset{\textbf{base}_2}{H_2O(l)} \rightleftharpoons \underset{\textbf{acide}_2}{H_3O^+(aq)} + \underset{\textbf{base}_1}{OH^-(aq)}$$

$$H-\ddot{\underset{..}{O}}-H + H-\ddot{\underset{..}{O}}-H \rightleftharpoons H-\overset{+}{\ddot{O}}(-H)-H + H-\ddot{\underset{..}{O}}:^-$$

En appliquant la loi d'action de masse à cette équation, on obtient une relation dans laquelle la constante d'équilibre, K_c, est égale à $3{,}25 \times 10^{-18}$ à 25 °C.

$$K_c = \frac{[H_3O^+][OH^-]}{[H_2O]^2} = 3{,}25 \times 10^{-18} \quad (1)$$

Toutefois, l'ionisation de l'eau est si faible que la concentration des molécules non ionisées est considérée comme constante et fait alors partie de l'expression de la constante d'équilibre. On peut considérer que la concentration des molécules d'eau est égale à 55,5 mol/L.

$$1\ \text{L}\ (1000\ \text{mL})\ \text{d'eau} \approx 1000\ \text{g}\ H_2O \Rightarrow 1000\ \cancel{\text{g}} \times \frac{1\ \text{mol}}{18{,}02\ \cancel{\text{g}}} = 55{,}5\ \text{mol pour 1 L d'eau}$$

En incorporant cette valeur de la concentration dans l'équation 1, on obtient une seconde relation définissant une nouvelle constante, désignée **constante de dissociation de l'eau,** K_e, qui exprime la valeur de cet équilibre pour une température de 25 °C et qui est égale au produit de K_c par le carré de la concentration de H_2O.

Constante de dissociation de l'eau : constante égale au produit de la concentration des ions hydronium, H_3O^+ (ou H^+), par celle des ions hydroxyde, OH^-; elle vaut $1{,}00 \times 10^{-14}$ à 25 °C.

$$K_c = \frac{[H_3O^+][OH^-]}{[H_2O]^2} \Rightarrow [H_3O^+][OH^-] = K_c[H_2O]^2 = 3{,}25 \times 10^{-18} \times (55{,}5)^2$$

$$= 1{,}00 \times 10^{-14} = K_e$$

Ces relations peuvent être simplifiées sous la forme suivante.

$$K_e = [H_3O^+][OH^-] = 1{,}00 \times 10^{-14} \quad (2)$$

Il est très courant de simplifier davantage cette relation en remplaçant H_3O^+ par H^+ pour expliquer l'ionisation de l'eau sous sa forme la plus élémentaire.

$$H_2O(l) \rightleftharpoons H^+(aq) + OH^-(aq)$$

$$K_e = [H^+][OH^-] = 1{,}00 \times 10^{-14} \quad (3)$$

Notons qu'au sens strict, les unités de la constante de dissociation de l'eau, parfois aussi appelée produit ionique de l'eau, devraient être mol^2/L^2, mais qu'elles sont très rarement exprimées.

Des énoncés très importants découlent des relations 2 ou 3 et on en tiendra compte dans une grande partie des calculs effectués avec les acides et les bases.

- Dans l'eau pure, la concentration des ions H_3O^+ (ou H^+) est égale à celle des ions OH^-.
- Dans une solution aqueuse à 25 °C, le produit de la concentration des ions H_3O^+ (ou H^+) par celle des ions OH^- est toujours égale à $1{,}00 \times 10^{-14}$.

▼ EXEMPLE 5.4

On désire calculer la concentration des ions H_3O^+ et OH^- dans l'eau pure à 25 °C.

1° Pour calculer ces concentrations, on utilise la relation 2.

$$[H_3O^+][OH^-] = 1{,}00 \times 10^{-14}$$

2° Dans l'eau pure, la concentration des ions H_3O^+ doit être égale à celle des ions OH^-, puisque chacun de ces ions se forme aussitôt qu'une molécule d'eau se dissocie.

$$[H_3O^+] = [OH^-]$$

3° En remplaçant $[OH^-]$ par $[H_3O^+]$ dans l'équation 2, on obtient celle de H_3O^+.

$$[H_3O^+][H_3O^+] = [H_3O^+]^2 = 1{,}00 \times 10^{-14}$$

$$\Rightarrow [H_3O^+] = \sqrt{1{,}00 \times 10^{-14}} = 1{,}00 \times 10^{-7} \text{ mol/L}$$

Et puisque $[H_3O^+] = [OH^-]$, on en déduit que

$$[OH^-] = 1{,}00 \times 10^{-7} \text{ mol/L}$$

- Dans l'eau pure à 25 °C, la concentration de $\mathbf{H_3O^+}$ est égale à $\mathbf{1{,}00 \times 10^{-7}}$ **mol/L** et celle de $\mathbf{OH^-}$ est aussi égale à $\mathbf{1{,}00 \times 10^{-7}}$ **mol/L.**

▼ EXEMPLE 5.5

On veut connaître la concentration des ions H_3O^+, OH^- et Cl^- dans une solution de $2{,}00 \times 10^{-2}$ mol/L d'acide chlorhydrique, $HCl(aq)$, à 25 °C.

1° L'acide chlorhydrique est un acide fort; par conséquent, en solution aqueuse, il ne se trouve aucune molécule de HCl, la dissociation étant totale.

Réaction	$HCl(aq) \xrightarrow{H_2O}$	$H_3O^+(aq)$ +	$Cl^-(aq)$
$[\ ]_0$ (mol/L)	$2{,}00 \times 10^{-2}$	0	0
$[\ ]$ (mol/L)	0	$2{,}00 \times 10^{-2}$	$2{,}00 \times 10^{-2}$

- La concentration de $\mathbf{H_3O^+}$ est donc égale à $\mathbf{2{,}00 \times 10^{-2}}$ **mol/L** et celle de $\mathbf{Cl^-}$ est aussi égale à $\mathbf{2{,}00 \times 10^{-2}}$ **mol/L.**

2° On calcule la concentration des ions OH^- en utilisant l'expression de la constante de dissociation de l'eau.

$$K_e = [H_3O^+][OH^-] = 1{,}00 \times 10^{-14}$$

En substituant la valeur de $[H_3O^+]$ dans cette relation, on obtient celle de $[OH^-]$.

$$[OH^-] = \frac{1{,}00 \times 10^{-14}}{2{,}00 \times 10^{-2}} = 5{,}00 \times 10^{-13} \text{ mol/L}$$

- La concentration des ions $\mathbf{OH^-}$ est égale à $\mathbf{5{,}00 \times 10^{-13}}$ **mol/L.**

On observe, à l'analyse des exemples 5.4 et 5.5, que l'ajout d'un acide fort à l'eau modifie considérablement l'équilibre ionique de l'eau qui doit toujours être régi par la relation 2; ainsi, la concentration des ions OH^-, qui était de $1{,}00 \times 10^{-7}$ mol/L dans l'eau pure chute à $5{,}00 \times 10^{-13}$ mol/L dans la solution d'acide chlorhydrique. Comme on pouvait le prévoir selon le principe de Le Chatelier, l'addition de H_3O^+ à l'eau déplace l'équilibre vers la gauche (formation de H_2O) de manière à maintenir la valeur de la constante de dissociation de l'eau.

$$HCl(aq) + H_2O(l) \longrightarrow \mathbf{H_3O^+}(aq) + Cl^-(aq)$$

$$2H_2O(l) \rightleftharpoons \mathbf{H_3O^+}(aq) + OH^-(aq)$$

$[H_3O^+]$ et $[OH^-]$ avant l'ajout de HCl	$1{,}00 \times 10^{-7}$	et	$1{,}00 \times 10^{-7}$
$[H_3O^+]$ et $[OH^-]$ après l'ajout de HCl	$2{,}00 \times 10^{-2}$	et	$5{,}00 \times 10^{-13}$

Par conséquent, l'équilibre de la dissociation de l'eau est encore davantage déplacé vers la gauche, ce qui explique la diminution de la concentration de OH^-.

On peut aussi déduire que l'eau étant la seule source d'ions OH^-, la concentration des ions H_3O^+ provenant de l'eau sera aussi égale à $5{,}00 \times 10^{-13}$ mol/L.

$$[OH^-]_{H_2O} = [H_3O^+]_{H_2O} = 5{,}00 \times 10^{-13} \text{ mol/L}$$

Cette dernière concentration est tout à fait négligeable par rapport à celle des ions H_3O^+ provenant de HCl, puisqu'elle est $4{,}00 \times 10^{10}$ fois plus basse.

$$\frac{[H_3O^+]_{HCl}}{[H_3O^+]_{H_2O}} = \frac{2{,}00 \times 10^{-2} \text{ mol/L}}{5{,}00 \times 10^{-13} \text{ mol/L}} = 4{,}00 \times 10^{10}$$

On comprend maintenant pourquoi, lors de l'ajout d'un acide fort à l'eau, on n'a pas à tenir compte de la contribution des ions H_3O^+ issus de l'ionisation de l'eau, à moins que la concentration de l'acide ne soit très faible ($< 1{,}0 \times 10^{-6}$ mol/L).

EXERCICE 5.8

La concentration d'une solution aqueuse d'acide nitrique, HNO_3, est égale à $3{,}20 \times 10^{-3}$ mol/L à 25 °C. Calculez :

a) la concentration des ions hydronium, H_3O^+;

b) la concentration des ions nitrate, NO_3^-;

c) la concentration des ions hydroxyde, OH^-;

d) la concentration des ions H_3O^+ provenant de l'eau.

Ce qui vient d'être démontré pour les acides forts s'applique aussi pour les bases fortes, ce qui signifie que leur dissociation étant estimée totale, la concentration des ions hydroxyde, OH^-, est égale à celle de la base. De plus, le calcul de la concentration des ions hydronium, H_3O^+, sera effectué en appliquant la relation 2.

$$K_e = [H_3O^+][OH^-] = 1{,}00 \times 10^{-14} \qquad (2)$$

Ainsi, une solution $4,00 \times 10^{-3}$ mol/L d'hydroxyde de sodium, NaOH, aura une concentration de $4,00 \times 10^{-3}$ mol/L en ions OH^- et de $2,50 \times 10^{-12}$ mol/L en ions H_3O^+ à 25 °C.

Réaction	$NaOH(aq)$ $\longrightarrow$	$Na^+(aq)$ +	$OH^-(aq)$
[ ]$_0$ (mol/L)	$4,00 \times 10^{-3}$	0	0
[ ] (mol/L)	0	$4,00 \times 10^{-3}$	$4,00 \times 10^{-3}$

$$[H_3O^+] = \frac{K_e}{[OH^-]} = \frac{1,00 \times 10^{-14}}{4,00 \times 10^{-3}} = 2,50 \times 10^{-12} \text{ mol/L}$$

EXERCICE 5.9

La concentration d'une solution d'hydroxyde de potassium, KOH, une base forte, est égale à $6,1 \times 10^{-4}$ mol/L. Calculez à 25 °C :

a) la concentration des ions hydroxyde, OH^-;

b) la concentration des ions hydronium, H_3O^+;

c) la concentration des ions potassium, K^+;

d) la concentration des ions OH^- provenant de l'eau.

5.3.2 ÉCHELLE DE pH

Les relations 2 et 3 qui explicitent l'auto-ionisation de l'eau montrent que les concentrations des ions H_3O^+ ou des ions OH^- peuvent avoir de très grands écarts, les limites étant généralement comprises entre 1,0 mol/L et $1,0 \times 10^{-14}$ mol/L. Les calculs précédents ont aussi montré que dans l'eau pure, la concentration des ions hydronium est égale à celle des ions hydroxyde; à 25 °C, elle équivaut à $1,0 \times 10^{-7}$ mol/L. Dans ces conditions, la **solution** est **neutre**. Par ailleurs, la **solution** est **acide** lorsque la concentration des ions H_3O^+ est supérieure à celle des ions OH^-, et **basique** lorsqu'elle est inférieure. À 25 °C, la solution est acide si la concentration des ions H_3O^+ est supérieure à $1,0 \times 10^{-7}$ mol/L et elle est basique si elle est inférieure.

Solution neutre : solution dont la concentration en ions H_3O^+ (ou H^+) est égale à celle des ions OH^-; à 25 °C, ces concentrations sont égales à $1,00 \times 10^{-7}$ mol/L ou le pH est égal à 7.

Solution acide : solution dont la concentration en ions H_3O^+ (ou H^+) est supérieure à celle des ions OH^-; à 25 °C, cette concentration en ions H_3O^+ (ou H^+) est supérieure à $1,00 \times 10^{-7}$ mol/L ou le pH est inférieur à 7.

Solution basique : solution dont la concentration en ions H_3O^+ (ou H^+) est inférieure à celle des ions OH^-; à 25 °C, cette concentration en ions H_3O^+ (ou H^+) est inférieure à $1,00 \times 10^{-7}$ mol/L ou le pH est supérieur à 7.

pH : logarithme décimal négatif de la concentration des ions hydronium, H_3O^+ (ou H^+), d'une solution aqueuse; $pH = -\log [H_3O^+]$.

SIGNIFICATION DE L'ÉCHELLE DE pH

Comme il peut vite devenir fastidieux d'exprimer ces nombres sous leur forme exponentielle, une échelle logarithmique, beaucoup plus pratique, fut proposée par le chimiste danois **S.P. Sørensen** en 1909. Il suggéra d'appeler **pH** le logarithme négatif de la concentration des ions H^+ afin de relier plus directement la concentration avec le terme pH.

$$pH = -\log [H_3O^+] \text{ ou } pH = -\log [H^+] \quad (4)$$

L'abréviation pH fait référence au « potentiel d'hydrogène ». Dans cette échelle, il s'agit du logarithme décimal (dans la base 10; symbole « log » sur une calculatrice) et non du logarithme népérien (dans la base 2,302585; symbole « ln » sur une calculatrice).

Ainsi, le pH d'une solution $1,0 \times 10^{-2}$ mol/L d'acide nitrique sera égal à 2,00.

$$pH = -\log 1,0 \times 10^{-2} \text{ mol/L} = 2,00$$

Notez que le nombre de décimales de la valeur logarithmique doit être égal au nombre de chiffres significatifs de la valeur initiale et inversement.

$$\underbrace{1,0}_{\textbf{2} \text{ chiffres significatifs}} \times 10^{-2} \text{ mol/L} \Rightarrow \log = 2,\underbrace{00}_{\textbf{2} \text{ décimales}}$$

En fait, le chiffre à la gauche de la décimale dans le logarithme n'est pas significatif, car il ne sert qu'à établir la valeur de la puissance de 10.

Le pH est une échelle logarithmique, tout comme l'échelle de Richter dont on se sert pour mesurer la magnitude d'un séisme. Par conséquent, une solution dont le pH est 4,00 ($[H_3O^+] = 1{,}0 \times 10^{-4}$ mol/L) est dix fois plus concentrée que celle de pH 5,00 ($[H_3O^+] = 1{,}0 \times 10^{-5}$ mol/L); de même, un séisme de magnitude 5 est dix fois plus intense que celui de magnitude 4.

SØREN PETER SØRENSEN
1868-1939
Chimiste danois; il introduisit, en 1909, le concept de pH.

EXERCICE 5.10

Calculez le pH d'une solution dans laquelle la concentration des ions H_3O^+ est égale à $4{,}0 \times 10^{-9}$ mol/L. Cette solution est-elle acide, basique ou neutre ?

Au laboratoire, on mesure avec précision le pH d'une solution à l'aide d'un pH-mètre, appareil électronique sensible à la concentration des ions H_3O^+ en solution. Les appareils modernes, à affichage numérique, sont conçus pour indiquer directement la valeur du pH. Comme nous le verrons dans le dernier chapitre de cet ouvrage, la mesure du pH est fondée sur la différence de potentiel entre une électrode de verre et une électrode référence.

CALCULS À PARTIR DU pH

Pour déterminer la concentration des ions H_3O^+ à partir d'une valeur de pH, il faut procéder au calcul inverse de la relation 4 en appliquant les lois des logarithmes. Par exemple, la concentration en H_3O^+ d'une solution aqueuse dont le pH est 3,50 sera égale à $3{,}2 \times 10^{-4}$ mol/L.

$$\text{pH} = -\log\,[H_3O^+] \Rightarrow \log\,[H_3O^+] = -3{,}50 \Rightarrow [H_3O^+] = 10^{-3{,}50} = 3{,}2 \times 10^{-4}\ \text{mol/L}$$

On obtient cette valeur sur une calculatrice en recherchant l'antilogarithme de la valeur du pH (–3,50) à l'aide de la touche « 10^x ».

De même que le pH est défini par le logarithme décimal négatif de la concentration de H_3O^+, il est aussi possible d'établir une relation analogue avec la concentration des ions OH^- en définissant le pOH, le logarithme décimal négatif de cette concentration.

$$\text{pOH} = -\log\,[OH^-] \qquad (5)$$

Et finalement, en utilisant les lois des logarithmes, on peut établir une relation simple entre le pH, le pOH et le pK_e ($pK_e = -\log K_e$) de l'eau à 25 °C.

$$K_e = [H_3O^+][OH^-] = 1{,}0 \times 10^{-14}$$
$$-\log K_e = -\log\,[H_3O^+][OH^-] = -\log 1{,}0 \times 10^{-14}$$
$$-\log K_e = -(\log\,[H_3O^+] + \log\,[OH^-]) = -\log 1{,}0 \times 10^{-14}$$
$$-\log K_e = -\log\,[H_3O^+] - \log\,[OH^-] = -\log 1{,}0 \times 10^{-14}$$
$$pK_e = \text{pH} + \text{pOH} = 14{,}00 \qquad (6)$$

Par conséquent, dans l'eau pure à 25 °C, le pH ou le pOH est égal à 7 et la solution est neutre. Dès que la concentration en ions H_3O^+ dépasse $1{,}00 \times 10^{-7}$ mol/L, la solution devient acide et le pH est inférieur à 7. Par contre, lorsque la concentration des ions H_3O^+ est inférieure à $1{,}00 \times 10^{-7}$ mol/L, la solution est basique et le pH, supérieur à 7. Quelles que soient les conditions, la somme du pH et du pOH doit être égale à 14,00 lorsque la température est de 25 °C.

pH = 7	pH < 7	pH > 7
solution neutre	**solution acide**	**solution basique**

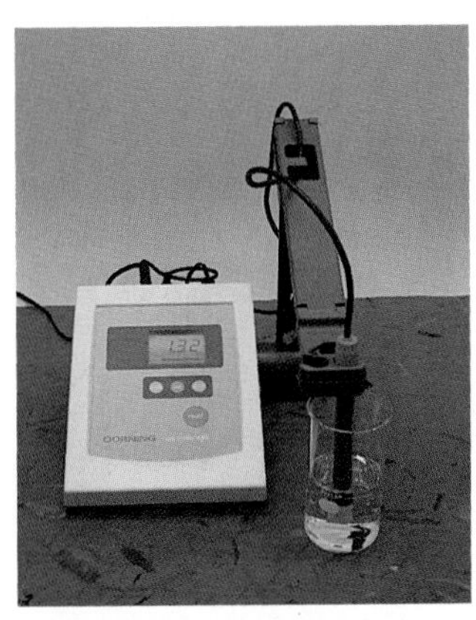

Le principe du pH-mètre repose sur la mesure d'une différence de potentiel (voltage).

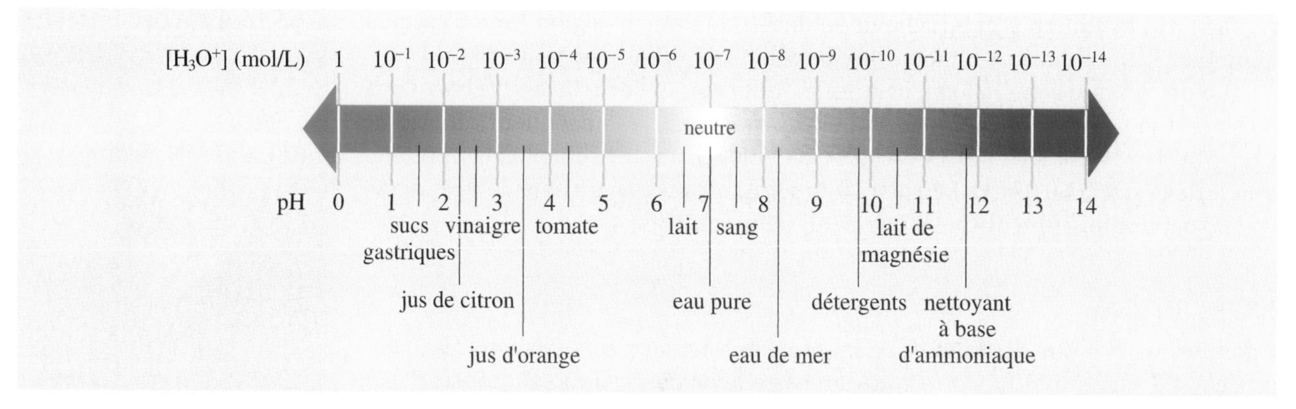

Figure 5.3 Échelle de pH et valeurs de quelques substances usuelles en solution à 25 °C.

La figure 5.3 illustre l'échelle de pH, sa correspondance en concentration des ions H_3O^+ et les valeurs de pH de quelques substances courantes. Théoriquement, on peut obtenir des valeurs de pH inférieures à 0 ou supérieures à 14, mais en pratique, les valeurs les plus utiles sont comprises entre 2 et 12.

Les rapports entre le pK_e, le pH, le pOH et les concentrations des ions H_3O^+ et OH^- sont très utiles pour effectuer de nombreux calculs.

▼ EXEMPLE 5.6

Un échantillon de pluie a un pH de 4,42 et celui d'un nettoyant à vitres (*Windex*) contenant de l'ammoniac, NH_3, a un pH de 12,01. On désire connaître la concentration des ions H_3O^+ dans l'échantillon de pluie et celle des ions OH^- dans le nettoyant à vitres.

Calcul de la concentration des ions H_3O^+ dans l'eau de pluie

On calcule directement la concentration des ions H_3O^+ en recherchant l'antilogarithme de la valeur négative du pH (relation 4).

$$\text{pH} = -\log [H_3O^+] = 4{,}42 \Rightarrow \log [H_3O^+] = -4{,}42 \Rightarrow [H_3O^+] = 10^{-4{,}42} = 3{,}8 \times 10^{-5} \text{ mol/L}$$

• La concentration des ions H_3O^+ est égale à **$3{,}8 \times 10^{-5}$ mol/L.**

Calcul de la concentration des ions OH^- dans le nettoyant à vitres

1° On calcule d'abord le pOH à partir de la relation 6.

$$\text{pH} + \text{pOH} = 14{,}00 \Rightarrow \text{pOH} = 14{,}00 - \text{pH} = 14{,}00 - 12{,}01 = 1{,}99$$

2° On calcule ensuite l'antilogarithme de la valeur négative du pOH.

$$\text{pOH} = -\log [OH^-] = 1{,}99 \Rightarrow \log [OH^-] = -1{,}99 \Rightarrow [OH^-] = 10^{-1{,}99} = 1{,}0 \times 10^{-2} \text{ mol/L}$$

• La concentration des ions OH^- est égale à **$1{,}0 \times 10^{-2}$ mol/L.**

Il faut souvent se servir des démarches présentées dans le premier chapitre pour exprimer la concentration des solutions et intégrer ces valeurs à celle du pH ou du pOH pour effectuer les calculs nécessaires. Il faut en effet se rappeler que, lors des dilutions par exemple, la concentration varie de sorte que le pH et le pOH varient également.

▼ EXEMPLE 5.7

On dissout 408 mg d'hydroxyde de calcium, $Ca(OH)_2$, de façon à obtenir 100,0 mL de solution (A). On prélève ensuite 10,00 mL de cette solution, on la transvide dans une fiole jaugée de 250,0 mL et on y ajoute de l'eau jusqu'au trait de jauge (solution B). Voyons comment calculer le pH des solutions A et B.

Calcul du pH de la solution A

1° L'hydroxyde de calcium, $Ca(OH)_2$, est une base forte; l'ionisation y est totale en solution aqueuse.

$$Ca(OH)_2(aq) \longrightarrow 2OH^-(aq) + Ca^{2+}(aq)$$

Notons que **1** mol de $Ca(OH)_2$ forme **2** mol d'ions OH^-.

2° On calcule le nombre de mol de $Ca(OH)_2$ et d'ions OH^- dans 408 mg de composé.

$$M_{Ca(OH)_2} = 74{,}10 \text{ g/mol}$$

$$\text{mol de } Ca(OH)_2 = 408 \cancel{\text{mg}} \times \frac{1 \cancel{\text{g}}}{1000 \cancel{\text{mg}}} \times \frac{1 \text{ mol}}{74{,}10 \cancel{\text{g}}}$$

$$= 5{,}51 \times 10^{-3} \text{ mol } Ca(OH)_2$$

Le nombre de mol de OH^- est égal à deux fois celui de $Ca(OH)_2$.

$$\text{mol de } OH^- = 5{,}51 \times 10^{-3} \cancel{\text{mol Ca(OH)}_2} \times \frac{2 \text{ mol } OH^-}{1 \cancel{\text{mol Ca(OH)}_2}}$$

$$= 1{,}10 \times 10^{-2} \text{ mol } OH^-$$

3° On calcule la concentration des ions OH^-.

La concentration des ions OH^- est calculée en considérant que la fiole jaugée de 100,0 mL en contient $1{,}10 \times 10^{-2}$ mol.

$$[OH^-] = \frac{1{,}10 \times 10^{-2} \text{ mol}}{100{,}0 \cancel{\text{mL}}} \times \frac{1000 \cancel{\text{mL}}}{1 \text{ L}} = 1{,}10 \times 10^{-1} \text{ mol/L}$$

On peut résumer en une seule étape l'ensemble des calculs précédents.

$$[OH^-] = \frac{408 \cancel{\text{mg Ca(OH)}_2}}{100{,}0 \cancel{\text{mL}}} \times \frac{1 \cancel{\text{g}}}{1000 \cancel{\text{mg}}} \times \frac{1 \cancel{\text{mol Ca(OH)}_2}}{74{,}10 \cancel{\text{g}}}$$

$$\times \frac{2 \text{ mol } OH^-}{1 \cancel{\text{mol Ca(OH)}_2}} \times \frac{1000 \cancel{\text{mL}}}{1 \text{ L}} = 1{,}10 \times 10^{-1} \text{ mol/L}$$

4° On calcule le pOH de la solution, puis le pH.

$$pOH = -\log [OH^-] = -\log 1{,}10 \times 10^{-1} \text{ mol/L} = 0{,}959$$

$$pH = 14{,}000 - pOH = 14{,}000 - 0{,}959 = 13{,}041$$

• Le pH de la solution A est égal à **13,041**.

Calcul du pH de la solution B

1° On calcule d'abord la concentration des ions OH^- en tenant compte de la dilution.

Appliquons simplement la relation suivante

$$V_{conc.} \times c_{conc.} = V_{dil.} \times c_{dil.} \qquad \textit{(revoir la sous-section 1.6.2)}$$

dans laquelle le volume de solution concentrée correspondant au volume prélevé est de 10,00 mL et le volume est dilué à 250,0 mL.

$$c_{dil.} = \frac{V_{conc.} \times c_{conc.}}{V_{dil.}} = \frac{10{,}00 \cancel{\text{mL}} \times 1{,}10 \times 10^{-1} \text{ mol/L}}{250{,}0 \cancel{\text{mL}}} = 4{,}40 \times 10^{-3} \text{ mol/L } OH^-$$

2° On calcule ensuite le pOH, puis le pH.

$$pOH = -\log [OH^-] = -\log 4{,}40 \times 10^{-3} \text{ mol/L} = 2{,}357$$

$$pH = 14{,}00 - pOH = 14{,}000 - 2{,}357 = 11{,}643$$

• Le pH de la solution B est égal à **11,643**.

CAPSULE CHIMIQUE

Le pH des sols : un bon équilibre s'impose

On a observé que le rendement d'une culture est optimal lorsque le sol est faiblement acide, son pH réglé vers 6,5. Quelques plantes dérogent à cette règle, comme le bleuet dont la croissance est la meilleure lorsque le pH est d'environ 4,5.

L'assimilation des éléments chimiques par les racines est en effet liée à l'acidité du sol. Lorsque le pH est trop élevé, la solubilité dans l'eau des éléments nutritifs diminue et, par le fait même, ils deviennent moins accessibles aux racines. Par contre, leur solubilité s'accroît dans un sol trop acide de sorte qu'ils sont alors lessivés par l'eau de pluie.

De façon générale, les sols riches en matières organiques ou fréquemment fertilisés avec des engrais chimiques sont acides. C'est d'ailleurs le type de sol le plus courant. Ils sont faciles à reconnaître, car il y pousse des chardons. La correction de ce type de sol est réalisée en lui incorporant de l'hydroxyde de calcium, $Ca(OH)_2$, appelé chaux hydratée par les horticulteurs, dont l'action de neutralisation est rapide. On peut aussi employer un mélange de carbonate de magnésium et de calcium, $MgCO_3$ et $CaCO_3$, désigné chaux dolomitique, laquelle agit plutôt lentement. On peut enfin recourir à la cendre de bois, qui renferme de l'oxyde de potassium, K_2O, laquelle se transforme en hydroxyde de potassium, KOH, au contact du sol humide.

En agriculture, il faut ajuster le pH du sol en fonction de la plante que l'on désire semer.

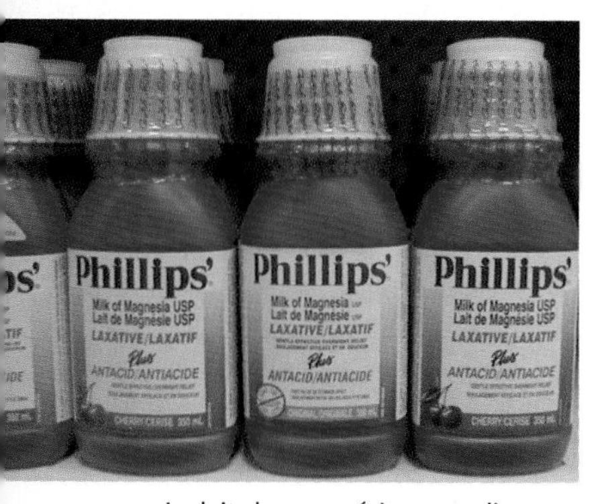

Le lait de magnésie neutralise l'acide chlorhydrique, HCl(*aq*), sécrété par l'estomac.

EXERCICE 5.11

Le lait de magnésie est une solution saturée d'hydroxyde de magnésium, $Mg(OH)_2$. La solubilité de cette base forte à la température ambiante (25 °C) est de 9,70 mg par 100,0 mL de solution. Calculez le pH de la solution.

EXERCICE 5.12

On dissout 16,8 mg d'hydroxyde de potassium, KOH, dans l'eau de façon à obtenir 500,0 mL de solution (A). On prélève 25,00 mL de cette solution, on la transvide dans une autre fiole jaugée de 500,0 mL et on complète le remplissage avec de l'eau jusqu'au trait de jauge (solution B).

a) Calculez le pH de la solution A.

b) Calculez le pH de la solution B.

5.4 ÉQUILIBRE DE DISSOCIATION DES ACIDES FAIBLES ET DES BASES FAIBLES

Jusqu'à maintenant, nous avons distingué un acide fort (base forte) d'un acide faible (base faible) à l'aide d'un critère d'ordre plutôt qualitatif : les substances de la première catégorie sont totalement dissociées tandis que celles de la seconde ne le sont que partiellement. Nous verrons maintenant leur classement quantitatif, qui se fonde sur la valeur de leur constante d'acidité, K_a (ou de basicité, K_b), expression particulière de la constante d'équilibre, K_c. Cette constante d'acidité (ou de basicité) nous permettra ensuite de calculer des concentrations d'espèces chimiques en solution aqueuse associées aux acides et aux bases faibles.

5.4.1 CONSTANTES D'ACIDITÉ ET DE BASICITÉ

La réaction de dissociation d'un acide faible, HA, en solution aqueuse se représente par une équation générale.

$$HA(aq) + H_2O(l) \rightleftharpoons H_3O^+(aq) + A^-(aq)$$

Puisqu'il s'agit d'une réaction d'équilibre, la loi d'action des masses s'y applique.

$$K_c = \frac{[H_3O^+][A^-]}{[HA][H_2O]}$$

Comme nous l'avons fait pour établir la constante d'ionisation de l'eau, K_e, dans cet équilibre, nous pouvons considérer la concentration de H_2O comme invariable (car elle est en très grande quantité par rapport aux autres espèces chimiques), de sorte qu'elle est intégrée à l'expression d'une nouvelle constante, désignée **constante d'acidité**, K_a.

Constante d'acidité : constante d'équilibre de la réaction de dissociation d'un acide faible.

$$K_c[H_2O] = K_a = \frac{[H_3O^+][A^-]}{[HA]} \quad (7)$$

Il est assez courant de retrouver cette relation sous une forme dans laquelle $[H^+]$ remplace $[H_3O^+]$.

$$K_a = \frac{[H^+][A^-]}{[HA]} \quad (8)$$

Bien que les unités de la constante d'acidité soient en mol/L, il est d'usage de ne pas les exprimer, et c'est ce que nous ferons dans cet ouvrage. Il faudra toutefois en tenir compte dans les calculs, puisque les unités ne s'annulent pas lorsqu'on utilise l'équation 7. Le tableau 5.5 donne les valeurs des constantes d'acidité d'acides faibles ou d'anions d'acides faibles. On remarquera que ce tableau reprend en grande partie les données du tableau 5.3. À la fin de l'ouvrage se trouve un tableau plus complet de ces valeurs.

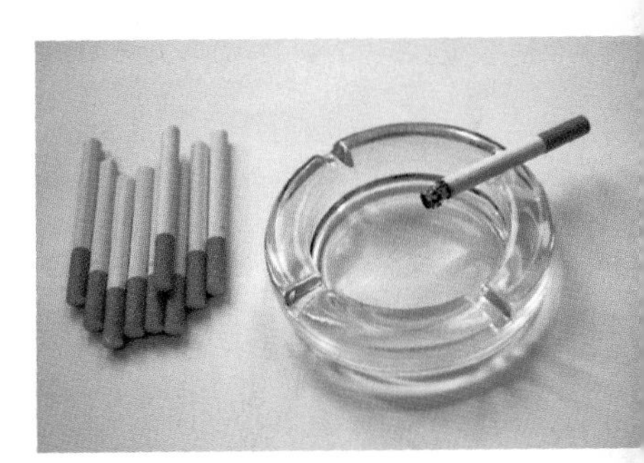

L'acide cyanhydrique est l'un des composants de la fumée de cigarette. C'est aussi un poison très violent.

La valeur de la constante d'acidité, K_a, constitue ainsi une mesure quantitative de la force d'un acide et, par conséquent, de l'ampleur de sa dissociation. Plus K_a est élevée, plus l'acidité est forte. Ainsi, en consultant le tableau 5.5, on constate que l'acide trichloroacétique, CCl_3COOH, est l'un des plus forts parmi les acides faibles, puisque sa constante d'acidité est égale à 0,20. L'acide acétique, CH_3COOH, se classe à peu près au milieu de la série avec une valeur de K_a de $1,8 \times 10^{-5}$, tandis que l'acide cyanhydrique, HCN, est très faible avec une valeur de $6,2 \times 10^{-10}$.

$$CCl_3COOH(aq) + H_2O(l) \rightleftharpoons H_3O^+(aq) + CCl_3COO^-(aq) \qquad K_a = 0,20$$

$$CH_3COOH(aq) + H_2O(l) \rightleftharpoons H_3O^+(aq) + CH_3COO^-(aq) \qquad K_a = 1,8 \times 10^{-5}$$

$$HCN(aq) + H_2O(l) \rightleftharpoons H_3O^+(aq) + CN^-(aq) \qquad K_a = 6,2 \times 10^{-10}$$

Comme les valeurs de K_a s'étendent sur plusieurs grandeurs d'exposant 10, il est souvent plus pratique de les exprimer sous la forme de pK_a (*quatrième colonne du tableau 5.5*), par analogie avec le pH.

$$pK_a = -\log K_a \quad (9)$$

Par exemple, pour l'acide acétique, la valeur la plus fréquemment rapportée est son pK_a (4,74), plutôt que son K_a. Dans le *CRC Handbook of Chemistry and Physics*, c'est du reste sous cette forme que les valeurs sont répertoriées, et la plupart des valeurs figurant dans le tableau 5.5 proviennent de cet ouvrage.

La définition de la **constante de basicité**, K_b, peut être adaptée de celle de la constante d'acidité en lui apportant les modifications appropriées. Son expression est tirée de l'équation générale de la dissociation d'une base.

Constante de basicité : constante d'équilibre de la réaction de dissociation d'une base faible.

$$B(aq) + H_2O(l) \rightleftharpoons OH^-(aq) + BH^+(aq)$$

Tableau 5.5 Constantes d'acidité et de basicité d'acides, de bases faibles et de bases fortes en solution aqueuse à 25 °C.

Nom de l'acide	Formule	K_a	pK_a	Nom de la base	Formule	K_b	pK_b
Acide iodhydrique	HI	Très grande – Acides forts		Ion iodure	I^-	Très petite	
Acide bromhydrique	HBr			Ion bromure	Br^-		
Acide chlorhydrique	HCl			Ion chlorure	Cl^-		
Acide sulfurique	H_2SO_4			Ion hydrogénosulfate	HSO_4^-		
Acide perchlorique	$HClO_4$			Ion perchlorate	ClO_4^-		
Acide chlorique	$HClO_3$			Ion chlorate	ClO_3^-		
Ion hydronium (ou oxonium)	H_3O^+			Eau	H_2O		
Acide nitrique	HNO_3			Ion nitrate	NO_3^-		
Acide trichloroacétique	CCl_3COOH	$2,0 \times 10^{-1}$	0,70	Ion trichloroacétate	CCl_3COO^-	$5,0 \times 10^{-14}$	13,30
Acide sulfureux	H_2SO_3	$1,4 \times 10^{-2}$	1,85	Ion hydrogénosulfite	HSO_3^-	$7,1 \times 10^{-13}$	12,15
Acide chloreux	$HClO_2$	$1,2 \times 10^{-2}$	1,92	Ion chlorite	ClO_2^-	$8,3 \times 10^{-13}$	12,08
Ion hydrogénosulfate	HSO_4^-	$1,1 \times 10^{-2}$	1,96	Ion sulfate	SO_4^{2-}	$9,1 \times 10^{-13}$	12,04
Acide phosphorique	H_3PO_4	$6,9 \times 10^{-3}$	2,16	Ion dihydrogénophosphate	$H_2PO_4^-$	$1,5 \times 10^{-12}$	11,84
Acide chloroacétique	$CH_2ClCOOH$	$1,4 \times 10^{-3}$	2,85	Ion chloroacétate	CH_2ClCOO^-	$7,1 \times 10^{-12}$	11,15
Acide fluorhydrique	HF	$6,3 \times 10^{-4}$	3,20	Ion fluorure	F^-	$1,6 \times 10^{-11}$	10,80
Acide nitreux	HNO_2	$5,6 \times 10^{-4}$	3,25	Ion nitrite	NO_2^-	$1,8 \times 10^{-11}$	10,75
Acide formique	$HCOOH$	$1,8 \times 10^{-4}$	3,75	Ion formiate	$HCOO^-$	$5,6 \times 10^{-11}$	10,25
Acide benzoïque	C_6H_5COOH	$6,5 \times 10^{-5}$	4,19	Ion benzoate	$C_6H_5COO^-$	$1,6 \times 10^{-10}$	9,81
Ion anilinium	$C_6H_5NH_3^+$	$2,3 \times 10^{-5}$	4,63	Aniline	$C_6H_5NH_2$	$4,3 \times 10^{-10}$	9,37
Acide acétique	CH_3COOH	$1,8 \times 10^{-5}$	4,74	Ion acétate	CH_3COO^-	$5,5 \times 10^{-10}$	9,26
Ion pyridinium	$C_5H_5NH^+$	$5,6 \times 10^{-6}$	5,25	Pyridine	C_5H_5N	$1,8 \times 10^{-9}$	8,75
Acide carbonique	H_2CO_3	$4,5 \times 10^{-7}$	6,35	Ion hydrogénocarbonate	HCO_3^-	$2,2 \times 10^{-8}$	7,65
Ion hydrogénosulfite	HSO_3^-	$6,3 \times 10^{-8}$	7,20	Ion sulfite	SO_3^{2-}	$1,6 \times 10^{-7}$	6,80
Ion dihydrogénophosphate	$H_2PO_4^-$	$6,2 \times 10^{-8}$	7,21	Ion hydrogénophosphate	HPO_4^{2-}	$1,6 \times 10^{-7}$	6,79
Acide hypochloreux	$HClO$	$4,0 \times 10^{-8}$	7,40	Ion chlorite	ClO^-	$2,5 \times 10^{-7}$	6,60
Acide cyanhydrique	HCN	$6,2 \times 10^{-10}$	9,21	Ion cyanure	CN^-	$1,6 \times 10^{-5}$	4,79
Ion ammonium	NH_4^+	$5,6 \times 10^{-10}$	9,25	Ammoniac	NH_3	$1,8 \times 10^{-5}$	4,75
Phénol	C_6H_5OH	$1,3 \times 10^{-10}$	9,89	Ion phénolate	$C_6H_5O^-$	$7,8 \times 10^{-5}$	4,11
Ion hydrogénocarbonate	HCO_3^-	$4,7 \times 10^{-11}$	10,33	Ion carbonate	CO_3^{2-}	$2,1 \times 10^{-4}$	3,67
Ion hydrogénophosphate	HPO_4^{2-}	$4,8 \times 10^{-13}$	12,32	Ion phosphate	PO_4^{3-}	$2,1 \times 10^{-2}$	1,68
Ion hydrogénosulfure	HS^-	$2,1 \times 10^{-20}$	19,68	Ion sulfure	S^{2-}	$4,8 \times 10^{5}$	−5,68
Eau	H_2O	Très petite		Ion hydroxyde	OH^-	Très grande – Bases fortes	
Ion potassium	K^+, H_2O			Hydroxyde de potassium	KOH		
Ion monohydroxyde de calcium	$CaOH^+$, H_2O			Hydroxyde de calcium	$Ca(OH)_2$		
Ion monohydroxyde de strontium	$SrOH^+$, H_2O			Hydroxyde de strontium	$Sr(OH)_2$		
Ion monohydroxyde de baryum	$Ba(OH)^+$, H_2O			Hydroxyde de baryum	$Ba(OH)_2$		
Éthanol	C_2H_5OH			Ion éthanolate	$C_2H_5O^-$		
Ion hydrogénodioxyde	HO_2^-			Ion peroxyde	O_2^{2-}		
Phosphane	PH_3			Ion phosphanediure	PH_2^-		
Ammoniac	NH_3			Ion amidure	NH_2^-		
Ion hydroxyde	OH^-			Ion oxyde	O^{2-}		
Dihydrogène	H_2			Ion hydrure	H^-		

Note : Les acides forts sont de force égale dans l'eau; l'échelle des plus forts aux plus faibles concerne leur comportement dans d'autres solvants et donne parfois lieu à un classement différent (voir le tableau plus complet à la fin de l'ouvrage).

Simplifiée, on la retrouve aussi sous cette forme :

$$BOH(aq) \rightleftharpoons OH^-(aq) + B^+(aq)$$

$$K_b = \frac{[OH^-][B^+]}{[B]} \tag{10}$$

Le tableau 5.5 donne aussi les valeurs des constantes de basicité de bases qui se rencontrent sous forme moléculaire ou sous forme ionique. On remarque que les valeurs s'échelonnent sensiblement entre 10^{-2} et 10^{-13}. Ainsi, la constante de basicité de l'ammoniac, NH_3, est de $1,8 \times 10^{-5}$, tandis que celle de l'aniline, $C_6H_5NH_2$, est de $4,3 \times 10^{-10}$.

NH$_2$

aniline

$$NH_3(aq) + H_2O(l) \rightleftharpoons OH^-(aq) + NH_4^+(aq) \qquad K_b = 1,8 \times 10^{-5}$$

$$C_6H_5NH_2(aq) + H_2O(l) \rightleftharpoons OH^-(aq) + C_6H_5NH_3^+(aq) \qquad K_b = 4,3 \times 10^{-10}$$

Tout comme c'est le cas avec le pK_a, le pK_b permet de simplifier l'expression des constantes de basicité en utilisant le logarithme négatif de la constante de basicité (*dernière colonne du tableau 5.5*).

$$pK_b = -\log K_b \tag{11}$$

EXERCICE 5.13

Sans vous référer au tableau 5.5, calculez :

a) le pK_a de l'acide nitreux, HNO_2, dont la constante d'acidité est de $5,6 \times 10^{-4}$.

b) le pK_b de la pyridine, C_5H_5N, dont la constante de basicité est de $1,8 \times 10^{-9}$.

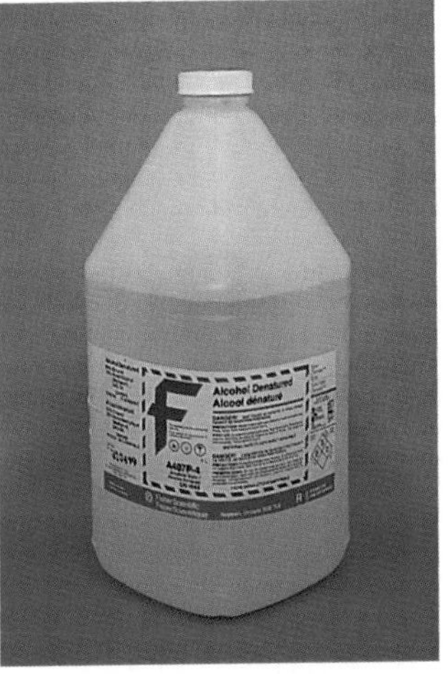

La pyridine est ajoutée à l'éthanol pour le rendre impropre à la consommation.

5.4.2 RELATION ENTRE K_a, K_b ET K_e

Une relation simple entre K_a et K_b peut être déduite des données du tableau 5.5. Considérons, par exemple, la dissolution de l'acide acétique, CH_3COOH, et celle de sa base conjuguée, CH_3COO^-, dans l'eau, et les expressions respectives de leur K_a et K_b.

$$CH_3COOH(aq) + H_2O(l) \rightleftharpoons H_3O^+(aq) + CH_3COO^-(aq)$$

$$K_a = \frac{[H_3O^+][CH_3COO^-]}{[CH_3COOH]} \tag{12}$$

$$CH_3COO^-(aq) + H_2O(l) \rightleftharpoons OH^-(aq) + CH_3COOH(aq)$$

$$K_b = \frac{[OH^-][CH_3COOH]}{[CH_3COO^-]} \tag{13}$$

Les relations 12 et 13 renferment les formules de l'acide et de sa base conjuguée (et vice versa), et on y retrouve les ions H_3O^+ et OH^- qui font partie de la constante de dissociation de l'eau, K_e.

$$K_e = [OH^-][H_3O^+] = 1,0 \times 10^{-14} \Rightarrow [H_3O^+] = \frac{K_e}{[OH^-]}$$

Si on substitue la valeur de $[H_3O^+]$ de cette dernière relation dans l'équation 12, on obtient la relation suivante qui renferme l'inverse de la relation 13.

$$K_a = \frac{[CH_3COO^-]\,K_e}{[CH_3COOH]\,[OH^-]} \Rightarrow K_a = \frac{K_e}{K_b}$$

Cette relation peut être généralisée sous la forme suivante pour une solution aqueuse à 25 °C contenant un acide faible (base faible) et sa base conjuguée (acide conjugué).

$$K_e = K_aK_b = 1{,}0 \times 10^{-14} \quad (14)$$

Elle montre que le produit de K_a par K_b est égal à K_e, soit $1{,}0 \times 10^{-14}$, ou que la somme de pK_a et de pK_b est égale à pK_e, soit 14,00.

$$-\log K_e = -\log K_a - \log K_b = -\log 1{,}0 \times 10^{-14}$$

$$pK_e = pK_a + pK_b = 14{,}00 \quad (15)$$

On peut vérifier ces résultats avec n'importe laquelle des valeurs du tableau 5.5. Par exemple, le produit de la constante d'acidité, K_a, de CH_3COOH par la constante de basicité, K_b, de CH_3COO^- est égal à $1{,}0 \times 10^{-14}$ ou la somme de pK_a et pK_b vaut 14,00 (à 25 °C).

$$K_{a\,CH_3COOH} \times K_{b\,CH_3COO^-} = 1{,}0 \times 10^{-14}$$

$$pK_a = 4{,}74 \text{ et } pK_b = 9{,}26 \Rightarrow pK_a + pK_b = 14{,}00$$

5.4.3 POLYACIDES ET CONSTANTE D'ACIDITÉ

Comme nous l'avons mentionné précédemment, la première dissociation d'un polyacide est plus élevée que celle de la seconde; et elle diminue encore dans le cas d'un triacide qui atteint sa dernière dissociation. Cette diminution se traduit quantitativement par une réduction de la valeur de la constante d'acidité, comme le montrent les valeurs du tableau 5.5. Ainsi, l'acidité de l'acide phosphorique, H_3PO_4, est beaucoup plus élevée que celle de l'ion dihydrogénophosphate, $H_2PO_4^-$, issu de la première dissociation, et celle de cet ion est plus élevée que celle de l'ion hydrogénophosphate, HPO_4^{2-}. Ces fortes variations de la constante d'acidité, au fur et à mesure que la dissociation progresse, sont valables pour tous les polyacides.

$$H_3PO_4(aq) + H_2O(l) \rightleftharpoons H_3O^+(aq) + H_2PO_4^-(aq) \qquad K_{a_1} = 6{,}9 \times 10^{-3}$$

$$H_2PO_4^-(aq) + H_2O(l) \rightleftharpoons H_3O^+(aq) + HPO_4^{2-}(aq) \qquad K_{a_2} = 6{,}2 \times 10^{-8}$$

$$HPO_4^{2-}(aq) + H_2O(l) \rightleftharpoons H_3O^+(aq) + PO_4^{3-}(aq) \qquad K_{a_3} = 4{,}8 \times 10^{-13}$$

Notez que les indices 1, 2 et 3 sont ajoutés à K_a pour faire référence à la première, à la deuxième et à la troisième dissociation de l'acide. Il faut aussi souligner les points suivants à propos de certains diacides.

- La constante d'acidité de l'acide sulfurique, H_2SO_4, correspondant à la première dissociation ne figure pas dans le tableau 5.5, car elle est très élevée, l'acide sulfurique étant un acide fort en première dissociation. C'est ce qui explique que seule la deuxième constante d'acidité, correspondant à la dissociation de HSO_4^-, figure dans ce tableau.

$$H_2SO_4(aq) + H_2O(l) \longrightarrow H_3O^+(aq) + HSO_4^-(aq) \qquad K_{a_1} \text{ très élevée}$$

$$HSO_4^-(aq) + H_2O(l) \rightleftharpoons H_3O^+(aq) + SO_4^{2-}(aq) \qquad K_{a_2} = 1{,}1 \times 10^{-2}$$

- L'acide carbonique, H_2CO_3, ne peut être isolé; c'est pourquoi la valeur de la constante d'acidité est donnée pour l'équilibre suivant.

$$CO_2(aq) + 2H_2O(l) \rightleftharpoons H_3O^+(aq) + HCO_3^-(aq) \qquad K_{a_1} = 4{,}5 \times 10^{-7}$$

- Jusqu'à récemment, la constante d'acidité, K_{a_2}, de l'ion hydrogénosulfure, HS^-, était généralement située dans l'ordre de 10^{-14}. Cependant, la valeur répertoriée dans les tables de constantes parues à partir de 1998 (*CRC Handbook of Chemistry and Physics)* est beaucoup plus faible, soit à 10^{-20}.

Le goût sur de la rhubarbe est causé par l'acide oxalique.

EXERCICE 5.14

L'acide oxalique, $H_2C_2O_4$ (HOOCCOOH), est un diacide qui se trouve dans la sève de certaines plantes et de certains légumes, notamment la rhubarbe, sous forme de sels de calcium ou de potassium.

a) Écrivez les équations représentant les ionisations successives de cet acide et l'expression des constantes de dissociation.

b) Calculez le pK_{a_1} de l'acide, sachant que le K_{a_1} est égal à $5{,}9 \times 10^{-2}$.

c) Calculez le K_{a_2} de l'acide, sachant que le pK_{a_2} est égal à 4,19.

5.5 CALCULS ASSOCIÉS AUX ACIDES ET AUX BASES FAIBLES

Lorsqu'un acide faible ou une base faible est en solution aqueuse, on se trouve en présence de plusieurs espèces chimiques en équilibre. C'est pourquoi les calculs en relation avec les acides et les bases faibles sont plus complexes que ceux en relation avec les acides forts ou les bases fortes. Les calculs montrent aussi que le degré de dissociation augmente avec la dilution.

5.5.1 pH DES ACIDES FAIBLES ET DES BASES FAIBLES

Nous avons vu que les calculs mettant en jeu des acides forts et des bases fortes en solution aqueuse sont simples, puisque la dissociation est totale et que la concentration des ions H_3O^+ ou des ions OH^- provenant de l'eau est négligeable par rapport à celle provenant de l'acide ou de la base. Avec les acides et les bases faibles, les calculs sont un peu plus complexes, car il faut tenir compte de leur dissociation partielle, par conséquent de leur constante d'acidité ou de basicité selon le cas. Par contre, le plus souvent, on négligera aussi la contribution des ions H_3O^+ ou OH^- provenant de l'eau, car la constante d'acidité ou de basicité de l'acide ou de la base (comprise entre 10^{-3} et 10^{-11}) est largement supérieure à la constante de dissociation de l'eau (10^{-14}). En conséquence, dans les équilibres suivants mis en jeu, seul l'équilibre correspondant à la dissociation de l'acide ou de la base sera pris en compte.

$$HA(aq) + H_2O(l) \rightleftharpoons H_3O^+(aq) + A^-(aq)$$
$$2H_2O(l) \rightleftharpoons H_3O^+(aq) + OH^-(aq)$$

Les principales espèces chimiques en solution seront donc :

- l'eau et l'acide faible, HA, non dissocié;
- de faibles quantités d'ions H_3O^+ et A^-.

Selon les données dont on dispose, on utilise ensuite la démarche proposée dans le chapitre précédent pour résoudre les problèmes d'équilibre, soit élaborer un tableau dans lequel on exprime :

- les valeurs des concentrations initiales des espèces chimiques;
- le sens de la variation de ces concentrations à l'aide d'une inconnue algébrique, x;
- les valeurs des concentrations à l'équilibre.

La dernière étape consiste à appliquer l'expression de la constante d'acidité ou de basicité pour calculer la concentration de l'une des espèces chimiques. L'une des deux méthodes de calcul suivantes sera utilisée pour comparer la concentration initiale de l'acide ou de la base, c_a ou c_b, avec la constante d'acidité ou de basicité, K_a ou K_b.

MÉTHODE DE CALCUL APPROXIMATIF

On utilise la méthode de calcul approximatif lorsque le rapport entre la concentration de l'acide ou de la base et la constante d'acidité ou de basicité est supérieur à 100.

$$\frac{c_a}{K_a} \text{ ou } \frac{c_b}{K_b} > 100$$

Dans le calcul approximatif, on considère que la concentration de l'acide à l'équilibre est pratiquement égale à sa concentration initiale.

$$[HA]_e \approx [HA]_0$$

MÉTHODE DE CALCUL PAR LA RÉSOLUTION DE L'ÉQUATION DU SECOND DEGRÉ (ÉQUATION QUADRATIQUE)

On utilise cette méthode lorsque le rapport entre la concentration de l'acide ou de la base et la constante d'acidité ou de basicité est inférieur à 100.

$$\frac{c_a}{K_a} \text{ ou } \frac{c_b}{K_b} < 100$$

Cette méthode donne un résultat plus précis et son usage est d'autant plus nécessaire que la valeur de la constante d'acidité ou de basicité est proche de la concentration initiale de l'acide ou de la base.

En fait, nous verrons que le calcul approximatif, beaucoup plus simple, donne souvent un résultat presque aussi proche de la valeur obtenue par la résolution de l'équation quadratique; le résultat est d'autant plus valable dans ce cas que le rapport entre la concentration initiale et la constante d'acidité ou de basicité est élevé.

En résumé, pour résoudre les problèmes concernant les acides et les bases faibles, la démarche comprend les étapes suivantes.

DÉMARCHE POUR RÉSOUDRE LES PROBLÈMES SUR LES ACIDES ET LES BASES FAIBLES

1° On repère les principales espèces chimiques en solution qui serviront à effectuer les calculs.

2° On construit un tableau dans lequel on inscrit :
- les valeurs des concentrations initiales des espèces chimiques ($[\ ]_0$);
- le sens de la variation de ces concentrations à l'aide d'une inconnue algébrique, x;
- les valeurs des concentrations à l'équilibre ($[\ ]_e$ ou $[\ ]$).

3° On effectue le calcul en utilisant l'expression de la constante d'acidité ou de basicité et en appliquant l'une des deux méthodes suggérées selon la valeur du rapport c_a/K_a ou c_b/K_b.

La distillation du bois fournit du charbon, du méthanol, de l'acétone et de l'acide acétique.

▼ EXEMPLE 5.8

On veut calculer la concentration des ions hydronium, H_3O^+, et le pH d'une solution de $5{,}0 \times 10^{-2}$ mol/L en acide acétique, CH_3COOH, dont le K_a est de $1{,}8 \times 10^{-5}$ à 25 °C.

1° On repère les principales espèces chimiques en solution qui serviront à effectuer les calculs.

L'acide acétique est un acide faible. On aura donc principalement H_2O et CH_3COOH en solution, et de faibles quantités de CH_3COO^- et de H_3O^+. Dans les calculs, on tiendra donc compte des concentrations de CH_3COOH, CH_3COO^- et H_3O^+; celle de l'eau est incluse dans l'expression de K_a.

2° On construit un tableau dans lequel on inscrit les données concernant les concentrations initiales, leurs variations et leurs concentrations à l'équilibre en considérant l'équation de dissociation de l'acide.

Réaction	$CH_3COOH(aq)$ +	$H_2O(l)$ $\rightleftharpoons$	$H_3O^+(aq)$	+ $CH_3COO^-(aq)$
$[\ ]_0$ (mol/L)	$5{,}0 \times 10^{-2}$		0	0
Variation	$-x$		$+x$	$+x$
$[\ ]_e$ (mol/L)	$5{,}0 \times 10^{-2} - x$		x	x

3° On calcule la concentration de H_3O^+ en appliquant la relation 7 de la constante d'acidité (*voir la sous-section 5.4.1*).

$$K_a = \frac{[H_3O^+][CH_3COO^-]}{[CH_3COOH]}$$

On détermine le rapport entre la concentration initiale de l'acide et la constante d'acidité, K_a.

$$\frac{c_{CH_3COOH}}{K_a} = \frac{5{,}0\times10^{-2}}{1{,}8\times10^{-5}} = 2800$$

Puisque ce rapport est supérieur à 100, on peut utiliser la méthode de calcul approximatif.

$$[CH_3COOH]_e \approx [CH_3COOH]_0 \approx 5{,}0 \times 10^{-2} \text{ mol/L}$$

$$\Rightarrow K_a = \frac{[H_3O^+][CH_3COO^-]}{[CH_3COOH]} = \frac{x^2}{5{,}0\times10^{-2}} \Rightarrow x = \sqrt{K_a \times 5{,}0\times10^{-2}}$$

$$x = \sqrt{1{,}8\times10^{-5} \times 5{,}0\times10^{-2}} = 9{,}5 \times 10^{-4} \text{ mol/L} = [H_3O^+]$$

4° On calcule le pH de la solution.

$$pH = -\log [H_3O^+] = -\log 9{,}5 \times 10^{-4} = 3{,}02$$

• La concentration des ions H_3O^+ est égale à **$9{,}5 \times 10^{-4}$ mol/L** et la valeur du pH est **3,02**.

Pour bien comprendre les conséquences de l'approximation sur les résultats, reprenons les données de l'exemple 5.8 pour faire les mêmes calculs, mais en utilisant l'équation quadratique et sans faire l'approximation concernant la concentration initiale de CH_3COOH par rapport à sa concentration à l'équilibre.

$$[H_3O^+] = [CH_3COO^-] = x$$

$$[CH_3COOH] = [CH_3COOH]_0 - x = 5{,}0 \times 10^{-2} - x$$

$$K_a = \frac{[H_3O^+][CH_3COO^-]}{[CH_3COOH]} \Rightarrow K_a = \frac{x^2}{5{,}0\times10^{-2} - x} = 1{,}8 \times 10^{-5}$$

$$\Rightarrow x^2 = 9{,}0 \times 10^{-7} - 1{,}8 \times 10^{-5}x \quad \text{ou} \quad x^2 + 1{,}8 \times 10^{-5}x - 9{,}0 \times 10^{-7} = 0$$

Cette équation du second degré est de la forme

$$ax^2 + bx + c = 0$$

On détermine la valeur de x par la relation mathématique (équation quadratique) suivante :

$$x = \frac{-b \pm \sqrt{b^2 - 4ac}}{2a}$$

$$x = \frac{-1{,}8\times10^{-5} \pm \sqrt{3{,}2\times10^{-10} + 3{,}6\times10^{-6}}}{2}$$

$$= \frac{-1{,}8\times10^{-5} \pm 1{,}9\times10^{-3}}{2}$$

$$= 9{,}4 \times 10^{-4} \text{ mol/L} \quad \text{et} \quad -9{,}6 \times 10^{-4}$$

Des deux valeurs possibles pour x, il faut évidemment rejeter celle qui est négative. Ce sera toujours le cas lorsqu'on utilisera cette méthode.

$$[H_3O^+] = 9,4 \times 10^{-4} \text{ mol/L} \Rightarrow \text{pH} = 3,03$$

Ainsi, la concentration des ions H_3O^+ obtenue par ce calcul est égale à $9,4 \times 10^{-4}$ mol/L par rapport au résultat $9,5 \times 10^{-4}$ mol/L obtenu en utilisant la méthode de calcul approximatif, ce qui correspond à un écart de 1 %.

$$\frac{9,5 \times 10^{-4} - 9,4 \times 10^{-4}}{9,4 \times 10^{-4}} \times 100 = 1,0 \%$$

Cependant, dès que la constante d'acidité (ou de basicité) augmente ou que sa valeur est proche de celle de la concentration initiale de l'acide (ou de la base), il faut recourir à la méthode de résolution de l'équation du second degré (équation quadratique) pour obtenir une valeur précise de la concentration de H_3O^+.

▼ EXEMPLE 5.9

On veut connaître la concentration des ions H_3O^+ et le pH d'une solution de $5,0 \times 10^{-2}$ mol/L en acide chloreux, $HClO_2$, dont la constante d'acidité est égale à $1,2 \times 10^{-2}$; on désire aussi connaître la concentration de l'acide à l'équilibre.

1° On repère les principales espèces chimiques en solution qui serviront à effectuer les calculs.

L'acide chloreux est un acide faible. En solution, il y aura donc principalement H_2O et $HClO_2$, et en faibles quantités, ClO_2^- et H_3O^+.

2° On construit un tableau d'équilibre dans lequel on inscrit les données concernant les concentrations initiales, leurs variations et leurs concentrations à l'équilibre en considérant l'équation de dissociation de l'acide.

Réaction	$HClO_2(aq)$ +	$H_2O(l)$ $\rightleftharpoons$	$H_3O^+(aq)$ +	$ClO_2^-(aq)$
$[\ ]_0$ (mol/L)	$5,0 \times 10^{-2}$		0	0
Variation	$-x$		$+x$	$+x$
$[\ ]_e$ (mol/L)	$5,0 \times 10^{-2} - x$		x	x

3° On calcule la concentration de H_3O^+ en appliquant la relation 7 de la constante d'acidité.

$$K_a = \frac{[H_3O^+][ClO_2^-]}{[HClO_2]}$$

On détermine le rapport entre la concentration initiale de l'acide et la constante d'acidité, K_a.

$$\frac{c_{HClO_2}}{K_a} = \frac{5,0 \times 10^{-2}}{1,2 \times 10^{-2}} = 4,2$$

Puisque ce rapport est inférieur à 100, on se sert de l'équation quadratique pour effectuer les calculs.

$$K_a = \frac{[H_3O^+][ClO_2^-]}{[HClO_2]} = \frac{x^2}{5,0 \times 10^{-2} - x} = 1,2 \times 10^{-2}$$

$$x^2 = 6,0 \times 10^{-4} - 1,2 \times 10^{-2}x \Rightarrow x^2 + 1,2 \times 10^{-2}x - 6,0 \times 10^{-4} = 0$$

$$x = \frac{-1{,}2\times10^{-2} + \sqrt{1{,}4\times10^{-4} + 2{,}4\times10^{-3}}}{2} = \frac{-1{,}2\times10^{-2} + 5{,}0\times10^{-2}}{2}$$

$$= 1{,}9 \times 10^{-2}\ \text{mol/L} = [H_3O^+]$$

$$pH = -\log\,[H_3O^+] = -\log 1{,}9 \times 10^{-2} = 1{,}72$$

- La concentration des ions H_3O^+ est égale à **1,9 × 10⁻² mol/L** et le pH est de **1,72**.

4° On calcule la concentration de l'acide chloreux à l'équilibre.

$$[HClO_2] = [HClO_2]_0 - [H_3O^+] = 5{,}0 \times 10^{-2} - 1{,}9 \times 10^{-2} = 3{,}1 \times 10^{-2}\ \text{mol/L}$$

- La concentration de l'acide chloreux à l'équilibre est égale à **3,1 × 10⁻² mol/L**.

Cet exemple montre bien que le calcul à l'aide de l'équation quadratique s'imposait ici, car l'approximation aurait donné une concentration en H_3O^+ de $2{,}4 \times 10^{-2}$ mol/L et un pH de 1,61, ce qui diffère notablement de $1{,}9 \times 10^{-2}$ mol/L pour la concentration et de 1,72 pour le pH.

$$[H_3O^+] = \sqrt{K_a\,[HClO_2]} = \sqrt{1{,}2\times10^{-2}\times5{,}0\times10^{-2}} = 2{,}4 \times 10^{-2}\ \text{mol/L} \Rightarrow pH = 1{,}61$$

Les méthodes de calcul appliquées pour évaluer la concentration des ions H_3O^+ ou celle d'un acide faible à l'équilibre sont facilement transposables aux bases faibles. Pour cela, il faut se référer à la constante de basicité, K_b, et faire éventuellement appel à la constante de dissociation de l'eau afin de calculer le pH. Par exemple, pour calculer le pH d'une solution aqueuse d'ammoniac, NH_3, il faut d'abord utiliser la relation exprimant sa constante de basicité, K_b.

$$NH_3(aq) + H_2O(l) \rightleftharpoons OH^-(aq) + NH_4^+(aq)$$

$$K_b = \frac{[OH^-][NH_4^+]}{[NH_3]}$$

On utilisera le calcul approximatif ou le calcul par la résolution de l'équation du second degré (équation quadratique) en évaluant le rapport $[NH_3]_0/K_b$ pour calculer la concentration des ions hydroxyde, OH^-, laquelle conduit à la valeur du pOH, puis du pH.

$$pOH = -\log\,[OH^-] \quad \text{et} \quad pH = pK_e - pOH$$

▼ EXEMPLE 5.10

On désire connaître la concentration des ions H_3O^+ et le pH d'une solution de $2{,}0 \times 10^{-1}$ mol/L en diméthylamine, $(CH_3)_2NH$, dont la constante de basicité à 25 °C est égale à $4{,}8 \times 10^{-4}$.

1° On repère les principales espèces chimiques en solution qui serviront à effectuer les calculs.

La diméthylamine est une base faible. En solution, il y aura donc principalement H_2O et $(CH_3)_2NH$, et en faibles quantités, $(CH_3)_2NH_2^+$ et OH^-.

2° On construit un tableau dans lequel on inscrit les données concernant les concentrations initiales, leurs variations et leurs concentrations à l'équilibre en considérant l'équation de dissociation de la base.

Réaction	$(CH_3)_2NH(aq)$ +	$H_2O(l)$ $\rightleftharpoons$	$OH^-(aq)$ +	$(CH_3)_2NH_2^+(aq)$
$[\ ]_0$ (mol/L)	$2{,}0 \times 10^{-1}$		0	0
Variation	$-x$		$+x$	$+x$
$[\ ]_e$ (mol/L)	$2{,}0 \times 10^{-1} - x$		x	x

3° On calcule la concentration de OH^- en appliquant la relation 10 de la constante de basicité.

$$K_b = \frac{[OH^-][(CH_3)_2NH_2^+]}{[(CH_3)_2NH]}$$

On détermine le rapport entre la concentration initiale de la base et la constante de basicité, K_b.

$$\frac{c_{(CH_3)_2NH}}{K_b} = \frac{2,0\times10^{-1}}{4,8\times10^{-4}} = 420$$

Puisque ce rapport est supérieur à 100, on peut utiliser le calcul approximatif.

$$K_b = \frac{[OH^-][(CH_3)_2NH_2^+]}{[(CH_3)_2NH]} = \frac{x^2}{2,0\times10^{-1}} = 4,8\times10^{-4}$$

$$\Rightarrow x = \sqrt{2,0\times10^{-1}\times4,8\times10^{-4}} = 9,8\times10^{-3}$$

La concentration des ions OH^- est donc égale à $9,8 \times 10^{-3}$ mol/L.

On calcule le pOH et le pH de la solution.

$$pOH = -\log[OH^-] = -\log 9,8\times10^{-3} = 2,01$$
$$\Rightarrow pH = 14,00 - 2,01 = 11,99$$
$$\Rightarrow [H^+] = 10^{-11,99} = 1,0\times10^{-12}\ \text{mol/L}$$

Le pOH est égal à 2,01, et le pH à 11,99.

- La concentration des ions H_3O^+ est égale à **$1,0 \times 10^{-12}$ mol/L** et le pH est de **11,99**.

EXERCICE 5.15

Calculez la concentration des ions H_3O^+ et le pH d'une solution de $2,5 \times 10^{-3}$ mol/L en acide cyanhydrique, HCN, à 25 °C.

EXERCICE 5.16

Calculez la concentration des ions ammonium, NH_4^+, hydroxyde, OH^-, ainsi que le pH d'une solution de 0,75 mol/L en ammoniac, NH_3, à 25 °C.

EXERCICE 5.17

Calculez la concentration de toutes les espèces chimiques (sauf l'eau) dans une solution de $2,5 \times 10^{-3}$ mol/L d'acide dichloroacétique, $CHCl_2COOH$, dont la constante d'acidité est égale à $3,3 \times 10^{-2}$ à 25 °C.

5.5.2 DEGRÉ DE DISSOCIATION

Degré de dissociation (d'un acide ou d'une base) : rapport entre la concentration de l'acide (base) dissocié à l'équilibre et la concentration initiale de l'acide (base); on l'appelle pourcentage de dissociation lorsque ce rapport est multiplié par 100.

Il est possible d'évaluer l'ampleur de la dissociation d'un acide faible ou d'une base faible en déterminant son **degré de dissociation**, α, défini par le rapport entre le nombre de molécules dissociées et le nombre total de molécules.

$$\text{degré de dissociation} = \frac{\text{nombre de molécules dissociées}}{\text{nombre initial de molécules}}$$

$$\alpha = \frac{\text{concentration de l'acide (base) dissocié}}{\text{concentration initiale de l'acide (base)}}$$

Ce rapport est aussi fréquemment appelé pourcentage de dissociation lorsqu'il est multiplié par 100.

Dans une solution d'acide faible, la quantité de molécules dissociées est donnée par la concentration des ions H_3O^+ ou par celle des anions que forme l'acide, et la quantité totale de molécules correspond à la concentration initiale de l'acide.

$$HA(aq) + H_2O(l) \rightleftharpoons H_3O^+(aq) + A^-(aq)$$

molécules non dissociées $[HA]_0$

molécules dissociées $[H_3O^+]_e$ **et** $[A^-]_e$

$[HA]_e + [H_3O^+]_e = [HA]_0$ **molécules totales**

▼ EXEMPLE 5.11

On désire calculer le pourcentage de dissociation d'une solution d'acide acétique, CH_3COOH, à $5{,}0 \times 10^{-2}$ mol/L (exemple 5.8).

$$CH_3COOH(aq) + H_2O(l) \rightleftharpoons H_3O^+(aq) + CH_3COO^-(aq)$$

1° On détermine la quantité de molécules dissociées.

Dans l'exemple 5.8, on a calculé que la concentration des ions H_3O^+ dans la solution d'acide était égale à $9{,}5 \times 10^{-4}$ mol/L, ce qui représente la quantité de molécules dissociées.

$$[\text{molécules dissociées}] = [H_3O^+] = 9{,}5 \times 10^{-4} \text{ mol/L}$$

2° On établit la quantité totale de molécules de CH_3COOH.

La quantité totale de molécules de CH_3COOH (molécules dissociées et non dissociées) est donnée par la concentration initiale de l'acide.

$$[\text{molécules totales}] = [CH_3COOH]_0 = 5{,}0 \times 10^{-2} \text{ mol/L}$$

3° On calcule le pourcentage de dissociation de la solution.

Le degré de dissociation correspond au rapport entre la concentration de l'acide dissocié et la concentration initiale de l'acide.

$$\alpha = \frac{[\text{acide dissocié}]}{[\text{acide initial}]} = \frac{9{,}5 \times 10^{-4} \text{ mol/L}}{5{,}0 \times 10^{-2} \text{ mol/L}} = 0{,}019$$

Et le pourcentage de dissociation correspond au degré de dissociation multiplié par 100.

$$\% \text{ dissociation} = \alpha \times 100 = 0{,}019 \times 100 = 1{,}9$$

• Le pourcentage de dissociation de la solution est donc de **1,9 %**.

EXERCICE 5.18

Calculez le pourcentage de dissociation d'une solution $1{,}0 \times 10^{-2}$ mol/L d'acide acétique, CH_3COOH.

Les acides forts sont totalement dissociés en solution aqueuse, de sorte que le pourcentage de dissociation est pratiquement égal à 100. Par contre, avec les acides faibles, on a observé que le degré de dissociation augmente avec la dilution (*figure 5.4*). Par exemple, avec une solution $5{,}0 \times 10^{-2}$ mol/L d'acide acétique, on obtient un pourcentage de dissociation de 1,9 % (exemple 5.10). Ce pourcentage atteint 4,2 % avec une solution $1{,}0 \times 10^{-2}$ mol/L (exercice 5.18), c'est-à-dire que la solution est environ deux fois plus dissociée.

Comment expliquer qu'il y ait augmentation du degré de dissociation lorsqu'il y a diminution de la concentration ? C'est que, avec la dilution, les ions sont de plus en plus éloignés les uns des autres et, en conséquence, ont moins tendance à se combiner.

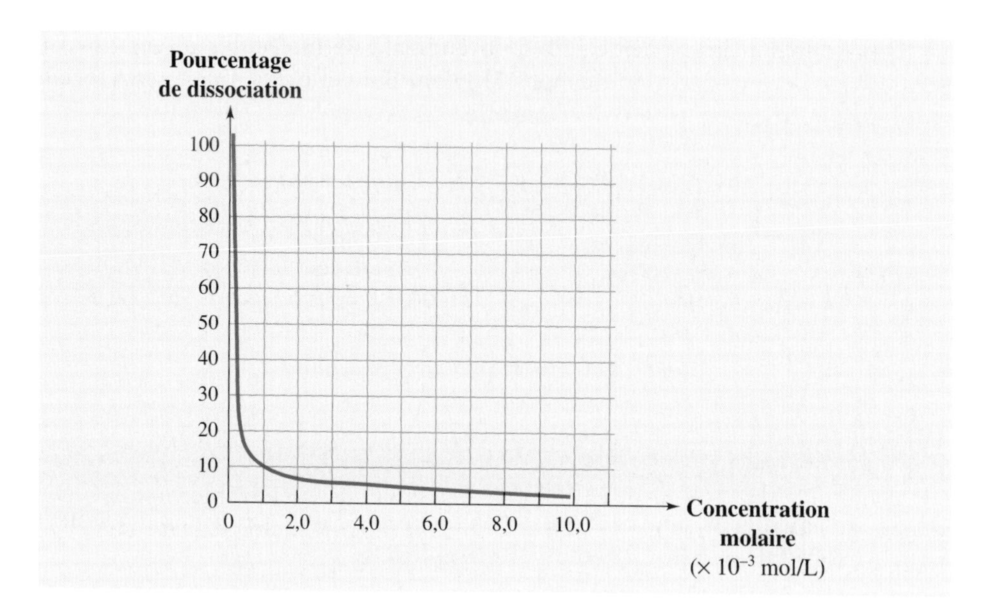

Figure 5.4 Pourcentage de dissociation de solutions d'acide acétique en fonction de leur concentration.

5.5.3 MÉLANGE D'ACIDES FORT ET FAIBLE OU DE BASES FORTE ET FAIBLE

Lorsqu'une solution est formée du mélange d'un acide fort et d'un acide faible ou d'une base forte et d'une base faible, le calcul de la concentration des ions hydronium, H_3O^+, et des autres espèces chimiques s'effectue en appliquant les méthodes développées jusqu'à maintenant. En outre, le plus souvent, les calculs peuvent être simplifiés, car l'acide fort détermine principalement la concentration des ions H_3O^+, la contribution de l'acide faible devenant négligeable.

L'application du principe de Le Chatelier permet de prédire l'influence de l'acide fort sur la dissociation de l'acide faible.

$$\underset{\textbf{acide fort}}{HA_1(aq)} + H_2O(l) \longrightarrow H_3O^+(aq) + A_1^-(aq)$$

$$\underset{\textbf{acide faible}}{HA_2(aq)} + H_2O(l) \rightleftharpoons H_3O^+(aq) + A_2^-(aq)$$

La présence des ions H_3O^+ due à l'acide fort déplace l'équilibre de dissociation de l'acide faible vers la gauche, de sorte que ce dernier est encore moins dissocié que s'il était seul : sa contribution à la valeur du pH est donc affaiblie, bien que cet effet ne soit pas très marqué.

$$HA_2(aq) + H_2O(l) \rightleftharpoons \mathbf{H_3O^+(aq)} + A_2^-(aq)$$

augmentation de la concentration ⇒ **déplacement de l'équilibre vers la gauche**

Le même raisonnement s'applique au mélange d'une base forte et d'une base faible. L'addition d'ions hydroxyde, OH^-, a pour effet de déplacer l'équilibre de dissociation de la base faible vers la gauche.

$$\underset{\textbf{base forte}}{B_1(aq)} + H_2O(l) \longrightarrow OH^-(aq) + B_1H^+(aq)$$

$$\underset{\textbf{base faible}}{B_2(aq)} + H_2O(l) \rightleftharpoons OH^-(aq) + B_2H^+(aq)$$

$$B_2(aq) + H_2O(l) \rightleftharpoons \mathbf{OH^-(aq)} + B_2H^+(aq)$$

augmentation de la concentration ⇒ **déplacement de l'équilibre vers la gauche**

Le calcul de la concentration des ions H_3O^+ et des autres espèces chimiques est effectué en suivant la même démarche que celle appliquée dans les sections précédentes.

1° On établit les équations de dissociation des acides (ou des bases).

2° On construit un tableau dans lequel on inscrit les concentrations initiales des espèces chimiques, leurs variations et leurs concentrations à l'équilibre.

3° On détermine la méthode de calcul appropriée (le calcul approximatif ou celui par la résolution de l'équation du second degré) et on l'applique en utilisant l'équation de la constante d'acidité (de basicité) de l'acide faible (base faible).

▼ EXEMPLE 5.12

On désire calculer la concentration des ions H_3O^+, de l'acide chloreux, $HClO_2$, et des ions chlorite, ClO_2^-, dans une solution 0,0100 mol/L d'acide chlorhydrique, HCl(*aq*), et 0,150 mol/L d'acide chloreux, $HClO_2$.

1° On établit les équations de dissociation.

$$HCl(aq) + H_2O(l) \longrightarrow H_3O^+(aq) + Cl^-(aq)$$

$$HClO_2(aq) + H_2O(l) \rightleftharpoons H_3O^+(aq) + ClO_2^-(aq) \qquad K_a = 1{,}2 \times 10^{-2}$$

2° On construit les tableaux dans lesquels on inscrit les concentrations initiales et à l'équilibre dans la solution.

Réaction	HCl(*aq*) +	$H_2O(l)$ ⟶	$H_3O^+(aq)$ +	$Cl^-(aq)$
$[\ ]_0$ (mol/L)	0,0100		0	0
$[\ ]_e$ (mol/L)	0		**0,0100**	0,0100

Réaction	$HClO_2(aq)$ +	$H_2O(l)$ ⇌	$H_3O^+(aq)$ +	$ClO_2^-(aq)$
$[\ ]_0$ (mol/L)	0,150		**0,0100** (provenant de HCl)	**0**
Variation	$-x$		$+x$	$+x$
$[\ ]_e$ (mol/L)	$0{,}150 - x$		$0{,}0100 + x$	x

3° On détermine la méthode de calcul et on l'applique en introduisant les données dans l'expression de la constante d'acidité.

Le rapport $[HA]/K_a$ étant inférieur à 100, on effectue le calcul en recourant à l'équation du second degré.

$$\frac{[HA]}{K_a} = \frac{1{,}50 \times 10^{-1}}{1{,}2 \times 10^{-2}} = 13$$

$$K_a = \frac{[ClO_2^-][H_3O^+]}{[HClO_2]} = \frac{x(1{,}00 \times 10^{-2} + x)}{1{,}50 \times 10^{-1} - x} = 1{,}2 \times 10^{-2}$$

$$\Rightarrow x^2 + 2{,}20 \times 10^{-2}x - 1{,}80 \times 10^{-3}$$

$$x = \frac{-2{,}20 \times 10^{-2} \pm \sqrt{4{,}84 \times 10^{-4} + 7{,}20 \times 10^{-3}}}{2}$$

$$= \frac{-2{,}20 \times 10^{-2} + 8{,}77 \times 10^{-2}}{2} = 3{,}28 \times 10^{-2}$$

$$[ClO_2^-] = 3{,}28 \times 10^{-2} \text{ mol/L}$$

- La concentration de l'ion chlorite, ClO_2^-, est égale à **$3{,}28 \times 10^{-2}$ mol/L.**

On calcule la concentration des ions hydronium.

$$[H_3O^+] = 1{,}00 \times 10^{-2} + 3{,}28 \times 10^{-2} = 4{,}28 \times 10^{-2} \text{ mol/L}$$

- La concentration des ions hydronium, H_3O^+, est égale à **$4{,}28 \times 10^{-2}$ mol/L.**

On calcule la concentration de l'acide chloreux.

$$[HClO_2] = 1{,}50 \times 10^{-1} - 3{,}28 \times 10^{-2} = 1{,}17 \times 10^{-1} \text{ mol/L}$$

- La concentration de l'acide chloreux, $HClO_2$, est égale à **$1{,}17 \times 10^{-1}$ mol/L.**

On peut vérifier que le déplacement de l'équilibre de dissociation de l'acide faible vers la gauche est faible en comparant la valeur de la concentration de l'acide chloreux de l'exemple précédent avec celle d'une solution 0,150 mol/L du même acide, seul.

Réaction	$HClO_2(aq)$ +	$H_2O(l)$ $\rightleftharpoons$	$H_3O^+(aq)$ +	$ClO_2^-(aq)$
$[\ ]_0$ (mol/L)	0,150		0	0
Variation	$-x$		$+x$	$+x$
$[\ ]_e$ (mol/L)	$0{,}150 - x$		x	x

$$K_a = \frac{[H_3O^+][ClO_2^-]}{[HClO_2]} = \frac{x^2}{1{,}50 \times 10^{-1} - x} = 1{,}2 \times 10^{-2}$$

$$\Rightarrow x^2 + 1{,}20 \times 10^{-2}x - 1{,}80 \times 10^{-3} = 0$$

En résolvant l'équation, on trouve que x vaut $3{,}68 \times 10^{-2}$, ce qui donne pour l'acide chloreux une concentration égale à **$1{,}13 \times 10^{-1}$ mol/L**; elle était égale à $1{,}17 \times 10^{-1}$ mol/L dans la solution précédente, une variation assez faible.

$$[HClO_2] = 0{,}150 - 3{,}68 \times 10^{-2} \text{ mol/L} = 1{,}13 \times 10^{-1} \text{ mol/L}$$

On observe en général que la grandeur du déplacement de l'équilibre vers la gauche est d'autant plus faible que la constante d'acidité (de basicité) est peu élevée.

EXERCICE 5.19

Calculez la concentration des ions hydroxyde, OH^-, et celle des ions ammonium, NH_4^+, dans un mélange de solutions de 0,050 mol/L d'hydroxyde de sodium, NaOH, et de 0,50 mol/L d'ammoniac, NH_3.

5.5.4 CONSTANTES D'ACIDITÉ DES POLYACIDES ET CALCULS

De prime abord, on pourrait penser qu'il est difficile de calculer la concentration des ions H_3O^+ et des autres espèces chimiques en raison des dissociations successives qui se produisent avec les polyacides. Cependant, la constante d'acidité correspondant à la première dissociation, K_{a_1}, est beaucoup plus élevée que la seconde, K_{a_2}, et ainsi de suite pour les autres constantes éventuelles. Ainsi, **on peut généralement négliger la contribution de la deuxième dissociation dans le calcul des concentrations de H_3O^+, à moins que l'écart entre les constantes ne soit faible**.

L'exemple de l'acide sulfurique, H_2SO_4, est intéressant, car, outre qu'il soit un diacide, le fait que la première dissociation soit totale permet de considérer **la solution de cet acide comme si elle était formée d'un mélange**

d'un acide fort et d'un acide faible. La démarche demeure toutefois la même que celle appliquée jusqu'à maintenant.

▼ EXEMPLE 5.13

On veut calculer la concentration des ions H_3O^+ et le pH, ainsi que la concentration des autres espèces chimiques d'une solution aqueuse de 0,40 mol/L en acide sulfurique, H_2SO_4.

1° On repère les principales espèces chimiques en solution qui serviront à effectuer les calculs.

L'acide sulfurique est un acide fort par sa première dissociation. En solution, on aura donc HSO_4^-, H_3O^+ et pratiquement aucune molécule d'acide non dissociée.

$$H_2SO_4(aq) + H_2O(l) \longrightarrow H_3O^+(aq) + HSO_4^-(aq)$$

L'ion hydrogénosulfate est un acide faible; en solution on aura donc principalement des ions HSO_4^- et une faible quantité de H_3O^+ et de SO_4^{2-} due à la deuxième dissociation.

$$HSO_4^-(aq) + H_2O(l) \rightleftharpoons H_3O^+(aq) + SO_4^{2-}(aq)$$

On négligera la concentration des ions H_3O^+ provenant de l'eau, puisqu'elle est très faible par rapport à celle résultant des dissociations successives de l'acide.

2° On calcule la concentration des ions H_3O^+ (provenant de la première, puis de la deuxième dissociation).

- La concentration d'ions H_3O^+ issus de la première dissociation est égale à celle de H_2SO_4, un acide fort, soit 0,40 mol/L.

$$[H_3O^+]_{H_2SO_4} = [HSO_4^-] = 0{,}40 \text{ mol/L}$$

- Pour calculer la concentration des ions H_3O^+ provenant de HSO_4^-, il faut utiliser le K_a de HSO_4^- et poser les données permettant de comparer les concentrations initiales avec celles à l'équilibre.

Réaction	$HSO_4^-(aq)$ +	$H_2O(l)$ $\rightleftharpoons$	$H_3O^+(aq)$ +	$SO_4^{2-}(aq)$
$[\ ]_0$ (mol/L)	0,40		0,40 (provenant de la première dissociation)	**0**
Variation	$-x$		$+x$	$+x$
$[\ ]_e$ (mol/L)	$0{,}40 - x$		$0{,}40 + x$	x

- Pour savoir quelle méthode de calcul employer, on établit la valeur du rapport $[HSO_4^-]/K_a$.

$$\frac{HSO_4^-}{K_a} = \frac{0{,}40}{1{,}1 \times 10^{-2}} = 36$$

Puisque le rapport est inférieur à 100, on effectue le calcul à l'aide de l'équation quadratique.

$$K_a = \frac{[H_3O^+][SO_4^{2-}]}{[HSO_4^-]} = \frac{x(0{,}40+x)}{0{,}40-x} = 1{,}1 \times 10^{-2}$$

$$0{,}0044 - 0{,}011x = 0{,}40x + x^2 \Rightarrow x^2 + 0{,}41x - 0{,}0044 = 0$$

$$x = \frac{-0{,}41 + \sqrt{0{,}17 + 0{,}018}}{2} = \frac{-0{,}41 + 0{,}43}{2} = 0{,}010$$

La valeur de x, **0,010**, correspond à la concentration des ions SO_4^{2-} et à celle des ions H_3O^+ provenant de la dissociation de HSO_4^-. On calcule la concentration totale des ions H_3O^+.

$$[H_3O^+] = [H_3O^+]_{H_2SO_4} + [H_3O^+]_{HSO_4^-} = 0,40 + 0,010 = 0,41 \text{ mol/L}$$

- La concentration totale des ions H_3O^+ est donc égale à **0,41 mol/L** et le pH ($-\log [H_3O^+]$) vaut **0,39**.

3° On calcule la concentration des autres espèces chimiques.

$$[HSO_4^-] = [HSO_4^-]_0 - [H_3O^+]_{HSO_4^-} = 0,40 - x = 0,40 - 0,010 = \mathbf{0,39\ mol/L}$$

$$[OH^-] = \frac{K_e}{[H_3O^+]} = \frac{1,0 \times 10^{-14} \text{ mol/L}}{0,41 \text{ mol/L}} = \mathbf{2,4 \times 10^{-14}\ mol/L}$$

$$[SO_4^{2-}] = x = \mathbf{0,010\ mol/L}$$

- Résumons les résultats sous la forme suivante.

$[H_3O^+] = \mathbf{0,41\ mol/L}$ pH = **0,39** $[HSO_4^-] = \mathbf{0,39\ mol/L}$

$[SO_4^{2-}] = \mathbf{0,010\ mol/L}$ $[OH^-] = \mathbf{2,4 \times 10^{-14}\ mol/L}$

Les polyacides autres que l'acide sulfurique sont des acides faibles. Dans ce cas, les calculs sont considérablement simplifiés puisque seule la première dissociation est prise en compte pour le calcul du pH. Les autres dissociations, en raison des faibles valeurs des autres constantes d'acidité, ne contribueront pas de façon significative à augmenter la concentration des ions H_3O^+. Ainsi, dans la dissociation de l'acide sulfureux, H_2SO_3, on effectue le calcul du pH en considérant uniquement la première dissociation.

$$H_2SO_3(aq) + H_2O(l) \rightleftharpoons \mathbf{H_3O^+}(aq) + HSO_3^-(aq) \qquad K_{a_1} = 1,4 \times 10^{-2}$$

$$HSO_3^-(aq) + H_2O(l) \rightleftharpoons H_3O^+(aq) + SO_3^{2-}(aq) \qquad K_{a_2} = 6,3 \times 10^{-8}$$

contribution négligeable

$$\boldsymbol{K_{a_1} >>>> K_{a_2}}$$

EXERCICE 5.20

Calculez la concentration des espèces chimiques suivantes dans une solution de 3,0 mol/L en acide phosphorique, H_3PO_4.

a) H_3PO_4
b) H_3O^+
c) $H_2PO_4^-$
d) HPO_4^{2-}
e) PO_4^{3-}

LE CHAPITRE EN UN CLIN D'ŒIL

THÉORIE DES ACIDES ET DES BASES

Théorie	Acide	Base
Arrhenius	Donneur d'ions H^+ en solution aqueuse $HA \longrightarrow H^+ + A^-$	Donneur d'ions OH^- en solution aqueuse $MOH \longrightarrow M^+ + OH^-$
Brønsted-Lowry	Donneur d'ions H^+ $HA \longrightarrow H^+ + A^-$	Accepteur d'ions H^+ $B + H^+ \longrightarrow BH^+$
Lewis	Accepteur de doublet électronique $A{-}H + :B \longrightarrow A^- + BH^+$ (A–H : acide ; :B : base)	Donneur de doublet électronique

PAIRE ACIDE-BASE CONJUGUÉE

Acide conjugué	Base conjuguée	Conversion acide-base conjuguée par l'intermédiaire de l'eau
Acide formé lorsqu'une base capte un proton. $F^- + H^+ \longrightarrow \mathbf{FH}$ (F^- : base ; FH : acide conjugué)	Base formée lorsqu'un acide cède un proton. $HF \longrightarrow \mathbf{F^-} + H^+$ (HF : acide ; F^- : base conjuguée)	paire acide-base $HF + H_2O \rightleftharpoons H_3O^+ + F^-$ paire acide-base

SUBSTANCE AMPHOTÈRE

Définition	Exemple
Substance qui peut à la fois jouer le rôle d'un acide ou d'une base.	$H_2O \longrightarrow H^+ + OH^-$ (acide) $H_2O + H^+ \longrightarrow H_3O^+$ (base)

FORCE DES ACIDES ET DES BASES

Acide fort		Acide faible	
Totalement dissocié en solution aqueuse $HA \longrightarrow H^+ + A^-$ ou $HA(aq) + H_2O(l)$ $\longrightarrow H_3O^+(aq) + A^-(aq)$	$HClO_4$, HNO_3, H_2SO_4 (1re dissoc.) HX (X = Cl, Br, I)	Partiellement dissocié en solution aqueuse $HA \rightleftharpoons H^+ + A^-$ ou $HA(aq) + H_2O(l)$ $\rightleftharpoons H_3O^+(aq) + A^-(aq)$	H_3PO_4, HF, HNO_2, CH_3COOH, H_2S, HCN
Base forte		**Base faible**	
Totalement dissociée en solution aqueuse $MOH \longrightarrow OH^- + M^+$ ou $B(aq) + H_2O(l)$ $\longrightarrow OH^-(aq) + BH^+(aq)$	OH^-, CH_3O^-, NH_2^-, H^-	Partiellement dissociée en solution aqueuse $NH_3(aq) + H_2O(l)$ $\rightleftharpoons OH^-(aq) + NH_4^+(aq)$	NH_3, les bases organiques et les bases conjuguées des acides faibles

Acidité croissante

$H_3PO_4 \Rightarrow H_3PO_4 + HS^- \rightleftharpoons H_2PO_4^- + H_2S$

et non $H_2S + H_2PO_4^- \not\longrightarrow H_3PO_4 + HS^-$

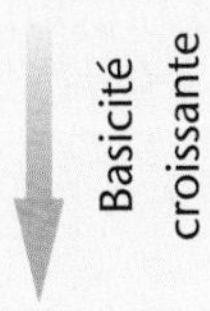

Basicité croissante

STRUCTURE ET FORCE RELATIVE DES ACIDES

Types d'acides	Classification
Acides binaires d'un groupe	Selon la longueur de la liaison : plus la liaison est grande, plus l'acide est fort. H_2S (plus acide) > H_2O (moins acide)
Acides binaires d'une période	Selon la différence d'électronégativité : plus la différence est élevée, plus l'acide est fort. H_2O (plus acide) > NH_3 (moins acide)
Oxacides	Plus la liaison du groupement OH est affaiblie par des atomes attracteurs d'électrons, plus l'acidité est grande. $HClO_3$ (plus acide) > HIO_3 (moins acide) H_3PO_4 (plus acide) > H_3PO_3 (moins acide)
Polyacides	Plus l'acide perd ses protons, plus l'acidité diminue. H_2CO_3 (plus acide) > HCO_3^- (moins acide)
Acides organiques	Seul le H du groupe COOH est acide. H—C(=O)—O—H : H lié au C : non acide ; H du groupe O—H : caractère acide

IONISATION DE L'EAU ET ÉCHELLE DU pH

Notion	Formule ou expression		
Auto-ionisation de l'eau	$H_2O + H_2O \rightleftharpoons H_3O^+ + OH^-$		
Constante d'équilibre à 25 °C	$K_e = [H_3O^+][OH^-] = 1{,}00 \times 10^{-14}$	$K_e = [H^+][OH^-] = 1{,}00 \times 10^{-14}$	
Calcul du pH	$pH = -\log [H_3O^+] = -\log [H^+]$	$pOH = -\log [OH^-]$	
Relation entre pH et constante	$pK_e = pH + pOH = 14{,}00$		
Échelle pH à 25 °C et caractère acido-basique	Solution neutre : pH = 7 (à 25 °C) $[H^+] = [OH^-]$	Solution acide : pH < 7 $[H^+] > [OH^-]$	Solution basique : pH > 7 $[H^+] < [OH^-]$

ÉQUILIBRE DE DISSOCIATION ET CONSTANTES D'ACIDITÉ ET DE BASICITÉ

ACIDE FAIBLE		BASE FAIBLE	
Équilibre	Constante d'acidité, K_a	Équilibre	Constante de basicité, K_b
$HA(aq) + H_2O(l) \rightleftharpoons H_3O^+(aq) + A^-(aq)$	$K_a = \frac{[H_3O^+][A^-]}{[HA]}$	$B(aq) + H_2O(l) \rightleftharpoons OH^-(aq) + BH^+(aq)$	$K_b = \frac{[OH^-][BH^+]}{[B]}$
$K_e = K_a K_b = 1{,}0 \times 10^{-14}$ (à 25 °C, pour une paire d'acide-base conjuguée) $pK_e = pK_a + pK_b = 14{,}00$			

POLYACIDES

Dissociations successives	Constantes d'acidité	Valeurs relatives
$H_2A(aq) + H_2O(l) \rightleftharpoons H_3O^+(aq) + HA^-(aq)$ $HA^-(aq) + H_2O(l) \rightleftharpoons H_3O^+(aq) + A_2^-(aq)$	$K_{a_1} = \dfrac{[H_3O^+][HA^-]}{[H_2A]}$ $K_{a_2} = \dfrac{[H_3O^+][A_2^-]}{[HA^-]}$	$K_{a_1} > K_{a_2}$

CALCULS ASSOCIÉS AUX CONSTANTES D'ACIDITÉ ET DE BASICITÉ

Calcul approximatif	Exemple
	$HCOOH(aq) + H_2O(l) \rightleftharpoons H_3O^+(aq) + HCOO^-(aq)$ $[HCCOH]_0 = 0{,}50$ mol/L $K_a = 1{,}8 \times 10^{-4}$
1° On calcule le rapport $[HA]_0/K_a$. $\dfrac{[HA]_0}{K_a}$ ou $\dfrac{[B]_0}{K_b}$ **> 100**	$\dfrac{[HCOOH]_0}{K_a} = \dfrac{0{,}50}{1{,}8 \times 10^{-4}} = 2800$
2° On établit les égalités et les approximations. $[HA] \approx [HA]_0$ ou $[B:] \approx [B:]_0$ $[H_3O^+] = [A^-] = x$ ou $[OH^-] = [BH^+] = x$	$[HCOOH] \approx [HCOOH]_0 = 0{,}50$ mol/L $[H_3O^+] = [HCOO^-] = x$
3° On applique l'expression de K_a ou K_b. $K_a = \dfrac{[H_3O^+][A^-]}{[HA]}$ ou $K_b = \dfrac{[OH^-][BH^+]}{[B]}$ $K_a = \dfrac{[H_3O^+]^2}{[HA]}$ ou $K_b = \dfrac{[OH^-]^2}{[B]}$ $[H_3O^+] = \sqrt{K_a[HA]}$ ou $[OH^-] = \sqrt{K_b[B]}$	$K_a = \dfrac{[HCOO^-][H_3O^+]}{[HCOOH]} = \dfrac{[H_3O^+]^2}{[HCOOH]}$ $[H_3O^+] = x = \sqrt{K_a[HCOOH]}$ $[H_3O^+] = \sqrt{1{,}8 \times 10^{-4} \times 0{,}50}$ $[H_3O^+] = 9{,}5 \times 10^{-3}$ mol/L
4° On calcule le pH.	$pH = -\log 9{,}5 \times 10^{-3} = 2{,}02$

Calcul par l'équation quadratique	Exemple
	$CCl_3COOH(aq) + H_2O(l) \rightleftharpoons H_3O^+(aq) + CCl_3COO^-(aq)$ $[CCl_3COOH]_0 = 0{,}50$ mol/L $K_a = 2{,}0 \times 10^{-1}$
1° On calcule le rapport $[HA]_0/K_a$.	$\dfrac{[CCl_3COOH]_0}{K_a} = \dfrac{0{,}50}{2{,}0 \times 10^{-1}} = 2{,}5$
2° On établit les égalités.	$[CCl_3COOH] = [CCl_3COOH]_0 - x$ $[H_3O^+] = [CCl_3COOH] = x$
3° On applique l'expression de K_a ou K_b et on résout le problème à l'aide de la formule quadratique. On applique $x = \dfrac{-b \pm \sqrt{b^2 - 4ac}}{2a}$	$K_a = \dfrac{[H_3O^+][CCl_3COO^-]}{[CCl_3COOH] - x} = \dfrac{[H_3O^+]^2}{[CCl_3COOH] - x}$ $K_a = \dfrac{x^2}{0{,}50 - x} = 0{,}20$ $x^2 = 0{,}10 - 0{,}20x \Rightarrow x^2 + 0{,}20x - 0{,}10 = 0$ $x = \dfrac{-0{,}20 + \sqrt{0{,}040 + 0{,}40}}{2} = \dfrac{-0{,}20 + 0{,}66}{2}$ $x = [H_3O^+] = 0{,}23$ mol/L
4° On calcule le pH.	$pH = -\log 0{,}23 = 0{,}64$

MÉLANGE D'ACIDES FORT ET FAIBLE (OU BASES FORTE ET FAIBLE)

$HA_1(aq) + H_2O(l) \longrightarrow H_3O^+(aq) + A_1^-(aq)$ **acide fort**	$HA_2(aq) + H_2O(l) \rightleftharpoons H_3O^+(aq) + A_2^-(aq)$ **acide faible**
Démarche	**Exemple**
	Solution contenant 0,10 mol/L de HNO_3 et 0,20 mol/L de $HF(aq)$
1° On établit les équations de dissociation.	$HNO_3(aq) + H_2O(l) \longrightarrow H_3O^+(aq) + NO_3^-(aq)$ $HF(aq) + H_2O(l) \rightleftharpoons H_3O^+(aq) + F^-(aq)$ $K_a = 6{,}3 \times 10^{-4}$
2° On construit un tableau des concentrations initiales et des concentrations à l'équilibre.	(voir tableau ci-dessous)
3° On choisit la méthode de calcul et on l'applique à l'expression de K_a.	$\frac{[HF]}{K_a} = \frac{0{,}20}{6{,}3 \times 10^{-4}} = 320 \Rightarrow$ calcul approximatif $\Rightarrow [HF] \approx [HF]_0 \approx 0{,}20$ mol/L **$[H_3O^+]$** $\approx 0{,}10$ mol/L $[F^-] = x$ $K_a = 6{,}3 \times 10^{-4} = \frac{[H_3O^+][F^-]}{[HF]} = \frac{0{,}10x}{0{,}20}$ $\Rightarrow x = \frac{0{,}20 \times 6{,}3 \times 10^{-4}}{0{,}10} = 1{,}3 \times 10^{-3}$ mol/L = **$[F^-]$**

	$HNO_3(aq)$ +	$H_2O(l) \longrightarrow$	$H_3O^+(aq)$	+ $NO_3^-(aq)$
$[\ ]_0$	0,10		0	0
$[\ ]_e$	0		0,10	0,10
	$HF(aq)$ +	$H_2O(l) \rightleftharpoons$	$H_3O^+(aq)$	+ $F^-(aq)$
$[\ ]_0$	0,20		0,10 (de HNO_3)	0
$[\ ]_e$	$0{,}20 - x$		$0{,}10 + x$	x

POLYACIDES ET CONSTANTES D'ACIDITÉ

$H_2A(aq) + H_2O(l) \rightleftharpoons H_3O^+(aq) + HA^-(aq)$	$HA^-(aq) + H_2O(l) \rightleftharpoons H_3O^+(aq) + A^{2-}(aq)$ **acide faible**
Démarche	**Exemple** (solution contenant 0,050 mol/L de H_2CO_3) $H_2CO_3(aq) + H_2O(l) \rightleftharpoons H_3O^+(aq) + HCO_3^-(aq)$ $K_{a_1} = 4{,}5 \times 10^{-7}$ $HCO_3^-(aq) + H_2O(l) \rightleftharpoons H_3O^+(aq) + CO_3^{2-}(aq)$ $K_{a_2} = 4{,}7 \times 10^{-11}$
1° On établit les égalités et les approximations pour la première dissociation.	$\frac{[H_2CO_3]}{K_a} = \frac{0{,}050}{4{,}5 \times 10^{-7}} = 1{,}1 \times 10^5 \Rightarrow$ calcul approximatif $[H_3O^+]_{H_2CO_3} = [HCO_3^-]_{H_2CO_3} = x$ $[H_2CO_3] \approx [H_2CO_3]_0 = 0{,}050$ mol/L
2° On applique l'expression de K_{a_1}.	$K_{a_1} = \frac{[H_3O^+][HCO_3^-]}{[H_2CO_3]} = \frac{x^2}{0{,}050} = 4{,}5 \times 10^{-7}$ $\Rightarrow [H_3O^+] = x = \sqrt{0{,}050 \times 4{,}5 \times 10^{-7}} = 1{,}5 \times 10^{-4}$ mol/L
3° On établit les égalités et les approximations pour la seconde dissociation.	$\frac{[HCO_3^-]}{K_a} = \frac{1{,}5 \times 10^{-4}}{4{,}7 \times 10^{-11}} = 3{,}2 \times 10^6 \Rightarrow$ calcul approximatif $[H_3O^+]_{HCO_3^-} = [CO_3^{2-}] = y$ $[HCO_3^-] \approx [H_3O^+]_{H_2CO_3} = 1{,}5 \times 10^{-4}$ mol/L $\Rightarrow [CO_3^{2-}] = y = K_{a_2} = 4{,}7 \times 10^{-11}$ mol/L

QUESTIONS ET EXERCICES SUPPLÉMENTAIRES

Théories des acides et des bases

1. Déterminez à quelle (ou quelles) catégorie(s) d'acides (Arrhenius, Brønsted-Lowry ou Lewis) appartient chacune des substances suivantes.
   a) HCl c) $BeCl_2$ e) H_2O
   b) AlF_3 d) NH_4^+
2. Parmi les espèces chimiques suivantes, déterminez lesquelles sont des acides ou des bases selon la théorie de Brønsted-Lowry.
   a) HF d) $CH_3—OH_2^+$
   b) ClO_2^- e) $CH_3—NH—CH_3$
   c) NH_2^-
3. Montrez, en écrivant leur équation de dissociation dans l'eau, que chacune des espèces chimiques suivantes peut être considérée comme un acide de Brønsted-Lowry.
   a) $HCOOH$ c) NH_4^+ e) H_2S
   b) $H_2PO_4^-$ d) HCO_3^-
4. Montrez, en écrivant leur équation de dissociation dans l'eau, que chacune des espèces chimiques suivantes peut être considérée comme une base de Brønsted-Lowry.
   a) CN^- c) CH_3NH_2 e) H_2O
   b) $H_2PO_4^-$ d) H^-
5. Dans chacune des réactions suivantes, repérez l'acide et la base de Lewis.
   a) $H_3O^+(aq) + OH^-(aq) \longrightarrow 2H_2O(l)$
   b) $BCl_3 + Cl^- \longrightarrow BCl_4^-$
   c) $OH^-(aq) + CO_2(aq) \longrightarrow HCO_3^-(aq)$
   d) $B(OH)_3(aq) + OH^-(aq) \longrightarrow [B(OH)_4]^-(aq)$
   e) $CH_3NH_2(aq) + H_3O^+(aq) \longrightarrow CH_3NH_3^+(aq) + H_2O(l)$
6. Écrivez l'équation qui représente la formation dans l'eau de la base conjuguée de chacun des acides suivants.
   a) $HCO_3^-(aq)$ d) $H_2SO_4(aq)$
   b) $HCN(aq)$ e) $CH_3NH_3^+(aq)$
   c) $HClO(aq)$
7. Écrivez l'équation qui représente la formation dans l'eau de l'acide conjugué de chacune des bases suivantes.
   a) $HCO_3^-(aq)$ d) $CH_3COO^-(aq)$
   b) $F^-(aq)$ e) $CH_3NH_2(aq)$
   c) $SO_4^{2-}(aq)$
8. Pour chacune des réactions suivantes, repérez les paires acide-base conjuguées en les indiquant à l'aide du système codé approprié.
   a) $HClO_3(aq) + H_2O(l) \rightleftharpoons H_3O^+(aq) + ClO_3^-(aq)$
   b) $CH_3NH_3^+(aq) + H_2O(l) \rightleftharpoons H_3O^+(aq) + CH_3NH_2(aq)$
   c) $CH_3COOH(aq) + H_2O(l) \rightleftharpoons H_3O^+(aq) + CH_3COO^-(aq)$
   d) $HF(aq) + NH_3(aq) \rightleftharpoons NH_4^+(aq) + F^-(aq)$
   e) $NH_3(l) + NH_3(l) \rightleftharpoons NH_4^+(amn) + NH_2^-(amn)$
   (amn = ammoniac)
   f) $HCOO^-(aq) + HSO_4^-(aq) \rightleftharpoons HCOOH(aq) + SO_4^{2-}(aq)$
9. Parmi les espèces chimiques suivantes, déterminez lesquelles sont des acides ou des bases de Brønsted-Lowry, ou des amphotères, et écrivez l'équation de leur base ou de leur acide conjugué, selon le cas.
   a) NH_3 c) H_2CO_3 e) CN^-
   b) HS^- d) $H_2PO_4^-$
10. Parmi les paires d'espèces chimiques suivantes, déterminez lesquelles forment un couple acide-base et justifiez brièvement vos réponses.
   a) HSO_4^- et $NaHSO_4$ d) H^- et NaH
   b) S^{2-} et HS^- e) H_2CO_3 et HCO_3^-
   c) AlH_3 et AlH_4^-

Forces des acides et des bases

11. Dans chaque paire d'acides suivants, déterminez lequel est le plus acide et justifiez ce choix.
   a) HNO_2 et HNO_3 d) H_2SiO_3 et H_3PO_4
   b) $HClO_3$ et H_3PO_4 e) H_2S et HS^-
   c) H_2CO_3 et HNO_2
*12. En vous référant au tableau 5.3 (*page 172*), déterminez quelles paires d'espèces chimiques réagissent entre elles et, selon le cas, complétez l'équation.
   a) $HS^- + OH^-$ f) $NO_3^- + HClO_4$
   b) $H^- + NH_3$ g) $CH_3COOH + HS^-$
   c) $CN^- + HCO_3^-$ h) $HCN + H_2PO_4^-$
   d) $HCO_3^- + SO_3^{2-}$ i) $HSO_4^- + CH_3COO^-$
   e) $H_2PO_4^- + NH_4^+$ j) $CH_4 + H^-$
13. Avec laquelle des bases suivantes l'acide acétique, CH_3COOH, s'ionise-t-il le plus (déplacement vers la droite) ? Justifiez votre réponse.
   a) H_2O b) Cl^- c) NH_3 d) NO_3^-
14. À l'aide du tableau 5.3 (*page 172*), déterminez dans quel sens (vers la droite ou vers la gauche) chacune des réactions données aura principalement lieu; justifiez votre choix.
   a) $HSO_4^-(aq) + NO_3^-(aq) \rightleftharpoons HNO_3(aq) + SO_4^{2-}(aq)$
   b) $NH_4^+(aq) + OH^-(aq) \rightleftharpoons NH_3(aq) + H_2O(l)$
   c) $CH_3COOH(aq) + CH_3CH_2O^-(aq) \rightleftharpoons CH_3COO^-(aq) + CH_3CH_2OH(aq)$

*15. Classez les espèces chimiques suivantes selon l'ordre croissant de basicité.

a) OH^-, CH_3^-, F^-, NH_2^-

b) HS^-, S^{2-}, H_2S

Auto-ionisation de l'eau, échelle de pH et calculs associés aux acides forts et aux bases fortes

Dans les exercices suivants, la température de l'eau pure ou des solutions aqueuses est de 25 °C à moins d'indication contraire.

16. Calculez le pH d'une solution dont la concentration en ions hydroxyde est de :

a) $2,00 \times 10^{-3}$ mol/L c) $1,00 \times 10^{-9}$ mol/L

b) 0,0200 mol/L d) $1,00 \times 10^{-12}$ mol/L

17. Calculez la concentration en ions hydroxyde d'une solution dont le pH est égal à :

a) 2,00 b) 5,30 c) 9,5

18. Le pH d'une eau savonneuse est de l'ordre de 10,8. Calculez la concentration des ions OH^- de cette eau.

19. À 40 °C, la constante de dissociation de l'eau vaut $2,92 \times 10^{-14}$. Calculez la concentration des ions hydronium, H_3O^+, et celle des ions hydroxyde, OH^-, ainsi que le pH de l'eau pure à cette température.

20. Le pH du sang humain (35 °C) est sensiblement constant à 7,4. Calculez la concentration des ions H_3O^+ et des ions OH^- à cette valeur de pH, sachant que la constante de dissociation de l'eau à cette température est égale à $2,09 \times 10^{-14}$.

21. Le pH du lait est d'environ 6,80 à la température ambiante (25 °C). Calculez les valeurs suivantes.

a) Le pOH

b) La concentration des ions H_3O^+

c) La concentration des ions OH^-

22. La concentration d'une solution d'acide nitrique, HNO_3, un acide fort, est de $4,50 \times 10^{-3}$ mol/L. Calculez les valeurs suivantes.

a) La concentration des ions H_3O^+

b) La concentration des ions OH^-

c) La concentration des ions H_3O^+ provenant de l'eau

d) Le pH et le pOH

23. Une solution contient 8,50 g d'hydroxyde de sodium, NaOH, par 250,0 mL de solution. Calculez le pH et le pOH de cette solution.

*24. Calculez le pH de la solution résultant du mélange de 10,0 mL d'une solution de pH 4,00 et de 40,0 mL d'une solution de pH 2,50.

25. Calculez le pH d'une solution résultant du mélange de 30,0 mL d'une solution contenant 0,10 mol/L d'acide nitrique, HNO_3, avec 20,0 mL d'une solution contenant 0,50 mol/L d'acide chlorhydrique, $HCl(aq)$.

26. La concentration d'une solution est de 0,0250 mol/L en hydroxyde de sodium, NaOH, et de 0,0150 mol/L en hydroxyde de potassium, KOH. Calculez les valeurs suivantes.

a) La concentration en OH^- de cette solution

b) Le pH de la solution

27. On mélange 100,0 mL d'une solution contenant $1,50 \times 10^{-2}$ mol/L d'acide chlorhydrique, HCl, avec 250,0 mL d'une solution contenant $2,00 \times 10^{-2}$ mol/L d'acide nitrique, HNO_3. Calculez le pH de la solution résultante.

*28. Le pH d'une solution résultant du mélange de 100,0 mL d'une solution d'acide nitrique, HNO_3, dont le pH est de 2,50, et de 200,0 mL d'une solution d'acide chlorhydrique, HCl, est de 1,75. Calculez le pH de la solution d'acide chlorhydrique.

Équilibre de dissociation et calculs associés aux constantes d'acidité et de basicité

À moins que les valeurs des constantes d'acidité ou de basicité ou celles de leurs pK_a ou pK_b ne soient indiquées, il faut se référer au tableau de ces valeurs à la fin de l'ouvrage. La température est de 25 °C à moins d'indication contraire.

29. Soit le fluorure d'hydrogène, HF, en solution aqueuse.

a) Écrivez l'équation représentant sa dissociation dans l'eau.

b) Écrivez les formules de toutes les espèces chimiques présentes dans l'eau et classez-les selon leur abondance relative.

c) Calculez le pK_a de cet acide, sachant que sa constante d'acidité est égale à $6,3 \times 10^{-4}$.

30. Soit la triméthylamine, $N(CH_3)_3$, en solution aqueuse et dont le pK_b est égal à 4,20.

a) Écrivez l'équation de sa dissociation dans l'eau.

b) Écrivez les formules de toutes les espèces chimiques présentes dans l'eau et classez-les selon leur abondance relative.

c) Calculez le K_b de cette substance.

d) Écrivez l'équation représentant le pK_a de son acide conjugué en relation avec le pK_e et calculez sa valeur.

31. Écrivez les équations représentant les ionisations successives de l'acide sulfureux, H_2SO_3, et calculez les valeurs des constantes d'acidité, K_{a_1} et K_{a_2}, à partir de leurs pK_{a_1} (1,85) et pK_{a_2} (7,20).

*32. Une solution aqueuse contenant 0,250 mol/L d'acide butanoïque (acide butyrique), $CH_3CH_2CH_2COOH$, que l'on retrouve sous une formule qui en est dérivée dans le beurre, possède un pH de 2,72. Calculez la constante d'acidité de cet acide.

*33. Une solution d'acide acétique, CH_3COOH, a un pH de 3,20. Calculez la concentration initiale de cet acide.

*34. Calculez la concentration en ions hydronium, H_3O^+, et en ions hydroxyde, OH^-, ainsi que la concentration à l'équilibre en acide d'une solution contenant $5,0 \times 10^{-2}$ mol/L d'acide dichloroacétique, $Cl_2CHCOOH$.

35. Calculez le pH des solutions suivantes.

a) $1,5 \times 10^{-2}$ mol/L d'acide cyanhydrique, HCN

b) 0,75 mol/L d'acide chromique, H_2CrO_4 (ne tenez compte que de la première dissociation)

c) 0,50 mol/L de méthylamine, CH_3NH_2

*36. Le pH d'une solution d'acide dichloroacétique, $CHCl_2COOH$, est de 1,36. Calculez la concentration molaire volumique initiale de cet acide.

37. Calculez le pourcentage de dissociation des acides suivants.

a) Une solution aqueuse contenant 0,45 mol/L d'acide propionique, CH_3CH_2COOH ($pK_a = 4,86$)

b) Une solution aqueuse contenant 0,15 mol/L d'acide propionique, CH_3CH_2COOH ($pK_a = 4,86$)

c) Une solution aqueuse contenant $3,5 \times 10^{-2}$ mol/L d'acide dichloroacétique, $CHCl_2COOH$

d) Une solution aqueuse contenant $3,5 \times 10^{-1}$ mol/L d'acide dichloroacétique, $CHCl_2COOH$

*38. Le pourcentage de dissociation d'une solution d'ammoniac, NH_3, est de 3,5 %. Calculez la concentration molaire volumique de cette solution.

39. Le pourcentage de dissociation d'une solution de 0,400 mol/L en acide cyanhydrique, HCN, est de 0,0039 %. Calculez sa constante d'acidité, K_a.

*40. Dans une solution d'acide phosphorique, H_3PO_4, expliquez pourquoi la concentration des ions phosphate, PO_4^{3-}, n'est pas égale au tiers de la concentration des ions H_3O^+, mais de beaucoup inférieure au tiers de cette valeur.

41. Calculez la concentration des ions H_3O^+, HSO_4^- et SO_4^{2-} dans les solutions aqueuses suivantes d'acide sulfurique, H_2SO_4.

a) Solution de 0,80 mol/L

b) Solution de $8,0 \times 10^{-4}$ mol/L

*42. Une solution contenant 1,05 mol/L d'acide oxalique, HOOCCOOH, a un pH de 0,67. On détermine que la concentration de l'ion oxalate, $C_2O_4^{2-}$, y est égale à $5,3 \times 10^{-5}$ mol/L. Calculez les valeurs de K_{a_1} et de K_{a_2}.

$$HOOCCOOH(aq) + H_2O(l) \rightleftharpoons H_3O^+(aq) + HOOCCOO^-(aq)$$

$$HOOCCOO^-(aq) + H_2O(l) \rightleftharpoons H_3O^+(aq) + {}^-OOCCOO^-(aq)$$

*43. Calculez le pH d'une solution résultant du mélange de 20,0 mL d'une solution contenant 0,150 mol/L d'acide chlorhydrique, $HCl(aq)$, avec 30,0 mL d'une solution contenant 0,400 mol/L d'acide formique, HCOOH.

44. Une solution contient 1,0 mol/L d'acide cyanhydrique, HCN, et 4,0 mol/L d'acide nitreux, HNO_2. Calculez la concentration des ions H_3O^+, CN^- et NO_2^- dans la solution.

45. Calculez le pH d'une solution résultant du mélange de 25,0 mL d'une solution contenant 0,200 mol/L d'hydroxyde de potassium, KOH, et de 75,0 mL d'une solution contenant 0,400 mol/L d'ammoniac, NH_3.

ÉQUILIBRE IONIQUE DES ÉLECTROLYTES FAIBLES

CHAPITRE 6

La tourbe de sphaigne est fréquemment utilisée en horticulture pour amender le sol. Elle en augmente notamment le pouvoir tampon, de sorte que les plantes croissent mieux. En effet, le sol est alors en mesure de mieux résister aux variations de pH en raison de la présence de matières organiques riches en anions d'acides faibles et de cations de bases faibles.

OBJECTIFS

Après avoir étudié ce chapitre, vous saurez répondre aux questions suivantes.

- Comment détermine-t-on que la solution d'un sel est neutre, acide ou basique et comment en calcule-t-on le pH ?
- Quelles sont les caractéristiques d'une solution tampon et comment en calcule-t-on le pH ?
- Comment l'ajout de base ou d'acide fait-il varier le pH d'une solution tampon ?
- De quelle manière suit-on la variation de pH pendant un titrage acido-basique ?

Le présent chapitre approfondit les notions d'acides et de bases en les étendant aux équilibres des solutions de sels. On y traite des solutions tampons et des titrages acido-basiques, lesquels font appel à des notions et à des calculs plus complexes que ceux qui ont été exposés au chapitre précédent.

L'expression des constantes d'acidité et de basicité est en effet applicable aux équilibres ioniques des sels en solution, substances provenant de la neutralisation d'un acide par une base. C'est que certains de ces sels réagissent avec l'eau en formant une solution acide ou basique selon la nature des ions qui la composent. Et les valeurs des constantes d'acidité ou de basicité permettent, ici encore, de prédire le caractère acide, basique ou neutre des solutions salines.

L'analyse des phénomènes acido-basiques se poursuit avec les solutions tampons, dont le rôle est majeur dans le contrôle du pH. Ces solutions, mélanges d'un acide faible (ou d'une base faible) et du sel de sa base conjuguée (ou acide conjugué), peuvent résister à des modifications de pH. On s'en sert dans le contrôle de l'acidité de systèmes chimiques et biochimiques. Le principe de Le Chatelier permet de démontrer leur action et les calculs qui leur sont associés.

Le chapitre se termine par l'étude quantitative des titrages acido-basiques. Il est en effet essentiel de savoir comment choisir le bon indicateur lors d'un titrage direct et comment calculer le pH pendant le déroulement progressif d'un titrage. Toutefois, nous n'examinerons que les cas où au moins une espèce forte est présente, c'est-à-dire lorsqu'il y a un acide fort et une base forte, un acide faible et une base forte, ou une base faible et un acide fort. Cette démarche constitue un bon résumé des calculs qui mettent en jeu les acides et les bases.

Titrage acido-basique
▲
Solutions tampons
▲
Hydrolyse des sels
▲
Acides, bases, pH (chapitre 5)

6.1 PROPRIÉTÉS ACIDO-BASIQUES DES SELS

En observant le tableau des constantes d'acidité et de basicité des espèces chimiques, à la fin de l'ouvrage, on constate que celles-ci existent sous forme moléculaire ou ionique. Or, les espèces ioniques sont nécessairement associées avec un cation ou un anion, selon leur nature. Elles forment par conséquent un sel dont la solution aqueuse est neutre, acide ou basique, et pour laquelle on peut calculer le pH.

6.1.1 CARACTÈRE NEUTRE, ACIDE OU BASIQUE DE SOLUTIONS AQUEUSES DE SELS

Sel : composé résultant de la combinaison de l'anion de l'acide et du cation de la base lors d'une réaction de neutralisation acido-basique.

À l'état solide, les espèces ioniques sont nécessairement associées avec un cation ou un anion, c'est-à-dire qu'elles existent sous forme de **sels**, substances résultant de la neutralisation d'un acide par une base (*voir* Chimie générale, *sous-section 3.4.3*). Par exemple, le chlorure de sodium, NaCl, résulte de la neutralisation de l'acide chlorhydrique, HCl(*aq*), par l'hydroxyde de sodium, NaOH. L'acide chlorhydrique est un acide fort et l'hydroxyde de sodium, une base forte.

$$\underset{\textbf{acide fort}}{HCl(aq)} + \underset{\textbf{base forte}}{NaOH(aq)} \longrightarrow \underset{\textbf{sel}}{NaCl(aq)} + H_2O(l)$$

La dissolution du chlorure de sodium ne donne lieu à aucune réaction du cation sodium, Na^+, ou de l'anion chlorure, Cl^-, avec l'eau, car l'ion chlorure est une base très faible qui n'a aucune tendance à réagir avec ce solvant. Il en va de même pour l'ion sodium, qui provient d'une base forte. En solution aqueuse, ces ions sont uniquement soumis à l'hydratation, c'est-à-dire entourés par les molécules d'eau (*voir* Chimie générale, *sous-section 11.4.5*).

$Cl^-(aq) + H_2O(l) \not\longrightarrow$ — **anion d'acide fort** — **aucune réaction**

$Na^+(aq) + H_2O(l) \not\longrightarrow$ — **cation de base forte** — **aucune réaction**

Pris au sens acido-basique et non au sens électrique, on dit que les ions Na^+ et Cl^- sont des **ions neutres**. Il en va de même pour tous les anions provenant d'acides forts et tous les cations issus de bases fortes : ils ne réagissent pas avec l'eau.

Ion neutre : anion ou cation qui ne produit aucune réaction acido-basique en solution aqueuse.

La situation est tout autre avec les sels dont l'un des ions ou les deux proviennent d'un acide faible ou d'une base faible. En raison du caractère acide de leur cation ou basique de leur anion, ces sels subissent une réaction d'**hydrolyse** : ils réagissent avec l'eau en formant une solution généralement acide ou basique, ou encore, parfois, une solution neutre ou proche de la neutralité. Pour déterminer si un sel subit une telle réaction, il suffit d'évaluer les points suivants :

Hydrolyse : réaction acido-basique dans laquelle un ion agit comme un acide ou une base par suite de sa réaction avec l'eau.

- la réaction éventuelle de l'anion ou du cation, ou des deux à la fois, avec l'eau;
- l'acidité ou la basicité de la solution d'après la constante d'acidité, K_a, ou la constante de basicité, K_b, des ions.

On appelle **ion basique** l'anion provenant d'un acide faible, et **ion acide** le cation provenant d'une base faible. Ces deux types d'ions réagissent avec l'eau pour donner, selon le cas, une solution basique ou acide.

Ion basique : anion qui donne une solution basique par réaction avec l'eau.

Ion acide : cation qui donne une solution acide par réaction avec l'eau.

La constante d'acidité de l'anion et la constante de basicité du cation sont fréquemment désignées **constante d'hydrolyse**, K_h, en raison de leur réaction avec l'eau. Rappelons que le produit des constantes d'acidité, K_a, et de basicité, K_b, est égal à la constante de dissociation de l'eau, K_e *(revoir la sous-section 5.3.1)*.

Constante d'hydrolyse : constante d'acidité de l'anion ou constante de basicité du cation de sels en solution aqueuse.

$$K_a \times K_b = K_e$$

▼ EXEMPLE 6.1

On veut déterminer si les solutions des sels suivants sont neutres, acides ou basiques.

a) Solution de nitrate de potassium, KNO_3.
b) Solution d'acétate de sodium[1], CH_3COONa.
c) Solution de chlorure d'ammonium, NH_4Cl.
d) Solution de fluorure d'hydroxylammonium, $HONH_3F$.

a) Solution de nitrate de potassium, KNO_3

Le nitrate de potassium provient de la réaction entre un acide fort, HNO_3, et une base forte, KOH.

$$\underset{\textbf{acide fort}}{HNO_3(aq)} + \underset{\textbf{base forte}}{KOH(aq)} \longrightarrow \underset{\textbf{sel}}{KNO_3(aq)} + H_2O(l)$$

En conséquence, aucun des ions suivants ne réagit avec l'eau.

$$K^+(aq) + H_2O(l) \not\longrightarrow \textbf{aucune réaction}$$

$$NO_3^-(aq) + H_2O(l) \not\longrightarrow \textbf{aucune réaction}$$

- La solution de nitrate de potassium, KNO_3, est donc **neutre**.

La charcuterie se conserve grâce notamment à l'ajout de nitrate de potassium, KNO_3, appelé communément salpêtre, qui a aussi pour effet de donner une couleur rougeâtre à la viande.

1. Dans l'expression de la formule chimique d'un sel, il est d'usage d'écrire d'abord le symbole du cation. Cependant, lorsque l'anion comprend un segment organique, le cation est souvent représenté à la fin de la formule pour montrer son association avec l'oxygène de la portion organique. C'est ce que nous faisons dans cet ouvrage : nous écrivons CH_3COONa et non $NaCH_3COO$.

b) Solution d'acétate de sodium, CH_3COONa

La réaction entre l'acide acétique, CH_3COOH, un acide faible, et l'hydroxyde de sodium, NaOH, une base forte, forme l'acétate de sodium, CH_3COONa.

$$\underset{\textbf{acide faible}}{CH_3COOH(aq)} + \underset{\textbf{base forte}}{NaOH(aq)} \longrightarrow \underset{\textbf{sel}}{CH_3COONa(aq)} + H_2O(l)$$

Provenant d'une base forte, l'ion Na^+ ne réagit pas avec l'eau. Par contre, l'ion acétate, base conjuguée de l'acide acétique, produit une réaction d'hydrolyse; il s'agit d'un ion basique.

$$Na^+(aq) + H_2O(l) \not\longrightarrow \textbf{aucune réaction}$$

$$CH_3COO^-(aq) + H_2O(l) \rightleftharpoons \mathbf{OH^-}(aq) + CH_3COOH(aq)$$

- Par conséquent, la solution d'acétate de sodium, CH_3COONa, est **basique**.

c) Solution de chlorure d'ammonium, NH_4Cl

La formation du chlorure d'ammomium résulte de la réaction entre un acide fort, l'acide chlorhydrique, $HCl(aq)$, et une base faible, l'ammoniaque, $NH_3(aq)$.

$$NH_3(aq) + HCl(aq) \longrightarrow NH_4Cl(aq)$$

ou

$$\underset{\textbf{base faible}}{NH_4OH(aq)} + \underset{\textbf{acide fort}}{HCl(aq)} \longrightarrow \underset{\textbf{sel}}{NH_4Cl(aq)} + H_2O(l)$$

L'ion Cl^- ne réagit pas avec l'eau, car il provient d'un acide fort. Toutefois, l'ion ammonium, NH_4^+, acide conjugué de l'ammoniaque, NH_3, produit une réaction d'hydrolyse; il s'agit d'un ion acide.

$$Cl^-(aq) + H_2O(l) \not\longrightarrow \textbf{aucune réaction}$$

$$NH_4^+(aq) + H_2O(l) \rightleftharpoons \mathbf{H_3O^+}(aq) + NH_3(aq)$$

- Par conséquent, la solution de chlorure d'ammonium, NH_4Cl, est **acide**.

d) Solution de fluorure d'hydroxylammonium, $HONH_3F$

La réaction entre l'acide fluorhydrique, $HF(aq)$, un acide faible, et l'hydroxylamine, $HONH_2$, une base faible, forme le sel.

$$\underset{\textbf{acide faible}}{HF(aq)} + \underset{\textbf{base faible}}{HONH_2(aq)} \rightleftharpoons \underset{\textbf{sel}}{HONH_3F(aq)}$$

Puisque les deux ions proviennent d'un acide et d'une base faibles, ils réagissent avec l'eau. Il faut donc considérer la réaction de chaque ion avec l'eau et comparer les constantes d'acidité et de basicité, en se reportant au tableau des valeurs à la fin de l'ouvrage.

$$F^-(aq) + H_2O(l) \rightleftharpoons \mathbf{OH^-}(aq) + HF(aq) \qquad K_b = 1{,}6 \times 10^{-11}$$

$$HONH_3^+ + H_2O(l) \rightleftharpoons \mathbf{H_3O^+}(aq) + HONH_2(aq) \qquad K_a = 1{,}2 \times 10^{-6}$$

Puisque la constante d'acidité, K_a, est plus élevée que la constante de basicité, K_b, le cation hydroxylammonium, $HONH_3^+$, s'hydrolyse davantage que l'anion fluorure, F^-.

- La solution de fluorure d'hydroxylammonium est donc **acide**.

EXERCICE 6.1

Déterminez si les sels suivants forment une solution acide, basique ou neutre lorsqu'ils sont dissous dans l'eau; justifiez vos réponses.

a) KCN b) NH_4I c) $CaCl_2$ d) NH_4CN e) NaF

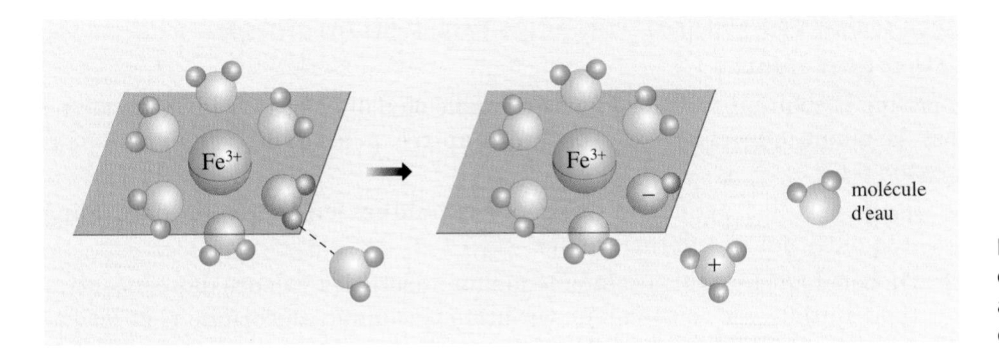

Figure 6.1 Configuration d'un ion fer(III) en solution aqueuse et sa dissociation dans l'eau.

Les sels de certains cations métalliques, notamment ceux de charge élevée et de faible rayon, comme Al^{3+} et Mg^{2+}, ainsi que ceux de certains cations des métaux de transition, s'hydrolysent en solution aqueuse. Ces ions se trouvent dans l'eau sous forme solvatée, c'est-à-dire entourés de plusieurs molécules d'eau dont l'une peut céder un ion hydrogène, H^+, à une molécule de solvant qui devient alors un ion hydronium, H_3O^+ (*figure 6.1*). La dissociation qui se produit est décrite par l'équation suivante.

$$Fe(H_2O)_6^{3+}(aq) + H_2O(l) \rightleftharpoons H_3O^+(aq) + [Fe(OH)(H_2O)_5]^{2+}(aq)$$

La constante d'acidité, K_a, de ces ions solvatés est du même ordre de grandeur que celle des acides faibles. Par exemple, la constante K_a de $Fe(H_2O)_6^{3+}$ est de $1,0 \times 10^{-3}$ et celle de $Al(H_2O)_6^{3+}$ est égale à $1,0 \times 10^{-5}$. Le tableau 6.1 donne les valeurs de la constante d'acidité de quelques cations en solution aqueuse à 25 °C.

On peut résumer les propriétés acido-basiques des sels dans les énoncés suivants.

Tableau 6.1 Valeurs de la constante d'acidité, K_a, de cations métalliques en solution aqueuse à 25 °C.

Formule du cation	K_a
$Al(H_2O)_6^{3+}$	$1,0 \times 10^{-5}$
$Cd(H_2O)_6^{2+}$	$1,0 \times 10^{-9}$
$Fe(H_2O)_6^{3+}$	$1,0 \times 10^{-3}$
$Ga(H_2O)_6^{3+}$	$2,4 \times 10^{-3}$
$Mg(H_2O)_6^{2+}$	$4,0 \times 10^{-12}$
$Zn(H_2O)_6^{2+}$	$1,1 \times 10^{-9}$

PROPRIÉTÉS ACIDO-BASIQUES DES SELS

- Les sels de bases fortes et d'acides forts, tels NaCl et KNO_3, ne s'hydrolysent pas; leurs solutions sont neutres (pH = 7 à 25 °C).
- Les sels de bases fortes et d'acides faibles, tels CH_3COONa et KNO_2, s'hydrolysent; leurs solutions sont basiques (pH > 7 à 25 °C), car leurs anions jouent le rôle d'une base.
- Les sels de bases faibles et d'acides forts, tels NH_4Cl et CH_3NH_3Cl, s'hydrolysent; leurs solutions sont acides (pH < 7 à 25 °C), car leurs cations jouent le rôle d'un acide.
- Les sels de certains cations métalliques, tels $FeCl_3$ et $Al(NO_3)_3$, s'hydrolysent; leurs solutions sont acides (pH < 7 à 25 °C), car leurs cations hydratés jouent le rôle d'un acide.
- Les sels de bases faibles et d'acides faibles, tel NH_4NO_2, s'hydrolysent; leurs solutions sont acides (pH < 7 à 25 °C) si le K_a du cation est supérieur au K_b de l'anion; elles sont basiques (pH > 7 à 25 °C) dans le cas contraire.

6.1.2 CALCUL DU pH DE SOLUTIONS DE SELS

Lorsqu'une solution aqueuse de sel ne comprend que l'anion d'un acide faible ou le cation d'une base faible, le calcul du pH se fait de la même façon que pour les acides ou les bases faibles. Le cation ou l'anion agissent en effet comme un acide ou une base, de sorte que, selon la valeur de la constante d'acidité ou de basicité par rapport à la concentration initiale du sel, on appliquera le calcul approximatif ou celui faisant appel à l'équation quadratique. Lorsque l'anion et le cation proviennent respectivement d'un acide faible et d'une base faible, le calcul est très simple, bien que les équilibres qui s'établissent soient plus complexes.

SELS FORMÉS DE L'ANION D'UN ACIDE FAIBLE OU DU CATION D'UNE BASE FAIBLE

Lorsque la solution est celle d'un acide faible ou d'une base faible, la démarche est la même que celle exposée au chapitre précédent (*revoir la sous-section 5.5.1*).

1° On repère les principales espèces chimiques en jeu et on détermine lesquelles ont un effet sur le pH.

2° On construit un tableau dans lequel on inscrit les valeurs des concentrations initiales, le sens de leur variation (inconnue algébrique x) et les valeurs des concentrations à l'équilibre.

3° On effectue le calcul à partir de l'expression de la constante d'acidité (ou de basicité), en appliquant l'une des deux méthodes selon la valeur du rapport c_a/K_a ou c_b/K_b.

▼ EXEMPLE 6.2

On désire calculer la concentration des ions hydronium, H_3O^+, et le pH d'une solution aqueuse contenant $2{,}0 \times 10^{-2}$ mol/L de chlorure de méthylammonium, CH_3NH_3Cl, à 25 °C.

1° On repère les principales espèces chimiques en solution et on détermine lesquelles peuvent avoir un effet sur le pH.

Le sel fournit l'anion d'un acide fort, Cl^-, et le cation d'une base faible, $CH_3NH_3^+$, qui s'hydrolyse.

$$CH_3NH_3Cl(s) + H_2O(l) \longrightarrow CH_3NH_3^+(aq) + Cl^-(aq)$$
$$CH_3NH_3^+(aq) + H_2O(l) \rightleftharpoons H_3O^+(aq) + CH_3NH_2(aq)$$

L'ion chlorure, Cl^-, ne réagissant pas avec l'eau, il n'intervient pas dans les calculs. De même, on ne tient pas compte de la dissociation de l'eau dont la constante est égale à $1{,}0 \times 10^{-14}$. On ne retient que la réaction de l'ion méthylammonium, $CH_3NH_3^+$, avec l'eau; la constante d'acidité est égale à $2{,}3 \times 10^{-11}$ (*voir le tableau des constantes d'acidité à la fin de l'ouvrage*).

2° On dresse le tableau des données concernant les concentrations et leurs variations.

Réaction	$CH_3NH_3^+(aq)$ +	$H_2O(l)$ $\rightleftharpoons$	$H_3O^+(aq)$	+ $CH_3NH_2(aq)$
$[\ ]_0$ (mol/L)	$2{,}0 \times 10^{-2}$		0	0
Variation	$-x$		$+x$	$+x$
[ ] (mol/L)	$2{,}0 \times 10^{-2} - x$		x	x

3° On calcule la concentration en appliquant l'expression de K_a et la méthode appropriée.

$$K_a = \frac{[CH_3NH_2][H_3O^+]}{[CH_3NH_3^+]} = 2{,}3 \times 10^{-11} \text{ et } \frac{c_{CH_3NH_3^+}}{K_a} = \frac{2{,}0 \times 10^{-2}}{2{,}3 \times 10^{-11}} = 8{,}7 \times 10^{8}$$

Puisque le rapport c_a/K_a est largement supérieur à 100, on peut utiliser le calcul approximatif, c'est-à-dire considérer que la concentration à l'équilibre du cation est approximativement égale à sa concentration initiale.

$$[CH_3NH_3^+] \approx [CH_3NH_3^+]_0 = 2{,}0 \times 10^{-2} \text{ mol/L} \qquad [CH_3NH_2] = [H_3O^+] = x$$

$$\Rightarrow K_a = \frac{[H_3O^+]^2}{[CH_3NH_3^+]} = \frac{x^2}{[CH_3NH_3^+]}$$

$$\Rightarrow x = \sqrt{K_a[CH_3NH_3^+]} = \sqrt{2{,}3 \times 10^{-11} \times 2{,}0 \times 10^{-2}}$$

$$\Rightarrow x = 6{,}8 \times 10^{-7} \text{ mol/L} = [H_3O^+]$$

4° On calcule le pH de la solution.

$$pH = -\log [H_3O^+] = -\log 6,8 \times 10^{-7} = 6,17$$

• La concentration des ions H_3O^+ est égale à **$6,8 \times 10^{-7}$ mol/L** et le pH vaut **6,17**.

EXERCICE 6.2

Calculez le pH d'une solution contenant 1,25 mol/L de fluorure de sodium, NaF.

SELS FORMÉS DE L'ANION D'UN ACIDE FAIBLE ET DU CATION D'UNE BASE FAIBLE

Lorsque la formule d'un sel contient l'anion d'un acide faible et le cation d'une base faible, il faut tenir compte de l'hydrolyse simultanée de l'anion et du cation. Par exemple, lors de la dissolution du cyanure d'ammonium, NH_4CN, les ions cyanure et ammonium s'hydrolysent.

$$NH_4^+(aq) + H_2O(l) \rightleftharpoons NH_3(aq) + H_3O^+(aq) \ (1) \qquad K_a = 5,6 \times 10^{-10}$$

$$CN^-(aq) + H_2O(l) \rightleftharpoons HCN(aq) + OH^-(aq) \ (2) \qquad K_b = 1,6 \times 10^{-5}$$

Cependant, on considérera généralement que la réaction entre les ions ammonium, NH_4^+, et les ions cyanure, CN^-, est plus importante que celles de l'hydrolyse respective de ces ions dans la formation d'ammoniac, NH_3, et d'acide cyanhydrique, HCN.

$$NH_4^+(aq) + CN^-(aq) \rightleftharpoons NH_3(aq) + HCN(aq) \qquad (3)$$

On pourra donc considérer, d'après la réaction 3, que la concentration de NH_4^+ est égale à celle de CN^- à l'équilibre, puisque, en se dissolvant, le sel forme le même nombre de cations et d'anions. De même, la concentration de NH_3 sera égale à celle de HCN.

$$[NH_4^+] = [CN^-] \quad \text{et} \quad [NH_3] = [HCN]$$

Or, l'expression de l'hydrolyse de l'ion NH_4^+ donne les relations suivantes.

$$K_{a(NH_4^+)} = \frac{[NH_3][H_3O^+]}{[NH_4^+]} \quad \text{ou} \quad \frac{K_{a(NH_4^+)}}{[H_3O^+]} = \frac{[NH_3]}{[NH_4^+]} \qquad (4)$$

En combinant l'expression de l'hydrolyse de l'ion CN^- avec la constante de dissociation de l'eau, K_e, dans la formule $K_a \times K_b = K_e$ (sous-section 5.3.1), on obtient les relations suivantes.

$$K_b = \frac{[HCN][OH^-]}{[CN^-]} \Rightarrow K_{a(HCN)} = K_e \times \frac{[CN^-]}{[HCN][OH^-]} \Rightarrow \frac{K_e}{K_{a(HCN)}[OH^-]} = \frac{[HCN]}{[CN^-]} \quad (5)$$

En remplaçant le terme $[NH_3]$ par [HCN] et le terme $[NH_4^+]$ par $[CN^-]$ dans la relation 4, on peut combiner cette nouvelle relation avec la relation 5, ce qui donne la relation 6.

$$\frac{K_{a(NH_4^+)}}{[H_3O^+]} = \frac{[HCN]}{[CN^-]} \ (4') \Rightarrow \frac{K_{a(NH_4^+)}}{[H_3O^+]} = \frac{K_e}{K_{a(HCN)}[OH^-]} \qquad (6)$$

Enfin, la relation 6 peut être reformulée sous une autre forme, puisque $[OH^-] = K_e/[H_3O^+]$.

$$\frac{K_{a(NH_4^+)}}{[H_3O^+]} = \frac{K_e}{K_{a(HCN)}} \times \frac{[H_3O^+]}{K_e} \Rightarrow [H_3O^+]^2 = K_{a(NH_4^+)} \times K_{a(HCN)}$$

$$\Rightarrow [H_3O^+] = \sqrt{K_{a(NH_4^+)} \times K_{a(HCN)}} \qquad (7)$$

Ainsi, la concentration de H_3O^+ sera la même, peu importe la concentration de la solution de cyanure d'ammonium, NH_4CN, que celle-ci soit 1,0 mol/L ou 0,1 mol/L.

$$[H_3O^+] = \sqrt{5,6 \times 10^{-10} \times 6,2 \times 10^{-10}} = 5,9 \times 10^{-10} \text{ mol/L}$$

$$pH = -\log[H_3O^+] = -\log 5,9 \times 10^{-10} = 9,23.$$

On observe que la solution est basique, car dans NH_4CN, le caractère basique de l'ion cyanure, CN^-, ($1,6 \times 10^{-5}$) est plus marqué que le caractère acide de l'ion ammonium, NH_4^+, ($5,6 \times 10^{-10}$).

On peut donc généraliser par la relation suivante, lors de la dissolution du sel provenant d'un acide faible, HA, et d'une base faible, B.

$$[H_3O^+] = \sqrt{K_{a(HA)} \times K_{a(BH)}} \tag{8}$$

EXERCICE 6.3

Calculez le pH des solutions des sels suivants :

a) Fluorure d'ammonium, NH_4F

b) Nitrite de pyridinium, $C_5H_5NNO_2$

La semelle caoutchoutée des chaussures de basket-ball sert de tampon pour amortir les chocs.

6.2 SOLUTION TAMPON

Au sens général, un tampon sert d'intermédiaire pour amortir les chocs. Certains États ont souvent joué le rôle de zones tampons dans des conflits. Récemment, le sens du terme s'est étendu au domaine de l'informatique : en stockant les données à imprimer, la mémoire tampon d'une imprimante permet à l'utilisateur de poursuivre son travail à l'ordinateur. En chimie, une solution tampon est une solution capable dans une certaine mesure d'absorber un choc chimique, acide ou basique. Ainsi, le maintien du pH sanguin, nous le verrons, est assuré par une solution tampon. Nous décrirons ici la nature, les caractéristiques et les limites d'un tampon chimique, puis nous expliquerons la manière de le préparer et déterminerons par calcul comment une solution tampon réagit à l'ajout d'une certaine quantité d'acides ou de bases.

6.2.1 NATURE D'UNE SOLUTION TAMPON

Une **solution tampon**, ou simplement un tampon, est une solution composée d'un couple acide/base conjuguée, soit un acide faible (ou une base faible) et le sel de l'acide faible conjugué (ou de la base faible conjuguée) dont les concentrations molaires volumiques sont dans un rapport variant de 0,1 à 10; au-delà des limites de ce rapport, la solution tampon perd son efficacité. Par exemple, une solution formée d'acide fluorhydrique, HF, et de fluorure de sodium, NaF, peut jouer le rôle d'un tampon; il en va de même pour une solution aqueuse composée de chlorure d'ammonium, NH_4Cl, et d'ammoniac, NH_3.

Solution tampon : solution formée d'un acide faible (ou d'une base faible) et du sel de l'acide faible (ou de la base faible), et capable de résister à l'ajout de petites quantités d'acides ou de bases.

Effet d'ion commun : conséquence qu'a sur la position d'équilibre l'ajout d'un ion qui participe déjà à une réaction d'équilibre.

$HF(aq)/NaF(aq)$	$NH_3(aq)/NH_4Cl(aq)$
acide faible/sel de l'acide faible	**base faible/sel de la base faible**

Une solution tampon est capable de résister à l'addition de faibles quantités d'ions H_3O^+ ou OH^- sans que le pH soit considérablement modifié. Cette particularité est directement liée aux lois de l'équilibre chimique auxquelles sont soumises les espèces chimiques en présence et à ce qu'on appelle **effet d'ion commun**.

Pour préciser la nature de cet effet, examinons les conséquences de l'ajout d'un acide fort comme l'acide chlorhydrique, $HCl(aq)$, à une solution d'un acide faible, l'acide fluorhydrique, $HF(aq)$ (*revoir aussi la sous-section 5.5.2*).

$$HCl(aq) + H_2O(l) \longrightarrow \mathbf{H_3O^+}(aq) + Cl^-(aq)$$
$$HF(aq) + H_2O(l) \rightleftharpoons \mathbf{H_3O^+}(aq) + F^-(aq)$$

Selon le principe de Le Chatelier, l'addition de H_3O^+, un des ions communs de l'acide faible, déplace l'équilibre de l'ionisation de cet acide vers la gauche, ce qui entraîne une diminution de la concentration de l'ion fluorure, F^-. La flèche en gras orientée vers la gauche met en évidence ce déplacement d'équilibre dans l'équation. De manière analogue, la dissociation d'une base faible comme NH_3 est réduite (déplacement de l'équilibre vers la gauche) quand on y ajoute une base forte comme l'hydroxyde de sodium, NaOH; l'ion OH^- est en effet un ion commun de la base faible.

$$NaOH(aq) \longrightarrow \mathbf{OH^-}(aq) + Na^+(aq)$$
$$NH_3(aq) + H_2O(l) \rightleftarrows \mathbf{OH^-}(aq) + NH_4^+(aq)$$

L'ajout de sel aura la même conséquence sur les équilibres précédents. En effet, l'addition de fluorure de sodium, NaF, à une solution d'acide fluorhydrique déplace aussi l'équilibre vers la gauche, puisque le sel renferme un des ions communs, l'ion F^-.

$$NaF(aq) \longrightarrow Na^+(aq) + \mathbf{F^-}(aq)$$
$$HF(aq) + H_2O(l) \rightleftarrows H_3O^+(aq) + \mathbf{F^-}(aq)$$

EXERCICE 6.4

Prédisez l'effet de l'ajout des espèces chimiques suivantes sur la dissociation de la base faible ou de l'acide faible correspondant; justifiez votre réponse.

a) Addition de $KOH(s)$ à une solution aqueuse de $C_6H_5NH_2$

b) Addition de $C_6H_5NH_3Cl(aq)$ à une solution aqueuse de $C_6H_5NH_2$

c) Addition de $NaNO_2(s)$ à une solution aqueuse de HNO_2

d) Addition de $NaCl(s)$ à une solution aqueuse de HNO_2

6.2.2 pH ET CAPACITÉ D'UNE SOLUTION TAMPON

Il est facile de calculer la concentration des ions hydronium, H_3O^+, d'une solution tampon en utilisant l'expression de la constante d'acidité. Cependant, il est parfois plus pratique de faire appel à l'équation qui en découle, désignée équation de Henderson-Hasselbalch, à partir de laquelle on peut estimer la capacité de la solution tampon et déterminer la façon de la préparer.

CONCENTRATION DES IONS H_3O^+ ET pH D'UNE SOLUTION TAMPON

Les équilibres suivants sont mis en jeu dans une solution tampon formée d'un mélange équimoléculaire d'un acide faible, HA, et de sa base conjuguée, A^-, dont les concentrations sont de 1,0 mol/L.

$$\mathbf{HA}(aq) + H_2O(l) \rightleftharpoons H_3O^+(aq) + A^-(aq) \qquad (9)$$
$$\mathbf{A^-}(aq) + H_2O(l) \rightleftharpoons OH^-(aq) + HA(aq) \qquad (10)$$
$$2H_2O(l) \rightleftharpoons H_3O^+(aq) + OH^-(aq) \qquad (11)$$

Les solutions de nettoyage des verres de contact sont des solutions tampons.

Dans l'équilibre de l'équation 9, l'espèce prédominante est $HA(aq)$, et dans celui de l'équation 10, c'est $A^-(aq)$ qui prédomine. On néglige la contribution des ions H_3O^+ et OH^- provenant de l'eau (équation 11). La présence d'une grande quantité de A^-, par l'intermédiaire du sel, a pour effet de déplacer l'équilibre de l'équation 9 vers la gauche (diminution de la dissociation de HA). De même, la présence d'une grande quantité de HA déplace l'équilibre de la réaction 10 vers la gauche. Ainsi, globalement, on peut considérer que les concentrations de l'acide faible et de sa base conjuguée à l'équilibre sont sensiblement égales à leur concentration initiale.

$$[HA] \approx [HA]_0 \qquad [A^-] \approx [A^-]_0$$

On peut donc calculer la concentration des ions H_3O^+ d'une solution tampon à l'aide de l'expression de la constante d'acidité de l'acide faible.

$$HA(aq) \rightleftharpoons H_3O^+(aq) + A^-(aq)$$

$$K_a = \frac{[H_3O^+][A^-]}{[HA]} \Rightarrow [H_3O^+] = K_a \times \frac{[HA]}{[A^-]}$$

Rappelons que, dans les calculs, on se sert des approximations suivantes.

- La concentration de HA à l'équilibre est considérée comme égale à sa concentration initiale.
- La concentration de A^- à l'équilibre est considérée comme égale à la concentration initiale du sel, MA (M étant le métal).

Par exemple, dans une solution tampon composée d'acide fluorhydrique, HF, dont la concentration est de 0,100 mol/L, et de fluorure de sodium, NaF, dont la concentration est de 0,200 mol/L, on calculera la concentration des ions H_3O^+ à partir de l'expression de la constante d'acidité en tenant pour acquis que :

$$[HF] = 0{,}100 \text{ mol/L} \quad \text{et} \quad [F^-] = 0{,}200 \text{ mol/L}$$

La démarche est similaire lorsque la solution tampon est constituée d'une base faible et du sel de cette base. Dans ce cas, il faut se servir de la constante de basicité de la base faible, K_b, pour calculer la valeur de la concentration des ions hydroxyde, OH^-, de laquelle on déduit celle de H_3O^+. Ainsi, pour un tampon composé de chlorure d'ammonium, NH_4Cl, et d'ammoniac, NH_3, on aura les équilibres suivants après la dissolution du sel.

$$NH_4Cl(s) + H_2O(l) \longrightarrow NH_4^+(aq) + Cl^-(aq)$$

$$\mathbf{NH_3}(aq) + H_2O(l) \rightleftharpoons OH^-(aq) + NH_4^+(aq)$$

$$\mathbf{NH_4^+}(aq) + H_2O(l) \rightleftharpoons H_3O^+(aq) + NH_3(aq)$$

$$K_b = \frac{[NH_4^+][OH^-]}{[NH_3]} \Rightarrow [OH^-] = K_b \times \frac{[NH_3]}{[NH_4^+]} \quad \text{et} \quad [H_3O^+] = \frac{K_e}{[OH^-]}$$

Le calcul de la concentration des ions H_3O^+ d'une solution tampon est donc très simple.

1° On utilise les valeurs des concentrations initiales de l'acide faible (ou de sa base faible) et de sa base conjuguée (ou de son acide conjugué), la dissociation étant très faible en raison de la présence d'ions communs.

2° On applique l'expression de la constante d'acidité ou de basicité, selon le cas. Si le tampon est constitué d'une base faible et de son acide conjugué, on obtient la valeur de la concentration des ions OH^-; il faut alors utiliser l'expression de la constante de dissociation de l'eau, K_e, pour déterminer la concentration des ions H_3O^+. On peut aussi utiliser l'équation exprimant la constante d'acidité, K_a, car il y a toujours un acide et une base faibles dans un tampon.

▼ EXEMPLE 6.3

On veut calculer la concentration des ions H_3O^+ et le pH d'une solution tampon dont la concentration en acide acétique, CH_3COOH, est de 0,20 mol/L et celle en acétate de sodium, CH_3COONa, est de 0,30 mol/L.

1° On exprime les équations de dissociation.

$$\mathbf{CH_3COOH}(aq) + H_2O(l) \rightleftharpoons H_3O^+(aq) + CH_3COO^-(aq) \qquad \textbf{acide faible}$$

$$CH_3COONa(aq) \longrightarrow \mathbf{CH_3COO^-}(aq) + Na^+(aq)$$

$$\mathbf{CH_3COO^-}(aq) + H_2O(l) \rightleftharpoons OH^-(aq) + CH_3COOH(aq) \qquad \textbf{base faible conjuguée}$$

On remarque que les espèces chimiques dominantes nécessaires au tampon sont CH_3COOH et CH_3COO^-.

2° On repère les données nécessaires aux calculs.

$$[CH_3COOH] \approx [CH_3COOH]_0 = 0{,}20 \text{ mol/L}$$

$$[CH_3COO^-] \approx [CH_3COO^-]_0 = 0{,}30 \text{ mol/L}$$

Rappelons que la concentration de CH_3COO^- provenant de la dissociation de l'acide est négligeable par rapport à celle provenant de la dissolution du sel, CH_3COONa.

3° On applique la relation exprimant la constante d'acidité.

$$K_a = \frac{[H_3O^+][CH_3COO^-]}{[CH_3COOH]} \Rightarrow [H_3O^+] = K_a \times \frac{[CH_3COOH]}{[CH_3COO^-]}$$

$$[H_3O^+] = 1{,}8 \times 10^{-5} \times \frac{0{,}20}{0{,}30} = 1{,}2 \times 10^{-5}\ \text{mol/L}$$

4° On calcule le pH de la solution.

$$\text{pH} = -\log [H_3O^+] = -\log 1{,}2 \times 10^{-5} = 4{,}92$$

- La concentration des ions H_3O^+ est de **$1{,}2 \times 10^{-5}$ mol/L**, et le pH de la solution est de **4,92**.

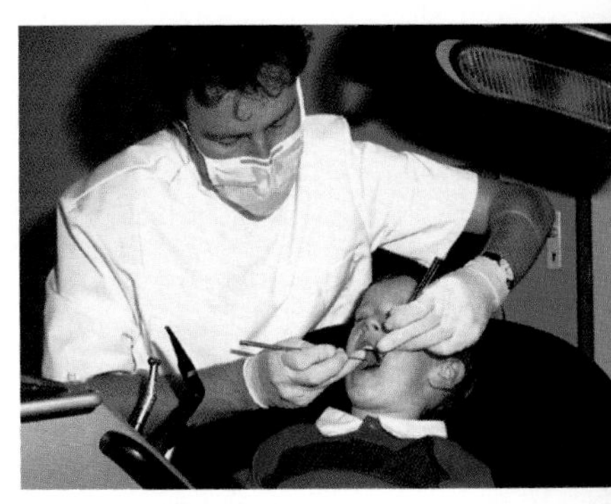

L'acide phosphorique sert à préparer la surface de la dent pour une meilleure adhérence du matériau composite (sans mercure).

EXERCICE 6.5

Calculez la concentration des ions H_3O^+ et le pH d'une solution tampon constituée des substances suivantes :

a) Solution contenant 0,25 mol/L d'acide phosphorique, H_3PO_4, et 0,15 mol/L de dihydrogénophosphate de sodium, NaH_2PO_4.

b) Solution contenant 0,40 mol/L d'ammoniac, NH_3, et 0,50 mol/L de chlorure d'ammonium, NH_4Cl.

ÉQUATION DE HENDERSON-HASSELBALCH

Il est souvent plus pratique d'utiliser sous sa forme logarithmique l'équation qui permet de calculer la concentration des ions H_3O^+ à partir de l'expression de la constante d'acidité. En fait, on l'exprime en fonction du logarithme négatif, ce qui conduit à y insérer les termes pH et pK_a. La nouvelle relation prend alors le nom d'équation de Henderson-Hasselbalch.

$$[H_3O^+] = K_a \times \frac{[HA]}{[A^-]} \Rightarrow K_a = [H_3O^+] \times \frac{[A^-]}{[HA]}$$

$$\Rightarrow -\log K_a = -\log [H_3O^+] - \log \frac{[A^-]}{[HA]} \Rightarrow \text{p}K_a = \text{pH} - \log \frac{[A^-]}{[HA]}$$

Équation de Henderson-Hasselbalch $\quad \text{pH} = \text{p}K_a + \log \frac{[A^-]}{[HA]}$ (12)

En appliquant l'équation de Henderson-Hasselbalch aux données de l'exemple 6.3, on obtient directement la valeur du pH.

$\text{p}K_a = 4{,}74 \quad [CH_3COOH] = 0{,}20\ \text{mol/L} \quad [CH_3COO^-] = 0{,}30\ \text{mol/L}$

$$\text{pH} = 4{,}74 + \log \frac{0{,}30}{0{,}20} \Rightarrow \text{pH} = 4{,}74 + 0{,}18 = 4{,}92$$

Pour les solutions composées d'une base faible et d'un sel de cette base, l'équation prend la forme suivante.

$$K_b = [OH^-] \times \frac{[BH^+]}{[B]} \Rightarrow \text{pOH} = \text{p}K_b + \log \frac{[BH^+]}{[B]} \quad (13)$$

L'équation de Henderson-Hasselbalch (équation 12 ou 13) s'applique toutes les fois que les concentrations initiales peuvent être substituées aux concentrations à l'équilibre de la solution tampon. On peut donc l'utiliser dans la plupart des cas, car le plus souvent, le rapport c_a/K_a est supérieur à 100. Elle n'est donc pas utilisable dans les rares cas où ce rapport est inférieur à 100, qui implique le recours à l'équation quadratique pour les calculs.

CAPACITÉ D'UNE SOLUTION TAMPON

La capacité ou le **pouvoir tampon** d'une solution correspond à la quantité maximale d'acide ou de base qu'il est possible d'y ajouter avant qu'elle ne cesse

Pouvoir tampon : quantité maximale d'un acide ou d'une base pouvant être ajoutée à une solution tampon avant qu'elle ne perde sa capacité de maintenir le pH.

de résister à la variation de pH. Cette perte de pouvoir tampon survient lorsqu'une grande quantité d'acide faible a été transformée en sa base conjuguée (la source d'acide faible est alors épuisée) ou lorsqu'une grande quantité de base a été transformée en son acide conjugué (la source de base faible est alors épuisée). Par exemple, lorsqu'une base forte est ajoutée au tampon HA/A$^-$, les ions hydroxyde, OH^-, de la base se combinent aussitôt avec les ions H_3O^+ de l'acide faible, ce qui entraîne le déplacement de l'équilibre de la dissociation de l'acide faible vers la droite, jusqu'au point où la quantité d'acide est épuisée. Il s'agit par conséquent d'une neutralisation acido-basique dans laquelle intervient la constante de dissociation de l'eau ($K_e = 1,0 \times 10^{-14}$).

$$HA(aq) + H_2O(l) \rightleftharpoons \mathbf{H_3O^+}(aq) + A^-(aq)$$

$$+$$

$$OH^-(aq) \rightleftharpoons 2H_2O(l)$$

provenant
de la base forte

En fait, deux conditions sont habituellement nécessaires au maintien de la capacité d'une solution tampon.

1. Le rapport [base conjuguée]/[acide] doit être compris entre 0,1 et 10.

$$0,1 < \frac{[A^-]}{[HA]} < 10$$

2. La concentration molaire volumique de chaque composant doit dépasser la valeur de K_a par un facteur d'au moins 100.

Dans les solutions qui réunissent ces conditions, le rapport $[A^-]/[HA]$ est le plus souvent égal à 1 ou proche de 1, et les concentrations molaires volumiques sont rarement inférieures à 0,10 mol/L.

PRÉPARATION DE SOLUTIONS TAMPONS

L'équation de Henderson-Hasselbalch suggère deux possibilités pour préparer une solution tampon. La première, simple mais peu pratique, consiste à rechercher un acide dont le pK_a (ou le pK_b) correspond au pH désiré et à utiliser des quantités équimoléculaires d'acides faibles (ou de bases faibles) et du sel de l'acide faible (ou de la base faible). Par exemple, pour préparer une solution tampon ayant un pH de 4,0, il suffit de rechercher un acide dont le pK_a est égal à 4,0; cependant, cet acide n'est pas nécessairement accessible et bon marché.

$$pH = pK_a + \log \frac{[A^-]}{[HA]} = 4,0 + \log 1 = 4,0$$

La façon la plus commode de procéder consiste à choisir un acide courant dont le pK_a est proche de la valeur de pH recherchée et de calculer le rapport approprié $[A^-]/[HA]$.

▼ EXEMPLE 6.4

On veut préparer une solution tampon dont le pH est de 5,09 à partir d'acide acétique, CH_3COOH, et d'acétate de sodium, CH_3COONa. Le pK_a de l'acide acétique est de 4,74. Voyons comment calculer le rapport $[CH_3COO^-]/[CH_3COOH]$ pour obtenir cette valeur de pH.

On peut calculer le rapport à partir de l'équation de Henderson-Hasselbalch.

$$pH = pK_a + \log \frac{[CH_3COO^-]}{[CH_3COOH]} \Rightarrow \log \frac{[CH_3COO^-]}{[CH_3COOH]} = pH - pK_a$$

$$\log \frac{[CH_3COO^-]}{[CH_3COOH]} = 5,09 - 4,74 = 0,35 \Rightarrow \frac{[CH_3COO^-]}{[CH_3COOH]} = 10^{0,35} = 2,2$$

On peut aussi utiliser l'expression de la constante d'équilibre et la valeur de la concentration de H_3O^+.

$$[H_3O^+] = 10^{-5,09} \Rightarrow [H_3O^+] = 8,1 \times 10^{-6} \text{ mol/L}$$

$$K_a = 10^{-4,74} \Rightarrow K_a = 1,8 \times 10^{-5}$$

$$K_a = \frac{[H_3O^+][CH_3COO^-]}{[CH_3COOH]} \Rightarrow \frac{[CH_3COO^-]}{[CH_3COOH]} = \frac{K_a}{[H_3O^+]} = \frac{1,8 \times 10^{-5}}{8,1 \times 10^{-6}} = 2,2$$

- Quelle que soit la méthode de calcul utilisée, le rapport entre la concentration de l'acétate de sodium et l'acide acétique est égal à **2,2.**

EXERCICE 6.6

On veut préparer une solution tampon composée d'ammoniac, NH_3, et de chlorure d'ammonium, NH_4Cl. Calculez le rapport $[NH_4Cl]/[NH_3]$ qui donnera une valeur de pH de 9,75.

6.2.3 VARIATION DU pH D'UNE SOLUTION TAMPON

Une solution tampon est capable de réagir, dans une certaine mesure, à l'ajout d'un acide fort ou d'une base forte. En effet, les ions H_3O^+ provenant de l'acide fort se combinent aussitôt avec des ions OH^- qui se trouvent dans la solution tampon, ce qui rétablit l'équilibre. Il en va de même pour les ions OH^- provenant d'une base forte qui se combinent avec les ions H_3O^+ de la solution tampon. Un raisonnement similaire s'applique à une solution tampon formée d'une base faible et du cation de la base faible.

ADDITION DE H_3O^+ À UNE SOLUTION TAMPON ACIDE FAIBLE/ANION D'ACIDE FAIBLE

Il existe plusieurs façons de procéder pour résoudre les problèmes présentés dans cette section. Certaines consistent à analyser systématiquement toutes les espèces présentes en solution et à déterminer lesquelles prendre en compte dans les calculs. La méthode proposée ici est fondée sur la réaction de neutralisation entre H_3O^+ et OH^- par suite de l'addition d'un acide fort ou d'une base forte; l'analyse de ses effets sur les autres équilibres permet de prédire ce qui surviendra et de déterminer les calculs à effectuer.

Pour expliquer quantitativement la réaction d'une solution tampon à l'ajout d'un acide ou d'une base, il faut tenir compte des deux équilibres suivants qui interagissent : celui de la dissociation de l'acide faible et celui de l'hydrolyse de l'anion provenant du sel. Prenons par exemple la solution tampon CH_3COOH/CH_3COO^-.

$$CH_3COOH(aq) + H_2O(l) \rightleftharpoons H_3O^+(aq) + CH_3COO^-(aq) \quad (14) \qquad K_a = 1,8 \times 10^{-5}$$

$$CH_3COO^-(aq) + H_2O(l) \rightleftharpoons OH^-(aq) + CH_3COOH(aq) \quad (15) \qquad K_b = 5,5 \times 10^{-10}$$

Voyons ce qui se passe si on ajoute 0,010 mol de H_3O^+ provenant d'un acide fort. Les ions H_3O^+ se combinent avec les ions OH^- pour former de l'eau. Selon le principe de Le Chatelier, l'équilibre de la réaction 15 se déplace vers la droite. Par conséquent,

– la concentration de CH_3COO^- diminue;

– la concentration de CH_3COOH augmente.

$$CH_3COOH(aq) + H_2O(l) \rightleftharpoons H_3O^+(aq) + CH_3COO^-(aq)$$

$$\underset{\text{diminution}}{CH_3COO^-(aq)} + H_2O(l) \rightleftharpoons OH^-(aq) + \underset{\text{augmentation}}{CH_3COOH(aq)}$$

$$+$$

$$\mathbf{H_3O^+}(aq) \rightleftharpoons 2H_2O(l)$$

On effectue donc les calculs en considérant les points suivants :

– la concentration de CH_3COO^- diminue d'une quantité égale à celle de H_3O^+ ajoutée;

$$[CH_3COO^-] = [CH_3COO^-]_{tampon} - [H_3O^+]_{ac.\ fort}$$

– la concentration de CH_3COOH augmente d'une quantité égale à celle de H_3O^+ ajoutée.

$$[CH_3COOH] = [CH_3COOH]_{tampon} + [H_3O^+]_{ac.\ fort}$$

En appliquant cette démarche de façon systématique et en tenant compte de la dilution qui se produit lorsqu'un certain volume d'un acide fort est ajouté, on pourra évaluer l'effet de l'ajout de H_3O^+ sur le pH de la solution tampon. Le calcul s'effectue à l'aide de l'équation de Henderson-Hasselbalch.

▼ EXEMPLE 6.5

Voyons comment calculer le pH d'une solution tampon de 1,00 L formée de 0,100 mol/L de CH_3COOH et de 0,100 mol/L de CH_3COONa à laquelle est ajoutée 0,010 mol de HCl(*g*). On négligera la très faible variation de volume de la solution à la suite de cette addition.

1° On calcule les concentrations de CH_3COOH et de CH_3COO^- après l'ajout de HCl.

$$[CH_3COOH] = [CH_3COOH]_{tampon} + [H_3O^+]_{ac.\ fort} = 0{,}100 + 0{,}010 = 0{,}110 \text{ mol/L}$$

$$[CH_3COO^-] = [CH_3COO^-]_{tampon} - [H_3O^+]_{ac.\ fort} = 0{,}100 - 0{,}010 = 0{,}090 \text{ mol/L}$$

2° On applique l'équation de Henderson-Hasselbalch pour obtenir la valeur du pH.

$$\text{pH} = \text{p}K_a + \log \frac{[CH_3COO^-]}{[CH_3COOH]} = 4{,}74 + \log \frac{0{,}090}{0{,}110} = 4{,}74 - 0{,}087 = 4{,}65$$

- Le pH de la solution est égal à **4,65**. Dans la solution originale, il était de 4,74, car, lorsque les concentrations du sel et de l'acide sont égales, le pH est égal au pK_a selon l'équation de Henderson-Hasselbalch.

L'exemple 6.5 montre que le pH a peu varié, passant de 4,74 à 4,65. Si la même quantité d'acide avait été ajoutée à 1,0 L d'eau, le pH serait passé de 7,0 (solution neutre) à 2,0.

$$\text{pH} = -\log [H_3O^+] = -\log 1{,}0 \times 10^{-2} = 2{,}00$$

EXERCICE 6.7

Une solution tampon de 1,0 L contient 0,35 mol de formiate de sodium, HCOONa, et 0,55 mol d'acide formique, HCOOH.

a) Calculez le pH de cette solution.

b) Calculez le pH de cette solution après l'ajout de 0,015 mol de chlorure d'hydrogène, HCl(*g*).

ADDITION DE OH^- À UNE SOLUTION TAMPON ACIDE FAIBLE/ANION D'ACIDE FAIBLE

Une démarche similaire à la précédente s'applique lorsqu'une base forte est ajoutée à une solution tampon. Les ions OH^- se combinent évidemment avec les ions H_3O^+, mais cette fois c'est l'équilibre de la dissociation de l'acide faible (équation 14) qui est perturbé et qui se déplace vers la droite. Par conséquent, dans la solution tampon CH_3COOH/CH_3COO^- de notre exemple,

– la concentration de CH_3COOH diminue;

– la concentration de CH_3COO^- augmente.

$$CH_3COO^-(aq) + H_2O(l) \rightleftharpoons OH^-(aq) + CH_3COOH(aq)$$

$$\underset{\text{diminution}}{CH_3COOH(aq)} + H_2O(l) \rightleftharpoons H_3O^+(aq) + \underset{\text{augmentation}}{CH_3COO^-(aq)}$$

$$H_3O^+(aq) + \mathbf{OH^-}(aq) \rightleftharpoons 2H_2O(l)$$

Cette fois, on effectue les calculs en considérant les points suivants :

- la concentration de CH_3COOH diminue d'une quantité égale à celle de OH^- ajoutée;

$$[CH_3COOH] = [CH_3COOH]_{\text{tampon}} - [OH^-]_{\text{base forte}}$$

- la concentration de CH_3COO^- augmente d'une quantité égale à celle de OH^- ajoutée.

$$[CH_3COO^-] = [CH_3COO^-]_{\text{tampon}} + [OH^-]_{\text{base forte}}$$

Un élément de difficulté supplémentaire doit être pris en compte si la base (ou l'acide) ajoutée est en solution : la dilution. Avant d'appliquer la démarche proposée dans ce cas, il faut calculer les nouvelles concentrations résultant de la dilution.

▼ EXEMPLE 6.6

Une solution tampon de 1,00 L contient 0,35 mol d'acide formique, HCOOH, et 0,55 mol de formiate de sodium, HCOONa. On y ajoute 0,100 L d'une solution contenant 0,50 mol/L d'hydroxyde de potassium, KOH. On veut connaître la variation de pH.

1° On calcule le pH de la solution tampon originale.

Le pK_a de l'acide formique est de 3,75. Appliquons l'équation de Henderson-Hasselbalch.

$$pH = pK_a + \log\frac{[HCOO^-]}{[HCOOH]} = 3{,}75 + \log\frac{0{,}55}{0{,}35} = 3{,}75 + 0{,}20 = \mathbf{3{,}95}$$

2° On calcule les concentrations de HCOOH, $HCOO^-$ (HCOONa) et OH^- avant la réaction de neutralisation partielle, c'est-à-dire en tenant compte de la dilution.

Puisque le volume total passe de 1,00 L à 1,10 L, toutes les concentrations des espèces chimiques diminuent du rapport 1,00/1,10.

$$[HCOOH]_0 = 0{,}35 \text{ mol/L} \times \frac{1{,}00 \text{ L}}{1{,}10 \text{ L}} = 0{,}32 \text{ mol/L}$$

$$[HCOO^-]_0 = 0{,}55 \text{ mol/L} \times \frac{1{,}00 \text{ L}}{1{,}10 \text{ L}} = 0{,}50 \text{ mol/L}$$

$$\text{mol de } OH^- \text{ ajoutée} = 0{,}50 \text{ mol/L} \times 0{,}100 \text{ L} = 0{,}050 \text{ mol } OH^-$$

$$[OH^-]_0 \text{ ajouté} = \frac{0{,}050 \text{ mol}}{1{,}1 \text{ L}} = 0{,}045 \text{ mol/L}$$

3° On calcule les nouvelles concentrations de HCOOH et de $HCOO^-$ en tenant compte de la réaction de OH^- avec le tampon.

$$[HCOOH] = [HCOOH]_{\text{tampon}} - [OH^-]_{\text{base forte}} = 0{,}32 - 0{,}045 = 0{,}28 \text{ mol/L}$$

$$[HCOO^-] = [HCOO^-]_{\text{tampon}} + [OH^-]_{\text{base forte}} = 0{,}50 + 0{,}045 = 0{,}55 \text{ mol/L}$$

4° On calcule le pH en appliquant l'équation de Henderson-Hasselbalch.

$$pH = pK_a + \log\frac{[HCOO^-]}{[HCOOH]} = 3{,}75 + \log\frac{0{,}55}{0{,}28} = 3{,}75 + 0{,}29 = \mathbf{4{,}04}$$

5° On calcule la variation de pH.

$$4{,}04 - 3{,}95 = 0{,}09$$

- Le pH a donc augmenté de **0,09**.

L'acide formique a d'abord été isolé par la distillation de fourmis, celles-ci en produisant pour se défendre.

Encore une fois, on notera que le pH a peu varié comparativement à ce qui se serait produit si on avait ajouté le même volume de base à un litre d'eau; en effet, le pH serait alors passé de 7 à 12,65.

$$[OH^-] = 0{,}045 \text{ mol/L} \Rightarrow pOH = 1{,}35 \Rightarrow pH = 12{,}65$$

ADDITION DE H_3O^+ OU DE OH^- À UNE SOLUTION TAMPON BASE FAIBLE/ANION DE BASE FAIBLE

On suit une démarche similaire lorsqu'on ajoute des acides forts ou des bases fortes à une solution tampon composée d'une base faible et du sel de la base faible. Il faut effectuer les calculs en déterminant le sens du déplacement de l'équilibre de l'une des réactions mises en jeu, comme le montre l'exemple de l'ammoniac, NH_3, et d'un sel de cette base, le chlorure d'ammonium, NH_4Cl.

solution tampon

$$\mathbf{H_3O^+}(aq) \rightleftharpoons 2H_2O(l)$$
$$+$$
$$\underset{\text{diminution}}{NH_3(aq) + H_2O(l)} \rightleftharpoons OH^-(aq) + \underset{\text{augmentation}}{NH_4^+(aq)}$$

$$\underset{\text{diminution}}{NH_4^+(aq) + H_2O(l)} \rightleftharpoons H_3O^+(aq) + \underset{\text{augmentation}}{NH_3(aq)}$$
$$+$$
$$\mathbf{OH^-}(aq) \rightleftharpoons 2H_2O(l)$$

Ici encore, après avoir calculé les nouvelles concentrations de la base et du sel de celle-ci dans le tampon, on se sert de l'équation de Henderson-Hasselbalch (équation 13) pour calculer le pOH, puis le pH.

$$pOH = pK_b + \log \frac{[NH_4^+]}{[NH_3]}$$

EXERCICE 6.8

Une solution tampon est constituée de 0,45 mol/L d'ammoniac, NH_3, et de 0,60 mol/L de chlorure d'ammonium, NH_4Cl. Calculez :

a) le pH de la solution tampon;
b) le pH après l'ajout de 0,050 mol de H_3O^+ à 1,0 L de cette solution;
c) le pH après l'ajout de 0,050 mol de OH^- à 1,0 L de cette solution;
d) le pH après l'ajout de 50,0 mL de solution 0,200 mol/L d'hydroxyde de sodium, NaOH, à 300,0 mL de solution tampon;
e) le pH après l'ajout de 10,7 g de chlorure d'ammonium, NH_4Cl, à 500,0 mL de la solution tampon.

6.2.4 LIMITES D'UNE SOLUTION TAMPON

Nous avons mentionné au début de cette section qu'une solution tampon conserve son pouvoir à la condition que le rapport des concentrations base conjuguée/acide ou acide/base conjuguée soit compris entre 0,1 et 10.

$$0{,}1 < \frac{[A^-]}{[HA]} < 10 \quad \text{ou} \quad 0{,}1 < \frac{[BH^+]}{[B]} < 10$$

Lorsque le rapport dépasse ces limites, les réserves en acide ou en base sont vite épuisées et le tampon ne peut plus résister soit à l'addition d'un acide fort, soit à celle d'une base forte. Dans ce cas, on ne peut plus appliquer l'équation de Henderson-Hasselbalch pour calculer la concentration des ions H_3O^+; on se sert alors de la méthode décrite au chapitre précédent pour les acides faibles ou les bases faibles et, éventuellement, de l'équation quadratique.

En recherche biomédicale, l'utilisation de solutions tampons est essentielle.

▼ EXEMPLE 6.7

Une solution de 1,0 L contient $5{,}00 \times 10^{-2}$ mol d'acide formique, HCOOH, et 5,1 mol $\times 10^{-2}$ mol de formiate de sodium, HCOONa. On ajoute $5{,}00 \times 10^{-2}$ mol d'un acide fort, HCl(*aq*). On désire savoir :

a) si la solution initiale est une solution tampon et quel est son pH;

b) si la solution demeure un tampon après l'addition de l'acide chlorhydrique;

c) quel est le pH de la solution finale.

a) Nature de la solution initiale

1° Pour déterminer si la solution initiale constitue un tampon efficace, il suffit de calculer le rapport $[HCOOH]/[HCOO^-]$. Le rapport des concentrations doit être inférieur à 10 et supérieur à 0,1.

$$\frac{[HCOOH]}{[HCOO^-]} = \frac{5{,}0 \times 10^{-2}\ \text{mol/L}}{5{,}1 \times 10^{-2}\ \text{mol/L}} = 0{,}98$$

Il s'agit donc d'une solution tampon puisque le rapport des concentrations est de 0,98.

2° On calcule le pH de la solution.

$$pH = pK_a + \log \frac{[HCOO^-]}{[HCOOH]} = 3{,}75 + \log \frac{5{,}0 \times 10^{-2}\ \text{mol/L}}{5{,}1 \times 10^{-2}\ \text{mol/L}} = 3{,}74$$

- Le pH de cette solution tampon est égal à **3,74**.

b) Nature de la solution après l'addition de 5,00 × 10⁻² mol d'acide chlorhydrique

1° On détermine quels sont les équilibres en jeu.

$$HCOOH(aq) + H_2O(l) \rightleftharpoons H_3O^+(aq) + HCOO^-(aq)$$

$$\underset{\text{diminution}}{HCOO^- + H_2O(l)} \rightleftarrows OH^-(aq) + \underset{\text{augmentation}}{HCOOH(aq)}$$

$$OH^-(aq) + \mathbf{H_3O^+}(aq) \rightleftharpoons 2H_2O(l)$$

L'addition de H_3O^+ a pour effet d'augmenter la concentration de HCOOH et de diminuer celle de $HCOO^-$.

2° On calcule les concentrations respectives de HCOOH et de $HCOO^-$.

$$[HCOOH] = [HCOOH]_{tampon} + [H_3O^+]_{ac.\ fort} = 5{,}0 \times 10^{-2} + 5{,}0 \times 10^{-2} = 1{,}0 \times 10^{-1}\ \text{mol}$$

$$[HCOO^-] = [HCOO^-]_{tampon} + [H_3O^+]_{ac.\ fort} = 5{,}1 \times 10^{-2} - 5{,}0 \times 10^{-2} = 1{,}0 \times 10^{-3}\ \text{mol}$$

3° On détermine si la solution forme un tampon d'après le rapport des concentrations de l'acide faible et de sa base conjuguée.

$$\frac{[HCOO^-]}{[HCOOH]} = \frac{1{,}0 \times 10^{-3}}{1{,}0 \times 10^{-1}} = 0{,}010$$

Comme ce rapport est égal à 0,010, ce qui est inférieur à 0,1, la solution n'est plus un tampon efficace.

- La solution n'est donc plus un tampon efficace et on ne peut pas utiliser l'équation de Henderson-Hasselbalch pour en calculer le pH.

c) Calcul du pH de la solution finale

Pour calculer le pH de la solution finale, on applique la démarche utilisée au chapitre précédent pour les acides faibles.

1° Puisque deux équilibres sont en jeu ici, on calcule la concentration avec l'espèce la plus forte, soit HCOOH.

$$K_{a\,(HCOOH)} = 1{,}8 \times 10^{-4} \qquad K_{b\,(HCOO^-)} = 5{,}6 \times 10^{-11}$$

$$K_a = \frac{[HCOO^-][H_3O^+]}{[HCOOH]}$$

Et il faut utiliser l'équation quadratique, puisque le rapport de l'une des substances mises en jeu dans les calculs et la constante d'acidité est égal à 5,6, ce qui est inférieur à 100.

$$\frac{c_{HCOO^-}}{K_a} = \frac{1{,}0 \times 10^{-3}}{1{,}8 \times 10^{-4}} = 5{,}6$$

2° On construit un tableau en y inscrivant les différentes valeurs qui serviront aux calculs. Les concentrations initiales de HCOOH et de $HCOO^-$ sont celles calculées en b).

Réaction	$HCOOH(aq)$ +	$H_2O(l)$ $\rightleftharpoons$	$H_3O^+(aq)$ +	$HCOO^-(aq)$
[ ]$_0$ (mol/L)	$1{,}0 \times 10^{-1}$		0	$1{,}0 \times 10^{-3}$
Variation	$-x$		$+x$	$+x$
[ ] (mol/L)	$1{,}0 \times 10^{-1} - x$		x	$1{,}0 \times 10^{-3} + x$

3° On effectue le calcul en utilisant l'expression de la constante d'acidité et on résout à l'aide de l'équation quadratique.

$$K_a = \frac{[HCOO^-][H_3O^+]}{[HCOOH]} = \frac{(0{,}0010 + x)x}{0{,}10 - x} = 1{,}8 \times 10^{-4}$$

$$x^2 + 0{,}001x = 1{,}8 \times 10^{-5} - 1{,}8 \times 10^{-4}x$$

$$x^2 + 1{,}18 \times 10^{-3}x - 1{,}8 \times 10^{-5} = 0$$

$$x = \frac{-1{,}18 \times 10^{-3} \pm \sqrt{1{,}39 \times 10^{-6} + 7{,}2 \times 10^{-5}}}{2} = \frac{-1{,}18 \times 10^{-3} + 8{,}57 \times 10^{-3}}{2}$$

$$= 3{,}7 \times 10^{-3}$$

$$\Rightarrow [H_3O^+] = 3{,}7 \times 10^{-3} \text{ mol/L}$$

- La concentration de la solution est donc de **$3{,}7 \times 10^{-3}$ mol/L**, ce qui correspond à un pH de **2,43**. Le pH a donc varié considérablement par rapport à celui de la solution initiale (avant l'ajout de l'acide fort), qui était de 3,74 (*partie a*).

EXERCICE 6.9

Une solution tampon de 1,0 L est formée de 0,25 mol d'ammoniac, NH_3, et de 0,050 mol de chlorure d'ammonium, NH_4Cl. On ajoute 0,040 mol d'une base forte à cette solution. Déterminez si la solution finale conserve son pouvoir tampon et calculez son pH.

6.2.5 APPLICATIONS DES SOLUTIONS TAMPONS

Les solutions tampons jouent un rôle important dans un grand nombre de domaines, particulièrement dans les systèmes biologiques et biochimiques.

Par exemple, le pH du sang est maintenu à une valeur de 7,4 grâce à un tampon mettant notamment en jeu l'acide carbonique, H_2CO_3, et l'ion hydrogénocarbonate, HCO_3^- *(voir la Capsule chimique « Le sang, un milieu tampon fragile »)*.

$$H_2CO_3(aq) + H_2O(l) \rightleftharpoons H_3O^+(aq) + HCO_3^-(aq)$$

L'étude des protéines doit aussi être réalisée le plus souvent dans un milieu tampon, car la structure qu'adoptent les molécules dépend du pH. De même, la plupart des enzymes, catalyseurs biologiques, sont des protéines dont l'action est liée au pH. En effet, le pouvoir des enzymes atteint son maximum lorsque le pH est compris entre 6 et 8, ce qui nécessite un milieu tampon.

Enfin, un grand nombre de phénomènes qui associent la solubilité et certaines réactions de précipitation font ressortir l'importance des solutions tampons, comme nous le verrons dans le prochain chapitre.

CAPSULE CHIMIQUE

Le sang, un milieu tampon fragile

La dissociation de l'acide carbonique, H_2CO_3, et la réaction inverse constituent les réactions d'équilibre qui assurent le maintien du pH sanguin.

$$H_2CO_3(aq) + H_2O(l) \rightleftharpoons H_3O^+(aq) + HCO_3^-(aq)$$

Il est vital de maintenir ce pH à une valeur constante de 7,4 pour que les processus biologiques qui s'opèrent dans le sang et les liquides intracellulaires fonctionnent avec une efficacité maximale. En effet, les enzymes, catalyseurs de ces transformations, sont très sensibles aux variations de pH : leur activité risque de décroître rapidement, même si la variation n'est que de quelques dixièmes d'unité seulement. De graves maladies, voire la mort, peuvent résulter d'un tel déséquilibre.

Acidose

Les facteurs suivants conduisent à une « acidose », c'est-à-dire à un abaissement du pH sanguin : un mauvais fonctionnement des reins, des diarrhées chroniques, une attaque cardiaque ou une diète prolongée riche en protéines. Une acidose temporaire peut aussi survenir après un exercice physique intensif et prolongé; c'est alors un acide, l'acide lactique, qui est responsable de la diminution du pH. Cet exemple illustre bien l'aspect réversible de la variation du pH, car la douleur musculaire causée par l'acide lactique s'estompe assez rapidement.

$$CH_3CH(OH)COOH$$

acide lactique

Alcalose

L'augmentation du pH sanguin, « l'alcalose », peut survenir après des vomissements répétés, par hyperventilation ou par le mal des montagnes. Dans ce dernier cas, comme la pression en oxygène est très faible en altitude, la compensation est faite justement par hyperventilation, ce qui a comme conséquence une élévation de pH (7,7 ou 7,8 dans les cas extrêmes) : le gaz carbonique, CO_2, est expulsé du corps, appauvrissant l'acide carbonique.

$$H_2CO_3(aq) \longrightarrow CO_2(aq) + H_2O(l)$$

Cette diminution en acide est compensée par la réaction de H_3O^+ avec HCO_3^-, d'où l'augmentation du pH.

Maintien de l'équilibre

Les analyses normales montrent que la concentration en ion hydrogénocarbonate, HCO_3^-, est beaucoup plus élevée que celle en acide carbonique, ce qui est bénéfique, car le besoin de contrer l'acidose est généralement plus fréquent que celui de contrer l'alcalose.

En utilisant l'équation de Henderson-Hasselbalch et les valeurs de pH (7,4) et de pK_a (6,35) pour H_2CO_3, on trouve que la valeur numérique du rapport de concentrations entre l'ion hydrogénocarbonate et l'acide carbonique, dans un milieu sanguin normal, est de l'ordre de 11.

D'autres systèmes tampons acido-basiques maintiennent le pH sanguin à un niveau sécuritaire pour le bon fonctionnement des systèmes enzymatiques; par exemple, le tampon phosphate, $H_2PO_4^-/HPO_4^{2-}$, dont le pK_a de l'acide est de 7,2, remplit les conditions d'une solution adéquate, en fonction du pH requis (7,4).

Un exercice physique intense peut entraîner une acidose lactique.

6.3 ASPECTS STŒCHIOMÉTRIQUES DES RÉACTIONS ACIDO-BASIQUES ET TITRAGE

La réaction entre un acide et une base, la neutralisation, a été très brièvement traitée dans *Chimie générale* (*revoir la sous-section 3.4.3*). Nous nous pencherons ici sur son aspect quantitatif, c'est-à-dire la détermination de la concentration d'un acide (ou d'une base) dans une solution. Par exemple, pour déterminer la concentration d'une solution d'acide chlorhydrique, $HCl(aq)$, dans un volume connu de solution, on ajoute la quantité exacte de solution d'hydroxyde de sodium, NaOH, qui la neutralise. Pour mesurer cette concentration, encore fréquemment désignée titre, celle de la solution d'hydroxyde de sodium doit aussi être connue. Cette opération, très courante en chimie, s'appelle communément **titrage** (ou dosage). Le titrage peut être direct ou réalisé à l'aide d'un pH-mètre, auquel cas on parle de titrage potentiométrique.

Titrage : analyse quantitative de la concentration d'une solution par réaction avec une autre solution de concentration connue, fondée sur la mesure des volumes en jeu.

6.3.1 TITRAGE DIRECT

Lors d'un titrage direct, on ajoute lentement la solution de concentration connue à un volume précis de la solution de concentration inconnue et on mesure le volume nécessaire pour que la réaction de neutralisation soit complète. On désigne par **point d'équivalence** la valeur de ce volume de solution de concentration connue qui termine la réaction. Dans un titrage acido-basique, l'atteinte du point d'équivalence correspond à la neutralisation complète de l'acide par la base, ou vice versa. Il est mis en évidence par un indicateur coloré (*voir la sous-section 6.3.2*). Un exemple de titrage direct acido-basique est illustré à la figure 6.2.

Point d'équivalence : moment, lors d'un titrage, où une certaine quantité de base neutralise exactement une quantité stœchiométrique d'acide (la quantité de base est équivalente à celle d'acide).

Le titrage acido-basique comporte essentiellement deux étapes :

1° On prélève un volume précis de la solution acide (ou basique) à titrer et on y ajoute quelques gouttes d'indicateur.

2° On ajoute lentement la solution basique (ou acide) de concentration connue à l'aide d'une burette jusqu'à ce que la coloration de l'indicateur persiste.

Par exemple, pour effectuer le titrage d'une solution d'acide chlorhydrique, $HCl(aq)$, par l'hydroxyde de sodium, NaOH, on remplit une burette de la solution basique que l'on ajoute à la solution acide jusqu'au point d'équivalence. Ce point est atteint lorsque la quantité stœchiométrique de NaOH a neutralisé l'acide.

$$HCl(aq) + NaOH(aq) \longrightarrow NaCl(aq) + H_2O(l)$$

En fait, au fur et à mesure que les ions OH^- de la base rencontrent les ions H_3O^+ (H^+) libérés par l'acide, la neutralisation se produit par la formation d'eau.

$$H_3O^+(aq) + OH^-(aq) \longrightarrow 2H_2O(l) \quad \text{ou} \quad H^+(aq) + OH^-(aq) \longrightarrow H_2O(l)$$

a)

b)

c)
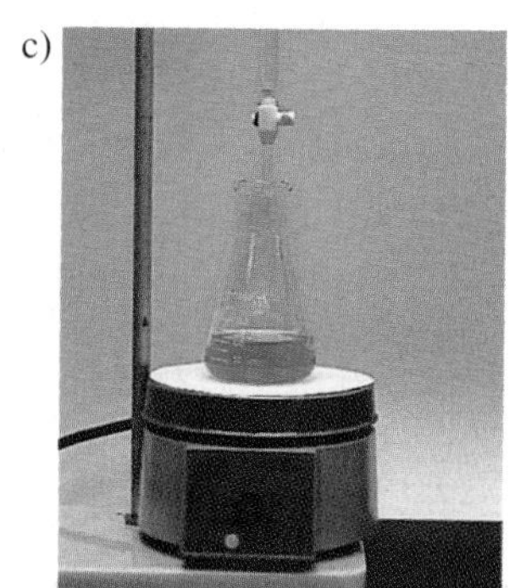

Figure 6.2 Étapes d'un titrage acido-basique. En a), erlenmeyer contenant l'acide et l'indicateur, et surmonté de la burette contenant la base; en b), coloration momentanée de la solution lors de l'addition de la base; en c), coloration persistante à l'atteinte du point d'équivalence.

▼ EXEMPLE 6.8

À la suite d'un titrage, on a déterminé qu'il faut 35,00 mL d'une solution contenant 0,250 mol/L d'hydroxyde de sodium, NaOH, pour neutraliser 25,00 mL d'une solution d'acide sulfurique, H_2SO_4. On veut connaître la concentration de la solution acide.

1° On écrit l'équation équilibrée de la réaction de neutralisation.

$$\underset{\substack{\textbf{1 mol}\\ \textbf{(2H acides)}}}{H_2SO_4(aq)} + \underset{\textbf{2 mol}}{2NaOH(aq)} \longrightarrow Na_2SO_4(aq) + 2H_2O(l)$$

L'équation démontre que **1** mole de H_2SO_4 réagit avec **2** moles de NaOH.

2° On calcule la quantité de NaOH (en mol) contenue dans 35,00 mL de la solution.

$$\text{mol de NaOH} = 35{,}00\ \cancel{\text{mL}} \times \frac{0{,}250\ \text{mol}}{\cancel{1\ \text{L}}} \times \frac{\cancel{1\ \text{L}}}{1000\ \cancel{\text{mL}}}$$

$$= 8{,}75 \times 10^{-3}\ \text{mol NaOH}$$

3° On détermine la quantité de H_2SO_4 (en mol) neutralisée par la base, NaOH. Selon l'équation stœchiométrique, il faut 2 moles de NaOH par mole de H_2SO_4. Par conséquent, $4{,}38 \times 10^{-3}$ mol de H_2SO_4 ont été neutralisées.

$$\text{mol de } H_2SO_4 = 8{,}75 \times 10^{-3}\ \cancel{\text{mol NaOH}} \times \frac{1\ \text{mol } H_2SO_4}{2\ \cancel{\text{mol NaOH}}}$$

$$= 4{,}38 \times 10^{-3}\ \text{mol } H_2SO_4$$

4° On calcule la concentration de la solution de H_2SO_4.

$$c_{H_2SO_4} = \frac{4{,}38 \times 10^{-3}\ \text{mol}}{25{,}00\ \cancel{\text{mL}}} \times \frac{1000\ \cancel{\text{mL}}}{1\ \text{L}} = 1{,}75 \times 10^{-1}\ \text{mol/L}$$

- La concentration de la solution de H_2SO_4 est de **$1{,}75 \times 10^{-1}$ mol/L** ou de **0,175 mol/L**.

EXERCICE 6.10

Un échantillon de 25,00 mL de vinaigre, une solution diluée d'acide acétique, CH_3COOH, est titré par une solution contenant 0,55 mol/L d'hydroxyde de sodium, NaOH. Le point de virage de l'indicateur (changement de couleur) est atteint après l'ajout de 38,00 mL de solution basique. Calculez la concentration de l'acide acétique dans le vinaigre dans les unités suivantes :

a) en mol/L;

b) en pourcentage (masse/volume).

Pour que la neutralisation soit complète, il est important d'employer une base forte (ou un acide fort) pour titrer un acide (ou une base). Les bases les plus fréquemment utilisées en laboratoire pour les titrages sont l'hydroxyde de sodium, NaOH, ou de potassium, KOH. Ces substances sont toutefois très hygroscopiques, c'est-à-dire qu'elles absorbent rapidement l'humidité de l'air, de sorte qu'il n'est pas possible de préparer directement des solutions de concentration précise par pesée, la masse augmentant sans cesse. C'est pourquoi on utilise des solutions commerciales très concentrées conservées dans des contenants de plastique ou de verre scellés; leur contenu est étalonné, de sorte que l'on peut préparer des solutions de concentration précise en le transvidant dans la fiole jaugée appropriée que l'on remplit ensuite jusqu'au trait de jauge avec de l'eau.

Si on ne dispose pas de tels contenants, on peut recourir à des acides solides et stables qui jouent alors le rôle d'étalons ou de standards primaires.

L'hydrogénophtalate de potassium (hydrogénodicarboxylate de potassium), $KHC_8H_4O_4$, peut servir à cet effet.

COOH

COOK

hydrogénophtalate de potassium (M = 204,22 g/mol)

Un standard primaire doit être chimiquement stable, non hygroscopique et de masse molaire élevée. La solution acide, dont la concentration peut être déterminée avec une grande précision à l'aide d'une balance analytique, sert alors à étalonner la solution d'hydroxyde de sodium ou de potassium dont la concentration est approximative. Cette dernière peut ensuite servir à son tour à doser d'autres solutions acides. En résumé, la méthode comprend quatre étapes.

ÉTAPES DU TITRAGE

1° On pèse une quantité précise d'une substance solide acide servant de standard, et on la dissout de manière à obtenir un volume exact de solution de concentration précise (fiole jaugée); cette solution peut alors servir à plusieurs essais de titrage de la solution basique. On peut aussi titrer une solution du produit pesé avec précision, sans que le volume de la solution acide soit précis; dans ce cas, il faut cependant répéter les essais en procédant à d'autres pesées, chaque masse d'acide étant titrée par la solution basique.

2° On prépare une solution d'hydroxyde de sodium ou de potassium, NaOH ou KOH, de concentration approximative.

3° On effectue le titrage de la solution basique en utilisant la solution acide dont un volume précis est prélevé.

4° On procède au titrage de la solution d'un acide de concentration inconnue avec la solution basique étalonnée.

Le standard primaire le plus fréquemment utilisé pour étalonner les acides est le carbonate de sodium, Na_2CO_3. La méthode de standardisation est la même que celle appliquée pour étalonner les bases.

▼ EXEMPLE 6.9

On veut déterminer la concentration d'une solution d'acide nitrique, HNO_3.

1° On applique d'abord les quatre étapes du titrage.

- On prépare une solution aqueuse de 100,0 mL du standard primaire; ici, on pèse 0,8591 g d'hydrogénophtalate de potassium, $KHC_8H_4O_4$, et on dissout dans l'eau, de manière à obtenir 100,0 mL de solution.
- On prépare ensuite la solution basique en dissolvant environ 2 g d'hydroxyde de sodium, NaOH, dans 250 mL d'eau.
- On constate qu'il faut 10,80 mL de la solution basique pour neutraliser 50,0 mL de la solution d'hydrogénophtalate.
- Lors du titrage final, on observe qu'il faut 15,65 mL de solution basique pour neutraliser 25,0 mL de la solution d'acide nitrique.

2° On écrit les équations équilibrées des réactions en jeu.

$$\underset{\textbf{1 mol}}{KHC_8H_4O_4(aq)} + \underset{\textbf{1 mol}}{NaOH(aq)} \rightleftharpoons NaKC_8H_4O_4(aq) + H_2O(l) \quad \text{(étalonnage de NaOH)}$$

$$\underset{\textbf{1 mol}}{HNO_3(aq)} + \underset{\textbf{1 mol}}{NaOH(aq)} \rightleftharpoons NaNO_3(aq) + H_2O(l) \quad \text{(titrage de } HNO_3\text{)}$$

3° On calcule la concentration de la solution d'hydrogénophtalate de potassium.

$$M_{KHC_8H_4O_4} = 204{,}2 \text{ g/mol}$$

$$c = \frac{0{,}8591 \not{g}}{100 \not{mL}} \times \frac{1 \text{ mol}}{204{,}2 \not{g}} \times \frac{1000 \not{mL}}{1 \text{ L}} = 4{,}207 \times 10^{-2} \text{ mol/L}$$

4° On calcule la concentration de la solution d'hydroxyde de sodium à partir du titrage par l'hydrogénophtalate.

$$\text{mol de } KHC_8H_4O_4 = 50{,}0\ \cancel{\text{mL}} \times \frac{4{,}207 \times 10^{-2}\ \text{mol}}{\cancel{1\ \text{L}}} \times \frac{\cancel{1\ \text{L}}}{1000\ \cancel{\text{mL}}}$$
$$= 2{,}10 \times 10^{-3}\ \text{mol } KHC_8H_4O_4$$

$$\text{mol de NaOH} = \text{mol de } KHC_8H_4O_4 = 2{,}10 \times 10^{-3}\ \text{mol NaOH}$$

$$c_{NaOH} = \frac{2{,}10 \times 10^{-3}\ \text{mol}}{10{,}8\ \cancel{\text{mL}}} \times \frac{1000\ \cancel{\text{mL}}}{1\ \text{L}} = 0{,}194\ \text{mol/L}$$

5° On calcule la concentration de la solution de HNO_3 à partir du titrage par la solution étalonnée d'hydroxyde de sodium.

$$\text{mol de NaOH} = 15{,}65\ \cancel{\text{mL}} \times \frac{0{,}195\ \text{mol}}{\cancel{1\ \text{L}}} \times \frac{\cancel{1\ \text{L}}}{1000\ \cancel{\text{mL}}}$$
$$= 3{,}05 \times 10^{-3}\ \text{mol NaOH}$$

$$\text{mol de } HNO_3 = \text{mol de NaOH} = 3{,}05 \times 10^{-3}\ \text{mol } HNO_3$$

$$c_{HNO_3} = \frac{3{,}05 \times 10^{-3}\ \text{mol}}{25{,}0\ \cancel{\text{mL}}} \times \frac{1000\ \cancel{\text{mL}}}{1\ \text{L}} = 0{,}122\ \text{mol/L}$$

- La concentration de l'acide nitrique, HNO_3, est de **0,122 mol/L.**

EXERCICE 6.11

On veut déterminer la concentration d'une solution d'acide sulfurique, H_2SO_4, par titrage avec une solution d'hydroxyde de potassium, KOH, préalablement étalonnée par une solution d'hydrogénophtalate de potassium, $KHC_8H_4O_4$, contenant 2,4504 g de substance par 250,0 mL de solution. On observe que :

- 30,5 mL d'une solution d'hydroxyde de potassium, KOH, neutralisent 25,0 mL de la solution d'hydrogénophtalate;
- 10,0 mL de la solution d'acide sulfurique sont neutralisés par 21,4 mL de la solution d'hydroxyde de potassium.

a) Exprimez les équations des réactions en jeu.

b) Calculez la concentration molaire volumique de la solution d'acide sulfurique.

6.3.2 INDICATEURS ACIDO-BASIQUES

Les indicateurs utilisés lors des titrages acido-basiques prennent des colorations différentes selon qu'ils se trouvent en milieu acide ou en milieu basique. Le choix de l'indicateur dépend de la nature de la solution et du pH au point d'équivalence. Rappelons que certains sels donnent une solution acide et d'autres, une solution basique. Par conséquent, la solution n'est pas nécessairement neutre au point d'équivalence. Pour choisir le bon indicateur acido-basique, il faut d'abord savoir comment il agit.

Un **indicateur** acido-basique est une substance dont la couleur dépend du pH de la solution à laquelle il a été ajouté. On le trouve sous deux formes :

- un acide faible, représenté par HIn, possédant une couleur spécifique;
- sa base conjuguée, In^-, de couleur différente.

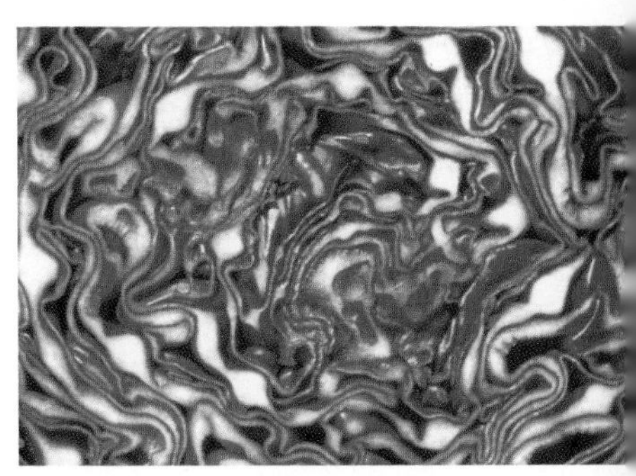

Le chou rouge contient un pigment pouvant servir d'indicateur.

Quelques gouttes d'indicateur (déjà en solution) ne changent pas le pH de la solution à laquelle elles sont ajoutées, mais l'équilibre ionique de l'indicateur est perturbé par le milieu dans lequel il se trouve, de sorte qu'il donne à la solution une coloration différente selon le pH.

$$HIn(aq) + H_2O(l) \rightleftharpoons In^-(aq) + H_3O^+$$

coloration (forme acide) — HIn ; **coloration (forme basique)** — In^-

Indicateur : substance qui possède deux formes, de couleurs différentes, selon qu'elle se trouve en milieu plus acide ou en milieu plus basique.

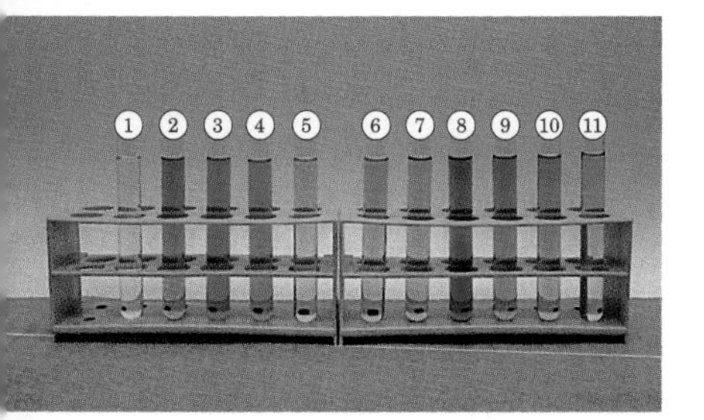

Figure 6.3 Évolution des couleurs selon les valeurs du pH et selon la nature des indicateurs. De gauche à droite,
- phénolphtaléine :
  (1) incolore en milieu acide,
  (2) rose en milieu basique;
- orange de méthyle :
  (3) rouge (pH < 3,2),
  (4) orange (pH = 4),
  (5) jaune (pH > 4,4);
- vert de bromocrésol :
  (6) jaune (pH < 3,8),
  (7) vert (pH = 4),
  (8) bleu (pH > 5,4);
- rouge de méthyle :
  (9) rouge (pH < 4,4),
  (10) orange (pH = 5),
  (11) jaune (pH > 6,2).

Généralement, lorsque 90 % ou plus de l'indicateur est sous forme HIn, la solution prend la coloration acide; à l'inverse, elle adopte la coloration basique si 90 % de l'indicateur se trouve sous forme In^-. Lorsque les concentrations des deux formes sont équimoléculaires, la solution prend une coloration intermédiaire. Le changement complet de couleur s'étale généralement sur une échelle de 2 unités de pH. Les photos de la figure 6.3 illustrent les colorations de quelques indicateurs en solution, et la figure 6.4 montre l'échelle de pH des indicateurs les plus courants.

Les indicateurs acido-basiques sont généralement en solution dans l'eau ou dans l'éthanol et, lors d'un titrage, quelques gouttes ajoutées à la solution titrée suffisent. On trouve aussi sur le marché des bandes de papier asséchées, imprégnées d'indicateur; elles prennent la coloration déterminée par le pH de la solution lorsqu'elles en sont humectées.

6.3.3 COURBES DE TITRAGES ACIDO-BASIQUES

On peut suivre pas à pas, pour ainsi dire, l'influence de l'addition d'une base sur un acide pendant un titrage. On y parvient à l'aide de calculs, lesquels peuvent être confirmés par la lecture sur un pH-mètre; on parle alors de titrage potentiométrique. Le tracé du pH en fonction du volume de solution basique ajoutée permet de préciser le point d'équivalence (ou point de virage). Trois cas sont présentés dans cette section : le titrage d'un acide fort par une base forte, celui d'un acide faible par une base forte et celui d'une base faible par un acide fort.

On peut suivre une démarche semblable à celle appliquée pour calculer le pH d'une solution tampon après l'ajout d'un acide fort ou d'une base forte; on calcule alors les concentrations des espèces chimiques en jeu en tenant compte de la dilution à mesure que le titrage progresse (*revoir les exemples 6.6 et 6.7*). Toutefois, puisque la concentration initiale d'acide est constante, il peut être plus pratique de procéder de la façon suivante.

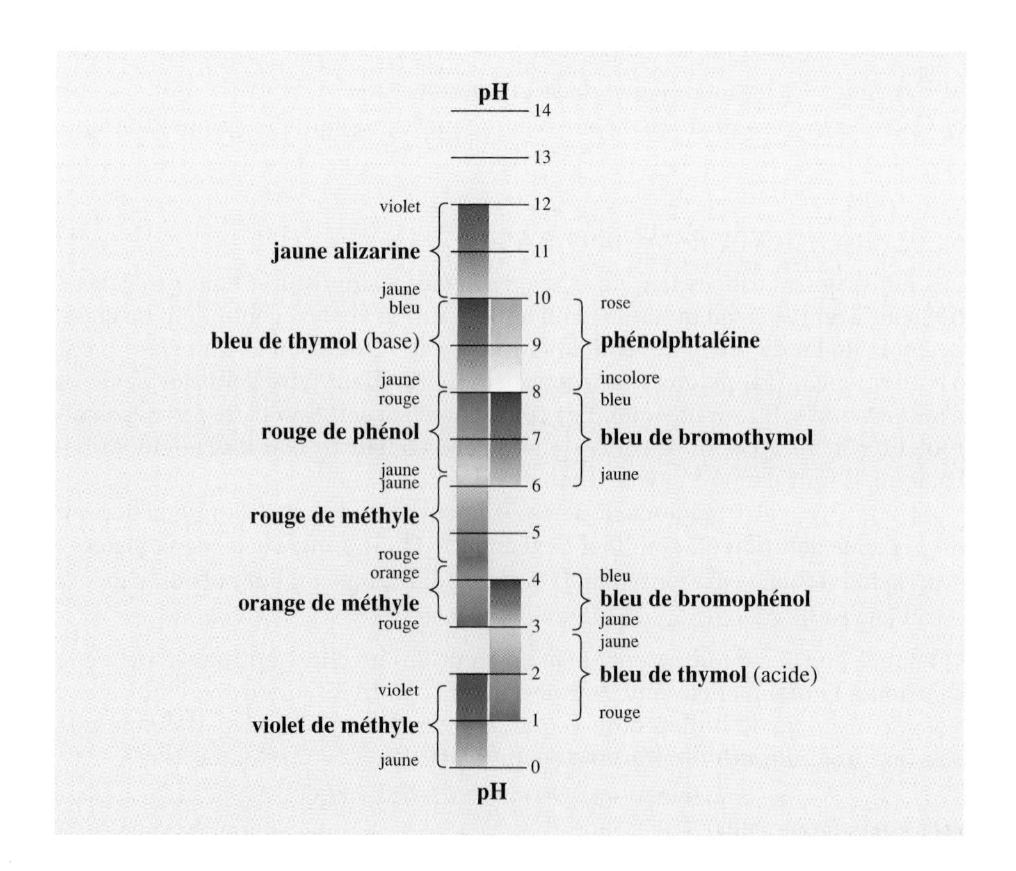

Figure 6.4 Échelle de pH des indicateurs les plus courants.

1° On calcule la quantité initiale (en moles) d'acide et celle de base ajoutée à chaque étape.

2° On détermine la quantité de H_3O^+ (en moles) qui reste et on en calcule la concentration en tenant compte du facteur de dilution.

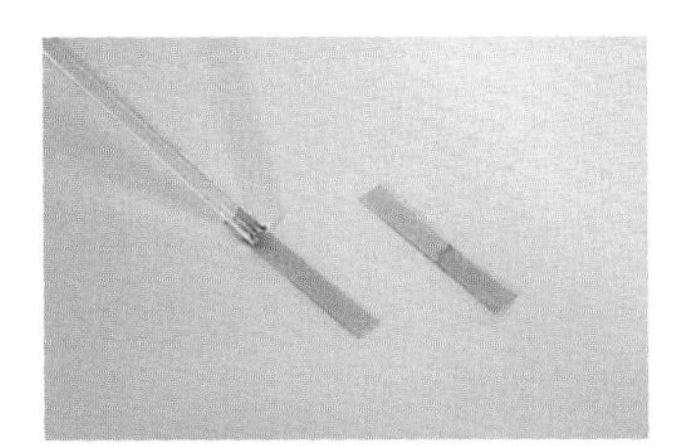

L'indicateur contenu dans le papier tournesol permet d'évaluer le pH d'une solution.

TITRAGE D'UN ACIDE FORT PAR UNE BASE FORTE

Lors du titrage d'un acide fort par une base forte, le point d'équivalence (ou point de virage) est atteint lorsque la concentration des ions H_3O^+ est égale à celle des ions OH^- ou lorsque la base a neutralisé complètement l'acide. En outre, puisque dans ce cas ni le cation métallique ni l'anion ne réagissent avec l'eau, seule la dissociation de l'eau est prise en compte : au point d'équivalence, le pH doit donc être égal à 7. En fait, on observe que le pH varie peu tout au long du titrage, sauf près du point d'équivalence.

$$\mathrm{NaOH}(aq) \xrightarrow[\text{solvatation}]{} \mathrm{Na^+}(aq) + \mathbf{OH^-}(aq) \qquad \mathbf{H_3O^+}(aq) + \mathrm{Cl^-}(aq) \xleftarrow[\text{solvatation}]{} \mathrm{HCl}(aq)$$

$$\mathbf{OH^-} + \mathbf{H_3O^+} \longrightarrow \mathrm{H_2O}(l)$$

Avant le point d'équivalence, la démarche de calcul est fondée sur l'équation de neutralisation d'un acide par une base et comprend quatre étapes pour chaque addition de solution basique.

$$\mathrm{H_3O^+}(aq) + \mathrm{OH^-}(aq) \longrightarrow 2\mathrm{H_2O}(l)$$

1° On calcule la quantité d'ions H_3O^+ dans le volume d'acide initial.

2° On trouve la quantité d'ions OH^- dans chaque portion de solution de base ajoutée.

3° On détermine la quantité d'ions H_3O^+ n'ayant pas réagi.

4° On établit la concentration des ions H_3O^+ compte tenu du volume total de solution.

Au point d'équivalence, la solution est neutre. Après le point d'équivalence, on calcule le pH en tenant compte de l'excès de solution basique.

▼ EXEMPLE 6.10

On procède au titrage de 10,0 mL d'une solution contenant 0,200 mol/L d'acide nitrique, HNO_3, par une solution contenant 0,100 mol/L d'hydroxyde de sodium, NaOH. On veut tracer la courbe de titrage en calculant le pH initial et après l'ajout de 5,00 mL, 10,0 mL, 15,0 mL, 19,0 mL, 21,0 mL et 25,0 mL de solution basique, ainsi qu'au point d'équivalence.

L'acide tartrique contenu dans le vin peut être quantifié par titrage potentiométrique.

Détermination du point d'équivalence

La réaction de neutralisation est la suivante.

$$\mathrm{HNO_3}(aq) + \mathrm{NaOH}(aq) \longrightarrow \mathrm{NaNO_3}(aq) + \mathrm{H_2O}(l)$$

$$\text{quantité initiale de } \mathrm{HNO_3} = \frac{0{,}200 \text{ mol}}{1000 \cancel{\text{mL}}} \times 10{,}0 \cancel{\text{mL}} = 2{,}00 \times 10^{-3} \text{ mol HNO}_3$$

$$\text{volume de solution de NaOH} = \frac{1000 \text{ mL}}{0{,}100 \cancel{\text{mol}}} \times 2{,}00 \times 10^{-3} \cancel{\text{mol}} = 20{,}0 \text{ mL NaOH}$$

- Le point d'équivalence est atteint lorsque **20,0 mL** de solution de NaOH ont été ajoutés.

Calcul du pH initial

L'acide nitrique est un acide fort; il est par conséquent totalement dissocié.

$$[\mathrm{H_3O^+}] = [\mathrm{HNO_3}] = 0{,}200 \text{ mol/L (concentration initiale de } \mathrm{H_3O^+})$$

$$\mathrm{pH} = -\log \mathrm{H_3O^+} = -\log\,[0{,}200] = 0{,}699$$

- Le pH initial est donc de **0,699**.

Calcul du pH après l'ajout de 5,00 mL de solution de NaOH

1° À partir du moment où l'on commence à ajouter la solution de NaOH, on précise les données nécessaires aux calculs.

La quantité initiale de H_3O^+ est toujours de 2,00 ×10^{-3} mol (**1re étape**).

La quantité ajoutée de OH^- dépend du volume de solution de NaOH (**2e étape**). Pour 5,00 mL, elle vaut :

$$\text{mol de } OH^- = \frac{0{,}100 \text{ mol}}{1000 \text{ mL}} \times \text{volume NaOH ajouté (mL)}$$

$$= \frac{0{,}100 \text{ mol}}{1000 \cancel{\text{mL}}} \times 5{,}00 \cancel{\text{mL}} = 5{,}00 \times 10^{-4} \text{ mol}$$

La quantité de H_3O^+ qui reste est égale à la différence entre les deux valeurs précédentes (**3e étape**).

$$\text{mol de } H_3O^+ = \text{quantité initiale de } H_3O^+ - \text{quantité de } OH^- \text{ ajoutée}$$

$$\text{mol de } H_3O^+ = 2{,}00 \times 10^{-3} - 5{,}00 \times 10^{-4} = 1{,}50 \times 10^{-3} \text{ mol}$$

Cette quantité de H_3O^+ se trouve dans 15,0 mL de solution : 10,0 mL de solution acide initiale et 5,00 mL de solution basique ajoutée.

2° On résume ces données dans le tableau suivant.

Réaction	$H_3O^+(g)$ +	$OH^-(g)$ ⟶	$2H_2O(l)$
Quantité initiale (× 10^{-3} mol)	2,00		
Quantité ajoutée (× 10^{-3} mol)		0,500	
Variation (× 10^{-3} mol)	–0,500	–0,500	
Quantité finale (× 10^{-3} mol)	1,50	~0	
Volume final (mL)		15,0	

3° On calcule la concentration de H_3O^+ et le pH (**4e étape**).

$$[H_3O^+] = \frac{1{,}50 \times 10^{-3} \text{ mol}}{15{,}0 \cancel{\text{mL}}} \times \frac{1000 \cancel{\text{mL}}}{1 \text{ L}} = 1{,}00 \times 10^{-1} \text{ mol/L}$$

$$\text{pH} = -\log 1{,}00 \times 10^{-1} = 1{,}000$$

- Le pH après l'ajout de 5,00 mL de solution de NaOH est donc de **1,00.**

Nous reprendrons les calculs de l'étape précédente pour chaque addition de solution basique en les résumant dans une expression qui sera appliquée jusqu'au point d'équivalence.

$$[H_3O^+] = \frac{\text{quantité initiale de HA} - \text{quantité ajoutée de } OH^-}{\text{volume total de solution (L)}}$$

$$= \frac{2{,}00 \times 10^{-3} \text{ mol} - 5{,}00 \times 10^{-4} \text{ mol}}{0{,}0150 \text{ L}} = 1{,}00 \times 10^{-1} \text{ mol/L}$$

Calcul du pH après l'ajout de 10,0 mL de solution de NaOH

$$\text{quantité de } OH^- \text{ ajoutée} = \frac{0{,}100 \text{ mol}}{1000 \cancel{\text{mL}}} \times 10{,}00 \cancel{\text{mL}} = 1{,}00 \times 10^{-3} \text{ mol}$$

La solution finale occupe un volume de 20,0 mL (0,0200 L)

$$[H_3O^+] = \frac{2{,}00 \times 10^{-3} \text{ mol} - 1{,}00 \times 10^{-3} \text{ mol}}{0{,}0200 \text{ L}} = 5{,}00 \times 10^{-2} \text{ mol/L} \Rightarrow \textbf{pH = 1,30}$$

Calcul du pH après l'ajout de 15,0 mL de solution de NaOH

$$\text{quantité de } OH^- \text{ ajoutée} = \frac{0{,}100 \text{ mol}}{1000 \not{\text{mL}}} \times 15{,}00 \not{\text{mL}} = 1{,}50 \times 10^{-3} \text{ mol}$$

La solution finale occupe un volume de 25,0 mL (0,0200 L).

$$[H_3O^+] = \frac{2{,}00 \times 10^{-3} \text{ mol} - 1{,}50 \times 10^{-3} \text{ mol}}{0{,}0250 \text{ L}} = 2{,}0 \times 10^{-2} \text{ mol/L} \Rightarrow \textbf{pH} = \textbf{1,70}$$

Calcul du pH après l'ajout de 19,0 mL de solution de NaOH

$$\text{quantité de } OH^- \text{ ajoutée} = \frac{0{,}100 \text{ mol}}{1000 \not{\text{mL}}} \times 19{,}0 \not{\text{mL}} = 1{,}90 \times 10^{-3} \text{ mol}$$

$$[H_3O^+] = \frac{2{,}00 \times 10^{-3} \text{ mol} - 1{,}90 \times 10^{-3} \text{ mol}}{0{,}0290 \text{ L}} = 3{,}4 \times 10^{-3} \text{ mol/L} \Rightarrow \textbf{pH} = \textbf{2,46}$$

On note que, à seulement 1,0 mL du point d'équivalence, le pH a encore peu varié.

Calcul du pH au point d'équivalence

Au point d'équivalence, il ne reste plus d'ions H_3O^+ provenant de HNO_3 ni d'ions OH^- provenant de NaOH. Et puisque ni Na^+ ni NO_3^- ne réagissent avec l'eau, la solution est neutre; les seuls ions proviennent de la dissociation de l'eau.

$$[H_3O^+] = [OH^-] = 1{,}00 \times 10^{-7} \text{ mol/L} \Rightarrow \textbf{pH} = \textbf{7,00} \text{ (à 25 °C)}$$

Calcul du pH après l'ajout de 21,0 mL de solution de NaOH

$$\text{quantité de } OH^- \text{ ajoutée} = \frac{0{,}100 \text{ mol}}{1000 \text{ mL}} \times 21{,}0 \text{ mL} = 2{,}10 \times 10^{-3} \text{ mol}$$

Réaction	$H_3O^+(g)$ +	$OH^-(g)$ ⟶	$2H_2O(l)$
Quantité initiale (× 10^{-3} mol)	2,00		
Quantité ajoutée (× 10^{-3} mol)		2,10	
Variation (× 10^{-3} mol)	–2,00	–2,00	
Quantité finale (× 10^{-3} mol)	~0	0,100	
Volume final (mL)	31,0		

Cette fois, on effectue les calculs en tenant compte du fait qu'il y a plus d'ions OH^- que d'ions H_3O^+. On doit donc soustraire la quantité initiale de HA de la quantité ajoutée de OH^-.

$$[OH^-] = \frac{\text{quantité ajoutée de } OH^- - \text{quantité initiale de HA}}{\text{volume total de solution (L)}}$$

$$= \frac{2{,}10 \times 10^{-3} \text{ mol} - 2{,}00 \times 10^{-3} \text{ mol}}{0{,}0310 \text{ L}}$$

$$= 3{,}2 \times 10^{-3} \text{ mol/L}$$

$$pOH = -\log [OH^-] = -\log 3{,}23 \times 10^{-3} = 2{,}49 \Rightarrow pH = 14{,}00 - 2{,}49 \Rightarrow \textbf{pH} = \textbf{11,51}$$

On constate alors que, entre 19,0 mL et 21,0 mL de solution de NaOH, le pH fait un bond de 2,46 à 11,51.

Calcul du pH après l'ajout de 25,0 mL de solution de NaOH

$$\text{quantité de } OH^- \text{ ajoutée} = \frac{0{,}100 \text{ mol}}{1000 \cancel{\text{mL}}} \times 25{,}0 \cancel{\text{mL}} = 2{,}50 \times 10^{-3} \text{ mol}$$

$$[OH^-] = \frac{2{,}50 \times 10^{-3} \text{ mol} - 2{,}00 \times 10^{-3} \text{ mol}}{0{,}0350 \text{ L}} = 1{,}4 \times 10^{-2} \text{ mol/L}$$

$$\Rightarrow \text{pOH} = 1{,}85 \Rightarrow \textbf{pH} = \textbf{12,2}$$

Le tableau 6.2 donne les résultats des calculs de pH de l'exemple précédent, ainsi que les valeurs calculées après l'ajout de 19,9 mL, 20,1 mL et 30,0 mL de solution de NaOH (exercice 6.12). Le graphique du pH en fonction du volume de solution de NaOH ajouté est présenté à la figure 6.5.

En résumé, lors du titrage d'un acide fort par une base forte, on peut simplifier les calculs de la manière suivante :

- Avant l'atteinte du point d'équivalence

$$[H_3O^+] = \frac{\text{quantité initiale de HA} - \text{quantité ajoutée de } OH^-}{\text{volume total de solution (L)}}$$

- Au point d'équivalence

$$[H_3O^+] = [OH^-] = 1{,}0 \times 10^{-7} \text{ mol/L}$$

- Après le point d'équivalence

$$[OH^-] = \frac{\text{quantité ajoutée de } OH^- - \text{quantité initiale de HA}}{\text{volume total de solution (L)}}$$

Tableau 6.2 Valeurs de pH correspondant au titrage de 10,0 mL d'une solution 0,200 mol/L d'acide nitrique, HNO_3, par une solution 0,100 mol/L d'hydroxyde de sodium, NaOH.

Volume de solution de NaOH (mL)	0,00	5,00	10,0	15,0	19,0	19,9	20,0	20,1	21,0	25,0	30,0
pH	0,699	1,00	1,30	1,70	2,46	3,48	**7,00**	10,5	11,5	12,2	12,4

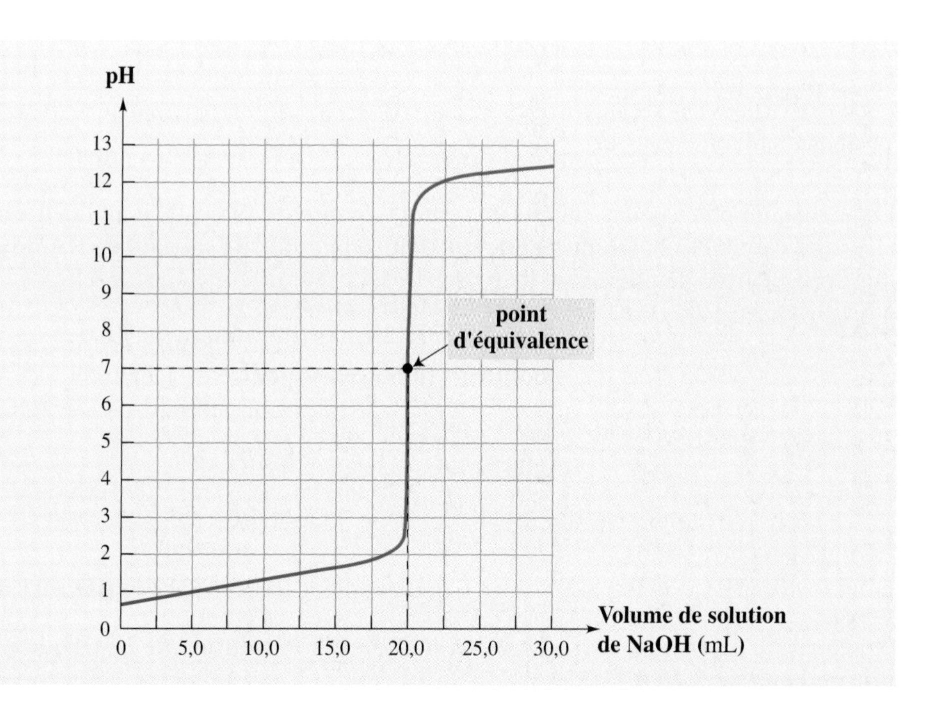

Figure 6.5 Graphique du pH en fonction du volume de solution de 0,100 mol/L en hydroxyde de sodium, NaOH, pour le titrage de 10,0 mL d'une solution de 0,200 mol/L en acide nitrique, HNO_3 (données du tableau 6.2).

Les calculs associés au titrage d'une base forte par un acide fort reposent sur la même démarche que ceux associés au titrage d'un acide fort par une base forte. Les différences ont trait au fait que les quantités initiales de substances et les quantités ajoutées sont inversées, et au fait que, avant le point d'équivalence, on obtient la valeur du pOH (au lieu de celle du pH), puisque OH^- est en excès; il faut donc convertir le pOH en pH.

EXERCICE 6.12

Sans vous référer au tableau 6.2, déterminez la valeur du pH de la solution résultant du mélange de 10,0 mL d'une solution contenant 0,200 mol/L d'acide nitrique, HNO_3, et des volumes suivants d'une solution de 0,100 mol/L d'hydroxyde de sodium, NaOH.

a) 19,9 mL b) 20,1 mL c) 30,0 mL

EXERCICE 6.13

En vous reportant à la figure 6.4, repérez les indicateurs qui pourraient être utilisés lors du titrage de la solution de HNO_3 par celle de NaOH de l'exercice précédent.

TITRAGE D'UN ACIDE FAIBLE PAR UNE BASE FORTE

Lors du titrage d'un acide faible par une base forte, on calcule le volume de base nécessaire à la neutralisation de l'acide de la même manière que lors du titrage d'un acide fort par une base forte; on détermine donc le point d'équivalence de la même manière. Par exemple, il faudra 20,0 mL de solution contenant 0,100 mol/L d'hydroxyde de sodium, NaOH, pour neutraliser 10,0 mL de solution contenant 0,200 mol/L d'acide acétique, CH_3COOH.

$$CH_3COOH(aq) \quad + \quad NaOH(aq) \longrightarrow CH_3COONa(aq) + H_2O(l)$$

$$10{,}0\,\cancel{mL} \times \frac{0{,}200\text{ mol}}{1000\,\cancel{mL}} \qquad 20{,}0\,\cancel{mL} \times \frac{0{,}100\text{ mol}}{1000\,\cancel{mL}}$$

$$2{,}00 \times 10^{-3}\text{ mol} \qquad 2{,}00 \times 10^{-3}\text{ mol}$$

Le contenu en acide acétique du vinaigre de cidre peut être mesuré par la méthode de titrage d'un acide faible par une base forte.

Par contre, pour calculer le pH initial de la solution, il faut tenir compte de la dissociation de l'acide et utiliser l'expression de la constante d'acidité, K_a.

$$CH_3COOH(aq) + H_2O(l) \rightleftharpoons H_3O^+(aq) + CH_3COO^-(aq)$$

$$K_a = \frac{[CH_3COO^-][H_3O^+]}{[CH_3COOH]}$$

De plus, les calculs pour suivre la variation du pH tout au long du titrage diffèrent notablement de ceux du titrage d'un acide fort par une base forte. En effet, au fur et à mesure que la solution titrante est ajoutée, il faut tenir compte du fait que la base conjuguée de l'acide, CH_3COO^-, prend de plus en plus d'importance et que la solution résultante se comporte assez tôt comme une solution tampon : la concentration de CH_3COOH diminue et celle de CH_3COO^- augmente, et ce, d'une quantité égale à celle de OH^- ajoutée.

$$\underset{\text{diminution}}{CH_3COOH(aq) + H_2O(l)} \rightleftharpoons H_3O^+(aq) + \underset{\text{augmentation}}{CH_3COO^-(aq)}$$

$$+$$

$$\underset{\text{solution titrante}}{\mathbf{OH^-}(aq)} \rightleftharpoons 2H_2O(l)$$

- ***Avant l'atteinte du point d'équivalence***

  Pour calculer le pH avant l'atteinte du point d'équivalence, on procède de la manière suivante.

  – On établit le rapport des concentrations HA/A⁻ pour déterminer si le mélange forme une solution tampon efficace; si ce n'est pas le cas, on effectue le calcul en utilisant l'expression de la constante d'équilibre la plus élevée, K_a ou K_b, et en recourant à l'équation quadratique.

  – Dès que l'on observe que le mélange forme une solution tampon, ce qui arrive très rapidement, on calcule alors le pH en appliquant l'équation de Henderson-Hasselbalch.

  $$pH = pK_a + \log \frac{[A^-]}{[HA]}$$

  – Près du point d'équivalence, lorsque le rapport des concentrations HA/A^- devient inférieur à 0,1 parce qu'il ne reste que très peu d'acide, on utilise de nouveau l'expression de la constante d'équilibre la plus élevée, K_a ou K_b, en appliquant l'équation quadratique.

  Comme on peut le constater, les calculs pour établir cette portion de la courbe de titrage se fondent sur les notions concernant l'ajout de base à des solutions tampons *(revoir, si nécessaire, la section 6.2.3)*.

- ***Au point d'équivalence***

  Lorsque l'acide est neutralisé, le mélange est une solution de la base conjuguée, A^-. Par conséquent, on calcule le pH en appliquant les notions concernant les sels d'acides faibles *(revoir, si nécessaire, la section 6.1.2)*. On aura donc recours à l'équation suivante.

  $$A^-(aq) + H_2O(l) \rightleftharpoons OH^-(aq) + HA(aq)$$

- ***Au-delà du point d'équivalence***

  Dès que la quantité de base ajoutée dépasse le point d'équivalence, la base forte est en présence de la base faible, A^-, et inhibe la réaction de cette dernière; on calcule alors le pH en ne tenant compte que de la quantité de OH^- provenant de la base forte, c'est-à-dire comme lors de la neutralisation d'un acide fort par une base forte au-delà du point d'équivalence; dans ce cas, en effet, les ions hydroxydes, OH^-, dominent largement dans la solution.

▼ EXEMPLE 6.11

On procède au titrage de 10,0 mL d'une solution contenant 0,200 mol/L d'acide acétique, CH_3COOH, à l'aide d'une solution contenant 0,100 mol/L d'hydroxyde de sodium, NaOH. On veut tracer la courbe de titrage en calculant le pH initial et après l'ajout de 5,00 mL, 10,0 mL, 15,0 mL, 19,0 mL, 21,0 mL et 25,0 mL de solution basique, ainsi qu'au point d'équivalence.

Point d'équivalence

On a mentionné au début de cette section que le point d'équivalence est à 20,0 mL de solution de NaOH ajoutée.

$$CH_3COOH(aq) + NaOH(aq) \longrightarrow CH_3COONa(aq) + H_2O(l)$$

$$\text{quantité initiale de } CH_3COOH = 10,0\ \cancel{mL} \times \frac{0,200\ mol}{1000\ \cancel{mL}}$$

$$= 2,00 \times 10^{-3}\ mol\ CH_3COOH$$

$$\text{volume de solution de NaOH} = 2,00 \times 10^{-3}\ \cancel{mol} \times \frac{1000\ mL}{0,100\ \cancel{mol}} = 20,0\ mL$$

Calcul du pH initial

Puisque le rapport $[CH_3COOH]/K_a$ est largement supérieur à 100, on peut utiliser le calcul approximatif pour établir le pH initial.

$$\frac{[CH_3COOH]}{K_a} = \frac{0,200}{1,8 \times 10^{-5}} = 1,1 \times 10^4$$

Réaction	$CH_3COOH(aq)$ +	$H_2O(l)$ ⟶	$H_3O^+(aq)$	+ $CH_3COO^-(aq)$
$[\ ]_0$ (mol/L)	0,200		0	0
Variation	$-x$		$+x$	$+x$
$[\ ]$ (mol/L)	$0,200 - x$		x	x

$$[CH_3COOH] \approx [CH_3COOH]_0 \approx 0,200 \text{ mol/L} \qquad [H_3O^+] = [CH_3COO^-]$$

$$K_a = \frac{[CH_3COO^-][H_3O^+]}{[CH_3COOH]} = \frac{x^2}{0,200} = 1,8 \times 10^{-5}$$

$$x = [H_3O^+] = \sqrt{K_a[CH_3COOH]}$$

$$[H_3O^+] = \sqrt{1,8 \times 10^{-5} \times 0,200} = 1,9 \times 10^{-3} \text{ mol/L} \Rightarrow \mathbf{pH = 2,72}$$

- Le pH initial est donc de **2,72**.

Calcul du pH après l'ajout de 5,00 mL de solution de NaOH

La quantité de OH^- dans 5,00 mL de solution de NaOH est de **$5,00 \times 10^{-4}$ mol.**

$$\text{quantité de } OH^- \text{ ajoutée} = \frac{0,100 \text{ mol}}{1000 \cancel{\text{mL}}} \times 5,00 \cancel{\text{mL}} = 5,00 \times 10^{-4} \text{ mol } OH^-$$

D'après les équilibres en jeu, l'addition de $5,00 \times 10^{-4}$ mol de OH^- entraîne la formation de $5,00 \times 10^{-4}$ mol de CH_3COO^- et la suppression de $5,00 \times 10^{-4}$ mol de CH_3COOH.

$$CH_3COOH(aq) \rightleftarrows CH_3COO^-(aq) + H^+(aq)$$

qté initiale $2,00 \times 10^{-3}$ mol

$$H^+(aq) + \mathbf{OH^-}(aq) \rightleftharpoons 2H_2O(l)$$

suppression de $5,00 \times 10^{-4}$ mol ⇐ formation de $5,00 \times 10^{-4}$ mol ⇐ ajout de $5,00 \times 10^{-4}$ mol

On peut simplifier les calculs des concentrations à l'équilibre en utilisant une démarche analogue à celle de l'exemple 6.11, soit :

$$[CH_3COOH] = \frac{\text{quantité initiale de } CH_3COOH - \text{quantité ajoutée de } OH^-}{\text{volume total de solution (L)}}$$

$$= \frac{2,00 \times 10^{-3} \text{ mol} - 5,00 \times 10^{-4} \text{ mol}}{0,0150 \text{ L}} = 0,100 \text{ mol/L}$$

$$[CH_3COO^-] = \frac{\text{quantité ajoutée de } OH^-}{\text{volume total de solution}} = \frac{5,00 \times 10^{-4} \text{ mol}}{0,0150 \text{ L}}$$

$$= 3,33 \times 10^{-2} \text{ mol/L}$$

En outre, on observe que le rapport $[CH_3COOH]/[CH_3COO^-]$ est égal à 3, ce qui correspond à une solution tampon efficace. On peut donc utiliser l'équation de Henderson-Hasselbalch.

$$\frac{[CH_3COOH]}{[CH_3COO^-]} = \frac{0,100}{3,33 \times 10^{-2}} = 3$$

$$pH = pK_a + \log\frac{[CH_3COO^-]}{[CH_3COOH]} = 4,74 + \log\frac{3,33 \times 10^{-2} \text{ mol/L}}{0,100 \text{ mol/L}} = 4,74 - 0,477 = 4,26$$

- Le pH est donc égal à **4,26**.

Calcul du pH après l'ajout de 10,0 mL de solution de NaOH

$$\text{mol de OH}^- \text{ ajoutée} = \frac{0{,}100 \text{ mol}}{1000 \cancel{\text{mL}}} \times 10{,}0 \cancel{\text{mL}} = 1{,}00 \times 10^{-3} \text{ mol OH}^-$$

$$[CH_3COOH] = \frac{2{,}00 \times 10^{-3} \text{ mol} - 1{,}00 \times 10^{-3} \text{ mol}}{0{,}0200 \text{ L}} = 5{,}00 \times 10^{-2} \text{ mol/L}$$

$$[CH_3COO^-] = \frac{1{,}00 \times 10^{-3} \text{ mol}}{0{,}0200 \text{ L}} = 5{,}00 \times 10^{-2} \text{ mol/L}$$

$$pH = pK_a + \log \frac{[CH_3COO^-]}{[CH_3COOH]} = 4{,}74 + \log \frac{5{,}00 \times 10^{-2}}{5{,}00 \times 10^{-2}} = 4{,}74 + 0 = 4{,}74$$

- Le pH après l'ajout de 10,0 mL de solution est égal à **4,74**. On remarque que, au point de demi-équivalence (la moitié du volume de solution de NaOH nécessaire), **le pH est égal au pK_a**. On peut ainsi, à l'aide de cette caractéristique, déterminer la constante d'acidité, K_a.

$$pH = pK_a \Rightarrow K_a = 10^{-pK_a}$$

Cette relation est valable à la condition que la concentration initiale de l'acide soit largement supérieure à la concentration de H_3O^+ au point de demi-équivalence.

Calcul du pH après l'ajout de 15,0 mL de solution de NaOH

$$\text{mol de OH}^- \text{ ajoutée} = \frac{0{,}100 \text{ mol}}{1000 \cancel{\text{mL}}} \times 15{,}0 \cancel{\text{mL}} = 1{,}50 \times 10^{-3} \text{ mol OH}^-$$

$$[CH_3COOH] = \frac{2{,}00 \times 10^{-3} \text{ mol} - 1{,}50 \times 10^{-3} \text{ mol}}{0{,}0250 \text{ L}} = 2{,}00 \times 10^{-2} \text{ mol/L}$$

$$[CH_3COO^-] = \frac{1{,}50 \times 10^{-3} \text{ mol}}{0{,}0250 \text{ L}} = 6{,}00 \times 10^{-2} \text{ mol/L}$$

$$pH = pK_a + \log \frac{[CH_3COO^-]}{[CH_3COOH]} = 4{,}74 + \log \frac{6{,}00 \times 10^{-2}}{2{,}00 \times 10^{-2}} = 4{,}74 + 0{,}477 = 5{,}22$$

- Le pH est égal à **5,22**. On constate que le mélange forme toujours une solution tampon, puisque le rapport des concentrations CH_3COO^-/CH_3COOH est égal à 3.

Calcul du pH après l'ajout de 19,0 mL de solution de NaOH

$$\text{mol de OH}^- \text{ ajoutée} = \frac{0{,}100 \text{ mol}}{1000 \cancel{\text{mL}}} \times 19{,}0 \cancel{\text{mL}} = 1{,}90 \times 10^{-3} \text{ mol OH}^-$$

$$[CH_3COOH] = \frac{2{,}00 \times 10^{-3} \text{ mol} - 1{,}90 \times 10^{-3} \text{ mol}}{0{,}0290 \text{ L}} = 3{,}45 \times 10^{-3} \text{ mol/L}$$

$$[CH_3COO^-] = \frac{1{,}90 \times 10^{-3} \text{ mol}}{0{,}0290 \text{ L}} = 6{,}55 \times 10^{-2} \text{ mol/L}$$

On remarque que le rapport des concentrations CH_3COO^-/CH_3COOH n'est plus compris entre 0,1 et 10 : le mélange ne forme plus un tampon efficace.

$$\frac{[CH_3COO^-]}{[CH_3COOH]} = \frac{6{,}55 \times 10^{-2} \text{ mol/L}}{3{,}45 \times 10^{-3} \text{ mol/L}} = 19{,}0$$

On ne peut donc pas utiliser l'équation de Henderson-Hasselbalch. Il faut par conséquent recourir à l'équation quadratique et construire un tableau des concentrations initiales, de leurs variations et des concentrations à l'équilibre.

Réaction	$CH_3COOH(aq)$ +	$H_2O(l)$ $\rightleftharpoons$	$H_3O^+(aq)$	+ $CH_3COO^-(aq)$
$[\ ]_0$ (mol/L)	$3,45 \times 10^{-3}$		≈ 0	$6,55 \times 10^{-2}$
Variation	$-x$		$+x$	$+x$
$[\ ]$ (mol/L)	$3,45 \times 10^{-3} - x$		x	$6,55 \times 10^{-2} + x$

$$K_a = \frac{[CH_3COO^-][H_3O^+]}{[CH_3COOH]} \Rightarrow 1,8 \times 10^{-5} = \frac{(6,55 \times 10^{-2} + x)x}{3,45 \times 10^{-3} - x}$$

$$x^2 + (6,55 \times 10^{-2})\,x + 6,21 \times 10^{-8} = 0$$

La résolution de cette équation du second degré donne une valeur de $5,5 \times 10^{-7}$ mol/L pour la concentration de H_3O^+, ce qui correspond à un pH de 6,26. En appliquant l'équation de Henderson-Hasselbalch, on aurait obtenu un pH de 6,02.

- Le pH après l'ajout de 19,0 mL de solution de NaOH est donc de **6,26**.

Calcul du pH au point d'équivalence

Au point d'équivalence, tout l'acide a été neutralisé par la base. Par contre, sa base conjuguée est en équilibre avec un peu de CH_3COOH; la solution est basique et le pH devrait être supérieur à 7; la quantité de CH_3COOH qui reste est égale à celle de OH^-.

$$CH_3COO^-(aq) + H_2O(l) \rightleftharpoons OH^-(aq) + CH_3COOH(aq)$$

Cette équation est régie par la constante de basicité, K_b.

$$K_b = \frac{[CH_3COOH][OH^-]}{[CH_3COO^-]} = 5,5 \times 10^{-10}$$

La quantité de CH_3COO^- est approximativement égale à la quantité de OH^- ajoutée, soit $2,00 \times 10^{-3}$ mol.

$$\text{mol de } OH^- \text{ (de NaOH)} = \text{mol de } CH_3COO^- = \frac{0,100 \text{ mol}}{1000 \cancel{\text{mL}}} \times 20,0 \cancel{\text{mL}}$$

$$= 2,00 \times 10^{-3} \text{ mol}$$

$$\mathbf{[CH_3COO^-]} = \frac{2,00 \times 10^{-3} \text{ mol}}{0,030 \text{ L}} = 6,67 \times 10^{-2} \text{ mol/L}$$

La seule quantité de CH_3COOH qui reste maintenant est celle provenant de l'hydrolyse de CH_3COO^-.

$$[CH_3COOH] = [OH^-] \text{ (de } CH_3COO^-)$$

Puisque le rapport entre la concentration de CH_3COO^- et K_b est largement supérieur à 100, on peut utiliser le calcul approximatif en considérant que la concentration à l'équilibre de CH_3COO^- est égale à sa concentration initiale.

$$K_b = \frac{[CH_3COOH][OH^-]}{[CH_3COO^-]} = \frac{[OH^-]^2}{[CH_3COO^-]} = \frac{[OH^-]^2}{6,67 \times 10^{-2}} = 5,5 \times 10^{-10}$$

$$\Rightarrow [OH^-] = \sqrt{5,5 \times 10^{-10} \times 6,67 \times 10^{-2}}$$

$$[OH^-] = 6,1 \times 10^{-6} \text{ mol/L} \Rightarrow pOH = 5,21 \Rightarrow pH = 14,00 - 5,21 = 8,79$$

- Le pH au point d'équivalence est donc de **8,79**, ce qui correspond bien à une solution basique.

Calcul du pH après l'ajout de 21,0 mL et de 25,0 mL de solution de NaOH

Au-delà du point d'équivalence, le pH de la solution est déterminé par l'excès de base forte, puisque ce sont les ions OH^- provenant de celle-ci qui dominent.

Le pH aura les mêmes valeurs que celles calculées à l'exemple 6.10 pour les mêmes quantités de NaOH, soit respectivement 11,51 et 12,15, puisqu'on est en présence d'un mélange de bases forte et faible, cette dernière devenant négligeable.

- Le pH après l'ajout de 21,0 mL de solution de NaOH est de **11,5**.
- Le pH après l'ajout de 25,0 mL de solution de NaOH est de **12,2**.

Le tableau 6.3 donne les résultats des calculs de pH de l'exemple 6.11, ainsi que les valeurs calculées après l'ajout de 19,9 mL, 20,1 mL et 30,0 mL de solution de NaOH (exercice 6.12). Le graphique du pH en fonction du volume de solution de NaOH ajouté est présenté à la figure 6.6.

En résumé, lors du titrage d'un acide faible par une base forte, on effectue les calculs de la manière suivante.

CALCULS EFFECTUÉS LORS DU TITRAGE D'UN ACIDE FAIBLE PAR UNE BASE FORTE

$$HA(aq) + OH^-(aq) \rightleftharpoons H_2O(l) + A^-(aq)$$

- **Initialement**

  À partir de la constante d'acidité de l'acide faible.

- **Avant l'atteinte du point d'équivalence**

  Selon le rapport [HA]/[A⁻].

$$[HA] = \frac{\text{quantité initiale de HA} - \text{quantité ajoutée de OH}^-}{\text{volume total de solution (L)}}$$

$$[A^-] = \frac{\text{quantité ajoutée de OH}^-}{\text{volume total de solution (L)}}$$

Lorsque ce rapport est compris entre 0,1 et 10, on applique l'équation de Henderson-Hasselbalch.

$$[H_3O^+] = K_a \times \frac{[HA]}{[A^-]} \quad \text{ou} \quad pH = pK_a + \log\frac{[A^-]}{[HA]}$$

Lorsque ce rapport n'est pas compris entre 0,1 et 10, ce qui se produit au tout début du titrage et très près du point d'équivalence, on utilise l'équation quadratique, car on ne peut pas faire l'approximation des concentrations initiales et de celles à l'équilibre.

$$K_a = \frac{([A^-] + x)x}{[HA] - x}$$

- **Au point d'équivalence**

  Tout l'acide a été neutralisé, de sorte que

$$[A^-] = \frac{\text{quantité ajoutée de OH}^-}{\text{volume total de solution (L)}}$$

L'approximation des concentrations initiales et de celles à l'équilibre est généralement valable, de sorte que

$$[OH^-] = \sqrt{K_b[A^-]} \text{ et } [H_3O^+] = \frac{1{,}0 \times 10^{-14}}{[OH^-]}$$

- **Après le point d'équivalence**

$$[OH^-] = \frac{\text{quantité ajoutée de OH}^- - \text{quantité initiale de HA}}{\text{volume total de solution (L)}}$$

La contribution de OH^- provenant de l'hydrolyse de A^- est négligeable par rapport à celle de l'excès de base forte.

Tableau 6.3 Valeurs de pH correspondant au titrage de 10,0 mL d'une solution contenant 0,200 mol/L d'acide acétique, CH_3COOH, par une solution de 0,100 mol/L d'hydroxyde de sodium, NaOH.

Volume de solution de NaOH (mL)	0,00	5,00	10,0	15,0	19,0	19,9	20,0	20,1	21,0	25,0	30,0
pH	2,73	4,28	4,76	5,24	6,26	7,06	**8,79**	10,5	11,5	12,2	12,4

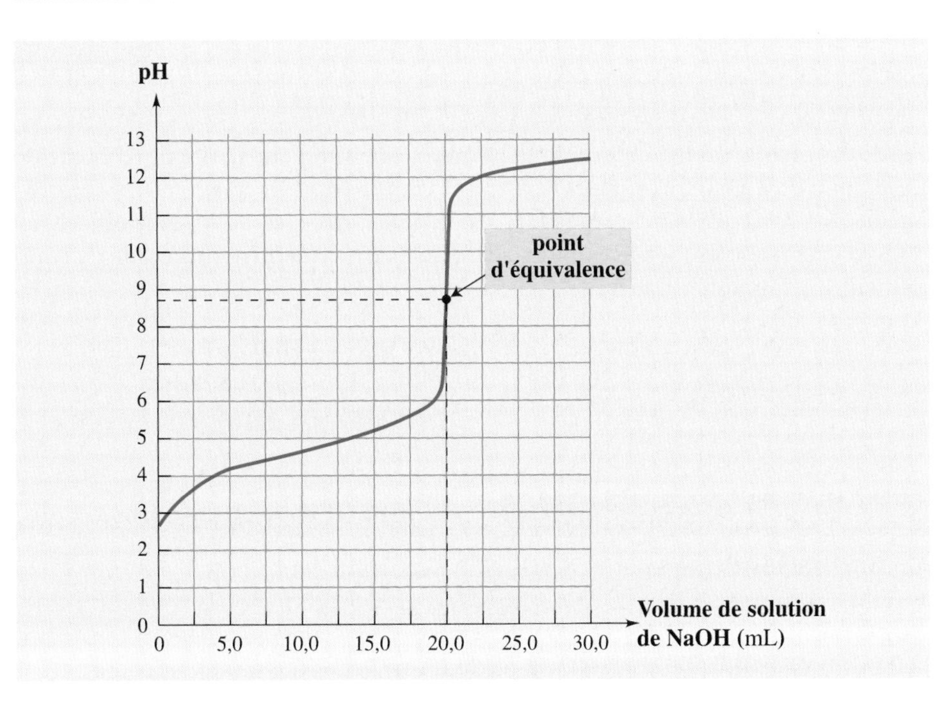

Figure 6.6 Graphique du pH en fonction du volume de solution de 0,100 mol/L d'hydroxyde de sodium, NaOH, pour le titrage de 10,0 mL d'une solution contenant 0,200 mol/L d'acide acétique, CH_3COOH (*données du tableau 6.3*).

Voyons les caractéristiques qui ressortent de l'analyse de la courbe de titrage d'un acide faible par une base forte.

- À même concentration, le pH initial est plus élevé pour l'acide faible, moins dissocié, que pour l'acide fort.
- Le pH s'accroît rapidement au début du titrage. C'est que l'anion produit par la réaction de neutralisation est l'ion commun de l'acide faible, ce qui diminue la dissociation de l'acide faible.
- Sur une section assez large de la courbe précédant le point d'équivalence, on constate que le pH change de façon graduelle, en raison du caractère tampon de la solution.
- Au point de demi-équivalence, le pH est égal au pK_a, car la concentration de l'anion, A^-, est approximativement égale à celle de l'acide, HA.
- Au point d'équivalence, l'hydrolyse de l'anion du sel formé donne un pH basique.

EXERCICE 6.14

Sans vous référer au tableau 6.3, calculez le pH après l'addition des volumes suivants de solution contenant 0,100 mol/L d'hydroxyde de sodium, NaOH, à 10,0 mL d'une solution 0,200 mol/L d'acide acétique, CH_3COOH.

a) 19,9 mL b) 20,1 mL c) 30,0 mL

EXERCICE 6.15

En vous reportant à la figure 6.4, repérez le ou les indicateurs qui pourraient être utilisés pour le titrage de la solution d'acide acétique par celle d'hydroxyde de sodium.

TITRAGE D'UNE BASE FAIBLE PAR UN ACIDE FORT

La méthode de calcul appliquée pour ce type de titrage est la même que celle décrite pour le titrage d'un acide faible par une base forte. Cependant, la forme de la courbe de titrage est différente.

- Au début du titrage, le pH est largement supérieur à 7, car il y a excès de solution basique.
- Au point d'équivalence, le pH est inférieur à 7, car le cation de la base faible est acide.
- Au-delà du point d'équivalence, la valeur du pH est déterminée par l'excès d'acide chlorhydrique; elle sera donc largement inférieure à 7.

Pour les calculs, on procédera de la même façon que pour le titrage d'un acide faible par une base forte, mais en tenant compte du fait que les ions H_3O^+ de l'acide fort neutralisent les ions OH^- de la base faible, ce qui a pour effet d'accroître progressivement le rapport BH^+/B, de sorte que la solution forme rapidement un tampon efficace.

$$\underset{\text{diminution}}{B(aq)} + H_2O(l) \rightleftharpoons OH^-(aq) + \underset{\text{augmentation}}{BH^+(aq)}$$
$$OH^-(aq) + \mathbf{H_3O^+}(aq) \rightleftharpoons 2H_2O(l)$$

▼ EXEMPLE 6.12

On procède au titrage de 10,0 mL d'une solution contenant 0,400 mol/L de triméthylamine, $(CH_3)_3N$, par une solution 0,200 mol/L d'acide chlorhydrique, $HCl(aq)$. On veut tracer la courbe de titrage en calculant le pH initial et après l'addition de 8,00 mL et 25,0 mL de solution acide, ainsi qu'au point d'équivalence.

Détermination du point d'équivalence

La réaction de neutralisation est la suivante.

$$(CH_3)_3N(aq) + HCl(aq) \longrightarrow (CH_3)_3NHCl(aq)$$

$$\text{quantité initiale de } (CH_3)_3N = 10{,}0\,\cancel{mL} \times \frac{0{,}400\text{ mol}}{1000\,\cancel{mL}} = 4{,}00 \times 10^{-3}\text{ mol } (CH_3)_3N$$

$$\text{volume de solution de HCl} = 4{,}00 \times 10^{-3}\,\cancel{mol} \times \frac{1000\text{ mL}}{0{,}200\,\cancel{mol}}$$
$$= 20{,}0\text{ mL de solution de HCl}$$

- Il faut **20,0 mL** de solution acide pour atteindre le point d'équivalence.

Calcul du pH initial

Puisque le rapport $[(CH_3)_3N]/K_b$ est largement supérieur à 100, on peut utiliser le calcul approximatif.

$$\frac{[(CH_3)_3N]}{K_b} = \frac{0{,}400}{6{,}3 \times 10^{-5}} = 6{,}3 \times 10^3$$

On doit considérer l'équilibre suivant.

Réaction	$(CH_3)_3N(aq)$ +	$H_2O(l)$ ⟶	$OH^-(aq)$	+ $(CH_3)_3NH^+(aq)$
$[\ ]_0$ (mol/L)	0,400		0	0
Variation	$-x$		$+x$	$+x$
$[\ ]$ (mol/L)	$0{,}400 - x$		x	x

$[(CH_3)_3N] \approx [(CH_3)_3N]_0 \approx 0{,}400$ mol/L $\qquad [OH^-] = [(CH_3)_3NH^+]$

$$K_b = \frac{[(CH_3)_3NH^+][OH^-]}{[(CH_3)_3N]} = \frac{x^2}{0{,}400} = 6{,}3 \times 10^{-5}$$

$$x = [OH^-] = \sqrt{K_b[(CH_3)_3N]}$$

$$[OH^-] = \sqrt{6{,}3 \times 10^{-5} \times 0{,}400} = 5{,}0 \times 10^{-3} \text{ mol/L} \Rightarrow \text{pOH} = 2{,}30 \Rightarrow \text{pH} = 11{,}70$$

- Le pH initial est égal à **11,70**.

Calcul du pH après l'ajout de 8,00 mL de solution de HCl

– La quantité de H_3O^+ dans 8,00 mL de solution de HCl est **1,60 × 10⁻³ mol**.

$$\text{mol de } H_3O^+ \text{ ajoutée} = \frac{0{,}200 \text{ mol}}{1000 \text{ mL}} \times 8{,}00 \text{ mL} = 1{,}60 \times 10^{-3} \text{ mol } H_3O^+$$

D'après les équilibres en jeu, l'addition de $1{,}60 \times 10^{-3}$ mol H_3O^+ entraîne la formation de $1{,}60 \times 10^{-3}$ mol de $(CH_3)_3NH^+$ et la suppression de $1{,}60 \times 10^{-3}$ mol de $(CH_3)_3N$.

$$(CH_3)_3N(aq) + H_2O(l) \rightleftharpoons (CH_3)_3NH^+(aq) + OH^-(aq)$$
$$OH^-(aq) + \mathbf{H_3O^+}(aq) \rightleftharpoons 2H_2O(l)$$

suppression de $1{,}60 \times 10^{-3}$ mol ⇐ formation de $1{,}60 \times 10^{-3}$ mol ⇐ ajout de $1{,}60 \times 10^{-3}$ mol

On peut simplifier les calculs des concentrations à l'équilibre en utilisant une démarche analogue à celle de l'exemple précédent, soit :

$$[(CH_3)_3N] = \frac{\text{quantité initiale de } (CH_3)_3N - \text{quantité ajoutée de } H_3O^+}{\text{volume total de solution (L)}}$$

$$= \frac{4{,}00 \times 10^{-3} \text{ mol} - 1{,}60 \times 10^{-3} \text{ mol}}{0{,}0180 \text{ L}} = 0{,}133 \text{ mol/L}$$

$$[(CH_3)_3NH^+] = \frac{\text{quantité ajoutée de } H_3O^+}{\text{volume total de solution}} = \frac{1{,}60 \times 10^{-3} \text{ mol}}{0{,}0180 \text{ L}} = 8{,}89 \times 10^{-2} \text{ mol/L}$$

On peut utiliser l'équation de Henderson-Hasselbalch, puisque le rapport $[(CH_3)_3N]/[(CH_3)_3NH^+]$ est compris entre 0,1 et 10.

$$\frac{[(CH_3)_3N]}{[(CH_3)_3NH^+]} = \frac{0{,}133}{8{,}89 \times 10^{-2}} = 1{,}50$$

$$\text{pOH} = \text{p}K_b + \log\frac{[(CH_3)_3NH^+]}{[(CH_3)_3N]} = 4{,}20 + \log\frac{8{,}89 \times 10^{-2}}{0{,}133} = 4{,}20 - 0{,}175 = 4{,}03$$

- Le pOH étant égal à 4,03, le pH après l'ajout de 8,0 mL de solution de HCl vaut **9,97**.

Calcul du pH au point d'équivalence

Au point d'équivalence, toute la base a été neutralisée par l'acide. Par contre, son acide conjugué est en équilibre avec un peu de base, $(CH_3)_3N$, et le pH devrait être inférieur à 7; la quantité de $(CH_3)_3N$ qui reste est égale à celle de H_3O^+.

$$(CH_3)_3NH^+(aq) + H_2O(l) \rightleftharpoons (CH_3)_3N(aq) + H_3O^+(aq)$$

Cette équation est alors régie par la constante d'acidité, K_a.

$$K_a = \frac{[(CH_3)_3N][H_3O^+]}{[(CH_3)_3NH^+]} = 1,6 \times 10^{-10}$$

La quantité de $(CH_3)_3NH^+$ est approximativement égale à la quantité de H_3O^+ ajoutée, soit $4,00 \times 10^{-3}$ mol.

$$\text{mol de } H_3O^+(\text{de HCl}) = \text{mol de } (CH_3)_3NH^+ = \frac{0,200 \text{ mol}}{1000 \text{ mL}} \times 20,0 \text{ mL}$$

$$= 4,00 \times 10^{-3} \text{ mol}$$

$$[(CH_3)_3NH^+] = \frac{4,00 \times 10^{-3} \text{ mol}}{0,0300 \text{ L}} = 0,133 \text{ mol/L}$$

La seule quantité de $(CH_3)_3N$ qui reste maintenant est celle provenant de l'hydrolyse de $(CH_3)_3NH^+$.

$$[(CH_3)_3N] = [H_3O^+] \text{ (de } (CH_3)_3NH^+)$$

On utilise le calcul approximatif, puisque la constante d'acidité, K_a, est très faible par rapport à la concentration de $(CH_3)_3NH^+$.

$$K_b = \frac{[(CH_3)_3N][H_3O^+]}{[(CH_3)_3NH^+]} = \frac{[H_3O^+]^2}{0,133} = 1,6 \times 10^{-10}$$

$$\Rightarrow [H_3O^+] = \sqrt{1,6 \times 10^{-10} \times 0,133} = 4,6 \times 10^{-6} \text{ mol/L}$$

$$\Rightarrow \text{pH} = 5,34$$

- Le pH au point d'équivalence est égal à **5,34**.

Calcul du pH après l'ajout de 25,0 mL de solution de HCl

Au-delà du point d'équivalence, le pH de la solution est déterminé par l'excès d'acide fort, puisque ce sont les ions H_3O^+ provenant de celui-ci qui dominent.

$$\text{mol de } H_3O^+ \text{ ajoutée} = \frac{0,200 \text{ mol}}{1000 \text{ mL}} \times 25,0 \text{ mL} = 5,00 \times 10^{-3} \text{ mol } H_3O^+$$

$$[H_3O^+] = \frac{\text{quantité ajoutée de } H_3O^+ - \text{quantité initiale de } (CH_3)_3N}{\text{volume total de solution (L)}}$$

$$= \frac{5,00 \times 10^{-3} \text{ mol} - 4,00 \times 10^{-3} \text{ mol}}{0,0350 \text{ L}} = 2,86 \times 10^{-2} \text{ mol/L}$$

$$\Rightarrow \text{pH} = 1,54$$

- Le pH après l'ajout de 25,0 mL de solution de HCl est égal à **1,54**.

EXERCICE 6.16

Calculez le pH après l'addition des volumes suivants de solution 0,200 mol/L d'acide chlorhydrique, HCl(*aq*), à 10,00 mL d'une solution contenant 0,400 mol/L de triméthylamine, $(CH_3)_3N$, puis tracez la courbe de titrage en ajoutant les données de l'exemple 6.12.

a) 4,00 mL
b) 10,0 mL
c) 15,0 mL
d) 16,0 mL
e) 19,9 mL
f) 20,1 mL
g) 30,0 mL

CAPSULE CHIMIQUE

Le titrage des polyacides : des courbes de plus en plus sinueuses

La courbe de titrage des polyacides (acides polyprotiques), tel l'acide phosphorique, H_3PO_4, présente autant de points d'équivalence que le nombre d'atomes d'hydrogène acide présents dans la formule de la substance. C'est pourquoi on trouve dans ce cas trois points d'équivalence (*figure 1*). Pour les déterminer, on effectue des calculs analogues à ceux montrés dans cette section. À chaque point, on retrouve successivement les espèces chimiques suivantes correspondant à chaque neutralisation.

$NaH_2PO_4(aq)$, $Na_2HPO_4(aq)$, $Na_3PO_4(aq)$

$$H_3PO_4(aq) + H_2O(l) \rightleftharpoons H_2PO_4^-(aq) + H_3O^+(aq)$$

première dissociation

$$H_2PO_4^-(aq) + H_2O(l) \rightleftharpoons HPO_4^{2-}(aq) + H_3O^+(aq)$$

seconde dissociation

$$HPO_4^{2-}(aq) + H_2O(l) \rightleftharpoons PO_4^{3-}(aq) + H_3O^+(aq)$$

troisième dissociation

Sur cette courbe, on observe d'abord que la valeur du pH au point d'équivalence dépend de la force de l'acide. La constante d'acidité de l'acide phosphorique, H_3PO_4, est égale à $6,9 \times 10^{-3}$ et son pH au point d'équivalence est de l'ordre de 4,3; celle de l'ion dihydrogénophosphate, $H_2PO_4^-$, est de $6,2 \times 10^{-8}$, et son pH au point d'équivalence monte vers 9,5. Enfin, le plus faible des acides, l'ion hydrogénophosphate, HPO_4^{2-}, a une constante d'acidité très faible à $4,8 \times 10^{-13}$ et son pH au point d'équivalence, plutôt mal défini, est de l'ordre de 13,5.

On peut ainsi mettre en évidence que plus l'acide est faible, plus la valeur de son pH au point d'équivalence est élevée. Cela est vrai aussi pour les monoacides. En outre, plus l'acide est faible, plus la zone verticale qui englobe le point d'équivalence s'amoindrit. Dans cet exemple, elle diminue à un point tel que la détermination du troisième point d'équivalence est quelque peu hasardeuse.

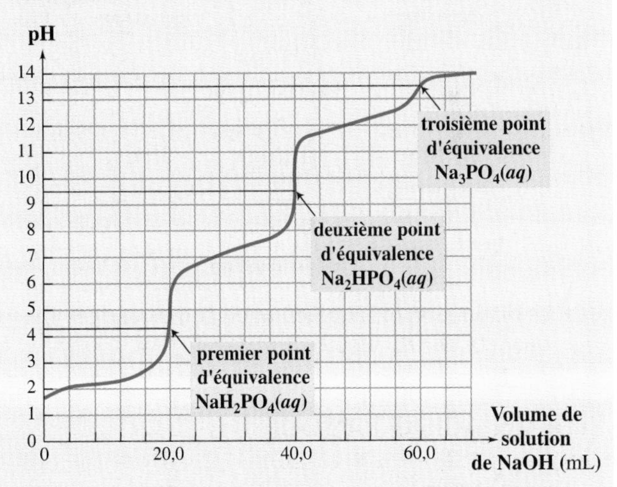

Figure 1 Courbe de titrage de l'acide phosphorique, H_3PO_4, par une solution d'hydroxyde de sodium, NaOH.

LE CHAPITRE EN UN CLIN D'ŒIL

PROPRIÉTÉS ACIDO-BASIQUES DES SELS

Sel	Exemple	Ions hydrolysés	pH
Cation de base forte et anion d'acide fort	KCl $NaNO_3$ $BaBr_2$	Aucun	Neutre
Cation de base forte et anion d'acide faible	NaF C_6H_5COOK	Anion F^- et $C_6H_5COO^-$	Basique
Cation de base faible et anion d'acide fort	NH_4Br $C_6H_5NH_3NO_3$	Cation NH_4^+ et $C_6H_5NH_3^+$	Acide
Cation de base faible et anion d'acide faible	NH_4F $CH_3NH_3NO_2$	Cation et anion NH_4^+ et F^- $CH_3NH_3^+$ et NO_2^-	Acide ($K_b < K_a$) Basique ($K_b > K_a$) Neutre ($K_b \approx K_a$)
Certains cations métalliques et anion d'acide fort	$Al_2(SO_4)_3$ $FeCl_3$	Cation $Al(H_2O)_6^{3+}$ et $Fe(H_2O)_6^{3+}$	Acide

SOLUTIONS TAMPONS

Nature et caractéristiques	Calcul de $[H_3O^+]$ et du pH
• Acide faible/Sel d'acide faible • Base faible/Sel de base faible • La solution conserve son pouvoir tampon si $0{,}1 < \frac{[A^-]}{[HA]} < 10$ ou $0{,}1 < \frac{[BH^+]}{[B]} < 10$	$[H_3O^+] = K_a \times \frac{[HA]}{[A^-]}$ Équation de Henderson-Hasselbalch : $pH = pK_a + \log \frac{[A^-]}{[HA]}$ ou $pOH = pK_b + \log \frac{[BH^+]}{[B]}$

Ajout de OH^-	Ajout de H_3O^+
$HA(aq) \rightleftarrows H^+(aq) + A^-(aq)$ HA : diminution ; A^- : augmentation $H^+(aq) + OH^-(aq)$: **neutralisation**	$B(aq) \rightleftarrows OH^-(aq) + BH^+(aq)$ B : diminution ; BH^+ : augmentation $OH^-(aq) + H_3O^+(aq)$: **neutralisation**
$BH^+(aq) \rightleftarrows H^+(aq) + B(aq)$ BH^+ : diminution ; B : augmentation $H^+(aq) + OH^-(aq)$: **neutralisation**	$A^-(aq) \rightleftarrows OH^-(aq) + HA(aq)$ A^- : diminution ; HA : augmentation $OH^-(aq) + H_3O^+(aq)$: **neutralisation**
• La diminution et l'augmentation correspondent à la quantité de OH^- ajoutée.	• La diminution et l'augmentation correspondent à la quantité de H_3O^+ ajoutée.

TITRAGE ACIDO-BASIQUE

Titrage direct

Le point d'équivalence correspond au volume de base nécessaire à la neutralisation de l'acide.

$$HA(aq) + OH^-(aq) \longrightarrow A^-(aq) + H_2O(l)$$

1° Calcul du nombre de mol de OH^-

$$\text{mol } OH^- = \text{volume } OH^- \text{ (L)} \times c \text{ (mol/L)}$$

2° Calcul du nombre de moles neutralisées par l'acide

mol HA = mol OH^- (avec un monoacide);
mol HA = 2 mol OH^- (avec un diacide);
mol HA = 3 mol OH^- (avec un triacide).

3° Calcul de [HA]

$$[HA] = \frac{\text{mol HA}}{\text{volume HA (L)}}$$

COURBES DE TITRAGE

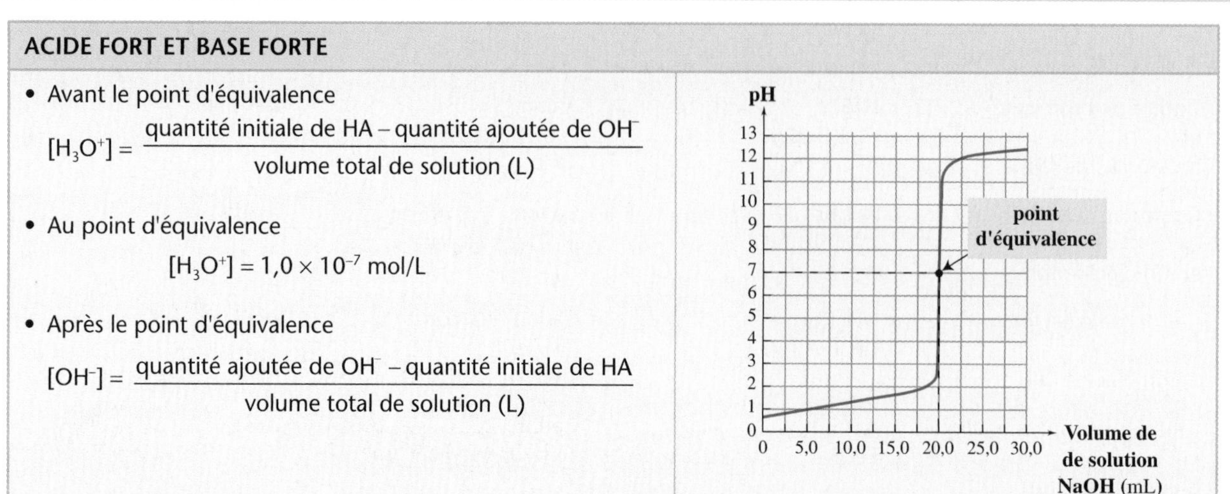

ACIDE FORT ET BASE FORTE

• Avant le point d'équivalence

$$[H_3O^+] = \frac{\text{quantité initiale de HA} - \text{quantité ajoutée de } OH^-}{\text{volume total de solution (L)}}$$

• Au point d'équivalence

$$[H_3O^+] = 1{,}0 \times 10^{-7} \text{ mol/L}$$

• Après le point d'équivalence

$$[OH^-] = \frac{\text{quantité ajoutée de } OH^- - \text{quantité initiale de HA}}{\text{volume total de solution (L)}}$$

<table>
<tr><th>ACIDE FAIBLE ET BASE FORTE</th><th>BASE FAIBLE ET ACIDE FORT</th></tr>
<tr><td>

Avant le point d'équivalence

$$[\text{HA}] = \frac{\text{qté init. de HA} - \text{qté ajoutée de OH}^-}{\text{volume total de solution (L)}}$$

$$[\text{A}^-] = \frac{\text{quantité ajoutée de OH}^-}{\text{volume total de solution (L)}}$$

- Si $0,1 < \frac{[\text{HA}]}{[\text{A}^-]} < 10$,

 on utilise l'équation de Henderson-Hasselbalch.

 $[\text{H}_3\text{O}^+] = K_a \times \frac{[\text{HA}]}{[\text{A}^-]}$ ou $\text{pH} = \text{p}K_a + \log \frac{[\text{A}^-]}{[\text{HA}]}$

- Si $0,1 > \frac{[\text{HA}]}{[\text{A}^-]} > 10$,

 on utilise l'équation quadratique :

 $[\text{H}_3\text{O}^+] = x$ $[\text{HA}] = [\text{HA}]_0 - x$ $[\text{A}^-] = [\text{A}^-]_0 + x$

$$K_a = \frac{([\text{A}^-]_0 + x)x}{[\text{HA}]_0 - x}$$

</td><td>

Avant le point d'équivalence

$$[\text{B}] = \frac{\text{qté init. de B} - \text{qté ajoutée de H}_3\text{O}^+}{\text{volume total de solution (L)}}$$

$$[\text{BH}^+] = \frac{\text{quantité ajoutée de H}_3\text{O}^+}{\text{volume total de solution (L)}}$$

- Si $0,1 < \frac{[\text{B}]}{[\text{BH}^+]} < 10$,

 on utilise l'équation de Henderson-Hasselbalch.

 $[\text{OH}^-] = K_b \times \frac{[\text{B}]}{[\text{BH}^+]}$ ou $\text{pOH} = \text{p}K_b + \log \frac{[\text{BH}^+]}{[\text{B}]}$

- Si $0,1 > \frac{[\text{B}]}{[\text{BH}^+]} > 10$,

 on utilise l'équation quadratique :

 $[\text{OH}^-] = x$ $[\text{B}] = [\text{B}]_0 - x$ $[\text{BH}^+] = [\text{BH}^+]_0 + x$

$$K_a = \frac{([\text{BH}^+]_0 + x)x}{[\text{B}]_0 - x}$$

</td></tr>
<tr><td>

Au point de demi-équivalence

$\text{pH} = \text{p}K_a$

</td><td>

Au point de demi-équivalence

$\text{pOH} = \text{p}K_b$

</td></tr>
<tr><td>

Au point d'équivalence

$$[\text{A}^-] = \frac{\text{quantité ajoutée de OH}^-}{\text{volume total de solution (L)}}$$

$$[\text{OH}^-] = \sqrt{K_b[\text{A}^-]}$$

$$[\text{H}_3\text{O}^+] = \frac{1,0 \times 10^{-14}}{[\text{OH}^-]}$$

</td><td>

Au point d'équivalence

$$[\text{BH}^+] = \frac{\text{quantité ajoutée de H}_3\text{O}^+}{\text{volume total de solution (L)}}$$

$$[\text{H}_3\text{O}^+] = \sqrt{K_a[\text{BH}^+]}$$

</td></tr>
<tr><td>

Après le point d'équivalence (excès de bases)

$$[\text{OH}^-] = \frac{\text{qté ajoutée de OH}^- - \text{qté init. de HA}}{\text{volume total de solution (L)}}$$

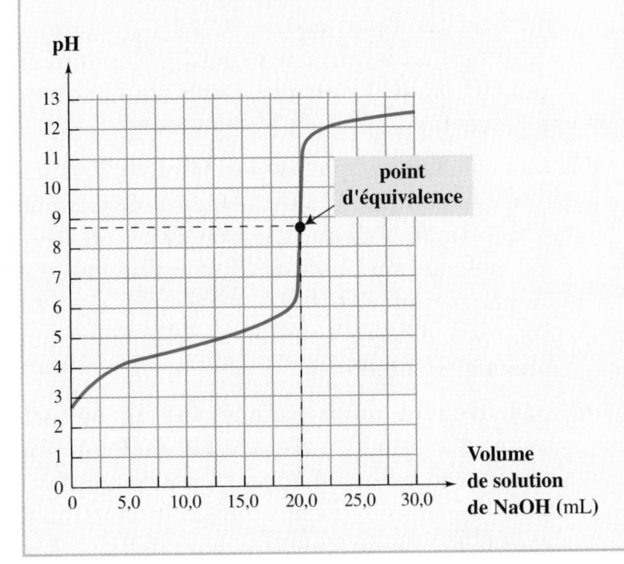

</td><td>

Après le point d'équivalence (excès d'acides)

$$[\text{H}_3\text{O}^+] = \frac{\text{qté ajoutée de H}_3\text{O}^+ - \text{qté init. de B}}{\text{volume total de solution (L)}}$$

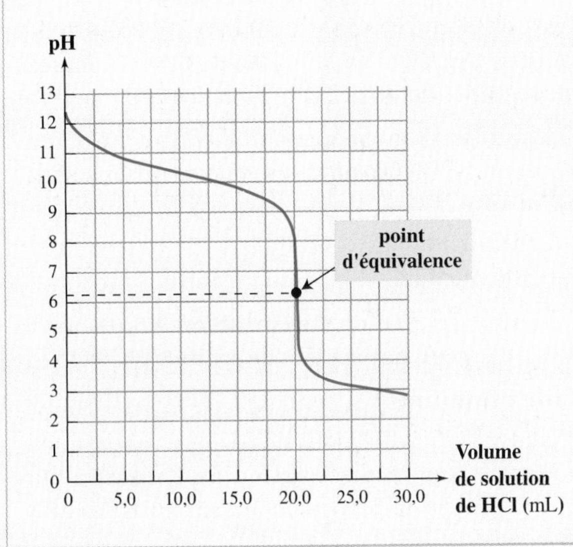

</td></tr>
</table>

QUESTIONS ET EXERCICES SUPPLÉMENTAIRES

À moins que les valeurs des constantes d'acidité ou de basicité ou leurs pK_a ou pK_b ne soient indiquées, vous devez vous reporter au tableau à la fin de l'ouvrage. Sauf indication contraire, les solutions sont à 25 °C.

Équilibre de dissociation et propriétés acido-basiques des sels

1. Montrez, à l'aide des équations appropriées, comment un anion tel que F^- ou un cation tel que NH_4^+ se comporte comme une base ou un acide en solution aqueuse.
2. Prédisez si les sels suivants forment une solution acide, basique ou neutre, et justifiez votre choix.
   a) Cyanure d'ammonium, NH_4CN
   b) Chlorure de fer(III), $FeCl_3$
   c) Hydroxyde de calcium, $Ca(OH)_2$
   d) Acétate de sodium, CH_3COONa
   e) Phénolate d'ammonium, $C_6H_5ONH_4$
3. Les sels de la cocaïne, $C_{17}H_{21}NO_4$, et de la codéine, $C_{18}H_{21}NO_3$, deux bases organiques, se retrouvent sous forme de chlorure. Sachant que le pK_b de la cocaïne est de 8,41 et celui de la codéine, de 7,95, déterminez laquelle des solutions équimoléculaires de ces substances a le pH le plus élevé. Justifiez votre réponse.
4. Expliquez comment certains sels, tels le sulfate d'aluminium, $Al_2(SO_4)_3$, ou le sulfate de potassium et d'aluminium, $KAl(SO_4)_2$, peuvent servir à accroître l'acidité des sols.
5. Classez les solutions diluées (~0,010 mol/L) des substances suivantes en ordre croissant d'acidité.

   $NaNO_3$, NH_4ClO_4, NH_3, $NaNO_2$, CH_3COOH
6. Calculez la concentration d'une solution d'acétate de sodium, CH_3COONa, dont le pH est de 8,60.
7. Le pOH d'une solution de chlorure d'ammonium, NH_4Cl, est égal à 9,25. Calculez la concentration molaire volumique de ce sel.
8. Une solution contenant 0,10 mol/L d'acétate de sodium, CH_3COONa, a un pH de 8,88. Calculez la constante de basicité de l'ion acétate.
9. Calculez le pH de chaque solution de nitrite d'ammonium, NH_4NO_2, dont les concentrations sont les suivantes.
   a) 0,500 mol/L
   b) 0,100 mol/L
10. Calculez le pH d'une solution contenant $1{,}2 \times 10^{-2}$ mol/L de formiate de sodium, HCOONa.

Solutions tampons

11. Prédisez l'effet de l'ajout des espèces chimiques suivantes sur la dissociation de l'acide faible ou de la base faible, selon le cas; justifiez vos réponses.
    a) Addition de NaOH(*s*) à une solution aqueuse de HF
    b) Addition de NaOH(*s*) à une solution aqueuse de CH_3NH_2
    c) Addition de $HNO_3(aq)$ à une solution aqueuse de NH_3
    d) Addition de NaF(*s*) à une solution aqueuse de HF
    e) Addition de NaCl(*s*) à une solution aqueuse de NH_3
12. Expliquez pourquoi le pH change peu lorsqu'une faible quantité d'acide ou de base est ajoutée à une solution contenant des quantités équimoléculaires d'acide phosphorique, H_3PO_4, et de dihydrogénophosphate de potassium, KH_2PO_4.
13. Expliquez comment une solution contenant un acide fort, tel l'acide chlorhydrique, HCl(*aq*), et un sel d'un acide faible comme le fluorure de sodium, NaF, peut jouer le rôle d'une solution tampon.
14. On double le volume d'une solution tampon en lui ajoutant de l'eau. Quelle en sera la conséquence sur la valeur du pH ? Expliquez votre réponse.
15. L'équilibre suivant s'établit dans les vaisseaux sanguins, dans lesquels le pH est de 7,4.

    $$H_2CO_3(aq) + H_2O(l) \rightleftharpoons H_3O^+(aq) + HCO_3^-(aq)$$

    Quel est le rapport des concentrations de HCO_3^-/H_2CO_3 dans le sang ?
16. On ajoute 5,0 mL d'une solution contenant 0,10 mol/L d'hydroxyde de potassium, KOH, à 50,0 mL d'une solution tampon formée de 0,25 mol/L d'éthylamine, $CH_3CH_2NH_2$, et de 0,50 mol/L de chlorure d'éthylammonium, $CH_3CH_2NH_3Cl$. Calculez le pH de la solution résultante.

*17. Une solution tampon est formée de 0,250 mol/L d'acide acétique, CH_3COOH, et de 0,550 mol/L d'acétate de sodium, CH_3COONa. Calculez le volume de solution de 6,0 mol/L en acide chlorhydrique, HCl(*aq*), qu'il faut ajouter à 300,0 mL de cette solution tampon pour abaisser son pH à 5,05.

*18. Calculez la masse d'acétate de sodium, CH_3COONa, qu'il faut ajouter à 300,0 mL d'une solution contenant 0,25 mol/L d'acide acétique, CH_3COOH, pour former une solution tampon dont le pH est de 5,10. (*Ne tenez pas compte de* *la faible augmentation de volume due à l'ajout du sel.)*

19. Une solution tampon de 1,0 L contient 0,25 mol de cyanure de sodium, NaCN, et 0,40 mol d'acide cyanhydrique, HCN; on y ajoute 0,15 mol d'acide nitrique, HNO_3. Calculez le pH de la solution résultante.

20. Calculez le pH d'une solution tampon contenant :
   a) 0,035 mol/L d'hydrogénophosphate de sodium, Na_2HPO_4, et 0,070 mol/L de dihydrogénophosphate de potassium, KH_2PO_4;
   b) 0,080 mol/L de chlorure d'ammonium, NH_4Cl, et 0,060 mol/L d'ammoniac, NH_3.

*21. Une solution tampon composée d'acide nitreux, HNO_2, à 0,50 mol/L et de nitrite de sodium, $NaNO_2$, a un pH de 3,07. Calculez la quantité de chlorure d'hydrogène, HCl(*aq*), en moles et en grammes, qu'il faut ajouter à 100,0 mL de cette solution pour abaisser son pH à 2,98.

22. Une solution tampon de 1,0 L contient 0,250 mol de méthylamine, CH_3NH_2, et 0,0300 mol de chlorure de méthylammonium, CH_3NH_3Cl. Quel est son pH lorsqu'on y ajoute les substances suivantes ?
   a) 0,0150 mol d'hydroxyde de potassium, KOH(*s*)
   b) 0,0150 mol de bromure d'hydrogène, HBr(*g*)

Titrages

23. Expliquez pourquoi le volume d'une solution de 0,200 mol/L d'hydroxyde de sodium nécessaire au titrage de 20,0 mL d'une solution contenant 0,100 mol/L d'un acide est le même, que celui-ci soit fort ou faible.

24. On désire connaître la concentration molaire volumique d'un nettoyant domestique pour les vitres à base d'ammoniac, NH_3. Il faut 28,70 mL de solution contenant 1,02 mol/L d'acide chlorhydrique, HCl(*aq*), pour neutraliser 5,00 mL de ce nettoyant.
   a) Exprimez l'équation de la neutralisation.
   b) Calculez la concentration molaire volumique en ammoniac de ce nettoyant.
   c) Calculez le pourcentage (masse/volume) d'ammoniac que contient ce nettoyant.

25. On dissout un échantillon de 6,04 g d'un acide inconnu de façon à obtenir une solution aqueuse de 100,0 mL. On trouve expérimentalement qu'il faut 42,0 mL d'une solution de 0,200 mol/L d'hydroxyde de sodium, NaOH, pour neutraliser 25,0 mL de la solution acide. Sachant qu'il s'agit d'un monoacide, calculez sa masse molaire.

26. On mélange 25,0 mL d'une solution contenant 0,13 mol/L d'acide nitrique, HNO_3(*aq*), avec 10,0 mL d'une solution de 0,30 mol/L d'hydroxyde de potassium, KOH.
   a) Calculez le pH de la solution résultante.
   b) Calculez la concentration des ions nitrate, NO_3^-, et potassium, K^+.

27. On mélange 25,0 mL d'une solution formée de 0,13 mol/L d'acide benzoïque, C_6H_5COOH(*aq*), avec 10,0 mL d'une solution contenant 0,30 mol/L d'hydroxyde de potassium, KOH.
   a) Calculez le pH de la solution résultante.
   b) Calculez la concentration des ions benzoate, $C_6H_5COO^-$, et potassium, K^+.

28. Le bleu de bromothymol, dont la constante d'acidité est d'environ 10^{-7}, est jaune en milieu acide et bleu en milieu basique. On ajoute quelques gouttes de cet indicateur à une solution très acide, laquelle est ensuite titrée par une solution d'hydroxyde de sodium, NaOH. Déterminez à quelle valeur de pH on commencera à déceler un changement de coloration de l'indicateur (*voir la figure 6.4*).

29. Lors du titrage de l'acide oxalique, HOOCCOOH, les pH aux points d'équivalence sont respectivement 2,6 et 8,6. Nommez les indicateurs qui pourraient être utilisés pour mettre en évidence (*voir la figure 6.4*) :
   a) le premier point d'équivalence;
   b) le second point d'équivalence.

30. On titre 50,0 mL d'une solution formée de 0,100 mol/L de chlorure de méthylammonium, CH_3NH_3Cl, avec une solution de 0,200 mol/L en hydroxyde de potassium, KOH. Déterminez la valeur du pH au point d'équivalence.

31. Calculez le pH de la solution résultant de l'ajout des quantités suivantes de solution formée de 0,150 mol/L d'hydroxyde de sodium, NaOH, à 50,0 mL d'une solution contenant 0,300 mol/L d'acide nitrique, HNO_3.
   a) 10,0 mL
   b) 50,0 mL
   c) 75,0 mL
   d) 100,0 mL
   e) 150,0 mL

32. On prélève 40,0 mL d'une solution formée de 1,00 mol/L d'acide hypochloreux, HOCl, et on y ajoute graduellement une solution contenant 0,800 mol/L d'hydroxyde de potassium, KOH. Calculez le pH :
   a) après l'ajout de 30,0 mL de solution d'hydroxyde de potassium;
   b) au point de demi-équivalence;
   c) au point d'équivalence;
   d) après l'ajout de 60,0 mL de solution d'hydroxyde de potassium.

33. On titre 20,0 mL d'une solution formée de 0,300 mol/L d'ammoniac, NH_3, avec une solution contenant 0,240 mol/L d'acide nitrique, HNO_3. Calculez :
    a) le pH initial;
    b) le volume d'acide nitrique requis pour atteindre le point d'équivalence;
    c) le pH au point de demi-équivalence;
    d) le pH au point d'équivalence;
    e) le pH après l'ajout de 30,0 mL d'acide nitrique.
34. Une solution de 100,0 mL contient 0,71 g d'acide formique, HCOOH, et 0,58 g de formiate de sodium, HCOONa.
    a) Calculez le pH de cette solution.
    b) Calculez le pH de cette solution lorsque $2,5 \times 10^{-4}$ mol d'hydroxyde de baryum, $Ba(OH)_2$, y est ajoutée.
    c) Calculez le pH de cette solution lorsque 1,00 mL d'une solution contenant 12,6 mol/L d'acide chlorhydrique, HCl(*aq*), y est ajouté.
    d) Calculez le pH de la solution obtenue en b) lorsque 1,00 mL d'une solution de 12,6 mol/L en acide chlorhydrique, HCl(*aq*), y est ajouté.

*35. On ajoute 1,00 mL de solution formée de 0,10 mol/L d'hydroxyde de sodium, NaOH, à 50,0 mL d'une solution contenant 0,50 mol/L d'acide formique, HCOOH.
    a) Déterminez si le mélange forme une solution tampon et calculez son pH.
    b) Déterminez le volume de solution de NaOH qu'il faut y ajouter pour obtenir une solution tampon.

*36. On ajoute une solution formée de 0,500 mol/L d'acide chlorhydrique, HCl(*aq*), à une solution contenant 0,160 mol/L d'ammoniac, $NH_3(aq)$, jusqu'à ce que le volume final soit doublé. Calculez :
    a) la concentration de toutes les espèces chimiques dans la solution finale;
    b) le pH de la solution finale.

EXERCICE RÉCAPITULATIF

37. La concentration molaire volumique d'une solution A d'acide cyanhydrique, HCN, est égale à $2,5 \times 10^{-2}$ mol/L. Calculez :
    a) le pH de la solution A;
    b) le pH de la solution résultant du mélange de 20,0 mL de solution A et de 30,0 mL d'eau;
    c) le pH de la solution résultant du mélange de 20,0 mL de la solution A et de 10,0 mL d'une solution formée de $2,0 \times 10^{-3}$ mol/L d'acide chlorhydrique, HCl(*aq*);
    d) le pH de la solution B résultant du mélange de 20,0 mL de la solution A et de 30,0 mL d'une solution contenant $4,0 \times 10^{-2}$ mol/L de cyanure de potassium, KCN;
    e) le pH de la solution résultant du mélange de la solution D et de 5,0 mL d'une solution formée de $1,0 \times 10^{-2}$ mol/L d'acide chlorhydrique, HCl(*aq*);
    f) le pH de la solution résultant du mélange de la solution D et de 5,0 mL d'une solution de $1,0 \times 10^{-2}$ mol/L d'hydroxyde de sodium, NaOH(*aq*);
    g) le pH de la solution résultant du mélange de 20,0 mL de solution A et de 5,0 mL de solution de $2,0 \times 10^{-2}$ mol/L d'hydroxyde de sodium, NaOH;
    h) le pH de la solution résultant du mélange de 20,0 mL de solution A et de 30,0 mL de solution contenant $2,0 \times 10^{-2}$ mol/L d'hydroxyde de sodium, NaOH;
    i) le pH de la solution résultant du mélange de 100,0 mL de solution A et de 5,0 mL de solution de $2,0 \times 10^{-2}$ mol/L d'hydroxyde de sodium, NaOH.

SOLUBILITÉ ET RÉACTIONS DE PRÉCIPITATION

CHAPITRE 7

La solution chaude évacuée des sources hydrothermales est notamment constituée de sulfure d'hydrogène, H_2S, et de composés contenant du fer, du manganèse, du zinc et du cuivre. Au contact de l'eau de mer riche en ions sulfate, le sulfate de calcium, $CaSO_4$, et divers autres composés précipitent et forment un collet qui s'élève graduellement pour donner naissance à une cheminée.

OBJECTIFS

Après avoir étudié ce chapitre, vous saurez répondre aux questions suivantes.

- De quelle façon la solubilité est-elle reliée au produit de solubilité ?
- Comment évalue-t-on l'influence de l'ajout d'un ion commun, de la variation du pH ou de la formation d'un ion complexe sur la solubilité ?
- Quelle démarche applique-t-on pour provoquer la précipitation sélective de certains ions en solution ?
- Sur quels principes l'analyse qualitative en chimie est-elle fondée ?

Analyse qualitative

Précipitation sélective

Formation d'ions complexes | Effet d'ion commun | Variation d'acidité

Produit de solubilité

Équilibre chimique (chapitre 4) | Équilibre acido-basique (chapitre 5)

Ce chapitre met un terme à l'étude de l'équilibre qui a été amorcée au chapitre 4 avec l'énoncé des principes de l'équilibre chimique et ses applications, et reprise en partie au chapitre 5 pour introduire l'équilibre de dissociation de l'eau et celle des acides et des bases faibles. Cette étude s'est poursuivie au chapitre suivant avec l'application systématique des lois de l'équilibre aux solutions tampons et aux titrages acido-basiques. Dans le présent chapitre, nous nous concentrerons finalement sur l'équilibre des espèces chimiques peu solubles, notamment certains sels et hydroxydes.

Il s'agira d'abord d'établir l'expression de la constante d'équilibre propre à ce type de substance en solution aqueuse, le produit de solubilité, K_{ps}, et de calculer la solubilité à partir de cette constante, et vice versa, tout en indiquant les limites de cette interrelation.

Nous étudierons ensuite l'effet de l'ajout d'ions déjà en solution sur la solubilité, que l'on appelle effet d'ion commun. L'influence de l'acidité sur la solubilisation de certains sels et hydroxydes et, dans une moindre mesure, l'influence de la formation d'ions complexes sur la solubilité constituent une partie importante de la deuxième section.

Les applications de ce type d'équilibre nous mènent enfin aux réactions de précipitation : les critères qui permettent de choisir le réactif approprié pour séparer des ions en solution et les calculs pour vérifier que la précipitation a été réussie. Après l'étude de la précipitation sélective, le chapitre se termine sur un court exposé des principes de l'analyse chimique qualitative, dite par voie humide, qui était largement répandue avant l'implantation des techniques instrumentales.

7.1 LE PRODUIT DE SOLUBILITÉ ET SA RELATION AVEC LA SOLUBILITÉ

Dans le premier chapitre, nous avons défini la solubilité comme la quantité maximale de soluté que peut contenir une solution saturée. La solubilité de sels et d'hydroxydes peu solubles, c'est-à-dire dont la solubilité est inférieure à environ 0,1 g par 100 g d'eau, peut aussi être traitée en termes d'équilibre chimique et, par conséquent, en considérant une constante d'équilibre. La présente section est consacrée au rapport entre cette constante d'équilibre et la solubilité, et aux calculs qui y sont associés.

Le marbre est un calcaire recristallisé, soit du carbonate de calcium, $CaCO_3$.

Produit de solubilité : constante d'équilibre d'un sel peu soluble, égale au produit des concentrations molaires volumiques des ions d'une solution saturée, chaque concentration étant élevée à la puissance correspondant au nombre d'ions formés selon l'équation équilibrée.

7.1.1 PRODUIT DE SOLUBILITÉ

Les minerais de calcium sont très abondants dans la nature. Les plus importants sont les calcaires, composés principalement de carbonate de calcium, $CaCO_3$, et le gypse, $CaSO_4{\cdot}H_2O$, formé au cours des siècles par l'évaporation rapide de l'eau de mer. L'eau qui entre en contact avec ces minerais solubilise un peu de sel et devient une eau dite dure. Les eaux dures naturelles présentent de nombreux inconvénients; elles forment notamment d'importants dépôts dans les récipients dans lesquels elles sont portées à ébullition et diminuent de façon notable l'efficacité des savons (*voir la Capsule chimique « L'eau dure et les savons ne font pas bon ménage ! »*). L'équilibre entre les ions calcium, Ca^{2+}, carbonate, CO_3^{2-}, et le carbonate de calcium, $CaCO_3$, peut être représenté par l'équation suivante.

$$CaCO_3(s) \rightleftharpoons Ca^{2+}(aq) + CO_3^{2-}(aq)$$

Puisqu'il s'agit d'un équilibre hétérogène, la constante d'équilibre n'inclut pas le solide, mais seulement les ions en solution, et prend alors le nom de **produit de solubilité**, K_{ps}.

$$K_{ps} = [Ca^{2+}][CO_3^{2-}]$$

Dans le cas du carbonate de calcium et des sels qui donnent le même nombre de cations et d'anions en solution aqueuse, les unités du produit de solubilité sont en (mol/L)^2. Ils seraient en (mol/L)^3 avec un sel comme l'iodure de plomb, PbI_2.

$$PbI_2(s) \rightleftharpoons Pb^{2+}(aq) + 2I^-(aq)$$

$$K_{ps} = [Pb^{2+}][I^-]^2$$

Toutefois, il est d'usage de ne pas associer d'unités avec le produit de solubilité, comme c'est le cas avec les constantes d'acidité, K_a, et de basicité, K_b. Le tableau 7.1 donne la valeur du produit de solubilité de quelques sels et hydroxydes.

Tableau 7.1 Produit de solubilité de quelques substances ioniques à 25 °C.

Nom de la substance	Formule	K_{ps}	Nom de la substance	Formule	K_{ps}
Acétate d'argent	CH_3COOAg	$1,94 \times 10^{-3}$	Hydroxyde de fer(III)	$Fe(OH)_3$	$2,64 \times 10^{-39}$
Bromure d'argent	$AgBr$	$5,35 \times 10^{-13}$	Hydroxyde de magnésium	$Mg(OH)_2$	$5,61 \times 10^{-12}$
Bromure de plomb(II)	$PbBr_2$	$6,60 \times 10^{-6}$	Hydroxyde de manganèse	$Mn(OH)_2$	$2,06 \times 10^{-13}$
Carbonate de baryum	$BaCO_3$	$2,58 \times 10^{-9}$	Hydroxyde de nickel(II)	$Ni(OH)_2$	$4,73 \times 10^{-32}$
Carbonate de calcium	$CaCO_3$	$4,96 \times 10^{-9}$	Hydroxyde de plomb(II)	$Pb(OH)_2$	$1,42 \times 10^{-20}$
Carbonate de lithium	Li_2CO_3	$8,15 \times 10^{-4}$	Hydroxyde de zinc	$Zn(OH)_2$	$6,86 \times 10^{-17}$
Carbonate de magnésium	$MgCO_3$	$6,82 \times 10^{-6}$	Iodure d'argent	AgI	$8,51 \times 10^{-17}$
Carbonate de manganèse	$MnCO_3$	$2,24 \times 10^{-11}$	Iodure de cuivre(I)	CuI	$1,27 \times 10^{-12}$
Carbonate de nickel(II)	$NiCO_3$	$1,42 \times 10^{-7}$	Iodure de plomb(II)	PbI_2	$8,49 \times 10^{-9}$
Carbonate de plomb(II)	$PbCO_3$	$1,46 \times 10^{-13}$	Phosphate d'aluminium	$AlPO_4$	$9,83 \times 10^{-21}$
Carbonate de strontium	$SrCO_3$	$5,60 \times 10^{-10}$	Phosphate d'argent	Ag_3PO_4	$8,88 \times 10^{-17}$
Carbonate de zinc	$ZnCO_3$	$1,19 \times 10^{-10}$	Phosphate de calcium	$Ca_3(PO_4)_2$	$2,07 \times 10^{-33}$
Chlorure d'argent	$AgCl$	$1,77 \times 10^{-10}$	Phosphate de magnésium	$Mg_3(PO_4)_2$	1×10^{-25}
Chlorure de cuivre(I)	$CuCl$	$1,72 \times 10^{-7}$	Phosphate de nickel(II)	$Ni_3(PO_4)_2$	$4,73 \times 10^{-32}$
Chlorure de mercure(I)	Hg_2Cl_2	$1,45 \times 10^{-18}$	Sulfate d'argent	Ag_2SO_4	$1,20 \times 10^{-5}$
Chlorure de plomb(II)	$PbCl_2$	$1,17 \times 10^{-5}$	Sulfate de baryum	$BaSO_4$	$1,07 \times 10^{-10}$
Chromate d'argent	Ag_2CrO_4	$1,12 \times 10^{-12}$	Sulfate de calcium	$CaSO_4$	$7,10 \times 10^{-5}$
Chromate de baryum	$BaCrO_4$	$1,17 \times 10^{-10}$	Sulfate de plomb(II)	$PbSO_4$	$1,82 \times 10^{-8}$
Chromate de plomb(II)	$PbCrO_4$	$2,8 \times 10^{-13}$	Sulfate de strontium	$SrSO_4$	$3,44 \times 10^{-7}$
Cyanure d'argent	$AgCN$	$5,97 \times 10^{-17}$	Sulfure d'argent	Ag_2S	6×10^{-30}
Fluorure de baryum	BaF_2	$1,84 \times 10^{-7}$	Sulfure de cadmium	CdS	8×10^{-27}
Fluorure de calcium	CaF_2	$1,46 \times 10^{-10}$	Sulfure de cobalt	CoS	5×10^{-22}
Fluorure de magnésium	MgF_2	$7,42 \times 10^{-11}$	Sulfure de cuivre(I)	Cu_2S	2×10^{-27}
Fluorure de plomb(II)	PbF_2	$7,42 \times 10^{-7}$	Sulfure de cuivre(II)	CuS	6×10^{-16}
Fluorure de strontium	SrF_2	$4,33 \times 10^{-9}$	Sulfure de nickel(II)	NiS	$1,3 \times 10^{-25}$
Hydroxyde d'aluminium	$Al(OH)_3$	$1,3 \times 10^{-33}$	Sulfure de plomb(II)	PbS	3×10^{-17}
Hydroxyde de calcium	$Ca(OH)_2$	$4,68 \times 10^{-6}$	Sulfure de zinc	ZnS	2×10^{-4}

CAPSULE CHIMIQUE

L'eau dure et les savons ne font pas bon ménage !

Un savon est un sel de sodium ou de potassium d'un acide organique dont la longue chaîne hydrocarbonée comprend généralement entre 12 et 18 atomes de carbone. L'acide palmitique est un exemple de ce type d'acide.

$CH_3[CH_2]_{14}COOH$ — acide palmitique

$CH_3[CH_2]_{14}COO^- \ Na^+$ — palmitate de sodium (un savon)

Un savon est partiellement soluble dans l'eau. Cependant, les ions calcium, Ca^{2+}, et magnésium, Mg^{2+}, que contient l'eau dure remplacent les ions sodium du savon et forment de nouveaux sels, pratiquement insolubles dans l'eau.

$$\underset{\text{soluble}}{2CH_3[CH_2]_{14}COONa(aq)} + Ca^{2+}(aq) \longrightarrow \underset{\text{insoluble}}{(CH_3[CH_2]_{14}COO)_2Ca} + 2Na^+(aq)$$

Ces nouveaux sels précipitent en formant des particules qui flottent à la surface de l'eau, s'infiltrent dans les tissus et leur font prendre une apparence grisâtre, ou se déposent sur les parois des récipients.

L'emploi de détergents synthétiques, qui forment des sels solubles même avec les ions calcium ou magnésium, permet de régler ce problème dans les lave-linge ou les lave-vaisselle.

L'eau dure diminue l'efficacité des savons.

EXERCICE 7.1

Écrivez les équations de dissociation des substances suivantes en solution aqueuse ainsi que l'expression de leur produit de solubilité.

a) $Al(OH)_3(s)$
b) $MgF_2(s)$
c) $CH_3COOAg(s)$
d) $CaSO_4(s)$
e) $Mg_3(PO_4)_2(s)$

7.1.2 RELATION ENTRE K_{ps} ET SOLUBILITÉ

Solubilité molaire : concentration molaire volumique (molarité) d'un soluté dans une solution saturée.

Jusqu'à maintenant, nous avons exprimé la solubilité en grammes par 100 grammes d'eau (g/100 g), mais on peut aussi l'exprimer en moles par litre (mol/L); on l'appelle alors **solubilité molaire**. Cette nouvelle expression permet d'établir une relation simple entre la solubilité d'une substance et son produit de solubilité, K_{ps}.

Par exemple, dans une solution saturée de chromate de baryum, $BaCrO_4$, les ions baryum, Ba^{2+}, et chromate, CrO_4^{2-}, sont en équilibre avec le solide; chaque fois que **une** entité chimique de sel se dissout, il se forme **un** ion Ba^{2+} et **un** ion CrO_4^{2-}.

$$\underset{\text{1 entité chimique}}{BaCrO_4(s)} \rightleftharpoons \underset{\text{1 ion}}{Ba^{2+}(aq)} + \underset{\text{1 ion}}{CrO_4^{2-}(aq)} \quad \Rightarrow [Ba^{2+}] = [CrO_4^{2-}]$$

Par conséquent, la solubilité molaire du chromate de baryum est donnée par la concentration molaire volumique de Ba^{2+} ou de CrO_4^{2-} en équilibre avec le sel.

$$\text{solubilité}_{BaCrO_4}(S_{BaCrO_4}) = [Ba^{2+}] = [CrO_4^{2-}]$$

On peut donc appliquer les notions d'équilibre pour calculer la solubilité, S. On élabore le tableau habituel faisant état des concentrations initiales, des modifications apportées et des concentrations à l'équilibre. Il est d'usage, ici, de remplacer par S l'inconnue algébrique x pour représenter la concentration du chromate de baryum, $BaCrO_4$, puisque cette inconnue correspond aussi à la solubilité du sel.

Réaction	$BaCrO_4(s)$ $\rightleftharpoons$	$Ba^{2+}(aq)$ +	$CrO_4^{2-}(aq)$
$[\ ]_0$ (mol/L)	—	0	0
Modifications	$-S$	$+S$	$+S$
$[\ ]$ (mol/L)	—	S	S

$$K_{ps} = 1{,}17 \times 10^{-10} = [Ba^{2+}][CrO_4^{2-}]$$

$$\Rightarrow 1{,}17 \times 10^{-10} = S^2 \Rightarrow S = \sqrt{1{,}17 \times 10^{-10}} = 1{,}08 \times 10^{-5} \text{ mol/L}$$

Ainsi, pour toute substance ionique de formule générale MA (M est le métal et A, l'anion), la solubilité peut s'exprimer par la relation suivante :

$$S = (K_{ps})^{0,5}$$

La situation peut se compliquer lorsqu'une entité chimique de sel donne un nombre différent d'anions et de cations, comme l'iodure de plomb(II), PbI_2. Toutefois, la démarche demeure la même que dans le cas du chromate de baryum.

1° On exprime l'équation représentant l'équilibre de solubilité.

2° On élabore le tableau d'équilibre en établissant la relation entre la solubilité du sel et la concentration des ions en solution.

3° On calcule la solubilité en appliquant l'expression du produit de solubilité.

EXEMPLE 7.1

On désire calculer la solubilité à 25 °C, en mol/L et en g/L, de l'iodure de plomb(II), PbI_2, à partir de son K_{ps}, $8{,}49 \times 10^{-9}$.

1° On exprime l'équation de l'équilibre de solubilité.

$$PbI_2(s) \rightleftharpoons Pb^{2+}(aq) + 2I^-(aq)$$

2° On remplit le tableau d'équilibre en établissant la relation entre la solubilité de l'iodure de plomb et la concentration des ions en solution.

Pour chaque mole de PbI_2 qui se dissout, il se forme **une** mole d'ions Pb^{2+} et **deux** moles d'ions I^-. Si l'on considère que S représente la quantité de PbI_2 dissous par litre de solution saturée, la solubilité sera donnée par la concentration des ions Pb^{2+}.

Réaction	$PbI_2(s)$ $\rightleftharpoons$	$Pb^{2+}(aq)$ +	$2I^-(aq)$
$[\ ]_0$ (mol/L)	—	0	0
Modifications	$-S$	$+S$	$+2S$
$[\ ]$ (mol/L)	—	S	$2S$

3° On applique l'expression du produit de solubilité pour calculer la solubilité molaire.

$$K_{ps} = [Pb^{2+}][I^-]^2 = S \times (2S)^2 = 4S^3 = 8{,}49 \times 10^{-9} \Rightarrow S = \left(\frac{8{,}49 \times 10^{-9}}{4}\right)^{1/3}$$

$$\Rightarrow S = 1{,}29 \times 10^{-3} \text{ mol/L}$$

4° On exprime la solubilité en grammes par litre en multipliant la solubilité molaire par la masse molaire de PbI_2.

$$M_{PbI_2} = 461{,}0 \text{ g/mol}$$

$$S_{PbI_2} = \frac{1{,}29 \times 10^{-3} \cancel{\text{mol}}}{1 \text{ L}} \times \frac{461{,}0 \text{ g}}{1 \cancel{\text{mol}}} = 0{,}595 \text{ g/L}$$

- La solubilité de l'iodure de plomb est égale à **$1{,}29 \times 10^{-3}$ mol/L** ou à **0,595 g/L**.

Cet exemple montre qu'on peut généraliser l'expression de la solubilité en fonction du produit de solubilité pour toute substance ionique de formule MA_2 ou M_2A sous la forme suivante :

$$S = (K_{ps}/4)^{0,33}$$

Certaines espèces chimiques, notamment des hydroxydes, présentent une difficulté supplémentaire du fait qu'elles libèrent plus de trois ions.

EXEMPLE 7.2

On veut connaître la solubilité, en mol/L et en g/L, de l'hydroxyde de fer(III), $Fe(OH)_3$, dont le K_{ps} est égal à $2,64 \times 10^{-39}$. On négligera la concentration des ions OH^- provenant de la dissociation de l'eau.

1° On applique la même démarche que celle de l'exemple 7.1 en écrivant l'équation représentant l'équilibre de solubilité et en établissant la relation entre la solubilité de l'hydroxyde et la concentration des ions.

Réaction	$Fe(OH)_3(s)$ $\rightleftharpoons$	$3OH^-(aq)$ +	$Fe^{3+}(aq)$
$[\ ]_0$ (mol/L)	—	0	0
Modifications	$-S$	$+3S$	$+S$
$[\ ]$ (mol/L)	—	$3S$	S

2° On calcule la solubilité en appliquant l'expression du produit de solubilité.

$$K_{ps} = [OH^-]^3[Fe^{3+}] = (3S)^3 \times S = 27S^4 = 2,64 \times 10^{-39} \Rightarrow S = \left(\frac{2,64 \times 10^{-39}}{27}\right)^{1/4}$$

$$\Rightarrow S = (9,78 \times 10^{-41})^{1/4}$$

$$\Rightarrow S = 9,94 \times 10^{-11} \text{ mol/L}$$

On obtient la valeur de la solubilité en g/L en multipliant la valeur précédente par la masse molaire de $Fe(OH)_3$, 106,9 g/mol.

$$S_{Fe(OH)_3} = \frac{9,94 \times 10^{-11} \cancel{\text{mol}}}{1 \text{ L}} \times \frac{106,9 \text{ g}}{1 \cancel{\text{mol}}} = 1,06 \times 10^{-8} \text{ g/L}$$

- La solubilité de l'hydroxyde de fer(III) est égale à **$9,94 \times 10^{-11}$ mol/L** ou à **$1,06 \times 10^{-8}$ g/L**.

Cet exemple montre aussi qu'on peut généraliser l'expression de la solubilité en fonction du produit de solubilité pour toute substance ionique de formule MA_3 ou M_3A sous la forme suivante :

$$S = (K_{ps}/27)^{0,25}$$

On peut enfin établir la relation suivante pour les composés ioniques de formule M_3A_2 ou M_2A_3.

$$S = (K_{ps}/108)^{0,2}$$

EXERCICE 7.2

Calculez les solubilités, en mol/L et en g/L, des substances suivantes. Utilisez les valeurs de K_{ps} du tableau 7.1.

a) Sulfate de baryum, $BaSO_4$

b) Chlorure de plomb(II), $PbCl_2$

c) Chromate d'argent, Ag_2CrO_4

d) Phosphate de magnésium, $Mg_3(PO_4)_2$

CAPSULE CHIMIQUE

Le sulfate de baryum : pour obtenir une image du système gastro-intestinal

Soumettre certaines parties du corps d'un patient à un balayage aux rayons X pour détecter des fractures ou des anomalies osseuses constitue de nos jours un examen de routine. Les os, très riches en calcium, absorbent les rayons X. Il en va tout autrement pour l'estomac ou l'intestin, qui ne sont pas supportés par une structure osseuse. Pour pallier cette insuffisance et obtenir une bonne image du système gastro-intestinal, on fait boire au patient un mélange aqueux contenant du sulfate de baryum ou on injecte une solution saturée de ce produit dans l'intestin. Le sulfate de baryum absorbe les rayons X de sorte qu'il est possible de détecter toute anomalie éventuelle dans le système gastro-intestinal.

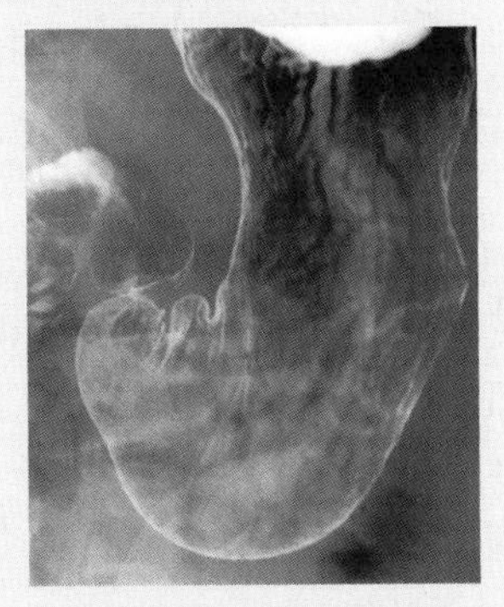

Le sulfate de baryum produit un contraste visible aux rayons X.

Bien que l'ion baryum, Ba^{2+}, soit toxique, on joue ici sur la très faible solubilité du sel : une dose d'environ 225 mL de traitement au baryum, dans le cas d'un examen de l'estomac, ne contient en effet que 0,55 mg d'ions baryum, dont une infime partie est soluble, et n'est donc pas dangereuse pour le patient.

On peut tirer certaines généralités de la relation entre le produit de solubilité, K_{ps}, et la solubilité, S.

- Pour les sels dont la formule générale est A_xB_y, le produit de solubilité s'exprime par la relation suivante.

$$K_{ps} = [A]^x[B]^y$$

Et la solubilité du sel est donnée par les égalités suivantes.

$$S = \frac{[A]}{x} = \frac{[B]}{y}$$

- Pour les composés formant le même nombre d'ions en solution, plus le K_{ps} est élevé, plus la solubilité est grande. Par exemple, le K_{ps} du chlorure d'argent, AgCl, qui est de $1{,}77 \times 10^{-10}$, est plus élevé que celui du bromure d'argent, AgBr, qui est de $5{,}35 \times 10^{-13}$: le chlorure d'argent est donc plus soluble que le bromure d'argent. De même, le bromure de plomb(II), $PbBr_2$, dont le K_{ps} est de $6{,}60 \times 10^{-6}$, est plus soluble dans l'eau que l'iodure de plomb(II), PbI_2, dont le K_{ps} est de $8{,}49 \times 10^{-9}$. Toutefois, ce raisonnement ne s'applique pas lorsque les solutés comparés ne forment pas le même nombre d'ions, PbI_2 et AgCl, par exemple. Dans de tels cas, il faut calculer les solubilités respectives à partir de chaque valeur de K_{ps}.

La présence d'halogénures d'argent dans les films les rend sensibles à la lumière.

S'il est possible de calculer la solubilité d'un composé ionique à partir de son produit de solubilité, K_{ps}, l'inverse est également vrai : on peut calculer le K_{ps} à partir de la solubilité du composé. Pour ce faire, on doit :

- exprimer l'équation de dissociation du composé;
- élaborer le tableau d'équilibre en établissant la relation entre la solubilité et la concentration des ions;
- utiliser l'expression du K_{ps} pour en calculer la valeur.

EXEMPLE 7.3

À 25 °C, la solubilité du sulfate de calcium, $CaSO_4$, est égale à $1{,}47 \times 10^{-2}$ mol/L de solution. On désire en calculer le produit de solubilité à partir de cette valeur.

1° On exprime l'équation de dissociation du sel et on élabore le tableau d'équilibre.

Réaction	$CaSO_4(s)$ $\rightleftharpoons$	$Ca^{2+}(aq)$ +	$SO_4^{2-}(aq)$
$[\ ]_0$ (mol/L)	—	0	0
Modifications	$-S$	$+S$	$+S$
$[\ ]$ (mol/L)	—	S	S

2° On établit la relation entre la solubilité, S, et la concentration des ions.

$$S = [Ca^{2+}] = [SO_4^{2-}] = 1{,}47 \times 10^{-2} \text{ mol/L}$$

3° On calcule le produit de solubilité, K_{ps}.

$$K_{ps} = [Ca^{2+}][SO_4^{2-}] = (1{,}47 \times 10^{-2})^2 = 2{,}16 \times 10^{-4}$$

• Le produit de solubilité est de **$2{,}16 \times 10^{-4}$**.

EXERCICE 7.3

La solubilité du chlorure de plomb(II), $PbCl_2$, est de 4,41 g/L à 25 °C. Calculez-en le produit de solubilité, K_{ps}, à partir de cette donnée.

7.1.3 LIMITES DU CONCEPT DE PRODUIT DE SOLUBILITÉ

Le concept de produit de solubilité s'applique pour des substances ioniques peu solubles. Mais le terme « peu soluble » est vague. De façon générale, on peut dire que plus le produit de solubilité est faible, plus la relation mathématique qui l'associe à la concentration des ions en solution est valable. À l'inverse, plus le K_{ps} est élevé, moins l'interrelation K_{ps}– solubilité est exacte. Par exemple, pour le sulfate de calcium, $CaSO_4$, la valeur répertoriée du K_{ps} est $7{,}10 \times 10^{-5}$, mais la valeur calculée à partir de la solubilité est $2{,}16 \times 10^{-4}$ (*exemple 7.3*). Une différence significative ! Il en va de même pour les valeurs calculée et répertoriée du K_{ps} du chlorure de plomb(II), $PbCl_2$ (*exercice 7.3*).

Bien que l'explication détaillée d'un tel écart dépasse le cadre de cet ouvrage, mentionnons tout de même que l'un des facteurs en jeu est lié à la formation de paires d'ions (*revoir la section 2.5*). Certains ions s'associent en effet par paires, de sorte que la concentration molaire réelle ne correspond pas à la concentration stœchiométrique déduite de l'équilibre de dissociation. Plus la proportion d'ions formant des paires est élevée, plus la concentration des ions est faible. Cela signifie que la quantité de soluté devant se dissoudre pour que soit maintenue la concentration des ions exprimée par le K_{ps} doit augmenter. Ainsi, la solubilité augmente lorsque des paires d'ions se forment dans la solution. Ce phénomène est d'autant plus important que la concentration des ions en solution est élevée.

C'est pourquoi les valeurs répertoriées (*tableau 7.1*) du produit de solubilité ne sont pas calculées à partir des valeurs expérimentales des solubilités, mais plutôt à partir des énergies de Gibbs de formation de ces substances solides et des énergies de Gibbs de formation des ions en solution aqueuse, soit les valeurs de ΔG.

7.2 MODIFICATION DE L'ÉQUILIBRE DE SOLUBILITÉ PAR L'AJOUT D'ESPÈCES CHIMIQUES

Les solutions saturées de composés ioniques peu solubles sont régies par les lois de l'équilibre chimique et obéissent à la loi d'action de masse. Par conséquent, si on leur ajoute des espèces chimiques qui perturbent leur équilibre, cela influera sur leur solubilité. Dans cette section, nous examinerons l'effet des modifications suivantes sur la solubilité :

- la présence d'un ion commun;
- l'acidité du milieu;
- la formation d'ions complexes;
- la présence d'ions non communs.

7.2.1 EFFET DE L'AJOUT D'UN ION COMMUN

Selon le principe de Le Chatelier, l'ajout d'un ion commun à l'un ou l'autre des ions d'un sel déplace l'équilibre dans la direction où cet ion est consommé, ce qui a pour effet de diminuer la solubilité du sel peu soluble. Observons, par exemple, l'équilibre de solubilité du chlorure de plomb(II), $PbCl_2$.

$$PbCl_2(s) \rightleftharpoons Pb^{2+}(aq) + 2Cl^-(aq)$$

Si l'on ajoute des ions chlorure, Cl^- (sous forme de NaCl, par exemple, lequel est totalement soluble), le système réagit en déplaçant l'équilibre vers la gauche de manière à réduire la concentration des ions Cl^- ajoutés : une plus grande quantité de chlorure de plomb précipite, la concentration de Pb^{2+} diminue, bien que celle de Cl^- soit plus élevée que dans l'équilibre d'origine.

$$NaCl(s) \longrightarrow Na^+(aq) + \mathbf{Cl^-}(aq)$$

$$PbCl_2(s) \leftrightarrows Pb^{2+}(aq) + 2\mathbf{Cl^-}(aq)$$

On observe ici que les ions sodium, Na^+, n'ont aucune influence sur l'équilibre de solubilité de $PbCl_2$. On peut évaluer quantitativement l'influence de l'ajout d'un ion commun en appliquant les lois de l'équilibre chimique. Voyons cela à l'aide d'un exemple.

EXEMPLE 7.4

La solubilité du chlorure de plomb(II), $PbCl_2$, dans l'eau à 25 °C (calculée à partir du K_{ps}) est égale à $1{,}43 \times 10^{-2}$ mol/L. On désire connaître sa solubilité dans une solution contenant 0,100 mol/L de chlorure de potassium, KCl.

1° On établit les équations en jeu.

Dans une solution de chlorure de potassium, KCl, la dissociation est totale. Une solution de 0,100 mol/L de ce sel contiendra 0,100 mol/L en K^+ et en Cl^-.

$$KCl(aq) \longrightarrow \underset{0{,}100\ \text{mol/L}}{K^+(aq)} + \underset{0{,}100\ \text{mol/L}}{\mathbf{Cl^-}(aq)}$$

Quant au chlorure de plomb ajouté, il se dissocie selon cet équilibre.

$$PbCl_2(s) \rightleftharpoons \mathbf{Pb^{2+}}(aq) + \mathbf{2Cl^-}(aq)$$

Les ions potassium, K^+, n'interviennent pas dans l'équilibre de solubilisation de $PbCl_2$: on dit que ce sont des ions spectateurs.

2° On pose les paramètres des calculs.

La solubilité, S, est donnée par la concentration de Pb^{2+} à l'équilibre.

Réaction	$PbCl_2(s)$ $\rightleftharpoons$	$Pb^{2+}(aq)$ +	$2Cl^-(aq)$
$[\ ]_0$ (mol/L)	–	0	0,100
Modifications	$-S$	$+S$	$+2S$
[ ] (mol/L)	–	S	$0{,}100 + 2S$

Tableau 7.2 Solubilité du chlorure d'argent, AgCl, dans des solutions d'ions chlorure, Cl^-, à 25 °C.

Solubilité (mol/L)	$1,33 \times 10^{-5}$	$1,77 \times 10^{-8}$	$7,08 \times 10^{-9}$	$3,54 \times 10^{-9}$	$1,77 \times 10^{-9}$	$1,18 \times 10^{-9}$	$7,08 \times 10^{-10}$	$4,43 \times 10^{-10}$
$[Cl^-]$ (mol/L)	0,00	0,0100	0,0250	0,0500	0,100	0,150	0,250	0,400

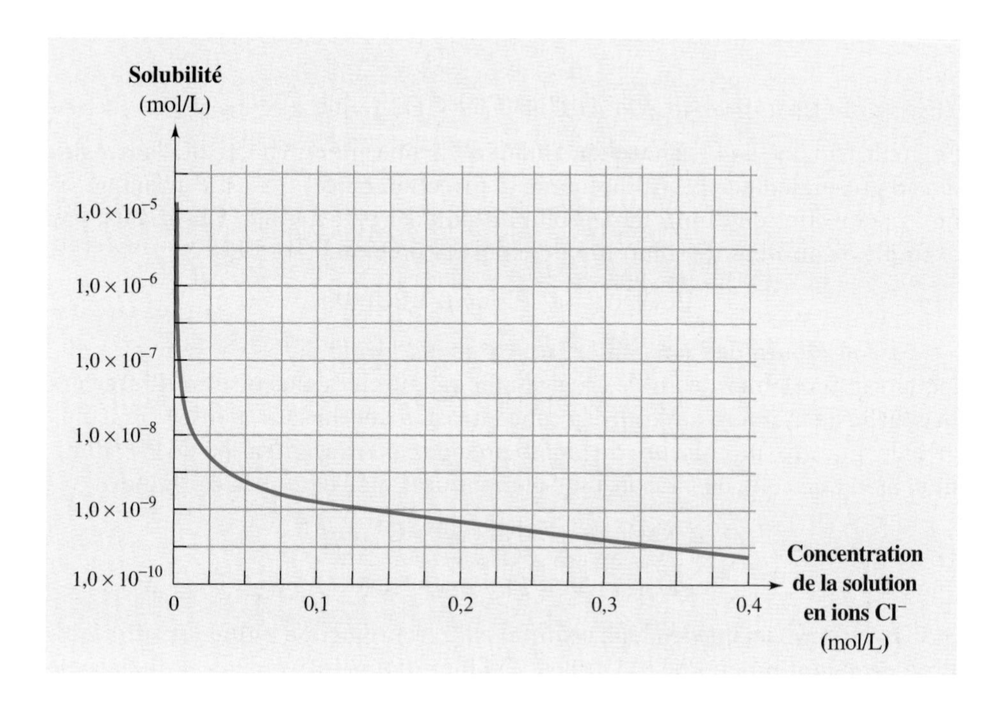

Figure 7.1 Solubilité du chlorure d'argent en fonction de la quantité d'ions chlorure ajoutés.

Puisque $PbCl_2$ est peu soluble et que la présence de Cl^- provenant de KCl en réduit encore la solubilité, on peut faire l'approximation suivante.

$$[Cl^-] = 0,100 + 2S \approx 0,100$$

3° On calcule la solubilité à l'aide de l'expression du produit de solubilité.

$$K_{ps} = 1,17 \times 10^{-5} = [Pb^{2+}][Cl^-]^2 = S \times (0,100)^2$$

$$S = \frac{1,17 \times 10^{-5}}{(0,100)^2} = 1,17 \times 10^{-3} \text{ mol/L}$$

- La solubilité du chlorure de plomb(II) est de **$1,17 \times 10^{-3}$ mol/L**.

Dans l'eau à 25 °C, la solubilité du chlorure de plomb(II), $PbCl_2$, est égale à $1,43 \times 10^{-2}$ mol/L; elle passe à $1,17 \times 10^{-3}$ mol/L dans une solution de 0,100 mol/L de chlorure de potassium, KCl; la diminution est donc notable.

L'effet de l'ajout d'un ion commun, l'ion chlorure, Cl^-, sur la solubilité du chlorure d'argent, AgCl, est illustré par les données du tableau 7.2 et exprimé graphiquement à la figure 7.1.

EXERCICE 7.4

Calculez la solubilité du chlorure de plomb(II), $PbCl_2$, en mol/L dans une solution aqueuse 0,100 mol/L de nitrate de plomb(II), $Pb(NO_3)_2$.

7.2.2 EFFET DE LA VARIATION DE pH

L'hydroxyde de magnésium, $Mg(OH)_2$, est un antiacide bien connu sous le nom de lait de magnésie. Bien qu'étant peu soluble, l'hydroxyde de magnésium se solubilisera rapidement dans l'estomac, un milieu très acide. En effet, selon le principe de Le Chatelier, les ions hydronium, H_3O^+, de l'estomac se combinent avec les ions hydroxyde, OH^-, de l'antiacide, ce qui déplace l'équilibre de la solubilisation vers la droite.

$$\underset{\text{diminution}}{Mg(OH)_2(aq)} \rightleftharpoons \mathbf{2OH^-(aq)} + Mg^{2+}(aq)$$
$$+$$
$$\mathbf{2H_3O^+(aq)} \rightleftharpoons 4H_2O(l)$$

En pratique, toutefois, la solubilité de l'hydroxyde n'est mesurable que dans un intervalle de pH très restreint. Dès que l'on commence à ajouter des ions H_3O^+, l'hydroxyde de magnésium se solubilise très rapidement.

En général, on peut relier par une formule assez simple la solubilité d'un hydroxyde avec le pH de la solution dans laquelle il se trouve en incorporant la constante de dissociation de l'eau, K_e. Essentiellement, on procède de façon analogue à la démarche proposée pour évaluer l'effet de l'ajout de H_3O^+ ou de OH^- sur une solution tampon (*revoir la section 6.2*). Observons par exemple la dissolution de l'hydroxyde de zinc, $Zn(OH)_2$, pour lequel la solubilité est donnée par la concentration des ions zinc, Zn^{2+}.

$$Zn(OH)_2(s) \rightleftharpoons 2OH^-(aq) + Zn^{2+}(aq)$$

$$K_{ps} = [Zn^{2+}][OH^-]^2 \Rightarrow [Zn^{2+}] = \frac{K_{ps}}{[OH^-]^2} \quad \text{ou} \quad S = \frac{K_{ps}}{[OH^-]^2} \qquad (1)$$

On peut aussi exprimer la concentration des ions Zn^{2+} en fonction de la concentration des ions hydronium, H_3O^+, en introduisant la constante de dissociation de l'eau, K_e.

$$K_e = [H_3O^+][OH^-] \Rightarrow [OH^-] = \frac{K_e}{[H_3O^+]} \qquad (2)$$

En substituant dans l'équation 1 la valeur de OH^- de l'équation 2, on obtient une nouvelle relation qui permet de calculer directement la solubilité de l'hydroxyde de zinc, $Zn(OH)_2$, selon la concentration des ions H_3O^+ ou selon le pH.

$$[Zn^{2+}] = S = K_{ps} \times \left(\frac{[H_3O^+]}{K_e}\right)^2 \quad \text{ou} \quad [Zn^{2+}] = \frac{K_{ps}}{(K_e)^2} \times [H_3O^+]^2 \qquad (3)$$

Par exemple, dans une solution acide dont le pH est de 6,50 (la concentration des ions H_3O^+ est de $3{,}2 \times 10^{-7}$ mol/L), la solubilité de l'hydroxyde de zinc est de $7{,}0 \times 10^{-2}$ mol/L.

$$S = 6{,}86 \times 10^{-17} \times \left(\frac{3{,}2 \times 10^{-7}}{1{,}0 \times 10^{-14}}\right)^2 = 7{,}0 \times 10^{-2} \text{ mol/L}$$

Ce résultat montre que la solubilité de l'hydroxyde est plus élevée dans un milieu acide. Dans l'eau, elle n'est que de $2{,}6 \times 10^{-6}$ mol/L.

La rouille, un oxyde de fer(III) hydraté, $Fe_2O_3 \cdot nH_2O$, est le résultat d'un lent processus d'oxydations successives du fer métallique par l'air humide.

EXERCICE 7.5

Calculez la solubilité, en mol/L, de l'hydroxyde de fer(III), $Fe(OH)_3$:

a) dans l'eau pure;

b) dans une solution dont le pH est de 4,00;

c) dans une solution dont le pH est de 8,00.

La solubilité des sels d'anions d'acides faibles, comme le carbonate de zinc, $ZnCO_3$, le fluorure de magnésium, MgF_2, ou l'acétate d'argent, CH_3COOAg, augmente aussi avec l'ajout d'ions hydronium, H_3O^+, qui déplace l'équilibre de la dissolution du sel vers la droite, car ces ions réagissent avec les anions.

$$\underset{\text{diminution}}{CH_3COOAg(aq)} \rightleftharpoons Ag^+(aq) + \mathbf{CH_3COO^-(aq)}$$
$$+$$
$$\mathbf{H_3O^+(aq)} \rightleftharpoons CH_3COOH(aq)$$

Les calculs sont cependant plus complexes dans ce cas et dépassent le cadre de cet ouvrage.

7.2.3 EFFET DE LA FORMATION D'IONS COMPLEXES

Lorsqu'un peu d'acide chlorhydrique, $HCl(aq)$, est ajouté à une solution de nitrate d'argent, $AgNO_3$, il se forme un précipité de chlorure d'argent, $AgCl(s)$, lequel précipite rapidement (*figure 7.2*).

$$HCl(aq) + AgNO_3(aq) \rightleftharpoons AgCl(s) + H^+(aq) + NO_3^-(aq)$$

Et lorsque de l'ammoniac en solution concentrée, $NH_3(aq)$, est ajouté à du chlorure d'argent, AgCl, le solide se dissout rapidement. Bien que le chlorure d'argent soit peu soluble dans l'eau, il se forme ce que l'on appelle un **ion complexe** entre l'ammoniac et l'ion Ag^+, et le composé de coordinence (ou de coordination), $Ag(NH_3)_2Cl$, est soluble (*voir* Chimie générale, *sous-section 7.4.2*). On appelle *ligands* les molécules ou les ions qui s'associent de cette façon avec un ion métallique.

Ion complexe : anion ou cation dans lequel des groupes de molécules ou d'ions, appelés ligands, sont liés à un atome ou à un ion métallique central.

$$AgCl(s) + 2NH_3(aq) \rightleftharpoons \underset{\textbf{ion complexe}}{[Ag(NH_3)_2]^+(aq)} + Cl^-(aq)$$

En fait, ce processus de dissolution est semblable à celui qui rend compte de l'augmentation de la solubilité lors de l'ajout de H_3O^+ à un sel peu soluble.

$$AgCl(s) \rightleftharpoons \mathbf{Ag^+}(aq) + Cl^-(aq)$$
$$\mathbf{Ag^+}(aq) + 2NH_3(aq) \rightleftharpoons [Ag(NH_3)_2]^+(aq)$$

L'ajout de NH_3 a pour effet de maintenir la concentration de Ag^+ très faible, de sorte que le produit de la concentration de Ag^+ par celle de Cl^- est inférieur au K_{ps}, et AgCl demeure en solution.

$$[Ag^+][Cl^-] < K_{ps}$$

L'équilibre de la dissolution de AgCl est donc déplacé vers la droite. La constante d'équilibre régissant la réaction entre les ions argent et l'ammoniac porte le nom de constante de complexation, K_{compl}. Comme le montre le tableau 7.3, les valeurs des constantes de complexation sont largement supérieures à 100.

Pour calculer la solubilité de sels peu solubles en tenant compte de la formation d'ions complexes, on doit donc tenir compte et du produit de solubilité, K_{ps}, et de la constante de complexation. Ainsi, pour calculer la solubilité de AgCl dans $NH_3(aq)$, on se sert des deux équilibres, mais comme la

a) 
b) 
c) 

Figure 7.2 Formation d'un précipité de chlorure d'argent, AgCl, et solubilisation ultérieure. Le précipité se forme par suite de l'addition de HCl à une solution de $AgNO_3$ (a), le précipité se dépose au fond du récipient (b), puis se dissout par suite de l'ajout de NH_3 (c).

Tableau 7.3 Constantes de complexation dans l'eau à 25 °C.

Équilibre	K_{compl}
$Ag^+(aq) + 2NH_3(aq) \rightleftharpoons [Ag(NH_3)_2]^+(aq)$	$1,6 \times 10^7$
$Cd^{2+}(aq) + 4CN^-(aq) \rightleftharpoons [Cd(CN)_4]^{2-}(aq)$	$6,0 \times 10^{18}$
$Co^{2+}(aq) + 6NH_3(aq) \rightleftharpoons [Co(NH_3)_6]^{2+}(aq)$	$1,3 \times 10^5$
$Cu^+(aq) + 2NH_3(aq) \rightleftharpoons [Cu(NH_3)_2]^+(aq)$	$6,3 \times 10^{10}$
$Cu^{2+}(aq) + 4NH_3(aq) \rightleftharpoons [Cu(NH_3)_4]^{2+}(aq)$	$1,1 \times 10^{13}$
$Fe^{2+}(aq) + 6CN^-(aq) \rightleftharpoons [Fe(CN)_6]^{4-}(aq)$	$7,7 \times 10^{36}$
$Fe^{3+}(aq) + 6CN^-(aq) \rightleftharpoons [Fe(CN)_6]^{3-}(aq)$	1×10^{42}
$Hg^+(aq) + 4Cl^-(aq) \rightleftharpoons [HgCl_4]^{3-}(aq)$	$1,2 \times 10^5$
$Pb^{2+}(aq) + 3Cl^-(aq) \rightleftharpoons [PbCl_3]^-(aq)$	$2,4 \times 10^1$
$Zn^{2+}(aq) + 4NH_3(aq) \rightleftharpoons [Zn(NH_3)_4]^{2+}(aq)$	$4,1 \times 10^8$
$Zn^{2+}(aq) + 4CN^-(aq) \rightleftharpoons [Zn(CN)_4]^{2-}(aq)$	1×10^{18}

constante de complexation est grande, presque tous les ions Ag^+ seront transformés en ions complexes $[Ag(NH_3)_2]^+$.

$$AgCl(s) \rightleftharpoons Ag^+(aq) + Cl^-(aq) \qquad K_{ps} = [Ag^+][Cl^-]$$

$$Ag^+(aq) + 2NH_3(aq) \rightleftharpoons [Ag(NH_3)_2]^+(aq) \qquad K_{compl} = \frac{\left[[Ag(NH_3)_2]^+\right]}{[Ag^+][NH_3]^2}$$

Dans ce cas, on peut donc supposer que la solubilité du chlorure d'argent, AgCl, est égale à la concentration de l'ion complexe.

EXEMPLE 7.5

On désire calculer la solubilité du chlorure d'argent dans une solution contenant 1,0 mol/L d'ammoniac, NH_3.

1° On exprime les équations d'équilibre en jeu et l'équation globale.

$$AgCl(s) \rightleftharpoons Ag^+(aq) + Cl^-(aq) \qquad K_{ps} = 1,77 \times 10^{-10}$$

$$Ag^+(aq) + 2NH_3(aq) \rightleftharpoons [Ag(NH_3)_2]^+(aq) \qquad K_{compl} = 1,6 \times 10^7$$

$$AgCl(s) + 2NH_3(aq) \rightleftharpoons [Ag(NH_3)_2]^+(aq) + Cl^-(aq) \qquad K = K_{ps} \times K_{compl} = 2,8 \times 10^{-3}$$

La solubilité, S, sera donnée par la concentration de l'ion complexe $[Ag(NH_3)_2]^+$.

2° On élabore le tableau des concentrations.

Puisque K_{ps} est beaucoup plus petit que K, on peut négliger la contribution due à l'équilibre de solubilité de AgCl et ne tenir compte que de l'équation globale.

Réaction	$AgCl(s)$ +	$2NH_3(aq)$ $\rightleftharpoons$	$[Ag(NH_3)_2]^+(aq)$ +	$Cl^-(aq)$
$[\ ]_0$ (mol/L)	—	1,0	0	≈ 0
Modifications	$-x$	$-2x$	$+x$	$+x$
$[\ ]$ (mol/L)	—	$1,0 - 2x$	x	x

3° On calcule la solubilité, soit la concentration de l'ion complexe, à l'aide de l'expression de la constante, K.

$$K = 2{,}8 \times 10^{-3} = \frac{[[Ag(NH_3)_2]^+][Cl^-]}{[NH_3]^2} = \frac{x^2}{(1{,}0-2x)^2} \text{ ou } \sqrt{2{,}8\times10^{-3}} = \frac{x}{(1{,}0-2x)}$$

On trouve que x est égal à $4{,}8 \times 10^{-2}$ mol/L.

- La solubilité de AgCl dans l'ammoniac est donc de **$4{,}8 \times 10^{-2}$ mol/L**. Elle n'est que de $1{,}33 \times 10^{-5}$ mol/L dans l'eau pure, soit environ 4000 fois plus faible.

EXERCICE 7.6

Calculez la solubilité molaire du bromure de cuivre(I), CuBr, dans une solution formée de 0,50 mol/L d'ammoniac, NH_3. Le produit de solubilité du bromure de cuivre(I) est égal à $6{,}27 \times 10^{-9}$.

7.2.4 EFFET D'IONS NON COMMUNS

Alors que la présence d'un second soluté contenant un ion commun d'un sel peu soluble abaisse la solubilité de ce sel, celle d'un sel quelconque a l'effet contraire : elle augmente la solubilité, bien que cet accroissement soit plutôt faible. Ce phénomène s'explique par le fait que l'augmentation de la concentration totale des ions provoque une plus grande attraction entre eux, de sorte que les concentrations réelles sont inférieures aux concentrations stœchiométriques ou mesurées. Les concentrations des ions en jeu dans la dissolution doivent alors être plus élevées pour que l'équilibre soit atteint. En d'autres termes, le produit de solubilité, K_{ps}, n'est pas vraiment une constante : il varie selon la force ionique de la solution. Par exemple, le produit de solubilité du sulfate de calcium, $CaSO_4$, est égal à $2{,}16 \times 10^{-4}$ mol/L (*revoir l'exemple 7.3*) lorsqu'on le calcule à partir de sa solubilité, une valeur trois fois plus élevée que celle répertoriée, $7{,}10 \times 10^{-5}$ mol/L.

7.3 RÉACTIONS DE PRÉCIPITATION ET ANALYSE QUALITATIVE

Le mélange de solutions contenant des ions de sels peu solubles peut conduire à la formation de précipité. Pour prédire ce phénomène, on compare les valeurs du produit de solubilité, K_{ps}, et du quotient réactionnel, Q_{ps}. Fondement de l'analyse qualitative (dite par voie humide) en chimie minérale, cette étude comparative permet aussi de contrôler la précipitation sélective de certains sels.

7.3.1 CRITÈRES DE PRÉCIPITATION

Lors de l'étude de l'évolution des systèmes chimiques à l'équilibre, au chapitre 4, nous avons introduit le concept de quotient réactionnel, Q. Nous l'avons défini de la même manière qu'une constante d'équilibre, mais en rapport avec les concentrations initiales plutôt qu'avec les concentrations à l'équilibre. Nous avons alors montré que si le quotient réactionnel est inférieur à la constante d'équilibre, la réaction se déplace vers la droite jusqu'à ce que l'équilibre soit atteint, et que l'inverse se produit si le quotient réactionnel est supérieur à la constante d'équilibre.

$$A \rightleftharpoons B \qquad Q < K_c = \frac{[B]}{[A]} \Rightarrow A \rightleftharpoons B$$

$$A \rightleftharpoons B \qquad Q > K_c = \frac{[B]}{[A]} \Rightarrow A \leftrightharpoons B$$

On peut recourir au même concept pour prédire la formation ou non d'un précipité lors du mélange de solutions. On compare alors le produit de solubilité, K_{ps}, avec le quotient réactionnel, Q_{ps}, désigné **produit ionique** dans ce cas.

Produit ionique : produit des concentrations initiales des ions d'une solution dans l'expression du produit de solubilité.

Les critères permettant de déterminer si les ions d'une solution qui se combinent forment un précipité sont les suivants.

- $Q_{ps} > K_{ps}$: un précipité se forme.
- $Q_{ps} < K_{ps}$: aucun précipité ne se forme.
- $Q_{ps} = K_{ps}$: la solution est saturée, à l'équilibre.

Il est très important de **tenir compte de la dilution éventuelle avant d'appliquer les critères de précipitation**, c'est-à-dire de la variation de la concentration des espèces ioniques lors du mélange des solutions. La méthode générale qui permet de prédire la formation ou non d'un précipité peut se résumer en trois étapes.

1° On repère les ions en jeu et on établit l'équation du produit de solubilité.

2° On calcule la concentration des ions avant la réaction.

3° On calcule le produit ionique, Q_{ps}, et on en compare la valeur avec celle du produit de solubilité, K_{ps}.

EXEMPLE 7.6

On mélange 50,0 mL d'une solution contenant $5{,}00 \times 10^{-2}$ mol/L de nitrate de plomb(II), $Pb(NO_3)_2$, avec 30,0 mL d'une solution de $1{,}50 \times 10^{-2}$ mol/L en iodure de potassium, KI. On veut savoir s'il y aura formation d'un précipité et, le cas échéant, calculer la concentration des ions en solution et la masse de précipité.

1° On repère les ions en jeu et on établit l'équation du produit de solubilité.

Le nitrate de plomb et l'iodure de potassium libèrent les ions suivants.

$$Pb(NO_3)_2(aq) \longrightarrow Pb^{2+}(aq) + 2NO_3^-(aq)$$

$$KI(aq) \longrightarrow K^+(aq) + I^-(aq)$$

Deux sels peuvent donc se former : PbI_2 et KNO_3. En se reportant au tableau 7.1, on observe que l'iodure de plomb, PbI_2, est un sel peu soluble.

$$PbI_2(s) \rightleftharpoons Pb^{2+}(aq) + 2I^-(aq) \qquad K_{ps} = [Pb^{2+}]\,[I^-]^2 = 8{,}49 \times 10^{-9}$$

Par conséquent, les ions Pb^{2+} et I^- peuvent réagir et former un précipité d'iodure de plomb, PbI_2.

2° On calcule la concentration des ions en jeu avant la réaction.

Les ions se trouvent dans une solution de 80,0 mL.

$$[Pb^{2+}] = 5{,}00 \times 10^{-2} \text{ mol/L} \times \frac{50{,}0 \text{ mL}}{80{,}0 \text{ mL}} = 3{,}13 \times 10^{-2} \text{ mol/L}$$

$$[I^-] = 1{,}50 \times 10^{-2} \text{ mol/L} \times \frac{30{,}0 \text{ mL}}{80{,}0 \text{ mL}} = 5{,}63 \times 10^{-3} \text{ mol/L}$$

3° On calcule le produit ionique, Q_{ps}, et on en compare la valeur avec celle du produit de solubilité, K_{ps}.

$$Q_{ps} = [Pb^{2+}]_0[I^-]_0^2 = 3{,}13 \times 10^{-2} \times (5{,}63 \times 10^{-3})^2 = 9{,}92 \times 10^{-7}$$

- Puisque le Q_{ps} ($9{,}92 \times 10^{-7}$) est plus élevé que le K_{ps} ($8{,}49 \times 10^{-9}$), il y aura **formation d'un précipité** d'iodure de plomb(II), PbI_2.

4° On calcule la concentration des ions en solution.

a)

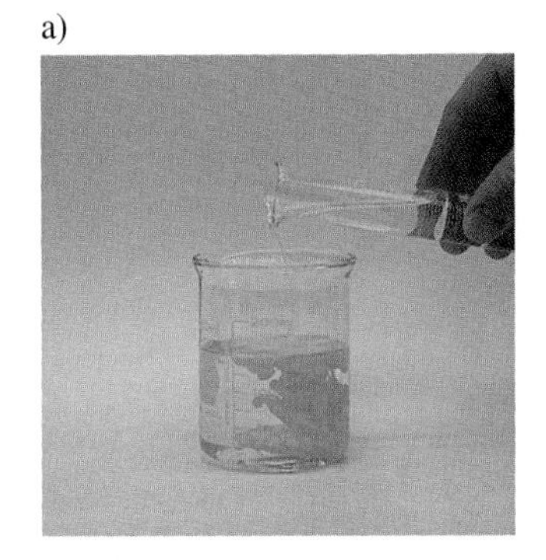

b)

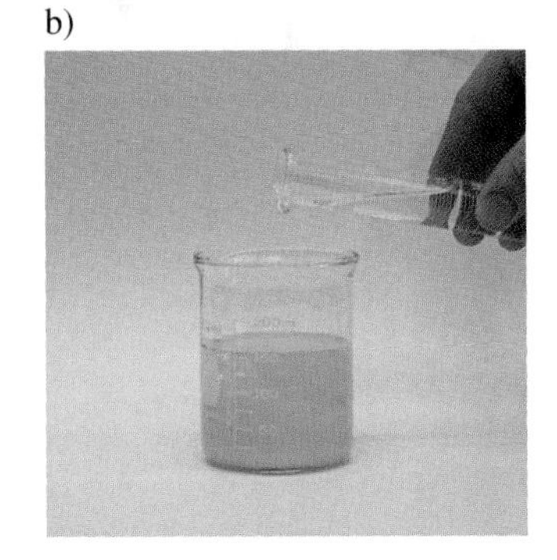

c)

En a), solution de nitrate de plomb(II), $Pb(NO_3)_2$, à laquelle on ajoute un peu d'iodure de potassium, KI, en solution; en b), formation d'un précipité jaune d'iodure de plomb(II), PbI_2; en c), le précipité est déposé.

Pour effectuer le calcul, il faut déterminer lequel des deux ions est en excès.

$$\text{mol de Pb}^{2+} = \frac{5{,}00 \times 10^{-2}\ \text{mol}}{1000\ \text{mL}} \times 50{,}0\ \text{mL} = 2{,}50 \times 10^{-3}\ \text{mol Pb}^{2+}$$

$$\text{mol de I}^- = \frac{1{,}50 \times 10^{-2}\ \text{mol}}{1000\ \text{mL}} \times 30{,}0\ \text{mL} = 4{,}50 \times 10^{-4}\ \text{mol I}^-$$

On constate ici que Pb^{2+} est en excès puisque, selon la stœchiométrie de la réaction (2 mol I^-/1 mol Pb^{2+}), $4{,}50 \times 10^{-4}$ mol de I^- réagissent avec $2{,}25 \times 10^{-4}$ mol de Pb^{2+}. On peut donc calculer la concentration des ions en solution en comparant les concentrations avant et après la réaction.

Réaction	$PbI_2(s) \rightleftharpoons$	$Pb^{2+}(aq)$ +	$2I^-(aq)$
avant la réaction	—	$2{,}50 \times 10^{-3}$ mol	$4{,}50 \times 10^{-4}$ mol
après la réaction	—	$2{,}50 \times 10^{-3} - 2{,}25 \times 10^{-4}$	≈ 0 mol
		$= 2{,}28 \times 10^{-3}$ mol	

Une fois la réaction de précipitation terminée, $2{,}28 \times 10^{-3}$ mol de Pb^{2+} sont en excès.

$$[Pb^{2+}] = \frac{2{,}28 \times 10^{-3}\ \text{mol}}{0{,}0800\ \text{L}} = 2{,}85 \times 10^{-2}\ \text{mol/L}$$

- La concentration de Pb^{2+} en solution est donc de **$2{,}85 \times 10^{-2}$ mol/L.**

Pour calculer la concentration de I^- à l'équilibre, on doit de nouveau recourir à l'expression du K_{ps} en supposant que PbI_2 se dissout dans un excès de Pb^{2+} (effet d'ion commun).

Réaction	$PbI_2(s)$ $\rightleftharpoons$	$Pb^{2+}(aq)$ +	$2I^-(aq)$
$[\ ]_0$ (mol/L)	—	$2{,}85 \times 10^{-2}$	≈ 0
$[\ ]$ (mol/L)	—	$2{,}85 \times 10^{-2} + x$	$2x$

$$K_{ps} = 8{,}49 \times 10^{-9} = (2{,}85 \times 10^{-2} + x)(2x)^2 \approx 2{,}85 \times 10^{-2} \times 4x^2$$

En résolvant l'équation, on trouve que x est égal à $2{,}73 \times 10^{-4}$ mol/L.

$$[I^-] = 2 \times 2{,}73 \times 10^{-4}\ \text{mol/L} = 5{,}46 \times 10^{-4}\ \text{mol/L}$$

- La concentration de I^- est donc de **$5{,}46 \times 10^{-4}$ mol/L.**

5° On calcule la masse de précipité.

La quantité de précipité correspond au nombre de moles de Pb^{2+}, c'est-à-dire à la différence entre la quantité initiale et la quantité en solution, soit :

$$\text{mol de PbI}_2 = \text{mol de Pb}^{2+} = 2{,}50 \times 10^{-3} - \frac{2{,}85 \times 10^{-2}}{1000\ \text{mL}} \times 80{,}0\ \text{mL}$$
$$= 2{,}50 \times 10^{-3} - 2{,}28 \times 10^{-3}$$
$$= 2{,}2 \times 10^{-4}\ \text{mol}$$

$$\text{masse de PbI}_2 = 2{,}2 \times 10^{-4}\ \text{mol} \times \frac{461\ \text{g}}{1\ \text{mol}} = 0{,}10\ \text{g}$$

- La masse de précipité est donc de **0,10 g**.

EXERCICE 7.7

On ajoute 4 gouttes (1 goutte correspond à 0,050 mL) d'une solution de 0,20 mol en iodure de potassium, KI, à 100,0 mL d'une solution de 0,010 mol/L en nitrate de plomb(II), $Pb(NO_3)_2$. Déterminez si un précipité se formera. Justifiez votre réponse. (*Ne tenez pas compte de l'augmentation de volume due à la solution d'iodure de potassium.*)

7.3.2 CALCULS LIÉS À L'ADDITION D'UN SEL ET CALCULS DES CONCENTRATIONS APRÈS PRÉCIPITATION

Il peut être utile, dans certains cas, de connaître la quantité de sel qu'il faut ajouter à une solution pour provoquer la formation d'un précipité. Il suffit alors d'appliquer l'expression du produit de solubilité et d'effectuer les calculs correspondants.

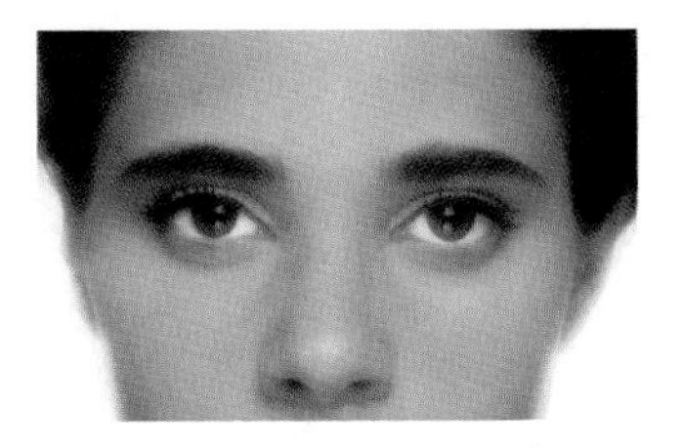

Le nitrate d'argent, appliqué en solution topique à 1 % ou à 2 %, sert à traiter certaines infections oculaires; c'est un agent anti-infectieux.

EXEMPLE 7.7

On veut connaître la masse de nitrate d'argent, $AgNO_3$, sous forme de sel solide qu'il faut ajouter à 100,0 mL d'une solution contenant $5{,}00 \times 10^{-3}$ mol/L de chromate de sodium, Na_2CrO_4, pour provoquer la précipitation du chromate d'argent, Ag_2CrO_4.

1° On établit l'équation exprimant le produit de solubilité

$$Ag_2CrO_4(s) \rightleftharpoons 2Ag^+(aq) + CrO_4^{2-}(aq)$$

$$K_{ps} = [Ag^+]^2[CrO_4^{2-}] = 1{,}12 \times 10^{-12}$$

2° On calcule la concentration de Ag^+ en appliquant l'expression de K_{ps}.
On néglige la faible variation de volume qui accompagne l'ajout de $AgNO_3$ solide.

$$[CrO_4^{2-}] = 5{,}00 \times 10^{-3} \text{ mol/L} \qquad [Ag^+] = x$$

$$K_{ps} = x^2 \times 5{,}00 \times 10^{-3} = 1{,}12 \times 10^{-12} \Rightarrow x = \sqrt{\frac{1{,}12\times10^{-12}}{5{,}00\times10^{-3}}} = 1{,}50 \times 10^{-5} \text{ mol/L}$$

3° On calcule la masse correspondante de nitrate d'argent.

$$M_{AgNO_3} = 169{,}9 \text{ g/mol} \qquad [AgNO_3] = [Ag^+]$$

$$\text{masse de Ag} = \frac{1{,}50\times10^{-5}\cancel{\text{mol}}}{1\cancel{\text{L}}} \times \frac{169{,}9 \text{ g}}{1\cancel{\text{mol}}} \times \frac{1\cancel{\text{L}}}{1000\cancel{\text{mL}}} \times 100{,}0\cancel{\text{mL}}$$

$$= 2{,}55 \times 10^{-4} \text{ g}$$

- À partir de **$2{,}55 \times 10^{-4}$ g** (0,255 mg) de $AgNO_3$, le chromate d'argent commencera à précipiter.

Un calcul analogue, c'est-à-dire fondé sur l'utilisation du produit de solubilité, permet d'estimer la quantité d'ions qui demeurent en solution après la précipitation. Par exemple, l'un des procédés permettant de réduire la concentration des ions magnésium, Mg^{2+}, de l'eau de mer consiste à la traiter avec une solution tampon basique. Les ions Mg^{2+} précipitent alors sous forme d'hydroxyde de magnésium, $Mg(OH)_2$.

$$Mg^{2+}(aq) + 2OH^-(aq) \rightleftharpoons Mg(OH)_2(s)$$

De façon générale, on considérera que la précipitation est complète lorsqu'il reste moins de 0,1 % d'ions en solution, ici Mg^{2+}.

EXEMPLE 7.8

La concentration de l'ion magnésium, Mg^{2+}, dans l'eau de mer est d'environ $5{,}40 \times 10^{-2}$ mol/L. On désire connaître la quantité d'ions qui demeurent en solution après la précipitation, si le pH est maintenu à 11,30.

1° On pose l'équation d'équilibre de solubilité et l'expression du produit de solubilité.

$$Mg(OH)_2(s) \rightleftharpoons Mg^{2+}(aq) + 2OH^-(aq)$$

$$K_{ps} = [Mg^{2+}][OH^-]^2 = 5{,}61 \times 10^{-12}$$

CAPSULE CHIMIQUE

Des réactions de précipitation... chimique et biologique

La plupart des minerais proviennent de la lente solidification du magma terrestre, mais certains découlent de réactions de précipitation. Une grande partie de la calcite, par exemple, est issue de la précipitation du carbonate de calcium de l'eau de mer chaude saturée d'ions calcium, Ca^{2+}, et d'hydrogénocarbonate, HCO_3^-.

$$Ca^{2+}(aq) + 2HCO_3^-(aq) \rightleftharpoons CaCO_3(s) + H_2O(l) + CO_2(g)$$

Toutefois, la majeure partie des dépôts océaniques de carbonate de calcium provient de la précipitation biologique qui forme les coquilles de certains organismes marins. Ceux-ci extraient les ions Ca^{2+} et HCO_3^- de l'eau de mer, les concentrent sous forme de solution dans des cellules spécialisées qui sécrètent ensuite les cristaux de carbonate de calcium servant à construire les coquilles dans lesquelles ils vivent.

Et ces coquilles, celles des huîtres, par exemple, sont récupérées et transformées pour être vendues comme supplément de calcium, sous forme de comprimés de carbonate de calcium dit naturel... Tout un recyclage de produit chimique !

Le carbonate de calcium des coquilles provient d'une précipitation biologique.

2° On calcule la concentration des ions Mg^{2+} pour un pH de 11,30.

$$pH = 11{,}30 \Rightarrow pOH = 2{,}70 \Rightarrow [OH^-] = 2{,}00 \times 10^{-3} \text{ mol/L}$$

$$[Mg^{2+}] = \frac{K_{ps}}{[OH^-]^2} = \frac{5{,}61 \times 10^{-12}}{(2{,}00 \times 10^{-3})^2} = 1{,}40 \times 10^{-6} \text{ mol/L}$$

- La concentration des ions Mg^{2+} en solution est donc de **$1{,}40 \times 10^{-6}$ mol/L.**

On peut considérer que la précipitation est complète, puisqu'il reste moins de 0,1 % d'ions Mg^{2+}, la concentration étant passée de $5{,}40 \times 10^{-2}$ mol/L à $1{,}40 \times 10^{-6}$ mol/L.

$$[Mg^{2+}]_{soln} = \frac{1{,}40 \times 10^{-6}}{5{,}40 \times 10^{-2}} \times 100 = 0{,}002\ 59\ \%\ (< 0{,}1\ \%)$$

EXERCICE 7.8

Quelle masse de fluorure de sodium, NaF, doit-on ajouter à 100,0 mL d'une solution formée de $2{,}00 \times 10^{-2}$ mol/L de chlorure de calcium, $CaCl_2$, pour amorcer la précipitation du fluorure de calcium, CaF_2 ? Le K_{ps} du fluorure de calcium, CaF_2, est de $1{,}46 \times 10^{-10}$. *(Ne tenez pas compte de la formation de l'acide faible, HF(aq).)*

EXERCICE 7.9

La concentration du manganèse(II), Mn^{2+}, dans l'eau potable ne doit pas être supérieure à 0,10 mg/L. Calculez le pH nécessaire pour que la concentration de l'ion Mn^{2+} n'excède pas cette valeur. Le K_{ps} de l'hydroxyde de manganèse(II), $Mn(OH)_2$, est de $2{,}06 \times 10^{-13}$.

On peut se demander si des conditions particulières favorisent la précipitation. De façon générale, on peut estimer que :

- plus le K_{ps} est petit, plus la concentration de l'ion que l'on désire éliminer sera faible;
- plus la concentration initiale de l'ion que l'on désire éliminer est élevée, plus sa proportion qui demeure en solution sera faible;
- plus la concentration de l'ion commun est élevée, plus elle aura tendance à demeurer constante durant la précipitation.

7.3.3 PRÉCIPITATION SÉLECTIVE

Il est possible de séparer des ions en solution en provoquant leur précipitation successive, et ce, en ajoutant un seul réactif. Cette séparation est réalisable à deux conditions :

- les produits de solubilité, K_{ps}, des sels que l'on désire séparer doivent être très différents;
- l'ajout du réactif en solution concentrée qui entraîne la précipitation doit se faire très lentement, à l'aide d'une burette, par exemple.

La majeure partie du moins soluble des deux sels précipite d'abord, laissant le plus soluble en solution. Par contre, si l'on ajoute à la solution un excès de réactif, le plus soluble des deux sels précipite à son tour; on dit alors qu'il y a coprécipitation.

EXEMPLE 7.9

Une solution contient 0,020 mol/L d'iodure de potassium, KI, et 0,10 mol/L de chlorure de potassium, KCl. On ajoute lentement une solution concentrée de nitrate d'argent, $AgNO_3$. On veut savoir :

a) quel sel précipite le premier;
b) quelle est la concentration de l'ion le moins soluble dans la solution lorsque le second sel commence à précipiter;
c) quelle proportion de l'ion le moins soluble demeure en solution lorsque le second sel commence à précipiter.

Pour simplifier les calculs, on ne tient pas compte du volume de solution de nitrate d'argent ajouté pour provoquer la précipitation, mais seulement de la quantité d'ions argent, Ag^+.

a) Nature du premier sel à précipiter

1° On pose les équations des réactions et les expressions respectives du produit de solubilité, K_{ps}.
Le chlorure d'argent, AgCl, et l'iodure d'argent, AgI, sont des sels peu solubles.

$$AgNO_3(aq) \longrightarrow Ag^+(aq) + NO_3^-(aq)$$

$$AgCl(s) \rightleftharpoons Ag^+(aq) + Cl^-(aq) \qquad K_{ps} = 1,77 \times 10^{-10}$$

$$[Ag^+][Cl^-] = 1,77 \times 10^{-10}$$

$$AgI(s) \rightleftharpoons Ag^+(aq) + I^-(aq) \qquad K_{ps} = 8,51 \times 10^{-17}$$

$$[Ag^+][I^-] = 8,51 \times 10^{-17}$$

2° On calcule la concentration de Ag^+ qui entraîne la précipitation de chaque sel.

$$\text{pour AgCl} : K_{ps} = [Ag^+][Cl^-] = [Ag^+] \times 0,10 = 1,77 \times 10^{-10}$$

$$[Ag^+] = \frac{1,77 \times 10^{-10}}{0,10} = 1,77 \times 10^{-9} \text{ mol/L}$$

AgCl commence à précipiter lorsque la concentration de Ag^+ atteint $1,77 \times 10^{-9}$ mol/L.

$$\text{pour AgI} : K_{ps} = [Ag^+][I^-] = [Ag^+] \times 0,020 = 8,51 \times 10^{-17}$$

$$[Ag^+] = \frac{8,51 \times 10^{-17}}{0,020} = 4,26 \times 10^{-15} \text{ mol/L}$$

AgI commence à précipiter lorsque la concentration de Ag^+ atteint $4,26 \times 10^{-15}$ mol/L.

- L'**iodure d'argent**, AgI, commence à précipiter avant le chlorure, puisque la précipitation débute dès que la concentration de Ag^+ atteint $4,26 \times 10^{-15}$ mol/L, ce qui est inférieur à $1,77 \times 10^{-9}$ mol/L.

b) Concentration de l'ion le moins soluble

L'ion le moins soluble est l'ion iodure, I^-.

Lorsque le second sel, AgCl, commence à précipiter, la concentration de l'ion argent, Ag^+, est de $1,77 \times 10^{-9}$ mol/L.

On calcule la concentration de I^- à partir du K_{ps} de AgI.

$$K_{ps} = [Ag^+][I^-] = 8,51 \times 10^{-17} \Rightarrow [I^-] = \frac{8,51 \times 10^{-17}}{1,77 \times 10^{-9}} = 4,81 \times 10^{-8} \text{ mol/L}$$

- Au moment où AgCl commence à précipiter, il reste donc **$4,81 \times 10^{-8}$ mol/L** d'ions iodure, I^-, en solution.

c) Proportion de l'ion le moins soluble par rapport à sa concentration initiale

La concentration initiale de l'ion I^- est de 0,020 mol/L, et il en reste $4,81 \times 10^{-8}$ mol/L.

$$\frac{4,81 \times 10^{-8}}{0,020} = 2,41 \times 10^{-6}$$

- La proportion qui demeure en solution par rapport à la concentration initiale est d'environ **2,4 ppm** (parties par million) lorsque AgCl commence à précipiter.

EXERCICE 7.10

Une solution contient 0,100 mol/L de nitrate d'argent, $AgNO_3$, et 0,100 mol/L de nitrate de plomb(II), $Pb(NO_3)_2$. On lui ajoute une solution concentrée de chlorure de sodium, NaCl.

a) Quel est le premier sel à précipiter ?

b) Quelle est la concentration de l'ion le moins soluble lorsque le second sel commence à précipiter ?

c) Calculez la concentration des ions chlorure, Cl^-, lorsque 99,0 % des ions argent, Ag^+, ont précipité.

d) Déterminez si les ions Pb^{2+} demeurent en solution lorsque la concentration des ions Cl^- atteint celle calculée en c); justifiez votre réponse à l'aide de calculs.

7.3.4 ÉLÉMENTS D'ANALYSE QUALITATIVE

Pendant longtemps, l'analyse qualitative fondée sur la précipitation sélective de cations fut pratiquement la seule méthode d'identification des ions dans une solution. De nos jours, cette analyse est de plus en plus remplacée par des méthodes instrumentales, telle l'absorption atomique. Elle est cependant encore employée pour des analyses de routine. Un exposé exhaustif des méthodes qualitatives utilisées pour tous les cations dépasse le cadre de cet ouvrage. Nous nous limiterons ici à présenter les principes de l'analyse qualitative pour le premier groupe de cations qui précipitent sous forme de chlorures : les ions plomb, Pb^{2+}, mercure(I), Hg_2^{2+}, et argent, Ag^+ (*figure 7.3*).

Lorsqu'une solution contient des cations (dans un schéma d'analyse plus complet, on en compte une vingtaine), la première étape de l'analyse consiste à ajouter une solution diluée d'acide chlorhydrique, HCl(*aq*). Tous les cations du premier groupe d'analyse précipitent alors sous forme de chlorures, tandis que les autres cations demeurent en solution. Après avoir récupéré les chlorures par filtration, on traite la solution avec une solution diluée de sulfure d'hydrogène et on procède à l'analyse des autres cations, et ainsi de suite, comme le montre le schéma partiel d'analyse de la figure 7.3.

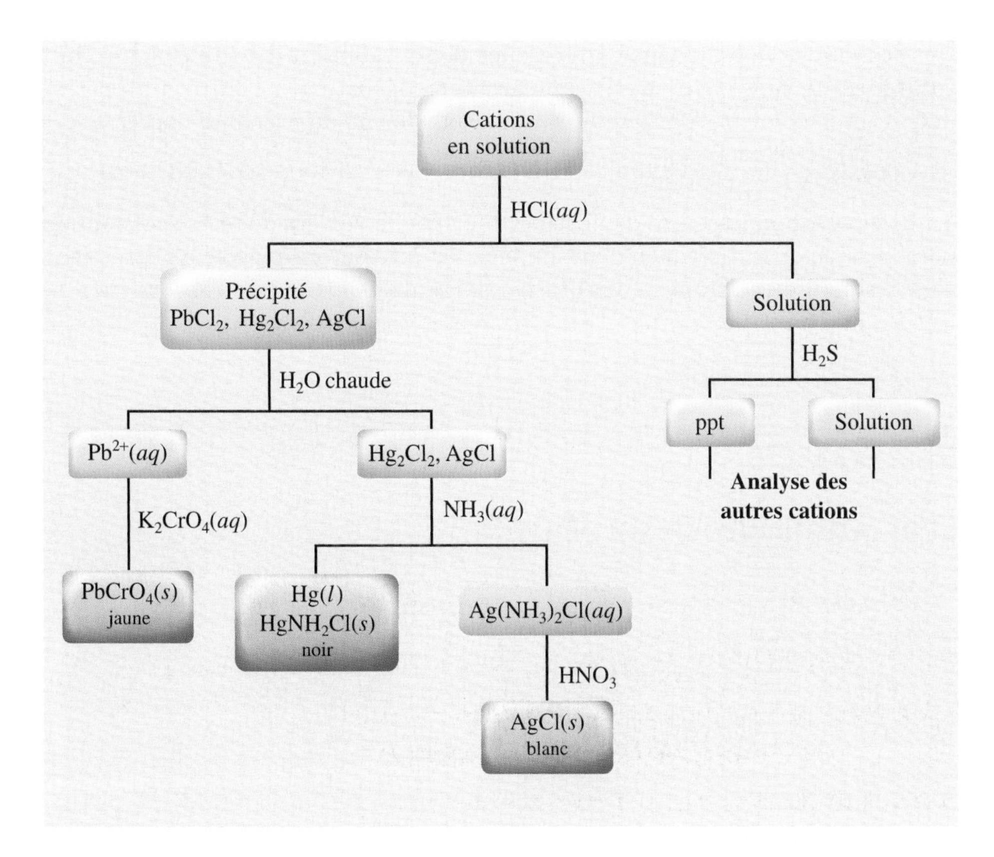

Figure 7.3 Schéma partiel de l'analyse qualitative de cations.

L'analyse du précipité composé des cations du premier groupe s'effectue comme suit :

$$Pb^{2+}(aq) + 2Cl^-(aq) \rightleftharpoons PbCl_2(s) \qquad K_{ps} = 1,17 \times 10^{-5}$$

$$Hg_2^{2+}(aq) + 2Cl^-(aq) \rightleftharpoons Hg_2Cl_2(s) \qquad K_{ps} = 1,45 \times 10^{-18}$$

$$Ag^+(aq) + Cl^-(aq) \rightleftharpoons AgCl(s) \qquad K_{ps} = 1,77 \times 10^{-10}$$

D'après les valeurs du produit de solubilité, on remarque que le chlorure de plomb(II), $PbCl_2$, est le plus soluble. On ajoute alors de l'eau chaude sur le précipité afin de dissoudre suffisamment de chlorure de plomb pour mettre en évidence la présence d'ions Pb^{2+}. Lorsque la solution contient l'ion Pb^{2+}, l'ajout de chromate de potassium, K_2CrO_4, entraîne la précipitation de chromate de plomb(II), $PbCrO_4$, un solide jaune.

$$Pb^{2+}(aq) + CrO_4^{2-}(aq) \rightleftharpoons PbCrO_4(s) \qquad K_{ps} = 2,8 \times 10^{-13}$$

Le chromate de plomb est un pigment qui donne une couleur jaune (le jaune de chrome) aux peintures.

On traite alors avec une solution d'ammoniac, $NH_3(aq)$, la fraction du précipité non solubilisée dans l'eau chaude. Deux situations peuvent désormais se présenter.

- Si du chlorure d'argent, AgCl, forme le précipité ou une partie de celui-ci, il se solubilise en formant un ion complexe.

$$AgCl(s) + 2NH_3(aq) \longrightarrow [Ag(NH_3)_2]^+(aq) + Cl^-(aq)$$

- Dans les mêmes conditions, si le précipité renferme du chlorure de mercure(I), Hg_2Cl_2, l'ion Hg_2^{2+} subit une réaction d'oxydoréduction (*voir* Chimie générale, *section 3.2*) et un précipité noir se forme.

$$Hg_2Cl_2(s) + 2NH_3(aq) \longrightarrow \underbrace{Hg(l) + HgNH_2Cl(s)}_{\textbf{précipité noir}} + Cl^-(aq) + NH_4^+(aq)$$

Pour mettre en évidence la présence de Ag^+, il suffit d'acidifier le produit solubilisé de AqCl avec de l'acide nitrique, $HNO_3(aq)$: l'ion complexe est détruit et le chlorure d'argent se dépose sous forme de précipité blanc.

$$[Ag(NH_3)_2]^+(aq) + Cl^-(aq) + 2HNO_3(aq) \longrightarrow AgCl(s) + 2NH_4NO_3(aq)$$

Il peut être nécessaire d'effectuer une grande variété de tests secondaires pour confirmer la présence d'un ion, car les interférences avec d'autres ions sont fréquentes. L'analyse qualitative exige un bon sens de l'observation et une grande minutie.

LE CHAPITRE EN UN CLIN D'ŒIL

PRODUIT DE SOLUBILITÉ ET RELATION AVEC LA SOLUBILITÉ

PRODUIT DE SOLUBILITÉ	SOLUBILITÉ	RELATION ENTRE K_{ps} ET S		
$M_xA_y(s) \rightleftharpoons xM^+(aq) + yA^-(aq)$ M = métal A = anion		Formule	Valeur de K_{ps}	Valeur de S
$K_{ps} = [M^+]^x[A^-]^y$	$S = \frac{[M^+]}{x} = \frac{[A^-]}{y}$	MA	$K_{ps} = S^2$	$S = (K_{ps})^{0,5}$
		MA_2 ou M_2A	$K_{ps} = 4S^3$	$S = (K_{ps}/4)^{0,33}$
		MA_3	$K_{ps} = 27S^4$	$S = (K_{ps}/27)^{0,25}$
		M_3A_2	$K_{ps} = 108S^5$	$S = (K_{ps}/108)^{0,2}$

MODIFICATIONS À L'ÉQUILIBRE DE SOLUBILITÉ

EFFET DE L'AJOUT D'UN ION COMMUN	
$MA(s) \rightleftharpoons M^+(aq) + A^-(aq)$	$K_{ps} = [M^+][A^-]$
Modification	Ajout de A^- ou de M^+ (sel soluble)
Effet	Déplacement de l'équilibre vers la gauche ⇓ Diminution de la solubilité
Principe des calculs	• Utilisation de l'expression du K_{ps} • $[A^-] \approx [A]_{sel\ soluble}$ (si $[A]_{sel\ soluble} >> [A^-]$)
Exemple	Solubilité de $PbSO_4$ dans $[SO_4^{2-}]$ de concentration 0,100 mol/L $K_{ps} = 1,82 \times 10^{-8}$ $PbSO_4(s) \rightleftharpoons Pb^{2+}(aq) + SO_4^{2-}(aq)$ $S = [Pb^{2+}] = \frac{K_{ps}}{[SO_4^{2-}]} = \frac{1,82 \times 10^{-8}}{0,100} = 1,82 \times 10^{-7}$ mol/L

EFFET DE LA VARIATION DE pH	
$M(OH)_x(s) \rightleftharpoons M^{x+}(aq) + xOH^-(aq)$	$K_{ps} = [M^{x+}][OH^-]^x$
Modification	Ajout de H_3O^+ (solution tampon)
Effet	Déplacement de l'équilibre vers la droite : $H_3O^+ + OH^- \rightleftharpoons H_2O$ ⇓ Augmentation de la solubilité
Principe des calculs	Utilisation de l'expression du produit de solubilité, K_{ps}, et de la constante de dissociation de l'eau, K_e $S = K_{ps} \times \left(\frac{[H_3O^+]}{K_e}\right)^x$
Exemple	Solubilité de $Pb(OH)_2$ dans H_3O^+ de concentration $1{,}00 \times 10^{-5}$ mol/L $Pb(OH)_2(s) \rightleftharpoons Pb^{2+}(aq) + 2OH^-(aq)$ $K_{ps} = 1{,}42 \times 10^{-20}$ $S = K_{ps} \times \left(\frac{[H_3O^+]}{K_e}\right)^2 = 1{,}42 \times 10^{-20} \times \left(\frac{1{,}00 \times 10^{-5}}{1{,}00 \times 10^{-14}}\right)^2 = 1{,}42 \times 10^{-2}$ mol/L

EFFET DE LA FORMATION D'IONS COMPLEXES	
$AgCl(s) \rightleftharpoons Ag^+(aq) + Cl^-(aq)$	$K_{ps} = [Ag^+][Cl^-]$
Modification	Ajout de NH_3 (ou de substances capables de former un ion complexe)
Effet	$Ag^+(aq) + 2NH_3(aq) \rightleftharpoons [Ag(NH_3)_2]^+(aq) + Cl^-(aq)$ Déplacement de l'équilibre vers la droite ⇓ Augmentation de la solubilité
Principe des calculs	Utilisation de l'équation globale et de l'expression de K $K = \frac{[Ag(NH_3)_2]^+[Cl^-]}{[NH_3]^2} \Rightarrow K = K_{ps} \times K_{compl} = 1{,}77 \times 10^{-10} \times 1{,}6 \times 10^7 = 2{,}8 \times 10^{-3}$
Exemple	Solubilité de AgCl dans NH_3 de concentration 0,100 mol/L $[NH_3] = 0{,}100 - 2x$ $[Ag(NH_3)_2]^+ = S = x$ $[Cl^-] = x$ $2{,}8 \times 10^{-3} = \frac{x^2}{(0{,}100 - 2x)^2} \Rightarrow x = 4{,}8 \times 10^{-3}$ mol/L $= S$

RÉACTIONS DE PRÉCIPITATION

Critères de précipitation	Principes de la méthode de calcul
$Q_{ps} > K_{ps} \Rightarrow$ formation d'un précipité	1° On repère les ions qui peuvent précipiter.
$Q_{ps} < K_{ps} \Rightarrow$ aucun précipité	2° On exprime le produit de solubilité.
$Q_{ps} = K_{ps} \Rightarrow$ équilibre (solution saturée)	3° On calcule la concentration des ions avant la précipitation.
	4° On compare le Q_{ps} avec le K_{ps}.
	Le sel le moins soluble précipite le premier.

Principes à respecter dans l'analyse qualitative
• Précipitation sélective fondée sur l'utilisation de réactifs appropriés.
• Solubilisation des précipités par formation éventuelle d'ions complexes ou par l'ajout d'acide ou de base.
• Tests spécifiques supplémentaires pour confirmer la nature de l'ion.

QUESTIONS ET EXERCICES SUPPLÉMENTAIRES

Pour les valeurs des produits de solubilité, reportez-vous au tableau 7.1.

1. Écrivez les équations de dissociation des substances suivantes et les expressions de leur produit de solubilité, K_{ps}.
   a) Bromate d'argent, $AgBrO_3$
   b) Chlorure de mercure(I), Hg_2Cl_2
   c) Chromate de plomb(II), $PbCrO_4$
   d) Hydroxyde de magnésium, $Mg(OH)_2$
   e) Phosphate de calcium, $Ca_3(PO_4)_2$

2. Écrivez les équations représentant l'équilibre de solubilité à partir des expressions suivantes du produit de solubilité.
   a) $K_{ps} = [Al^{3+}][OH^-]^3$
   b) $K_{ps} = [Al^{3+}][PO_4^{3-}]$
   c) $K_{ps} = [Li^+]^2[CO_3^{2-}]$
   d) $K_{ps} = [Hg_2^{2+}][I^-]^2$
   e) $K_{ps} = [Cu^{2+}]^3[PO_4^{3-}]^2$

3. Laquelle des égalités suivantes concernant la concentration des ions Ba^{2+} d'une solution saturée de fluorure de baryum, BaF_2, est vraie ?
   a) $[Ba^{2+}] = [F^-]/2$
   b) $[Ba^{2+}] = \sqrt{K_{ps}}$ de BaF_2
   c) $[Ba^{2+}] = [F^-]$
   d) $[Ba^{2+}] = K_{ps}$ de BaF_2

4. Calculez la solubilité, en mol/L et en g/L, des solutions suivantes à partir des valeurs de leur produit de solubilité.
   a) Fluorure de baryum, BaF_2
   b) Phosphate de nickel(II), $Ni_3(PO_4)_2$
   c) Carbonate de lithium, Li_2CO_3
   d) Phosphate d'argent, Ag_3PO_4
   e) Chlorure de mercure(I), Hg_2Cl_2

5. Calculez le produit de solubilité de chacune des substances suivantes à partir des valeurs de leur solubilité.
   a) Phosphate de lithium, Li_3PO_4; solubilité = $2{,}9 \times 10^{-3}$ mol/L
   b) Chromate de plomb, $PbCrO_4$; solubilité = $4{,}3 \times 10^{-5}$ g/L
   c) Chlorure de thallium, TlCl; solubilité = 0,29 g/100 mL

6. Calculez la concentration des ions dans chacune des solutions saturées des substances suivantes.
   a) Sulfate d'argent, Ag_2SO_4
   b) Phosphate de calcium, $Ca_3(PO_4)_2$
   c) Hydroxyde de magnésium, $Mg(OH)_2$
   d) Sulfate de plomb(II), $PbSO_4$
   e) Phosphate d'argent, Ag_3PO_4

7. Lequel des sels suivants est le plus soluble dans l'eau ?
   a) Carbonate de magnésium, $MgCO_3$
   b) Carbonate de manganèse, $MnCO_3$
   c) Hydroxyde de magnésium, $Mg(OH)_2$

8. Calculez le volume d'eau nécessaire à la dissolution de 0,100 g de carbonate de nickel(II), $NiCO_3$. Tenez pour acquis que les volumes d'eau et de solution sont les mêmes.

9. Calculez la masse de sulfate de baryum, $BaSO_4$, que l'on doit dissoudre dans l'eau pour préparer 200,0 mL d'une solution saturée de ce sel.

*10. On mélange 30,0 mL d'une solution contenant 0,240 mol/L d'acétate de sodium, CH_3COONa, avec 20,0 mL d'une solution de 0,160 mol/L en nitrate d'argent, $AgNO_3$. Calculez :
   a) la masse du précipité formé;
   b) la concentration des ions Ag^+, CH_3COO^- et Na^+ en solution.

Modification de l'équilibre de solubilité

11. Déterminez laquelle des substances suivantes est la plus soluble dans une solution formée de 0,100 mol/L de chromate de potassium, K_2CrO_4 : le chromate de baryum, $BaCrO_4$, ou le chromate d'argent, Ag_2CrO_4. Justifiez votre réponse.

12. La solubilité du sulfate d'argent, Ag_2SO_4, dans une solution contenant 0,150 mol/L de sulfate de potassium, K_2SO_4, est égale à $9{,}7 \times 10^{-3}$ mol/L. Calculez la valeur du produit de solubilité, K_{ps}, à partir de ces données.

13. Le bromure de plomb(II), $PbBr_2$, est un sel peu soluble. Prédisez l'effet des modifications suivantes sur la solubilité de ce sel.
   a) Diminution du pH
   b) Ajout de nitrate de plomb(II), $Pb(NO_3)_2$
   c) Ajout de bromure de potassium, KBr
   d) Ajout de chlorure de sodium, NaCl

14. Le fluorure de calcium, CaF_2, est un sel peu soluble. Prédisez l'effet des modifications suivantes sur la solubilité de ce sel.
   a) Diminution du pH
   b) Ajout de fluorure de sodium, NaF
   c) Ajout de nitrate de potassium, KNO_3
   d) Ajout de nitrate de calcium, $Ca(NO_3)_2$

15. Calculez la solubilité, en mol/L et en g/L, de l'hydroxyde de plomb(II), $Pb(OH)_2$, dans une solution aqueuse selon le pH donné.
   a) 5,50 b) 3,50 c) 8,00

16. Trouvez, parmi les substances suivantes, celles dont la solubilité augmente lorsque le pH est diminué. Expliquez votre réponse.
    a) $Hg_2SO_4(s)$
    b) $ZnS(s)$
    c) $ZnCO_3(s)$
    d) $KClO_4(s)$
    e) $AgCN(s)$
    f) $Fe(OH)_3(s)$

17. Déterminez lesquelles des substances suivantes sont plus solubles en milieu acide que dans l'eau pure. Expliquez brièvement.
    a) $CaCO_3(s)$
    b) $NaCl(s)$
    c) $CuS(s)$
    d) $Mg(OH)_2(s)$
    e) $C_6H_5COOH(s)$

18. Soit la réaction d'équilibre suivante.

$$Cu^+(aq) + 4CN^-(aq) \rightleftharpoons [Cu(CN)_4]^{3-}(aq)$$

À l'équilibre, la concentration de Cu^+ est égale à $6{,}1 \times 10^{-32}$ mol/L, celle de CN^- est égale à 0,80 mol/L et celle de $[Cu(CN)_4]^{3-}$ est égale à 0,050 mol/L. Calculez la constante de complexation, K_{compl}.

*19. En solution aqueuse, les ions zinc, Zn^{2+}, forment le complexe $[Zn(NH_3)_4]^{2+}$. La constante de complexation, K_{compl}, est égale à $4{,}1 \times 10^8$. Calculez la solubilité, en mol/L et en g/L, du carbonate de zinc, $ZnCO_3$, dans une solution contenant 0,500 mol/L d'ammoniac, NH_3.

20. Calculez la masse de chlorure d'argent, AgCl, qu'on peut dissoudre dans 1,00 L d'une solution formée de 0,500 mol/L d'ammoniac, NH_3. La constante de complexation est égale à $1{,}6 \times 10^7$.

*21. Déterminez la concentration nécessaire d'ammoniac, NH_3, dans une solution contenant 2,00 g de chlorure d'argent, AgCl, par litre pour que tout le sel soit dissous.

Précipitation sélective

22. Déterminez si un précipité se forme lorsqu'on ajoute 1,00 mL d'une solution formée de $1{,}00 \times 10^{-3}$ mol/L de sulfate de magnésium, $MgSO_4$, à 100,0 mL d'une solution de $5{,}00 \times 10^{-4}$ mol/L en nitrate d'argent, $AgNO_3$. Justifiez votre réponse.

23. Une solution contient des concentrations égales d'ions nickel, Ni^{2+}, cobalt, Co^{2+}, zinc, Zn^{2+}, et cadmium, Cd^{2+}. On ajoute lentement une solution contenant 0,50 mol/L de sulfure de sodium, Na_2S. Déterminez l'ordre dans lequel les sulfures précipitent.

*24. Une solution formée de 0,020 mol/L de carbonate de sodium, Na_2CO_3, est mélangée avec un volume égal d'une solution de 0,100 mol/L en chlorure de baryum, $BaCl_2$. Calculez, en pourcentage, la proportion en Ba^{2+} qui précipite pour former le carbonate de baryum, $BaCO_3$.

25. Une solution contient 0,150 mol/L de nitrate de plomb(II), $Pb(NO_3)_2$, et la même quantité de nitrate d'argent, $AgNO_3$. On y ajoute goutte à goutte une solution contenant 1,0 mol/L de chlorure de sodium, NaCl. Calculez la concentration des ions argent, Ag^+, lorsque le chlorure de plomb commence à précipiter.

26. Une solution de 500,0 mL contient $1{,}00 \times 10^{-2}$ mol/L de chromate de potassium, K_2CrO_4, et de sulfate de potassium, K_2SO_4. On y ajoute goutte à goutte une solution formée de 0,500 mol/L de nitrate de plomb(II), $Pb(NO_3)_2$.
    a) Déterminez lequel des anions est le premier à précipiter.
    b) Calculez la concentration des ions plomb, Pb^{2+}, lorsque le second anion commence à précipiter.
    c) Calculez la masse du premier précipité lorsque le second anion commence à se déposer.
    d) Déterminez si les deux anions sont séparés par cette précipitation (plus de 99,0 % du premier anion doit avoir précipité).

*27. On ajoute 0,050 mol de chlorure de calcium, $CaCl_2$, et 0,15 mol de sulfate de sodium, Na_2SO_4, à 1,00 L d'une solution saturée de sulfate de calcium, $CaSO_4$. Calculez la concentration des ions calcium, Ca^{2+}, et sulfate, SO_4^{2-}, à l'équilibre.

28. Une solution contient 0,10 mol d'ions Ba^{2+} et 0,10 mol d'ions Sr^{2+}. On ajoute lentement une solution concentrée de carbonate de sodium, Na_2CO_3.
    a) Déterminez quel sel précipite le premier.
    b) Calculez la proportion de l'ion le moins soluble qui demeure en solution lorsque le second sel commence à précipiter.

29. L'eau potable ne doit pas contenir plus de 250 mg d'ions sulfate, SO_4^{2-}, par litre de solution. Déterminez si une eau saturée en sulfate de calcium, $CaSO_4$, est conforme à cette norme.

*30. On mélange 50,0 mL d'une solution contenant $2{,}00 \times 10^{-2}$ mol/L de nitrate d'argent, $AgNO_3$, avec 50,0 mL d'une solution de 1,00 mol/L en chlorure de sodium, NaCl. Calculez :
    a) la masse de chlorure d'argent, AgCl, formé;
    b) la concentration des ions Ag^+, Cl^- et NO_3^-.

EXERCICE RÉCAPITULATIF

31. L'hydroxyde de zinc, $Zn(OH)_2$, est formé lorsqu'une solution de nitrate de zinc, $Zn(NO_3)$, est mélangée avec une solution d'hydroxyde de sodium, NaOH.
    a) Écrivez l'expression du produit de solubilité pour l'hydroxyde de zinc.
    b) Déterminez s'il y aura formation d'un précipité lors du mélange de 10,00 mL de solution d'hydroxyde de sodium de concentration 0,0200 mol/L avec 250,0 mL de nitrate de zinc dont la concentration est de 0,0980 mol/L.
    c) Calculez la masse (en mg) d'hydroxyde de zinc nécessaire à la préparation de 700,0 mL d'une solution saturée à 25 °C.
    d) Calculez la masse d'hydroxyde de zinc qui peut être dissoute dans 2,00 L d'une solution de chlorure de zinc, $ZnCl_2$, de concentration égale à 0,083 mol/L.
    e) Déterminez l'effet sur la solubilité de l'hydroxyde de zinc :
        1) de la diminution du pH;
        2) de l'augmentation du pH.

OXYDORÉDUCTION ET ÉLECTROCHIMIE

CHAPITRE 8

La fabrication de l'aluminium constitue un exemple de préparation électrochimique d'un métal à partir de son oxyde, en l'occurrence l'alumine, Al_2O_3. L'électrolyte est la cryolithe, Na_3AlF_6. Dans ce procédé, l'ion Al^{3+} est réduit en aluminium.

OBJECTIFS

Après avoir étudié ce chapitre, vous saurez répondre aux questions suivantes.

- Comment équilibre-t-on les équations d'oxydoréduction ?
- Comment calcule-t-on la concentration d'un oxydant ou d'un réducteur par titrage ?
- Quels sont les éléments d'une pile électrochimique et comment établit-on son potentiel ?
- Comment le potentiel varie-t-il avec la concentration des électrolytes ?
- Quelles sont les caractéristiques des piles primaires, secondaires et à combustible ?
- Comment l'électrolyse permet-elle de préparer des substances chimiques ?
- Quelle est la relation entre l'intensité du courant électrique et la quantité de substance formée lors de l'électrolyse ?

Les réactions d'oxydoréduction occupent une place prépondérante en chimie. Elles jouent notamment un rôle majeur dans les systèmes biologiques, tels le stockage de l'énergie solaire en photosynthèse, les métabolismes d'oxydation du glucose et le transport de l'oxygène. Utilisées depuis plus de deux cents ans, ces réactions impliquent un transfert d'électrons, que les chimistes ont réussi à appliquer à la production d'électricité. C'est ce qui a donné naissance au domaine de l'électrochimie, dont les réalisations sont multiples : piles, batteries, raffinage des métaux, contrôle de la corrosion.

Dans ce chapitre, il s'agit d'abord de préciser la nature des réactions d'oxydoréduction à l'aide du concept de nombre d'oxydation, appliqué dans l'équilibrage des équations d'oxydoréduction. Sera ensuite abordé l'aspect quantitatif associé aux oxydoréductions pour déterminer la concentration d'un oxydant ou d'un réducteur par titrage.

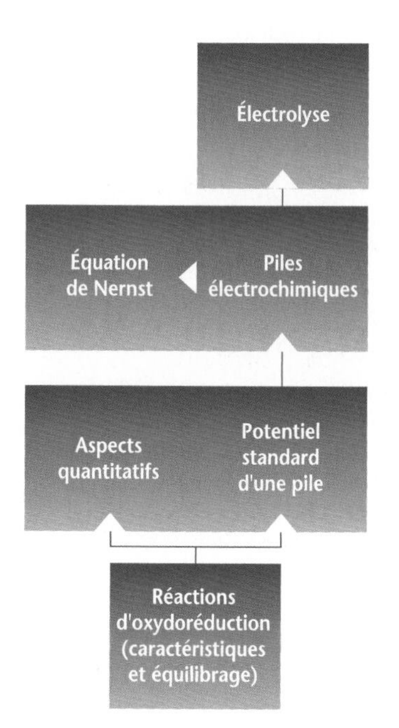

Le cœur du chapitre concerne les piles électrochimiques, dont le fonctionnement est fondé sur la notion de potentiel standard, lequel permet de classer les oxydants et les réducteurs par rapport à un oxydant ou à un réducteur de référence. Ce classement permet d'attribuer un potentiel précis à une pile électrochimique, de déterminer dans quel sens la réaction se produit et d'en prédire la spontanéité ou la non-spontanéité. Pour établir le rapport entre le potentiel d'une pile et la concentration des substances en solution qui la composent, nous aurons recours à l'équation de Nernst.

Il sera également question des applications les plus pratiques des piles électrochimiques : les piles sèches, les batteries d'accumulateurs et les piles à combustible, lesquelles permettent de convertir directement en électricité l'énergie chimique d'un carburant. Enfin, la dernière section concerne l'électrolyse, processus au cours duquel de l'énergie électrique produit une réaction non spontanée. De nombreux procédés industriels en dépendent, notamment la production d'aluminium, le raffinage des métaux et l'électroplacage. Le chapitre se termine sur les aspects quantitatifs associés à l'électrolyse.

8.1 CARACTÉRISTIQUES DES RÉACTIONS D'OXYDORÉDUCTION

Les réactions d'oxydoréduction ont été sommairement présentées dans *Chimie générale* (*revoir la section 3.2*), car un grand nombre de réactions chimiques sont de ce type. Les oxydoréductions font donc partie du système de classification le plus simple des réactions chimiques. Nous préciserons dans cette section les caractéristiques de ce type de réaction et présenterons deux méthodes d'équilibrage, celle des demi-réactions et celle des variations des nombres d'oxydation.

8.1.1 OXYDORÉDUCTION, OXYDANT, RÉDUCTEUR

Oxydoréduction : réaction chimique de transfert d'un ou de plusieurs électrons; elle met simultanément en jeu une oxydation et une réduction.

Oxydation : réaction chimique au cours de laquelle une espèce chimique cède un ou plusieurs électrons.

Réduction : réaction chimique au cours de laquelle une espèce chimique capte un ou plusieurs électrons.

Une **oxydoréduction** comporte deux réactions qui se déroulent simultanément :

- une **oxydation**, au cours de laquelle une espèce chimique cède un ou plusieurs électrons;
- une **réduction**, au cours de laquelle une espèce chimique accepte un ou plusieurs électrons.

Ainsi, au cours d'une oxydoréduction, une espèce chimique cède un ou plusieurs électrons à une autre qui les capte. C'est pourquoi on parle aussi parfois de réaction de transfert d'électrons.

La combustion du calcium dans le soufre est un exemple très simple d'oxydoréduction. En effet, le calcium transfère deux électrons au soufre; en perdant ces électrons, le calcium se transforme en ion calcium, Ca^{2+}, tandis que le soufre, en les captant, devient ion sulfure, S^{2-}. Les deux ions se combinent pour former le sulfure de calcium, CaS, un composé ionique.

$$Ca(s) + S(l) \longrightarrow CaS(s)$$

On remarque plus facilement le transfert d'électrons en décomposant la réaction en deux étapes, les demi-réactions, l'une correspondant à l'oxydation et l'autre, à la réduction.

$$Ca \longrightarrow Ca^{2+} + 2e^- \quad \text{oxydation}$$

$$S + 2e^- \longrightarrow S^{2-} \quad \text{réduction}$$

Il a été établi que c'est la présence d'une impureté (~1 %) qui donne leur couleur aux pierres précieuses. Ces couleurs sont dues à l'absorption, dans le visible, d'un rayonnement lumineux dont l'énergie est absorbée par les électrons des cations métalliques.

On observe aussi que la somme des demi-réactions donne la réaction globale, l'oxydoréduction, et que le nombre d'électrons cédés égale celui des électrons reçus, ce qui correspond à l'équation équilibrée.

Une terminologie précise est associée aux réactions d'oxydoréduction et nous l'emploierons fréquemment dans ce chapitre. Ainsi, l'**oxydant** (ou agent oxydant) est l'espèce chimique qui accepte le ou les électrons pour permettre l'oxydation. Dans la réaction entre le calcium et le soufre, ce dernier est l'oxydant. À l'inverse, le **réducteur** (ou agent réducteur) est l'espèce chimique qui donne ou cède les électrons pour réaliser la réduction. Le calcium joue le rôle de réducteur pendant sa combustion dans le soufre. Rappelez-vous : l'**o**xydant est l'**a**ccepteur d'électrons (deux voyelles), tandis que le **r**éducteur est le **d**onneur d'électrons (deux consonnes). L'oxydant est donc la substance réduite et le réducteur, la substance oxydée.

Oxydant : substance renfermant un élément dont le nombre d'oxydation diminue dans une réaction d'oxydoréduction; c'est l'accepteur d'électrons.

Réducteur : substance renfermant un élément dont le nombre d'oxydation augmente dans une réaction d'oxydoréduction; c'est le donneur d'électrons.

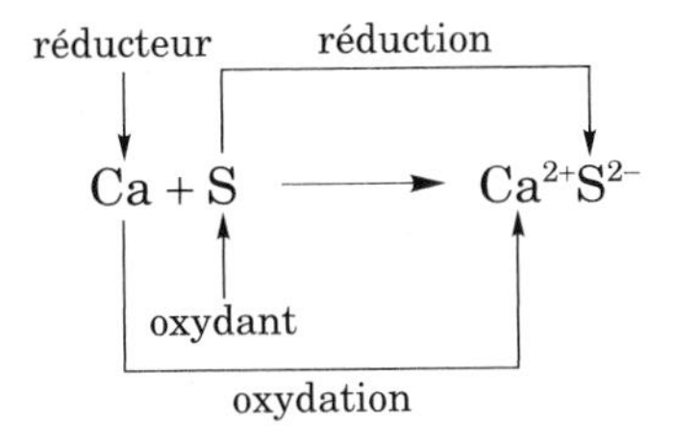

8.1.2 NOMBRE D'OXYDATION

Le repérage des réactions d'oxydoréduction n'est pas toujours aussi simple que dans le cas de la combustion du calcium dans le soufre. En effet, certaines réactions mettent en jeu des métaux et des non-métaux, ces derniers existant sous forme moléculaire, tels H_2, Cl_2 ou O_2, ou encore ne mettent en jeu que des non-métaux. Par exemple, dans la réaction entre l'hydrogène et l'oxygène moléculaires, une oxydoréduction, il est difficile de déterminer la charge portée par chaque atome.

$$2H_2(g) + O_2(g) \longrightarrow 2H_2O(g)$$

C'est pour résoudre ce genre de difficulté que l'on a développé le concept de **nombre d'oxydation** (*revoir* Chimie générale, *sous-section 3.2.2*). Revoyons l'essentiel de cette notion ainsi que les règles d'attribution aux atomes d'une espèce chimique, que ce soit une molécule, un ion simple ou un ion polyatomique. On reconnaîtra alors une oxydoréduction par la variation du nombre d'oxydation de deux éléments au cours de la réaction.

Nombre d'oxydation : nombre indiquant la charge (souvent fictive) portée par un atome dans une espèce chimique.

La somme des nombres d'oxydation doit être égale à la charge portée par l'espèce chimique. Par exemple, dans H_2O, la somme des nombres d'oxydation des deux atomes d'hydrogène et de l'oxygène doit égaler zéro, puisque H_2O ne porte pas de charge. Par contre, dans l'anion phosphate, PO_4^{3-}, la somme des nombres d'oxydation du phosphore et des quatre atomes d'oxygène doit être égale à −3, la charge de l'ion. Les règles d'attribution du nombre d'oxydation sont fondées en grande partie sur les électronégativités : l'élément le plus électronégatif d'une espèce chimique possède un nombre d'oxydation négatif, tandis que le moins électronégatif prend une valeur positive.

H_2O	PO_4^{3-}
somme des nombres d'oxydation = 0	**somme des nombres d'oxydation = −3**

On attribue le nombre d'oxydation en appliquant les règles suivantes (en ordre décroissant de priorité).

RÈGLES SUR LE NOMBRE D'OXYDATION (EN ORDRE DÉCROISSANT DE PRIORITÉ)

1. Le nombre d'oxydation de l'élément d'un corps simple (formé d'un seul élément existant sous forme atomique ou moléculaire) est égal à zéro.

   Ainsi, le calcium métallique, Ca, possède le nombre d'oxydation zéro. Il en va de même pour chaque atome d'oxygène dans O_2 et pour chaque atome d'hydrogène dans H_2.

	Ca	O_2	H_2
nombre d'oxydation	0	0	0

2. Dans les composés, le nombre d'oxydation des métaux alcalins vaut +1 et celui des métaux alcalino-terreux, +2.

   Le nombre d'oxydation correspond à la charge portée par ces ions dans leurs composés, le plus souvent de nature ionique.

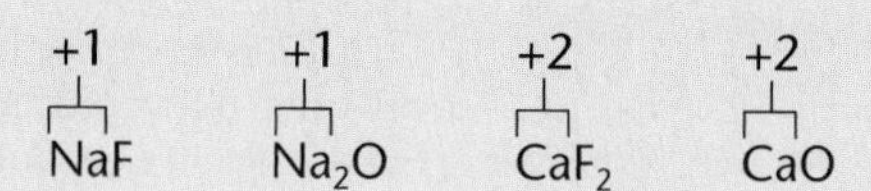

3. Le fluor possède le nombre d'oxydation −1 dans ses composés.

−1	−1	−1
AlF_3	NaF	CaF_2

4. Dans les composés covalents, le nombre d'oxydation de l'hydrogène est égal à +1, sauf dans les hydrures métalliques où il est égal à −1.

   Les composés métalliques de l'hydrogène sont de nature ionique, et l'hydrogène est plus électronégatif que le métal; c'est pourquoi son nombre d'oxydation prend alors une valeur négative.

+1

H_2O

hydrure covalent

hydrure métallique

5. Dans les composés, le nombre d'oxydation de l'oxygène est généralement −2, sauf dans les peroxydes où il est égal à −1.

   Ainsi, dans le dioxyde de carbone, CO_2, le nombre d'oxydation de chaque atome d'oxygène est égal à −2. Par contre, dans le peroxyde d'hydrogène, H_2O_2, il est égal à −1 : la quatrième règle ayant priorité (H = +1), l'oxygène doit posséder le nombre d'oxydation −1 pour que l'électroneutralité de la molécule soit respectée.

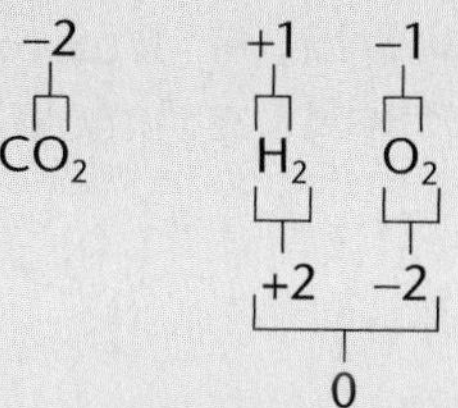

formule sans charge

6. L'attribution du nombre d'oxydation des autres éléments découle de l'application des règles précédentes, de sorte que la somme de ces nombres soit égale à zéro ou à la charge de l'ion.

7. Lorsque ces règles ne suffisent pas, il faut substituer à un élément de nombre d'oxydation inconnu un autre élément de nature semblable, de nombre d'oxydation connu et formant une structure chimique analogue. Par exemple, dans le trichlorure de phosphore, PCl_3, le chlore est plus électronégatif que le phosphore et aura par conséquent un nombre d'oxydation négatif; dans ce cas, comme dans NaCl, la valeur la plus probable est −1, ce qui correspond au nombre d'électrons manquant pour compléter l'octet. Le nombre d'oxydation du phosphore sera donc de +3.

+1

PCl_3

+3 −3

0

Ces règles ne permettent cependant pas de déterminer n'importe quelle valeur du nombre d'oxydation dans une espèce chimique. Il faut parfois avoir recours à des calculs...

EXEMPLE 8.1

Voyons comment calculer le nombre d'oxydation du carbone dans les espèces chimiques suivantes.

$$CH_4,\ C_2O_4^{2-},\ Na_2CO_3,\ CS_2$$

CH_4, méthane

Puisque la formule CH_4 est neutre, la somme des nombres d'oxydation doit être égale à 0. Selon la règle 4, le nombre d'oxydation de l'hydrogène est égal à +1. Comme la formule comprend quatre atomes d'hydrogène, cela donne +4.

- Le nombre d'oxydation du carbone doit dont être de –**4** dans le méthane.

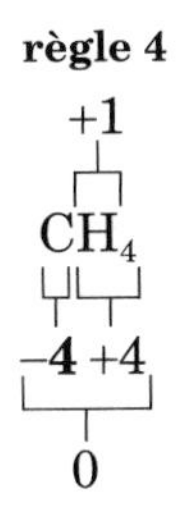

$C_2O_4^{2-}$, ion oxalate

L'ion $C_2O_4^{2-}$ portant une charge de –2, la somme des nombres d'oxydation doit aussi être égale à –2. Selon la règle 5, l'oxygène possède le nombre d'oxydation –2. Puisque la formule renferme quatre atomes d'oxygène, on obtient une valeur de –8 (–2 × 4) pour ces atomes. Comme la charge de l'ion est –2, il faut que les deux atomes de carbone possèdent une valeur de +6 (+6 – 8 = –2).

règle 5

+**3** –2

$C_2O_4^{2-}$

+6 –8

–2

- Le nombre d'oxydation de chaque atome de carbone est donc de +**3** dans l'ion oxalate.

Na_2CO_3, carbonate de sodium

La somme des nombres d'oxydation doit être égale à 0, puisque l'espèce chimique est neutre. Selon la règle 2, le nombre d'oxydation de Na est +1, ce qui donne un total de +2 pour les deux atomes. Selon la règle 5, le nombre d'oxydation de l'oxygène est –2, ce qui donne un total de –6 pour ces trois atomes.

- Pour que l'électroneutralité soit respectée, le nombre d'oxydation du carbone doit donc être de +**4** dans le carbonate de sodium.

règle 5

+1 –2

Na_2CO_3

+2 +**4** –6

0

CS_2, sulfure de carbone

La formule étant neutre, la somme des nombres d'oxydation doit être égale à 0. Ici, il faut appliquer la règle 7 en substituant au soufre un élément analogue, l'oxygène, de sorte qu'on lui attribue le nombre d'oxydation –2 (règle 5).

- Le nombre d'oxydation du carbone est donc de **+4** dans le sulfure de carbone.

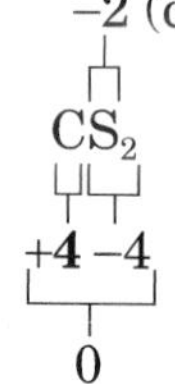

EXERCICE 8.1

Indiquez le nombre d'oxydation de l'azote dans les espèces chimiques suivantes.

a) N_2O	c) NO	e) NO_2^-	g) N_2H_4	i) N_2O_4
b) NO_2	d) NO_3^-	f) NH_4^+	h) N_2O_5	j) NCl_3

8.2 ÉQUILIBRAGE DES RÉACTIONS D'OXYDORÉDUCTION

Il existe plusieurs méthodes pour équilibrer une réaction d'oxydoréduction. Dans cette section, nous en présentons deux : la méthode des demi-réactions et la méthode de la variation du nombre d'oxydation. La première concerne les réactions en solution aqueuse; il suffit alors de connaître les structures des espèces oxydées et réduites, et celles des substances dans lesquelles elles sont transformées. Pour utiliser la seconde, il faut connaître l'équation mettant en jeu tous les réactifs et les produits.

8.2.1 MÉTHODE DES DEMI-RÉACTIONS

Un grand nombre de réactions d'oxydoréduction se produisent en solution aqueuse et, le plus souvent, en milieu acide ou basique. Leurs équations se présentent donc souvent sous une forme complexe, et leur équilibrage par la méthode habituelle (par tâtonnements ou par la méthode algébrique) peut être long, ardu, voire impossible. La méthode des demi-réactions, bien que rébarbative de prime abord, devient vite assez simple si on l'utilise régulièrement. Elle est fondée sur l'expression des demi-réactions et ne concerne généralement que les espèces ioniques, à moins qu'une substance solide ne soit consommée ou produite. Par exemple, dans l'oxydation du chlorure de fer(II), $FeCl_2$, en chlorure de fer(III), $FeCl_3$, les ions chlorure, Cl^-, ne subissant ni l'oxydation ni la réduction, ils ne figurent pas dans l'expression de la demi-réaction. La méthode peut comprendre jusqu'à six étapes, mais on en omet quelques-unes dans certains cas, entre autres lorsqu'il n'est pas nécessaire d'équilibrer les atomes d'oxygène.

MÉTHODE DES DEMI-RÉACTIONS

1° On écrit les équations des demi-réactions d'oxydation et de réduction en repérant les atomes oxydés et réduits et en incluant le nombre d'électrons en jeu.

2° Pour chaque demi-réaction, on équilibre les éléments (atomes), sauf l'hydrogène et l'oxygène (à moins, bien entendu, que ceux-ci ne soient oxydés ou réduits), en tenant compte de la formule de l'espèce chimique à laquelle l'élément appartient.

3° Pour chaque demi-réaction, on équilibre les charges en ajoutant les espèces chimiques H^+ (ou H_3O^+) lorsque la réaction se déroule en milieu acide, ou OH^-, lorsque la réaction se produit en milieu basique.

4° Pour chaque demi-réaction, on équilibre les atomes d'oxygène et d'hydrogène en ajoutant le nombre approprié de molécules d'eau.

5° On équilibre le nombre d'électrons transférés (cédés et acceptés) en multipliant chaque demi-réaction par le facteur approprié.

6° On additionne les demi-réactions pour obtenir l'équation globale équilibrée.

Voyons comment appliquer cette méthode pour équilibrer une oxydoréduction en milieu neutre, une en milieu acide, puis une en milieu basique.

OXYDORÉDUCTION EN MILIEU NEUTRE

Lorsque l'oxydoréduction se produit en milieu neutre, certaines étapes de la méthode peuvent être omises : il s'agit le plus souvent des troisième et quatrième étapes, puisqu'il n'est nécessaire d'ajouter ni H^+ (H_3O^+) ni OH^- (3e étape), ni par conséquent d'équilibrer les atomes d'hydrogène et d'oxygène par les molécules d'eau correspondantes (4e étape).

EXEMPLE 8.2

La réaction d'oxydoréduction suivante se produit lorsque du fer métallique, Fe, est ajouté à une solution aqueuse de chlore moléculaire, Cl_2.

$$Fe(s) + Cl_2(g) \longrightarrow Fe^{3+}(aq) + Cl^-(aq)$$

On veut équilibrer cette équation par la méthode des demi-réactions.

1° On écrit les équations des demi-réactions.

$$Fe \longrightarrow Fe^{3+} + 3e^- \quad \text{oxydation}$$
$$Cl^0 + 1e^- \longrightarrow Cl^- \quad \text{réduction}$$

On peut omettre le « 0 » en exposant, puisqu'il s'agit de la valeur du nombre d'oxydation.

2° On équilibre les éléments en les insérant dans leur formule respective.

Le chlore de nombre d'oxydation 0 provient du chlore moléculaire, Cl_2. Par conséquent, il faut écrire :

$$Fe \longrightarrow Fe^{3+} + 3e^-$$
$$Cl_2 + 2e^- \longrightarrow 2Cl^-$$

3° On équilibre les charges.

Cette étape n'est pas nécessaire ici, car les charges sont équilibrées dans chaque demi-réaction.

$$\underbrace{Fe}_{\textbf{0 charge}} \longrightarrow \underbrace{Fe^{3+} + 3e^-}_{\textbf{0 charge}} \qquad \underbrace{Cl_2 + 2e^-}_{\textbf{2 charges –}} \longrightarrow \underbrace{2Cl^-}_{\textbf{2 charges –}}$$

4° On équilibre les atomes d'oxygène et d'hydrogène.

Cette étape est également omise, puisque ces atomes ne font pas partie des demi-réactions.

5° On équilibre le nombre d'électrons transférés.

L'oxydation met en jeu trois électrons et la réduction, deux. Par conséquent, il faut multiplier l'équation d'oxydation par 2 et celle de réduction par 3 pour que le nombre d'électrons cédés et acceptés s'équilibrent.

$$2Fe \longrightarrow 2Fe^{3+} + 6e^-$$
$$3Cl_2 + 6e^- \longrightarrow 6Cl^-$$

6° On additionne les demi-réactions.

L'addition des demi-réactions permet de supprimer les électrons.

$$2Fe \longrightarrow 2Fe^{3+} + \cancel{6e^-}$$
$$3Cl_2 + \cancel{6e^-} \longrightarrow 6Cl^-$$
$$\overline{2Fe + 3Cl_2 \longrightarrow 2Fe^{3+} + 6Cl^-}$$

- L'équation équilibrée s'écrit sous la forme suivante.

$$2Fe(s) + 3Cl_2(g) \longrightarrow 2Fe^{3+}(aq) + 6Cl^-(aq)$$

Cette équation aurait facilement pu être équilibrée par simple tâtonnement, mais on risquait alors de l'écrire sous cette forme fautive.

$$Fe(s) + Cl_2(g) \longrightarrow Fe^{3+}(aq) + 2Cl^-(aq)$$

Ici, on remarque que les charges ne sont pas équilibrées : il n'y a aucune charge dans les réactifs et il y a une charge positive excédentaire dans les produits.

OXYDORÉDUCTION EN MILIEU ACIDE

Lorsque l'oxydoréduction se produit en milieu acide, on doit ajouter des ions H^+ ou H_3O^+ à l'équation pour équilibrer les charges des réactifs et des produits. On remarquera que le nombre de molécules de H_2O nécessaires à l'équilibrage diffère selon qu'on ajoute H^+ plutôt que H_3O^+.

EXEMPLE 8.3

L'ion fer(II) est facilement oxydé par l'ion dichromate, $Cr_2O_7^{2-}$, en milieu acide.

$$Fe^{2+}(aq) + Cr_2O_7^{2-}(aq) \longrightarrow Fe^{3+}(aq) + Cr^{3+}(aq)$$

On veut équilibrer cette équation par la méthode des demi-réactions.

1° On écrit les équations des demi-réactions.

Le nombre d'oxydation du chrome dans $Cr_2O_7^{2-}$ est de +6.

$$Fe^{2+} \longrightarrow Fe^{3+} + 1e^- \qquad \text{oxydation}$$

$$Cr^{+6} + 3e^- \longrightarrow Cr^{3+} \qquad \text{réduction}$$

$Cr_2O_7^{2-}$: +6 −2 ; +12 −14 ; −2

Remarquez que nous avons écrit Cr^{+6} pour représenter le nombre d'oxydation du chrome, car dans l'ion dichromate, l'ion Cr^{6+} n'existe pas. Cependant, on pourrait tout de même utiliser cette dernière forme dans l'équation pour simplifier l'écriture.

2° On équilibre les éléments en tenant compte de leur formule.

$$Fe^{2+} \longrightarrow Fe^{3+} + 1e^-$$

$$Cr_2O_7^{2-} + 6e^- \longrightarrow 2Cr^{3+}$$

3° On équilibre les charges en ajoutant H^+ (ou H_3O^+) (milieu acide).

Pour l'oxydation, les charges sont équilibrées.

$$Fe^{2+} \longrightarrow Fe^{3+} + 1e^-$$

2 charges + → **2 charges +**

Par contre, ce n'est pas le cas pour la réduction.

$$Cr_2O_7^{2-} + 6e^- \longrightarrow 2Cr^{3+}$$

8 charges − → **6 charges +**

Il faut par conséquent ajouter $14H^+$ du côté des réactifs pour équilibrer les charges, c'est-à-dire pour obtenir six charges positives de part et d'autre.

$$Cr_2O_7^{2-} + 14H^+ + 6e^- \longrightarrow 2Cr^{3+}$$

4° On équilibre les atomes d'oxygène et d'hydrogène en ajoutant H_2O.

Pour l'oxydation, cette étape n'est pas nécessaire.

$$Fe^{2+} \longrightarrow Fe^{3+} + 1e^-$$

Pour la réduction, on constate que l'ion $Cr_2O_7^{2-}$ renferme sept atomes d'oxygène; dans les réactifs, on retrouve désormais quatorze atomes d'hydrogène. Il faut donc ajouter sept molécules de H_2O du côté des produits ($7H_2O \Rightarrow 14H$ et $7O$).

$$Cr_2O_7^{2-} + 14H^+ + 6e^- \longrightarrow 2Cr^{3+} + 7H_2O$$

Si on a équilibré les charges avec $14H_3O^+$ (au lieu de $14H^+$), il faut ajouter $21H_2O$ du côté des produits ($21H_2O \Rightarrow 42H$ et $21O$).

5° On équilibre le nombre d'électrons transférés.

Puisque la réduction met six électrons en jeu alors que l'oxydation n'en met qu'un, il faut multiplier cette dernière équation par 6.

$$6Fe^{2+} \longrightarrow 6Fe^{3+} + 6e^-$$
$$Cr_2O_7^{2-} + 14H^+ + 6e^- \longrightarrow 2Cr^{3+} + 7H_2O$$

6° On additionne les demi-réactions.

L'addition des demi-réactions permet de supprimer les électrons dont les nombres s'annulent.

$$6Fe^{2+} \longrightarrow 6Fe^{3+} + \cancel{6e^-}$$
$$Cr_2O_7^{2-} + 14H^+ + \cancel{6e^-} \longrightarrow 2Cr^{3+} + 7H_2O$$
$$\overline{Cr_2O_7^{2-} + 6Fe^{2+} + 14H^+ \longrightarrow 2Cr^{3+} + 6Fe^{3+} + 7H_2O}$$

On peut vérifier que l'équation est équilibrée tant sur le plan des charges que des éléments.

- Sous sa forme finale, l'équation devient :

$$Cr_2O_7^{2-}(aq) + 6Fe^{2+}(aq) + 14H^+(aq) \longrightarrow 2Cr^{3+}(aq) + 6Fe^{3+}(aq) + 7H_2O(l)$$

L'équation équilibrée prend la forme suivante, lorsque les charges sont neutralisées par H_3O^+.

$$Cr_2O_7^{2-}(aq) + 6Fe^{2+}(aq) + 14H_3O^+(aq) \longrightarrow 2Cr^{3+}(aq) + 6Fe^{3+}(aq) + 21H_2O(l)$$

EXERCICE 8.2

Équilibrez les équations suivantes en milieu acide.

a) $Fe^{2+}(aq) + O_2(g) \longrightarrow Fe^{3+}(aq) + H_2O(l)$

b) $Cu(s) + NO_3^-(aq) \longrightarrow Cu^{2+}(aq) + NO(g)$

OXYDORÉDUCTION EN MILIEU BASIQUE

Lorsque la réaction se déroule en milieu basique, la démarche est analogue à celle de l'exemple 8.3. Il faut cependant ajouter des ions OH^- à l'équation pour équilibrer les charges, au lieu des ions H^+ (ou H_3O^+).

Le permanganate de potassium, $KMnO_4$, un agent oxydant, est l'un des désinfectants utilisés dans le traitement de l'eau potable.

EXEMPLE 8.4

L'ion bromure, Br^-, est oxydé par l'ion permanganate, MnO_4^-, en solution aqueuse basique.

$$Br^-(aq) + MnO_4^-(aq) \longrightarrow BrO_3^-(aq) + MnO_2(s)$$

On veut équilibrer cette équation par la méthode des demi-réactions.

1° On écrit les équations des demi-réactions.

Le nombre d'oxydation du brome dans BrO_3^- est égal à +5, et celui du manganèse est égal à +7 dans MnO_4^- et à +4 dans MnO_2.

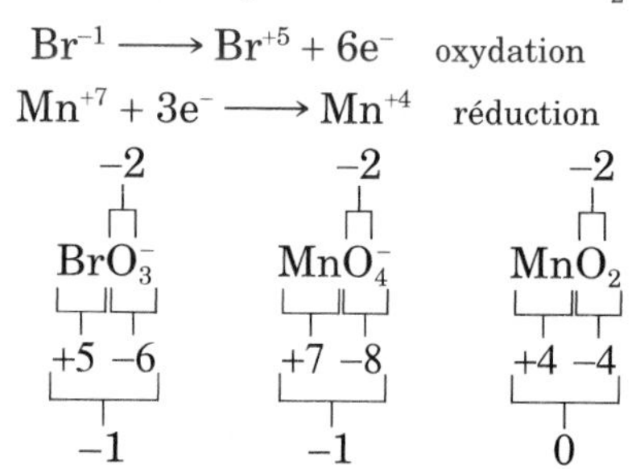

2° On équilibre les éléments en les insérant dans leurs formules respectives.

Le brome dont le nombre d'oxydation est +5 provient de l'ion BrO_3^-, et Mn^{+7} provient de MnO_4^-. On aura donc les équations suivantes.

$$Br^- \longrightarrow BrO_3^- + 6e^-$$
$$MnO_4^- + 3e^- \longrightarrow MnO_2$$

3° On équilibre les charges en ajoutant OH^- (milieu basique).

Pour l'oxydation et la réduction, on se retrouve avec un déséquilibre de charges.

Pour l'oxydation, il y a un manque de six charges.

$$\underbrace{Br^-}_{\textbf{1 charge –}} \longrightarrow \underbrace{BrO_3^- + 6e^-}_{\textbf{7 charges –}}$$

Il faut par conséquent ajouter $6OH^-$ du côté des réactifs.

$$Br^- + 6OH^- \longrightarrow BrO_3^- + 6e^-$$

Pour la réduction, il y a un manque de quatre charges.

$$\underbrace{MnO_4^- + 3e^-}_{\textbf{4 charges –}} \longrightarrow \underbrace{MnO_2}_{\textbf{0 charge}}$$

Il faut donc ajouter $4OH^-$ du côté des produits pour équilibrer les charges.

$$MnO_4^- + 3e^- \longrightarrow MnO_2 + 4OH^-$$

4° On équilibre les atomes d'oxygène et d'hydrogène en ajoutant H_2O.

Les réactifs de la réaction d'oxydation comptent six atomes d'oxygène et six atomes d'hydrogène ($6OH^-$), et les produits comptent trois atomes d'oxygène (BrO_3^-). Globalement, on se retrouve donc avec six atomes d'hydrogène et trois atomes d'oxygène, ce qui correspond à trois molécules d'eau.

$$Br^- + 6OH^- \longrightarrow BrO_3^- + 3H_2O + 6e^-$$

Les réactifs de la réaction de réduction comprennent quatre atomes d'oxygène (MnO_4^-), tandis que les produits en renferment six en plus de quatre atomes d'hydrogène (MnO_2, $4OH^-$). Au total, en faisant la différence entre les réactifs et les produits, on compte deux atomes d'oxygène et quatre atomes d'hydrogène de plus dans les produits, soit deux molécules de H_2O qu'il faut ajouter du côté des réactifs.

$$MnO_4^- + 2H_2O + 3e^- \longrightarrow MnO_2 + 4OH^-$$

5° On équilibre le nombre d'électrons transférés.

Pour obtenir le même nombre d'électrons cédés et acquis, il suffit de multiplier l'équation de la réduction par 2.

$$Br^- + 6OH^- \longrightarrow BrO_3^- + 3H_2O + 6e^-$$
$$2MnO_4^- + 4H_2O + 6e^- \longrightarrow 2MnO_2 + 8OH^-$$

6° On additionne les demi-réactions.

$$Br^- + 6OH^- \longrightarrow BrO_3^- + 3H_2O + \cancel{6e^-}$$
$$2MnO_4^- + 4H_2O + \cancel{6e^-} \longrightarrow 2MnO_2 + 8OH^-$$

$$Br^- + 2MnO_4^- + 6OH^- + 4H_2O \longrightarrow BrO_3^- + 2MnO_2 + 8OH^- + 3H_2O$$

En faisant le bilan des OH^- et des H_2O dans les réactifs et les produits, on se retrouve avec une molécule de H_2O dans les réactifs et deux ions OH^- dans les produits.

$$Br^- + 2MnO_4^- + H_2O \longrightarrow BrO_3^- + 2MnO_2 + 2OH^-$$

- L'équation finale équilibrée prend donc la forme suivante.

$$Br^-(aq) + 2MnO_4^-(aq) + H_2O(l) \longrightarrow BrO_3^-(aq) + 2MnO_2(s) + 2OH^-(aq)$$

EXERCICE 8.3

Équilibrez les équations suivantes qui se déroulent en milieu basique.

a) $BrO_3^-(aq) + F_2(g) \longrightarrow BrO_4^-(aq) + F^-(aq)$

b) $H_2O_2(aq) + I^-(aq) \longrightarrow I_2(aq) + H_2O(l)$

OXYDORÉDUCTION DE LA MÊME ESPÈCE CHIMIQUE

Bien que ce ne soit pas très courant, il peut arriver que le même élément soit soumis à la fois à la réduction et à l'oxydation, ou encore que deux espèces chimiques différentes, l'une oxydée et l'autre réduite, forment le même produit. Par exemple, en milieu acide, le peroxyde d'hydrogène, H_2O_2, peut agir aussi bien comme oxydant que comme réducteur.

$$2H_2O_2(aq) \longrightarrow 2H_2O(l) + O_2(g)$$

Dans la conversion du peroxyde en H_2O, l'oxygène est réduit et joue donc le rôle d'oxydant; son nombre d'oxydation passe alors de –1 à –2.

$$O^{-1} + 1e^- \longrightarrow O^{-2} \quad \text{réduction}$$
$$\underset{\textbf{oxydant}}{H_2O_2} + 2e^- \longrightarrow 2H_2O$$

Lorsque le peroxyde se transforme en oxygène moléculaire, le nombre d'oxydation de l'atome d'oxygène passe de –1 à 0 : une augmentation de la valeur correspond à une oxydation, et H_2O_2 est alors agent réducteur.

$$O^{-1} \longrightarrow O^0 + 1e^- \quad \text{oxydation}$$
$$\underset{\textbf{réducteur}}{H_2O_2} \longrightarrow O_2 + 2e^-$$

Un exemple de deux substances différentes formant le même produit est donné par l'oxydation du plomb par l'oxyde de plomb(IV), PbO_2, réaction formant le sulfate de plomb(II), $PbSO_4$.

$$Pb(s) + PbO_2(s) \longrightarrow PbSO_4(s)$$

$$\underset{\textbf{réducteur}}{Pb} \longrightarrow Pb^{2+} + 2e^- \quad \text{oxydation}$$

$$Pb^{+4} \longrightarrow Pb^{2+} + 2e^- \quad \text{réduction}$$
$$\underset{\textbf{oxydant}}{PbO_2} \longrightarrow Pb^{2+} + 2e^-$$

En fait, cette réaction se déroule en milieu acide, soit dans l'acide sulfurique, H_2SO_4.

Le peroxyde d'hydrogène sert à stériliser les emballages alimentaires; c'est un antiseptique, un désinfectant et un agent anti-infectieux topique qui se retrouve dans presque toutes les armoires à pharmacie domestiques. Il permet aussi de décolorer les cheveux.

EXERCICE 8.4

Complétez l'équilibrage des réactions de décomposition du peroxyde d'hydrogène, H_2O_2, et de formation du sulfate de plomb(II), $PbSO_4$, les deux réactions se déroulant en milieu acide.

a) $H_2O_2(aq) \longrightarrow H_2O(l) + O_2(g)$

b) $Pb(s) + PbO_2(s) + SO_4^{2-}(aq) \longrightarrow PbSO_4(s)$

8.2.2 MÉTHODE DES VARIATIONS DU NOMBRE D'OXYDATION

La méthode des variations du nombre d'oxydation exige que les formules de toutes les substances soient indiquées, même celles qui ne sont soumises ni à l'oxydation ni à la réduction. Elle s'applique même aux réactions qui ne se produisent pas en milieu aqueux. Elle comprend les étapes suivantes.

MÉTHODE DES VARIATIONS DU NOMBRE D'OXYDATION

1° On repère les éléments oxydé et réduit.

2° On équilibre la variation du nombre d'oxydation en multipliant par le facteur approprié.

3° On écrit l'équation en tenant compte des changements apportés.

4° On équilibre tous les éléments faisant partie des réactifs et des produits sans modifier le nombre de ceux oxydés et réduits.

EXEMPLE 8.5

On veut équilibrer la réaction d'oxydation du cuivre par l'acide nitrique.

$$Cu(s) + HNO_3(aq) \longrightarrow Cu(NO_3)_2(aq) + NO(g) + H_2O(l)$$

1° On repère les éléments oxydé et réduit en observant les nombres d'oxydation.
- Le nombre d'oxydation du cuivre passe de 0 dans le cuivre métallique à +2 dans $Cu(NO_3)_2$.
- Le nombre d'oxydation de l'azote passe de +5 dans HNO_3 à +2 dans NO.
- Le nombre d'oxydation des autres éléments, soit ceux de l'hydrogène et de l'oxygène, ne change pas.

Une façon simple de procéder est d'indiquer au-dessus d'une flèche le changement survenu.

$$Cu^0 \xrightarrow{+2} Cu^{+2} \qquad N^{+5} \xrightarrow{-3} N^{+2}$$

2° On équilibre la variation des nombres d'oxydation en multipliant par le facteur approprié.

$$3(Cu^0 \xrightarrow{+2} Cu^{+2}) \qquad 2(N^{+5} \xrightarrow{-3} N^{+2})$$

Ainsi, l'augmentation du nombre d'oxydation est de +6 et la diminution, de −6.

3° On écrit l'équation en tenant compte des changements apportés.

$$3Cu + 2HNO_3 \longrightarrow 3Cu(NO_3)_2 + 2NO(g) + H_2O(l)$$

Tous les éléments oxydés ou réduits sont maintenant équilibrés. Il reste à équilibrer les éléments n'ayant pas participé à l'oxydoréduction.

4° On équilibre tous les autres éléments sans modifier le nombre de ceux oxydés ou réduits.

On remarque ici que les deux atomes d'azote ayant participé à l'oxydoréduction sont équilibrés, mais qu'il y en a six autres dans $3Cu(NO_3)_2$, dont le nombre d'oxydation n'a pas varié. Il faut donc remplacer le coefficient stœchiométrique 2 devant HNO_3 par 8, car il y a au total huit atomes d'azote à droite de l'équation.

$$3Cu + 8HNO_3 \longrightarrow 3Cu(NO_3)_2 + 2NO + H_2O$$

En procédant ainsi, nous avons introduit huit atomes d'hydrogène dans les réactifs qu'il faut équilibrer en plaçant le coefficient stœchiométrique 4 devant H_2O.

$$3Cu + 8HNO_3 \longrightarrow 3Cu(NO_3)_2 + 2NO + 4H_2O$$

- Tous les éléments sont maintenant équilibrés.

$$3Cu(s) + 8HNO_3(aq) \longrightarrow 3Cu(NO_3)_2(aq) + 2NO(g) + 4H_2O(l)$$

EXEMPLE 8.6

On désire équilibrer l'équation d'oxydoréduction suivante par la méthode des variations du nombre d'oxydation.

$$KMnO_4(aq) + HCl(aq) \longrightarrow KCl(aq) + MnCl_2(aq) + Cl_2(g) + H_2O(l)$$

1° On repère les éléments oxydé et réduit en observant les nombres d'oxydation.

$$Mn^{+7} \xrightarrow{-5} Mn^{+2} \qquad Cl^{-1} \xrightarrow{+1} Cl^{0}$$

Dans le cas du chlore, étant donné que le produit formé, Cl_2, renferme deux atomes de chlore, on doit nécessairement avoir deux atomes de chlore possédant un nombre d'oxydation de –1. On remarque aussi que certains atomes de chlore n'ont pas participé à l'oxydoréduction.

Lorsque des substances ont dans leur formule chimique plusieurs éléments participant à l'oxydoréduction, on équilibre immédiatement ces éléments.

$$Mn^{+7} \xrightarrow{-5} Mn^{+2} \qquad 2Cl^{-1} \xrightarrow{+2} 2Cl^{0}$$

Remarquez que +2 au-dessus de la flèche représente le changement du nombre d'oxydation pour les deux atomes de chlore.

2° On équilibre la variation des nombres d'oxydation en multipliant par le facteur approprié.

$$2(Mn^{+7} \xrightarrow{-5} Mn^{+2})$$
$$5(2Cl^{-1} \xrightarrow{+2} 2Cl^{0})$$

3° On écrit l'équation en tenant compte des changements apportés.

$$2KMnO_4 + 10HCl \longrightarrow KCl + 2MnCl_2 + 5Cl_2 + H_2O$$

Tous les éléments ayant participé à l'oxydoréduction sont maintenant équilibrés. Il reste à équilibrer ceux n'ayant pas participé à l'oxydoréduction.

4° On équilibre tous les autres éléments sans modifier le nombre de ceux oxydés ou réduits.

On remarque que les dix atomes de chlore dont le nombre d'oxydation est de –1 dans HCl sont équilibrés avec ceux dont le nombre d'oxydation est de 0 dans les cinq molécules de chlore, Cl_2.

Il est souvent préférable de commencer par équilibrer les éléments n'ayant pas participé à l'oxydoréduction dans l'ordre suivant : tous les éléments autres que les atomes d'hydrogène et d'oxygène, puis les atomes d'hydrogène et, finalement, les atomes d'oxygène.

Commençons par les atomes de potassium, K.

$$2KMnO_4 + 10HCl \longrightarrow \mathbf{2}KCl + 2MnCl_2 + 5Cl_2 + H_2O$$

Passons maintenant aux atomes de chlore. On remarque qu'il y en a 16 à droite de l'équation; il faut donc remplacer le 10 devant HCl par 16 (pour ajouter les 6 Cl n'ayant pas participé à l'oxydoréduction).

$$2KMnO_4 + \mathbf{16}HCl \longrightarrow 2KCl + 2MnCl_2 + 5Cl_2 + H_2O$$

On équilibre ensuite les atomes d'hydrogène.

$$2KMnO_4 + \mathbf{16}HCl \longrightarrow 2KCl + 2MnCl_2 + 5Cl_2 + \mathbf{8}H_2O$$

On remarque que les atomes d'oxygène sont automatiquement équilibrés. On peut aussi vérifier que tous les éléments le sont.

- On obtient donc

$$2KMnO_4(aq) + 16HCl(aq) \longrightarrow 2KCl(aq) + 2MnCl_2(aq) + 5Cl_2(g) + 8H_2O(l)$$

EXERCICE 8.5

Équilibrez les équations suivantes par la méthode des nombres d'oxydation.

a) $Cr_2O_7^{2-}(aq) + H_2S(aq) + H^+(aq) \longrightarrow Cr^{3+}(aq) + S(s) + H_2O(l)$

b) $PbO_2(s) + HI(aq) \longrightarrow PbI_2(s) + I_2(s) + H_2O(l)$

c) $Sb(s) + NO_3^-(aq) + H^+(aq) \longrightarrow Sb_4O_6(s) + NO(g) + H_2O(l)$

d) $KI(aq) + KMnO_4(aq) + H_2SO_4(aq) \longrightarrow I_2(aq) + MnSO_4(aq) + K_2SO_4(aq) + H_2O(l)$

8.3 TITRAGE EN OXYDORÉDUCTION

On peut mesurer le contenu en vitamine C des fraises par titrage en oxydoréduction.

Tout comme les réactions acido-basiques (*revoir la section 6.5*), les réactions d'oxydoréduction sont couramment utilisées en chimie analytique pour doser quantitativement un oxydant ou un réducteur. Le titrage direct constitue la méthode habituelle. Comme c'est le cas pour un dosage acido-basique, un titrage en oxydoréduction comporte deux étapes.

1° On prélève un volume précis de la solution du réducteur (ou de l'oxydant) et on ajoute éventuellement un indicateur pour déterminer le point d'équivalence. Lorsque l'oxydant ou le réducteur est coloré, on détermine le point d'équivalence d'après le changement de coloration; sinon, on ajoute un indicateur pour le détecter.

2° On verse lentement la solution de l'oxydant (ou du réducteur) à l'aide d'une burette jusqu'au point d'équivalence.

Par exemple, lors du titrage d'une solution de fer(II) par une solution de permanganate, MnO_4^-, on remplit une burette de la solution de l'oxydant (le permanganate), de couleur violette, que l'on ajoute à la solution de fer(II) jusqu'à ce que persiste une coloration rose pâle due au léger excès de l'ion permanganate (*figure 8.1*). Ce point est atteint lorsque la quantité stœchiométrique de l'oxydant (ou du réducteur) a transformé tout le réducteur (ou l'oxydant).

a)

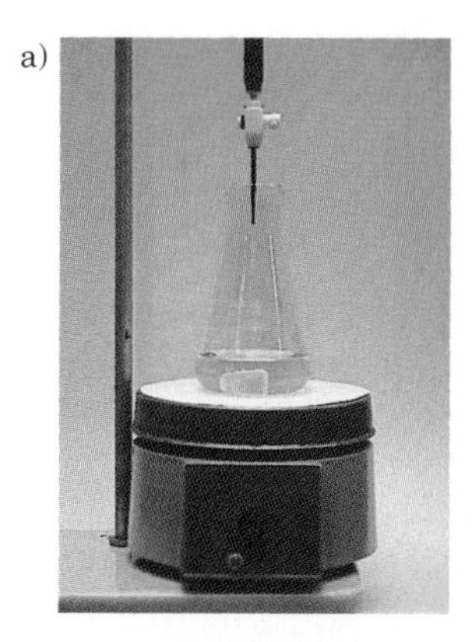

b)

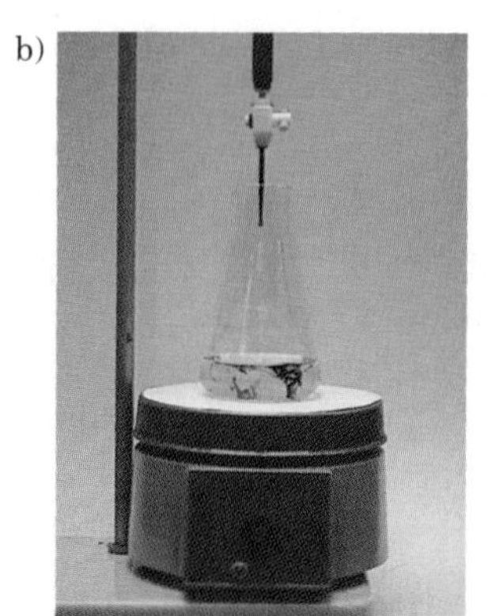

c)

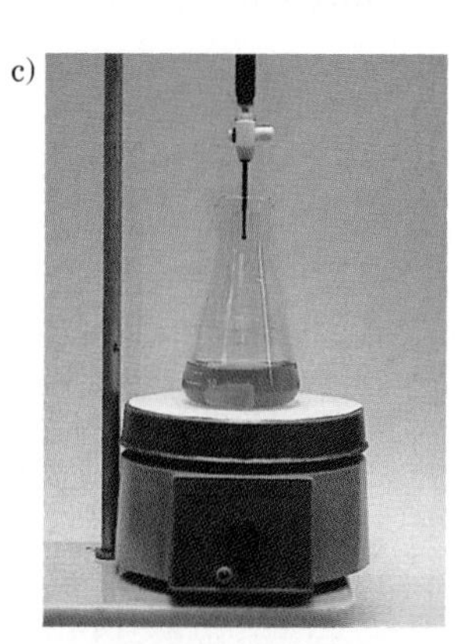

Figure 8.1 Titrage en oxydoréduction d'une solution de fer(II) par une solution de permanganate, MnO_4^-. En a), les composants du titrage sont la burette contenant la solution de $KMnO_4$ et l'erlenmeyer contenant celle de $FeCl_2$ additionnée de H_2SO_4; en b), le mélange rosit à l'ajout de $KMnO_4$; en c), la coloration persiste à l'atteinte du point d'équivalence.

$$5Fe^{2+}(aq) + MnO_4^-(aq) + 8H^+(aq) \longrightarrow 5Fe^{3+}(aq) + Mn^{2+}(aq) + 4H_2O(l)$$

Lors de cette réaction, on observe que **1** mol d'ions permanganate, MnO_4^-, oxyde **5** mol d'ions fer(II), Fe^{2+}. Lorsque le titrage sera terminé, il faudra tenir compte de ce rapport 1:5 entre l'oxydant et le réducteur.

EXEMPLE 8.7

On titre 25,0 mL d'une solution acidifiée de chlorure de fer(II), $FeCl_2$, avec une solution contenant 0,120 mol/L de permanganate de potassium, $KMnO_4$. On constate qu'il faut 32,4 mL de la solution de permanganate pour oxyder tous les ions Fe^{2+}. On veut connaître la concentration de la solution de fer(II).

1° On écrit l'équation équilibrée de la réaction d'oxydoréduction.

$$\underset{\textbf{1 mol}}{MnO_4^-(aq)} + \underset{\textbf{5 mol}}{5Fe^{2+}(aq)} + 8H^+(aq) \longrightarrow 5Fe^{3+}(aq) + Mn^{2+}(aq) + 4H_2O(l)$$

L'équation montre qu'il faut **1** mol de MnO_4^- pour oxyder **5** mol de Fe^{2+}.

2° On calcule la quantité de MnO_4^- (en mol) contenue dans 32,4 mL de la solution.

$$\text{mol de } MnO_4^- = 32{,}4\,\cancel{\text{mL}} \times \frac{0{,}120 \text{ mol}}{1\,\cancel{\text{L}}} \times \frac{1\,\cancel{\text{L}}}{1000\,\cancel{\text{mL}}} = 3{,}89 \times 10^{-3} \text{ mol}$$

3° On détermine la quantité de Fe^{2+} (en mol) oxydée par MnO_4^-.
Selon l'équation équilibrée, il faut 5 mol de Fe^{2+} par mol de MnO_4^-. Par conséquent, $1{,}94 \times 10^{-2}$ mol a été oxydée.

$$\text{mol de } Fe^{2+} = 3{,}89 \times 10^{-3}\,\cancel{\text{mol } MnO_4^-} \times \frac{5 \text{ mol } Fe^{2+}}{1\,\cancel{\text{mol } MnO_4^-}} = 1{,}94 \times 10^{-2} \text{ mol } Fe^{2+}$$

4° On calcule la concentration de chlorure de fer(II), $FeCl_2$ (ou de Fe^{2+}).

$$c_{Fe^{2+}} = \frac{1{,}94 \times 10^{-2} \text{ mol}}{25{,}0\,\cancel{\text{mL}}} \times \frac{1000\,\cancel{\text{mL}}}{1 \text{ L}} = 0{,}778 \text{ mol/L}$$

- La concentration de la solution de chlorure de fer(II) est donc égale à **0,778 mol/L**.

On peut résumer l'ensemble des calculs de l'exemple précédent dans une formule simple :

$$\frac{c_O V_O}{o} = \frac{c_R V_R}{r}$$

c_O et c_R : concentration molaire volumique de l'oxydant et du réducteur
V_O et V_R : volume de solution de l'oxydant et du réducteur
o : coefficient stœchiométrique de l'oxydant dans l'équation équilibrée
r : coefficient stœchiométrique du réducteur dans l'équation équilibrée

En appliquant cette formule aux données de l'exemple 8.7, on obtient le même résultat :

$$\frac{c_O V_O}{1} = \frac{c_R V_R}{5} \Rightarrow c_{Fe^{2+}} = \frac{5 \times 32{,}4\,\cancel{\text{mL}} \times 0{,}120 \text{ mol/L}}{25{,}0\,\cancel{\text{mL}}} = 0{,}778 \text{ mol/L}$$

EXERCICE 8.6

Une solution d'ions triiodure, I_3^-, est titrée par une solution contenant 0,350 mol/L d'ions thiosulfate, $S_2O_3^{2-}$.

$$I_3^-(aq) + 2S_2O_3^{2-}(aq) \longrightarrow 3I^-(aq) + S_4O_6^{2-}(aq)$$

On prélève 20,0 mL de la solution de triiodure, I_3^-, et on constate qu'il faut ajouter 35,5 mL de la solution de thiosulfate pour attendre le point d'équivalence. Calculez la concentration molaire volumique de la solution de triiodure.

On peut également calculer la concentration d'un oxydant ou d'un réducteur en solution à l'aide de la normalité. Bien que son usage ne soit pas recommandé par l'UICPA, cette expression est utilisée dans la plupart des laboratoires de chimie industrielle.

Nous avons déjà défini la normalité en l'appliquant aux acides et aux bases (*revoir la sous-section 1.4.4*) en référence à la notion d'équivalent. Appliqué à un oxydant ou à un réducteur, un équivalent est égal à la masse molaire de l'oxydant (ou du réducteur) divisée par la valeur de la variation de son nombre d'oxydation au cours d'une réaction d'oxydoréduction. Par exemple, lors de l'oxydation de l'ion Fe^{2+} par l'ion permanganate, MnO_4^-, la masse de l'équivalent de l'ion MnO_4^- sera égale à 23,788 g, soit la masse molaire divisée par 5, car le nombre d'oxydation du manganèse passe de +7 à +2.

$$1 \text{ équivalent } MnO_4^- = \frac{118{,}94 \text{ g}}{1 \cancel{\text{mol}}} \times \frac{1 \cancel{\text{mol}}}{5 \text{ éq}} = 23{,}788 \text{ g/éq}$$

Par ailleurs, la masse de l'équivalent de l'ion Fe^{2+} est égale à sa masse molaire puisque la variation du nombre d'oxydation est de 1 (le nombre d'oxydation passe de +2 à +3).

$$1 \text{ équivalent } Fe^{2+} = \frac{55{,}85 \text{ g}}{1 \cancel{\text{mol}}} \times \frac{1 \cancel{\text{mol}}}{1 \text{ équivalent}} = 55{,}85 \text{ g/éq}$$

Ainsi, une solution 1 N de MnO_4^- contient 1 équivalent par litre de solution, soit 23,788 g par litre, tandis qu'une solution 1 N de Fe^{2+} en contient 55,85 g. En introduisant l'expression de la normalité (au lieu de concentration molaire volumique ou molarité) dans la formule suivante, on peut simplifier considérablement les calculs lors du titrage d'un agent réducteur par un oxydant, ou vice versa.

Au point d'équivalence,

$$V_O \, N_O = V_R \, N_R$$

V_O = volume de la solution de l'oxydant
N_O = normalité de la solution de l'oxydant
V_R = volume de la solution du réducteur
N_R = normalité de la solution du réducteur

Ainsi, on simplifie les calculs de l'exemple 8.7 en appliquant cette formule, à la condition de remplacer la concentration molaire volumique par la normalité.

$$1 \text{ mol de } MnO_4^- = 5 \text{ équivalents } MnO_4^- \Rightarrow \text{solution de 1 mol/L} = 5 \text{ N}$$

La solution de 0,120 mol/L en MnO_4^- est donc de 0,600 N (0,120 × 5). Et la normalité de la solution de fer(II), le réducteur, devient :

$$N_R = \frac{V_O N_O}{V_R} = \frac{32{,}4 \cancel{\text{mL}} \times 0{,}600 \text{ N}}{25{,}0 \cancel{\text{mL}}} = 0{,}778 \text{ N ou } 0{,}778 \text{ éq/L}$$

Puisque, dans le cas de Fe^{2+}, il y a égalité entre normalité et concentration molaire volumique (ou molarité), la concentration de la solution de fer(II) est égale à 0,778 mol/L, ce qui correspond à la réponse de l'exemple 8.7. Cette égalité est valable chaque fois que la variation du nombre d'oxydation est égale à 1.

Comme pour certaines bases (ou certains acides), des oxydants (ou des réducteurs) doivent être étalonnés en raison de leur instabilité, à moins qu'ils ne soient préparés à partir de solutions commerciales très concentrées dont le contenu est déjà étalonné. Ainsi, il est courant d'étalonner les solutions de permanganate, MnO_4^-, à l'aide d'une solution d'oxalate, $C_2O_4^{2-}$, préparée avec une masse très précise de son sel de sodium, substance stable.

$$2MnO_4^-(aq) + 5C_2O_4^{2-}(aq) + 16H^+ \longrightarrow 2Mn^{2+}(aq) + 10CO_2(g) + 8H_2O(l)$$

CAPSULE CHIMIQUE

L'alcootest : une oxydoréduction qui contrôle les excès...

L'alcool est non seulement une substance dont la consommation induit une dépression réversible du système nerveux central, mais c'est aussi un sédatif général. La plus grande partie de l'alcool ingéré (~98 %) est métabolisé par le foie, d'abord en acétaldéhyde, CH_3CHO, puis en ion acétate, CH_3COO^-, et, finalement, en dioxyde de carbone, CO_2, et en eau. Le processus est régulier et constant; un adulte métabolise environ 15 mL d'éthanol pur à l'heure, soit le contenu approximatif en alcool d'une bouteille de bière ou d'un verre de vin. Par contre, l'effet sur l'organisme dépend du poids de la personne, de son rythme d'ingestion et de la concentration de la boisson.

Test de mesure de l'alcoolémie

Le test de mesure de l'alcoolémie est basé sur le fait que l'alcool absorbé se trouve rapidement dans le système sanguin, puis diffuse vers l'air expiré par l'intermédiaire du système pulmonaire. Le rapport de distribution est évalué à 2100 pour 1, c'est-à-dire que 2,1 L d'air expiré porte autant d'alcool que 1 mL de sang; ainsi, la teneur en alcool de l'air expiré est directement reliée à celle du sang.

La méthode de dosage de l'éthanol contenu dans l'air expiré est fondée sur une réaction d'oxydoréduction qui se déroule dans un appareil (l'éthylomètre) conçu par le Dr Robert F. Borkenstein, de l'Université de l'Indiana. La personne souffle durant 10 à 20 secondes dans un tube contenant du dichromate de potassium, $K_2Cr_2O_7$, et de l'acide sulfurique, H_2SO_4, adsorbés sur un support de silice en poudre, SiO_2. La quantité d'air éjectée est révélée par un ballon de plastique fixé à l'extrémité du tube. L'éthanol, s'il est présent, est oxydé en acide acétique et la solution jaune-orangé de dichromate passe au vert, par suite de la formation de l'ion Cr^{3+}. L'acide sulfurique permet de capter et de retenir les vapeurs d'éthanol provenant de l'échantillon d'air expiré; le nitrate d'argent, $AgNO_3$, sert de catalyseur pour faire en sorte que l'oxydation soit complète en 90 secondes.

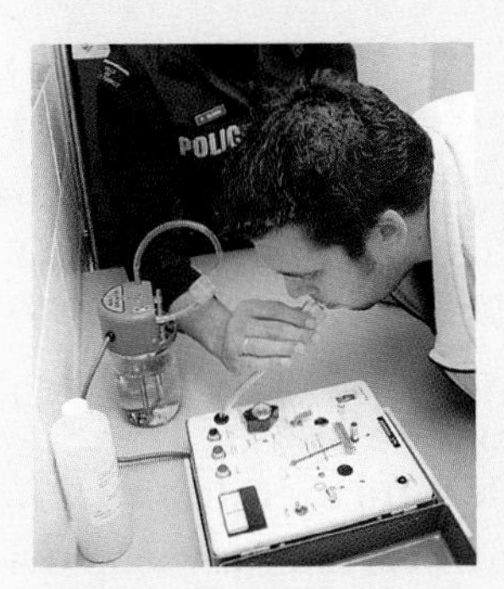

Le fonctionnement de l'éthylomètre met en jeu des réactions d'oxydoréduction.

$$\underset{\text{orangé}}{2K_2Cr_2O_7} + \underset{\text{acide sulfurique}}{8H_2SO_4} + \underset{\text{éthanol}}{3CH_3CH_2OH}$$

$$\xrightarrow{AgNO_3} \underset{\text{vert}}{2Cr_2(SO_4)_3} + 2K_2SO_4 + \underset{\text{acide acétique}}{3CH_3CO_2H} + 11H_2O$$

Oxydation de l'éthanol

Lorsqu'il est présent dans l'haleine, l'éthanol est oxydé en acide acétique, de sorte que la concentration du dichromate, orangé au départ, diminue. Inversement, celle de l'ion Cr^{3+}, de coloration verte, augmente; le mélange passe ainsi de l'orangé au jaune, puis au vert. La décoloration du dichromate est analysée par un procédé photoélectrique, et le tout est traduit sur une échelle graduée en unités d'alcoolémie (g d'alcool pour 100 mL de sang). Plus la décoloration est importante, plus la quantité d'éthanol est grande.

Lorsque la teneur dépasse la valeur limite de 80 mg (ou 0,08 g) d'alcool, c'est un délit. Les réflexes sont alors ralentis et la conduite automobile est jugée dangereuse. Il y a lieu de confirmer cette première analyse par d'autres plus précises, telles que l'analyse du sang ou de l'urine. La technique de l'alcootest existe en des versions plus sophistiquées, notamment des méthodes spectroscopiques permettant de doser quantitativement la teneur de l'haleine en produits oxydés. Mentionnons aussi les techniques plus modernes de mini-chromatographes en phase gazeuse ou d'analyses électrochimiques, ou encore de spectromètres infrarouges.

Certaines personnes pensent que les analyseurs d'haleine peuvent être dupés par la consommation de café, de cigarettes, d'ail ou de produits comportant de la chlorophylle, mais c'est faux ! Le seul moyen de réduire la teneur du sang en éthanol est de laisser le temps à l'organisme de le métaboliser. Rappelez-vous : 15 mL d'éthanol pur transformé à l'heure. La chimie nous rattrape partout !

EXERCICE 8.7

Un échantillon de 25,0 mL d'une solution de Mn^{2+} est oxydé par 36,4 mL de solution contenant 0,0420 mol/L d'ions permanganate.

$$Mn^{2+}(aq) + MnO_4^-(aq) \longrightarrow MnO_2(s)$$

a) Équilibrez cette équation en milieu acide.

b) Calculez la concentration de la solution de Mn^{2+}.

8.4 PILE ÉLECTROCHIMIQUE ET POTENTIEL STANDARD D'ÉLECTRODE

Une réaction d'oxydoréduction implique un transfert d'électrons, lequel peut être mis à profit pour produire du courant électrique. Cela se réalise grâce à une pile dont la construction et la représentation sont décrites par certaines conventions, et dont le potentiel électrique est établi par rapport à un potentiel de référence.

8.4.1 ÉLÉMENTS D'UNE PILE

Pile électrochimique : dispositif qui convertit l'énergie chimique d'une réaction d'oxydoréduction en énergie électrique.

Le dispositif qui permet de transformer l'énergie chimique d'une réaction d'oxydoréduction en flux électrique s'appelle **pile électrochimique** (ou galvanique ou voltaïque). Sa construction repose sur un processus spontané, c'est-à-dire que le transfert d'électrons est direct et rapide. La figure 8.2 illustre la spontanéité d'une réaction se déroulant dans une pile ou une cellule. Le bécher de droite contient une solution de sulfate de cuivre(II), $CuSO_4$, de couleur bleue. Lorsqu'une lame de zinc métallique y est plongée, elle est aussitôt attaquée : elle perd son éclat et, après une trentaine de minutes, des granules rouge foncé commencent à s'y déposer. Graduellement, la solution de cuivre se décolore. Lorsqu'on tente la réaction inverse (bécher de gauche), soit l'immersion d'une lame de cuivre dans une solution de sulfate de zinc, $ZnSO_4$, il ne se passe rien : le processus n'est pas spontané.

Le prototype de la pile électrochimique représente bien le fonctionnement de la batterie d'une voiture.

La désagrégation progressive de la lame de zinc s'explique par une oxydoréduction entre le zinc et les ions cuivre(II) de la solution.

$$Zn(s) + Cu^{2+}(aq) \longrightarrow Zn^{2+}(aq) + Cu(s)$$

Dès qu'ils entrent en contact avec la solution, les atomes de zinc cèdent deux électrons, qui sont aussitôt captés par les ions Cu^{2+}; ainsi, des ions Zn^{2+} se forment et passent dès lors en solution, tandis que les ions Cu^{2+} sont convertis en atomes de cuivre qui adhèrent après un certain temps à la lame de zinc et la recouvrent graduellement.

$$Zn(s) \longrightarrow Zn^{2+}(aq) + 2e^-$$
$$Cu^{2+}(aq) + 2e^- \longrightarrow Cu(s)$$

Dans une pile (ou cellule) électrochimique (*figure 8.3*), on utilise ce transfert d'électrons pour produire du courant électrique en mettant à profit l'oxydation du zinc par les ions cuivre(II). Une pile électrochimique zinc-cuivre se compose des éléments suivants.

- **Un récipient contenant une solution aqueuse de sulfate de zinc, $ZnSO_4$, dans laquelle est immergée une tige de zinc métallique, Zn.**

  L'oxydation, représentée par la demi-réaction, se déroule dans ce compartiment de la cellule.

  $$Zn(s) \longrightarrow Zn^{2+}(aq) + 2e^- \quad \text{oxydation}$$

  La tige de zinc de la pile, l'électrode, représente l'anode. On mémorise facilement l'association **a**node-**o**xydation puisque les deux mots commencent par une voyelle.

  Dans ce compartiment, l'anode se désagrège progressivement et les ions Zn^{2+} se solubilisent, créant un excès de cations (+) par rapport aux anions (–).

Figure 8.2 À droite, réaction entre du zinc et une solution de sulfate de cuivre(II); à gauche, absence de réaction entre du cuivre et une solution de sulfate de zinc.

- **Un récipient contenant une solution aqueuse de sulfate de cuivre(II), $CuSO_4$, dans laquelle est immergée une tige de cuivre métallique, Cu.**

  La réduction, représentée par la demi-réaction, se déroule dans ce compartiment.

  $$Cu^{2+}(aq) + 2e^- \longrightarrow Cu(s) \quad \text{réduction}$$

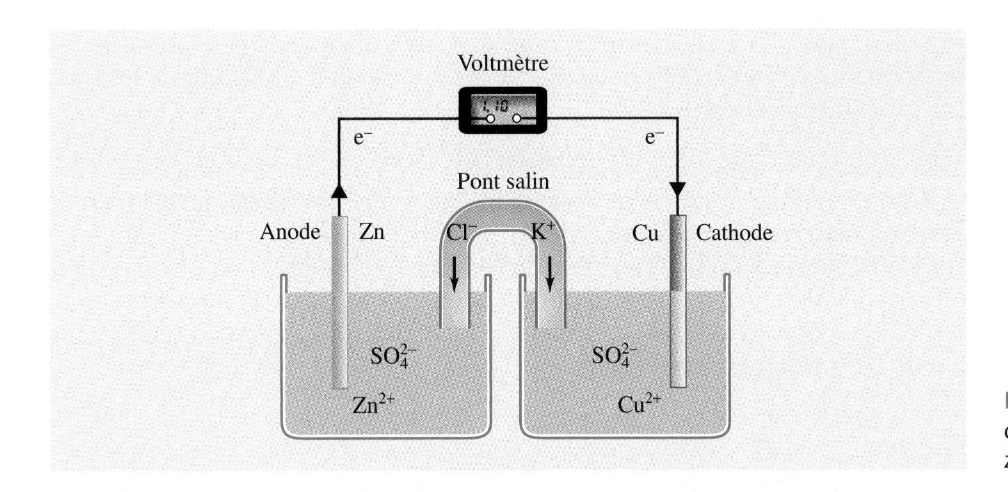

Figure 8.3 Illustration d'une pile électrochimique zinc-cuivre.

L'électrode de cuivre constitue la cathode. L'association **c**athode-**r**éduction est également facile à mémoriser, les deux mots débutant par une consonne.

Dans le compartiment de réduction, un dépôt de cuivre métallique recouvre progressivement la cathode. Dès que la réaction s'amorce, l'électroneutralité n'est plus respectée puisque les anions (–), les ions sulfate, SO_4^{2-}, prédominent par rapport aux cations (+).

– **Un pont électrolytique, qui assure la connexion électrique entre les compartiments.**

Ce pont est une solution saturée de chlorure de potassium, KCl, mélangée à de l'agar, substance formant un gel qui maintient la solution de sel dans le tube, ce qui empêche les solutions de se mélanger tout en assurant le passage du courant transporté par les ions. Le pont salin est essentiel, car il permet de fermer le circuit électrique grâce au courant ionique qui circule entre les solutions de sulfate de zinc et de sulfate de cuivre. Un disque poreux inséré dans un tube reliant les deux compartiments ou une cloison poreuse les séparant fait aussi office de pont électrolytique.

Lorsque les électrodes sont reliées par des fils conducteurs, le courant électrique est assuré par le mouvement des électrons qui circulent de l'anode vers la cathode. Cependant, ces électrons ne peuvent se déplacer en solution aqueuse. C'est pourquoi, dans les solutions, le courant est transporté par les cations et les anions qui se meuvent en sens opposés : les cations, excédentaires du côté de l'anode, se dirigent vers la cathode, tandis que les anions en excédent dans le compartiment de la cathode se déplacent vers l'anode.

Pour décrire les éléments d'une pile électrochimique sans en dessiner tous les détails comme à la figure 8.3, on applique une convention fondée sur l'utilisation de traits verticaux pour décrire les espèces chimiques composant la pile.

– Un seul trait vertical indique les limites des phases en contact.

– Deux traits verticaux correspondent au pont électrolytique.

De plus, la convention exige que l'on représente l'équation de la demi-réaction anodique (oxydation) à gauche et celle de la demi-réaction cathodique (réduction) à droite. Ainsi, la pile illustrée à la figure 8.3 est décrite chimiquement de la manière suivante.

$$Zn(s)\,|\,Zn^{2+}(aq)\,|\,|\,Cu^{2+}(aq)\,|\,Cu(s)$$

Un trait vertical sépare Zn(*s*) de Zn^{2+}, car ces deux phases sont différentes (l'une est liquide et l'autre, solide) mais en contact physique. Ce premier élément de la pile est écrit à gauche, car l'oxydation s'y déroule.

$$Zn(s) \longrightarrow Zn^{2+}(aq) + 2e^-$$

Un trait vertical sépare $Cu^{2+}(aq)$ de $Cu(s)$, ces deux phases étant aussi différentes et en contact physique. Cet élément est écrit à droite dans le schéma, car la réduction s'y déroule.

$$Cu^{2+}(aq) + 2e^- \longrightarrow Cu(s)$$

Notez que l'on n'écrit pas $Cu(s)\,|\,Cu^{2+}(aq)$ pour bien montrer que c'est la réaction inverse qui se produit.

Cette convention de description schématique d'une pile est pratique, car elle permet d'obtenir l'équation globale en faisant la somme des deux équations. On ajoute, le cas échéant, les facteurs multiplicatifs nécessaires pour équilibrer l'échange électronique.

$$Zn(s) + Cu^{2+}(aq) \longrightarrow Zn^{2+}(aq) + Cu(s)$$

EXEMPLE 8.8

Une pile électrochimique est décrite par le schéma suivant.

$$Mg(s)\,|\,Mg^{2+}(aq)\,|\,|\,Cr^{3+}(aq)\,|\,Cr(s)$$

On veut écrire les équations des demi-réactions, repérer l'anode et la cathode et écrire l'équation globale qui se déroule dans la pile.

1° On écrit la réaction d'oxydation.

Selon la convention d'écriture, l'oxydation se produit à l'anode. La tige de magnésium constitue l'anode, l'oxydation forme des ions Mg^{2+} et libère des électrons. La demi-réaction est la suivante.

$$Mg(s) \longrightarrow Mg^{2+}(aq) + 2e^- \quad \text{oxydation}$$

2° On écrit la réaction de réduction.

La réduction se produit à la cathode constituée de chrome métallique, et ses éléments sont exprimés dans la partie droite de la description de la pile. La demi-réaction est la suivante.

$$Cr^{3+}(aq) + 3e^- \longrightarrow Cr(s) \quad \text{réduction}$$

3° On exprime l'équation globale.

On remarque que l'oxydation libère deux électrons et que la réduction en consomme trois. Pour exprimer l'équation globale, il faut par conséquent multiplier l'équation d'oxydation par 3 et celle de la réduction par 2, de manière à équilibrer l'échange électronique.

$$3Mg(s) \longrightarrow 3Mg^{2+}(aq) + \cancel{6e^-} \quad \text{oxydation}$$

$$2Cr^{3+}(aq) + \cancel{6e^-} \longrightarrow 2Cr(s) \quad \text{réduction}$$

$$3Mg(s) + 2Cr^{3+}(aq) \longrightarrow 3Mg^{2+}(aq) + 2Cr(s)$$

EXERCICE 8.8

Écrivez les équations des demi-réactions et l'équation globale d'une pile électrochimique dont les éléments sont les suivants. Indiquez l'anode et la cathode.

$$Fe(s)\,|\,Fe^{3+}(aq)\,|\,|\,Ag^{+}(aq)\,|\,Ag(s)$$

Nous avons vu, lors de l'équilibrage des réactions d'oxydoréduction, que des gaz sont parfois en jeu, ou encore que toutes les substances sont en solution aqueuse. Par exemple, une pile zinc-hydrogène fait intervenir l'oxydation du zinc et la réduction des ions hydrogène, H^+ (ou H_3O^+), par l'intermédiaire d'un acide tel que l'acide chlorhydrique, $HCl(aq)$.

$$Zn(s) \longrightarrow Zn^{2+}(aq) + 6e^- \quad \text{oxydation}$$
$$2H^+(aq) + 2e^- \longrightarrow H_2(g) \quad \text{réduction}$$

Évidemment, l'électrode d'hydrogène a besoin d'une phase physique solide et conductrice pour assurer le déplacement des électrons, ce qui peut être réalisé grâce à un fil conducteur, généralement le platine, Pt, métal inerte qui maintient le contact entre les ions H^+ (provenant de HCl) et l'hydrogène moléculaire, H_2 (*figure 8.4*). C'est pourquoi, dans l'expression schématique de cette pile, on ajoute le platine comme élément supplémentaire.

$$Zn(s)\,|\,Zn^{2+}(aq)\,|\,|\,H^+(aq)\,|\,H_2(g)\,|\,Pt(s)$$

On pourra utiliser le même conducteur, le platine, pour former le contact lorsque les substances d'un compartiment ou des deux se trouvent en solution aqueuse. Par exemple, le compartiment anodique de la pile suivante comportera une électrode de platine qui assurera la circulation du courant électrique. Les ions Sn^{2+} et Sn^{4+} se trouvent dans le même compartiment et forment une seule phase; pour signaler cet état, on les sépare alors par une virgule dans le schéma de représentation.

$$Pt(s)\,|\,Sn^{2+}(aq),\, Sn^{4+}(aq)\,|\,|\,Cu^{2+}(aq)\,|\,Cu(s)$$

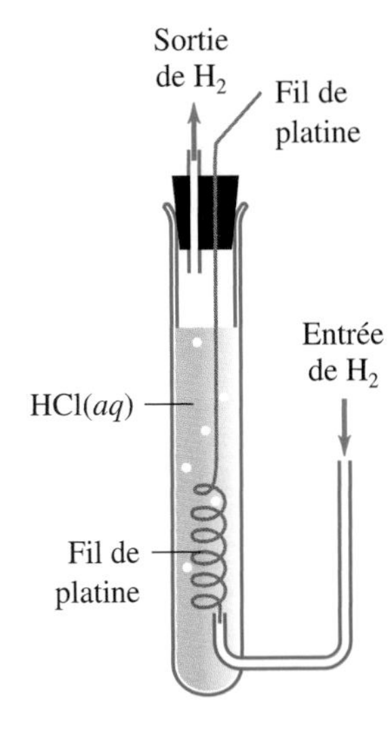

Figure 8.4 Représentation d'une demi-pile à l'hydrogène moléculaire, $H^+(aq)\,|\,H_2(g)$.

EXERCICE 8.9

Une pile est décrite partiellement par les éléments suivants.

$$Fe^{2+}(aq),\, Fe^{3+}(aq)\,|\,|\,MnO_4^-(aq),\, H^+(aq),\, Mn^{2+}(aq)$$

a) Complétez le schéma de cette pile.

b) Écrivez les équations des demi-réactions ainsi que l'équation globale de cette pile.

8.4.2 FORCE ÉLECTROMOTRICE ET POTENTIEL STANDARD

Pour étudier la réaction chimique qui se produit dans une pile, il faut pouvoir mesurer la force avec laquelle le courant électrique engendré circule dans le fil. Si on fait l'analogie avec les systèmes mécaniques dans lesquels la force, F, correspond à l'énergie mécanique, E, par unité de distance, d, dans un système électrique, c'est le voltage, V (énergie électrique par unité de charge, Q), qui mesure la **force électromotrice (fem)** ou le potentiel de la pile. On mesure le voltage à l'aide d'un voltmètre intercalé entre les deux électrodes.

Le voltage d'une pile correspond à son potentiel électromoteur.

$$F = \frac{E}{d} \qquad\qquad V = \frac{E}{Q}$$

système mécanique — **système électrique**

Un voltmètre mesure une différence de potentiel, de sorte qu'il est indispensable d'établir des critères de référence pour obtenir le potentiel de chaque demi-réaction. Il faut préciser les concentrations, la température des solutions et, le cas échéant, la pression des gaz; en effet, comme nous le verrons à la section suivante, le potentiel d'une pile dépend des concentrations des réactifs et des produits. En outre, on doit choisir une demi-réaction de référence à laquelle, par convention, on attribue un potentiel de zéro, auquel on comparera celui de toutes les autres demi-réactions. Ainsi, les conventions pour déterminer le **potentiel standard d'une électrode** sont les suivantes :

- la température est de 25 °C (298 K);
- les concentrations des solutions sont égales à 1,00 mol/L;
- la pression des gaz est égale à 101,3 kPa;

Force électromotrice : force avec laquelle les électrons d'un réducteur se déplacent vers l'oxydant dans une pile électrochimique; la force électromotrice est aussi désignée potentiel d'une pile.

Potentiel standard d'électrode : potentiel d'une demi-réaction d'oxydation ou de réduction dans les conditions standard (298 K; 101,3 kPa; 1,00 mol/L), mesuré par rapport à l'électrode standard d'hydrogène.

– la demi-réaction de référence, valable autant pour l'oxydation que pour la réduction, est la demi-réaction du couple $H_2(g)/H^+(aq)$ à laquelle on attribue un potentiel de zéro.

$$H_2(g) \longrightarrow 2H^+(aq) + 2e^- \quad \text{oxydation} \qquad E_{oxy} = 0{,}00\ V$$
$$2H^+(aq) + 2e^- \longrightarrow H_2(g) \quad \text{réduction} \qquad E_{réd} = 0{,}00\ V$$

Lorsqu'une demi-pile est connectée à une demi-pile d'hydrogène, deux cas sont donc possibles.

1. L'hydrogène moléculaire, H_2, est oxydé, et la réduction se produit dans l'autre compartiment de la cellule électrochimique.

$$H_2(g) \longrightarrow 2H^+(aq) + 2e^- \quad \text{oxydation} \qquad E_{oxy} = 0{,}00\ V$$
$$M^+(aq) + 1e^- \longrightarrow M(s) \quad \text{réduction} \qquad +$$

« M » représente ici un métal. Cela signifie que le potentiel de la demi-réaction, $E^0_{M^+/M}$, est supérieur à zéro (il prend une valeur positive) et que la tendance de l'espèce chimique M^+ à accepter les électrons est supérieure à celle de H^+.

$$E^0_{M^+/M} > 0$$

La réaction globale, représentée par l'équation suivante, se déroule alors dans la pile.

$$H_2(g) + 2M^+(aq) \longrightarrow 2H^+(aq) + 2M(s)$$

2. Les ions hydrogène, H^+, sont réduits, et l'oxydation se produit dans l'autre compartiment de la pile.

$$2H^+(aq) + 2e^- \longrightarrow H_2(g) \quad \text{réduction} \qquad E_{réd} = 0{,}00\ V$$
$$M(s) \longrightarrow M^+(aq) + 1e^- \quad \text{oxydation} \qquad -$$

Cela signifie que le potentiel de la demi-réaction, E^0_{M/M^+}, est supérieur à zéro (il prend une valeur positive) et que la tendance de l'espèce chimique M^+ à accepter les électrons est inférieure à celle de H^+. En conséquence, le potentiel de la demi-réaction de réduction sera inférieur à zéro.

$$E^0_{M/M^+} > 0 \Rightarrow E^0_{M^+/M} < 0$$

La réaction globale, représentée par l'équation suivante, se produit alors dans la cellule électrochimique.

$$2H^+(aq) + 2M(s) \longrightarrow H_2(g) + 2M^+(aq)$$

Ainsi, on peut classer les demi-réactions en deux catégories (*tableau 8.1*) :

– les substances dont le pouvoir réducteur est supérieur à celui de l'hydrogène ou, mieux, à celui du couple H^+/H_2; l'hydrogène moléculaire est oxydé, et le potentiel de réduction de la demi-pile est positif;
– les substances dont le pouvoir réducteur est inférieur à celui de l'hydrogène ou, mieux, à celui du couple H^+/H_2; l'ion hydrogène, H^+, est réduit, et le potentiel de réduction de la demi-pile est négatif.

Puisque les valeurs des potentiels des demi-réactions sont données pour les réductions, celles des réactions d'oxydation seront donc inversées.

$$E^0_{oxy} = -E^0_{réd}$$

Ainsi, le potentiel standard de réduction du couple Pb^{2+}/Pb vaut −0,126 V selon le tableau 8.1.

$$Pb^{2+}(aq) + 2e^- \longrightarrow Pb(s) \qquad E_{réd} = -0{,}126\ V$$

Le potentiel standard de la réaction inverse est par conséquent égal à +0,126 V.

$$Pb(s) \longrightarrow Pb^{2+}(aq) + 2e^- \qquad E_{oxy} = +0{,}126\ V$$

Tableau 8.1 Potentiels standard de réduction à 25 °C.

Demi-réaction	E^0 (V)	Demi-réaction	E^0 (V)
$F_2 + 2e^- \longrightarrow 2F^-$	2,866	$Cu^{2+} + 2e^- \longrightarrow Cu$	0,342
$S_2O_8^{2-} + 2H^+ + 2e^- \longrightarrow 2HSO_4^-$	2,123	$Hg_2Cl_2 + 2e^- \longrightarrow 2Hg + 2Cl^-$	0,268
$Ag^{2+} + e^- \longrightarrow Ag^+$	1,980	$AgCl + e^- \longrightarrow Ag + Cl^-$	0,222
$Co^{3+} + e^- \longrightarrow Co^{2+}$	1,82	$SO_4^{2-} + 4H^+ + 2e^- \longrightarrow H_2SO_3 + H_2O$	0,172
$H_2O_2 + 2H^+ + 2e^- \longrightarrow 2H_2O$	1,776	$Cu^{2+} + e^- \longrightarrow Cu^+$	0,153
$Ce^{4+} + e^- \longrightarrow Ce^{3+}$	1,72	$Sn^{4+} + 2e^- \longrightarrow Sn^{2+}$	0,151
$PbO_2 + 4H^+ + SO_4^{2-} + 2e^- \longrightarrow PbSO_4 + 2H_2O$	1,691	$HgO + H_2O + 2e^- \longrightarrow Hg + 2OH^-$	0,0977
$MnO_4^- + 4H^+ + 3e^- \longrightarrow MnO_2 + 2H_2O$	1,679	**$2H^+ + 2e^- \longrightarrow H_2$**	**0,000**
$2NO + 2H^+ + 2e^- \longrightarrow N_2O + H_2O$	1,591	$Fe^{3+} + 3e^- \longrightarrow Fe$	−0,037
$MnO_4^- + 8H^+ + 5e^- \longrightarrow Mn^{2+} + 4H_2O$	1,507	$Hg_2I_2 + 2e^- \longrightarrow 2Hg + 2I^-$	−0,405
$Au^{3+} + 3e^- \longrightarrow Au$	1,498	$Pb^{2+} + 2e^- \longrightarrow Pb$	−0,126
$PbO_2 + 4H^+ + 2e^- \longrightarrow Pb^{2+} + 2H_2O$	1,455	$Sn^{2+} + 2e^- \longrightarrow Sn$	−0,138
$Cl_2 + 2e^- \longrightarrow 2Cl^-$	1,358	$Ni^{2+} + 2e^- \longrightarrow Ni$	−0,257
$HCrO_4^- + 7H^+ + 3e^- \longrightarrow Cr^{3+} + 4H_2O$	1,350	$Co^{2+} + 2e^- \longrightarrow Co$	−0,28
$O_3 + H_2O + 2e^- \longrightarrow O_2 + 2OH^-$	1,24	$PbSO_4 + 2e^- \longrightarrow Pb + SO_4^{2-}$	−0,359
$Cr_2O_7^{2-} + 14H^+ + 6e^- \longrightarrow 2Cr^{3+} + 7H_2O$	1,232	$Cd^{2+} + 2e^- \longrightarrow Cd$	−0,403
$O_2 + 4H^+ + 4e^- \longrightarrow 2H_2O$	1,229	$Cr^{3+} + e^- \longrightarrow Cr^{2+}$	−0,407
$MnO_2 + 4H^+ + 2e^- \longrightarrow Mn^{2+} + 2H_2O$	1,224	$Fe^{2+} + 2e^- \longrightarrow Fe$	−0,447
$Br_2 + 2e^- \longrightarrow 2Br^-$	1,087	$Ga^{3+} + 3e^- \longrightarrow Ga$	−0,549
$IO_3^- + 6H^+ + 6e^- \longrightarrow I^- + 3H_2O$	1,085	$Cr^{3+} + 3e^- \longrightarrow Cr$	−0,744
$AuCl_4^- + 3e^- \longrightarrow Au + 4Cl^-$	1,002	$Zn^{2+} + 2e^- \longrightarrow Zn$	−0,762
$VO_2^+ + 2H^+ + e^- \longrightarrow VO^{2+} + H_2O$	0,991	$Cd(OH)_2 + 2e^- \longrightarrow Cd(Hg) + 2OH^-$	−0,809
$NO_3^- + 4H^+ + 3e^- \longrightarrow NO + 2H_2O$	0,957	$2H_2O + 2e^- \longrightarrow H_2 + 2OH^-$	−0,828
$ClO_2 + e^- \longrightarrow ClO_2^-$	0,954	$Mn^{2+} + 2e^- \longrightarrow Mn$	−1,185
$2Hg^{2+} + 2e^- \longrightarrow Hg_2^{2+}$	0,920	$ZnO + H_2O + 2e^- \longrightarrow Zn + 2OH^-$	−1,260
$ClO^- + H_2O + 2e^- \longrightarrow Cl^- + 2OH^-$	0,841	$Al^{3+} + 3e^- \longrightarrow Al$	−1,662
$Ag^+ + e^- \longrightarrow Ag$	0,800	$AlF_6^{3-} + 3e^- \longrightarrow Al + 6F^-$	−2,069
$Fe^{3+} + e^- \longrightarrow Fe^{2+}$	0,771	$H_2 + 2e^- \longrightarrow 2H^-$	−2,23
$O_2 + 2H^+ + 2e^- \longrightarrow H_2O_2$	0,695	$[Al(OH)_4]^- + 3e^- \longrightarrow Al + 4OH^-$	−2,328
$MnO_4^- + 2H_2O + 3e^- \longrightarrow MnO_2 + 4OH^-$	0,595	$Mg^{2+} + 2e^- \longrightarrow Mg$	−2,372
$I_2 + 2e^- \longrightarrow 2I^-$	0,536	$Na^+ + e^- \longrightarrow Na$	−2,71
$Cu^+ + e^- \longrightarrow Cu$	0,521	$Ca^{2+} + 2e^- \longrightarrow Ca$	−2,868
$NiO_2 + 2H_2O + 2e^- \longrightarrow Ni(OH)_2 + 2OH^-$	0,490	$Ba^{2+} + 2e^- \longrightarrow Ba$	−2,912
$O_2 + 2H_2O + 4e^- \longrightarrow 4OH^-$	0,401	$K^+ + e^- \longrightarrow K$	−2,931
$ClO_4^- + H_2O + 2e^- \longrightarrow ClO_3^- + 2OH^-$	0,36	$Li^+ + e^- \longrightarrow Li$	−3,04

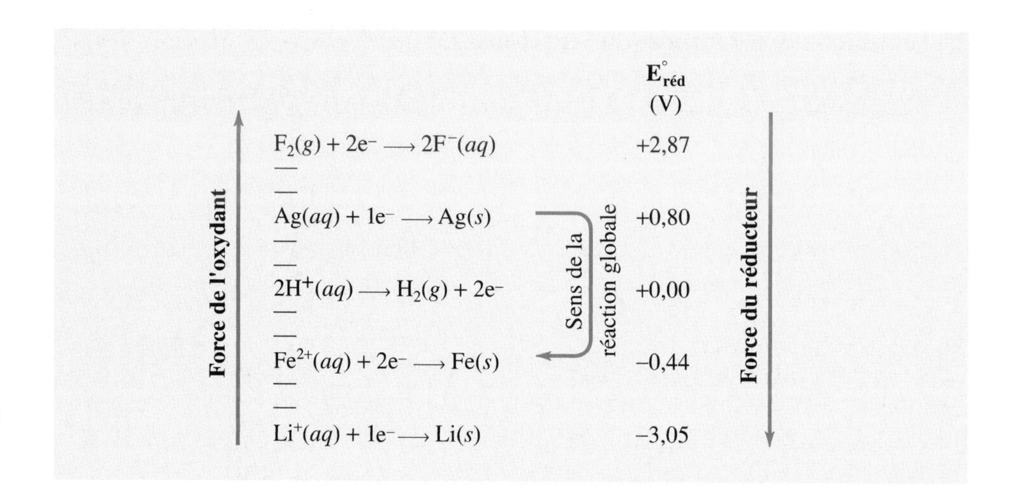

Figure 8.5 Informations à tirer des données du tableau des potentiels standard de réduction.

Puisque, dans une pile électrochimique, la réduction se déroule dans un compartiment et l'oxydation, dans l'autre, le potentiel standard de la pile est égal à la somme des potentiels de chaque demi-réaction.

$$E^0_{\text{pile}} = E_{\text{réd}} + E_{\text{oxy}}$$

Et une pile débite du courant, c'est-à-dire qu'elle fonctionne de façon spontanée, à la condition que son potentiel soit positif.

$$E^0_{\text{pile}} > 0$$

Dans ce cas, la demi-réaction de réduction est toujours située au-dessus de l'autre demi-réaction dans le tableau 8.1; cette dernière correspond donc à la demi-réaction inverse d'oxydation. Ainsi, selon ce tableau, toute demi-réaction se trouvant au-dessous du couple F_2/F^+, lequel possède le potentiel de réduction le plus élevé, subit une oxydation, car le fluor moléculaire, F_2, est l'agent oxydant le plus fort. Inversement, le lithium, situé au bas du tableau, est l'agent réducteur le plus puissant : c'est la substance qui a le plus tendance à céder des électrons. L'ensemble des informations que l'on peut tirer de ce tableau est résumé à la figure 8.5.

Enfin, il faut noter que plus le potentiel de la pile est élevé, plus la réaction se produit rapidement, de sorte que la pile perd aussi, assez rapidement, ses conditions standard et que son potentiel commence dès lors à diminuer.

Pour déterminer le potentiel d'une pile à partir des couples de demi-piles, on applique la démarche suivante.

1° On repère les demi-réactions de réduction et leurs valeurs de potentiel.

2° On précise le sens des équations des demi-réactions et on exprime l'équation globale en équilibrant l'échange électronique. Il faut noter que la multiplication éventuelle des coefficients stœchiométriques ne modifie pas la valeur du potentiel des demi-réactions.

3° On calcule le potentiel de la pile.

EXEMPLE 8.9

Une pile est formée des couples Cr^{3+}/Cr et Ag^+/Ag. On veut calculer le potentiel standard de cette pile et la décrire à l'aide d'un schéma.

1° On détermine les demi-réactions de réduction.

D'après le tableau 8.1, les potentiels standard sont les suivants.

$$Cr^{3+}(aq) + 3e^- \longrightarrow Cr(s) \qquad E^0_{\text{réd}} = -0{,}744\ \text{V}$$

$$Ag^+(aq) + 1e^- \longrightarrow Ag(s) \qquad E^0_{\text{réd}} = +0{,}800\ \text{V}$$

2° On précise le sens des équations des demi-réactions et on exprime l'équation globale.

Puisque le potentiel du couple Ag^+/Ag est supérieur à celui de Cr^{3+}/Cr, le chrome subit l'oxydation. En équilibrant le transfert électronique, on obtient :

$$3Ag^+(aq) + \cancel{3e^-} \longrightarrow 3Ag(s) \qquad E^0_{réd} = +0{,}800\ V$$
$$Cr(s) \longrightarrow Cr^{3+}(aq) + \cancel{3e^-} \qquad E^0_{oxy} = +0{,}744\ V$$

$$3Ag^+(aq) + Cr(s) \longrightarrow 3Ag(s) + Cr^{3+}(aq)$$

Rappelons que la multiplication des coefficients stœchiométriques ne modifie pas la valeur du potentiel de la demi-réaction.

3° On calcule le potentiel de la pile.

$$E^0_{pile} = E^0_{réd} + E^0_{oxy} \Rightarrow E^0_{pile} = 0{,}800 + 0{,}744 = 1{,}544\ V$$

- Le potentiel de la pile est égal à **1,544 V**.

4° On représente un schéma de la pile en appliquant les conventions des traits verticaux.

L'oxydation du chrome s'effectue dans le compartiment gauche de la cellule et la réduction de l'ion argent, dans le compartiment droit.

- Le schéma de la pile est donc le suivant.

$$Cr(s)\,|\,Cr^{3+}(aq)\,|\,|\,Ag^+(aq)\,|\,Ag(s)$$

EXERCICE 8.10

Une pile est formée des couples Ni^{2+}/Ni et Mn^{2+}/Mn.

a) Déterminez les équations des demi-réactions d'oxydation et de réduction de cette pile et écrivez l'équation globale de la réaction qui s'y produit.

b) Calculez son potentiel standard.

c) Représentez un schéma de la pile en appliquant les conventions des traits verticaux.

8.4.3 POTENTIEL D'UNE PILE ET ÉQUATION DE NERNST

La force électromotrice d'une pile change à partir du moment où la concentration de l'une des substances d'un compartiment diffère de celle de l'autre, qui se trouve dans le second compartiment. La relation entre la fem et la concentration a été étudiée par **Walther Nernst**, un pionnier en électrochimie qui laissa son nom à ce que l'on appelle désormais équation de Nernst.

HERMANN WALTHER NERNST (1864-1941)
Physicien et chimiste allemand. Prix Nobel de chimie en 1920.

VARIATION DU POTENTIEL D'UNE PILE AVEC LA CONCENTRATION

Supposons une pile formée des mêmes constituants, soit le couple Zn/Zn^{2+}, dans laquelle seules les concentrations changent (*figure 8.6*). Une telle pile, appelée **pile de concentration**, ne débiterait aucun courant si les concentrations étaient les mêmes dans chaque compartiment. Par contre, si dans le compartiment gauche la concentration correspond dans les conditions standard (1,0 mol/L pour Zn^{2+}) et que dans l'autre compartiment elle est égale à 2,0 mol/L, on enregistre un faible voltage.

Selon le principe de Le Chatelier, le système réagit contre ce déséquilibre des concentrations en produisant des ions Zn^{2+} dans le compartiment où la solution est la moins concentrée et en consommant ces mêmes ions dans l'autre. Par conséquent, l'oxydation se déroule dans le compartiment gauche, ce qui augmente la concentration des ions Zn^{2+}.

$$Zn(s) \longrightarrow Zn^{2+}(aq,\ 1{,}0\ mol/L) + 2e^- \quad \text{oxydation}$$

Pile de concentration : pile électrochimique formée des mêmes composants, mais dont le potentiel est engendré par la différence de leurs concentrations d'un compartiment à l'autre.

Voltmètre

Anode Zn | Zn Cathode

Paroi poreuse

Zn^{2+} 1,0 mol/L | Zn^{2+} 2,0 mol/L

Oxydation | Réduction

$Zn(s) \longrightarrow Zn^{2+}(aq) + 2e^-$ | $Zn^{2+}(aq) + 2e^- \longrightarrow Zn(s)$

Figure 8.6 Potentiel d'une pile dû à la seule différence de concentrations des composants.

Lorsque les électrons libérés atteignent l'électrode de droite, ils sont captés par les ions Zn^{2+} qui deviennent du zinc métallique.

$$Zn^{2+}(aq,\ 2{,}0\ mol/L) + 2e^- \longrightarrow Zn(s) \quad \text{réduction}$$

L'équation globale s'écrit par conséquent de la manière suivante.

$$Zn(s) + Zn^{2+}(aq,\ 2{,}0\ mol/L) \longrightarrow Zn^{2+}(aq,\ 1{,}0\ mol/L) + Zn(s)$$

Un raisonnement analogue, fondé sur le principe de Le Chatelier, permet aussi de déterminer si le potentiel d'une pile formée d'éléments différents augmente ou diminue lorsque la concentration ne correspond pas dans les conditions standard.

Un détecteur de fumée émet un bip sonore lorsque le potentiel de la pile qui y est intégrée diminue de façon sensible.

EXEMPLE 8.10

Une pile standard zinc-cuivre produit de l'électricité selon le schéma de la figure 8.3 (*page 297*). On veut prédire la variation du potentiel de cette pile :

a) lorsque la concentration des ions cuivre(II), Cu^{2+}, est augmentée;

b) lorsque la concentration des ions zinc, Zn^{2+}, est augmentée.

1° On écrit l'équation globale.

Dans les conditions standard, la concentration des ions Cu^{2+} et Zn^{2+} dans leur compartiment respectif est égale à 1,0 mol/L.

$$Zn(s) + Cu^{2+}(aq,\ 1{,}0\ mol/L) \longrightarrow Cu(s) + Zn^{2+}(aq,\ 1{,}0\ mol/L)$$

2° On augmente la concentration des ions cuivre(II), Cu^{2+}.

Selon le principe de Le Chatelier, une augmentation de la concentration de Cu^{2+} favorise la réaction directe (de gauche à droite). Cela signifie que les électrons sont, pour ainsi dire, « aspirés » vers la droite avec une force plus grande, ce qui entraîne une augmentation du potentiel de la pile.

$$Zn(s) + \mathbf{Cu^{2+}}(aq) \longrightarrow Cu(s) + Zn^{2+}(aq)$$

augmentation ⇒ déplacement vers la droite

- Le potentiel de la pile est donc **augmenté**.

3° On augmente la concentration de Zn^{2+}.

Cette fois, à cause de l'augmentation de la concentration de Zn^{2+}, la force motrice de la réaction inverse (de droite à gauche) est favorisée, ce qui ralentit le déplacement des électrons vers la droite : le potentiel de la pile diminue, mais la réaction globale se déroule de gauche à droite.

$$Zn(s) + Cu^{2+}(aq) \longleftarrow \mathbf{Zn^{2+}}(aq) + Cu(s)$$

déplacement vers la gauche ⇐ augmentation

- Le potentiel de la pile est donc **diminué**.

EXERCICE 8.11

La réaction globale suivante se déroule dans une pile standard.

$$2AgCl(s) + H_2(g) \longrightarrow 2Ag(s) + 2H^+(aq) + 2\ Cl^-(aq)$$

Prédisez l'influence des modifications suivantes sur le potentiel de la pile.

a) Augmentation de la concentration des ions H^+

b) Augmentation de la quantité de AgCl

c) Augmentation de la pression de l'hydrogène moléculaire, H_2

ÉQUATION DE NERNST

Une relation assez simple a été établie par Nernst entre le potentiel d'une pile et la concentration des substances dans les compartiments qui la composent. Cette équation, proposée en 1889, peut prendre plusieurs formes.

$$E_{\text{pile}} = E^0_{\text{pile}} - \frac{RT}{nF} \ln Q_c$$

R = constante des gaz (8,315 J/K·mol)

T = température (K)

n = nombre d'électrons transférés

F = faraday (96 485 C/mol)

Q_c = quotient réactionnel ([produits]/[réactifs])

En convertissant le logarithme népérien en logarithme décimal (log = 2,303 ln) et en substituant la valeur de la température pour les conditions standard d'une pile, 298,2 K, on obtient pour le rapport RT/F la valeur 0,0592.

$$2{,}303 \times \frac{RT}{F} = \frac{2{,}303 \times 8{,}315\ \text{J/K·mol} \times 298{,}2\ \text{K}}{96\ 485\ \text{C/mol}} = 0{,}0592\ \text{J/C} = 0{,}0592\ \text{V}$$

L'équation de Nernst prend alors la forme sous laquelle on l'utilise le plus souvent.

$$E_{\text{pile}} = E^0_{\text{pile}} - \frac{0{,}0592}{n} \log Q_c \text{ à } 25\ °\text{C}$$

Il est important de rappeler les points suivants.

- Le quotient réactionnel, Q_c, donne le rapport entre les concentrations des solutions des produits et celles des réactifs; ces concentrations sont affectées de l'exposant correspondant au coefficient stœchiométrique de l'équation équilibrée (*revoir la section 4.4*). Dans le cas des gaz, on exprime le quotient réactionnel de la même façon, mais en exprimant la pression du gaz en atm.
- La valeur de n correspond au nombre total d'électrons transférés d'une espèce chimique à l'autre, compte tenu de l'équation chimique équilibrée.

Ainsi, dans la cellule électrochimique suivante,

$$Cu(s)\,|\,Cu^{2+}(aq)\,||\,Ag^+(aq)\,|\,Ag(s)$$

l'expression des équations des demi-réactions et de l'équation globale montre que deux électrons par espèce chimique sont transférés dans le processus global, de sorte que n est égal à **2**.

$$Cu(s) \longrightarrow Cu^{2+}(aq) + \cancel{2e^-}$$
$$2Ag^+(aq) + \cancel{2e^-} \longrightarrow 2Ag(s)$$

$$Cu(s) + 2Ag^+(aq) \longrightarrow Cu^{2+}(aq) + 2Ag(s)$$

De plus, l'expression du quotient réactionnel, Q_c, doit tenir compte du coefficient stœchiométrique affectant Ag^+ (réactif) et Cu^{2+} (produit). Rappelons que les substances solides ne figurent pas dans ce rapport.

$$Q_c = \frac{[Cu^{2+}]}{[Ag^+]^2}$$

EXEMPLE 8.11

On désire calculer le potentiel de la pile suivante.

$Al(s)\,|\,Al^{3+}(aq,\ 0{,}35\ mol/L)\,|\,|\,Sn^{4+}(aq,\ 0{,}085\ mol/L),\ Sn^{2+}(aq,\ 0{,}55\ mol/L)\,|\,Pt(s)$

1° On représente les équations des demi-réactions ainsi que l'équation globale, et on calcule le potentiel dans les conditions standard.

$$2Al(s) \longrightarrow 2Al^{3+}(aq) + \cancel{6e^-} \qquad E^0 = +1{,}662\ V$$
$$3Sn^{4+}(aq) + \cancel{6e^-} \longrightarrow 3Sn^{2+}(aq) \qquad E^0 = +0{,}151\ V$$
$$2Al(s) + 3Sn^{4+}(aq) \longrightarrow 2Al^{3+}(aq) + 3Sn^{2+}(aq) \qquad E^0_{pile} = 1{,}813\ V$$

2° On applique l'équation de Nernst.
Le nombre d'électrons transférés, n, est égal à 6.

$$E_{pile} = E^0_{pile} - \frac{0{,}0592}{n}\log Q_c \Rightarrow E_{pile} = 1{,}813 - \frac{0{,}0592}{6}\log\frac{[Al^{3+}]^2[Sn^{2+}]^3}{[Sn^{4+}]^3}$$

$$E_{pile} = 1{,}813 - \frac{0{,}0592}{6}\log\frac{(0{,}35)^2(0{,}55)^3}{(0{,}085)^3}$$

$$= 1{,}813 - 0{,}009\ 87\log 3{,}33\times 10^1 = 1{,}813 - 0{,}0150 = 1{,}798\ V$$

• Le potentiel de la pile est égal à **1,798 V**.

Lorsque des gaz sont présents, on les inscrit dans l'expression du quotient réactionnel sous la forme de la valeur de la pression exprimée en atm, valeur affectée du coefficient stœchiométrique approprié. Par exemple, si la pression de l'hydrogène moléculaire, H_2, est égale à 90,0 kPa, on utilise la valeur 0,888 atm dans l'expression partielle du quotient réactionnel.

$$P_{H_2} = 90{,}0\ \cancel{kPa} \times \frac{1\ atm}{101{,}3\ \cancel{kPa}} = 0{,}888\ atm$$

EXEMPLE 8.12

On désire calculer le potentiel de la pile suivante.

$Pt(s)\,|\,H_2(g,\ 45{,}0\ kPa)\,|\,H^+(aq,\ 0{,}20\ mol/L)\,|\,|\,Cu^{2+}(aq,\ 2{,}0\ mol/L)\,|\,Cu(s)$

1° On exprime les équations des demi-réactions et l'équation globale, et on calcule le potentiel dans les conditions standard.

$$H_2(g) \longrightarrow 2H^+(aq) + \cancel{2e^-} \qquad E^0 = 0{,}000\ V$$
$$Cu^{2+}(aq) + \cancel{2e^-} \longrightarrow Cu(s) \qquad E^0 = +0{,}342\ V$$
$$H_2(g) + Cu^{2+}(aq) \longrightarrow 2H^+(aq) + Cu(s) \qquad E^0 = +0{,}342\ V$$

2° On applique l'équation de Nernst.

Ici, on représente H_2 par la valeur de 0,444 atm.

$$P_{H_2} = 45{,}0\ \cancel{\text{kPa}} \times \frac{1\ \text{atm}}{101{,}3\ \cancel{\text{kPa}}} = 0{,}444\ \text{atm}$$

$$E_{\text{pile}} = E^0_{\text{pile}} - \frac{0{,}0592}{n} \log Q_c \Rightarrow E_{\text{pile}} = 0{,}342 - \frac{0{,}0592}{2} \log \frac{[H^+]^2}{P_{H_2}[Cu^{2+}]}$$

$$E_{\text{pile}} = 0{,}342 - 0{,}0296 \log 0{,}045 \Rightarrow E_{\text{pile}} = 0{,}342 + 0{,}040 = 0{,}382\ \text{V}$$

- Le potentiel de la pile est égal à **0,382 V**.

À partir des deux exemples précédents, on peut tirer les conclusions suivantes.

- Lorsque, dans l'expression du quotient réactionnel, le rapport des concentrations est supérieur à 1, le potentiel de la pile diminue par rapport à celui obtenu dans les conditions standard.
- Lorsque le rapport des concentrations est inférieur à 1, le potentiel de la pile augmente par rapport à celui obtenu dans les conditions standard.

Il peut arriver que le rapport des concentrations soit tel que le potentiel de la pile devienne négatif; dans ce cas, la réaction ne se produira pas dans le sens de l'équation globale, car, comme nous l'avons signalé à la sous-section 8.4.2, une pile fonctionne à la condition que son potentiel soit positif. C'est plutôt la réaction inverse qui se produira.

$E_{\text{pile}} > 0 \Rightarrow$ réaction spontanée $\qquad$ $E_{\text{pile}} < 0 \Rightarrow$ réaction non spontanée

EXERCICE 8.12

Calculez le potentiel des piles électrochimiques suivantes.

a) $Pt(s)\,|\,Cl^-(aq,\ 2{,}0\ \text{mol/L})\,|\,Cl_2(g,\ 101{,}3\ \text{kPa})\,||\,PbO_2(s)\,|\,Pb^{2+}(aq,\ 0{,}150\ \text{mol/L},$ $H^+(aq,\ 0{,}20\ \text{mol/L})$

b) $Ag(s)\,|\,Ag^+(aq,\ 0{,}35\ \text{mol/L})\,||\,Cl_2(g,\ 60{,}0\ \text{kPa})\,|\,Cl^-(aq,\ 0{,}095\ \text{mol/L})\,|\,Pt(s)$

On peut aussi mettre à profit l'équation de Nernst dans le cas d'une pile de concentration. La différence de concentration peut notamment constituer la base de la détermination du produit de solubilité, K_{ps}.

La méthode, illustrée à la figure 8.7, consiste à :

- saturer un des compartiments du sel dont on veut déterminer le K_{ps};
- placer, dans l'autre compartiment, une solution de concentration connue contenant l'ion intervenant dans l'oxydoréduction;
- mesurer le potentiel.

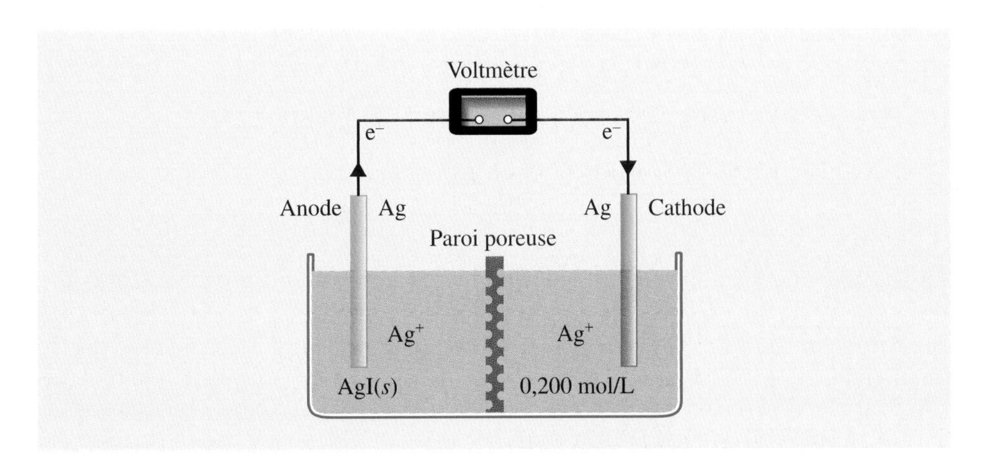

Figure 8.7 Schéma d'une pile de concentration utilisée pour déterminer le produit de solubilité.

L'oxydation se produit dans le compartiment contenant la solution saturée en substance peu soluble, dans ce cas-ci, une solution d'iodure d'argent, AgI, la moins concentrée en ions argent, Ag^+. La réduction se déroule dans l'autre compartiment.

$$Ag(s) \longrightarrow Ag^+(aq, \text{AgI saturé}) + e^- \quad \text{oxydation}$$

$$Ag^+(aq, 0{,}200 \text{ mol/L}) + 1e^- \longrightarrow Ag(s) \quad \text{réduction}$$

À partir de la valeur du potentiel de la pile, on calcule le produit de solubilité en utilisant son expression et la concentration des ions Ag^+ (égale à celle des ions I^-) dans le compartiment renfermant la solution saturée. Il faut noter que le potentiel doit être mesuré dès que les connexions sont établies, car il diminue graduellement.

$$AgI(s) \rightleftharpoons Ag^+(aq) + I^-(aq) \qquad K_{ps} = [Ag^+][I^-]$$

EXEMPLE 8.13

Le potentiel d'une pile de concentration dont l'un des compartiments contient une solution saturée d'iodure d'argent, AgI, et l'autre, une solution formée de 0,200 mol/L de nitrate d'argent, $AgNO_3$, est égal à 0,4345 V. On désire connaître la valeur du produit de solubilité de AgI à partir de ces données.

1° On exprime l'équation globale.

$$\cancel{Ag(s)} \longrightarrow Ag^+(aq, \text{solution saturée}) + \cancel{e^-}$$

$$Ag^+(aq, 0{,}200 \text{ mol/L}) + \cancel{e^-} \longrightarrow \cancel{Ag(s)}$$

$$Ag^+(aq, 0{,}200 \text{ mol/L}) \longrightarrow Ag^+(aq, \text{solution saturée})$$

2° On applique l'équation de Nernst pour calculer la concentration de Ag^+ dans la solution saturée.

$$E_{pile} = E^0_{pile} - \frac{0{,}0592}{n} \log Q_c$$

Le potentiel standard d'une pile formée des mêmes éléments (mêmes électrodes et mêmes solutions 1,0 mol/L) est égal à zéro.

Le nombre d'électrons transférés est égal à 1.

Le potentiel de la pile est égal à 0,4345 V.

$$0{,}4345 \text{ V} = 0{,}00 \text{ V} - \frac{0{,}0592}{1} \log \frac{[Ag^+]_{\text{soln sat.}}}{0{,}200} = -0{,}0592 \log (x - 0{,}200)$$

$$\frac{0{,}4345}{0{,}0592} = -\log x + \log 0{,}200 \Rightarrow \log x = \log 0{,}200 - \frac{0{,}4345}{0{,}0592}$$

$$\log x = -0{,}699 - 7{,}34 = -8{,}04 \Rightarrow x = 10^{-8{,}04} \Rightarrow x = 9{,}1 \times 10^{-9}$$

- La concentration de Ag^+ est donc égale à **$9{,}1 \times 10^{-9}$ mol/L.**

3° On calcule le produit de solubilité.

Puisque la concentration de Ag^+ est égale à celle de I^-, on a :

$$K_{ps} = [Ag^+][I^-] = (9{,}1 \times 10^{-9})^2 = 8{,}3 \times 10^{-17}$$

- Le produit de solubilité est égal à **$8{,}3 \times 10^{-17}$**.

EXERCICE 8.13

L'un des compartiments d'une cellule électrochimique de concentration renferme une solution saturée de chlorure d'argent, AgCl, tandis que l'autre contient une solution de 0,100 mol/L en nitrate d'argent, $AgNO_3$. Sachant que le potentiel de la pile est de 0,230 V, calculez le produit de solubilité du chlorure d'argent.

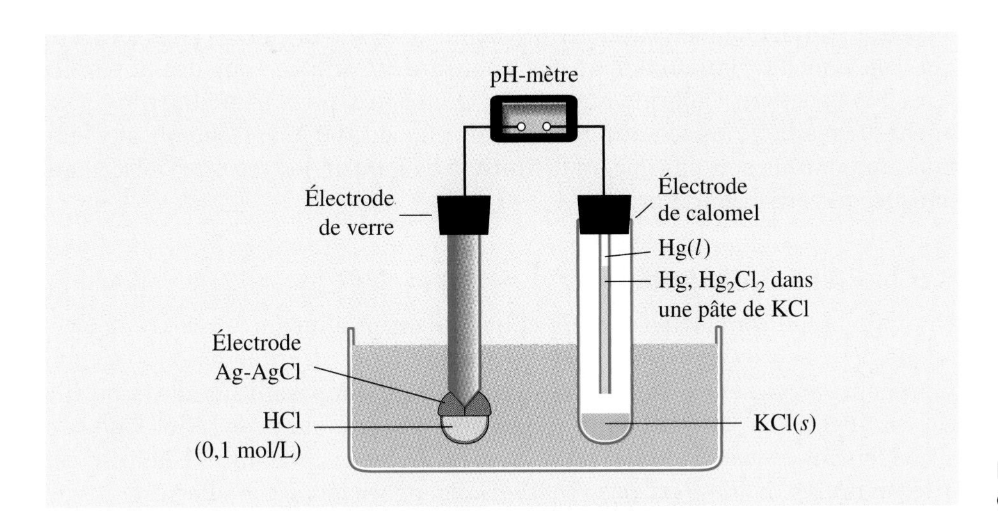

Figure 8.8 Schéma des électrodes dans un pH-mètre.

8.4.4 ÉLECTRODES À IONS SPÉCIFIQUES

L'équation de Nernst met en relation le potentiel d'une pile électrochimique et la concentration des réactifs et des produits. C'est pourquoi on peut déterminer la concentration d'un type particulier d'ions en mesurant le potentiel d'une pile par l'intermédiaire d'une électrode sensible à des ions spécifiques. L'exemple le plus simple d'une telle électrode est l'électrode de verre, qui consiste en une mince membrane de verre contenant une solution diluée d'acide chlorhydrique, $HCl(aq)$, de concentration connue (solution de référence) ainsi qu'un fil d'argent recouvert de chlorure d'argent, AgCl (*figure 8.8*). Lorsque cette électrode est immergée dans une autre solution contenant des ions H^+, le potentiel établi sur le fil d'argent varie, car des ions H^+ sont alors échangés par l'intermédiaire de la membrane. La mesure du potentiel permet ainsi de déterminer la concentration des ions H^+ et, par conséquent, le pH. En fait, le pH-mètre auquel on a fait référence au chapitre 6 mesure des potentiels. Il comprend trois éléments :

- une électrode standard, une électrode de calomel par exemple, formée de mercure, de chlorure de mercure(I), Hg_2Cl_2, et saturée de chlorure de potassium;
- une électrode de verre;
- un potentiomètre, qui indique la valeur du potentiel entre les deux électrodes.

Un modèle de pH-mètre pourrait donc être représenté par la cellule électrochimique suivante.

$$Ag(s)\,|\,AgCl(s), HCl(aq;\,1{,}0\text{ mol/L})\left|\begin{array}{c}\text{membrane}\\\text{de verre}\end{array}\right|\left|\begin{array}{c}\text{solution}\\\text{inconnue}\end{array}\right|Hg_2Cl_2(s), KCl(sat), Hg(l)$$

De nos jours, on trouve de plus en plus souvent, dans les pH-mètres, une électrode comprenant à la fois l'électrode de verre et celle de référence.

Il existe un très grand nombre d'électrodes à ions spécifiques semblables à l'électrode de verre, c'est-à-dire fondées sur le déplacement d'ions à travers une membrane. Elles permettent, à partir de la différence de potentiel, de mesurer directement la concentration d'ions tels Na^+, K^+, Pb^{2+}, Ca^{2+}, Cl^-, Br^-, CN^- et S^{2-}. Quelques-unes de ces électrodes sont illustrées à la figure 8.9.

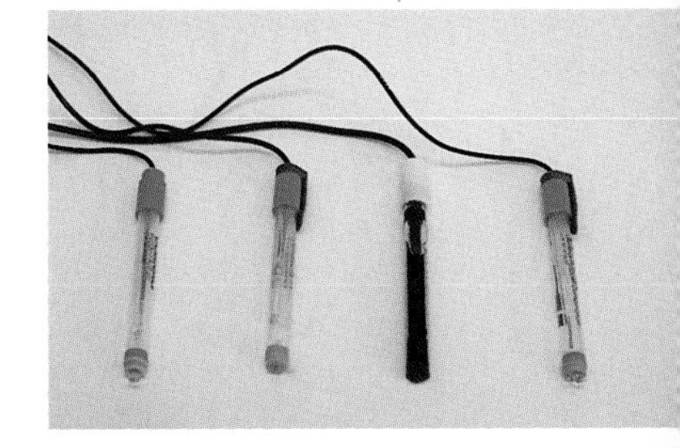

Figure 8.9 Électrodes à ions spécifiques. De gauche à droite,
- électrode de verre;
- électrode de référence (Calomel);
- électrode ionique spécifique (fluorures);
- électrodes combinées (verre et Calomel).

8.5 PILES SÈCHES, BATTERIES ET PILES À COMBUSTIBLE

Les piles sèches et les batteries d'accumulateurs ont amélioré considérablement notre vie quotidienne, car on les retrouve dans une foule d'appareils : lampe de poche, radio, montre-bracelet, automobile. L'ensemble de ces piles forme ce que l'on appelle communément des **accumulateurs**; ce sont des appareils qui emmagasinent l'énergie électrique. Quant aux piles à combustible auxquelles travaillent les scientifiques depuis plus de 150 ans, il semble que leur mise au point ne soit pas encore définitive, bien qu'on les retrouve désormais dans les navettes spatiales.

Accumulateur : appareil stockant l'énergie électrique sous forme chimique et pouvant la restituer sous forme de courant électrique.

8.5.1 PILES PRIMAIRES

Une pile sèche convertit l'énergie chimique en produisant un courant électrique. Elle se distingue des piles électrochimiques décrites dans la section précédente en ce sens qu'elle ne renferme pas de composant liquide et qu'elle est confinée dans un contenant qui ne nécessite pas de pont salin. Une pile sèche fournit un courant électrique continu de façon constante. Une **pile** est dite **primaire** si elle n'est pas rechargeable, et secondaire si elle l'est.

Pile primaire : pile électrochimique qui produit du courant électrique à partir d'une réaction d'oxydoréduction, mais qui ne peut faire l'inverse; elle n'est pas rechargeable.

PILE LECLANCHÉ

La pile sèche la plus connue, celle que l'on retrouve dans la lampe de poche, fut inventée en 1877 par **Leclanché**. Cette pile, dont une représentation simplifiée est donnée à la figure 8.10, comprend une tige de carbone (graphite) qui joue le rôle de cathode et une enveloppe de zinc qui joue le rôle d'anode.

GEORGES LECLANCHÉ (1839-1882)
Ingénieur français. En 1877, il mit au point la pile sèche qui porte son nom.

La tige de carbone est située au centre de la pile, là où se produit la réduction. L'électrolyte est constitué d'une pâte humide de dioxyde de manganèse, MnO_2, de noir de carbone et de chlorure d'ammonium, NH_4Cl, dans laquelle la tige de carbone est immergée. Les réactions qui s'y déroulent sont complexes.

$$2MnO_2(s) + H_2O(l) + 2e^- \longrightarrow Mn_2O_3(s) + 2OH^-(aq) \qquad E^0 = +0{,}74\ V$$

Une réaction acido-basique se produit entre les ions ammonium, NH_4^+, provenant du chlorure d'ammonium et les ions OH^-, ce qui forme de l'ammoniac.

$$NH_4^+(aq) + OH^-(aq) \longrightarrow NH_3(g) + H_2O(l)$$

À son tour, l'ammoniac forme un complexe avec les ions Zn^{2+} provenant de l'oxydation du zinc.

$$2NH_3(g) + Zn^{2+}(aq) + 2Cl^-(aq) \longrightarrow [Zn(NH_3)_2]Cl_2(s)$$

Quant à l'enveloppe de zinc, qui joue le rôle d'anode, elle s'oxyde en ions zinc, Zn^{2+}.

$$Zn(s) \longrightarrow Zn^{2+}(aq) + 2e^- \qquad E^0 = +0{,}762\ V$$

En faisant la somme des potentiels des demi-réactions, on constate que le voltage de la pile est d'environ 1,50 V.

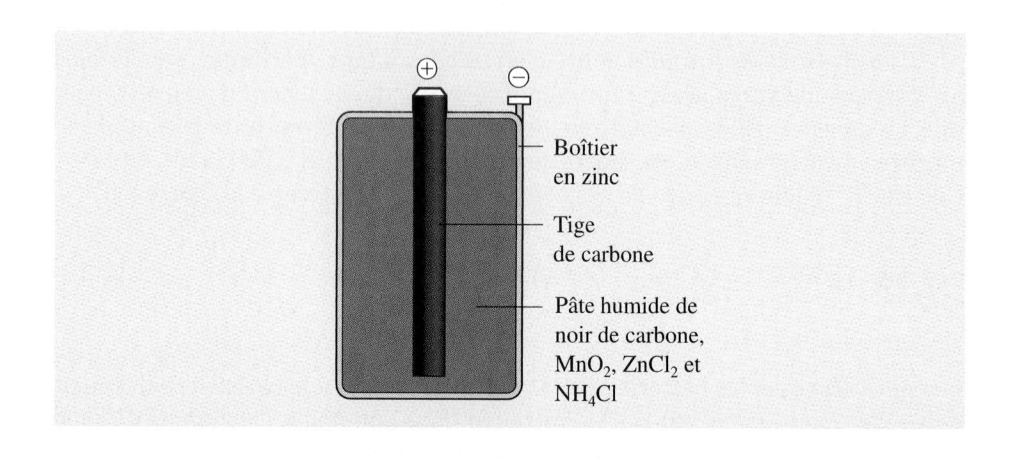

Figure 8.10 Schéma d'une pile sèche Leclanché.

PILE AU MERCURE

La pile au mercure alimente certains appareils utilisés en médecine (les stimulateurs cardiaques et les appareils auditifs) et en électronique (les ordinateurs et les caméras). Elle fournit un voltage constant et précis. Cette pile est constituée d'un boîtier en acier inoxydable renfermant une anode de zinc amalgamée en contact avec un électrolyte pâteux formé d'oxyde de mercure(II), HgO, d'oxyde de zinc, ZnO, et d'hydroxyde de potassium, KOH.

La réaction cathodique est la réduction de l'oxyde de mercure(II).

$$HgO(s) + H_2O(l) + 2e^- \longrightarrow Hg(l) + 2OH^-(aq) \qquad E^0 = +0{,}0977\ V$$

L'oxydation se déroule à l'électrode de zinc.

$$Zn(Hg)(s) + 2OH^-(aq) \longrightarrow ZnO(s) + H_2O(l) + 2e^- \qquad E^0 = -1{,}260\ V$$

PILE ZINC-ARGENT

La pile zinc-argent ressemble beaucoup à la pile au mercure. L'anode est en effet constituée de zinc, et la réaction suivante s'y déroule.

$$Zn(s) + 2OH^-(aq) \longrightarrow ZnO(s) + H_2O(l) + 2e^-$$

La réduction se produit à la cathode d'argent.

$$Ag_2O(s) + H_2O(l) + 2e^- \longrightarrow 2Ag(s) + 2OH^-(aq)$$

L'avantage de cette pile provient du fait que la quantité d'électrolyte nécessaire est très faible, car la réaction globale ne met en jeu aucun ion.

EXERCICE 8.14

Écrivez l'équation globale des piles suivantes.

a) Pile au mercure b) Pile zinc-argent

PILE AU LITHIUM

La dernière venue des piles primaires est la pile au lithium, l'agent réducteur le plus puissant. Une pile au lithium qui alimente une montre-bracelet au quartz peut durer jusqu'à cinq ans. Le schéma d'une telle pile est le suivant.

$$Li(s)\,|\,LiCl(SOCl_2)\,||\,MnO_2(s),\ Mn_2O_3(s)\,|\,Fe(s)$$

Une pile au lithium ne peut tolérer la présence d'eau, car la réaction serait brutale; c'est pourquoi le solvant utilisé est le chlorure de thionyle, $SOCl_2$.

Pile secondaire : pile électrochimique qui produit du courant électrique à partir d'une réaction d'oxydoréduction réversible; elle est rechargeable.

8.5.2 PILES SECONDAIRES

Les **piles secondaires** produisent du courant électrique à partir d'une réaction d'oxydoréduction réversible; elles sont rechargeables du fait que les produits des réactions adhèrent aux électrodes. Les plus connues sont certes la batterie d'accumulateurs au plomb employée comme source d'électricité dans les véhicules automobiles et la pile nickel-cadmium.

BATTERIE D'ACCUMULATEURS AU PLOMB

La batterie d'accumulateurs au plomb est utilisée dans les véhicules automobiles. Elle est en usage depuis 1915 environ et consiste en un assemblage de six piles raccordées en série, chacune ayant un potentiel de deux volts. Un schéma très simplifié est donné à la figure 8.11 pour une série de trois piles raccordées.

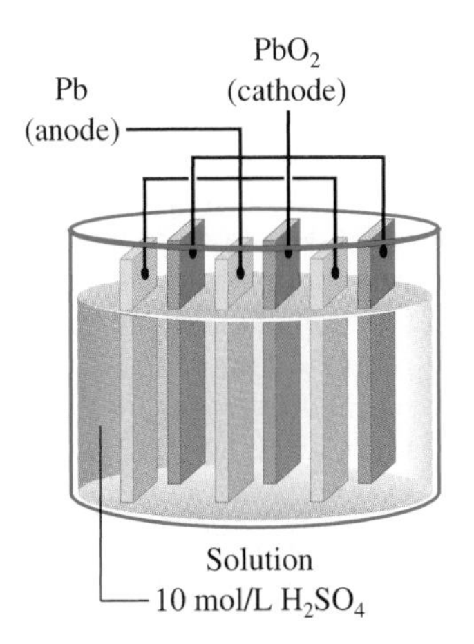

Figure 8.11 Schéma d'une batterie d'accumulateurs au plomb.

Chaque pile possède une anode de plomb où se déroule l'oxydation.

$$Pb(s) + SO_4^{2-}(aq) \longrightarrow PbSO_4(s) + 2e^- \qquad E^0 = +0{,}359\ V$$

CAPSULE CHIMIQUE

Les piles à combustible : l'avenir à nos portes...

On entend de plus en plus souvent parler des piles à combustible. Le développement de certaines d'entre elles constituerait probablement une solution efficace aux problèmes liés à l'utilisation des combustibles fossiles, en raison des dommages que ces derniers créent dans l'environnement.

La Necar est un véhicule électrique fonctionnant grâce à une pile à combustible.

Le combustible typique, l'hydrogène

Une cellule à combustible typique, comme celle qu'on retrouve dans les navettes spatiales, est fondée sur la réaction entre l'hydrogène moléculaire, H_2, le combustible, et l'oxygène moléculaire, O_2, l'oxydant. Les réactions anodique et cathodique sont les suivantes.

anode $2H_2(g) + 4OH^-(aq) \longrightarrow 4H_2O(l) + 4e^-$ $E^0 = +0{,}828$ V

cathode $O_2(g) + 2H_2O(l) + 4e^- \longrightarrow 4OH^-(aq)$ $E^0 = +0{,}401$ V

$2H_2(g) + O_2(g) \longrightarrow 2H_2O(l)$ $E^0 = +1{,}229$ V

L'hydrogène et l'oxygène moléculaires diffusent respectivement à travers l'anode et la cathode, lesquelles sont composées de carbone poreux imprégné de platine, qui sert de catalyseur. Les deux électrodes sont séparées par une solution concentrée d'hydroxyde de sodium, NaOH (*figure 1*). Le produit de la réaction, l'eau, présente l'avantage de pouvoir être consommé par les passagers.

Les combustibles fossiles

La pile fondée sur l'utilisation de combustibles fossiles n'en est encore qu'au stade expérimental. Dans le cas où du méthane, CH_4, est utilisé comme combustible, les demi-réactions en jeu sont les suivantes.

anode $CH_4(g) + 2H_2O(l) \longrightarrow CO_2(g) + 8H^+(aq) + 8e^-$

cathode $2O_2(g) + 8H^+(aq) + 8e^- \longrightarrow 4H_2O(l)$

$CH_4(g) + 2O_2(g) \longrightarrow CO_2(g) + 2H_2O(l)$

Le combustible air-aluminium

Dans la pile à combustible air-aluminium, l'oxydation se produit à une anode en aluminium, et la réduction, à une cathode poreuse de carbone dans laquelle l'air diffuse. Comme dans la pile à combustible hydrogène-oxygène, l'électrolyte est une solution concentrée d'hydroxyde de sodium, NaOH; l'oxygène de l'air sert d'oxydant.

anode $4Al(s) + 16OH^-(aq) \longrightarrow 4[Al(OH)_4]^-(aq) + 12e^-$ $E^0 = 2{,}328$ V

cathode $3O_2(g) + 6H_2O(l) + 12e^- \longrightarrow 12OH^-(aq)$ $E^0 = +0{,}401$ V

$4Al(s) + 3O_2(g) + 4OH^-(aq) + 6H_2O(l) \longrightarrow 4[Al(OH)_4]^-(aq)$ $E^0 = +0{,}401$ V

Avantages et inconvénients

Le rendement des piles à combustible peut être assez élevé (de 40 % à 80 %), mais les vitesses de réaction sont faibles, ce qui a diminué le rythme de développement de ces générateurs d'énergie. Récemment, les développements les plus importants ont été envisagés en fonction des systèmes à électrodes de platine et à acide phosphorique (175 °C) et des systèmes à électrodes de nickel et d'argent et à solution d'hydroxyde de potassium, KOH (80 °C).

Le poids des piles présente un autre problème pratique : une pile de 250 kg, comme celle que l'on trouve à bord des véhicules spatiaux, n'est pas utilisable comme source portable de courant. Les recherches récentes portent donc sur la conception de piles à rapport puissance/poids élevé.

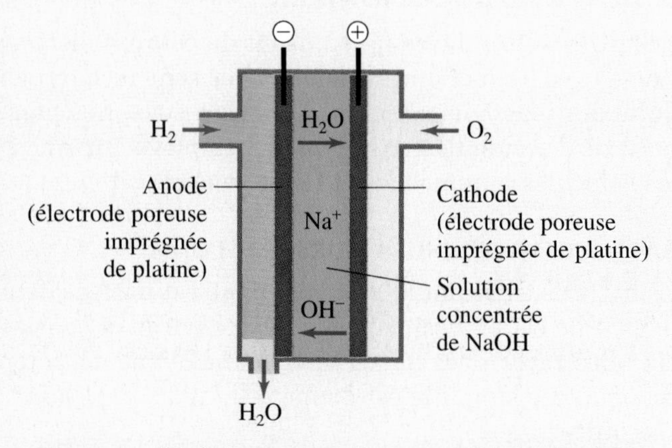

Figure 1 Schéma d'une pile à combustible hydrogène-oxygène.

Par contre, en tant que source d'énergie non portable, ces piles sont utiles. À New York, par exemple, il existe une centrale électrique alimentée en hydrogène-oxygène, prévue pour subvenir aux fortes demandes d'électricité. L'hydrogène nécessaire provient de la réaction de décomposition du méthane contenu dans le gaz naturel.

$$CH_4(g) + H_2O(g) \longrightarrow CO(g) + H_2(g)$$

L'avenir appartient peut-être (mais cela reste à voir) aux systèmes de piles à combustible naturel, comme celles des poissons électriques, les gymnotes, d'Amérique du Sud : la charge électrique est produite par un ensemble de piles biologiques alimentées par la nourriture, dont chacune génère environ 0,15 V. Un gymnote de 1 m peut ainsi produire une différence de potentiel d'environ 350 V. La tête du poisson constitue la cathode, tandis que sa queue forme l'anode. La nature présente souvent des curiosités; en effet, le poisson-chat électrique est de polarité inverse...

La cathode est formée de plomb imprégné de dioxyde de plomb, PbO_2; la réduction suivante s'y produit.

$$PbO_2(s) + 4H^+(aq) + SO_4^{2-}(aq) + 2e^- \longrightarrow PbSO_4(s) + 2H_2O(l) \quad E^0 = +1{,}691 \text{ V}$$

Les électrodes trempent dans une solution contenant 10 mol/L d'acide sulfurique, H_2SO_4.

Si elle est de bonne qualité, une telle batterie peut débiter jusqu'à 650 ampères durant de brèves périodes, ce qui suffit normalement pour faire démarrer un moteur. Lorsque le moteur est en marche, les réactions inverses se produisent et la batterie se recharge.

L'ordinateur portatif tire son énergie électrique d'une pile nickel-cadmium.

PILE NICKEL-CADMIUM

Dans une pile rechargeable nickel-cadmium, les électrodes sont enroulées les unes sur les autres dans une sorte de gelée et sont séparées par une couche humide d'hydroxyde de potassium, KOH. Les réactions suivantes se produisent.

anode $Cd(s) + 2OH^-(aq) \longrightarrow Cd(OH)_2(s) + 2e^- \quad E^0 = +0{,}809 \text{ V}$

cathode $NiO_2(s) + 2H_2O(l) + 2e^- \longrightarrow Ni(OH)_2(s) + 2OH^-(aq) \quad E^0 = +0{,}490 \text{ V}$

La plupart des appareils électroniques portables sont équipés de ce type de piles.

EXERCICE 8.15

Calculez le voltage des pile et batterie suivantes :

a) une batterie d'accumulateurs au plomb formée de six piles connectées en série dans lesquelles les concentrations sont dans les conditions standard;

b) une pile nickel-cadmium.

8.5.3 PILES À COMBUSTIBLE

Une **pile à combustible** est une pile électrochimique dans laquelle les réactifs sont continuellement consommés. La réaction convertit l'énergie chimique en électricité, mais le courant cesse de circuler dès que la réaction n'est plus alimentée. À cet égard, une telle pile n'a pas les limites de capacité d'une pile primaire, mais elle ne peut emmagasiner l'énergie comme le fait une pile secondaire. De ce point de vue, une pile à combustible est davantage un convertisseur d'énergie, comme un moteur, qu'une batterie.

Pile à combustible : pile électrochimique dont l'alimentation en combustibles (oxydant et réducteur) est continue.

Toutes les cellules à combustible développées à ce jour utilisent le même oxydant, l'oxygène moléculaire, O_2, soumis à la réduction. Le combustible qui a permis la mise au point des premières piles en usage maintenant dans les navettes spatiales est l'hydrogène moléculaire, H_2. La réaction d'oxydoréduction qui se déroule dans ces piles est la suivante.

$$2H_2(g) + O_2(g) \longrightarrow 2H_2O(l)$$

D'autres combustibles servent, depuis, à de nouveaux développements, notamment le méthane, CH_4, principal composant du gaz naturel. (*Voir aussi la Capsule chimique « Les piles à combustible : l'avenir à nos portes... ».*)

$$CH_4(g) + 2O_2(g) \longrightarrow CO_2(g) + 2H_2O(l)$$

Plus récemment, une pile à combustible, dite pile à air, a été testée pour faire rouler éventuellement des véhicules automobiles. L'oxygène de l'air alimente la pile, qui « brûle » des copeaux d'aluminium.

$$4Al(s) + 3O_2(g) + 4OH^-(aq) + 6H_2O(l) \longrightarrow 4[Al(OH)_4]^-(aq)$$

8.6 ÉLECTROLYSE

Toutes les piles présentées jusqu'à maintenant transforment l'énergie chimique en électricité; la réaction se produit alors dans une cellule dite électrochimique. Un autre type de pile, non galvanique ou voltaïque, emploie l'électricité pour produire une réaction d'oxydoréduction non spontanée, l'**électrolyse**. Pour que se produise une transformation chimique dans une cellule électrolytique, le potentiel appliqué doit être supérieur à celui de la pile.

Électrolyse : processus par lequel le passage du courant électrique à travers une solution ou un composé en fusion entraîne une réaction chimique non spontanée.

$$E_{\text{appliqué}} > E_{\text{pile}} \Rightarrow \text{électrolyse}$$

Dans la pile zinc-cuivre de la figure 8.3, nous avons vu que le zinc était oxydé et les ions cuivre(II), réduits.

$$Zn(s) + Cu^{2+}(aq) \longrightarrow Zn^{2+}(aq) + Cu(s) \qquad E° = 1{,}10 \text{ v}$$

Supposons maintenant que cette cellule soit branchée à une source de courant dont le voltage est supérieur à 1,10 V; dans ce cas, les électrons doivent circuler vers l'électrode de zinc et, par le fait même, se combiner aux ions Zn^{2+}, qui subissent alors la réduction. À l'inverse, le cuivre métallique est oxydé. La pile devient alors une cellule électrolytique.

cathode	$Zn^{2+}(aq) + \cancel{2e^-} \longrightarrow Zn(s)$	réduction
anode	$Cu(s) \longrightarrow Cu^{2+}(aq) + \cancel{2e^-}$	oxydation

$$Cu(s) + Zn^{2+}(aq) \xrightarrow{\text{électrolyse}} Cu^{2+}(aq) + Zn(s)$$

L'électrolyse de l'eau contenant une petite quantité d'un électrolyte comme H_2SO_4 produit des bulles d'oxygène moléculaire à l'anode et un volume double d'hydrogène moléculaire à la cathode. L'équation résumant cette réaction est la suivante.

$$2H_2O(l) \xrightarrow{\text{électricité}} 2H_2(g) + O_2(g)$$

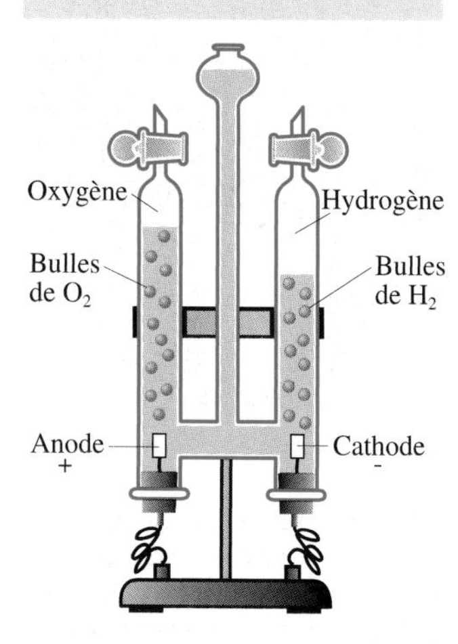

Figure 8.12 Schéma de l'électrolyse de l'eau.

L'électrolyse est possible à la condition que l'électrolyte soit fondu ou en solution, de sorte qu'il y ait déplacement des ions. La figure 8.13 représente une cuve à électrolyse. Si la cellule contient des ions Cu^{2+}, les électrons qui arrivent à la cathode provoquent la réduction de ces ions en cuivre métallique qui y adhèrent (la cathode n'est pas nécessairement en cuivre).

$$Cu^{2+}(aq) + 2e^- \longrightarrow Cu(s)$$

Les électrons quittent nécessairement la cellule par l'anode; si celle-ci est en cuivre, l'oxydation suivante s'y déroule.

$$Cu(s) \longrightarrow Cu^{2+}(aq) + 2e^-$$

Dans ce cas, le bilan global consiste à transférer tout le cuivre de l'anode vers la cathode.

Dans cette section, nous traiterons de l'aspect quantitatif associé à l'électrolyse et de quelques procédés industriels mettant en jeu ce procédé.

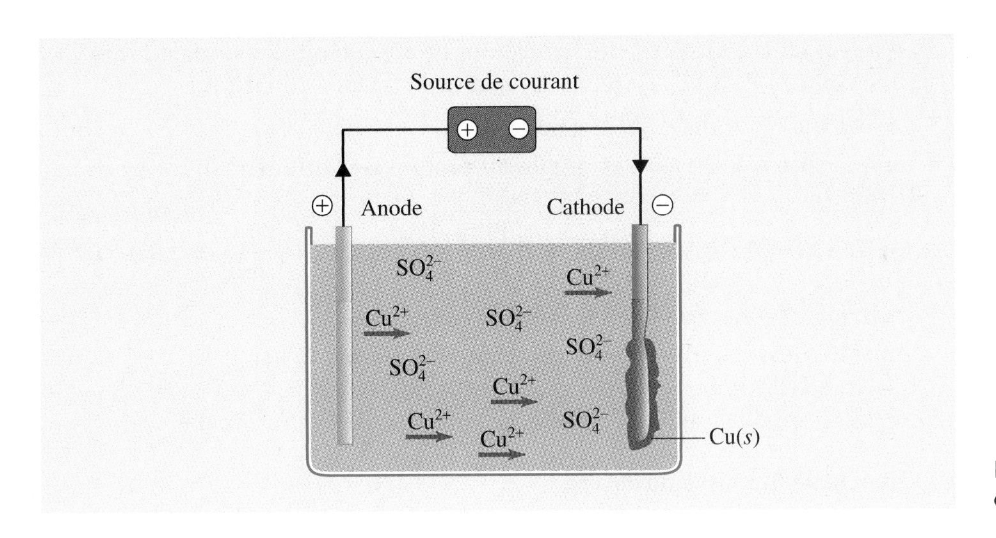

Figure 8.13 Schéma d'une cuve à électrolyse.

8.6.1 ASPECTS QUANTITATIFS DE L'ÉLECTROLYSE

C'est à **Faraday** que l'on doit les lois de l'électrolyse, c'est-à-dire la détermination de la relation entre la quantité d'électricité qui passe dans une cellule électrolytique et la quantité de matière qui se dépose sur les électrodes. Les réactions d'électrolyse sont régies par les coefficients stœchiométriques qui affectent les équations chimiques, mais il faut introduire un autre facteur qui tient compte de la quantité d'électricité en jeu. Ce facteur est le **faraday** (F), et il correspond à la charge associée à une mole d'électrons, soit 96 485 coulombs (C), valeur fréquemment arrondie à 96 500 C.

Faraday : charge de 96 485 coulombs (C), équivalant au passage d'une mole d'électrons.

$$1\text{ F} = 1\text{ mol e}^- = 96\,485\text{ C}$$

Ainsi, lors de l'électrolyse du chlorure de sodium fondu, NaCl, le passage de un faraday (96 485 C) formera une mole de sodium métallique.

$$Na^+(l) + 1e^- \longrightarrow Na(l)$$

$Na^+(l)$	$1e^-$	$Na(l)$
1 ion	1 électron	1 atome
1 mol	1 mol (96 485 C)	1 mol

Or, le plus souvent, ce n'est pas la charge électrique, Q, qui est mesurée, mais le courant électrique, I. Un ampère, A, de courant électrique correspond au passage d'une charge de un coulomb, C, par seconde dans un circuit électrique.

$$Q = It \Rightarrow 1\text{ C} = 1\text{ A} \times 1\text{ s} \quad \text{ou} \quad 1\text{ A} = \frac{1\text{ C}}{1\text{ s}}$$

C'est pourquoi on peut utiliser la relation suivante pour mesurer la quantité d'électricité (nombre de moles d'électrons) en jeu dans une réaction d'électrolyse.

$$\text{nombre de moles d'électrons} = I\left(\frac{\text{C}}{\text{s}}\right) \times t\text{ (s)} \times \frac{1\text{ mol e}^-}{96\,485\text{ C}}$$

Ainsi, lors de calculs effectués pour déterminer la masse de substance formée par électrolyse, le cheminement des conversions sera le suivant.

ampère ⟶ coulomb ⟶ mol d'électrons (nombre de F) ⟶ mol de substance ⟶ masse de substance

MICHAEL FARADAY (1791-1867)
Chimiste et physicien britannique. Il découvrit non seulement les lois de l'électrolyse, mais aussi celles de l'induction électromagnétique; il fut l'inventeur de la dynamo et découvrit le benzène.

EXEMPLE 8.14

On procède à l'électrolyse d'une solution aqueuse d'un sel de cuivre(II), laquelle forme du cuivre métallique.

$$Cu^{2+}(aq) + 2e^- \longrightarrow Cu(s)$$

On veut connaître la masse de cuivre qui se dépose sur l'électrode lorsqu'un courant continu de 1,60 A circule dans la cuve durant 30 minutes.

1° On calcule la quantité d'électricité (C).

La quantité d'électricité est égale au produit de l'intensité du courant par le temps.

$$Q = It \Rightarrow Q = 1{,}60\ \text{A} \times 30\ \text{min} = \frac{1{,}60\ \text{C}}{\cancel{\text{s}}} \times 30{,}0\ \cancel{\text{min}} \times \frac{60\ \cancel{\text{s}}}{1\ \cancel{\text{min}}} = 2{,}88 \times 10^3\ \text{C}$$

2° On calcule le nombre de moles d'électrons.

On sait que 1 mol d'électrons correspond à 96 485 C, soit 1 F.

$$\text{mol e}^- = 2{,}88 \times 10^3\ \cancel{\text{C}} \times \frac{1\ \text{mol e}^-}{96\,485\ \cancel{\text{C}}} = 2{,}98 \times 10^{-2}\ \text{mol e}^-$$

3° On calcule la masse de cuivre.

Lors de l'électrolyse de la solution, il faut **2** mol d'électrons (2 F) pour que se dépose **1** mol de cuivre métallique, d'après l'équation de réduction. Il faut donc introduire ce facteur de conversion ainsi que celui qui établit le rapport entre 1 mol de cuivre et sa masse atomique.

$$\text{masse de Cu} = 2{,}98 \times 10^{-2}\ \cancel{\text{mol e}^-} \times \frac{1\ \cancel{\text{mol Cu}}}{2\ \cancel{\text{mol e}^-}} \times \frac{63{,}55\ \text{g Cu}}{1\ \cancel{\text{mol Cu}}} = 0{,}948\ \text{g}$$

- Il se dépose à la cathode **0,948 g** de cuivre.

On peut résumer en une seule étape la série de calculs précédents.

$$\text{masse de Cu} = \frac{1{,}60\ \cancel{\text{C}}}{\cancel{\text{s}}} \times 30{,}0\ \cancel{\text{min}} \times \frac{60\ \cancel{\text{s}}}{1\ \cancel{\text{min}}} \times \frac{1\ \cancel{\text{mol e}^-}}{96\,485\ \cancel{\text{C}}} \times \frac{1\ \cancel{\text{mol Cu}}}{2\ \cancel{\text{mol e}^-}} \times \frac{63{,}55\ \text{g Cu}}{1\ \cancel{\text{mol Cu}}}$$
$$= 0{,}948\ \text{g}$$

EXERCICE 8.16

Calculez la masse d'argent qui se dépose à la cathode lors de l'électrolyse d'une solution de nitrate d'argent, $AgNO_3$, lorsqu'un courant de 0,850 A y circule durant une heure et demie.

$$Ag^+(aq) + 1e^- \longrightarrow Ag(aq)$$

8.6.2 PROCÉDÉS INDUSTRIELS ET ÉLECTROLYSE

Un grand nombre de substances sont préparées par électrolyse dans l'industrie chimique. C'est le cas notamment de l'hydroxyde de sodium et du chlore moléculaire obtenus par le procédé chlor-alcali, ainsi que de l'aluminium, dont la production est très importante au Québec. L'électroaffinage et l'électroplacage des métaux sont aussi réalisés par électrolyse.

PRÉPARATION DU CHLORE MOLÉCULAIRE ET DE L'HYDROXYDE DE SODIUM

L'électrolyse du chlorure de sodium fondu, $NaCl(l)$, donne du sodium métallique, Na, à la cathode et du chlore moléculaire gazeux, Cl_2, à l'anode, puisque les seules espèces chimiques présentes au départ sont les ions Na^+ et Cl^-.

$$2Na^+(l) + 2e^- \longrightarrow 2Na(l) \quad \text{réduction}$$
$$2Cl^-(l) \longrightarrow Cl_2(g) + 2e^- \quad \text{oxydation}$$

L'équation globale est donc la suivante.

$$2Na^+(l) + 2Cl^-(l) \longrightarrow 2Na(l) + Cl_2(g)$$

L'électrolyse d'une solution aqueuse concentrée de chlorure de sodium, NaCl, forme aussi du chlore moléculaire à l'anode. À la cathode, toutefois,

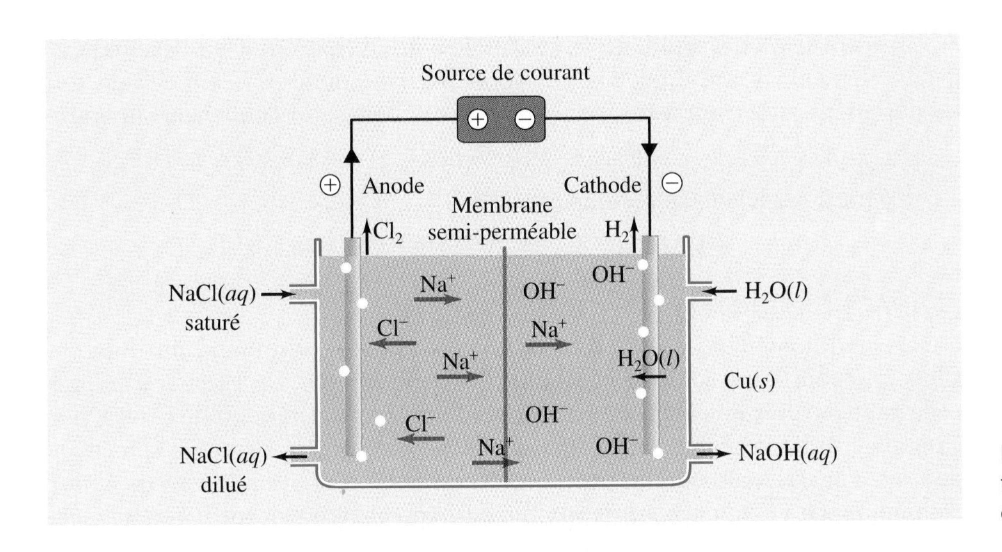

Figure 8.14 Représentation simplifiée du procédé chlor-alcali.

c'est de l'hydrogène moléculaire, H_2, qui se dégage. Il est en effet beaucoup plus facile de réduire H_2O (E^0 = –0,828 V) que les ions Na^+ (E^0 = –2,71 V).

$$2H_2O(l) + 2e^- \longrightarrow 2OH^-(aq) + H_2(g) \quad \text{réduction}$$

L'équation globale, dans ce cas, est donc la suivante.

$$2Cl^-(aq) + 2H_2O(l) \longrightarrow Cl_2(g) + H_2(g) + 2OH^-(aq)$$

Cette électrolyse, connue sous le nom de procédé chlor-alcali, est schématisée à la figure 8.14. Elle est réalisée de façon que les ions OH^- et l'hydrogène moléculaire produits à la cathode soient séparés du chlore moléculaire formé à l'anode. Cette séparation est possible grâce à une membrane de polymère greffée sur une grille de téflon. Une telle membrane, porteuse de groupes chargés négativement ($-SO_3^-$), laisse passer les ions Na^+ qui migrent vers la cathode, mais repousse les ions Cl^-.

PRODUCTION D'ALUMINIUM

La production de l'aluminium à l'échelle industrielle remonte à la fin du XIXe siècle. Elle fut mise au point par **Hall** et **Héroult** qui, curieusement, sont nés et sont morts en même temps et ont réalisé leurs travaux indépendamment l'un de l'autre. L'électrolyse est réalisée à une température d'environ 1000 °C, à partir d'un mélange fondu d'oxyde d'aluminium (alumine), Al_2O_3, et de cryolite, Na_3AlF_6. La réduction se produit à la cathode formée d'une couche de carbone tapissant un réservoir métallique (*figure 8.15*).

$$AlF_6^{3-}(l) + 3e^- \longrightarrow Al(l) + 6F^-(l)$$

CHARLES MARTIN HALL
(1863-1914)
Chimiste américain. En 1886, il a inventé, indépendamment de Héroult, le procédé industriel moderne pour obtenir l'aluminium par électrolyse.

PAUL LOUIS HÉROULT
(1863-1914)
Métallurgiste français. Il a inventé, en 1886, le procédé électrolytique moderne pour obtenir l'aluminium, indépendamment de Hall.

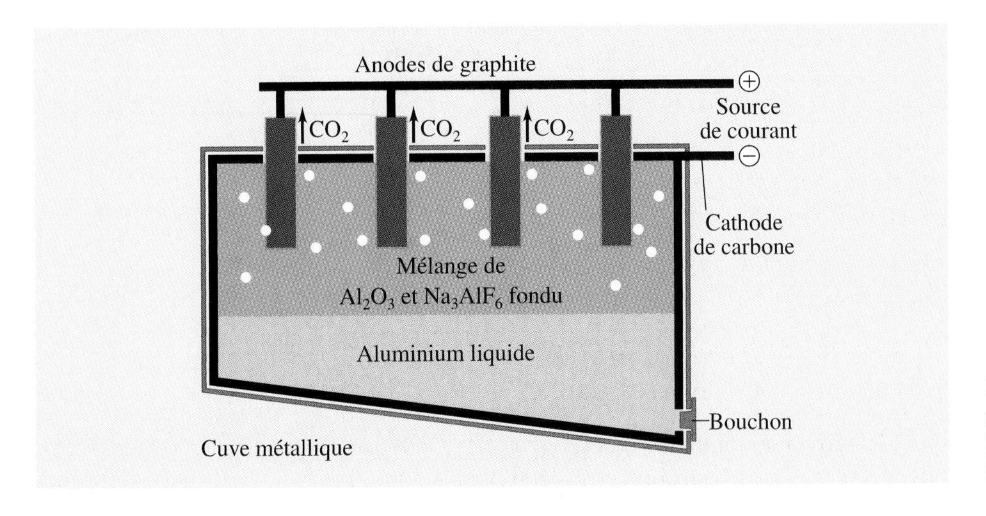

Figure 8.15 Schéma simplifié du procédé électrolytique de production de l'aluminium.

Les anodes, en graphite, sont soumises à l'oxydation et se désagrègent graduellement; il faut donc les remplacer périodiquement. Les réactions qui s'y déroulent, très complexes, peuvent être résumées par l'équation suivante.

$$2Al_2OF_6^{2-}(l) + 12F^-(l) + C(s) \longrightarrow CO_2(g) + 4AlF_6^{3-}(l) + 4e^-$$

L'équation globale se résume ainsi.

$$2Al_2O_3(l) + 3C(s) \longrightarrow 4Al(l) + 3CO_2(g)$$

AFFINAGE DES MÉTAUX

L'électroaffinage d'un métal consiste à laisser déposer du métal pur à la cathode à partir d'une solution contenant l'ion métallique. On recourt à ce procédé pour purifier un métal à partir de son minerai. Un minerai de cuivre, par exemple, contient généralement d'importantes impuretés de fer, de zinc, d'argent et d'or. La méthode de purification consiste à utiliser le cuivre impur comme anode et du cuivre pur comme cathode et d'immerger les deux électrodes dans une solution d'acide sulfurique, H_2SO_4, contenant des ions Cu^{2+} (*figure 8.16*). Le zinc et le fer métallique sont oxydés par les ions hydrogène, H^+, du fait que leur potentiel de réduction est inférieur à celui du couple H^+/H_2. Ces métaux passent alors en solution sous forme d'ions Zn^{2+} et Fe^{2+}.

$$2H^+(aq) + 2e^- \longrightarrow H_2(g) \qquad E^0 = 0,000 \text{ V}$$
$$Fe^{2+}(aq) + 2e^- \longrightarrow Fe(s) \qquad E^0 = -0,447 \text{ V}$$
$$Zn^{2+}(aq) + 2e^- \longrightarrow Zn(s) \qquad E^0 = -0,762 \text{ V}$$

Par contre, les métaux précieux, l'or et l'argent, ne sont pas oxydés dans ces conditions, le potentiel de leur demi-réaction de réduction étant supérieur à celui du couple H^+/H_2.

$$Ag^+(aq) + 1e^- \longrightarrow Ag(s) \qquad E^0 = +0,800 \text{ V}$$
$$Au^{3+}(aq) + 3e^- \longrightarrow Au(s) \qquad E^0 = +1,498 \text{ V}$$

Sous l'effet d'un faible voltage, les ions Cu^{2+} migrent vers la cathode, sur laquelle ils se déposent au moment de leur réduction, et le cuivre métallique de l'anode se transforme en ion cuivre, Cu^{2+}, pour maintenir l'électroneutralité de la solution.

anode $Cu(s) \longrightarrow Cu^{2+}(aq) + 2e^-$
cuivre impur

cathode $Cu^{2+}(aq) + 2e^- \longrightarrow Cu(s)$
cuivre pur

Ainsi, l'anode se désagrège progressivement : les ions Zn^{2+} et Fe^{2+} demeurent en solution (à moins que l'on n'augmente le voltage), tandis que l'or

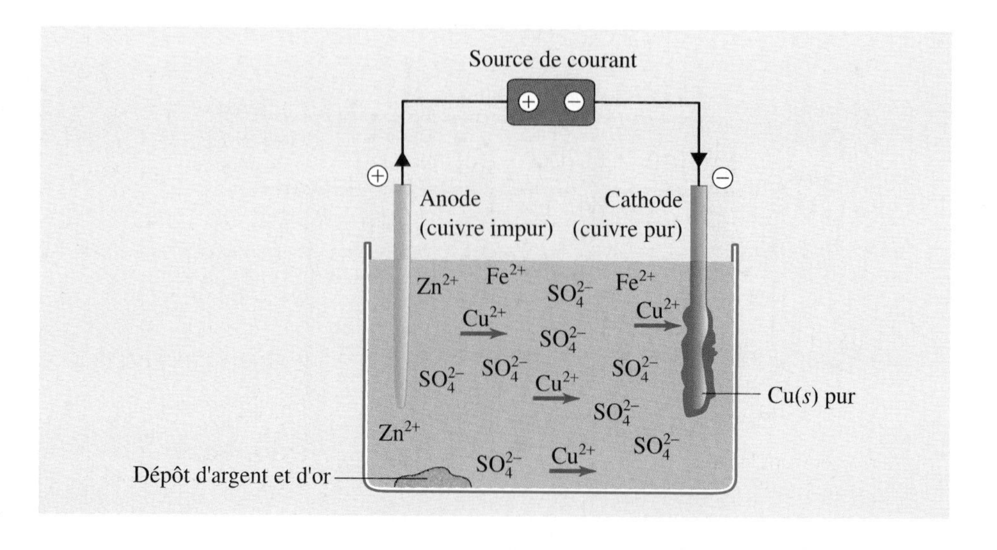

Figure 8.16 Schéma électrolytique de l'affinage du cuivre.

CAPSULE CHIMIQUE

La corrosion : une oxydation qui fait bien des ravages !

Les réactions de corrosion sont des oxydoréductions au cours desquelles le métal est attaqué par une substance présente dans l'environnement et est converti en produit non désiré. Le processus de corrosion le plus familier est certainement la formation de la rouille. C'est un phénomène coûteux sur le plan économique, puisque environ 20 % de la production annuelle de fer sert à remplacer les objets détruits par la rouille.

La corrosion du fer requiert de l'oxygène et de l'eau; en effet, si l'oxygène est absent, le fer ne rouillera pas dans l'eau. Certains facteurs peuvent accélérer la réaction, comme l'accroissement de l'acidité, la présence de sels ou le contact avec des métaux plus difficiles à oxyder.

Potentiels de réduction en jeu et mécanisme de formation

Dans les conditions standard, le potentiel du couple $H_2O/H_2, OH^-$ est égal à –0,83 V et, à pH 7, il est de –0,42 V; celui du couple Fe^{2+}/Fe est presque identique, à –0,45 V. Par conséquent, le fer n'a que très faiblement tendance à être oxydé par l'eau pure, à pH 7.

$$2H_2O(l) + 2e^- \longrightarrow H_2(g) + 2OH^-(aq)$$
$$E^0 = -0{,}42 \text{ V (pH 7)}$$

$$Fe(s) \longrightarrow Fe^{2+}(aq) + 2e^-$$
$$E^0 = -0{,}45 \text{ V}$$

Il est ainsi possible de fabriquer des canalisations en fer pour l'eau courante, car le fer peut être conservé dans de l'eau exempte d'oxygène sans rouiller. Par contre, si le métal est exposé à de l'air humide, il y a présence simultanée d'oxygène et d'eau, et il faut tenir compte de la demi-réaction suivante :

$$O_2(g) + 4H^+(aq) + 4e^- \longrightarrow 2H_2O(l)$$
$$E^0 = +1{,}23 \text{ V (conditions standard)}$$

ou encore de celle-ci :

$$O_2(g) + 2H_2O(l) + 4e^- \longrightarrow 4OH^-(aq)$$
$$E^0 = +1{,}23 \text{ V (conditions standard)}$$

L'étain recouvrant le fer des boîtes de conserve les empêche de rouiller.

À pH 7, le potentiel d'électrode de chacune de ces réactions est de +0,81 V (+1,23 dans les conditions standard), ce qui est nettement supérieur au potentiel du couple Fe^{2+}/Fe (+0,45 V), d'où l'oxydation du fer en rouille sous l'action combinée de l'eau et de l'oxygène.

L'oxydation du fer par corrosion (perte d'électrons) se produit en un point qui n'est pas en contact avec l'oxygène de l'air (souvent à un endroit dont la surface est irrégulière), et le métal se comporte comme l'anode d'une mini-cellule électrochimique. Les ions fer(II), Fe^{2+}, diffusent dans l'eau, rencontrent plus d'oxygène et sont oxydés en ions fer(III), Fe^{3+}, qui précipitent sous forme d'oxyde de fer(III) hydraté, $Fe_2O_3{\cdot}H_2O$, un composé insoluble et de couleur marron, appelé rouille. Plus l'eau contient d'ions dissous, plus la solution est conductrice, et plus la rouille se forme rapidement. C'est ce qui se produit avec les voitures lorsque le sel est utilisé l'hiver pour déglacer les routes, ou dans des régions côtières exposées à l'air salin de la mer.

Prévention de la rouille

Pour prévenir l'indésirable réaction d'oxydation, il faut empêcher la surface du métal d'être exposée à l'air (qui contient de l'oxygène moléculaire) et à l'eau. Une couche de peinture peut être une solution simple et efficace, de même que le placage avec une couche métallique d'étain, de chrome ou de zinc. Dans les deux premiers cas, les métaux sont oxydés et l'oxyde forme un recouvrement stable et efficace. Le zinc, quant à lui, agit différemment : il est un meilleur réducteur que le fer, et c'est lui qui est attaqué en premier. Par conséquent, le zinc est l'anode sacrifiée, parce que c'est la réaction dont le potentiel d'oxydation est le plus élevé.

$$Zn^{2+}(aq) + 2e^- \longrightarrow Zn(s)$$
$$E^0 = -0{,}76 \text{ V}$$

Les alliages peuvent aussi prévenir la corrosion; par exemple, l'acier inoxydable, fait de nickel et de chrome, a un potentiel standard dont la valeur (pour les couches d'oxydes) s'approche de celle des métaux nobles.

La galvanisation du fer est une méthode plus sophistiquée qui permet de recouvrir le métal d'un film de zinc, soit par électrodéposition, soit par trempage dans du zinc fondu. Comme le zinc est un réducteur plus fort, si une oxydation doit se produire, c'est avec lui qu'elle surviendra, et l'oxyde de zinc, un produit inaltérable et protecteur, se formera.

Mentionnons enfin que, pour de très gros équipements ne pouvant être galvanisés (ponts, bateaux), il existe la protection cathodique. Elle consiste à insérer dans la pièce à protéger un bloc de métal actif (zinc ou magnésium), et c'est ce dernier qui sera oxydé par l'oxygène, et non la pièce entière. Il en coûte moins cher de remplacer le bloc que l'équipement entier qu'il protège.

et l'argent se retrouvent au fond de la cellule électrolytique d'où ils sont récupérés lorsque l'électrolyse est terminée.

Une technique analogue est utilisée dans l'électroplacage (galvanoplastie), qui permet de protéger certains métaux de la corrosion. (*Voir la Capsule chimique « La corrosion : une oxydation que fait bien des ravages ! ».*) Le chromage (chrome), le nickelage (nickel), l'étamage (étain), l'argenture (argent) et la dorure (or) sont couramment utilisés dans la fabrication de machinerie lourde, dans la production de microcircuits ou pour « rajeunir » l'argenterie héritée des grands-parents.

LE CHAPITRE EN UN CLIN D'ŒIL

CARACTÉRISTIQUES DES RÉACTIONS D'OXYDORÉDUCTION

Oxydoréduction	Réaction de transfert d'électrons d'une espèce chimique à une autre.
Oxydation	Réaction d'une espèce chimique qui cède un ou des électrons.
Réduction	Réaction d'une espèce chimique qui capte un ou des électrons.
Oxydant	• Renferme l'atome qui est réduit. • Renferme l'atome dont le nombre d'oxydation diminue. • Constitue le capteur d'électrons.
Réducteur	• Renferme l'atome qui s'oxyde. • Renferme l'atome dont le nombre d'oxydation augmente. • Constitue le donneur d'électrons.

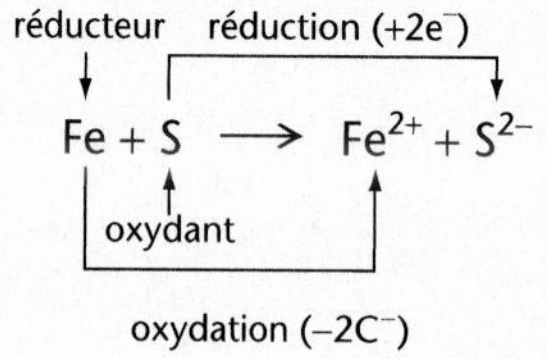

réducteur réduction $(+2e^-)$

$$Fe + S \longrightarrow Fe^{2+} + S^{2-}$$

oxydant

oxydation $(-2C^-)$

NOMBRE D'OXYDATION

Définition : Charge, souvent fictive, attribuée à un atome dans une espèce chimique.

RÈGLES D'ATTRIBUTION GÉNÉRALES

- L'atome le plus électronégatif porte généralement la charge négative.
- La somme des nombres d'oxydation est égale à la charge de l'espèce chimique.

RÈGLES D'ATTRIBUTION PAR ORDRE DÉCROISSANT

Atome élémentaire et corps simples	Métal alcalin	Métal alcalino-terreux	Oxygène (sauf peroxyde)	Fluor	Hydrogène (covalent)	Hydrogène (avec métal)
0	+1	+2	−2 (−1)	−1	+1	−1

Exemples

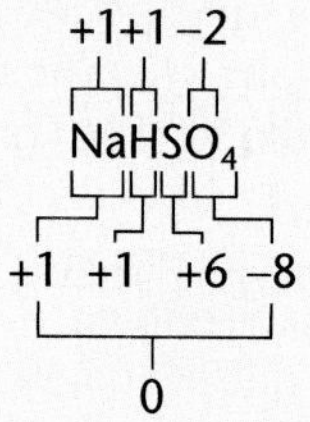

+1 +1 −2
$NaHSO_4$
+1 +1 +6 −8
0

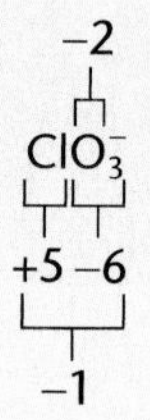

−2
ClO_3^-
+5 −6
−1

ÉQUILIBRAGE DES RÉACTIONS D'OXYDORÉDUCTION

MÉTHODE DES DEMI-RÉACTIONS		
Démarche	**Exemple** $Fe^{2+}(aq) + O_2(g) \longrightarrow Fe^{3+}(aq) + H_2O(l)$	
1° On écrit les équations des demi-réactions.	$Fe^{2+} \longrightarrow Fe^{3+} + 1e^-$ $O^0 + 2e^- \longrightarrow O^{-2}$	oxydation réduction
2° On équilibre les éléments en tenant compte des espèces chimiques.	$Fe^{2+} \longrightarrow Fe^{3+} + 1e^-$ $O_2 + 4e^- \longrightarrow 2H_2O$	
3° On équilibre les charges en ajoutant : • H^+ (milieu acide) **ou** • OH^- (milieu basique).	$Fe^{2+} \longrightarrow Fe^{3+} + 1e^-$ $O_2 + 4H^+ + 4e^- \longrightarrow 2H_2O$ $O_2 + 4e^- \longrightarrow 2H_2O + 4OH^-$	 milieu acide milieu basique
4° On équilibre les atomes d'hydrogène et d'oxygène avec H_2O.	$Fe^{2+} \longrightarrow Fe^{3+} + 1e^-$ $O_2 + 4H^+ + 4e^- \longrightarrow 2H_2O$ $O_2 + 4H_2O + 4e^- \longrightarrow 2H_2O + 4OH^-$ $O_2 + 2H_2O + 4e^- \longrightarrow 4OH^-$	 milieu acide milieu basique milieu basique
5° On équilibre le transfert d'électrons.	$4Fe^{2+} \longrightarrow 4Fe^{3+} + 4e^-$ $O_2 + 4H^+ + 4e^- \longrightarrow 2H_2O$ $O_2 + 2H_2O + 4e^- \longrightarrow 4OH^-$	 milieu acide milieu basique
6° On additionne les demi-réactions.	$4Fe^{2+} + O_2 + 4H^+ \longrightarrow 4Fe^{3+} + 2H_2O$ $4Fe^{2+} + O_2 + 2H_2O \longrightarrow 4Fe^{3+} + 4OH^-$	milieu acide milieu basique

MÉTHODE DES VARIATIONS DES NOMBRES D'OXYDATION	
Démarche	**Exemple** $KMnO_4 + H_2O_2 + H_2SO_4 \longrightarrow MnSO_4 + O_2 + K_2SO_4 + H_2O$
1° On repère les éléments oxydé et réduit.	$Mn^{+7} \xrightarrow{-5} Mn^{+2}$ $2O^{-1} \xrightarrow{+2} O_2^0$
2° On équilibre la variation du nombre d'oxydation.	$2(Mn^{+7} \xrightarrow{-5} Mn^{+2})$ $5(2O^{-1} \xrightarrow{+2} O_2^0)$
3° On écrit l'équation en tenant compte des changements.	$2KMnO_4 + 5H_2O_2 + H_2SO_4 \longrightarrow 2MnSO_4 + 5O_2 + K_2SO_4 + H_2O$
4° On équilibre les autres éléments. • 3S à droite ⇒ 3S à gauche • 16H à gauche ⇒ $8H_2O$ à droite	$2KMnO_4 + 5H_2O_2 + 3H_2SO_4 \longrightarrow 2MnSO_4 + 5O_2 + K_2SO_4 + 8H_2O$

TITRAGE PAR OXYDORÉDUCTION

Démarche	Exemple Titrage de 50,0 mL de solution de H_2O_2 par 31,0 mL de solution 0,150 mol/L MnO_4^-
1° On écrit l'équation équilibrée.	$MnO_4^- + 5H_2O_2 \longrightarrow Mn^{2+} + 5O_2$
2° On établit le rapport oxydant/réducteur à partir de l'équation équilibrée.	$MnO_4^- + 5H_2O_2 \longrightarrow Mn^{2+} + 5O_2$ **1** mol **5** mol
3° On calcule la quantité de MnO_4^- (oxydant) dans 31,0 mL. 4° On calcule la quantité de H_2O_2 d'après le rapport oxydant/réducteur. 5° On calcule la concentration de H_2O_2.	mol de $MnO_4^- = 31{,}0 \text{ mL} \times \frac{0{,}150 \text{ mol}}{\text{L}} \times \frac{1 \text{ L}}{1000 \text{ mL}} = 4{,}65 \times 10^{-3}$ mol mol de $H_2O_2 = 4{,}65 \times 10^{-3} \text{ mol } MnO_4^- \times \frac{5 \text{ mol } H_2O_2}{1 \text{ mol } MnO_4^-} = 2{,}33 \times 10^{-2}$ mol $c = \frac{2{,}33 \times 10^{-2} \text{ mol}}{50{,}0 \text{ mL}} \times \frac{1000 \text{ mL}}{\text{L}} = 0{,}465$ mol/L
On peut utiliser une formule qui résume la démarche. $\frac{c_O V_O}{o} = \frac{c_R V_R}{r}$ « o » et « r » sont les coefficients stœchiométriques de l'équation équilibrée.	$\frac{c_O V_O}{1} = \frac{c_R V_R}{5}$ $\Rightarrow c_{H_2O_2} = \frac{5 \times 31{,}0 \text{ mL} \times 0{,}150 \text{ mol/L}}{50{,}0 \text{ mL}} = 0{,}465$ mol/L

PILE ÉLECTROCHIMIQUE

ÉLÉMENTS D'UNE PILE ET DESCRIPTION	
• Un oxydant et un réducteur. • Une solution électrolytique. • Un pont salin ou une cloison poreuse.	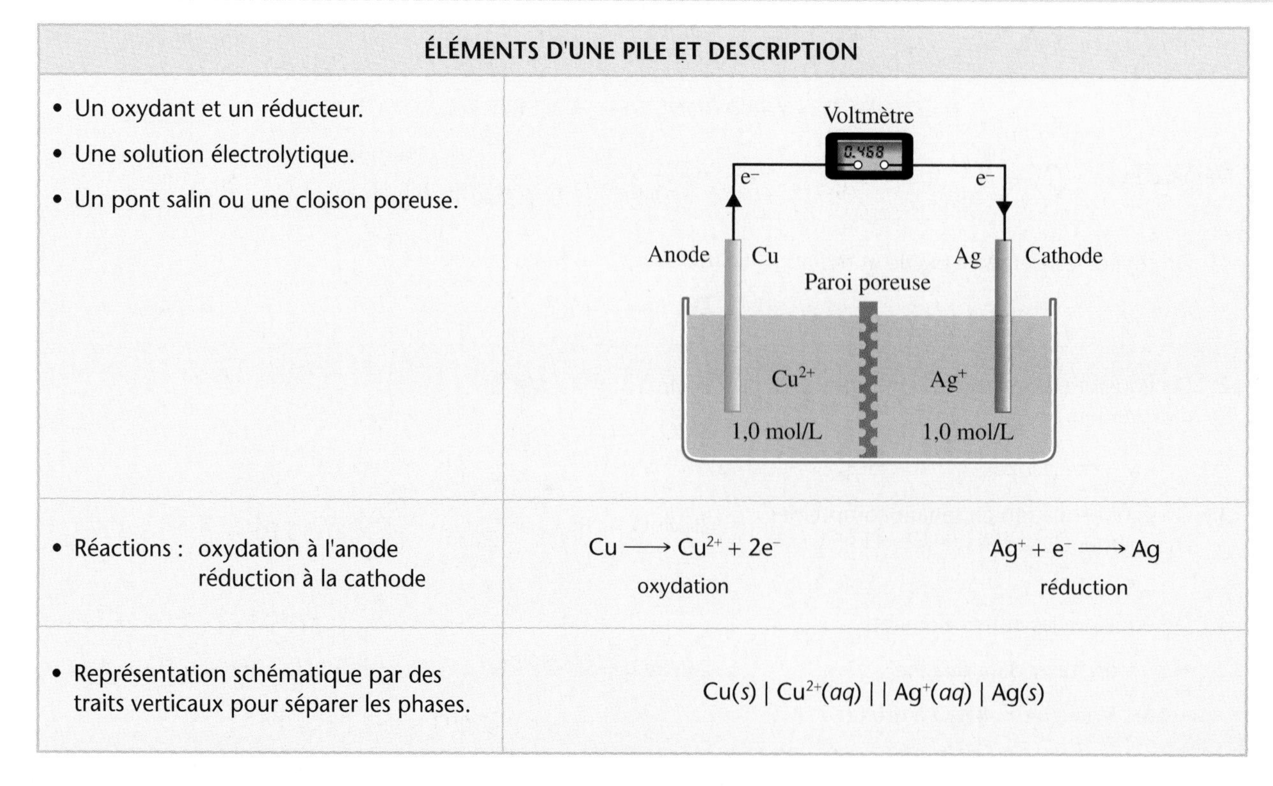
• Réactions : oxydation à l'anode réduction à la cathode	$Cu \longrightarrow Cu^{2+} + 2e^-$ oxydation $Ag^+ + e^- \longrightarrow Ag$ réduction
• Représentation schématique par des traits verticaux pour séparer les phases.	Cu(*s*) | Cu^{2+}(*aq*) | | Ag^+(*aq*) | Ag(*s*)

POTENTIEL STANDARD	
• Mesure du potentiel de réduction par rapport au potentiel d'une **demi-pile d'hydrogène** dont le potentiel $E^0 = 0,00$ V	
$2H^+(aq) + 2e^- \longrightarrow H_2(g)$ 0,00 V	$H_2(g) \longrightarrow 2H^+(aq) + 2e^-$ 0,00 V
• Fonctionnement d'une pile	
$E^0_{\text{réd}} = -E^0_{\text{oxy}}$ $E^0_{\text{pile}} = E^0_{\text{réd}} + E^0_{\text{oxy}}$	$E^0 > 0$ Potentiel positif ⇓ Réaction spontanée

• Conditions standard

Concentration	Température	Pression
1,00 mol/L	25 °C (298 K)	101,3 kPa

ÉQUATION DE NERNST

Pile de concentration (mêmes électrodes)

$$E_{\text{pile}} = E^0_{\text{pile}} - \frac{0,0592}{n} \log \frac{[\text{Produits}]^b}{[\text{Réactifs}]^a} \text{ à 25 °C}$$

n = nombre d'électrons transférés

a et b = coefficients stœchiométriques

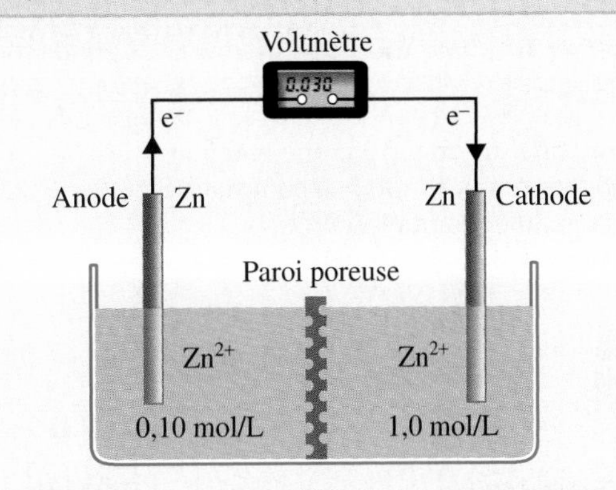

$$E_{\text{pile}} = 0 - \frac{0,0592}{2} \log \frac{0,10}{1,00}$$

$$E_{\text{pile}} = 0,030 \text{ V}$$

$Zn \longrightarrow Zn^{2+}$ (0,1 M) + $2e^-$ — $[Zn^{2+}]$ augmente

Zn^{2+} (1,00 M) + $2e^- \longrightarrow Zn$ — $[Zn^{2+}]$ diminue

⇓

Zn^{2+} (1,00 M) $\longrightarrow Zn^{2+}$ (0,1 M)

Pile électrochimique (électrodes différentes)

$$E_{\text{pile}} = E^0_{\text{pile}} - \frac{0,0592}{n} \log \frac{[\text{Produits}]^b}{[\text{Réactifs}]^a}$$

$$E_{\text{pile}} = 1,562 - \frac{0,0592}{2} \log \frac{[Zn^{2+}]}{[Ag^+]^2}$$

$$E_{\text{pile}} = 1,562 - \frac{0,0592}{2} \log \frac{0,10}{[2]^2}$$

$$E_{\text{pile}} = 1,562 + 0,0474 = 1,609 \text{ V}$$

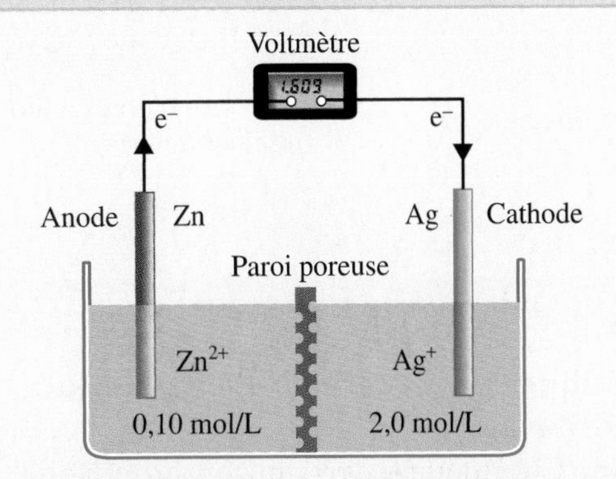

$Zn \longrightarrow Zn^{2+}$ (0,1 M) + $2e^-$ — $[Zn^{2+}]$ augmente

$2Ag^+$ (2,00 M) + $2e^- \longrightarrow 2Ag$ — $[Ag^+]$ diminue

⇓

$2Ag^+$ (2,00 M) $\longrightarrow Zn^{2+}$ (0,1 M)

ÉLECTRODES À IONS SPÉCIFIQUES
Électrodes sensibles à des ions particuliers : • H^+ (mesure du pH) : électrode de verre • métalliques : Na^+, K^+, Pb^{2+}, etc. • de non-métaux : Cl^-, Br^-, CN^-, etc.

PILES COMMERCIALES			
	Piles primaires	**Piles secondaires**	**Piles à combustible**
Caractéristiques	• Piles sèches • Non rechargeables	• Piles sèches ou non • Rechargeables	• Piles à consommation constante des réactifs
Exemples	• Leclanché (MnO_2 | | Zn) • Mercure (HgO | | Zn) • Zinc-argent (Zn | | Ag_2O) • Lithium (Li | | MnO_2)	• Accumulateurs au plomb (Pb | | PbO_2) • Nickel-cadmium (Cd | | NiO_2)	• Pile à hydrogène (H_2 | | O_2)

ÉLECTROLYSE

CARACTÉRISTIQUES ET RELATIONS QUANTITATIVES	
Définition	**Relation quantité d'électricité/quantité de matière**
Production d'une substance par une réaction d'oxydoréduction non spontanée commandée par le passage du courant électrique.	$M^+ + 1e^- \xrightarrow{\text{électrolyse}} M$ (M = métal) 1 mol 1 mol 1 mol ⇓ 1 faraday $96\,485\ C \longrightarrow \text{mol} \times \frac{\text{masse}}{1\ \text{mol}} = \text{masse}$

PROCÉDÉS INDUSTRIELS		
Substances préparées	**Procédés**	**Équation mise en jeu**
Chlore moléculaire, Cl_2 Hydrogène moléculaire, H_2 Hydroxyde de sodium, NaOH	• Procédé chlor-alcali • Électrolyse d'une solution concentrée de chlorure de sodium	$2H_2O + 2Cl^- \xrightarrow{\text{électrolyse}} Cl_2 + H_2 + 2OH^-$
Aluminium	• Procédé Hall-Héroult • Électrolyse d'un mélange fondu de Al_2O_3 et de Na_3AlF_6	$2Al_2O_3 + 3C \xrightarrow{\text{électrolyse}} 4Al + 3CO_2$
Affinage de métaux	Électrolyse d'une solution du métal à purifier (anode)	$Ag^+ + 1e^- \xrightarrow{\text{électrolyse}} Ag$

QUESTIONS ET EXERCICES SUPPLÉMENTAIRES

Caractéristiques des réactions d'oxydoréduction et équilibrage

1. Déterminez le nombre d'oxydation de chaque atome dans les espèces chimiques suivantes.
   a) H_2SO_3 e) $Al(OH)_3$ h) HAsO3
   b) Na_2O_2 f) B_2O_3 i) ClO_4^-
   c) $K_2Cr_2O_7$ g) $Cu(NO_3)_2$ *j) HCN
   d) P_4

2. Parmi les équations suivantes, repérez les équations d'oxydoréduction et, le cas échéant, l'oxydant et le réducteur.

   a) $H_2(g) + Cl_2(g) \longrightarrow 2HCl(g)$
   b) $CH_4(g) + 2O_2(g) \longrightarrow CO_2(g) + 2H_2O(g)$
   c) $CaCO_3(s) \xrightarrow{\Delta} CaO(s) + CO_2(g)$
   d) $4Ag(s) + 2H_2S(g) + O_2(g) \longrightarrow 2Ag_2S(s) + H_2O(l)$

e) $H_2O_2(aq) + 2I^-(aq) \longrightarrow I_2(aq) + 2OH^-(aq)$
f) $P_4O_{10}(s) + 6H_2O(l) \longrightarrow 4H_3PO_4(aq)$
g) $Cu(s) + 2Ag^+(aq) \longrightarrow Cu^{2+}(aq) + 2Ag(s)$
h) $4HF(g) + SiO_2(s) \longrightarrow SiF_4(g) + 2H_2O(l)$
*i) $2KMnO_4(aq) + 5H_2C_2O_4(aq) + 6HCl(aq) \longrightarrow 2MnCl_2(aq) + 10CO_2(g) + 2KCl(aq) + 8H_2O(l)$
*j) $3NO_2(g) + H_2O(l) \longrightarrow 2HNO_3(l) + NO(g)$

3. Équilibrez les équations d'oxydoréduction suivantes qui se déroulent en milieu acide.
   a) $Fe^{2+}(aq) + MnO_4^-(aq) \longrightarrow Fe^{3+}(aq) + Mn^{2+}(aq)$
   b) $MnO_4^-(aq) + SO_3^{2-}(aq) \longrightarrow Mn^{2+}(aq) + HSO_4^-(aq)$
   c) $I_2(s) + NO_3^-(aq) \longrightarrow IO_3^-(aq) + NO(g)$
   d) $C_2O_4^{2-}(aq) + MnO_2(s) \longrightarrow Mn^{2+}(aq) + CO_2(g)$
   e) $Cl_2(g) \longrightarrow ClO^-(aq) + Cl^-(aq)$
   f) $MnO_4^-(aq) + Cl^-(aq) \longrightarrow Mn^{2+}(aq) + Cl_2(aq)$
   g) $Zn(s) + NO_3^-(aq) \longrightarrow Zn^{2+}(aq) + NH_4^+(aq)$
   h) $NO_3^-(aq) + I_2(aq) \longrightarrow IO_3^-(aq) + NO_2(g)$
   i) $MnO_4^-(aq) + H_2S(aq) \longrightarrow Mn^{2+}(aq) + S(s)$
   j) $Br_2(aq) + SO_2(g) \longrightarrow Br^-(aq) + SO_4^{2-}(aq)$

4. Équilibrez les équations d'oxydoréduction suivantes qui se déroulent en milieu basique.
   a) $Fe^{2+}(aq) + H_2O(l) \longrightarrow Fe^{3+}(aq) + H_2(g)$
   b) $NO_2^-(aq) + Al(s) \longrightarrow NH_3(g) + AlO_2^-(aq)$
   c) $H_2O_2(aq) + I^-(aq) \longrightarrow I_2(aq) + H_2O(l)$
   d) $P_4(s) \longrightarrow H_2PO_2^-(aq) + PH_3(g)$
   e) $MnO_4^-(aq) + Se^{2-}(aq) \longrightarrow MnO_2(s) + Se(s)$
   f) $NO_2(g) \longrightarrow NO_3^-(aq) + NO_2^-(aq)$
   g) $Zn(s) + NO_3^-(aq) \longrightarrow Zn^{2+}(aq) + NH_3(aq)$
   h) $Cl_2(aq) \longrightarrow Cl^-(aq) + ClO_3^-(aq)$
   i) $Mn^{2+}(aq) + MnO_4^-(aq) \longrightarrow MnO_2(s)$
   *j) $IO_4^-(aq) + I^-(aq) \longrightarrow IO_3^-(aq) + I_3^-(aq)$

5. Équilibrez les équations d'oxydoréduction suivantes par la méthode des changements des nombres d'oxydation.
   a) $Ag(s) + HNO_3(aq) \longrightarrow AgNO_3(aq) + NO_2(g) + H_2O(l)$
   b) $CuS(s) + HNO_3(aq) \longrightarrow Cu(NO_3)_2(aq) + NO(g) + S(s) + H_2O(l)$
   c) $NaBiO_3(aq) + MnO_2(s) + H_2SO_4(aq) \longrightarrow Bi_2(SO_4)_3(aq) + NaMnO_4(aq) + Na_2SO_4(aq) + H_2O(l)$
   d) $Al(s) + NaNO_3(aq) + NaOH(aq) + H_2O(l) \longrightarrow NH_3(aq) + NaAl(OH)_4(aq)$
   e) $SnCl_2(aq) + O_2(g) + HCl(aq) \longrightarrow H_2SnCl_6(aq) + H_2O(l)$

Calculs stœchiométriques

6. Un échantillon de 50,0 mL de sulfate de fer(II) est titré avec une solution contenant 0,100 mol/L de sulfate de cérium(IV). La réaction d'oxydoréduction suivante se produit.

   $Fe^{2+}(aq) + Ce^{4+}(aq) \longrightarrow Fe^{3+}(aq) + Ce^{3+}(aq)$

   Déterminez la concentration de la solution de fer(II), sachant qu'il faut 28,0 mL de la solution de cérium(IV) pour atteindre le point d'équivalence.

7. Une solution contenant 0,150 mol/L d'acide oxalique, $H_2C_2O_4$, est titrée par une solution de permanganate, MnO_4^-.

   $H_2C_2O_4(aq) + MnO_4^-(aq) \longrightarrow CO_2(g) + Mn^{2+}(aq)$

   On observe qu'il faut 19,70 mL de solution de permanganate pour titrer 25,0 mL de la solution d'acide oxalique.
   a) Équilibrez cette équation d'oxydoréduction.
   b) Calculez la concentration de la solution de permanganate.

8. Il faut 34,50 mL de solution contenant 0,0425 mol/L de permanganate, MnO_4^-, pour titrer 25,0 mL d'une solution basique d'ions manganèse(II).

   $Mn^{2+}(aq) + MnO_4^-(aq) \longrightarrow MnO_2(s)$

   a) Équilibrez cette équation.
   b) Calculez la concentration molaire volumique de la solution de Mn^{2+}.

*9. On désire étalonner une solution de permanganate, MnO_4^-, en procédant de la manière suivante.
   – On pèse précisément une certaine quantité de fer pur que l'on traite ensuite avec de l'acide chlorhydrique pour le transformer en ion Fe^{2+}.
   – On mesure le volume de solution de permanganate nécessaire à l'oxydation du fer(II) en fer(III).

   $Fe(s) + 2HCl(aq) \longrightarrow Fe^{2+}(aq) + H_2(g) + 2Cl^-(aq)$

   $Fe^{2+}(aq) + MnO_4^-(aq) \longrightarrow Fe^{3+}(aq) + Mn^{2+}(aq)$

   a) Équilibrez l'équation de la réaction entre l'ion fer(II) et l'ion permanganate.
   b) Sachant qu'il faut 24,20 mL de solution de permanganate pour titrer la solution de fer(II) provenant de 0,4541 g de fer pur, calculez la concentration molaire volumique de la solution de permanganate.

*10. Un minerai de fer pesant 0,9252 g est dissous dans l'acide chlorhydrique, de sorte que tout le fer est converti en ions fer(II). Il faut 30,50 mL de solution contenant 0,0505 mol/L de dichromate, $Cr_2O_7^{2-}$, pour titrer la solution de fer(II).

   $6Fe^{2+}(aq) + Cr_2O_7^{2-}(aq) + 14H^+(aq) \longrightarrow 6Fe^{3+}(aq) + 2Cr^{3+}(aq) + 7H_2O(l)$

   Calculez le pourcentage massique de fer dans le minerai.

Piles électrochimiques et potentiel standard

Vous devrez vous reporter au tableau 8.1 pour résoudre la plupart de ces exercices.

11. Calculez le potentiel standard de la pile électrochimique suivante.

$$Pt(s) \mid Cu^{+}(aq), Cu^{2+}(aq) \mid \mid Ag^{+}(aq) \mid Ag(s)$$

12. Écrivez les équations des demi-réactions et l'équation globale de chaque pile dont les éléments sont donnés; indiquez la nature de l'anode et de la cathode, et calculez le potentiel de la pile.
    a) $Sn(s) \mid Sn^{2+}(aq) \mid \mid Cu^{+}(aq) \mid Cu(s)$
    b) $Al(s) \mid Al^{3+}(aq) \mid \mid Sn^{2+}(aq) \mid Sn(s)$
    c) $Pt(s) \mid Fe^{2+}(aq), Fe^{3+}(aq) \mid \mid Ag^{+}(aq) \mid Ag(s)$
    d) $Co(s) \mid Co^{2+}(aq) \mid \mid Ag^{+}(aq) \mid Ag(s)$
    e) $Pt(s) \mid I^{-}(aq), IO_3^{-}(aq), H^{+}(aq) \mid \mid MnO_4^{-}(aq), Mn^{2+}(aq), H^{+}(aq) \mid Pt(s)$

13. La réaction suivante se déroule dans une pile électrochimique.

$$2H_2(g) + O_2(g) \longrightarrow 2H_2O(l)$$

Écrivez les équations des demi-réactions qui se produisent dans cette pile et calculez son potentiel standard.

14. Une pile est constituée d'un couple Zn/Zn^{2+} et d'un autre couple M/M^{2+} (M est un métal), et la réduction se déroule dans le compartiment où se trouve l'électrode de zinc.
    a) Calculez le potentiel standard de réduction du couple M/M^{2+} si le potentiel de la pile est égal à +0,423 V.
    b) En vous basant sur le tableau 8.1, déterminez la nature du métal, M.

15. Déterminez si les réactions suivantes sont spontanées ou non dans le sens indiqué, dans les conditions standard.
    a) $Cu^{2+}(aq) + 2I^{-}(aq) \longrightarrow Cu(s) + I_2(s)$
    b) $MnO_2(s) + 2H^{+}(aq) + H_2O_2(aq) \longrightarrow Mn^{2+}(aq) + O_2(g) + 2H_2O(l)$
    c) $Ca(s) + 2H_2O(l) \longrightarrow Ca^{2+}(aq) + 2OH^{-}(aq) + H_2(g)$
    d) $Zn(s) + Mn^{2+}(aq) \longrightarrow Zn^{2+}(aq) + Mn(s)$
    *e) $O_3(g) + Cl^{-}(aq) \longrightarrow ClO^{-}(aq) + O_2(g)$
    *f) $4NO_3^{-}(aq) + 4H^{+}(aq) \longrightarrow 4NO(g) + 3O_2(g) + 2H_2O(l)$

16. Dites laquelle des réactions suivantes peut se produire dans les conditions standard et justifiez votre choix.
    a) $I_2(s) + 2Br^{-}(aq) \longrightarrow 2I^{-}(aq) + Br_2(l)$
    b) $Br_2(l) + 2I^{-}(aq) \longrightarrow 2Br^{-}(aq) + I_2(s)$

17. Pour chacune des combinaisons d'électrodes, A et B, et de solutions dans les conditions standard des piles données, indiquez :
    - l'équation de la réaction globale équilibrée;
    - le sens du déplacement des électrons;
    - la valeur du potentiel standard donnée par le voltmètre;
    - l'anode et la cathode.

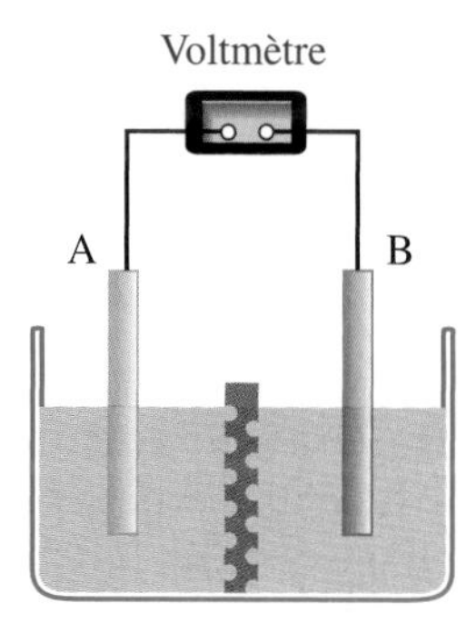

    a) A : $Cu(s) \mid Cu^{+}(aq)$
       B : $Fe(s) \mid Fe^{2+}(aq)$
    b) A : $Pt(s) \mid Sn^{2+}(aq), Sn^{4+}(aq)$
       B : $Ag(s) \mid Ag^{+}(aq)$
    c) A : $Sn(s) \mid Sn^{2+}(aq)$
       B : $Pb(s) \mid Pb^{2+}(aq)$

18. Calculez le potentiel standard des piles dans lesquelles les réactions suivantes se déroulent.
    a) $Fe^{3+}(aq) + Ag(s) \longrightarrow Fe^{2+}(aq) + Ag^{+}(aq)$
    b) $Zn(s) + F_2(g) \longrightarrow Zn^{2+}(aq) + 2F^{-}(aq)$
    c) $6MnO_4^{-}(aq) + 10Cr^{3+}(aq) + 11H_2O(l) \longrightarrow 6Mn^{2+}(aq) + 5Cr_2O_7^{2-}(aq) + 22H^{+}(aq)$

19. Pour chacune des piles dont l'équation globale non équilibrée est donnée, dessinez les éléments de pile en indiquant :
    - l'anode et la cathode;
    - les équations des demi-réactions;
    - le sens du déplacement des électrons;
    - l'équation globale équilibrée;
    - le potentiel standard de la pile.
    a) $Pb^{2+}(aq) + Al(s) \longrightarrow Pb(s) + Al^{3+}(aq)$
    b) $Cl_2(g) + H_2O(l) \longrightarrow Cl^{-}(aq) + O_2(g) + H^{+}(aq)$
    c) $Zn(s) + NO_3^{-}(aq) + H^{+}(aq) \longrightarrow Zn^{2+}(aq) + NO(g) + H_2O(l)$
    d) $Fe^{3+}(aq) + Cu(s) \longrightarrow Fe^{2+}(aq) + Cu^{+}(aq)$

20. L'équation globale suivante se déroule dans une pile électrochimique.

$$Ce^{4+}(aq) + Cu(s) \longrightarrow Ce^{3+}(aq) + Cu^{+}(aq)$$

Prédisez l'effet des modifications suivantes sur le potentiel de la pile.
    a) Augmentation de la concentration des ions Ce^{4+}
    b) Diminution de la concentration des ions Cu^{+}
    c) Diminution de moitié et simultanée de la concentration des ions Ce^{4+} et Ce^{3+}
    d) Augmentation de la quantité de cuivre métallique, $Cu(s)$
    e) Diminution de la concentration des ions Ce^{3+}
    f) Ajout de $CuCl(aq)$ à la solution de Cu^{+}

21. Calculez le potentiel de la pile décrite par le schéma suivant.

$$Pt(s) \mid Fe^{2+}(aq,\ 0{,}15\ mol/L),$$
$$Fe^{3+}(aq,\ 0{,}25\ mol/L) \mid\mid Ag^{+}(aq,\ 1{,}0\ mol/L) \mid Ag(s)$$

22. Calculez la concentration des ions hydronium, H_3O^+ (H^+), dans une pile dont le potentiel est égal à 0,600 V, sachant que la réaction suivante s'y déroule.

$$Zn(s) + 2H^{+}(aq,\ x\ mol/L) \longrightarrow Zn^{2+}(aq,\ 1{,}0\ mol/L) + H_2(g,\ 101{,}3\ kPa)$$

23. Une cellule de concentration est schématisée par les éléments suivants.

$$Pb(s) \mid Pb^{2+}(aq,\ solution\ saturée\ PbI_2) \mid\mid Pb^{2+}(aq,\ 0{,}100\ mol/L) \mid Pb(s)$$

Sachant que le potentiel de cette pile est égal à 0,057 V, calculez le produit de solubilité de l'iodure de plomb, PbI_2.

24. Une pile, décrite par les éléments suivants, a un potentiel de 1,13 V.

$$Zn(s) \mid Zn^{2+}(aq,\ 0{,}100\ mol/L) \mid\mid Cu^{2+}(aq,\ 1{,}00\ mol/L) \mid Cu(s)$$

a) À partir de l'équation de Nernst, calculez le potentiel standard de cette pile.

b) Calculez le potentiel de cette pile lorsque la concentration de Zn^{2+} est égale à 0,0100 mol/L et que celle de Cu^{2+} est égale à 2,00 mol/L.

25. Dites si les réactions pouvant se dérouler dans les piles suivantes seront spontanées. Justifiez votre réponse.

a) $Cu(s) \mid Cu^{2+}(aq,\ 0{,}10\ mol/L) \mid\mid Fe^{3+}(aq,\ 0{,}30\ mol/L),\ Fe^{2+}(aq,\ 0{,}20\ mol/L \mid Pt(s)$

b) $Sn(s) \mid Sn^{2+}(aq,\ 0{,}400\ mol/L) \mid\mid Pb^{2+}(aq,\ 0{,}0010\ mol/L) \mid Pb(s)$

26. Soit la réaction d'oxydation de l'ion chlorure, Cl^-, en chlore moléculaire, Cl_2, par l'oxyde de plomb(IV), PbO_2, en milieu acide.

a) Écrivez les équations des demi-réactions et l'équation globale.

b) Déterminez si cette réaction est spontanée dans les conditions standard.

c) Déterminez si cette réaction est spontanée lorsque les réactifs et les produits sont dans les conditions standard et que la concentration des ions H^+ est égale à $4{,}6 \times 10^{-4}$ mol/L.

d) Déterminez si cette réaction est spontanée lorsque les réactifs et les produits sont dans les conditions standard et que la concentration des ions H^+ est égale à 2,0 mol/L.

27. Une pile électrochimique est constituée des deux demi-piles suivantes :

$$Al(s) \mid AlCl_3(aq,\ 1{,}0\ mol/L) \mid\mid AgNO_3(aq,\ 1{,}0\ mol/L) \mid Ag(s)$$

a) Dessinez un schéma complet de cette pile dans lequel vous indiquerez les éléments suivants :
- les équations se déroulant à chaque électrode;
- l'électrode soumise à l'oxydation et celle subissant la réduction;
- l'anode et la cathode;
- le sens du déplacement des électrons lorsque les demi-piles sont reliées;
- le potentiel standard de la pile;
- l'oxydant et le réducteur;
- l'équation globale.

b) Calculez le potentiel de cette pile lorsque la concentration du chlorure d'aluminium, $AlCl_3$, est de 0,100 mol/L et celle du nitrate d'argent, $AgNO_3$, de 2,00 mol/L.

28. Soit les réactions de réduction suivantes :

$$Al^{3+}(aq) + 3e^- \longrightarrow Al(s)$$
$$Pb^{2+}(aq) + 2e^- \longrightarrow Pb(s)$$
$$I_2(s) + 2e^- \longrightarrow 2I^-(aq)$$

Déterminez :

a) l'oxydant le plus fort;

b) l'oxydant le plus faible;

c) le réducteur le plus fort;

d) le réducteur le plus faible.

*29. Calculez la concentration molaire volumique de l'ion Ag^+ dans une demi-pile électrochimique lorsque le potentiel de réduction du couple Ag/Ag^+ est de 0,40 V.

30. Une pile est constituée des éléments suivants dans les conditions standard.

$$Al(s) \mid Al^{3+}(aq) \mid\mid Cu^{2+}(aq) \mid Cu(s)$$

Calculez le potentiel de cette pile lorsque 90,0 % des ions Cu^{2+} ont été transformés.

Électrolyse

31. L'électrolyse d'une solution de cuivre(II) entraîne le dépôt de 12,0 g de cuivre métallique sur une électrode lorsque le courant électrique circule durant 5 heures. Calculez l'intensité du courant.

32. Calculez la masse d'argent déposé par suite du passage d'un courant électrique de 0,150 A dans une solution de nitrate d'argent, $AgNO_3(aq)$, pendant 20,0 minutes.

33. Calculez la masse d'aluminium déposé par suite du passage d'un courant électrique de 10,0 A dans une solution de nitrate d'aluminium, $Al(NO_3)_3$, pendant 10,0 minutes.

34. Le sodium métallique est produit industriellement par électrolyse du chlorure de sodium fondu, NaCl. Calculez la masse de sodium produit lorsqu'un courant de 500 A circule dans la cuve électrolytique pendant 8 heures.

*35. Calculez le volume d'oxygène et d'hydrogène moléculaires, O_2 et H_2, produits par électrolyse de l'eau, à 25 °C et sous une pression de 200 kPa, lorsqu'un courant de 35 A circule durant 2 heures dans une solution aqueuse de sel.

*36. L'électroplacage du chrome est réalisé par l'intermédiaire de la demi-réaction représentée par l'équation partielle suivante.

$$Cr_2O_7^{2-}(aq) + H^+ \longrightarrow Cr(s) + H_2O(l)$$

a) Complétez et équilibrez cette demi-réaction.

b) Calculez le temps nécessaire au dépôt d'une couche de 0,012 mm de chrome sur un pare-chocs de voiture, dont la surface est de 0,20 m^2, plongé dans une cellule électrolytique où circule un courant de 30,0 A (la masse volumique du chrome, ρ, est égale à 7,15 g/cm^3).

EXERCICE RÉCAPITULATIF

37. L'un des compartiments d'une pile électrochimique est constitué d'un fil d'argent plongé dans une solution contenant des ions argent, Ag^+; l'autre compartiment est constitué d'un fil de platine plongé dans une solution contenant des ions manganèse(II), Mn^{2+}, et de l'oxyde de manganèse(IV), MnO_2.

a) Écrivez les demi-réactions à l'anode et à la cathode ainsi que l'équation globale.

b) Représentez la description schématique de la pile.

c) Identifiez les compartiments anodique et cathodique.

d) Identifiez l'oxydant et le réducteur.

e) Indiquez le sens du déplacement des électrons.

f) Calculez le potentiel de cette pile dans les conditions standard.

g) Calculez le potentiel de cette pile lorsque le pH est égal à 3,5 et que la concentration des autres ions est égale à 0,300 mol/L.

Note : Vous trouverez la justification des réponses et des explications supplémentaires dans les solutions détaillées.

CHAPITRE 1

EXERCICE 1.1 (page 7)

a) 166 g H_2O

b) 120,4 g KNO_3

EXERCICE 1.2 (page 9)

a) Électrolyte fort
b) Non-électrolyte
c) Électrolyte fort
d) Non-électrolyte
e) Non-électrolyte
f) Électrolyte faible
g) Électrolyte faible
h) Électrolyte fort
i) Électrolyte faible
j) Électrolyte fort

EXERCICE 1.3 (page 12)

10,2 mL/L

EXERCICE 1.4 (page 16)

a) Élevée, car HCl est polaire et H_2O est polaire.
b) Faible, car HCl est polaire et CCl_4 est non polaire.
c) Élevée, car S est non polaire et CS_2 est non polaire.
d) Élevée, car KI est polaire et H_2O est polaire.
e) Élevée, car CH_3OH est polaire et H_2O est polaire.

EXERCICE 1.5 (page 21)

5,66 %

EXERCICE 1.6 (page 22)

12,5 mL d'éthanol

EXERCICE 1.7 (page 22)

4,5 g NaCl

EXERCICE 1.8 (page 25)

200 mL

EXERCICE 1.9 (page 26)

0,698 mol/L

EXERCICE 1.10 (page 28)

0,200 N

EXERCICE 1.11 (page 28)

0,226

EXERCICE 1.12 (page 30)

16,2 *m*

EXERCICE 1.13 (page 31)

a) 0,03 mg/L

b) 2×10^{-7} mol/L

EXERCICE 1.14 (pages 32-33)

a) 15 mol/L

b) 0,291

c) 22,8 *m*

EXERCICE 1.15 (page 35)

33 g

EXERCICE 1.16 (page 35)

solution A 10,0 mL

solution B 20,0 mL

solution C 30,0 mL

solution D 50,0 mL

solution E 70,0 mL

QUESTIONS ET EXERCICES SUPPLÉMENTAIRES (pages 39 à 41)

1. Non.
2. L'entropie augmente avec la dissolution, car le désordre s'accroît à mesure que les substances se mélangent.
3. a) Augmentation; l'état gazeux représente pour une substance le niveau d'entropie le plus élevé.
   c) Augmentation; un mélange de deux substances amène une augmentation du désordre, de l'entropie.
4. HBr(*aq*) est un électrolyte car il se dissocie en ions par la présence des molécules d'eau.
   HBr(*g*) est un non-électrolyte, car il ne peut s'ioniser en raison de l'absence d'eau.
5. a) Substance ionique dans un solvant polaire.
   b) Soluté polaire dans un solvant polaire. Présence de liaisons par pont hydrogène dans l'eau avant et après le mélange.
   d) Soluté polaire dans un solvant polaire.
6. c) Soluté non polaire avec un solvant non polaire.
   e) Soluté non polaire avec un solvant non polaire.
7. La présence du groupement hydroxyle OH dans l'éthanol contribue à accroître la solubilité de cette substance dans l'eau. L'eau possède aussi un groupement OH, comme l'éthanol. Deux substances ayant des groupements identiques ont des interactions semblables. La variation d'enthalpie dans le processus de solubilisation sera maintenue environ au même niveau qu'avant la mise en solution.

   L'éthanethiol ne possède pas de groupe hydroxyle et les interactions avec l'eau ne sont pas de même énergie que celles de l'éthanol avec l'eau; le groupement thiol, SH, est peu polaire.
8. a) $I_2(s)$ est soluble dans CCl_4. b) $I_2(s)$ est peu soluble dans l'eau. c) $I_2(s)$ est soluble dans $CS_2(l)$.
9. Les deux substances ont un groupement hydroxyle OH. La longueur de la chaîne de carbone influe sur la solubilité. Un nombre élevé d'atomes de carbone diminue la solubilité de la substance dans l'eau. Les interactions entre molécules d'eau sont diminuées par la présence de chaînes carbonées. Les deux sub-stances possèdent à la fois une partie polaire (OH) et une partie non polaire (chaîne carbonée). La solubilité de la molécule diminue lorsque la chaîne carbonée s'allonge, et c'est ce qui se produit avec le butan-1-ol.
10. a) Na^+Cl^-

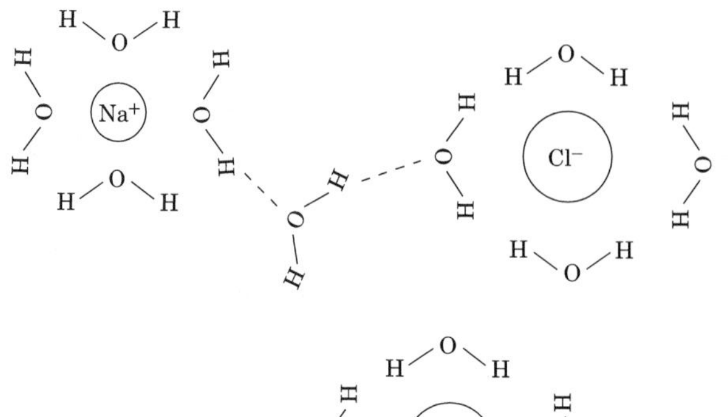

    b) HCl ($H_3O^+Cl^-$)

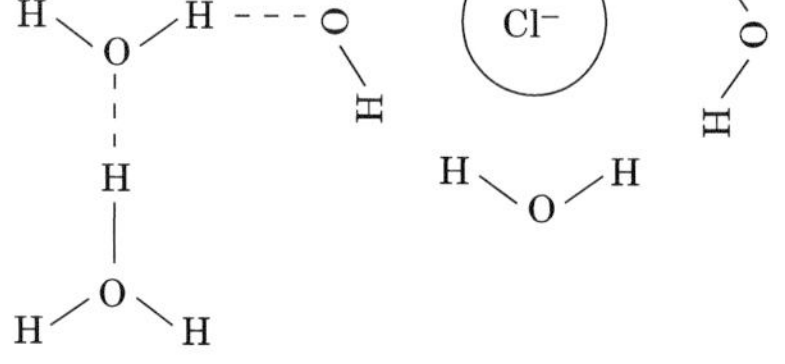

c) CO_2

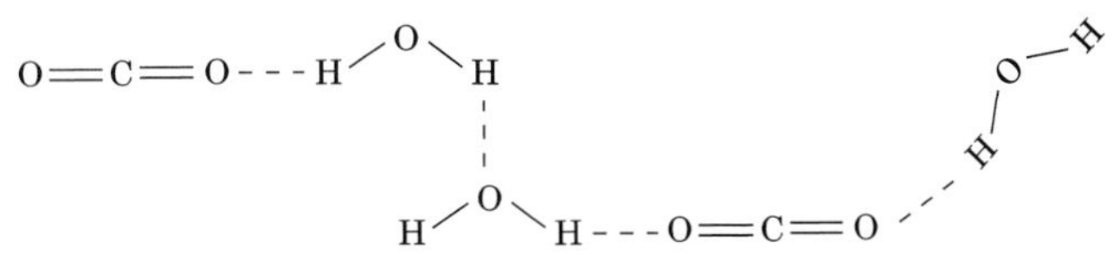

$O{=}C{=}O\cdots H{-}O{-}H$; $H{-}O{-}H\cdots O{=}C{=}O\cdots H{-}O{-}H$

11. Le SO_2 est plus soluble dans l'eau en raison d'une plus grande polarité de la molécule de SO_2.

12. a) $HBr(g) \xrightarrow{H_2O} H^+(aq) + Br^+(aq)$
    b) $Al_2(SO_4)_3(s) \xrightarrow{H_2O} 2Al^{3+}(aq) + 3SO_4^{2-}(aq)$
    c) $Ba(OH)_2(s) \xrightarrow{H_2O} Ba^{2+}(aq) + 2OH^-(aq)$
    d) $FeCl_3(s) \xrightarrow{H_2O} Fe^{3+}(aq) + 3Cl^-(aq)$
    e) $NH_4NO_3 \xrightarrow{H_2O} NH_4^+(aq) + NO_3^-(aq)$

13. Une solution 1,0 M signifie qu'il y a une mole de soluté par litre de solution. Une solution 1,0 *m* signifie qu'il y a une mole de soluté par kilogramme de solvant.

14. Vrai.

15. 53,7 %

16. a) 5,04 % b) 5,31 %

17. 0,25 mol/L

18. $5{,}47 \times 10^{-4}$ mol/L de K^+

19. a) 1,9 ppm b) $9{,}9 \times 10^{-5}$ g CN^-

20. c) 0,0360 mol NO_3^-

21. a) 18,0 mol/L b) 0,815 c) 245 mol/kg d) 177 g e) 0,083 L

22. 44,0 %

23. 64,3 g

24. a) 10 ppm b) 1×10^4 ppb

25. a) 31 g NH_4Cl b) 150 g d'eau

26. a) 67 % b) 24 mol/kg ou 24 *m*

27. 0,360

28. a) 0,0845 mol b) 0,0845 mol c) 0,338 mol/L; 0,0845 mol/L

29. 2,78 mol/L

30. 0,175 mol/L

31. 0,325 mol/L

32. 0,0133

33. 13,7 g

34. 9,74 mol/L

35. 625 g

36. 22,1 g

37. 33 g

38. – Peser 6,24 g de $CuSO_4{\cdot}5H_2O$.
    – Transvider dans une fiole jaugée de 100 mL.
    – Ajouter de l'eau jusqu'au trait de jauge.
    – Agiter pour homogénéiser la solution.

39. 0,0800 mol/L

40. – Prélever 16,9 mL de l'acide commercial.
    – Transvider dans une fiole jaugée de 500 mL.
    – Ajouter de l'eau distillée jusqu'au trait de jauge.
    – Agiter la solution.

41. 19,6 g

42. $1{,}00 \times 10^{-3}$ N

CHAPITRE 2

EXERCICE 2.1 (page 48)

$P_{soln} = 46{,}1$ kPa

EXERCICE 2.2 (pages 50-51)

a) $X_{benz} = 0,544$; $X_{tol} = 0,456$ b) 8,64 kPa c) $X_{tol(vap.)} = 0,200$; $X_{benz(vap.)} = 0,800$

EXERCICE 2.3 (page 59)

63,6 °C

EXERCICE 2.4 (page 59)

2,92 °C·kg/mol

EXERCICE 2.5 (page 60)

$t_{cong(soln)} = -33,3$ °C

EXERCICE 2.6 (page 62)

145 kPa

EXERCICE 2.7 (page 65)

120 g/mol

EXERCICE 2.8 (page 66)

$M_{soluté} = 68\ 700$ g/mol

EXERCICE 2.9 (page 67)

$P_{soln} = 3,91$ kPa

EXERCICE 2.10 (page 67)

$P_{soln} = 12,1$ kPa

EXERCICE 2.11 (page 69)

$i = 2,13$ (valeur théorique : 3)

EXERCICE 2.12 (page 69)

$\pi = 2900$ kPa

QUESTIONS ET EXERCICES SUPPLÉMENTAIRES (pages 72 à 74)

1. L'eau pure.
2. d).
3. a) 3,10 kPa b) 99,19 kPa
4. 98,5 g
5. 0,052
6. 0,216 kPa
7. a) $X_{hex(vap.)} = 0,740$; $X_{hept(vap.)} = 0,260$ b) $X_{hex(soln)} = 0,259$; $X_{hept(soln)} = 0,741$
8. a) 15,5 kPa b) 13,0 kPa c) 28,5 kPa d) 0,544 e) 0,456
9. Le cyclohexane.
10. Le chlorure de calcium libère un ion de plus que le chlorure de sodium en solution.
11. 11,4 g
12. a) 0,021 kPa b) 0,030 kPa c) 0,054 kPa d) 0,011 kPa e) 0,042 kPa
13. a) −22,7 °C b) −30,1 °C
14. **Vin** −4,37 °C; **Whisky** −21,4 °C
15. a) −1,02 °C b) 100,28 °C
16. 100,55 °C

17. 36 mL
18. 1046 °C
19. 2200 g d'éthylène à ajouter
20. 89,6 g/mol
21. a) 60,6 g/mol
    b) 127 g/mol
    c) Dans le benzène, il y a formation de dimère par deux molécules d'acide acétique qui s'associent :

$$CH_3-C \begin{matrix} \diagup\!\!\!\!= O \cdots H-O \diagdown \\ \diagdown O-H \cdots O =\!\!\!\!\diagup \end{matrix} C-CH_3$$

22. S_8
23. $\Delta t_{\text{cong(théo)}} = 0,480$ °C
24. $i = 3$
25. Lorsqu'un concombre entre en contact avec une solution concentrée de sel, il y a mouvement des molécules d'eau de l'intérieur du concombre vers la solution de sel afin d'abaisser la concentration de cette dernière.
26. a) L'eau pure s'infiltrera dans les cellules, ce qui les fera gonfler jusqu'à l'éclatement.
    b) L'eau des cellules sortira à l'extérieur, ce qui les fera sécher par manque d'eau.
27. 0,296 mol/L
28. a) $1,69 \times 10^4$ g/mol
    b) $-2,19 \times 10^{-4}$ °C
    c) Il est préférable d'utiliser la pression osmotique : une pression de 0,3 kPa est plus facile à mesurer que la température.
29. 2600 kPa
30. Le contact des cellules (0,296 mol/L) avec de l'eau de mer (1,1 mol/L) provoquera un déplacement de l'eau des cellules vers l'extérieur afin d'abaisser la concentration. Il s'ensuivra une déshydratation des cellules.
31. 0,057 mol/L
32. La solution de glucose.

EXERCICE RÉCAPITULATIF (page 74)

33. a) 3,07 %
    b) 0,164 mol/L
    c) 0,208 mol/kg
    d) $X_{\text{camphre}} = 0,009\ 52$
    e) Oui.
    f) 7,80 kPa
    g) 407,4 kPa
    h) 78,46 °C
    i) 1,46
    j) 128 g/mol

CHAPITRE 3

EXERCICE 3.1 (page 78)

0,034 mol/L·min 0,017 mol/L·min 0,0080 mol/L·min

EXERCICE 3.2 (page 80)

$$\text{vitesse} = -\frac{1}{4}\frac{\Delta[PH_3]}{\Delta t} = \frac{1}{4}\frac{\Delta[P]}{\Delta t} = \frac{1}{6}\frac{\Delta[H_2]}{\Delta t}$$

EXERCICE 3.3 (page 85)

vitesse = $k[NOCl]^2$; $K = 2,40 \times 10^{-6}$ L/mol·s

EXERCICE 3.4 (page 86)

L'ordre global est 2 (1 + 1); $K = 0,0610$ L/mol·s

EXERCICE 3.5 (page 90)

a) 0,0327 mol/L b) 0,003 35 mol/L

EXERCICE 3.6 (page 93)

0,0625 mol/L

EXERCICE 3.7 (page 95)

$k = 0{,}529$ L/mol·s

EXERCICE 3.8 (page 97)

a) La réaction est d'ordre 1 par rapport à la concentration de I^-.
pente = +0,0559 $s^{-1} = k$

b) La réaction est d'ordre 1 par rapport à la concentration de ClO^-.
pente = +0,0559 $s^{-1} = k$

vitesse = $k[I^-]^1[ClO^-]^1$.
La réaction globale est d'ordre deux.

EXERCICE 3.9 (page 103)

102 kJ/mol

EXERCICE 3.10 (page 104)

18,1 kJ/mol

EXERCICE 3.11 (page 107)

vitesse = $k[NO_2]^2$

NO_3 est le produit intermédiaire.

QUESTIONS ET EXERCICES SUPPLÉMENTAIRES (pages 113 à 118)

1. Une constante de vitesse élevée indique que la vitesse de la réaction est élevée.
2. a) $2{,}23 \times 10^{-4}$ mol/L·s b) $2{,}10 \times 10^{-4}$ mol/L·s c) $2{,}17 \times 10^{-4}$ mol/L·s
3. a) vitesse = $-\frac{\Delta[N_2]}{\Delta t} = -\frac{1}{3}\frac{\Delta[H_2]}{\Delta t} = \frac{1}{2}\frac{\Delta[NH_3]}{\Delta t}$

   b) vitesse = $-\frac{1}{2}\frac{\Delta[SO_2]}{\Delta t} = -\frac{\Delta[O_2]}{\Delta t} = \frac{1}{2}\frac{\Delta[SO_3]}{\Delta t}$

   c) vitesse = $-\frac{\Delta[I_2]}{\Delta t} = -\frac{1}{2}\frac{\Delta[S_2O_3^{2-}]}{\Delta t} = \frac{\Delta[S_4O_6^{2-}]}{\Delta t} = \frac{1}{2}\frac{\Delta[I^-]}{\Delta t}$
4. $[NO_2] = 1{,}12 \times 10^{-2}$ mol/L
   $[O_2] = 2{,}8 \times 10^{-3}$ mol/L
5. a) $[A]_{300\ s} = 0{,}575$ mol/L b) 327 s
6. a) vitesse = $-\frac{1}{3}\frac{\Delta[BrO^-]}{\Delta t} = \frac{1}{2}\frac{\Delta[Br^-]}{\Delta t}$

   b) $\Delta n_{Br^-} = 0{,}30$ mol; $\Delta n_{BrO_3^-} = 0{,}15$ mol
7. Vrai.
8. a) $(\text{vitesse})_0 = k[NOCl]^2$ b) $4{,}0 \times 10^{-8}$ L/mol·s
9. a) $(\text{vitesse})_0 = k[C_2H_5Cl]$ b) $k = 4{,}40 \times 10^{-28}$ min^{-1}
10. a) $(\text{vitesse})_0 = k[H_2]^1[ICl]^1$ b) $k = 0{,}16$ L/mol·s c) $4{,}0 \times 10^{-5}$ mol/L·s
11. $(\text{vitesse})_0 = k[NO]^2[O_2]^1$
12. $(\text{vitesse})_0 = k[A]^1[B]^2[C]^1$
13. Faux.
14. a) vitesse = $k[NO_2]^2$ b) vitesse = $6{,}1 \times 10^{-3}$ mol/L·s
15. 3,03 s

16. a) **Ordre 1**

t (s)	0	200	400	600	800	1000
$[N_2O_5]$ (mol/L)	$1{,}50 \times 10^{-2}$	$9{,}60 \times 10^{-3}$	$6{,}20 \times 10^{-3}$	$4{,}00 \times 10^{-3}$	$2{,}50 \times 10^{-3}$	$1{,}60 \times 10^{v3}$
$\ln [N_2O_5]$	–4,20	–4,65	–5,08	–5,52	–5,99	–6,44

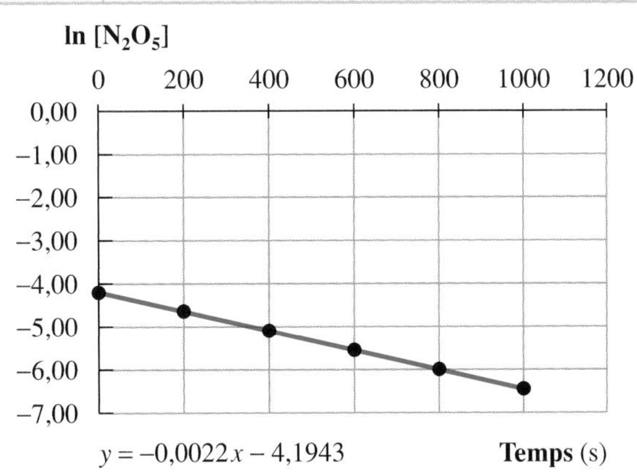

b) $k = 0{,}0022\ s^{-1}$

17. 25 %

18. 180 s

19. La réaction est d'ordre 2 selon le graphique de la réciproque de la concentration de NO_2 ($1/[NO_2]$) en fonction du temps; $k = 0{,}710$ L/mol·s.

Ordre 2

t (s)	0	5	10	15	20
$[NO_2]$ (mol/L $\times 10^{-2}$)	9,00	6,83	5,49	4,60	3,95
$1/[NO_2]$	11,11	14,64	18,21	21,74	25,32

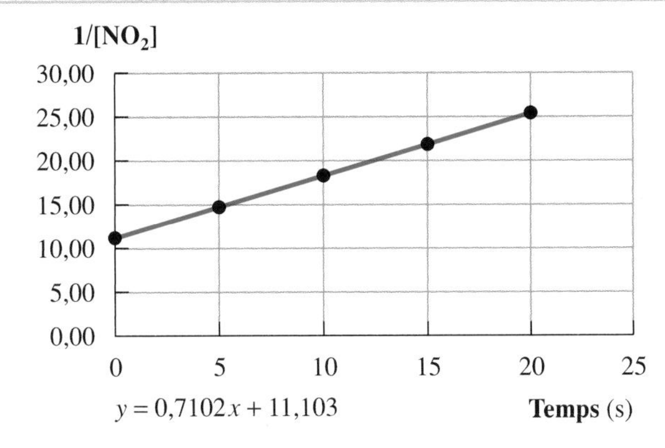

20. $[BrO^-] = 0{,}0932$ mol/L; $[Br^-] = 0{,}105$ mol/L; $[BrO_3^-] = 0{,}0523$ mol/L

21. a) $k = 0{,}53$ L/mol·min b) $[NO_2] = 0{,}018$ mol/L c) $t = 300$ min

22. a) isomérisation ordre 1
décomposition ordre 0
dimérisation ordre 2

b) isomérisation : $\text{vitesse} = -\dfrac{\Delta[CH_3{-}CH{=}CH{-}CH_3]}{\Delta t} = \dfrac{\Delta[CH_3CH_2{-}CH{=}CH_2]}{\Delta t}$

décomposition : $\text{vitesse} = -\dfrac{\Delta[CH_3{-}CH{=}CH{-}CH_3]}{\Delta t} = \dfrac{1}{2}\dfrac{\Delta[CH_2{=}CH_2]}{\Delta t}$

dimérisation : $\text{vitesse} = -\dfrac{\Delta[CH_3{-}CH{=}CH{-}CH_3]}{\Delta t} = \dfrac{\Delta[C_8H_{16}]}{\Delta t}$

c) isomérisation : $(\text{vitesse})_0 = 0{,}0030$ mol/L·s
décomposition : $(\text{vitesse})_0 = 0{,}030\ s^{-1}$
dimérisation : $(\text{vitesse})_0 = 2{,}3 \times 10^{-4}$ mol/L·s^{-1}

23. a) $(\text{vitesse})_{0\,(\text{n}^\circ\,1)} = 3{,}67 \times 10^{-4}$ mol/L·s; $(\text{vitesse})_{0\,(\text{n}^\circ\,2)} = 1{,}48 \times 10^{-3}$ mol/L·s
    b) Ordre 2
24. a) $k = 1{,}14 \times 10^{-2}\ \text{s}^{-1}$ b) $t_{1/2} = 60{,}8$ s c) $t = 407$ s
25. $t = 245$ jours
26. $E_a = 103$ kJ/mol
27. $E_a = 53$ kJ/mol
28. $E_a = 192$ kJ/mol
29. $A = 3{,}8 \times 10^{15}\ \text{s}^{-1}$
30. $k_2 = 9{,}06 \times 10^{-4}$ L/mol·s
31. a)

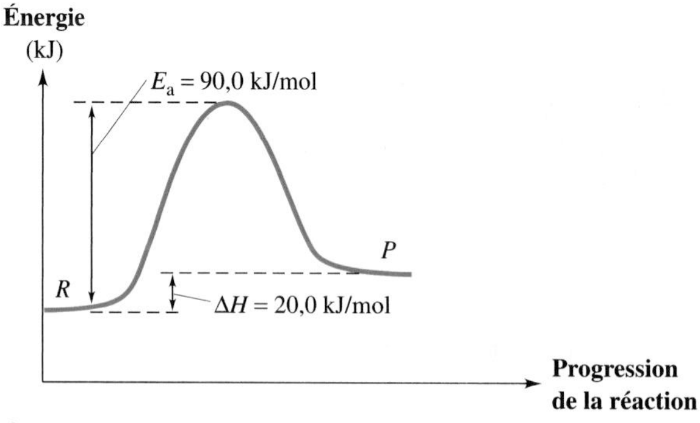

b)

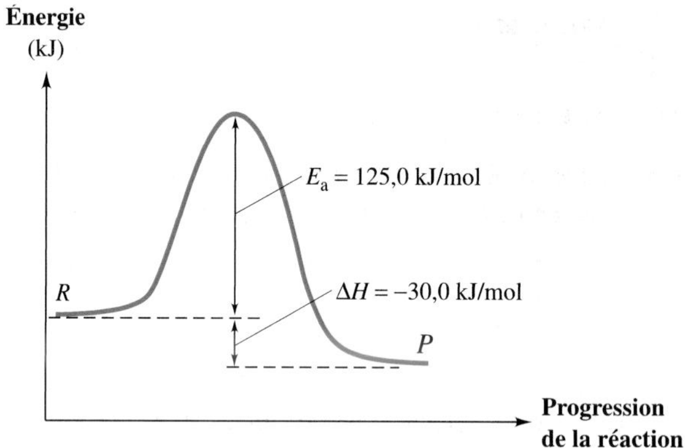

c)

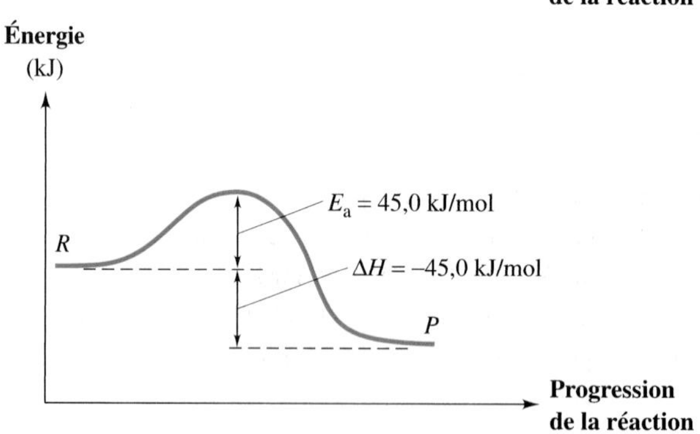

32. a) $NO_2(g) + F_2(g) \longrightarrow NO_2F(g) + F(g); F(g) + NO_2(g) \longrightarrow NO_2F(g)$
    b) $(\text{vitesse})_1 = k_1[NO_2][F_2]$; $(\text{vitesse})_2 = k_2[NO_2][F]$
    c) vitesse $= k[NO_2][F_2]$
33. b), c) et e)
34. Il abaisse l'énergie d'activation.
35. a) $CH_3CH_2OH \longrightarrow H_2O + CH_2 = CH_2$
    b) vitesse $= k[CH_3CH_2O^+H_2]$
    c) $CH_3CH_2OH_2^+$, $CH_3CH_2^+$, HSO_4^-, H^+
    d) H_2SO_4 peut être considéré comme catalyseur.

EXERCICE RÉCAPITULATIF (pages 117-118)

36. a) 0,0014 mol/L·min
    b) La réaction est d'ordre 1.
    c) $(\text{vitesse})_0 = k[H_2O_2]$

d) $k = 1{,}93 \times 10^{-3}$ min^{-1}; $t_{1/2} = 359$ min
e) 569 min
f) Pour la réaction non catalysée : $t_{1/2} = 1330$ min
Pour la réaction catalysée : $t_{1/2} = 2{,}35 \times 10^{-9}$ min
g) Équation globale : $H_2O_2(aq) + 2I^-(aq) \longrightarrow I_2(aq) + 2OH^-(aq)$
L'intermédiaire réactionnel est l'espèce HOI(aq).
$(\text{vitesse})_0 = k[I^-]^1[H_2O_2]^1$

CHAPITRE 4

EXERCICE 4.1 (page 124)

a) $K_{éq} = \dfrac{[NO]^2}{[O_2][N_2]}$ b) $K_{éq} = \dfrac{[NH_3]^2}{[N_2][H_2]^3}$ c) $K_{éq} = \dfrac{[H_2O]^2}{[O_2][H_2]^2}$

EXERCICE 4.2 (page 126)

$2{,}34 \times 10^{-3}$ (mol/L)^2

EXERCICE 4.3 (page 129)

a) $K_c = [NH_3][HCl]$ b) $K_c = [NO_2]^4[O_2]$ c) $K_c = \dfrac{1}{[Cl_2]} = [Cl_2]^{-1}$

EXERCICE 4.4 (page 130)

3,70 kPa^{-2}

EXERCICE 4.5 (page 132)

$3{,}94 \times 10^{-8}$ kPa^{-2}

EXERCICE 4.6 (page 139)

a) $\xleftarrow{\text{équilibre}}$ b) $\xrightarrow{\text{équilibre}}$

EXERCICE 4.7 (page 141)

Le système va former une plus grande quantité de NH_3.

EXERCICE 4.8 (page 143)

$[PCl_5] = 0{,}047$ mol/L
$[PCl_3] = [Cl_2] = 0{,}193$ mol/L

EXERCICE 4.9 (page 144)

1,8 mol/L

EXERCICE 4.10 (pages 145-146)

$[CO_2] = [H_2] = 0{,}0845$ mol/L

EXERCICE 4.11 (page 147)

$[H_2] = 0{,}360$ atm et $[NH_3] = 1{,}86$ atm

EXERCICE 4.12 (page 149)

$1{,}66 \times 10^{-3}$ atm

EXERCICE 4.13 (page 150)

$[N_2] \approx 0{,}76$ mol/L
$[O_2] \approx 0{,}16$ mol/L
$[NO] \approx 0{,}078$ mol/L

EXERCICE 4.14 (page 153)

$P_{SO_2} = 1,80$ atm
$P_{O_2} = 8,99 \times 10^{-3}$ atm
$P_{SO_3} = 0,472$ atm

QUESTIONS ET EXERCICES SUPPLÉMENTAIRES (pages 156 à 160)

1. a) et b)
2. Les concentrations utilisées dans l'expression de la constante d'équilibre sont celles observées lorsque le système a atteint l'équilibre. Les concentrations utilisées dans le calcul du quotient réactionnel proviennent souvent d'un système qui n'est pas à l'équilibre.
3. a) $K_c = \dfrac{[CH_3Cl][HCl]}{[CH_4][Cl_2]}$ b) $K_c = \dfrac{[F_2][H_2]}{[HF]^2}$ c) $K_c = \dfrac{[SO_2]^2[H_2O]^2}{[O_2]^3[H_2S]^2}$ d) $K_c = \dfrac{[NH_3]^2[H_2O]^4}{[NO_2]^2[H_2]^7}$
4. a) $K_c = \dfrac{[H_2CO_3]}{[CO_2]}$ d) $K_c = \dfrac{[NH_4^+][CN^-]}{[NH_3]}$
   b) $K_c = [CO_2]$ e) $K_c = [SO_4^{2-}][Ag^+]^2$
   c) $K_c = \dfrac{1}{[O_2]^3[P_4]}$
5. Exercice 3
   a) $K_p = \dfrac{P_{CH_3Cl}P_{HCl}}{P_{Cl_2}P_{CH_4}}$ b) $K_p = \dfrac{P_{F_2}P_{H_2}}{(P_{HF})^2}$ c) $K_p = \dfrac{(P_{SO_2})^2(P_{H_2O})^2}{(P_{O_2})^3(P_{H_2S})^2}$ d) $K_p = \dfrac{(P_{H_2O})^4(P_{NH_3})^2}{(P_{H_2})^7(P_{NO_2})^2}$

   Exercice 4

   a) $K_p = \dfrac{1}{P_{CO_2}} = (P_{CO_2})^{-1}$ d) $K_p = \dfrac{1}{P_{NH_3}}$
   b) $K_p = P_{CO_2}$ e) Il n'y a pas de calcul de K_p.
   c) $K_p = \dfrac{1}{(P_{O_2})^3(P_{P_4})}$
6. a) Déplacement vers la droite
   b) Déplacement vers la gauche
   c) Déplacement vers la droite
   d) Pas de déplacement
   e) Déplacement vers la gauche
7. a) Droite
   b) Gauche
   c) Gauche
   d) Gauche
   e) Aucun déplacement
   f) Gauche
   g) Droite
   h) Droite
   i) Aucun déplacement
   j) Droite
8. a) 1) Déplacement vers la droite
   2) Aucun déplacement
   b) Déplacement vers la droite
   c) Déplacement vers la droite
   d) Déplacement vers la gauche
9. a) Déplacement vers la droite
   b) Déplacement vers la gauche
   c) Déplacement vers la gauche
   d) Déplacement vers la droite
   e) Déplacement vers la droite
   f) Aucun déplacement
10.

Changement	$[H_2]$	[HBr]	K_c
↑ $[Br_2]$	↓	↑	=
↑ T	↓	↑	↑
↑ P_{HBr}	↑	↓	=
↓ V	=	=	=

11. a) Déplacement vers la gauche
    b) Déplacement vers la gauche
    c) Déplacement vers la droite
    d) Déplacement vers la droite
    e) Aucun déplacement
    f) Aucun déplacement
12. a) Déplacement vers la droite
    b) Déplacement vers la droite
    c) Déplacement vers la gauche
    d) Aucun déplacement
    e) Déplacement vers la droite
    f) Aucun déplacement
    g) Aucun déplacement
    h) Déplacement vers la droite
    i) Déplacement vers la droite
13. Endothermique

14. a) La constante ne varie pas. b) La constante ne varie pas. c) La constante diminue.
15. Le système n'est pas à l'équilibre et il y aura un déplacement vers la droite.
16. a) Le système est à l'équilibre.
 b) Le système n'est pas à l'équilibre et il se déplacera vers la droite.
 c) Le système n'est pas à l'équilibre et il se déplacera vers la gauche.
 d) Le système n'est pas à l'équilibre et il se déplacera vers la gauche.
17. $2{,}47 \times 10^{-3}$ mol/L
18. 0,080 mol/L
19. 0,065 mol/L
20. $1{,}1 \times 10^{65}$
21. 0,148 atm^{-1}
22. a) 16,7 $(L/mol)^{1/2}$ b) $3{,}60 \times 10^{-3}$ mol/L c) $6{,}00 \times 10^{-2}$ $(mol/L)^{1/2}$
23. Vers la gauche
24. 0,059 mol/L
25. 49,0 L/mol
26. 0,15 atm
27. $2{,}2 \times 10^{-4}$ mol/L
28. $2SO_2(g) + O_2(g) \rightleftharpoons 2SO_3(g)$
 $K_p = 3{,}2$ atm^{-1}
29. 178 kPa
30. 247 kPa
31. $5{,}64 \times 10^{-7}$ $(mol/L)^2$
32. 0,143 kPa^{-1}
33. $[H_2O] = [CH_4] = 0{,}396$ mol/L
 $[H_2] = 1{,}81$ mol/L
 $[CO] = 0{,}60$ mol/L
34. a) $[CO_2] = [H_2] = 0{,}0665$ mol/L
 $[H_2O] = [CO] = 0{,}034$ mol/L
 b) $K_c = 3{,}9$ c) $K_p = 3{,}9$
35. 2,48 kPa
36. $[H_2] = [I_2] = 0{,}43$ mol/L
 $[HI] = 3{,}14$ mol/L
37. $P_{NO_2} = 0{,}35$
 $P_{N_2O_4} = 1{,}15$ atm
38. $[H_2] = [I_2] = 0{,}218$ mol/L
 $[HI] = 1{,}56$ mol/L
39. 68,5 %
40. $[H_2] = [I_2]_e = 0{,}319$ mol/L
 $[HI] = 2{,}36$ mol/L
41. $[CO] = 1{,}09$ mol/L
 $[CO_2] = 2{,}91$ mol/L
 $[H_2O] = 2{,}09$ mol/L
 $[H_2] = 3{,}91$ mol/L
42. a) $[CO_2] = [H_2] = 0{,}34$ mol/L
 $[CO] = [H_2O] = 0{,}11$ mol/L
 b) $[CO_2] = [H_2] = 0{,}60$ mol/L
 $[CO] = [H_2O] = 0{,}19$ mol/L
43. a) $P_{PCl_3} = P_{Cl_2} = 75{,}9$ kPa b) 101,2 kPa c) 75,0 %
44. $1{,}66 \times 10^{-3}$ atm
45. $P_{SO_2} = 1{,}78$ kPa
 $P_{O_2} = 0{,}889$ kPa
 $P_{SO_3} = 47{,}8$ kPa

46. $[I_2] = 0{,}0019$ mol/L
$[I^-] = 0{,}15$ mol/L
$[I_3^-] = 0{,}20$ mol/L
47. $P_{CO} = 0{,}713$ atm
$P_{CO_2} = 0{,}287$ atm
48. $[H_2] = 0{,}070$ mol/L
$[I_2] = 1{,}07$ mol/L
$[HI] = 1{,}86$ mol/L

EXERCICES RÉCAPITULATIFS (page 160)

49. a) $N_2(g) + O_2(g) + 181\text{ kJ} \rightleftharpoons 2NO(g)$ $\Delta H = +181$ kJ

b) $K_c = \dfrac{[NO]^2}{[N_2][O_2]}$

c) 1. Augmentation de la concentration de NO
2. Diminution de la concentration de NO
3. Pas de changement sur la concentration de NO
4. Augmentation de la concentration de NO

d) $P_{NO} = 7{,}3 \times 10^{-17}$ atm

50. 0,152 mol/L

51. a) $Br_2(g) + Cl_2(g) \rightleftharpoons 2BrCl(g)$ $\Delta H > 0$

b) $K_c = \dfrac{[BrCl]^2}{[Br_2][Cl_2]}$

c) $K_c = 7{,}0$

d) $K_p = \dfrac{(P_{BrCl})^2}{P_{Br_2}P_{Cl_2}}$

e) $K_p = K_c = 7{,}0$

f) $P_{Cl_2} = 28$ kPa
$P_{Br_2} = 11$ kPa

g) Le système se déplace vers la droite.
$[Br_2] = 0{,}049$ mol/L
$[Cl_2] = 0{,}049$ mol/L
$[BrCl] = 0{,}128$ mol/L

h) $[Cl_2] = [Br_2] = 0{,}054$ mol/L
$[BrCl] = 0{,}142$ mol/L

i) 1. Pas de variation du système
2. Pas de variation du système
3. Déplacement de l'équilibre vers la droite

CHAPITRE 5

EXERCICE 5.1 (page 168)

a) $HSO_4^-(aq) + H_2O(l) \rightleftharpoons H_3O^+(aq) + SO_4^{2-}(aq)$
acide 1 base 2 acide 2 base 1

b) $HCl(aq) + NH_3(aq) \rightleftharpoons NH_4^+(aq) + Cl^-(aq)$
acide 1 base 2 acide 2 base 1

c) $SO_3^{2-}(aq) + H_2O(l) \rightleftharpoons OH^-(aq) + HSO_3^-(aq)$
base 1 acide 2 base 2 acide 1

EXERCICE 5.2 (page 170)

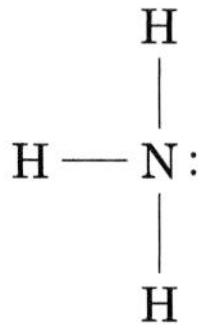

```
      H
      |
H  —  N:
      |
      H
```

base de Lewis

```
     ..
H  — O — H
     ..
```

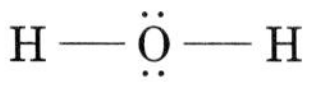

acide de Lewis

EXERCICE 5.3 (page 171)

a) $:\ddot{N}H_2^-$; base de Lewis.
b) $AlCl_3$; acide de Lewis.
c) $:\ddot{\underset{..}{Cl}}:^-$; base de Lewis.
d) H_2O; l'eau peut agir à la fois comme base de Lewis et comme acide de Lewis.

EXERCICE 5.4 (page 174)

$H_2PO_4^- < H_2CO_3 < HF < HSO_4^- < H_2SO_3$

EXERCICE 5.5 (page 176)

$CH_4 < NH_3 < H_2O < HF$

EXERCICE 5.6 (page 176)

H_2SO_4

EXERCICE 5.7 (page 177)

a) $H_2S(aq) + H_2O(l) \rightleftharpoons H_3O^+(aq) + HS^-(aq)$
$HS^-(aq) + H_2O(l) \rightleftharpoons H_3O^+(aq) + S^{2-}(aq)$

b) $H_2CO_3(aq) + H_2O(l) \rightleftharpoons H_3O^+(aq) + HCO_3^-(aq)$
$HCO_3^-(aq) + H_2O(l) \rightleftharpoons + H_3O^+(aq) + CO_3^{2-}(aq)$

EXERCICE 5.8 (page 179)

a) $[H_3O^+] = 3{,}20 \times 10^{-3}$ mol/L
b) $[NO_3^-] = 3{,}20 \times 10^{-3}$ mol/L
c) $[OH^-] = 3{,}13 \times 10^{-12}$ mol/L
d) $[H_3O^+]_{eau} = 3{,}13 \times 10^{-12}$ mol/L

EXERCICE 5.9 (page 180)

a) $[OH^-] = 6{,}1 \times 10^{-4}$ mol/L
b) $1{,}6 \times 10^{-11}$ mol/L $= [H_3O^+]$
c) $[K^+] = 6{,}1 \times 10^{-4}$ mol/L
d) $[OH^-]_{eau} = 1{,}6 \times 10^{-11}$ mol/L

EXERCICE 5.10 (page 181)

pH = 8,40; la solution est basique.

EXERCICE 5.11 (page 184)

pH = 11,521

EXERCICE 5.12 (page 184)

a) pH = 10,777
b) pH = 9,477

EXERCICE 5.13 (page 187)

a) $pK_a = 3{,}25$ b) $pK_b = 8{,}74$

EXERCICE 5.14 (page 189)

a) $HOOCCOOH(aq) + H_2O(l) \rightleftharpoons H_3O^+(aq) + HOOCCOO^-(aq)$ $K_{a_1} = \frac{[HOOCCOO^-][H_3O^+]}{[HOOCCOOH]}$

$HOOCCOO^-(aq) + H_2O(l) \rightleftharpoons H_3O^+(aq) + {}^-OOCCOO^-(aq)$ $K_{a_2} = \frac{[{}^-OOCCOO^-][H_3O^+]}{[HOOCCOO^-]}$

b) $pK_{a_1} = 1{,}23$
c) $K_{a_2} = 6{,}5 \times 10^{-5}$

EXERCICE 5.15 (page 194)

$[H_3O^+] = 1{,}2 \times 10^{-6}$ mol/L
pH = 5,92

EXERCICE 5.16 (page 194)

$[OH^-] = [NH_4^+] = 3{,}7 \times 10^{-3}$ mol/L
pH = 11,57

EXERCICE 5.17 (page 194)

$[H_3O^+] = [CHCl_2COO^-] = 2,3 \times 10^{-3}$ mol/L

$[CHCl_2COOH] = 2 \times 10^{-4}$ mol/L

EXERCICE 5.18 (page 195)

% dissociation = 4,2 %

EXERCICE 5.19 (page 198)

$[NH_4^+] = 1,8 \times 10^{-4}$ mol/L

$[OH^-] = 0,050$ mol/L

EXERCICE 5.20 (page 200)

a) $[H_3PO_4] = 2,9$ mol/L

b) $[H_3O^+] = 0,14$ mol/L

c) $[H_2PO_4^-] = 0,14$ mol/L

d) $[HPO_4^{2-}]_0 = 6,2 \times 10^{-8}$ mol/L

e) $[PO_4^{3-}] = 2,1 \times 10^{-19}$ mol/L

QUESTIONS ET EXERCICES SUPPLÉMENTAIRES (pages 205 à 207)

1. a) Arrhenius; Brønsted-Lowry; Lewis
   b) Lewis
   c) Lewis
   d) Brønsted-Lowry; Lewis
   e) Arrhenius; Brønsted-Lowry; Lewis

2. a) Acide
   b) Base
   c) Base
   d) Acide
   e) Base

3. a) $HCOOH(aq) + H_2O(l) \rightleftharpoons H_3O^+(aq) + HCOO^-(aq)$
   b) $H_2PO_4^-(aq) + H_2O(l) \rightleftharpoons H_3O^+(aq) + HPO_4^{2-}(aq)$
   c) $NH_4^+(aq) + H_2O(l) \rightleftharpoons H_3O^+(aq) + NH_3(aq)$
   d) $HCO_3^-(aq) + H_2O(l) \rightleftharpoons H_3O^+(aq) + CO_3^{2-}(aq)$
   e) $H_2S(aq) + H_2O(l) \rightleftharpoons H_3O^+(aq) + HS^-(aq)$

4. a) $CN^-(aq) + H_2O(l) \rightleftharpoons OH^-(aq) + HCN(aq)$
   b) $H_2PO_4^-(aq) + H_2O(l) \rightleftharpoons OH^-(aq) + H_3PO_4(aq)$
   c) $CH_3NH_2(aq) + H_2O(l) \rightleftharpoons OH^-(aq) + CH_3NH_3^+(aq)$
   d) $H^-(aq) + H_2O(l) \rightleftharpoons OH^-(aq) + H_2(g)$
   e) $H_2O(aq) + H_2O(l) \rightleftharpoons OH^-(aq) + H_3O^+(aq)$

5. a) $\underset{\text{acide}}{H_3O^+(aq)} + \underset{\text{base}}{OH^-(aq)} \longrightarrow 2H_2O(l)$
   b) $\underset{\text{acide}}{BCl_3} + \underset{\text{base}}{Cl^-} \longrightarrow BCl_4^-$
   c) $\underset{\text{base}}{OH^-(aq)} + \underset{\text{acide}}{CO_2(aq)} \longrightarrow HCO_3^-(aq)$
   d) $\underset{\text{acide}}{B(OH)_3(aq)} + \underset{\text{base}}{OH^-(aq)} \longrightarrow [B(OH)_4]^-(aq)$
   e) $\underset{\text{base}}{CH_3NH_2(aq)} + \underset{\text{acide}}{H_3O^+(aq)} \longrightarrow CH_3NH_3^+(aq) + H_2O(l)$

6. a) $HCO_3^-(aq) + H_2O(l) \rightleftharpoons H_3O^+(aq) + \underset{\text{base conj.}}{CO_3^{2-}(aq)}$
   b) $HCN(aq) + H_2O(l) \rightleftharpoons H_3O^+(aq) + \underset{\text{base conj.}}{CN^-(aq)}$
   c) $HClO(aq) + H_2O(l) \rightleftharpoons H_3O^+(aq) + \underset{\text{base conj.}}{ClO^-(aq)}$
   d) $H_2SO_4(aq) + H_2O(l) \longrightarrow H_3O^+(aq) + \underset{\text{base conj.}}{HSO_4^-(aq)}$
   e) $CH_3NH_3^+(aq) + H_2O(l) \rightleftharpoons H_3O^+(aq) + \underset{\text{base conj.}}{CH_3NH_2(aq)}$

7. a) $HCO_3^-(aq) + H_2O(l) \rightleftharpoons \underset{\text{acide conj.}}{H_2CO_3(aq)} + OH^-(aq)$
   b) $F^-(aq) + H_2O(l) \rightleftharpoons \underset{\text{acide conj.}}{HF(aq)} + OH^-(aq)$
   c) $SO_4^{2-}(aq) + H_2O(l) \rightleftharpoons \underset{\text{acide conj.}}{HSO_4^-(aq)} + OH^-(aq)$
   d) $CH_3COO^-(aq) + H_2O(l) \rightleftharpoons \underset{\text{acide conj.}}{CH_3COOH(aq)} + OH^-(aq)$
   e) $CH_3NH_2(aq) + H_2O(l) \rightleftharpoons \underset{\text{acide conj.}}{CH_3NH_3^+(aq)} + OH^-(aq)$

8. a) $\underset{\text{acide}_1}{HClO_3(aq)} + \underset{\text{base}_2}{H_2O(l)} \rightleftharpoons \underset{\text{acide}_2}{H_3O^+(aq)} + \underset{\text{base}_1}{ClO_3^-(aq)}$
   b) $\underset{\text{acide}_1}{CH_3NH_3^+(aq)} + \underset{\text{base}_2}{H_2O(l)} \rightleftharpoons \underset{\text{acide}_2}{H_3O^+(aq)} + \underset{\text{base}_1}{CH_3NH_2(aq)}$
   c) $\underset{\text{acide}_1}{CH_3COOH(aq)} + \underset{\text{base}_2}{H_2O(l)} \rightleftharpoons \underset{\text{acide}_2}{H_3O^+(aq)} + \underset{\text{base}_1}{CH_3COO^-(aq)}$

d) $HF(aq) + NH_3(aq) \rightleftharpoons NH_4^+(aq) + F^-(aq)$
acide$_1$ base$_2$ acide$_2$ base$_1$

e) $NH_3(l) + NH_3(l) \rightleftharpoons NH_4^+(amn) + NH_2^-(amn)$
acide$_1$ base$_2$ acide$_2$ base$_1$

f) $HCOO^-(aq) + HSO_4^-(aq) \rightleftharpoons HCOOH(aq) + SO_4^{2-}(aq)$
base$_1$ acide$_2$ acide$_1$ base$_2$

9. a) Base
$NH_3(aq) + H_2O(l) \rightleftharpoons OH^-(aq) + NH_4^+(aq)$
acide conj.

b) Amphotère
$HS^-(aq) + H_2O(l) \rightleftharpoons OH^-(aq) + H_2S(aq)$
acide conj.
$HS^-(aq) + H_2O(l) \rightleftharpoons H_3O^+(aq) + S^{2-}(aq)$
base conj.

c) Acide
$H_2CO_3(aq) + H_2O(l) \rightleftharpoons H_3O^+(aq) + HCO_3^-(aq)$
base conj.

d) Amphotère
$H_2PO_4^-(aq) + H_2O(l) \rightleftharpoons H_3O^+(aq) + HPO_4^{2-}(aq)$
base conj.
$H_2PO_4^-(aq) + H_2O(l) \rightleftharpoons OH^-(aq) + H_3PO_4(aq)$
acide conj.

e) Base
$CN^-(aq) + H_2O(l) \rightleftharpoons OH^-(aq) + HCN(aq)$
acide conj.

10. b) et e)

11. a) HNO_3 b) $HClO_3$ c) HNO_2 d) H_3PO_4 e) H_2S

12. a) $HS^- + OH^- \longrightarrow S^{2-} + H_2O$
b) $H^- + NH_3 \longrightarrow NH_2^- + H_2$
f) $NO_3^- + HClO_4 \longrightarrow HNO_3 + ClO_4^-$
g) $CH_3COOH + HS^- \longrightarrow H_2S + CH_3COO^-$
i) $HSO_4^- + CH_3COO^- \longrightarrow SO_4^{2-} + CH_3COOH$
Les réactions c), d), e), h) et j) n'ont pas lieu.

13. CH_3COOH réagira plus avec la base la plus forte, soit NH_3.

14. a) Gauche b) Droite c) Droite

15. a) $F^- < OH^- < NH_2^- < CH_3^-$ b) $H_2S < HS^- < S^{2-}$

16. a) pH = 11,301 b) pH = 12,301 c) pH = 5,000 d) pH = 2,000

17. a) $[OH^-] = 1,0 \times 10^{-12}$ mol/L b) $[OH^-] = 2,0 \times 10^{-9}$ mol/L c) $[OH^-] = 3 \times 10^{-5}$ mol/L

18. $[OH^-] = 5 \times 10^{-4}$ mol/L

19. $[H_3O^+] = [OH^-] = 1,71 \times 10^{-7}$ mol/L; pH = 6,767

20. $[OH^-] \approx 5 \times 10^{-7}$ mol/L

21. a) pOH = 7,20 b) $[H_3O^+] = 1,6 \times 10^{-7}$ mol/L c) $[OH^-] = 6,3 \times 10^{-8}$ mol/L

22. a) $[H_3O^+] = 4,50 \times 10^{-3}$ mol/L
b) $[OH^-] = 2,22 \times 10^{-12}$ mol/L
c) $[H_3O^+]_{eau} = 2,22 \times 10^{-12}$ mol/L
d) pH = 2,347; pOH = 11,653

23. pOH = 0,071
pH = 13,929

24. pH = 2,59

25. pH = 0,59

26. a) 0,0400 mol/L
b) pH = 12,600

27. pH = 1,730

28. pH = 1,60

29. a) $HF(aq) + H_2O(l) \rightleftharpoons H_3O^+(aq) + F^-(aq)$
b) $[HF] > [H_3O^+] \approx [F^-] > [OH^-]$
c) $pK_a = 3,20$

30. a) $N(CH_3)_3(aq) + H_2O(l) \rightleftharpoons OH^-(aq) + NH^+(CH_3)_3(aq)$
b) $[N(CH_3)_3] > [OH^-] \approx [NH^+(CH_3)_3] > [H_3O^+]$
c) $K_b = 6,3 \times 10^{-5}$
d) $pK_a = 9,80$

31. $H_2SO_3(aq) + H_2O(l) \rightleftharpoons H_3O^+(aq) + HSO_3^-(aq)$
$K_{a_1} = 1,4 \times 10^{-2}$
$HSO_3^-(aq) + H_2O(l) \rightleftharpoons H_3O^+(aq) + SO_3^{2-}(aq)$
$K_{a_2} = 6,3 \times 10^{-8}$

32. $K_a = 1,5 \times 10^{-5}$

33. $2,2 \times 10^{-2}$ mol/L

34. $[H_3O^+] = 2,7 \times 10^{-2}$ mol/L; $[Cl_2CHCOOH] = 2,3 \times 10^{-2}$ mol/L
$[OH^-] = 3,7 \times 10^{-13}$ mol/L

35. a) pH = 5,52 b) pH = 0,54 c) pH = 12,18

36. 0,10 mol/L = $[CHCl_2COOH]_0$

37. a) 0,56 % b) 0,93 % c) 60 % d) 26 %

38. $[NH_3] = 1,4 \times 10^{-2}$ mol/L

39. $K_a = 6,4 \times 10^{-10}$

40. La concentration de H_3O^+ se détermine avec la dissociation de H_3PO_4. La valeur de K_{a_1} est la plus élevée des trois constantes de dissociation pour cet acide polyprotique. Toutefois, pour obtenir la concentration de l'ion PO_4^{3-}, on doit utiliser la dernière des trois constantes, K_{a_3}, qui est de loin la plus faible des trois. C'est ainsi qu'on obtient la quantité de PO_4^{3-} en solution et cette quantité est très faible. Il y a donc un écart considérable entre les quantités de H_3O^+ et de PO_4^{3-} et cet écart s'explique par la différence entre les deux constantes K_{a_1} et K_{a_3} utilisées, différence qui est nettement supérieure au tiers.

41. a) $[HSO_4^-] \approx 0,79$ mol/L
$[SO_4^{2-}] = 0,011$ mol/L
$[H_3O^+] \approx 0,81$ mol/L

b) $[HSO_4^-] = 1,0 \times 10^{-4}$ mol/L
$[SO_4^{2-}] = 7,04 \times 10^{-4}$ mol/L
$[H_3O^+] = 1,50 \times 10^{-3}$ mol/L

42. $K_{a_1} = 0,053$
$K_{a_2} = 5,3 \times 10^{-5}$

43. pH = 1,22

44. $[H_3O^+] = [NO_2^-] = 4,7 \times 10^{-2}$ mol/L
$[CN^-] = 1,3 \times 10^{-8}$ mol/L

45. pH = 12,70

CHAPITRE 6

EXERCICE 6.1 (page 212)

a) solution basique
b) solution acide
c) solution neutre
d) solution basique
e) solution basique

EXERCICE 6.2 (page 215)

pH = 8,65

EXERCICE 6.3 (page 216)

a) pH = 6,23
b) pH = 4,25

EXERCICE 6.4 (page 217)

a) Déplacement de l'équilibre vers la gauche
b) Déplacement de l'équilibre vers la gauche
c) Déplacement de l'équilibre vers la gauche
d) Aucun changement

EXERCICE 6.5 (page 219)

a) $[H_3O^+] = 0,012$ mol/L
pH = 1,92

b) $[H_3O^+] = 7,1 \times 10^{-10}$ mol/L
pH = 9,15

EXERCICE 6.6 (page 221)

$$\frac{[NH_4^+]}{[NH_3]} = 0,32$$

EXERCICE 6.7 (page 222)

a) pH = 3,55
b) pH = 3,51

EXERCICE 6.8 (page 224)

a) pH = 9,14
b) pH = 9,04
c) pH = 9,21
d) pH = 9,19
e) pH = 8,90

EXERCICE 6.9 (page 226)

Ce n'est plus un tampon.

pH = 10,72

EXERCICE 6.10 (page 229)

a) 0,84 mol/L
b) 5,0 %

EXERCICE 6.11 (page 231)

a) $KHC_8H_4O_4(aq) + NaOH(aq) \longrightarrow NaKC_8H_4O_4(aq) + H_2O(l)$
$H_2SO_4(aq) + 2NaOH(aq) \longrightarrow Na_2SO_4(aq) + 2H_2O(l)$

b) $[H_2SO_4] = 4{,}21 \times 10^{-2}$ mol/L

EXERCICE 6.12 (page 237)

a) pH = 3,476
b) pH = 10,52
c) pH = 12,398

EXERCICE 6.13 (page 237)

Rouge de méthyle
Bleu de bromothymol
Rouge de phénol
Phénolphtaléine
Bleu de thymol (base)
Orange de méthyle

EXERCICE 6.14 (page 243)

a) pH = 7,05
b) pH = 10,52
c) pH = 12,398

EXERCICE 6.15 (page 243)

Phénolphtaléine, bleu de thymol (base)

EXERCICE 6.16 (page 246)

a) pH = 10,4
b) pH = 9,80
c) pH = 9,32
d) pH = 9,21
e) pH = 7,50
f) pH = 3,18
g) pH = 1,30

QUESTIONS ET EXERCICES SUPPLÉMENTAIRES (pages 250 à 252)

1. $F^-(aq) + H_2O(l) \rightleftharpoons OH^-(aq) + HF(aq)$
   L'anion fluorure s'hydrolyse dans l'eau et forme des ions OH^-. La solution devient basique.

   $NH_4^+(aq) + H_2O(l) \rightleftharpoons H_3O^+(aq) + NH_3(aq)$
   Le cation NH_4^+ s'hydrolyse dans l'eau et forme des ions H_3O^+. La solution devient acide.
2. a) solution basique
   b) solution acide
   c) solution basique
   d) solution basique
   e) solution basique
3. Le sel de codéine produira la solution dont le pH est le plus élevé.
4. $Al_2(SO_4)_3 \xrightarrow{H_2O} 2Al^{3+}(aq) + 3SO_4^{2-}(aq)$
   $Al^{3+}(aq) + 6H_2O(l) \rightleftharpoons Al(H_2O)_6^{3+}$
   $Al(H_2O)_6^{3+}(aq) + H_2O(l) \rightleftharpoons H_3O^+(aq) + AlOH(H_2O)_5^{3+}(aq)$
   La dissolution des sels d'aluminium mène à la formation d'ions H_3O^+.

5. $NH_3 < NaNO_2 < NaNO_3 < NH_4ClO_4 < CH_3COOH$
6. $[CH_3COONa]_0 = 2,76 \times 10^{-2}$ mol/L
7. $[NH_4Cl]_0 = 0,57$ mol/L
8. $K_b = 5,7 \times 10^{-10}$
9. a) pH = 6,25 b) pH = 6,25
10. pH = 7,91
11. a) Déplacement de l'équilibre vers la droite
    b) Déplacement de l'équilibre vers la gauche
    c) Déplacement de l'équilibre vers la droite
    d) Déplacement de l'équilibre vers la gauche
    e) Aucun changement
12. $H_3PO_4(aq) \rightleftharpoons H_3O^+(aq) + H_2PO_4^-(aq)$ (1)
    $H_2PO_4^-(aq) \rightleftharpoons OH^-(aq) + H_3PO_4(aq)$ (2)
    La présence de H_3PO_4 (fonction acide) permet d'absorber un ajout d'une base dans la solution tampon, tandis que la présence de $H_2PO_4^-$ (fonction basique) permet d'absorber un ajout d'un acide à cette solution. La stabilité d'un tampon provient de la présence simultanée d'une fonction acide et d'une fonction basique. Le tampon est le plus efficace lorsque les concentrations de ses constituants sont les mêmes.
13. Le mélange des deux substances produit de l'acide fluorhydrique HF en solution. Un ajout contrôlé et calculé de HCl permet d'obtenir un rapport $[F^-]/[HF]$ compris entre 0,1 et 10.
14. La valeur du pH ne changera pas.
15. $\dfrac{[HCO_3^-]}{[H_2CO_3]} = 11$
16. pH = 10,44
17. $8,3 \times 10^{-4}$ L (0,83 mL)
18. 13,9 g
19. pH = 8,47
20. a) pH = 6,91 b) pH = 9,13
21. $n_{HCl} = 4,0 \times 10^{-3}$ mol et masse de HCl = 0,146 g
22. a) pH = 11,74 b) pH = 11,35
23. La force de l'acide n'a pas d'importance dans ce cas-ci puisqu'on utilise une base forte, NaOH, pour neutraliser l'acide. Pour réaliser un titrage, on doit utiliser des espèces fortes (au moins une parmi les deux en présence). La réaction de neutralisation avec NaOH est une réaction complète (déplacement vers la droite, formation des produits).
24. a) $HCl(aq) + NH_3(aq) \longrightarrow NH_4^+(aq) + Cl^-(aq)$
    b) $c_{NH_3} = 5,85$ mol/L
    c) % m/V = 9,98 %
25. $M_{acide} = 180$ g/mol
26. a) pH = 2,16 b) $[K^+] = 0,086$ mol/L $[NO_3^-] = 0,0928$ mol/L
27. a) pH = 5,29 b) $[C_6H_5COO^-] = [Na^+] = 0,086$ mol/L
28. pH = 6
29. a) bleu de thymol (acide) b) bleu de thymol (base) phénolphtaléine
30. pH = 11,71
31. a) pH = 0,648
    b) pH = 1,12
    c) pH = 1,52
    d) pH = 7
    e) pH = 12,57
32. a) pH = 7,58
    b) pH = 7,40
    c) pH = 10,52
    d) pH = 12,90
33. a) pH = 11,37
    b) $V_{HNO_3} = 25,0$ mL
    c) pH = 9,25
    d) pH = 5,06
    e) pH = 1,62
34. a) pH = 3,50
    b) pH = 3,54
    c) pH = 1,44
    d) pH = 1,39
35. a) pH = 2,08 b) $V_{NaOH} = 0,023$ L (23 mL)
36. a) $[H_3O^+] = 0,170$ mol/L
    $[NH_4^+] = [Cl^-] = 0,080$ mol/L
    b) pH = 0,77

EXERCICE RÉCAPITULATIF (page 252)

37. a) pH = 5,40
    b) pH = 5,60
    c) pH = 3,17
    d) pH = 9,59
    e) pH = 9,53
    f) pH = 8,79
    g) pH = 8,61
    h) pH = 11,30
    i) pH = 7,82

CHAPITRE 7

EXERCICE 7.1 (page 256)

a) $Al(OH)_3(s) \rightleftharpoons 3OH^-(aq) + Al^{3+}(aq)$

$K_{ps} = [OH^-]^3[Al^{3+}]$

b) $MgF_2(s) \rightleftharpoons Mg^{2+}(aq) + 2F^-(aq)$

$K_{ps} = [Mg^{2+}][F^-]^2$

c) $CH_3COOAg(s) \rightleftharpoons Ag^+(aq) + CH_3COO^-(aq)$

$K_{ps} = [Ag^+][CH_3COO^-]$

d) $CaSO_4(s) \rightleftharpoons Ca^{2+}(aq) + SO_4^{2-}(aq)$

$K_{ps} = [Ca^{2+}][SO_4^{2-}]$

e) $Mg_3(PO_4)_2(s) \rightleftharpoons 3Mg^{2+}(aq) + 2PO_4^{3-}(aq)$

$K_{ps} = [Mg^{2+}]^3[PO_4^{3-}]^2$

EXERCICE 7.2 (page 258)

a) $1,03 \times 10^{-5}$ mol/L
$2,40 \times 10^{-3}$ g/L

b) 0,0143 mol/L
3,98 g/L

c) $6,54 \times 10^{-5}$ mol/L
0,0217 g/L

d) 4×10^{-6} mol/L
1×10^{-3} g/L

EXERCICE 7.3 (page 260)

$K_{ps} = 1,61 \times 10^{-5}$

EXERCICE 7.4 (page 262)

$S = 5,41 \times 10^{-3}$ mol/L

EXERCICE 7.5 (page 263)

a) $9,94 \times 10^{-11}$ mol/L
b) $2,64 \times 10^{-9}$ mol/L
c) $2,64 \times 10^{-21}$ mol/L

EXERCICE 7.6 (page 266)

$S = 0,244$ mol/L

EXERCICE 7.7 (page 268)

$[Pb^{2+}]_0 = 0,010$ mol/L

$[I^-]_0 = 4,00 \times 10^{-4}$ mol/L

$Q_{ps} = 1,6 \times 10^{-9} < K_{ps}$

Il n'y aura pas de précipité.

EXERCICE 7.8 (page 270)

$3,59 \times 10^{-4}$ g

EXERCICE 7.9 (page 270)

pH = 10,53

EXERCICE 7.10 (page 272)

a) AgCl
b) $[Ag^+] = 1,64 \times 10^{-8}$ mol/L
c) $[Cl^-] = 1,77 \times 10^{-7}$ mol/L
d) Il n'y a pas de précipité de $PbCl_2$ et les ions Pb^{2+} demeurent en solution.

QUESTIONS ET EXERCICES SUPPLÉMENTAIRES (pages 276-277)

1. a) $AgBrO_3(s) \rightleftharpoons Ag^+(aq) + BrO_3^-(aq)$
   $K_{ps} = [Ag^+][BrO_3^-]$
   b) $Hg_2Cl_2(s) \rightleftharpoons Hg_2^{2+}(aq) + 2Cl^-(aq)$
   $K_{ps} = [Hg_2^{2+}][Cl^-]^2$
   c) $PbCrO_4(s) \rightleftharpoons Pb^{2+}(aq) + CrO_4^{2-}(aq)$
   $K_{ps} = [Pb^{2+}][CrO_4^{2-}]$
   d) $Mg(OH)_2(s) \rightleftharpoons 2OH^-(aq) + Mg^{2+}(aq)$
   $K_{ps} = [OH^-]^2[Mg^{2+}]$
   e) $Ca_3(PO_4)_2(s) \rightleftharpoons 3Ca^{2+}(aq) + 2PO_4^{3-}(aq)$
   $K_{ps} = [Ca^{2+}]^3[PO_4^{3-}]^2$

2. a) $Al(OH)_3(s) \rightleftharpoons 3OH^-(aq) + Al^{3+}(aq)$
   b) $AlPO_4(s) \rightleftharpoons Al^{3+}(aq) + PO_4^{3-}(aq)$
   c) $Li_2CO_3(s) \rightleftharpoons 2Li^+(aq) + CO_3^{2-}(aq)$
   d) $Hg_2I_2(s) \rightleftharpoons Hg_2^{2+}(aq) + 2I^-(aq)$
   e) $Cu_3(PO_4)_2 \rightleftharpoons 3Cu^{2+}(aq) + 2PO_4^{3-}(aq)$

3. Seul l'énoncé a) est vrai.

4. a) $3{,}58 \times 10^{-3}$ mol/L
   0,628 g/L
   b) $2{,}13 \times 10^{-7}$ mol/L
   $7{,}80 \times 10^{-5}$ g/L
   c) $5{,}88 \times 10^{-2}$ mol/L
   4,34 g/L
   d) $4{,}26 \times 10^{-5}$ mol/L
   0,0178 g/L
   e) $7{,}13 \times 10^{-7}$ mol/L
   $3{,}37 \times 10^{-4}$ g/L

5. a) $1{,}91 \times 10^{-9}$
   b) $1{,}77 \times 10^{-14}$
   c) $1{,}46 \times 10^{-4}$

6. a) $[Ag^+] = 2{,}88 \times 10^{-2}$ mol/L et $[SO_4^{2-}] = 1{,}44 \times 10^{-2}$ mol/L
   b) $[PO_4^{3-}] = 2{,}28 \times 10^{-7}$ mol/L et $[Ca^{2+}] = 3{,}42 \times 10^{-7}$ mol/L
   c) $[OH^-] = 2{,}24 \times 10^{-4}$ mol/L et $[Mg^{2+}] = 1{,}12 \times 10^{-4}$ mol/L
   d) $[Pb^{2+}] = 1{,}35 \times 10^{-4}$ mol/L et $[SO_4^{2-}] = 1{,}35 \times 10^{-4}$ mol/L
   e) $[PO_4^{3-}] = 4{,}26 \times 10^{-5}$ mol/L et $[Ag^+] = 1{,}28 \times 10^{-4}$ mol/L

7. Le carbonate de magnésium

8. 2230 mL (2,23 L)

9. $4{,}81 \times 10^{-4}$ g

10. a) masse de $CH_3COOAg(s) = 0{,}371$ g
    b) $[Ag^+] = 0{,}0195$ mol/L
    $[CH_3COO^-] = 0{,}0995$ mol/L
    $[Na^+] = 0{,}144$ mol/L

11. Le chromate d'argent

12. $K_{ps} = 5{,}65 \times 10^{-5}$

13. a) Faible augmentation
    b) Diminution de la solubilité (ion commun Pb^{2+})
    c) Diminution de la solubilité (ion commun Br^-)
    d) Aucun effet

14. a) Augmentation de la solubilité par formation de l'acide fluorhydrique (HF)
    b) Diminution de la solubilité (ion commun F^-)
    c) Aucun effet
    d) Diminution de la solubilité (ion commun Ca^{2+})

15. a) 0,342 g/L
    b) 3430 g/L (très soluble en milieu fortement acide)
    c) $3{,}43 \times 10^{-6}$ g/L

16. b), c), e) et f)

17. a), c) et d)

18. $2{,}0 \times 10^{30}$

19. 0,031 mol/L; 3,9 g/L

20. 3,44 g

21. $[NH_3]_0 = 0{,}291$ mol/L

22. Il ne se forme pas de précipité.

23. CdS, NiS, CoS, ZnS.

24. 20 %

25. $[Ag^+] = 2{,}00 \times 10^{-8}$ mol/L

26. a) L'anion CrO_4^{2-}
    b) $[Pb^{2+}] = 1{,}82 \times 10^{-6}$ mol/L
    c) $2{,}94 \times 10^{-4}$ g
    d) Les deux anions ne sont pratiquement pas séparés.
27. $[Ca^{2+}] = 7{,}0 \times 10^{-4}$ mol/L
    $[SO_4^{2-}] = 0{,}100$ mol/L
28. a) Le carbonate de strontium
    b) 0,22
29. Dans une telle solution, la concentration des ions SO_4^{2-} est légèrement supérieure à celle permise dans l'eau potable.
30. a) 0,143 g
    b) $[Ag^+] \approx 0$
    $[Cl^-] = 0{,}490$ mol/L
    $[NO_3^-] = 0{,}0100$ mol/L

EXERCICE RÉCAPITULATIF (page 278)

31. a) $Zn(OH)_2(s) \rightleftharpoons 2OH^-(aq) + Zn^{2+}(aq)$
    b) Il y a formation d'un précipité.
    c) 0,179 mg
    d) $2{,}86 \times 10^{-3}$ mg
    e) 1) Augmentation de la solubilité
    2) Diminution de la solubilité

CHAPITRE 8

EXERCICE 8.1 (page 284)

a) +1
b) +4
c) +2
d) +5
e) +3
f) –3
g) –2
h) +5
i) +4
j) +3

EXERCICE 8.2 (page 287)

a) $4Fe^{2+} + O_2 + 4H^+ \longrightarrow 4Fe^{3+} + 2H_2O$

b) $3Cu + 2NO_3^- + 8H^+ \longrightarrow 3Cu^{2+} + 2NO + 4H_2O$

EXERCICE 8.3 (page 289)

a) $BrO_3^- + F_2 + 2OH^- \longrightarrow BrO_4^- + 2F^- + H_2O$

b) $H_2O_2 + 2I^- \longrightarrow I_2 + 2OH^-$

EXERCICE 8.4 (page 290)

a) $2H_2O_2(aq) \longrightarrow 2H_2O(l) + O_2(g)$

b) $Pb(s) + 2SO_4^{2-} + PbO_2 + 4H^+ \longrightarrow 2PbSO_4 + 2H_2O$

EXERCICE 8.5 (page 292)

a) $Cr_2O_7^{2-} + 3H_2S + 8H^+ \longrightarrow 2Cr^{3+} + 3S + 7H_2O$
b) $PbO_2 + 4HI \longrightarrow PbI_2 + I_2 + 2H_2O$
c) $4Sb(s) + 4NO_3^- + 4H^+ \longrightarrow Sb_4O_6 + 4NO + 2H_2O$
d) $2KMnO_4 + 10KI + 8H_2SO_4 \longrightarrow 5I_2 + 2MnSO_4 + 6K_2SO_4 + 8H_2O$

EXERCICE 8.6 (page 293)

0,310 mol/L

EXERCICE 8.7 (page 295)

a) $3Mn^{2+} + 2MnO_4^- + 2H_2O \longrightarrow 5MnO_2 + 4H^+$

b) 0,0915 mol/L

EXERCICE 8.8 (page 298)

$Fe(s) \longrightarrow Fe^{3+}(aq) + 3e^-$ (oxydation)

$Ag^+(aq) + 1e^- \longrightarrow Ag(s)$ (réduction)

$3Ag^+(aq) + Fe(s) \longrightarrow Fe^{3+}(aq) + 3Ag(s)$

Anode : $Fe(s)$

Cathode : $Ag(s)$

EXERCICE 8.9 (page 299)

a) $Pt(s) \mid Fe^{2+}(aq), Fe^{3+}(aq) \mid\mid MnO_4^-(aq), Mn^{2+}(aq), H^+(aq) \mid Pt(s)$

b) $5Fe^{2+}(aq) \longrightarrow 5Fe^{3+}(aq) + 5e^-$ (anode)

$MnO_4^-(aq) + 8H^+(aq) + 5e^- \longrightarrow Mn^{2+}(aq) + 4H_2O(l)$ (cathode)

$5Fe^{2+}(aq) + MnO_4^-(aq) + 8H^+(aq) \longrightarrow 5Fe^{3+}(aq) + Mn^{2+}(aq) + 4H_2O(l)$

EXERCICE 8.10 (page 303)

a) $Ni^{2+}(aq) + 2e^- \longrightarrow Ni(s)$ $E^0_{réd.} = -0{,}257$ V

$Mn(s) \longrightarrow Mn^{2+}(aq) + 2e^-$ $E^0_{oxy.} = 1{,}185$ V

$Ni^{2+}(aq) + Mn(s) \longrightarrow Ni(s) + Mn^{2+}(aq)$

b) 0,928 V

c) $Mn(s) \mid Mn^{2+}(aq) \mid\mid Ni^{2+}(aq) \mid Ni(s)$

EXERCICE 8.11 (page 305)

a) Le potentiel de la pile diminue.
b) Aucun effet s'il n'y a pas d'augmentation de la concentration des ions Ag^+.
c) Le potentiel de la pile augmente.

EXERCICE 8.12 (page 307)

a) $E_{pile} = 0{,}056$ V

b) $E_{pile} = 0{,}64$ V

EXERCICE 8.13 (page 308)

$K_{ps} = 1{,}70 \times 10^{-10}$

EXERCICE 8.14 (page 311)

a) $Zn(Hg)(s) + HgO(s) \longrightarrow ZnO(s) + Hg(l)$

b) $Zn(s) + Ag_2O(s) \longrightarrow ZnO(s) + 2Ag(s)$

EXERCICE 8.15 (page 313)

a) $E^0_{pile} = 12{,}30$ V

b) $E^0 = 1{,}299$ V

EXERCICE 8.16 (page 316)

5,1 g

QUESTIONS ET EXERCICES SUPPLÉMENTAIRES (pages 324 à 328)

1. a) H = +1; O = −2; S = +4
   b) Na = +1; O = −1
   c) K = +1; O = −2; Cr = +6
   d) P = 0
   e) Al = +3; O = −2; H = +1
   f) B = +3; O = −2
   g) Cu = +2; N = +5; O = −2
   h) H = +1; O = −2; As = +5
   i) Cl = +7; O = −2
   j) H = +1; N = −3; C = +2

2. a) Oxy. : Cl_2; Réd. : H_2
   b) Oxy. : O_2; Réd. : CH_4 (C^{-4})
   d) Oxy. : O_2; Réd. : Ag
   e) Oxy. : H_2O_2 (O^{-1}); Réd. : I^-
   g) Oxy. : Ag^+; Réd. : Cu(s)
   i) Oxy. : $KMnO_4$ (Mn^{+7}); Réd. : $H_2C_2O_4$ (C^{+3})
   j) Oxy. : NO_2 (N^{+4}); Réd. : NO_2 (N^{+4})

3. a) $5Fe^{2+} + MnO_4^- + 8H^+ \longrightarrow 5Fe^{3+} + Mn^{2+} + 4H_2O$
   b) $2MnO_4^- + 5SO_3^{2-} + 11H^+ \longrightarrow 2Mn^{2+} + 5HSO_4^- + 3H_2O$
   c) $3I_2 + 10NO_3^- + 4H^+ \longrightarrow 6IO_3^- + 10NO + 2H_2O$
   d) $C_2O_4^{2-} + MnO_2 + 4H^+ \longrightarrow 2CO_2 + Mn^{2+} + 2H_2O$
   e) $2Cl_2 + 2H_2O \longrightarrow 2Cl^- + 2ClO^- + 4H^+$
   f) $2MnO_4^- + 10Cl^- + 16H^+ \longrightarrow 2Mn^{2+} + 5Cl_2 + 8H_2O$
   g) $4Zn + NO_3^- + 10H^+ \longrightarrow 4Zn^{2+} + NH_4^+ + 3H_2O$
   h) $10NO_3^- + I_2 + 8H^+ \longrightarrow 10NO_2 + 4H_2O + 2IO_3^-$
   i) $2MnO_4^- + 5H_2S + 6H^+ \longrightarrow 2Mn^{2+} + 5S + 8H_2O$
   j) $Br_2 + SO_2 + 2H_2O \longrightarrow 2Br^- + SO_4^{2-} + 4H^+$

4. a) $2Fe^{2+} + 2H_2O \longrightarrow 2Fe^{3+} + H_2 + 2OH^-$
   b) $NO_2^- + 2Al + H_2O + OH^- \longrightarrow NH_3 + 2AlO_2^-$
   c) $H_2O_2 + 2I^- \longrightarrow I_2 + 2OH^-$
   d) $4P_4 + 12OH^- + 12H_2O \longrightarrow 12H_2PO_2^- + 4PH_3$
   e) $2MnO_4^- + 3Se^{2-} + 4H_2O \longrightarrow 2MnO_2 + 3Se^0 + 8OH^-$
   f) $2NO_2 + 2OH^- \longrightarrow NO_3^- + NO_2^- + H_2O$
   g) $4Zn + NO_3^- + 6H_2O \longrightarrow 4Zn^{2+} + NH_3 + 9OH^-$
   h) $6Cl_2 + 12OH^- \longrightarrow 10Cl^- + 2ClO_3^- + 6H_2O$
   i) $3Mn^{2+} + 2MnO_4^- + 4OH^- \longrightarrow 5MnO_2 + 2H_2O$
   j) $3I^- + IO_4^- + H_2O \longrightarrow I_3^- + IO_3^- + 2OH^-$

5. a) $Ag + 2HNO_3 \longrightarrow AgNO_3 + NO_2 + H_2O$
   b) $3CuS + 8HNO_3 \longrightarrow 3Cu(NO_3)_2 + 2NO + 3S + 4H_2O$
   c) $4MnO_2 + 6NaBiO_3 + 10H_2SO_4 \longrightarrow 3Bi_2(SO_4)_3 + 4NaMnO_4 + Na_2SO_4 + 10H_2O$
   d) $8Al + 3NaNO_3 + 5NaOH + 18H_2O \longrightarrow 3NH_3 + 8NaAl(OH)_4$
   e) $2SnCl_2 + O_2 + 8HCl \longrightarrow 2H_2SnCl_6 + 2H_2O$

6. 0,0560 mol/L

7. a) $5H_2C_2O_4 + 2MnO_4^- + 6H^+ \longrightarrow 10CO_2 + 2Mn^{2+} + 8H_2O$
   b) $7{,}61 \times 10^{-2}$ mol/L

8. a) $3Mn^{2+} + 2MnO_4^- + 4OH^- \longrightarrow 5MnO_2 + 2H_2O$
   b) $8{,}80 \times 10^{-2}$ mol/L

9. a) $5Fe^{2+} + MnO_4^- + 8H^+ \longrightarrow 5Fe^{3+} + Mn^{2+} + 4H_2O$
   b) $6{,}721 \times 10^{-2}$ mol/L

10. 55,8%

11. 0,647 V

12. a) $Sn(s) \longrightarrow Sn^{2+}(aq) + 2e^-$ (anode)
    $2Cu^+(aq) + 2e^- \longrightarrow 2Cu(s)$ (cathode)
    Éq. glob. : $Sn(s) + 2Cu^{2+}(aq) \longrightarrow Sn^{2+}(aq) + 2Cu(s)$
    $E^0_{pile} = 0{,}659$ V
    b) $2Al(s) \longrightarrow 2Al^{3+}(aq) + 6e^-$ (anode)
    $3Sn^{2+}(aq) + 6e^- \longrightarrow 3Sn(s)$ (cathode)
    Éq. glob. : $3Sn^{2+}(aq) + 2Al(s) \longrightarrow 2Al^{3+}(aq) + 3Sn(s)$
    $E^0_{pile} = 1{,}524$ V
    c) $Fe^{2+}(aq) \longrightarrow Fe^{3+}(aq) + 1e^-$ (anode, Pt)
    $Ag^+(aq) + 1e^- \longrightarrow Ag(s)$ (cathode)
    Éq. glob. : $Fe^{2+}(aq) + Ag^+(aq) \longrightarrow Fe^{3+}(aq) + Ag(s)$
    $E^0_{pile} = 0{,}029$ V
    d) $Co(s) \longrightarrow Co^{2+}(aq) + 2e^-$ (anode, Pt)
    $2Ag^+(aq) + 2e^- \longrightarrow 2Ag(s)$ (cathode, Pt)
    Éq. glob. : $Co(s) + 2Ag^+(aq) \longrightarrow Co^{2+}(aq) + 2Ag(s)$
    $E^0_{pile} = 1{,}080$ V
    e) $6MnO_4^-(aq) + 48H^+(aq) + 30e^- \longrightarrow 6Mn^{2+}(aq) + 24H_2O(l)$ (cathode)
    $5I^-(aq) + 15H_2O(l) \longrightarrow 5IO_3^-(aq) + 30H^+(aq) + 30e^-$ (anode)
    Éq. glob. : $6MnO_4^-(aq) + 5I^-(aq) + 18H^+(aq) \longrightarrow 9H_2O(l) + 6Mn^{2+}(aq) + 5IO_3^-(aq)$
    $E^0_{pile} = 0{,}422$ V

13. $2H_2(g) \longrightarrow 4H^+(aq) + 4e^-$
    $O_2(g) + 4H^+(aq) + 4e^- \longrightarrow 2H_2O(l)$
    $E^0 = 1{,}229$ V

14. a) $E^0_{réd.} = -1{,}185$ V
    b) M = manganèse (Mn)

15. a) Réaction non spontanée dans le sens de l'équation chimique.
    b) Réaction spontanée dans le sens de l'équation chimique.
    c) Réaction spontanée dans le sens de l'équation chimique.
    d) Réaction non spontanée dans le sens de l'équation chimique.
    e) Réaction spontanée dans le sens de l'équation chimique.
    f) Réaction non spontanée dans le sens de l'équation chimique.

16. $Br_2(l) + 2I^-(aq) \longrightarrow 2Br^-(aq) + I_2(s)$

17. a) $2Cu^+(aq) + Fe(s) \longrightarrow Cu(s) + Fe^{2+}(aq)$
    Les e⁻ vont se déplacer de l'électrode de fer vers l'électrode de cuivre.
    $E^0_{pile} = 0{,}968$ V
    Anode : $Fe(s)$
    Cathode : $Cu(s)$

    b) $2Ag^+(aq) + Sn^{2+}(aq) \longrightarrow 2Ag(s) + Sn^{4+}(aq)$
    Les e⁻ vont se déplacer de l'électrode d'étain vers l'électrode d'argent.
    $E^0_{pile} = 0{,}649$ V
    Anode : Sn^{4+}/Sn^{2+} (électrode de Pt)
    Cathode : $Ag(s)$

    c) $Pb^{2+}(aq) + Sn(s) \longrightarrow Pb(s) + Sn^{2+}(aq)$
    Les e⁻ vont se déplacer de l'électrode de platine (Sn^{2+}/Sn^{4+}) vers l'électrode de plomb.
    $E^0 = 0{,}012$ V
    Anode : $Sn(s)$
    Cathode : $Pb(s)$

18. a) $E^0 = -0{,}029$ V   b) $E^0 = 3{,}628$ V   c) $E^0 = 0{,}275$ V

19. a) $Pb^{2+}(aq) + 2e^- \longrightarrow Pb(s)$
    $Al(s) \longrightarrow Al^{3+}(aq) + 3e^-$
    $3Pb^{2+}(aq) + 2Al(s) \longrightarrow 3Pb(s) + 2Al^{3+}(aq)$ $E^0_{pile} = 1{,}536$ V

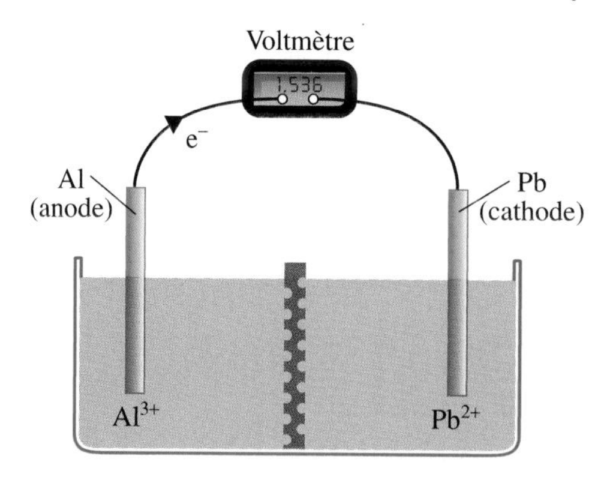

    b) $Cl_2(g) + 2e^- \longrightarrow 2Cl^-(aq)$
    $2H_2O(l) \longrightarrow O_2(g) + 4H^+(aq) + 4e^-$
    $2Cl_2(g) + 2H_2O(l) \longrightarrow 4Cl^-(aq) + O_2(g) + 4H^+(aq)$ $E^0_{pile} = 0{,}129$ V

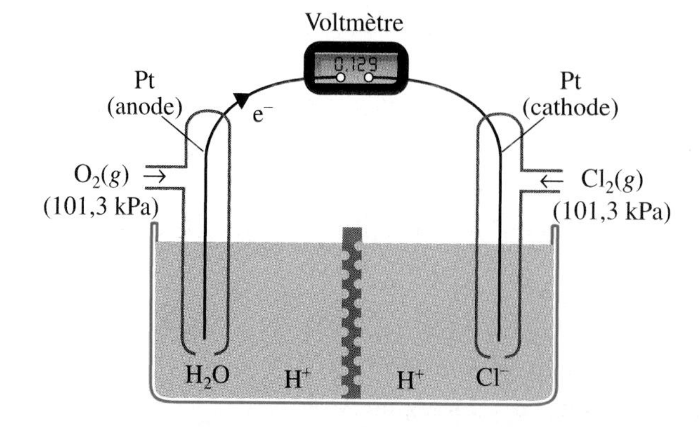

c) $Zn(s) \longrightarrow Zn^{2+}(aq) + 2e^-$
$NO_3^-(aq) + 4H^+(aq) + 3e^- \longrightarrow NO(g) + 2H_2O(l)$
$3Zn(s) + 2NO_3^-(aq) + 8H^+(aq) \longrightarrow 3Zn^{2+}(aq) + 2NO(g) + 4H_2O(l)$ $E^0 = 1{,}719$ V

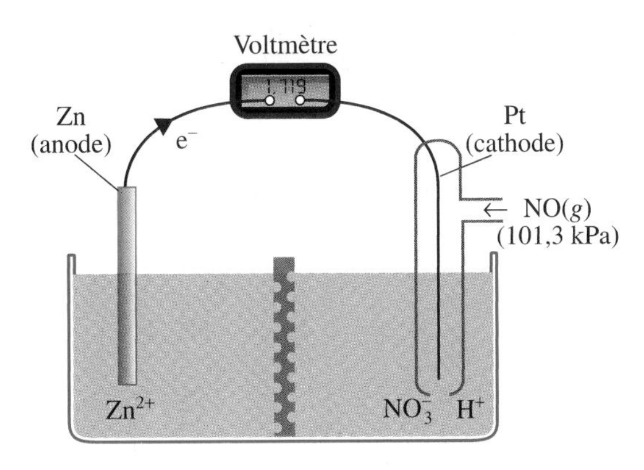

d) $Fe^{3+}(aq) + 1e^- \longrightarrow Fe^{2+}(aq)$
$Cu(s) \longrightarrow Cu^+(aq) + 1e^-$
$Fe^{3+}(aq) + Cu(s) \longrightarrow Fe^{2+}(aq) + Cu^+(aq)$ $E^0 = 0{,}250$ V

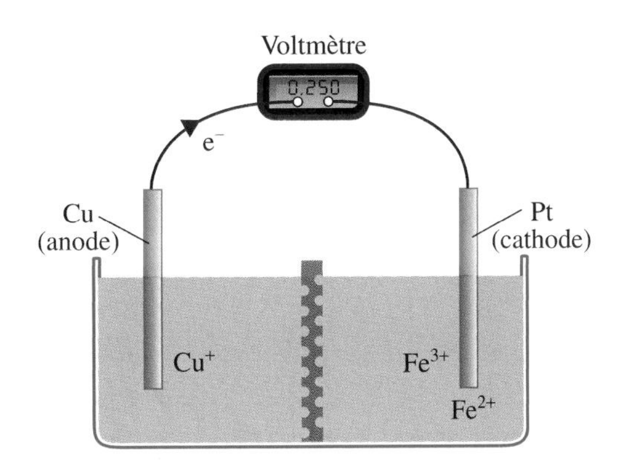

20. a) Augmentation du potentiel
b) Augmentation du potentiel
c) Aucun effet
d) Aucun effet
e) Augmentation du potentiel
f) Diminution du potentiel

21. $E_{pile} = 0{,}016$ V

22. $[H^+] = 1{,}83 \times 10^{-3}$ mol/L

23. $K_{ps} = 6{,}7 \times 10^{-9}$

24. a) $E^0 = 1{,}10$ V
b) $E = 1{,}17$ V

25. a) $E_{pile} = 0{,}469$ V
Réaction spontanée dans le sens de l'équation globale équilibrée
b) $E_{pile} = -0{,}065$ V
Réaction non spontanée dans le sens de l'équation globale équilibrée

26. a) $2Cl^-(aq) \longrightarrow Cl_2(g) + 2e^-$
$PbO_2(s) + 4H^+(aq) + 2e^- \longrightarrow Pb^{2+}(aq) + 2H_2O(l)$
Éq. globale : $2Cl^-(aq) + PbO_2(s) + 4H^+(aq) \longrightarrow Cl_2(g) + Pb^{2+}(aq) + 2H_2O(l)$
b) $E^0_{pile} = 0{,}097$ V
Réaction spontanée dans le sens de l'équation globale
c) Réaction non spontanée dans le sens de l'équation globale
d) Réaction spontanée dans le sens de l'équation globale

27. a) $Al(s) \longrightarrow Al^{3+}(aq) + 3e^-$ (oxy.)
$Ag^+(aq) + 1e^- \longrightarrow Ag(s)$ (réd.)
Éq. glob. : $3Ag^+(aq) + Al(s) \longrightarrow 3Ag(s) + Al^{3+}(aq)$

$E^0_{pile} = 2,462$ V

Oxydant : Ag^+
Réducteur : Al

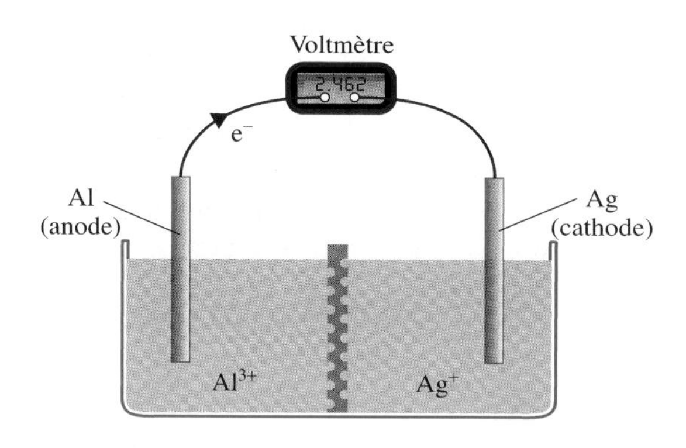

b) $E = 2,50$ V

28. a) I_2
b) Al^{3+}
c) Al
d) I^-

29. $[Ag^+] = 1,74 \times 10^{-7}$ mol/L

30. $E_{pile} = 1,97$ V

31. 2,02 A

32. Masse de Ag = 0,201 g

33. Masse de Al = 0,559 g

34. Masse de Na = 3430 g

35. $V_{H_2} = 16,2$ L
$V_{O_2} = 8,09$ L

36. a) $Cr_2O_7^{2-}(aq) + 14H^+(aq) + 12e^- \longrightarrow 2Cr(s) + 7H_2O(l)$
b) 6400 s (≈ 1 h 47 min)

EXERCICE RÉCAPITULATIF (p. 328)

37. a) Anode : $2Ag(s) \longrightarrow 2Ag^+(aq) + 2e^-$ $E^0 = -0,800$ V
Cathode : $MnO_2(s) + 4H^+(aq) + 2e^- \longrightarrow Mn^{2+}(aq) + 2H_2O(l)$ $E^0 = 1,224$ V

Éq. globale : $MnO_2(s) + 2Ag(s) + 4H^+(aq) \longrightarrow 2Ag^+(aq) + Mn^{2+}(aq) + 2H_2O(l)$

b) $Ag(s)\ |\ Ag^+(aq)\ ||\ MnO_2(s)\ |\ Mn^{2+}(aq), H^+(aq)\ |\ Pt$

c) L'anode est constituée de Ag(*s*).
La cathode est constituée de Pt(*s*).

d) Oxydant : $MnO_2(s)$
Réducteur : Ag(*s*)

e) Les électrons se déplacent de l'anode, Ag(*s*), vers la cathode, MnO_2.

f) $E^0_{pile} = 0,424$ V

g) $E_{pile} = 0,30$ V

Accumulateur : appareil stockant l'énergie électrique sous forme chimique et pouvant la restituer sous forme de courant électrique.

Acide : selon Arrhenius, substance qui cède des ions hydrogène, H^+, en solution aqueuse; selon Brønsted-Lowry, substance qui donne des ions H^+ (ou des protons); selon Lewis, un accepteur de doublet électronique.

Acide conjugué : acide formé lorsqu'une base de Brønsted-Lowry capte un proton.

Acide faible : acide partiellement dissocié en solution aqueuse.

Acide fort : acide totalement dissocié en solution aqueuse.

Activité : concentration effective d'une substance; le plus souvent, elle est inférieure à la concentration fondée sur les relations pondérales.

Aérosol : suspension colloïdale de particules solides ou liquides dans l'air.

Amphotère : substance qui peut jouer le rôle d'un acide ou d'une base.

Base : selon Arrhenius, substance qui cède des ions hydroxyde, OH^-, en solution aqueuse; selon Brønsted-Lowry, substance qui accepte des ions H^+ (ou des protons); selon Lewis, un donneur de doublet électronique.

Base conjuguée : base formée lorsqu'un acide de Brønsted-Lowry cède un proton.

Base faible : base partiellement dissociée en solution aqueuse.

Base forte : base totalement dissociée en solution aqueuse.

Catalyseur : substance qui augmente la vitesse d'une réaction chimique sans être consommée par la réaction.

Colloïde (suspension colloïdale) : mélange dans lequel des particules (200-500 nm) sont dispersées dans un gaz, un liquide ou un solide.

Complexe activé : espèce chimique instable résultant des collisions entre des molécules de réactifs, intermédiaire entre les réactifs et les produits.

Concentration molaire volumique (molarité) : nombre de moles de soluté par litre de solution.

Constante d'acidité : constante d'équilibre de la réaction de dissociation d'un acide faible.

Constante de basicité : constante d'équilibre de la réaction de dissociation d'une base faible.

Constante de dissociation de l'eau : constante égale au produit de la concentration des ions hydronium, H_3O^+ (ou H^+), par celle des ions hydroxyde, OH^-; elle vaut $1,00 \times 10^{-14}$ à 25 °C.

Constante d'équilibre : grandeur qui donne le rapport entre les concentrations à l'équilibre des produits et celles des réactifs.

Constante d'hydrolyse : constante d'acidité de l'anion ou constante de basicité du cation de sels en solution aqueuse.

Constante molale cryoscopique : constante qui donne la valeur du rapport entre l'abaissement de la température de congélation (ou de fusion) d'une solution et sa molalité.

Constante molale de l'abaissement de la pression de vapeur : constante qui donne la valeur du rapport entre l'abaissement de la pression de vapeur d'une solution et sa molalité.

Constante molale ébullioscopique : constante qui donne la valeur du rapport entre l'augmentation de la température d'ébullition d'une solution et sa molalité.

Degré de dissociation (d'un acide ou d'une base) : rapport entre la concentration de l'acide (base) dissocié à l'équilibre et la concentration initiale de l'acide (base); on l'appelle pourcentage de dissociation lorsque ce rapport est multiplié par 100.

Demi-vie d'une réaction : temps requis pour que la concentration d'un réactif diminue de moitié pendant une réaction chimique.

Distillation : procédé de séparation de composants fondé sur la vaporisation d'un liquide suivie de sa condensation.

Distillation fractionnée : distillation qui met en œuvre plusieurs distillations en intercalant une colonne entre le liquide en ébullition et la tête à distiller.

Effet d'ion commun : conséquence qu'a sur la position d'équilibre l'ajout d'un ion qui participe déjà à une réaction d'équilibre.

Électrolyse : processus par lequel le passage du courant électrique à travers une solution ou un composé en fusion entraîne une réaction chimique non spontanée.

Électrolyte : substance chimique dont les solutions aqueuses conduisent le courant électrique grâce aux ions en solution.

Émulsion : suspension colloïdale de particules liquides dans un liquide.

Énergie d'activation : énergie cinétique minimale requise pour que les molécules des réactifs puissent déclencher la réaction chimique.

Énergie de Gibbs : grandeur thermodynamique qui relie l'entropie et l'enthalpie; elle correspond à la différence entre la variation de l'enthalpie (ΔH) et le produit de la variation de l'entropie (ΔS) par la température (T).

Entropie : grandeur thermodynamique qui mesure le désordre d'un système.

Équilibre chimique : état d'une réaction chimique réversible caractérisé par une égalité entre la vitesse de la réaction directe et la vitesse de la réaction inverse, ainsi que par des concentrations constantes de toutes les substances. Cet équilibre est dit dynamique, car les deux réactions se produisent constamment.

Équilibre hétérogène : équilibre chimique dans lequel les substances ne se retrouvent pas toutes sous le même état physique; toute substance pure solide ou liquide n'est pas considérée dans l'expression et le calcul de la constante.

Équilibre homogène : équilibre chimique dans lequel toutes les substances sont sous le même état physique.

Équivalent d'acide (ou de base) : nombre de moles de H^+ (ou OH^-) par mole d'acide (ou de base).

État de transition : état intermédiaire entre les réactifs et les produits dans une réaction chimique; il est aussi appelé complexe activé.

Facteur de van't Hoff : nombre qui indique la grandeur de la déviation du comportement des ions d'une solution par rapport au comportement idéal et qui est relié à la dissociation d'un soluté en solution.

Faraday : charge de 96 485 coulombs (C), équivalant au passage d'une mole d'électrons.

Force électromotrice : force avec laquelle les électrons d'un réducteur se déplacent vers l'oxydant dans une pile électrochimique; la force électromotrice est aussi désignée potentiel d'une pile.

Fraction molaire : rapport entre le nombre de moles d'un soluté et le nombre total de moles formant la solution.

Gel : suspension colloïdale de particules solides dans un liquide.

Hydracide : acide dont la formule ne renferme pas d'atomes d'oxygène.

Hydrolyse : réaction acido-basique dans laquelle un ion agit comme un acide ou une base par suite de sa réaction avec l'eau.

Indicateur : substance qui possède deux formes, de couleurs différentes, selon qu'elle se trouve en milieu plus acide ou en milieu plus basique.

Ion acide : cation qui donne une solution acide par réaction avec l'eau.

Ion basique : anion qui donne une solution basique par réaction avec l'eau.

Ion complexe : anion ou cation dans lequel des groupes de molécules ou d'ions, appelés ligands, sont liés à un atome ou à un ion métallique central.

Ion neutre : anion ou cation qui ne produit aucune réaction acido-basique en solution aqueuse.

Loi d'action de masse : loi qui détermine l'expression de la constante d'équilibre et dont le symbole est K.

Loi de vitesse : équation mathématique qui établit la relation entre la vitesse d'une réaction chimique et la concentration des réactifs.

Mécanisme réactionnel : description détaillée, à l'échelle moléculaire et étape par étape, des processus de transformation des réactifs en produits.

Molalité : nombre de moles de soluté par kilogramme de solvant.

Nombre d'oxydation : nombre indiquant la charge (souvent fictive) portée par un atome dans une espèce chimique.

Non-électrolyte : substance chimique dont les solutions aqueuses ne conduisent pas le courant électrique et qui ne forme pas d'ions en solution.

Normalité : nombre d'équivalents de soluté par volume de solution en litres.

Ordre d'une réaction : valeur expérimentale de l'exposant qui affecte la concentration d'un réactif dans la loi de vitesse.

Osmose : passage des molécules d'un solvant pur ou d'une solution diluée vers une solution plus concentrée, à travers une membrane semi-perméable.

Osmose inverse : phénomène inverse de l'osmose dû à l'application d'une pression supérieure à la pression osmotique du côté de la solution la plus concentrée.

Oxacide : acide dont la formule renferme un ou plusieurs atomes d'oxygène.

Oxydant : substance renfermant un élément dont le nombre d'oxydation diminue dans une réaction d'oxydoréduction; c'est l'accepteur d'électrons.

Oxydation : réaction chimique au cours de laquelle une espèce chimique cède un ou plusieurs électrons.

Oxydoréduction : réaction chimique de transfert d'un ou de plusieurs électrons; elle met simultanément en jeu une oxydation et une réduction.

Parties par milliard : rapport entre le nombre de particules de soluté et un milliard de particules de solution; il correspond aussi à la masse de soluté en microgramme par litre de solution.

Parties par million : rapport entre le nombre de particules de soluté et un million de particules de solution; il correspond aussi à la masse de soluté en milligramme par litre de solution.

Peptisation : désintégration d'un matériau en particules de dimension colloïdale sous l'action d'un solvant.

pH : logarithme décimal négatif de la concentration des ions hydronium, H_3O^+ (ou H^+), d'une solution aqueuse; $pH = -\log [H_3O^+]$.

Pile à combustible : pile électrochimique dont l'alimentation en combustibles (oxydant et réducteur) est continue.

Pile de concentration : pile électrochimique formée des mêmes composants, mais dont le potentiel est engendré par la différence de leurs concentrations d'un compartiment à l'autre.

Pile électrochimique : dispositif qui convertit l'énergie chimique d'une réaction d'oxydoréduction en énergie électrique.

Pile primaire : pile électrochimique qui produit du courant électrique à partir d'une réaction d'oxydoréduction, mais qui ne peut faire l'inverse; elle n'est pas rechargeable.

Pile secondaire : pile électrochimique qui produit du courant électrique à partir d'une réaction d'oxydoréduction réversible; elle est rechargeable.

Point d'équivalence : moment, lors d'un titrage, où une certaine quantité de base neutralise exactement une quantité stœchiométrique d'acide (la quantité de base est équivalente à celle d'acide).

Polyacide : acide libérant plus d'un hydrogène acide par dissociations successives.

Position d'équilibre : différentes combinaisons de concentrations qui donnent la constante d'équilibre. La valeur de la constante, pour un système à l'équilibre, peut indiquer si ce sont surtout les produits ou surtout les réactifs qui sont favorisés.

Potentiel standard d'électrode : potentiel d'une demi-réaction d'oxydation ou de réduction dans les conditions standard (298 K; 101,3 kPa; 1,00 mol/L), mesuré par rapport à l'électrode standard d'hydrogène.

Pourcentage masse/volume : rapport, multiplié par 100, entre la masse d'un soluté et le volume de la solution.

Pourcentage massique : rapport, multiplié par 100, entre la masse d'un soluté et celle de la solution.

Pourcentage molaire : rapport, multiplié par 100, entre le nombre de moles d'un soluté et le nombre total de moles formant une solution (fraction molaire multipliée par 100).

Pourcentage volumique : rapport, multiplié par 100, entre le volume d'un soluté et celui de la solution.

Pouvoir tampon : quantité maximale d'un acide ou d'une base pouvant être ajoutée à une solution tampon avant qu'elle ne perde sa capacité de maintenir le pH.

Pression de vapeur : pression exercée par la vapeur au-dessus d'un liquide lorsque les deux phases sont en équilibre.

Pression osmotique : pression qu'il faut exercer sur une solution pour que s'arrête le passage du solvant vers la solution, à travers une membrane semi-perméable.

Principe de Le Chatelier : principe selon lequel « un système à l'équilibre qui subit un changement de concentration, de température ou de pression réagit dans la direction qui permet de rétablir les conditions initiales ».

Processus bimoléculaire : processus élémentaire d'un mécanisme réactionnel impliquant la collision de deux molécules.

Processus élémentaire : réaction simple représentant une seule étape dans un mécanisme réactionnel, à partir duquel est déduite directement une équation de vitesse.

Processus unimoléculaire : processus élémentaire d'un mécanisme réactionnel dans lequel une seule molécule se dissocie.

Produit de solubilité : constante d'équilibre d'un sel peu soluble, égale au produit des concentrations molaires volumiques des ions d'une solution saturée, chaque concentration étant élevée à la puissance correspondant au nombre d'ions formés selon l'équation équilibrée.

Produit intermédiaire : espèce chimique d'un processus élémentaire, qui sert de réactif dans un second processus et qui ne figure pas dans l'équation globale.

Produit ionique : produit des concentrations initiales des ions d'une solution dans l'expression du produit de solubilité.

Propriétés colligatives : propriétés d'une solution qui dépendent uniquement de la concentration de la solution et non de la nature du soluté.

Quotient réactionnel : expression similaire à la constante d'équilibre, mais qui fait intervenir les concentrations initiales avant l'atteinte de l'équilibre.

Réducteur : substance renfermant un élément dont le nombre d'oxydation augmente dans une réaction d'oxydoréduction; c'est le donneur d'électrons.

Réduction : réaction chimique au cours de laquelle une espèce chimique capte un ou plusieurs électrons.

Sel : composé résultant de la combinaison de l'anion de l'acide et du cation de la base lors d'une réaction de neutralisation acido-basique.

Solubilité : quantité maximale de soluté pouvant être dissoute pour former une solution saturée à une température donnée.

Solubilité molaire : concentration molaire volumique (molarité) d'un soluté dans une solution saturée.

Solution : mélange homogène de deux ou plusieurs substances; la substance dispersée, généralement en plus petite quantité, forme le **soluté**, et la substance dispersante constitue le **solvant**, lequel détermine l'état physique de la solution.

Solution acide : solution dont la concentration en ions H_3O^+ (ou H^+) est supérieure à celle des ions OH^-; à 25 °C, cette concentration en ions H_3O^+ (ou H^+) est supérieure à $1,00 \times 10^{-7}$ mol/L ou le pH est inférieur à 7.

Solution basique : solution dont la concentration en ions H_3O^+ (ou H^+) est inférieure à celle des ions OH^-; à 25 °C, cette concentration en ions H_3O^+ (ou H^+) est inférieure à $1,00 \times 10^{-7}$ mol/L ou le pH est supérieur à 7.

Solution idéale : solution au sein de laquelle les forces entre les particules du soluté et les molécules de solvant sont identiques.

Solution isotonique : solution qui possède la même pression osmotique ou la même concentration qu'une autre solution.

Solution neutre : solution dont la concentration en ions H_3O^+ (ou H^+) est égale à celle des ions OH^-; à 25 °C, ces concentrations sont égales à $1,00 \times 10^{-7}$ mol/L ou le pH est égal à 7.

Solution non saturée : solution contenant moins de soluté que la quantité maximale pour une température donnée.

Solution saturée : solution contenant la quantité maximale de soluté pour une température donnée.

Solution sursaturée : solution contenant plus de soluté que la quantité maximale pour une température donnée.

Solution tampon : solution formée d'un acide faible (ou d'une base faible) et du sel de l'acide faible (ou de la base faible), et capable de résister à l'ajout de petites quantités d'acides ou de bases.

Substance organique : composé dont la molécule contient un ou plusieurs atomes de carbone et, presque toujours, des atomes d'hydrogène; les autres éléments qui peuvent être présents sont, en ordre décroissant, l'oxygène, l'azote, les halogènes, le soufre et le phosphore.

Titrage : analyse quantitative de la concentration d'une solution par réaction avec une autre solution de concentration connue, fondée sur la mesure des volumes en jeu.

Variation de *n* : changement du nombre de moles de gaz quand on lit l'équation à l'équilibre, de gauche à droite.

Vitesse de réaction : taux de variation de la concentration d'un réactif ou d'un produit pour un intervalle de temps donné.

Vitesse initiale de réaction : vitesse d'une réaction chimique à son tout début, au moment où les réactifs sont mélangés.

Vitesse instantanée : vitesse d'une réaction en un temps déterminé; sur la courbe du graphique de la concentration en fonction du temps, elle correspond, pour ce moment, à la pente de la tangente à la courbe.

CRÉDITS PHOTOGRAPHIQUES

CHAPITRE 1

p. 2, Clément Morin; p. 4, 6 et 7, Anne-Marie Lorain; p. 11, E.F. Smith Collection, University of Pennsylvania Library; p. 14, Anne-Marie Lorain; p. 17, SRI Instruments; p. 18 et 19, Anne-Marie Lorain; p. 22, Hélène Décoste; p. 31, Hydro-Québec.

CHAPITRE 2

p. 43, *La Presse*; p. 45 (terrarium), Jardin botanique de Montréal; p. 45 (station-service) et 53, Ultramar; p. 54, Anne-Marie Lorain; p. 56, Kluane National Park; p. 58, Hélène Décoste; p. 59, Musée de la civilisation, *sorbetière*, n° 77-508; p. 62 (membrane), CNRC/IRB; p. 62 (concentration), Association des acériculteurs du Québec; p. 63, Hélène Décoste; p. 68, E.F. Smith Collection, University of Pennsylvania Library.

CHAPITRE 3

p. 75 (Brasserie Dieu du Ciel) et 87, Anne-Marie Lorain; p. 100, La Ronde, membre du groupe Six Flags; p. 101, Hélène Décoste; p. 102, E.F. Smith Collection, University of Pennsylvania Library; p. 103, Hélène Décoste; p. 107, E.F. Smith Collection, University of Pennsylvania Library; p. 108, Hélène Décoste; p. 109, General Motors.

CHAPITRE 4

p. 119, Devco; p. 121 (figure 4.1), Anne-Marie Lorain; p. 125, U.S. Geological Survey; p. 133, Donald Smith, McGill University; p. 135, E.F. Smith Collection, University of Pennsylvania Library; p. 138, Anne-Marie Lorain; p. 139 et 142, Hélène Décoste.

CHAPITRE 5

p. 161 (Boutique Céline) et 163, Anne-Marie Lorain; p. 165, E.F. Smith Collection, University of Pennsylvania Library; p. 167 (Archives nationales), Hélène Décoste; p. 169 (G.N. Lewis), E.F. Smith Collection, University of Pennsylvania Library; p. 170, Hélène Décoste; p. 171, Peter Collins Design; p. 176, Hélène Décoste; p. 181 (S.P. Sørensen), E.F. Smith Collection, University of Pennsylvania Library; p. 181 (pH-mètre), Anne-Marie Lorain; p. 184, Hélène Décoste; p. 187, Anne-Marie Lorain; p. 188, Hélène Décoste.

CHAPITRE 6

p. 209, Christian Sabourin; p. 211, Charcuterie La Tour Eiffel; p. 217, Hélène Décoste; p. 224, *La Presse*; p. 228, 232 et 233 (papier tournesol), Anne-Marie Lorain; p. 237, Hélène Décoste.

CHAPITRE 7

p. 253, NOAA; p. 256, Hélène Décoste; p. 259 (sulfate de baryum), E-Z-EM inc.; p. 264 et 267, Anne-Marie Lorain.

CHAPITRE 8

p. 279, Alcan; p. 287, *La Presse*; p. 289, Hélène Décoste; p. 292 (figure 8.1), Anne-Marie Lorain; p. 295, Stéphane Brunet; p. 296 (figure 8.2), Anne-Marie Lorain; p. 299, Hélène Décoste; p. 303, E.F. Smith Collection, University of Pennsylvania Library; p. 304, Hélène Décoste; p. 309, Anne-Marie Lorain; p. 312, Daimler Chrysler; p. 313, Hélène Décoste; p. 315, E.F. Smith Collection, University of Pennsylvania Library.

INDEX

Q

R

S

T

V

W

LETTRES DE L'ALPHABET GREC SOUVENT UTILISÉES EN CHIMIE

Lettre	Symbole	Lettre	Symbole
Alpha	α	Nu	ν
Bêta	β	Pi	π
Gamma	γ	Rhô	ρ
Delta (minuscule)	δ	Sigma (minuscule)	σ
Delta (majuscule)	Δ	Sigma (majuscule)	Σ
Lambda	λ	Psi	ψ
Mu	μ	Thêta	θ

UNITÉS DE BASE DU SYSTÈME INTERNATIONAL DES UNITÉS

Grandeur	Unité	Symbole
Longueur	mètre	m
Masse	kilogramme	kg
Temps	seconde	s
Intensité électrique	ampère	A
Température thermodynamique	kelvin	K
Quantité de matière	mole	mol
Intensité lumineuse	candela	cd

CONSTANTES PHYSIQUES

Constante	Symbole	Valeur
Charge élémentaire	e	$1{,}602\ 177\ 33 \times 10^{-19}$ C
Constante de Faraday	F	96 485,309 $C \cdot mol^{-1}$
Constante de Planck	h	$6{,}626\ 0755\ 5 \times 10^{-34}$ J·s
Constante de Rydberg	R_{∞}	$1{,}097\ 373\ 153\ 4 \times 10^{7}$ m^{-1}
Constante des gaz	R	8,314 510 $L \cdot kPa \cdot mol^{-1} \cdot K^{-1}$
Masse de l'électron	m_e	$9{,}109\ 389\ 7 \times 10^{-31}$ kg
Masse du neutron	m_n	$1{,}674\ 928\ 6 \times 10^{-27}$ kg
Masse du proton	m_p	$1{,}672\ 623\ 1 \times 10^{-27}$ kg
Nombre d'Avogadro	N_A	$6{,}022\ 136\ 7 \times 10^{23}$ mol^{-1}
Unité de masse atomique	u	$1{,}660\ 540\ 2 \times 10^{-27}$ kg
Vitesse de la lumière	c	$2{,}997\ 924\ 58 \times 10^{8}$ $m \cdot s^{-1}$

LISTE DES TABLEAUX LES PLUS UTILES

ÉLECTRONÉGATIVITÉ DES ÉLÉMENTS DES CINQ PREMIÈRES PÉRIODES

H 2,1							
Li 1,0	Be 1,5		B 1,9	C 2,5	N 3,0	O 3,5	F 4,0
Na 0,9	Mg 1,2		Al 1,5	Si 1,8	P 2,1	S 2,5	Cl 3,0
K 0,8	Ca 1,0	Sc – Zn 1,3 à 1,9 (variations irrégulières)	Ga 1,6	Ge 1,8	As 2,0	Se 2,4	Br 2,8
Rb 0,8	Sr 1,0	Y – Cd 1,2 à 2,2 (variations irrégulières)	In 1,7	Sn 1,8	Sb 1,9	Te 2,1	I 2,5

PRESSION DE VAPEUR DE L'EAU POUR DES TEMPÉRATURES COMPRISES ENTRE 0 °C ET 100 °C

Température (°C)	Pression (kPa)	Température (°C)	Pression (kPa)	Température (°C)	Pression (kPa)
0	0,61129	34	5,3229	68	28,576
1	0,65716	35	5,6267	69	29,852
2	0,70605	36	5,9453	70	31,176
3	0,75813	37	6,2795	71	32,549
4	0,81359	38	6,6298	72	33,972
5	0,87260	39	6,9969	73	35,448
6	0,93537	40	7,3814	74	36,978
7	1,0021	41	7,7840	75	38,563
8	1,0730	42	8,2054	76	40,205
9	1,1482	43	8,6463	77	41,905
10	1,2281	44	9,1075	78	43,665
11	1,3129	45	9,5898	79	45,487
12	1,4027	46	10,094	80	47,373
13	1,4979	47	10,620	81	49,324
14	1,5988	48	11,171	82	51,342
15	1,7056	49	11,745	83	53,428
16	1,8185	50	12,344	84	55,585
17	1,9380	51	12,970	85	57,815
18	2,0644	52	13,623	86	60,119
19	2,1978	53	14,303	87	62,499
20	2,3388	54	15,012	88	64,958
21	2,4877	55	15,752	89	67,496
22	2,6447	56	16,522	90	70,117
23	2,8104	57	17,324	91	72,823
24	2,9850	58	18,159	92	75,614
25	3,1690	59	19,028	93	78,494
26	3,3629	60	19,932	94	81,465
27	3,5670	61	20,873	95	84,529
28	3,7818	62	21,851	96	87,688
29	4,0078	63	22,868	97	90,945
30	4,2455	64	23,925	98	94,301
31	4,4953	65	25,022	99	97,759
32	4,7578	66	26,163	100	101,32
33	5,0335	67	27,347		

CONSTANTES D'ACIDITÉ ET DE BASICITÉ D'ESPÈCES CHIMIQUES EN SOLUTION À 25 °C

Nom de l'acide	Formule	K_a	pK_a	Nom de la base	Formule	K_b	pK_b
Acide trichloroacétique	CCl_3COOH	$2,0 \times 10^{-1}$	0,70	Ion trichloroacétate	CCl_3COO^-	$5,0 \times 10^{-14}$	13,30
Acide chromique	H_2CrO_4	$1,8 \times 10^{-1}$	0,74	Ion hydrogénochromate	$HCrO_4^-$	$5,5 \times 10^{-14}$	13,26
Acide oxalique	$H_2C_2O_4$	$5,9 \times 10^{-2}$	1,23	Ion hydrogénooxalate	$HC_2O_4^-$	$1,7 \times 10^{-13}$	12,77
Acide dichloroacétique	$CHCl_2COOH$	$3,3 \times 10^{-2}$	1,48	Ion dichloroacétate	$CHCl_2COO^-$	$3,0 \times 10^{-13}$	12,52
Acide sulfureux	H_2SO_3	$1,4 \times 10^{-2}$	1,85	Ion hydrogénosulfite	HSO_3^-	$7,1 \times 10^{-13}$	12,15
Acide chloreux	$HClO_2$	$1,2 \times 10^{-2}$	1,92	Ion chlorite	ClO_2^-	$8,3 \times 10^{-13}$	12,08
Ion hydrogénosulfate	HSO_4^-	$1,1 \times 10^{-2}$	1,96	Ion sulfate	SO_4^{2-}	$9,1 \times 10^{-13}$	12,04
Acide phosphorique	H_3PO_4	$6,9 \times 10^{-3}$	2,16	Ion dihydrogénophosphate	$H_2PO_4^-$	$1,5 \times 10^{-12}$	11,84
Acide chloroacétique	$CH_2ClCOOH$	$1,4 \times 10^{-3}$	2,85	Ion chloroacétate	CH_2ClCOO^-	$7,1 \times 10^{-12}$	11,15
Acide fluorhydrique	HF	$6,3 \times 10^{-4}$	3,20	Ion fluorure	F^-	$1,6 \times 10^{-11}$	10,80
Acide nitreux	HNO_2	$5,6 \times 10^{-4}$	3,25	Ion nitrite	NO_2^-	$1,8 \times 10^{-11}$	10,75
Acide formique	$HCOOH$	$1,8 \times 10^{-4}$	3,75	Ion formiate	$HCOO^-$	$5,6 \times 10^{-11}$	10,25
Acide benzoïque	C_6H_5COOH	$6,5 \times 10^{-5}$	4,19	Ion benzoate	$C_6H_5COO^-$	$1,6 \times 10^{-10}$	9,81
Ion hydrogénooxalate	$HC_2O_4^-$	$6,5 \times 10^{-5}$	4,19	Ion oxalate	$C_2O_4^{2-}$	$1,6 \times 10^{-10}$	9,81
Ion anilinium	$C_6H_5NH_3^+$	$2,3 \times 10^{-5}$	4,63	Aniline	$C_6H_5NH_2$	$4,3 \times 10^{-10}$	9,37
Acide acétique	CH_3COOH	$1,8 \times 10^{-5}$	4,74	Ion acétate	CH_3COO^-	$5,5 \times 10^{-10}$	9,26
Ion pyridinium	$C_5H_5NH^+$	$5,6 \times 10^{-6}$	5,25	Pyridine	C_5H_5N	$1,8 \times 10^{-9}$	8,75
Ion hydroxylammonium	$HONH_3^+$	$1,2 \times 10^{-6}$	5,94	Hydroxylamine	$HONH_2$	$8,7 \times 10^{-9}$	8,06
Acide carbonique	H_2CO_3	$4,5 \times 10^{-7}$	6,35	Ion hydrogénocarbonate	HCO_3^-	$2,2 \times 10^{-8}$	7,65
Ion hydrogénochromate	$HCrO_4^-$	$3,2 \times 10^{-7}$	6,49	Ion chromate	CrO_4^{2-}	$3,1 \times 10^{-8}$	7,51
Acide sulfhydrique	H_2S	$8,9 \times 10^{-8}$	7,05	Ion hydrogénosulfure	HS^-	$1,1 \times 10^{-7}$	6,95
Ion hydrogénosulfite	HSO_3^-	$6,3 \times 10^{-8}$	7,20	Ion sulfite	SO_3^{2-}	$1,6 \times 10^{-7}$	6,80
Ion dihydrogénophosphate	$H_2PO_4^-$	$6,2 \times 10^{-8}$	7,21	Ion hydrogénophosphate	HPO_4^{2-}	$1,6 \times 10^{-7}$	6,79
Acide hypochloreux	$HClO$	$4,0 \times 10^{-8}$	7,40	Ion chlorite	ClO^-	$2,5 \times 10^{-7}$	6,60
Acide cyanhydrique	HCN	$6,2 \times 10^{-10}$	9,21	Ion cyanure	CN^-	$1,6 \times 10^{-5}$	4,79
Ion ammonium	NH_4^+	$5,6 \times 10^{-10}$	9,25	Ammoniac	NH_3	$1,8 \times 10^{-5}$	4,75
Ion triméthylammonium	$(CH_3)_3NH^+$	$1,6 \times 10^{-10}$	9,80	Triméthylamine	$(CH_3)_3N$	$6,3 \times 10^{-5}$	4,20
Phénol	C_6H_5OH	$1,3 \times 10^{-10}$	9,89	Ion phénolate	$C_6H_5O^-$	$7,8 \times 10^{-5}$	4,11
Ion hydrogénocarbonate	HCO_3^-	$4,7 \times 10^{-11}$	10,33	Ion carbonate	CO_3^{2-}	$2,1 \times 10^{-4}$	3,67
Ion méthylammonium	$CH_3NH_3^+$	$2,3 \times 10^{-11}$	10,63	Méthylamine	CH_3NH_2	$4,3 \times 10^{-4}$	3,37
Ion diméthylammonium	$(CH_3)_2NH_2^+$	$2,1 \times 10^{-11}$	10,68	Diméthylamine	$(CH_3)_2NH$	$4,8 \times 10^{-4}$	3,32
Ion éthylammonium	$CH_3CH_2NH_3^+$	$2,0 \times 10^{-11}$	10,70	Éthylamine	$CH_3CH_2NH_2$	$5,0 \times 10^{-4}$	3,30
Ion hydrogénophosphate	HPO_4^{2-}	$4,8 \times 10^{-13}$	12,32	Ion phosphate	PO_4^{3-}	$2,1 \times 10^{-2}$	1,68
Ion hydrogénosulfure	HS^-	$2,1 \times 10^{-20}$	19,68	Ion sulfure	S^{2-}	1×10^{5}	–5

LISTE ALPHABÉTIQUE DES ÉLÉMENTS DU TABLEAU PÉRIODIQUE

Nom de l'élément	Symbole chimique	Numéro atomique	Masse atomique	Nom de l'élément	Symbole chimique	Numéro atomique	Masse atomique
Actinium	Ac	89	[227]	Molybdène	Mo	42	95,94
Aluminium	Al	13	26,981538	Néodyme	Nd	60	144,24
Américium	Am	95	[243]	Néon	Ne	10	20,1797
Antimoine	Sb	51	121,760	Neptunium	Np	93	[237]
Argent	Ag	47	107,8682	Nickel	Ni	28	58,6934
Argon	Ar	18	39,948	Niobium	Nb	41	92,90638
Arsenic	As	33	74,92160	Nobélium	No	102	[259]
Astate	At	85	[210]	Or	Au	79	196,96655
Azote	N	7	14,0067	Osmium	Os	76	190,23
Baryum	Ba	56	137,327	Oxygène	O	8	15,9994
Berkélium	Bk	97	[247]	Palladium	Pd	46	106,42
Béryllium	Be	4	9,012182	Phosphore	P	15	30,973761
Bismuth	Bi	83	208,98038	Platine	Pt	78	195,078
Bohrium	Bh	107	[264]	Plomb	Pb	82	207,2
Bore	B	5	10,811	Plutonium	Pu	94	[244]
Brome	Br	35	79,904	Polonium	Po	84	[209]
Cadmium	Cd	48	112,411	Potassium	K	19	39,0983
Calcium	Ca	20	40,078	Praséodyme	Pr	59	140,90765
Californium	Cf	98	[251]	Prométhium	Pm	61	[145]
Carbone	C	6	12,0107	Protactinium	Pa	91	231,03588
Cérium	Ce	58	140,116	Radium	Ra	88	[226]
Césium	Cs	55	132,90545	Radon	Rn	86	[222]
Chlore	Cl	17	35,453	Rhénium	Re	75	186,207
Chrome	Cr	24	51,9961	Rhodium	Rh	45	102,90550
Cobalt	Co	27	58,933200	Rubidium	Rb	37	85,4678
Cuivre	Cu	29	63,546	Ruthénium	Ru	44	101,07
Curium	Cm	96	[247]	Rutherfordium	Rf	104	[261]
Dubnium	Db	105	[262]	Samarium	Sm	62	150,36
Dysprosium	Dy	66	162,50	Scandium	Sc	21	44,955910
Einsteinium	Es	99	[252]	Seaborgium	Sg	106	[266]
Erbium	Er	68	167,259	Sélénium	Se	34	78,96
Étain	Sn	50	118,710	Silicium	Si	14	28,0855
Europium	Eu	63	151,964	Sodium	Na	11	22,989770
Fer	Fe	26	55,845	Soufre	S	16	32,065
Fermium	Fm	100	[257]	Strontium	Sr	38	87,62
Fluor	F	9	18,9984032	Tantale	Ta	73	180,9479
Francium	Fr	87	[223]	Technétium	Tc	43	[98]
Gadolinium	Gd	64	157,25	Tellure	Te	52	127,60
Gallium	Ga	31	69,723	Terbium	Tb	65	158,92534
Germanium	Ge	32	72,64	Thallium	Tl	81	204,3833
Hafnium	Hf	72	178,49	Thorium	Th	90	232,0381
Hassium	Hs	108	[277]	Thulium	Tm	69	168,93421
Hélium	He	2	4,002602	Titane	Ti	22	47,867
Holmium	Ho	67	164,93032	Tungstène	W	74	183,84
Hydrogène	H	1	1,00794	Ununbium	Uub	112	[285]
Indium	In	49	114,818	Ununhexium	Uuh	116	
Iode	I	53	126,90447	Ununnulium	Uun	110	[281]
Iridium	Ir	77	192,217	Ununoctium	Uuo	118	
Krypton	Kr	36	83,80	Unuquadium	Uuq	114	[289]
Lanthane	La	57	138,9055	Unununium	Uuu	111	[272]
Lawrencium	Lr	103	[262]	Uranium	U	92	238,02891
Lithium	Li	3	6,941	Vanadium	V	23	50,9415
Lutétium	Lu	71	174,967	Xénon	Xe	54	131,293
Magnésium	Mg	12	24,3050	Ytterbium	Yb	70	173,04
Manganèse	Mn	25	54,938049	Yttrium	Y	39	88,90585
Meitnerium	Mt	109	[268]	Zinc	Zn	30	65,39
Mendélévium	Md	101	[258]	Zirconium	Zr	40	91,224
Mercure	Hg	80	200,59				

La valeur entre crochets correspond au nombre de masse de l'isotope le plus stable.

TABLEAU PÉRIODIQUE DES ÉLÉMENTS

1	2	3	4	5	6	7	8	9	10	11	12	13	14	15	16	17	18
1 H 1,008																	2 He 4,003
3 Li 6,941	4 Be 9,012											5 B 10,81	6 C 12,01	7 N 14,01	8 O 16,00	9 F 19,00	10 Ne 20,18
11 Na 22,99	12 Mg 24,31											13 Al 26,98	14 Si 28,09	15 P 30,97	16 S 32,07	17 Cl 35,45	18 Ar 39,95
19 K 39,10	20 Ca 40,08	21 Sc 44,96	22 Ti 47,87	23 V 50,94	24 Cr 52,00	25 Mn 54,94	26 Fe 55,85	27 Co 58,93	28 Ni 58,69	29 Cu 63,55	30 Zn 65,41	31 Ga 69,72	32 Ge 72,64	33 As 74,92	34 Se 78,96	35 Br 79,90	36 Kr 83,80
37 Rb 85,47	38 Sr 87,62	39 Y 88,91	40 Zr 91,22	41 Nb 92,91	42 Mo 95,94	43 Tc [98]	44 Ru 101,1	45 Rh 102,9	46 Pd 106,4	47 Ag 107,9	48 Cd 112,4	49 In 114,8	50 Sn 118,7	51 Sb 121,8	52 Te 127,6	53 I 126,9	54 Xe 131,3
55 Cs 132,9	56 Ba 137,3	57 La 138,9	72 Hf 178,5	73 Ta 180,9	74 W 183,8	75 Re 186,2	76 Os 190,2	77 Ir 192,2	78 Pt 195,1	79 Au 197,0	80 Hg 200,6	81 Tl 204,4	82 Pb 207,2	83 Bi 209,0	84 Po [209]	85 At [210]	86 Rn [222]
87 Fr [223]	88 Ra [226]	89 Ac [227]	104 Rf [261]	105 Db [262]	106 Sg [266]	107 Bh [264]	108 Hs [277]	109 Mt [268]	110 Uun [281]	111 Uuu [272]	112 Uub [285]		114 Uuq [289]		116 Uuh [292]		118 Uuo

Lanthanides	58 Ce 140,1	59 Pr 140,9	60 Nd 144,2	61 Pm [145]	62 Sm 150,4	63 Eu 152,0	64 Gd 157,3	65 Tb 158,9	66 Dy 162,5	67 Ho 164,9	68 Er 167,3	69 Tm 168,9	70 Yb 173,0	71 Lu 175,0
Actinides	90 Th 232,0	91 Pa 231,0	92 U 238,0	93 Np [237]	94 Pu [244]	95 Am [243]	96 Cm [247]	97 Bk [247]	98 Cf [251]	99 Es [252]	100 Fm [257]	101 Md [258]	102 No [259]	103 Lr [262]

La valeur entre crochets correspond au nombre de masse de l'isotope le plus stable.